PRISMAS
lilla
engelska
ordbok

Y0-BQY-344

INNEHÅLL

©1974, 1977, 1997 Norstedts Ordbok (Eva Gomer,
Gösta Åberg och Rabén Prisma)
(Tidigare utgiven med ISBN 91-7227-101-9)
Omslag av Inge-Britt Smedmark
***
ISBN 91-7227-256-2
Tryckt och bunden av Rotolito Lombarda, Italien 2004

www.prismasordbocker.com

Prismas ordböcker ingår i
P.A. Norstedt & Söner AB,
grundat 1823

FÖRORD

Att komma in i ett nytt språk kan vara ganska besvärligt. Språk är nyckeln till främmande kulturer, och även med en liten ordbok har man en möjlighet att hjälpligt förstå vad det står på en skylt, i en broschyr eller vad någon säger.

Prismas **Lilla Engelska Ordbok** är främst utarbetad med tanke på resenären, men den fungerar även utmärkt för nybörjaren, som kan använda den i sina studier. Bokens uppläggning är den enklaste möjliga för att läsaren snabbt ska kunna hitta ord och fraser, ljudskriftens specialtecken är endast ett fåtal. En extra finess som inte finns i andra språklexikon är *uttal även i den svensk-engelska delen*.

Ordmaterialet speglar språket av i dag. En kortfattad grammatik ger en första vägledning i språkets uppbyggnad, och en parlör med färdiga fraser finns att tillgå.

Läs de korta anvisningarna nedan för att få största möjliga behållning av ordboken. Och använd den och avslöja språkets mysterier!

Ordboksredaktionen

ANVISNINGAR

Uppslagsorden anges i alfabetisk ordning (ex. **tin loaf, tinned, tin-opener**). Ord med stor begynnelsebokstav placeras före ord med liten (ex. **China** Kina, **china** porslin).

Uppslagsord som består av olika ordklasser skiljs åt med siffror (ex. **sleep 1** *v.* sova **2** *s.* sömn).

Parenteser används dels för kompletterande förklaringar (ex. **frosting** glasyr (*på tårta*)), dels för alternativa ord och fraser (ex. **time** *have time* ha (få) tid). Raka parenteser används dels kring ljudskriften, dels för att markera ord eller delar av ord som kan utelämnas (ex. **tile** kakel[platta])

Förkortningar

adj. adjektiv
adv. adverb
Am. amerikansk engelska
a p. a person
astron. astronomi
bildl. bildligt
biol. biologi
bot. botanik
data. datateknik
e.d. eller dylikt
ekon. ekonomi
el. eller
elektr. elektronik
etc. etcetera
foto. fotografering
fys. fysik
förk. förkortning

geol. geologi
hand. handel
hjälpv. hjälpverb
huvudv. huvudverb
imperf. imperfektum
interj. interjektion
jfr. jämför
jur. juridik
kem. kemi
kokk. kokkonst
koll. kollektivt
konj. konjunktion
konst. konstvetenskap
litt. litterär
m. med
mat. matematik
med. medicin
mil. militärt

mus. musik
neds. nedsättande
ngn någon
ngt något, någonting
o. och
o.d. och dylikt
o.s. oneself
perf. part. perfekt participium
pers. person, personlig
pl pluralis
polit. politik
prep. preposition
pron. pronomen
räkn. räkneord
s.b. somebody

sg singularis	*s.th.* something	*v.* verb
sht synnerhet	*s.* substantiv	*vulg.* vulgärt
sjö. sjöfart	*t.* till	*zool.* zoologi
sl. slang	*tekn.* teknik	*åld.* ålderdomlig
s.o. someone	*ung.* ungefär	*äv.* även
sport. sportterm	*vard.* vardagligt	

Uttal och ljudskrift

Ljudskriften som används i den här ordboken är avsedd att vara ett enkelt och praktiskt stöd för uttalet, och gör inga anspråk på att vara en komplett fonetisk transkription. Vi har utgått ifrån de vanliga svenska språkljuden och kompletterat med ett fåtal specialtecken för de engelska ljud som inte har någon motsvarighet i svenskan.

Huvudregel

Uttala som om ljudskriften vore ett svenskt ord. Observera att k alltid uttalas som i kall, inte som i källa (ex. **cannibal** [känn'ibəl]). I tvåstaviga ord har engelskan alltid akut accent som i svenska an´den (fågeln), inte grav accent som i svenska an`den (av ande).

lång vokal anges med kolon (:) (ex. **call** [kå:l]).

betoningen anges med accent (') efter den betonade vokalen om denna är lång (ex. **secret** [si:'krit])

och efter följande (dubbelskrivna) konsonant om vokalen är kort (ex. **pity** [pitt'i])

I synnerhet i den svensk-engelska delen används dessa accenter för att ange rekommenderade betoningspunkter i fraser och uttryck. Alltså uttalas 20 som [twenn'ti] och 21 som [twentiwann'].

Särskilda tecken

ə	kort ö-liknande ljud	*after* [a:'ftə]
ə:	långt ö-liknande ljud	*service* [sə:'vis]
θ	tonlöst läspljud	*thing* [θing]
ð	tonande läspljud	*the* [ðə]
ʃ	tonlöst sje-ljud	*fish* [fiʃ]
t+ʃ	tonlöst sje-ljud	*child* [tʃajld]
ʒ	tonande sje-ljud	*measure* [meʒ'ə]
d+ʒ	tonande sje-ljud	*juice* [dʒo:s]
w	konsonantliknande o-ljud	*way* [wej], *one* [wann]

Obs! Vokalljudet i love, cup etc., som i regel återges med tecknet ʌ, har något oegentligt återgivits med a, alltså [lavv], [kapp], detta för att så långt det över huvud taget är möjligt underlätta användningen av uttalsbeteckningarna.

ENGELSK-SVENSKA DELEN

a

A, a [ej] *(bokstav o. ton)* A, a

a [ə] *(framför vokalljud:* **an** [änn, ən]) en, ett; *twice a day* två gånger om dagen

aback [əbäkk'] *be taken aback* häpna

abandon [əbänn'dən] överge; prisge

abandoned [əbänn'dənd] övergiven

abate [əbej't] minska, lindra

abbey [äbb'i] kloster *(kyrka)*

abbreviate [əbri:'viejt] förkorta

abdomen [äbb'dəmən] buk

abduct [äbdakk't] bortföra, enlevera

abet [əbett'] underblåsa

abhor [əbhå:'] avsky

abide [əbaj'd] dröja; förbli; *abide by* stå fast vid

ability [əbill'iti] förmåga, duglighet

abject [äbb'dʒekt] eländig; undergiven

abjure [əbdʒʊ'ə] avsvärja [sig]

ablaze [əblej'z] i brand

able [ej'bl] duglig, skicklig; *be able to* kunna; *able to swim* [ejbl tə swimm] simkunnig

abnormal [äbnå:'məl] onormal, abnorm

aboard [əbå:'d] ombord

abolish [əbåll'iʃ] avskaffa, slopa

abolition [äbəliʃ'ən] avskaffande, slopande

abominable [əbåmm'inəbl] avskyvärd

aboriginal [äbəri'dʒinəl] urinvånare

abortion [əbå:'ʃən] abort, missfall

abortive [əbå:'tiv] misslyckad

abound [əbao'nd] finnas i överflöd; *abound with* vimla av

about [əbao't] om, omkring; ungefär

above [əbavv'] ovanför; *it's one degree above zero* det är 1 grad plus; *above all* framför allt

abreast [əbress't] jämsides, i höjd med

abridge [əbri'dʒ] förkorta

abroad [əbrå:'d] utomlands; *from abroad* från utlandet

abrupt [əbrapp't] abrupt, brådstörtad, burdus

abscess [äbb'ses] böld

abscond [əbskånn'd] avvika, rymma

absence [äbb'səns] frånvaro

absent [äbb'sənt] frånvarande

absentee [äbsənti:'] frånvarande

absent-minded [äbb'səntmaj'ndid] tankspridd

absolute [äbb'səlo:t] absolut; oinskränkt

absolutely [äbb'səlo:tli] absolut, ovillkorligen

absolve [əbzåll'v] frikänna

absorb [əbså:'b] absorbera

abstain [əbstej'n] avstå, avhålla sig

abstainer [əbstej'nə] absolutist; *total abstainer* helnykterist

abstinence [äbb'stinəns] avhållsamhet; fastande

abstract [äbb'sträkt] abstrakt

absurd [əbsə:'d] orimlig, befängd, absurd

abundance [əbann'dəns] överflöd

abundant [əbann'dənt] riklig, ymnig

abuse 1 *s.* [əbjo:'s] missbruk; smädelse **2** *v.* [əbjo:'z] missbruka; smäda

abyss [əbiss'] avgrund

Abyssinian [äbisinn'jan] **1** *adj.* abessinsk **2** *s.* abessinier

academic[al] [äkədemm'ikk(əl)] akademisk

academy [əkädd'əmi] akademi

accede to [äksi:'d to:] tillträda; ansluta sig till

accelerate [əksell'ərejt] accelerera

acceleration [əkselərej'ʃən] acceleration

accelerator [äksell'ərejtə] gaspedal; accelerator

accent [äkk'sənt] accent; uttal; brytning

accept [əksepp't] acceptera, godta

acceptable [əksepp'təbl] acceptabel

access [äkk'ses] tillgång, tillträde, förfogande

accessible [əksess'əbl] tillgänglig;

åtkomlig

accessories [əksess'əri:z] accessoarer, tillbehör

accessory [əksess'əri] 1 *adj.* åtföljande 2 *s.* medbrottsling

accident [äkk'sidənt] olycksfall; tillfällighet; *by pure accident* av en ren händelse

accidental [äksidenn'tl] tillfällig; oavsiktlig

accommodating [əkåmm'ədejting] medgörlig, tillmötesgående

accommodate [əkåmm'ədejt] inkvartera; anpassa; utrusta; *accommodate o.s.* finna sig till rätta

accommodation [əkåmmədej'ʃən] logi, husrum

accompany [əkamm'pani] [åt]följa; ackompanjera

accomplice [əkåmm'plis] medbrottsling

accomplish [əkåmm'pliʃ] slutföra; utföra

accomplished [əkåmm'pliʃt] fulländad; fint bildad

accomplishment [əkåmm'pliʃmənt] prestation

accord [əkå:'d] *of one's own accord* självmant

accordance [əkå:'dəns] *in accordance with* i enlighet med

according [əkå:'ding] *according to* enligt

accordingly [əkå:'dingli] alltså, följaktligen

accordion [əkå:'djən] dragspel

accost [əkåss't] gå fram till och tilltala; antasta

account [əkao'nt] 1 *s.* redovisning, redogörelse; konto; *on account* a conto; *on account of* på grund av 2 *v.* redovisa, redogöra; motivera

accountable [əkao'ntəbl] tillräknelig

accountant [əkao'ntənt] kamrer, bokhållare

accrued [əkro:'d] upplupen

accumulate [əkjo:'mjolejt] ackumulera, samla på hög; hopa sig

accuracy [äkk'jorəsi] noggrannhet;

riktighet

accurate [äkk'jorit] noggrann

accusation [äkjozej'ʃən] anklagelse

accuse [əkjo:'z] anklaga

accustom [əkass'təm] vänja (*vid* to)

ace [ejs] äss

acetone [äss'itəon] aceton

ache [ejk] 1 *s.* värk 2 *v.* värka

achieve [ətʃi:'v] prestera, utföra, åstadkomma

achievement [ətʃi:'vmənt] prestation; insats

Achilles heel [əkill'i:z hi:l] akilleshäl

acid [äss'id] 1 *s.* syra; *sl.* LSD 2 *adj.* sur

acknowledge [əknåll'idʒ] erkänna, kännas vid; kvittera

acknowledgement [əknåll'idʒmənt] erkännande

acme [äkk'mi] höjdpunkt

acorn [ej'kå:n] [ek]ollon

acoustics [əko:'stiks] akustik

acquaint [əkwej'nt] *acquaint o.s. with* ta del av; *become acquainted with* göra bekantskap med

acquaintance [əkwej'ntəns] bekantskap

acquaintances [əkwej'ntənsi:z] bekantskapskrets

acquiesce [äkwiess'] samtycka

acquire [əkwaj'ə] förvärva, skaffa sig

acquisition [äkwizi'ʃən] förvärvande; förvärv

acquit [əkwitt'] frikänna

acre [ej'kə] (*ungefär* 2 v.) tunnland

acreage [ej'kəridʒ] (*jordegendoms*) areal

acrid [äkk'rid] bitter

acrimonious [äkriməo'njəs] *bildl.* bitter, skarp

acrobat [äkk'rəbət] akrobat

across [əkråss'] [tvärs]över, på tvären

act [äkt] 1 *v.* handla; bete sig; spela teater 2 *s.* handling; akt

acting [äkk'ting] tillförordnad

action [äkk'ʃən] handling; aktion

activate [äkk'tivejt] aktivera

active [äkk'tiv] aktiv

activity [äktivv'iti] verksamhet, aktivitet

actor [äkk'tə] skådespelare

actress [äkk'tris] skådespelerska

acumen [äkk'jomən] skarpsinne

acupuncture [äkk'jupəngktʃə] akupunktur

acute [əkjo:'t] akut

A.D. [ej'di:'] e.Kr. (*efter Kristus*)

adage [ädd'idʒ] tankespråk

adamant [ädd'əmənt] orubblig

adapt [ədäpp't] anpassa

adaptability [ədäptəbill'iti] anpassningsförmåga

adapter [ədäpp'tə] adapter

add [ädd] tillägga, tillfoga; *add up* addera, räkna ihop, summera; *add water to the wine* dryga ut vin med vatten

addict [ädd'ikt] missbrukare (*av narkotika e.d.*)

addition [ədiʃ'ən] addition; tillägg, tillsats; utbyggnad; *in addition* till på köpet; dessutom

address [ədress'] 1 *v.* adressera; tilltala 2 *s.* adress; tilltal; *permanent address* fast bostad

addressee [ädresi:'] adressat

address label [ədress' lej'bl] adresslapp

adduce [ədjo:'s] åberopa

adenoids [ädd'inåjdz] polyper bakom näsan

adhesive [ədhi:'siv] självhäftande; *adhesive plaster* häftplåster

adjacent [ədʒej'sənt] angränsande

adjourn [ədʒə:'n] ajournera, uppskjuta

adjust [ədʒass't] rätta till, justera

adjustable [ədʒass'təbl] ställbar

adjustment [ədʒass'tmənt] justering; inställning; omställning

ad lib [ädlibb'] improvisera

administer [ədminn'istə] förvalta

administrate [ədminn'istrejt] administrera

administration [ədminnistrej'ʃən] administration, förvaltning; *administration of justice* rättskipning

administrative [ədminn'istrətiv] administrativ

administrator [ədminn'istrejtə] administratör, förvaltare

admirable [ädd'mərəbl] beundransvärd

admiral [ädd'mərəl] amiral

admiration [ädmərej'ʃən] beundran

admire [ədmaj'ə] beundra

admirer [ədmaj'rə] beundrare

admission [ədmiʃ'ən] medgivande; tillträde

admission ticket [ədmiʃ'ən tikk'it] inträdesbiljett

admit [ədmitt'] tillstå, medge; släppa in

admittance [ədmitt'əns] tillträde

admonish [ədmånn'iʃ] förmana, tillrättavisa

admonition [ädməniʃ'ən] tillsägelse

adolescence [ädəless'ns] uppväxttid

adopt [ədåpp't] adoptera; *adopted child* adoptivbarn

adorn [ədå:'n] pryda

adornment [ədå:'nmənt] prydnad, utsmyckning

adroit [ədråj't] skicklig

adult [ädd'alt] 1 *adj.* vuxen; *adult education* vuxenundervisning 2 *s.* vuxen; *for adults only* barnförbjuden

adultery [ədall'təri] äktenskapsbrott

advance [ədva:'ns] 1 *v.* rycka fram; föra fram 2 *s.* förhand; förskott; närmande; *in advance* i förväg

advanced [ədva:'nst] avancerad

advantage [ədva:'ntidʒ] förmån, fördel; övertag; *take advantage of* utnyttja

advantageous [ädvəntej'dʒəs] förmånlig

Advent [ädd'vənt] advent

adventure [ədvenn'tʃə] äventyr

adventurer [ədvenn'tʃərə] äventyrare

adventurous [ədvenn'tʃərəs] äventyrlig

adversary [ädd'vəsəri] motståndare

adverse [ädd'və:s] ogynnsam; fientlig

advertise [ädd'vətajz] annonsera,

göra reklam

advertisement [ədvə:'tismənt] annons

advertising [ädd'vətajzing] **1** s. annonsering; *advertising agency* annonsbyrå, reklambyrå; *advertising campaign* annonskampanj **2** adj. reklam-

advice [ədvaj's] råd; avi, meddelande; *on my advice* på min inrådan

advisable [ədvaj'zəbl] tillrådlig

advise [ədvaj'z] råda; underrätta

adviser [ədvaj'zə] rådgivare

advisory [ədvaj'zəri] rådgivande

advocate [ädd'vəkejt] försvara; förorda

aerial [ä:'əriəl] antenn

aerobic [ärəo'bik] aerobisk

aerogram [ä:'rəgräm] aerogram

aesthetic [i:sθett'ik] estetisk

affable [äff'əbl] älskvärd

affair [əfä:'ə] angelägenhet; *it's my affair* det är min ensak

affect [əfekk't] påverka

affected [əfekk'tid] tillgjord, affekterad

affectionate [əfekk'ʃənit] tillgiven

affectionately [əfekk'ʃənitli] *Yours affectionately* Din (Er) tillgivne

affidavit [äfidej'vit] edlig skriftlig försäkran

affinity [əfinn'iti] släktskap

affirm [əfə:'m] intyga, bekräfta

affirmative [əfə:'mativ] jakande; *reply in the affirmative* svara jakande

affix [əfikk's] fästa; tillägga

afflict [əflikk't] plåga, hemsöka

affliction [əflikk'ʃən] olycka, sorg

affluence [äff'loəns] överflöd

affluent [äff'loənt] **1** adj. överflödande **2** s. biflod

afford [əfå:'d] ha råd; *I can't afford to* jag har inte råd att

affront [əfrànn't] **1** v. förolämpa; trotsa **2** s. förolämpning

afloat [əfləo't] flytande

afraid [əfrej'd] rädd; *I'm afraid not* tyvärr inte

Africa [äff'rikə] Afrika

African [äff'rikən] **1** s. afrikan, afrikanska **2** adj. afrikansk

Afro-Asian [äff'roej'ʃən] afro-asiatisk

aft [a:ft] akter ut

after [a:'ftə] efter; sedan, efter det att; *after all* när allt kommer omkring

after-effect [a:'ftə ifekk't] påföljd, svit

afternoon [a:'ftəno:'n] eftermiddag

aftershave [lotion] [a:'ftəʃejv (ləo'ʃn)] rakvatten

afterwards [a:'ftəwədz] efteråt

again [əgenn'] igen, åter

against [əgenn'st] mot

age [ejdʒ] **1** s. ålder; *the modern age* nya tiden; *for ages* länge och väl; *of age* myndig **2** v. åldras; *a boy aged five* en femårig pojke

agency [ej'dʒənsi] agentur

agenda [ədʒenn'də] dagordning, föredragningslista

agent [ej'dʒənt] agent

aggravate [ägg'rəvejt] förvärra; reta

aggression [əgreʃ'ən] aggression

aggressive [əgress'iv] aggressiv

aggressiveness [əgress'ivnis] aggressivitet

aggrieve [əgri:'v] plåga

aghast [əga:'st] bestört

agile [ädʒ'ajl] vig; snabb

agitate [ädʒ'itejt] agitera

agitation [ädʒitej'ʃən] oro; agitation

agitator [ädʒ'itejtə] agitator, uppviglare

ago [əgəo'] för ... sedan; *long ago* för länge sedan; *ten years ago* för tio år sedan

agony [ägg'əni] ångest, vånda

agree [əgri:'] instämma, samtycka; avtala; *agree upon* bli ense om

agreeable [əgri:'əbl] angenäm, behaglig

agreement [əgri:'mənt] avtal; överensstämmelse

agriculture [ägg'rikaltʃə] jordbruk

ague [ej'gjo:] s. frossa

ahead [əhedd'] framåt

aid [ejd] **1** v. hjälpa, bidra till **2** s. hjälpmedel; hjälp

aide-de-camp [ej'd dəka:'ng] adjutant

AIDS [ejdz] *med.* aids

aim [ejm] **1** *s.* mål, syfte; *take aim* sikta **2** *v., aim at* sikta på, rikta mot, eftersträva, åsyfta

ain't [ejnt] =am (are, is) not

air [ä:'ə] **1** *s.* luft; *by air* med flyg **2** *v.* vädra

air bag [ä:'əbäg] (*krockkudde*) airbag

air-bed [ä:'əbed] luftmadrass

air-conditioning [ä:'əkəndiʃəning] luftkonditionering

aircraft [ä:'əkra:ft] flygplan

air force [ä:'ə få:s] flygvapen

airgun [ä:'əgann] luftgevär

air hostess [ä:'ə həo'stis] flygvärdinna

airline [ä:'əlajn] flygbolag

airmail [ä:'əmejl] flygpost

air pocket [ä:'əpåkk'it] luftgrop

air pollution [ä:'ə pəlo:'ʃən] luftförorening

airport [ä:'əpå:t] flygplats

air-raid shelter [ä:'ərejd ʃell'tə] skyddsrum

air ticket [ä:'ətikk'it] flygbiljett

airy [ä:'əri] luftig

aisle [ajl] sidoskepp (*i kyrka*)

ajar [ədʒa:'] på glänt

akin [əkinn'] besläktad

alarm [əla:'m] **1** *s.* larm; *take alarm* ana oråd **2** *v.* larma, alarmera; oroa

alarm call [əla:'m kå:l] telefonväckning

alarm clock [əla:'m klåkk'] väckarklocka

alarming [əla:'ming] oroväckande

alas [əläss'] ack; tyvärr

Albania [älbej'njə] Albanien

Albanian [älbej'niən] **1** *s.* alban, albanska **2** *adj.* albansk

albatross [äll'bətrås] *zool.* albatross

album [äll'bəm] album

albumin [äll'bjomin] äggvita

alcohol [äll'kəhål] alkohol

alcoholic [älkəhåll'ik] **1** *s.* alkoholist **2** *adj.* alkoholhaltig

alcoholism [äll'kəhålizəm] alkoholism

alder [å:'ldə] al

alderman [å:'ldəmən] ålderman; rådman

alert [ələ:'t] **1** *s.* larm **2** *v.* larma: varna **3** *adj.* på alerten; pigg

alga [all'gə] alg

algebra [äll'dʒibrə] algebra

Algeria [äldʒi:'əriə] Algeriet

Algerian [äldʒi:'əriən] algerisk

alibi [äll'ibaj] alibi

alien [ej'ljən] **1** *adj.* utländsk **2** *s.* utlänning

alight [əla'jt] stiga av; landa

align [əla'jn] ställa upp i rät linje

alike [əla'jk] lika; på samma sätt

alive [əla'jv] i livet, levande

all [å:l] allt, allt, alla, hela; *not at all* inte alls, för all del

allegiance [əli:'dʒəns] trohet

allergic [ələ:'dʒik] allergisk

allergy [äll'ədʒi] allergi

alleviate [əli:'viejt] mildra

alliance [əlaj'əns] förbund, allians

allied [äll'ajd] allierad

alligator [äll'igejtə] alligator

allot [əlått'] tilldela

allow [əlao'] tillåta

allowance [əlao'əns] underhåll, avdrag

alloy [äll'åj] legering

allude [əlo:'d] anspela

allure [əljo:'ə] locka, tjusa

allusion [əlo:'ʃən] anspelning

ally [äll'aj] **1** *s.* bundsförvant; *the allies* (*pl*) [ði äll'ajz] de allierade **2** *v.* [əlaj'] liera, förena

almanac [å:'lmənäk] almanacka

almighty [å:lmaj'ti] allsmäktig

almond [a:'mənd] mandel

almoner [a:'mənə] (*sjukhus-*) kurator

almost [å:'lməost] nästan

alms [a:mz] allmosa, allmosor

alone [ələo'n] ensam; *leave s.b. alone* lämna ngn i fred

along [əlång'] läng sefter, utmed; framåt

alongside [əlång'saj'd] långsides, längs med

aloof [əlo:'f] på avstånd

aloud [əlao'd] med hög röst, högt

alphabet [äll'fəbet] alfabet

alpine [äll'pajn] alpin

Alps [älps] the Alps Alperna

already [å:lredd'i] redan

Alsatian [älsej'ʃən] schäferhund

also [å:'lsəo] också, likaså

altar [å:'ltə] altare

alter [å:'ltə] [för]ändra; göra om; förändras

alteration [å:ltərej'ʃən] förändring

alternate 1 v. [å:'ltənejt] alternera, växla om 2 adj. [å:ltə-'nit] omväxlande; växel-

alternately [å:ltə-'nitli] växelvis

alternating current [å:'ltə:nejting karr'ənt] växelström

alternative [å:ltə-'nətiv] alternativ

although [å:lðəo'] fastän

altitude [äll'titjo:d] höjd

alto [äll'təo] mus. alt

altogether [å:ltəgeð'ə] helt och hållet

altruistic [ältroiss'tik] oegennyttig

aluminium [äljominn'jəm] aluminium

always [å:'lwəjz] alltid

a.m. [ej'emm'] (=ante meridiem) på förmiddagen

amalgam [əmäll'gəm] amalgam

amass [əmäss'] hopa, samla

amateur [ämm'ətə:] amatör

amateurish [ämətə-'riʃ] amatörmässig

amaze [əmej'z] göra häpen, förvåna

amazed [əmej'zd] häpen

amazement [əmej'zmənt] häpnad

amazing [əmej'zing] förbluffande

ambassador [ämbäss'ədə] ambassadör

amber [ämm'bə] bärnsten

ambiguous [ämbigg'joəs] tvetydig

ambition [ämbiʃ'ən] ärelystnad; strävan, ambition

ambitious [ämbiʃ'əs] ärelysten; ambitiös

ambulance [ämm'bjoləns] ambulans

ambush [ämm'boʃ] bakhåll

ameliorate [əmi:'ljərejt] förbättra; bli bättre

amenable [əmi:'nəbl] foglig

amend [əmenn'd] rätta; förbättra

amendment [əmenn'dmənt] tillägg; förbättring

amends [əmenn'dz] gottgörelse

amenity [əmi:'niti] behaglighet

America [əmerr'ikə] Amerika

American [əmerr'ikən] 1 s. amerikan, amerikanska 2 adj. amerikansk

amethyst [ämm'iθist] ametist

amiable [ej'mjəbl] älskvärd

amicably [ämm'ikəbli] i godo, vänskapligt

amid[st] [əmidd'(st)] mitt ibland

amiss [əmiss'] på tok, fel; take it amiss ta illa upp

ammonia [əməo'njə] ammoniak

ammunition [ämjoniʃ'ən] ammunition

amnesty [ämm'nisti] amnesti

amniosentesis [ämm'niəosenn'təsis] fostervattensprov

among[st] [əmäng'(st)] bland, mellan; among others bland andra; among other things bland annat

amortization [əmåtizej'ʃən] amortering

amortize [əmå:'tajz] amortera

amount [əmao'nt] 1 s. belopp 2 v. belöpa sig

amphitheatre [ämm'fiθi:'ətə] amfiteater

ample [ämm'pl] riklig, stor

amplifier [ämm'plifəjə] (hifi) förstärkare

amplify [ämm'plifajj] förstärka

ampoule [ämm'po:l] ampull

amputate [ämm'pjotejt] amputera

amputation [ämpjotej'ʃən] amputation

amuck [əmakk'] run amuck löpa amok, bli vild

amulet [ämm'jolit] amulett

amuse [əmjo:'z] roa

amusement [əmjo:'zmənt] nöje

amusement park [əmjo:'zmənt pa:k] tivoli, nöjesfält

amusing [əmjo:'zing] rolig
an [änn, ən] en, ett
anaemia [əni:'mjə] blodbrist
anaesthesia [änəsθi:'ziə] (*narkos*)
bedövning
anaesthetic [änisθett'ik] bedövnings-
medel
anaesthetise [äni:'sθitajz] bedöva,
söva
analgesic [änäldʒi:'sik] smärtstillan-
de [medel]
analogical [änəlådʒ'ikl] analogisk
analogy [ənäll'ədʒi] analogi
analyse [änn'əlajs] analysera
analysis [ənäll'əsis] analys
anarchy [änn'əki] anarki
anatomy [ənätt'əmi] anatomi
ancestor [änn'sestə] stamfader, för-
fader
ancestry [änn'sestri] anor
anchor [äng'kə] 1 *s.* ankare 2 *v.* ankra
anchorage [äng'kəridʒ] ankarplats
anchovy [änn'tʃəvi] ansjovis
ancient [ej'nʃənt] forntida; ålder-
domlig; *ancient monument* forn-
minne
and [änd] och
Andes [ði änn'di:z] *the Andes*
Anderna
and so on [änd səo'ån] osv.
anecdote [änn'ikdəot] anekdot
anemone [ənemm'əni] anemon
anew [ənjo:'] ånyo
angel [ej'ndʒəl] ängel
angelic [ändʒell'ik] änglalik
anger [äng'gə] ilska
angle [äng'gl] 1 *s.* vinkel 2 *v.* meta
angling [äng'gling] sportfiske, mete
Anglo-Saxon [äng'gləosäkk'sən] 1 *s.*
anglosaxare 2 *adj.* anglosaxisk
Anglo-Swedish [äng'gləoswi:'diʃ]
engelsk-svensk
angry [äng'gri] arg, ilsken, ond
anguish [äng'gwiʃ] kval; ångest
aniline [änn'ili:n] anilin
animal [änn'iməl] djur
animosity [änimåss'iti] fientlighet
ankle [äng'kl] vrist, ankel; fotknöl
annals [änn'lz] annaler; årsberättelse

annex [änekk's] tillägga, bifoga;
annektera
annexe [änn'eks] annex, tillbyggnad;
tillägg
annihilate [ənaj'əlejt] förinta, till-
intetgöra
anniversary [änivə:'səri] årsdag,
årsfest
announce [ənao'ns] förkunna;
meddela; anmäla
announcement [ənao'nsmənt] kun-
görelse; anmälan
announcer [ənao'nsə] hallåman
annoy [ənåj'] förarga; *be annoyed* bli
förargad
annoying [ənåj'ing] förarglig, besvä-
rande
annual [änn'jooəl] årlig; *annual
report* verksamhetsberättelse
annuity [ənjo:'iti] årligt underhåll,
livränta
annul [ənall'] upphäva, annullera;
tillintetgöra
Annunciation Day [ənansiej'ʃən dej]
Marie Bebådelsedag
anonymity [änənimm'iti] anonymitet
anonymous [ənånn'iməs] anonym
anorexia (nervosa) [änorek'siə (nə:-
vəo'sə)] *med.* anorexi[a] [nervosa]
another [ənað'ə] en annan, ännu en
answer [a:'nsə] 1 *s.* svar 2 *v.* svara
(*to* på), besvara; *answer the door* gå
och öppna
ant [änt] myra
antagonist [äntägg'ənist] antagonist
antecedent [äntisi:'dənt] föregående
antelope [änn'tiləop] antilop
antenna [äntenn'ə] antenn
anterior [änti:'əriə] föregående
anthem [änn'θəm] hymn; *national
anthem* nationalsång
anthill [änn'thil] myrstack
anthrax [änn'θräks] mjältbrand
anti-aircraft [änn'tiä:'əkra:ft]
luftvärns-
antibiotics [äntibajått'iks] antibio-
tika
anticipate [äntiss'ipejt] förekomma,
föregripa; förutse

anticipation [äntisipej'ʃən] förekom-
mande, föregripande; förväntan

anticlimax [änn'tiklaj'mäks] anti-
klimax

anticlockwise [änn'tiklåkk'wajz]
moturs

antics [änn'tiks] upptåg

antidote [änn'tidəot] motgift

antifreeze [äntifri:'z] kylarvätska

antipyretic [äntipajrett'ik] feber-
nedsättande

antique [änti:'k] antik

antique dealer [änti:'k di:'lə] antik-
vitetshandlare

antique shop [änt:i'k ʃäpp'] antik-
vitetsaffär

antiquity [äntikk'witi] forntiden,
antiken; antikvitet

antiseptic [äntisepp'tik] antiseptisk

antispasmodic [äntispäsmådd'ik]
kramplösande

antivenin [äntivenn'in] ormserum

antler [änn'tlə] hjorthorn

anus [ej'nəs] anus, analöppning

anvil [änn'vil] städ

anxiety [ängzaj'əti] oro, bekymmer

anxious [äng'kʃəs] angelägen, ivrig;
ängslig

any [enn'i] någon, något, några;
varje, vilken (vilket, vilka) som
helst; *in any case* i varje fall; *any
time* när som helst

anybody [enn'ibådi] någon; vem som
helst

anyhow [enn'ihao] hur som helst; i
varje fall

anyone [enn'iwan] någon; vem som
helst

anything [enn'iθing] något; vad som
helst

anyway [enn'iwej] i varje fall

anywhere [enn'iwä:ə] var som helst;
någonstans

apart [əpa:'t] isär; *apart from* frånsett

apartheid [əpa:'tejd] apartheid

apartment [əpa:'tmənt] våning,
lägenhet

apartment house [əpa:'tmənt haos]
hyreshus

apathetic [äpəθett'ik] apatisk

ape [ejp] **1** *s.* apa **2** *v.* härma

Apennines [äpp'inajnz] *the Apen-
nines* Apenninerna

aperture [äpp'ətʃo:ə] öppning; *foto.*
bländare

apex [ej'peks] topp, spets

apiece [əpi:'s] per styck

apologize [əpåll'ədʒajz] be om ursäkt

apology [əpåll'ədʒi] ursäkt

apoplectic stroke [äpəplekk'tik
strəok] slaganfall

appalling [əpå:'ling] förskräcklig

apparatus [äpərej'təs] apparat,
anordning

apparent [əpärr'ənt] skenbar

apparently [əpärr'ntli] synbarligen,
tydligen

appeal [əpi:'l] **1** *s.* vädjan, upprop
2 *v.* vädja; *appeal against* överklaga

appear [əpi:'ə] infinna sig; framträda,
tyckas

appearance [əpi:'ərəns] framträdan-
de; anblick, utseende; *appearances
are deceptive* skenet bedrar

appease [əpi:'z] blidka, stilla

appendicitis [əpendisaj'tis] blind-
tarmsinflammation

appendix [əpenn'diks] bilaga; blind-
tarm

appetite [äpp'itajt] aptit

appetizing [äpp'itajzing] aptitretande

applaud [əplå:'d] applådera

applause [əplå:'z] applåd

apple [äpp'l] äpple

apple pie [äpp'lpaj] äppelpaj

apple-pie [äpp'lpaj] *apple-pie order*
(*vard.*) perfekt ordning; *make an
apple-pie bed* bädda säck

apple sauce [äpp'lså:s] äppelmos

apple tree [äpp'ltri:] äppelträd

appliance [əplaj'əns] anordning,
apparat

applicable [äpp'likəbl] tillämplig;
wherever applicable i tillämpliga
delar

applicant [äpp'likənt] platssökande

application [äplikej'ʃən] ansökan;
tillämpning

application document [äplikej'ʃən
dåkk'jo:mənt] ansökningshandlingar
apply [əplaj'] tillämpa[s] (*to* på);
ansöka (*for* om); *apply to* anlita
appoint [əpåj'nt] utnämna, tillsätta;
bestämma, fastställa
appointment [əpåj'ntmənt] befatt-
ning; möte, träff; *make an appoint-
ment with* beställa tid hos
appraise [əprej'z] värdera; uppskatta
värdet av
appreciate [əpri:'ʃejt] uppskatta
appreciation [əpri:ʃiej'ʃən] värde-
ring; uppskattning
apprehend [äprihenn'd] begripa;
befara; gripa, anhålla
apprehension [äprihenn'ʃən] fatt-
ningsförmåga; farhåga, gripande
apprentice [əprenn'tis] lärling
approach [əprəo't ʃ] **1** *s.* infart, upp-
fart **2** *v.* närma sig
approbation [äprəbej'ʃən] gillande;
bifall
appropriate 1 *adj.* [əprəo'priət]
lämplig, träffande **2** *v.* [əprəo'priejt]
tillägna sig; beslagta
approval [əpro:'vəl] godkännande,
gillande; *on approval* till påseende
approve [əpro:'v] godkänna, bifalla;
approve of gilla
approximate [əpråkk'simit] ungefär-
lig
approximately [əpråkk'simitli] upp-
skattningsvis, ungefär
apricot [ej'prikåt] aprikos
April [ej'prəl] april
apron [ej'prən] förkläde
apt [äppt] lämplig; benägen; skicklig
aptitude [äpp'titjo:d] anlag, fallenhet
aquaplaning [äkk'wəplejning] vat-
tenplaning
aquarium [əkwä:'əriəm] akvarium
aquatic [əkwätt'ik] vatten-
aquavit [äkk'wəvit] brännvin
Arabia [ərej'bjə] Arabien
Arabian [ərej'bjən] **1** *s.* arab **2** *adj.*
arabisk
arable [ärr'əbl] odlingsbar
arbitrary [a:'bitrəri] godtycklig;

egenmäktig
arbitration [a:bitrej'ʃən] skiljedom
arbour [a:'bə] berså
arc [a:k] båge
arcade [a:kej'd] arkad
arch [a:tʃ] båge, valv
arch support [a:'tʃ səpå:'t] hålfots-
inlägg
archaeological [a:kiålàd3'ikəl]
arkeologisk
archaeologist [a:kiåll'ədʒist] arkeolog
archaeology [a:kiåll'ədʒi] arkeologi
archbishop [a:'tʃbiʃəp] ärkebiskop
archer [a:'tʃə] bågskytt
archery [a:'tʃəri] bågskytte
archipelago [a:kipell'igəo] arkipelag,
övärld, skärgård
architect [a:'kitekt] arkitekt
architecture [a:'kitektʃə] arkitektur
archives [a:'kajvz] arkiv
Arctic [a:'ktik] arktisk
ardent [a:'dnt] ivrig; het
ardour [a:'də] iver
arduous [a:'djoəs] brant; mödosam
area [ä:'riə] yta; område; förgård
Argentine [a:'dʒəntajn] **1** *adj.* argen-
tinsk **2** *s., the Argentine* Argentina
argue [a:'gjo:] argumentera; gräla
argument [a:'gjəmənt] argument,
skäl; diskussion; gräl
arid [ärr'id] torr, ofruktbar
arise [əraj'z] uppstå, uppkomma
arisen [ərizz'n] *perf. part. av arise*
aristocracy [äriståkk'rəsi] aristokrati
aristocrat [äriss'təkrät] aristokrat
aristocratic [äristəkrätt'ik] aristo-
kratisk
arithmetic [əriθ'mətik] räkning
arm [a:m] **1** *s.* arm; armstöd; *arms*
(*pl*) vapen **2** *v.* rusta, beväpna
armament [a:'məmənt] rustning;
krigsmakt
armchair [a:'mtʃä:ə] fåtölj, länstol,
karmstol
armful [a:'mfol] famn, fång
armhole [a:'mhəol] ärmhål
armistice [a:'mistis] vapenstillestånd,
vapenvila
armour [a:'mə] pansar; rustning

armoured troops [a:'məd tro:'ps] pansartrupper

arms [a:mz] vapen

army [a:'mi] armé, här

army service corps [a:'mi sə:'vis kå:] träng

arose [ərəo'z] *imperf. av arise*

around [ərao'nd] omkring

arouse [ərao'z] [upp]väcka

arrange [ərej'ndʒ] ordna, ombesörja; göra upp

arrangement [ərej'ndʒmənt] arrangemang; anordning; uppställning; *make arrangements* vidtaga anstalter

array [ərej'] **1** *v.* ställa upp; styra ut **2** *s.* uppställning; stass

arrears [əri:'əz] resterande skulder

arrest [əress't] **1** *v.* anhålla, häkta **2** *s.* arrestering, häktning

arrival [əraj'vəl] ankomst

arrive [əraj'v] anlända, komma fram (*at* till)

arrogant [ärr'əgənt] arrogant

arrow [ärr'əo] pil

arson [a:'sn] mordbrand

art [a:t] konst

art-dealer's [a:'tdi:ləz] konsthandel

arteriosclerosis [a:ti:'əriəoskliərəo'sis] åderförkalkning

artery [a:'təri] artär, pulsåder

artful [a:'tfoll] listig

artichoke [a:'titʃəok] kronärtskocka; *Jerusalem artichoke* jordärtskocka

article [a:'tikl] vara, artikel

artifice [a:'tifis] knep

artificial [a:tifiʃ'əl] konstgjord; *artificial irrigation* konstbevattning; *artificial limb* protes; *artificial silk* konstsiden

artillery [a:till'əri] artilleri

artisan [a:tizänn'] hantverkare

artist [a:'tist] konstnär, artist

artistic [a:tiss'tik] konstnärlig

art wares [a:'t wä:əz] konsthantverk

as [äz] som, eftersom; efter hand som; så; *as far as* såvitt; *as for* vad beträffar; *as if* som om; *as soon as possible* så snart som möjligt; *as to* vad beträffar

asbestos [äsbəss'təos] asbest

ascend [əsenn'd] bestiga

Ascension Day [əsenn'ʃən dej'] Kristi himmelsfärdsdag

ascent [əsenn't] stigning, backe

ascertain [äsətej'n] förvissa sig om

ascetic [əsett'ik] asketisk

ascribe [əskraj'b] tillskriva

ash [äʃ] ask (*träd*)

ashamed [əʃej'md] skamsen

ashes [äʃ'iz] aska

ashore [əʃå:'] i land, på land

ashtray [äʃ'trej] askfat

Asia [ej'ʃə] Asien; *Asia Minor* Mindre Asien

Asian [ej'ʃən] (*om pers.*) **1** *adj.* asiatisk **2** *s.* asiat

Asiatic [ejʃiätt'ik] asiatisk (*endast geog., med. o. zool.*)

aside [əsaj'd] **1** *adv.* avsides **2** *s.* sidoreplik

ask [a:sk] fråga, be, anhålla, begära (*for* om)

askance [əskänn's] snett; misstänksamt

askew [əskjo:'] sned, skev

asleep [əsli:'p] sovande; *be asleep* sova; *fall asleep* somna

asparagus [əspärr'əgəs] sparris

aspect [äss'pekt] utseende; utsikt; synpunkt

aspen [äss'pən] asp

asphalt [äss'fält] **1** *s.* asfalt **2** *v.* asfaltera

aspic [äss'pik] aladåb

aspire [əspaj'ə] längta; sträva

aspirin [äss'pərin] aspirin

assail [əsej'l] angripa, anfalla

assailant [əsej'lənt] angripare

assassin [əsäss'in] [lönn]mördare

assassinate [əsäss'inejt] [lönn]mörda

assault [əså:'lt] överfalla

assemble [əsemm'bl] montera, sätta ihop

assembly [əsemm'bli] samling, församling

assembly hall [əsemm'blihå:l] samlingslokal

assembly line [əsemm'blilajn] löpande band

assent [əsenn't] bifall, samtycke

assert [əsə:'t] påstå, hävda, göra gällande

assess [əsess'] taxera

asset [äss'et] tillgång; *assets and liabilities* tillgångar och skulder

assiduous [əsidd'joəs] trägen, ihärdig

assign [əsaj'n] hänföra; anvisa

assignee [äsini:'] rättsinnehavare

assignment [əsaj'nmənt] anvisning; överlåtelse; uppdrag, uppgift

assimilate [əsimm'ilejt] assimilera

assist [əsiss't] bistå, assistera

assistance [əsiss'təns] bistånd

assistant [əsiss'tənt] **1** *s.* medhjälpare, expedit **2** *adj.* biträdande

assizes [əsaj'ziz] (*ett slags*) domstol

associate [əsəo'ʃejt] förknippa, associera; umgås

association [əsəosiej'ʃən] sammanslutning, förening, förbund

association football [əsəosiej'ʃən fott'bå:l] fotboll

assort [əså:'t] sortera

assortment [əså:'tmənt] sortiment

assuage [əswej'dʒ] lindra

assume [əsjo:'m] förutsätta, förmoda

assumption [əsamm'pʃən] antagande, förmodan; förutsättning

assurance [əʃo:'ərəns] förvissning; försäkring

assure [əʃo:'ə] försäkra

asthma [äss'mə] astma

astigmatic [ästigmätt'ik] *med.* astigmatisk

astir [əstə:'] i rörelse

astonish [əstånn'iʃ] förvåna

astonishment [əstånn'iʃmənt] förvåning

astray [əstrej'] vilse, på avvägar

astride [əstraj'd] grensle

astrology [əstråll'ədʒi] astrologi

astronomer [əstrånn'əmə] astronom

astronomical [əstrənåmm'ikl] astronomisk

astronomy [əstrånn'əmi] astronomi

astute [əstjo:'t] skarpsinnig

asylum [əsaj'ləm] asyl; fristad;

person seeking asylum asylsökande

asymmetrical [äsimett'rikəl] asymmetrisk, osymmetrisk

at [ät] vid, i, på, hos; å; *not at all* inte alls

ate [et] *imperf. av eat*

atheist [ej'θiist] ateist

Athens [äθ'inz] Aten

athlete [äθ'li:t] idrottsman

athletics [əθlett'iks] friidrott

Atlantic [ətlänn'tik] *the Atlantic* Atlanten

atlas [ätt'ləs] atlas

atmosphere [ätt'məsfiə] atmosfär

atom [ätt'əm] atom

atom bomb [ätt'əm båmm'] atombomb

atrocious [ətrəo'ʃəs] grym; avskyvärd

atrocity [ətråss'iti] grymhet, fasansfullhet

attach [ətätʃ'] knyta, fästa; anknyta

attack [ətäkk'] **1** *s.* anfall, angrepp **2** *v.* anfalla, angripa

attain [ətej'n] uppnå; vinna

attempt [ətemm'pt] **1** *s.* försök **2** *v.* försöka

attend [ətenn'd] betjäna, sköta; ombesörja; bevista

attendance [ətenn'dəns] uppassning, betjäning; närvaro

attendant [ətenn'dənt] vårdare

attention [ətenn'ʃən] uppmärksamhet, uppseende; *pay attention to* ge akt på

attentive [ətenn'tiv] uppmärksam

attest [ətess't] attestera, vidimera, bestyrka

attic [ätt'ik] vind (*i hus*)

attire [ətaj'ə] **1** *v.* klä, styra ut **2** *s.* klädsel

attitude [ätt'itjo:d] attityd, hållning

attorney [ətə:'ni] ombud; *Am.* advokat

attract [əträkk't] attrahera, påkalla; verka tilldragande

attraction [əträkk'ʃən] dragningskraft

attractive [əträkk'tiv] tilldragande

attribute **1** *v.* [ətribb'jo:t] tillskriva

2 *s.* [ätt'ribjo:t] kännetecken

auburn [å:'bən] rödbrun

auction [å:'kʃən] auktion

auctioneer [å:kʃəni:'ə] auktions-förrättare

audacious [å:dej'ʃəs] djärv

audible [å:'dəbl] hörbar

audience [å:'djəns] publik; audiens

audit [å:'dit] granska, revidera

auditor [å:'ditə] revisor; *jfr. chartered accountant*

auditorium [å:ditå:'riəm] teatersalong; hörsal

August [å:'gəst] augusti

august [å:gass't] upphöjd

aunt [a:nt] faster, moster, tant

aural [å:'rəl] öron-, hör-

aurora borealis [å:rå:'rə bå':riej'lis] norrsken

auspices [å:'spisiz] beskydd

auspicious [å:spi'ʃəs] gynnsam

austere [åsti:'ə] sträng; allvarlig

Australia [åstrej'ljə] Australien

Australian [åstrej'ljən] 1 *adj.* australisk 2 *s.* australier

Austria [åss'triə] Österrike

Austrian [åss'triən] 1 *adj.* österrikisk 2 *s.* österrikare

authentic [å:θenn'tik] autentisk

author [å:'θə] författare

authoress [å:'θəris] författarinna

authoritarian [å:θåritä:'riən] auktoritär

authority [å:θårr'iti] myndighet; befogenhet; auktoritet; *the authorities* (*pl*) överheten

authorization [å:θərazej'ʃən] fullmakt, auktorisation

authorize [å:'θərajz] auktorisera, bemyndiga

autobiography [å:təobajågg'rəfi] självbiografi

autograph [å:'təgra:f] autograf

automat [å:'təmət] automat

automatic [å:təmätt'ik] automatisk; *automatic machine* automat

autumn [å:'təm] höst; *last autumn* i höstas; *next autumn* i höst (*nästkommande*)

auxiliaries [å:gzill'jəriz] hjälptrupper

auxiliary [å:gzill'jəri] 1 *adj.* hjälp-2 *s.* hjälpare

avail [əvej'l] 1 *v.* tjäna till; gagna; *avail o.s. of* begagna sig av 2 *s.* nytta, gagn

available [əvej'ləbl] tillgänglig

avalanche [ävv'əla:nʃ] snöskred, lavin

avaricious [ävəri'əs] girig

avenge [əvenn'dʒ] hämnas

avenue [ävv'injo:] allé

average [ävv'əridʒ] 1 *s.* genomsnitt, medeltal 2 *adj.* genomsnittlig

aversion [əvə:'ʃən] aversion, ovilja

aviary [ej'vjəri] fågelhus

aviation [ejviej'ʃən] flygning

aviator [ej'viejtə] flygare

avid [ävv'id] ivrig, entusiastisk

avocado [ävəka:'də(o)] avokado

avoid [əvåj'd] undvika

avow [əvao'] erkänna

await [əwej't] avvakta

awake [əwej'k] 1 *adj.* vaken 2 *v.* väcka; vakna

awaken [əwej'kən] *bildl.* väcka

awakening [əwej'kning] uppvaknande, väckning

award [əwå:'d] tilldela

away [əwej'] bort; borta; undan

awe [å:] bävan, skräck

awful [å:'fol] hemsk

awhile [əwaj'l] en stund

awkward [å:'kwəd] tafatt; pinsam

awl [å:l] syl

awning [å:'ning] markis, soltält

awoke [əwəo'k] *imperf. och perf. part. av awake*

awry [əraj'] på sned

axe [äks] yxa

axis [äkk'sis] *mat.* axel

axle [äkk'sl] [hjul]axel; *axle load* axeltryck

ay[e] [aj] jaröst

azure [äʒ'ə] himmelsblå

b

B, b [bi:] (*bokstav*) B, b; (*ton*) h
babble [bäbb'l] jollra, pladdra
baboon [bəbo:'n] babian
baby [bej'bi] spädbarn, baby
baby carrier [bej'bikärr'iə] bärsele
baby food [bej'bifo:d] barnmat
baby pants [bej'bi pänn'ts] blöj-
  byxor
babysitter [bej'bisitə] barnvakt;
  (*gungstol för spädbarn*) babysitter
bachelor [bätʃ'ələ] ungkarl; *Bachelor
  of Arts* filosofie kandidat; *Bachelor
  of Economic Science* civilekonom
bacillus [bəsill'əs] bacill
back [bäkk] 1 *s.* rygg; baksida; *back
  of the head* bakhuvud, nacke 2 *adj.*
  bakre 3 *adv.* tillbaka 4 *v.* ställa upp på
backbone [bäkk'bəon] ryggrad
background [bäkk'graond] bakgrund,
  fond
backing [bäkk'ing] stöd
back number [bäkk'nambə] gammalt
  tidskriftsnummer
backpack [bäkk'päk] ryggsäck
back seat [bäkk si:'t] baksäte
backstreet [bäkk'stri:t] bakgata
back tax [bäkk täks] restskatt
backward [bäkk'wəd] bakvänd; mot-
  strävig; efterbliven
backwards [bäkk'wədz] baklänges,
  bakåt
backwoods [bäkk'wodz] obygd
backyard [bäkja:'d] [bak]gård
bacon [bej'kən] sidfläsk, bacon
bacterium [bäkti:'əriəm] bakterie;
  bacteria (*pl*) bakterier
bad [bäd] dålig; skämd; *bad egg* röt-
  ägg; *bad luck* otur; *go bad* ruttna
bade [bejd] *imperf. av* bid
badge [bädʒ] märke, klubbmärke
badger [bädʒ'ə] *zool.* grävling
badly [bädd'li] illa
baffle [bäff'l] gäcka; trotsa
baffled [bäff'ld] snopen
bag [bägg] påse, väska, säck, bag;

carrier bag [bär]kasse
baggage [bägg'idʒ] bagage
baggy [bägg'i] säckig
bagpipe [bägg'pajp] säckpipa
bail [bejl] 1 *s.* borgen 2 *v.* gå i borgen;
  bail out hoppa i fallskärm; ösa
bailer [bej'lə] öskar
bailiff [bej'lif] fogde, länsman
bait [bejt] 1 *s.* bete, agn 2 *v.* hetsa
bake [bejk] grädda, baka; *baked egg*
  äggstanning
baker [bej'kə] bagare
baking [bej'king] bakning
balance [bäll'əns] 1 *v.* uppväga, av-
  väga, balansera; *balance the books*
  göra bokslut 2 *s.* balans; våg; till-
  godohavande; *balance carried
  forward* utgående balans
balcony [bäll'kəni] balkong
bald [bå:ld] flintskallig
bale [bejl] 1 *s.* bal, packe 2 *v.* ösa
  (*båt*)
baleful [bej'lfol] ondskefull
balk [bå:k] 1 *s.* balk; hinder 2 *v.*
  hindra
Balkan [båll'kən] *the Balkan Pen-
  insula* Balkanhalvön
ball [bå:l] klot, kula, boll; nystan;
  bal, dans
ball bearing [bå:'l bä:əring] kullager
ballad [bäll'əd] visa
ballad singer [bäll'əodsingə] vis-
  sångare
ballast [bäll'əst] barlast
ballet [bäll'ej] balett
ballet dancer [bäll'ejda:'nsə] balett-
  dansör, balettdansös
balloon [bəlo:'n] ballong
ballot [bäll'ət] sluten omröstning;
  ballot [paper] valsedel
ballpoint pen [bå:'lpäjnt pen] kul-
  spetspenna
bally [bäll'i] förbaskad
balm [ba:m] balsam; lindring
balmy [ba:'mi] lindrande; *Am.* fnoskig
Balt [bå:lt] balt
Baltic [bå:'ltik] 1 *adj.* baltisk 2 *s., the
  Baltic* Östersjön
balustrade [bäləstrej'd] balustrad

bamboo 22

bamboo [bämbo:'] bambu

ban [bänn] **1** *s.* bannlysning; förbud **2** *v.* bannlysa; förbjuda

banal [bəna:'l] banal

banana [bəna:'nə] banan

band [bännd] band; musikkapell

bandage [bänn'didʒ] bandage, förbinda

bandit [bänn'dit] bandit

bandmaster [bänn'dma:stə] kapellmästare

bandstand [bänn'dständ] musikestrad

bane [bejn] fördärv

baneful [bej'nfol] fördärvlig, ödesdiger

bang [bäng] smäll; *sonic bang* ljudbang

bangle [bäng'gl] armring, fotledsring

banish [bänn'iʃ] förvisa

banisters [bänn'istəz] trappräcke

banjo [bänn'dʒəo] banjo

bank [bängk] bank, vall, grund; *hand.* bank; *deposit at the bank* sätta in på banken

bank account [bäng'k əkao'nt] bankkonto

bank-note [bäng'knəot] sedel

banker [bäng'kə] bankir

bankrupt [bäng'krəpt] i konkurs, bankrutt

bankruptcy [bäng'krəpsi] konkurs, bankrutt

banner [bänn'ə] fana

banns [bännz] lysning

banquet [bäng'kwit] bankett

bantam [bänn'təm] dvärghöns

banter [bänn'tə] **1** *s.* skämt **2** *v.* skämta

baptism [bäpp'tizəm] dop

baptize [bäptaj'z] döpa

bar [ba:] **1** *s.* bom, stång, skena; bar; takt **2** *v.* avspärra

barb [ba:b] hulling

barbarian [ba:bä:'əriən] barbar

barbaric [ba:bärr'ik] barbarisk

barbecue [ba:'bikjo:] stor utomhusfest; utomhusgrill

barbed wire [ba:'bd waj'ə] taggtråd

barber [ba:'bə] barberare, herrfrisör

bare [bä:'ə] kal, bar

barefaced [bä:'əfejst] oblyg, fräck

barefoot [bä:'əfott] barfota

bareheaded [bä:'əhedd'id] barhuvad

barely [bä:'əli] nätt och jämnt

bargain [ba:'gin] **1** *s.* [god] affär; *that's a bargain* det är avgjort; *into the bargain* på köpet; *bargain price* vrakpris **2** *v.* pruta

barge [ba:dʒ] pråm

bark [ba:k] **1** *s.* bark; skall **2** *v.* skälla

bark boat [ba:'k bəot] barkbåt

barley [ba:'li] (*sädesslag*) korn

barmy [ba:'mi] knasig, knäpp (*se även* **balmy**)

barn [ba:n] loge, lada

baron [bärr'ən] baron

barracks [bärr'əks] barack, kasern

barrage [bärr'a:ʒ] spärreld

barrel [bärr'əl] tunna

barrel organ [bärr'əlå:gən] positiv (*instrument*)

barren [bärr'ən] karg, ofruktbar

barrier [bärr'iə] spärr, hinder

barring [ba:'ring] utom

barrister [bärr'istə] advokat

barrow [bärr'əo] skottkärra

bartender [ba:'tendə] uppassare, bartender

barter [ba:'tə] schackra bort

base [bejs] **1** *s.* bas, sockel **2** *v.* grunda, stödja; *base a statement on* grunda ett påstående på; *be based on* grunda sig på

baseless [bej'slis] ogrundad

basement [bej'smənt] källarvåning

bashful [bäʃ'fol] blyg

basic [bej'sik] grund-

basin [bej'sn] fot, skål; sänka

basis [bej'sis] grundval

bask [ba:sk] sola sig

basket [ba:'skit] korg

basketball [ba:'skitbå:l] korgboll

Basque [ba:sk] baskisk

bass [bejs] bas

bassoon [bəsso:'n] *mus.* fagott

bass tuba [bej's tjo:'bə] bastuba

bast [bässt] bast

baste [bejst] ösa (*stek*)

bat [bätt] **1** *s.* fladdermus; slagträ;

beet

bordtennisracket 2 *v.* slå (*med slagträ*)
bate [bejt] hålla tillbaka
bath [ba:θ] bad; badkar
bath towel [ba:θ taoəl] badhanddduk
bathe [bejð] **1** *s.* bad **2** *v.* bada (*utomhus*); badda
bathing cap [bej'ðing käpp] badmössa
bathing suit [bej'ðing sjo:t] baddräkt
bathrobe [ba:'θrəob] badkappa, badrock
bathroom [ba:'θro:m] badrum
bathroom scales [ba:'θro:m skejls] badrumsvåg
bathtub [ba:'θtab] badkar
bathwater [ba:'θwå:tə] badvatten
batik [bätt'ik] batik
batman [bätt'mən] slagman (*i kricket*)
baton [bätt'n] batong; taktpinne
batter [bätt'ə] **1** *s.* smet **2** *v.* slå, bulta
battery [bätt'əri] batteri; *battery operated* batteridriven
battle [bätt'l] **1** *s.* strid, slag **2** *v.* strida, kämpa
battlefield [bätt'lfi:ld] slagfält
battlement [bätt'lmənt] bröstvärn
battleship [bätt'lʃip] slagskepp
batty [bätt'i] tokig
bawl [bå:l] **1** *s.* skrål **2** *v.* skråla
bay [bej] vik, bukt, fjärd
bay leaf [bej'li:f] lagerblad
bazooka [bəzo:'kə] raketgevär
B.C. [bi:'si:'] f.Kr. (*före Kristus*)
be [bi:] vara, bli; *that may be* [*so*] det kan nog hända; *be off* ge sig av, kila iväg
beach [bi:tʃ] [bad]strand
beachcomber [bi:'tʃkəomə] strandgodssökare
beachhead [bi:'tʃhed] brohuvud
beacon [bi:'kən] fyrtorn; trafikljus
bead [bi:d] pärla, kula
beadle [bi:'dl] kyrkvaktmästare
beak [bi:k] näbb; pip
beam [bi:m] **1** *s.* balk, bjälke **2** *v.* stråla
bean [bi:n] böna
beanfeast [bəzo:'nfi:st] hippa
bear [bä:'ə] **1** *s.* björn **2** *v.* bära, tåla; *bear ... in mind* ta fasta på
beard [bi:'əd] skägg

bearded [bi:'ədid] skäggig
bearer [bä:'ərə] bärare
bearing [bä:'əring] lager (*kul- etc.*); *I'm finding my bearings* jag orienterar mig
beast [bi:st] djur, best; *beast of prey* rovdjur
beat [bi:t] **1** *s.* slag **2** *v.* klappa, slå; kryssa; vispa; *it beats me how* jag begriper inte hur
beaten [bi:t'n] slagen, besegrad
beatitude [biätt'itjo:d] salighet
beau [bəo] sprätt; beundrare
beautiful [bjo:'təfol] vacker
beauty [bjo:'ti] skönhet
beauty parlour [bjo:'ti pa:'lə] skönhetssalong
beaver [bi:'və] bäver
became [bikej'm] *imperf. av* become
because [bikåz'] därför att, emedan
beckon [bekk'n] vinka, göra tecken
become [bikamm'] bli; passa, klä
becoming [bikamm'ing] klädsam
bed [bedd] bädd, säng; *make a bed* bädda
bedclothes [bedd'kləoðz], **bedding** [bedd'ing] sängkläder
bedlam [bedd'ləm] dårhus
bedpan [bedd'pänn] bäcken
bed quilt [bedd'kwilt] (*säng-*) täcke
bedridden [bedd'ridn] sängliggande
bedrock [bedd'råkk'] berggrund
bedroom [bedd'ro:m] sovrum
bedsitter [bedd'sitə] enrumslägenhet
bedspread [bedd'spred] överkast
bedstead [bedd'sted] säng
bee [bi:] bi
beech [bi:tʃ] bok (*träd*)
beef [bi:f] nötkött; *ground beef* köttfärs
beefeater [bi:'fi:tə] livgardist, väktare i Towern
beefsteak [bi:'fstejk] biff
beehive [bi:'hajv] bikupa
beep [bi:p] (*ljud*) pip
beer [bi:'ə] öl; *small beer* svagdricka
beer can [bi:'əkän] ölburk
beesting [bi:'sting] bisting
beet [bi:t] beta (*rotfrukt*)

beetle [bi:'tl] skalbagge

beetroot [bi:'tro:t] rödbeta

before [bifå:'] 1 *prep.* före, framför, inför 2 *adv.* förut 3 *konj.* innan

beforehand [bifå:'händ] på förhand

beg [begg] tigga

began [bigänn'] *imperf. av* begin

beget [bigett'] avla

beggar [begg'ə] tiggare; *a lucky beggar* en lyckans ost

beggar-my-neighbour [begg'əminej'bə] svälta räv

begin [biginn'] börja

beginner [biginn'ə] nybörjare

beginning [biginn'ing] början

begrudge [bigrad3'] missunna

beguile [bigaj'l] lura, locka

begun [bigann'] *perf. part. av* begin

behalf [bihå:'f] *on behalf of s.b.* på ngns vägnar

behave [bihej'v] bete sig, uppträda, uppföra sig

behaviour [bihej'vjə] beteende, uppförande

beheld [bihell'd] *imperf. och perf. part. av* behold

behind [bihaj'nd] 1 *adv.* bakom, baktill, bakpå; kvar 2 *prep.* efter 3 *s.* ända; *vard.* bak

behold [bihəo'ld] skåda

beige [bejʒ] beige

being [bi:'ing] varelse; *human being* människa

belch [beltʃ] 1 *v.* rapa 2 *s.* rapning

belfry [bell'fri] klocktorn

Belgian [bell'dʒən] 1 *adj.* belgisk 2 *s.* belgare, belgiska

Belgium [bell'dʒəm] Belgien

belie [bilaj'] beljuga; motsäga

belief [bili:'f] *s.* tro

believe [bili:'v] tro; *make s.b. believe s.th.* inbilla ngn ngt

belittle [bilitt'l] förringa

bell [bell] [ring]klocka, bjällra

bellboy [bell'båj] *Am.* hotellpojke, pickolo

belle [bell] vacker kvinna

bellicose [bell'ikəos] stridslysten

belligerent [bilidʒ'ərənt] krigförande

bell jar [bell'dʒa:] (*glas-*) kupa

bellow [bell'əo] böla, vråla

bellows [bell'əoz] blåsbälg

belly [bell'i] mage, buk

bellyache [bell'iejk] magvärk

belong [bilång'] *belong to* tillhöra

belongings [bilång'ingz] tillhörigheter

beloved [bilavv'd] älskad

below [biləo'] nedanför, under

belt [bellt] bälte, skärp

bench [bentʃ] bänk; domstol

bend [bend] 1 *s.* krok, bukt 2 *v.* böja, bukta sig, svikta

bending [benn'ding] buktig

beneath [bini:'θ] nedanför, under

benediction [benidikk'ʃən] välsignelse

benefactor [benn'ifäktə] välgörare

beneficial [benifiʃ'əl] välgörande, nyttig

benefit [benn'ifit] 1 *s.* fördel 2 *v.* ha (dra) nytta

benevolence [binevv'ələns] välvilja

benevolent [binevv'ələnt] välvillig

benign [binaj'n] välvillig; godartad

bent [bent] böjd, krokig

bequeath [bikwi:'ð] testamentera

bereave [biri:'v] beröva

bereavement [biri:'vmənt] smärtsam förlust

bereft [bireff't] *imperf. och perf. part. av* bereave

berry [berr'i] bär

berth [bə:θ] koj, sovplats; hytt

beside [bisaj'd] bredvid; *beside o.s.* utom sig

besides [bisaj'dz] 1 *adv.* dessutom; förresten, för övrigt 2 *prep.* [för]utom

besiege [bisi:'dʒ] belägra

best [best] bäst; *at best* i bästa fall; *do one's best* göra sitt bästa

bestow [bistəo'] skänka, ägna

best-seller [bess'tsell'ə] bestseller

bet [bett] 1 *s.* vad[slagning] 2 *v.* slå vad; *I'll bet you* det kan jag slå vad om

betide [bitaj'd] *woe betide you!* ve dig!

betray [bitrej'] förråda, röja

betroth [bitraɔ'ð] trolova

better [bett'ə] bättre; *all the better* desto bättre; *we had better go* det är bäst vi går; *you had better not do it* det är inte värt att du gör det

between [bitwi:'n] [e]mellan; *between ourselves* (*themselves*) sinsemellan; *midway between* mitt emellan

beverage [bevv'əridʒ] dryck

beware [biwä:'ə] akta sig

bewilder [biwill'də] förvirra, förbrylla

bewitch [biwitʃ'] förtrolla

beyond [bijånn'd] bortom, utöver; *it's beyond me* det övergår mitt förstånd

bias [baj'əs] 1 *s.* partiskhet 2 *v.* göra partisk, påverka

bib [bibb] haklapp

bible [baj'bl] bibel

bibliography [bibliågg'rəfi] bibliografi

bicker [bikk'ə] gnabbas, träta

bicycle [baj'sikl] cykel

bid [bidd] 1 *s.* anbud, bud 2 *v.* bjuda (*på auktion*); befalla

bide [bajd] *bide one's time* bida sin tid

bidet [bi:'dej] bidé

bier [bi:'ə] bår

big [bigg] stor; *big industry* storindustri; *big toe* stortå; *big town* storstad; *big wash* stortvätt

bigger [bigg'ə] större

biggest [bigg'ist] störst

bigwig [bigg'wig] pamp, viktig person

bike [bajk] *vard.* cykel; *ride a bike* cykla

bike helmet [baj'khälmət] cykelhjälm

bike rental [baj'krentəl] cykeluthyrning

bilberry [bill'bəri] blåbär

bile [bajl] galla

biliary cholic [bill'jəri kåll'ik] gallstensanfall

bilingual [bajling'gwəl] tvåspråkig

bilious [bill'jəs] gallsjuk; argsint

bill [bill] räkning, nota; lagförslag; växel; *Am.* sedel

billet [bill'it] inkvartera

billiards [bill'jədz] biljard

billion [bill'jən] (*tusen miljoner*) miljard

billow [bill'əo] *s.* bölja

bin [binn] lår, låda

bind [bajnd] *v.* binda; *bind o.s.* förplikta sig

binder [baj'ndə] självbindare

binding [baj'nding] [bok]band

binoculars [binåkk'joləz] kikare

biodegradable [bajəodi:grej'dəbl] biologiskt nedbrytbar

biodynamic [bajəodajnämm'ik] biodynamisk

biography [bajågg'rəfi] biografi

biological [bajəoládʒ'ikəl] biologisk

biology [bajåll'ədʒi] biologi

birch [bə:tʃ] björk

bird [bə:d] fågel; *vard.* tjej, brud

birdcage [bə:'dkejdʒ] fågelbur

bird cherry [bə:'dtʃeri] hägg

bird's-eye view [bə:'dzaj vjo:'] fågelperspektiv

birdsnest [bə:'dznest] fågelbo

birth [bə:θ] födelse; *give birth to* föda

birth control [bə:'θkəntrəo'l] födelsekontroll, barnbegränsning

birthday [bə:'θdej] födelsedag

birth rate [bə:'θrejt] nativitet, födelsetal

biscuit [biss'kit] [små]kaka, kex

bishop [biʃ'əp] biskop

bismuth [bizz'məθ] vismut

bit [bitt] bit; nyckelax; *a bit* en smula; *not a bit* inte ett dugg; *bit by bit* bitvis

bitch [bitʃ] tik; *sl.* satmara

bite [bajt] 1 *v.* bita; hugga; bitas 2 *s.* bett, napp; tugga

bitter [bitt'ə] bitter, besk; förbittrad

bitterness [bitt'ənis] bitterhet

bitumen [bitt'jomin] asfalt

blab [bläbb] babbla; *blab out a secret* försäga sig

black [bläkk] svart; *black cock* orre; *black grouse* orre; *the black market* svarta börsen; *black pepper* svartpeppar; *the Black Sea* Svarta havet; *the black sheep of the family* familjens svarta får

blackberry [bläkk'bəri] björnbär

blackbird [bläkk'bə:d] koltrast

blackboard [bläkk'bå:d] svart tavla

blackcurrant [bläkk karr'ənt] svartvinbär

blacken [bläkk'ən] v. svärta

blackening [bläkk'ning] svartmålning

black fly [bläkk'flaj] knott

blackguard [blägga:'d] skurk

blackhead [bläkk'hed] pormask

blacking [bläkk'ing] s. svärta

blackleg [bläkk'leg] strejkbrytare; falskspelare

blacklist [bläkk'list] svartlista

blackmail [bläkk'mejl] 1 s. utpressning 2 v. bedriva utpressning mot

blackout [bläkk'aot] mörkläggning; medvetslöshet

black pudding [bläkk'podd'ing] blodpudding

blacksmith [bläkk'smiθ] smed

bladder [blädd'ə] urinblåsa, blåsa

blade [blejd] [kniv]blad; klinga; strå

blame [blejm] 1 s. klander 2 v. klandra; *blame s.b for s.th.* skylla ngt på ngn; *you only have yourself to blame* du får skylla dig själv

bland [bländ] blid, förbindlig

blandish [blänn'diʃ] smickra

blank [blängk] 1 s. nitlott; [minnes]lucka 2 adj. tom

blanket [bläng'kit] filt

blare [blä:'ə] 1 v. smattra 2 s. trumpetsmatter

blasphemy [bläss'fimi] hädelse

blast [bla:st] spränga

blasted [bla:'stid] fördömd

blatant [blej'tənt] skränig; påtaglig

blaze [blejz] blossa

blazer [blej'zə] klubbjacka

bleach [bli:tʃ] bleka

bleak [bli:k] kal; kulen; dyster

bleat [bli:t] bräka

bled [bledd] *imperf. och perf. part. av bleed*

bleed [bli:d] blöda; *bleed to death* förblöda

bleeding [bli:'ding] blödning

blemish [blemm'iʃ] fläck; fel

blend [blend] 1 v. blanda [sig] 2 s.

blandning

bless [bless] välsigna; *bless you!* prosit

blessed [bless'id] salig

blessing [bless'ing] välsignelse

blew [blo:] *imperf. av blow*

blight [blajt] mjöldagg; fördärv

blighter [blaj'tə] irriterande person; skojare, rackare

blimey [blaj'mi] kors!

blimp [blimp] chauvinist

blind [blajnd] 1 adj. blind (*to* för); *blind alley* återvändsgata 2 s. rullgardin 3 v. blända 4 adv., *blind drunk* redlös[t berusad]

blindfold [blaj'ndfəold] binda för ögonen på

blind man's-buff [blaj'ndmänzbaff'] blindbock

blink [blingk] blinka

blinker [bling'kə] blinker; *blinkers* (*pl*) skygglappar

bliss [bliss] lycksalighet

blister [bliss'tə] [hud]blåsa

blithe [blajð] munter

blitz [blits] överraskande luftangrepp

blizzard [bliz'əd] häftig snöstorm

bloat [bləot] svälla

bloater [bləo'tə] böckling

block [blåkk] block, kloss; kvarter; *block of flats* hyreshus

blockade [blåkej'd] blockera

blockhead [blåkk'hed] dumbom, träskalle

block letter [blåkk'lett'ə] tryckbokstav; *use block letters* texta

bloke [bləok] vard. grabb, karl

blond [blånd] blond

blonde [blånd] blondin

blood [bladd] blod

blood clot [bladd'klåt] blodpropp

blood group [bladd' gro:p] blodgrupp

blood poisoning [bladd'påjzning] blodförgiftning

blood pressure [bladd' preʃ'ə] blodtryck

bloodshed [bladd'ʃed] blodsutgjutelse

bloodshot [bladd'ʃåt] blodsprängd

blood test [bladd' test] blodprov

blood transfusion [bladd'tränsfju:'-

3ən] blodtransfusion
bloodvessel [bladd'vess'l] blodkärl
bloody [bladd'i] blodig; förbannad
bloom [blo:m] blom, blomning
bloomer [blo:'mə] blunder
bloomers [blo:'məz] (*pl*) vida dambyxor
blossom [blåss'əm] 1 *s.* blom, blomma; *in blossom* utslagen, i blom 2 *v.* blomstra
blotch [blåtʃ] blemma; fläck
blouse [blaoz] blus
blow [bləo] 1 *s.* slag, smäll 2 *v.* blåsa; *blow one's nose* snyta sig fräsa; *blow up* explodera; *blow ... up* skälla ut
blown [bləon] *perf. part. av blow*
blue [blo:] blå; *feel blue* känna sig svårmodig
bluebell [blo:'bel] blåklocka
bluebird [blo:'bə:d] blåhake
bluebottle [blo:'båtl] spyfluga
blue-eyed [blo:'ajd] blåögd
bluff [blaff] 1 *s.* bluff 2 *v.* bluffa
blunder [blann'də] misstag, blunder
blunt [blannt] 1 *adj.* trubbig, slö 2 *v.* trubba [av]
blurred [blə:d] suddig
blurt out [blə:'t ao't] låta undfalla sig, plötsligt utslunga
blush [blaʃ] rodna
bluster [blass'tə] storma, rasa
boar [bå:] *zool.* galt; *wild boar* vildsvin
board [bå:d] bräde, [anslags]tavla; papp; *sjö.* bord; styrelse; *on board* ombord; *be on the board* sitta i styrelsen; *board and lodging* inackordering, mat och husrum, vivre
boarder [bå:'də] *pers.* inackordering
boarding house [bå:'dinghaos] pensionat
boarding school [bå:'dingsko:l] internatskola
boast [bəost] 1 *s.* skryt 2 *v.* skryta (*of* över)
boastful [bəost'fol] skrytsam
boat [bəot] båt, skuta
boat racing [bəo'trejsing] kapprodd
bob [båbb] 1 *s.* shilling 2 *v.* hoppa,

guppa
bobbin [båbb'in] spole
bobby [båbb'i] poliskonstapel
bodice [bådd'is] blusliv
bodily [bådd'ili] kroppslig[en]
body [bådd'i] kropp; kår; karosseri
bodyguard [bådd'iga:d] livvakt
bog [bågg] myr
bogus [bəo'gəs] fingerad; falsk
bogy [bəo'gi] spöke; buse
Bohemia [bəohi:'mjə] Böhmen
bohemian [bəohi:'mjən] bohem
boil [båjl] 1 *s.* böld 2 *v.* koka
boiled [båjld] kokt
boiler [båj'lə] ångpanna
boiling hot [båj'ling hått'] kokhet
boisterous [båj'strəs] stormig; bullersam
bold [bəold] djärv, käck, oförfärad
boldness [bəo'ldnis] djärvhet
bolt [bəolt] 1 *s.* rigel; bult 2 *v.* (*om häst*) skena
bomb [båmm] 1 *s.* bomb 2 *v.* bomba
bombard [båmba:'d] bombardera
bombastic [båmbass'tik] svulstig
bomber [båmm'ə] bombplan
bombing attack [båmm'ing ətäkk'] bombanfall
bonanza [bənänn'zə] malmåder; *bildl.* guldgruva
bond [bånd] band; obligation
bondage [bånn'didʒ] träldom
bone [bəon] 1 *s.* ben (*i kroppen*); *bone of contention* tvistefrö; *have a bone to pick with s.b.* ha ngt otalt med ngn; *make no bones about* inte tveka att 2 *v.* bena (*fisk*)
bonfire [bånn'fajə] bål, eld
bonnet [bånn'it] [motor]huv; hätta
bonny [bånn'i] söt; bra, god
booby trap [bo:'biträp] elakt skämt; försåt
book [bokk] 1 *s.* bok 2 *v.* beställa, boka; bokföra
bookcase [bokk' kejs] bokhylla
book club [bokk' klabb] bokklubb
booking [bokk'ing] beställning; bokning; *advance booking* förköp; *booking of rooms (a room)* rums-

beställning

booking office [bokk'ing åff'is] biljettlucka; biljettkontor

bookkeeping [bokk' ki:ping] bokföring

booklet [bokk'lit] broschyr, häfte

bookmaker [bokk'mejkə] vadhållningsagent

bookmark [bokk'ma:k] bokmärke

bookseller [bokk'selə] bokhandlare

bookshop [bokk'ʃåp] bokhandel

bookstall [bokk'stå:l] bokstånd; tidningskiosk

boom [bo:m] högkonjunktur

boon [bo:n] välsignelse; välgärning

boor [bo:'ə] tölp

boorish [bo:'əriʃ] tölpaktig

boost [bo:st] 1 v. hjälpa fram; stärka 2 s. uppsving

boot [bo:t] känga, bagageutrymme (på bil)

boot cover [bo:'tkavə] baklucka

booth [bo:ð] stånd, bod; [telefon]hytt

bootleg [bo:'tleg] langa sprit

bootlegger [bo:'tlegə] langare

booty [bo:'ti] byte, rov

border [bå:'də] 1 s. list, bård; sarg; gräns, utkant 2 v., border on gränsa till

border district [bå:'də diss'trikt] gränsområde

borderline [bå:'dəlajn] gräns[linje]

bore [bå:] 1 v. borra; tråka ut; bore ... to death tråka ihjäl (ut) 2 s. tråkmåns 3 imperf. av bear 2

bored [bå:d] uttråkad

borer [bå:'rə] borr

boric acid [bå:'rik äss'id] borsyra

boring [bå:'ring] ledsam, tråkig

born [bå:n] född; be born födas

borne [bå:n] burit, buren; fött

borough [barr'ə] stad; köping; stadsvalkrets

borrow [bårr'əo] låna (from av)

Borstal institution [bå:'stl institjo:'ʃən] ungdomsvårdsskola

bosh [båʃ] strunt

Bosnia [båss'niə] Bosnien

Bosnian [båss'niən] 1 s. bosnier 2 adj. bosnisk

bosom [bozz'əm] bröst, barm, famn

boss [båss] 1 s. chef, bas 2 v. buckla

botanical [bətänn'ikəl] botanisk

botany [bått'əni] botanik

both [boəθ] 1 pron. båda, bägge 2 adv., both...and både...och

bother [båð'ə] 1 v. besvära, genera; göra sig besvär 2 s. besvär; bother! jäklar!; make a bother krångla

bottle [bått'l] 1 s. flaska, butelj 2 v. buteljera

bottom [bått'əm] botten; bottom sheet underlakan; at the bottom underst (of i); get to the bottom of gå till botten med; reach the bottom bottna

bough [bao] stor trädgren

bought [bå:t] imperf. och perf. part. av buy

boulder [bəo'ldə] stor sten

bounce [bəons] studsa

bound [baond] 1 adj. bunden, inbunden; förbunden, förpliktad 2 v. begränsa

boundary [bao'ndəri] gräns

bounder [bao'ndə] skrävlare, knöl, bracka

boundless [bao'ndlis] gränslös

bountiful [bao'ntifol] frikostig, riklig

bounty [bao'nti] skottpengar; premie

bouquet [bo:kej'] bukett

bourbon [bə:'bən] (Am. whisky) bourbon

bourgeois [bo:'əʃwa:] småborgerlig

bow 1 v. [bao] buga, buga sig, bocka [sig] (to för); böja 2 s. [bao] bog (på båt) 3 [bəo] s. [pil]båge; stråke; bygel; rosett

bowels [bao'əlz] (pl) inälvor

bowl [bəol] bunke, skål

bow-legged [bəo'legd] hjulbent

bowler [bəo'lə] plommonstop; kastare

bowsprit [bəo'sprit] bogspröt

bow window [bəo'windəo] burspråk

box [båks] 1 s. låda, skrin, dosa; [teater]loge; cardboard box kartong, pappask; large box lår; box on the ear örfil 2 v. boxas

boxer [båkk'sə] boxare

boxing [båkk'sing] boxning

Boxing Day [båkk'singdej] annandag jul

box office [båkk'såfis] biljettlucka

boy [båj] pojke

boycott [båj'kət] 1 *s.* bojkott 2 *v.* bojkotta

boyfriend [båj'frend] pojkvän

boyhood [båj'hod] pojkår, barndom

boyish prank [båj'iʃ prängk] pojkstreck

bra [bra:] behå

brace [brejs] spänna; *brace o.s.* stålsätta sig; *brace one's feet* ta spjärn

bracelet [brej'slit] armband

braces [brej'siz] hängslen

bracing [brej'sing] stärkande

bracken [bräkk'n] ormbunke

bracket [bräkk'it] klammer, parentes

brag [brägg] skrävla

braid [brejd] fläta

braille [brejl] blindskrift

brain [brejn] hjärna; *rack one's brains* bry sin hjärna

brain injury [brejn inn'dʒəri] hjärnskada

brain tumour [brejn tjo:'mə] *med.* hjärntumör

brake [brejk] 1 *s.* broms 2 *v.* bromsa

brake lining [brej'k laj'ning] bromsband

bran [bränn] kli

branch [bra:ntʃ] 1 *s.* gren; filial 2 *v.* grena sig

brand [bränd] 1 *s.* varusort, märke 2 *v.* brännmärka

brandish [bränn'diʃ] svinga, svänga

brandy [bränn'di] konjak

brass [bra:s] mässing

brass band [bra:'sbänd] (*mässingsorkester*) blåsorkester

brassiere [bräss'iə] bysthållare

brassy [bra:'si] mässings-; fräck

brat [brätt] [barn]unge

bravado [brəva:'dəo] karskhet; spelad tapperhet

brave [brejv] 1 *s.* krigare 2 *adj.* modig, tapper

bravery [brej'vəri] tapperhet

bravo [bra:'vəo'] bravo

brawn [brå:n] sylta; salt fläsk; muskelstyrka

braze [brejz] (*hård-*) löda

Brazil [brəzill'] Brasilien

Brazil nut [brəzill'nat] paranöt

breach [bri:tʃ] brytning; brott; rämna; *breach of duty* tjänstefel

bread [bredd] bröd; *a piece of bread and butter* en smörgås

breadth [breddθ] bredd

breadwinner [bredd'winn'ə] familjeförsörjare

break [brejk] 1 *v.* bryta [av], bräcka, ha sönder; brista, gå av, gå sönder; *break down* (*om maskin*) gå sönder; *break out* utbryta; *break the bank* spränga banken; *break into a p.'s house* göra inbrott hos ngn; *his voice is just breaking* han är i målbrottet 2 *s.* avbrott, uppehåll, rast; brytning

breaker [brej'kə] bränning (*i sjön*)

breakfast [brekk'fəst] frukost; *have breakfast* äta frukost

breaking-up [brej'kingapp'] uppbrott; *breaking-up mood* uppbrottsstämning

breakthrough [brej'kθro:'] genombrott

breakwater [brej'kwå:tə] vågbrytare

breast [brest] bröst

breaststroke [bress'tstrəo'k] bröstsim

breath [breθ] andedräkt, anda, andetag; fläkt, vindpust; *out of breath* andfådd

breathe [bri:ð] andas

breather [bri:'ðə] *take a breather* pusta ut

breathing [bri:'ðing] andning, andhämtning

breathing-space [bri:'ðingspejs] andrum, andningspaus

breathless [breθ'lis] andlös

bred [bredd] *imperf. och perf. part. av breed*

breeches [britt'ʃiz] knäbyxor, ridbyxor

breed [bri:d] 1 *s.* ras; sort 2 *v.* föda;

breeder 30

få ungar; föda upp

breeder [bri:'də] uppfödare; avelsdjur

breeding [bri:'diŋ] avel

breeze [bri:z] bris

brew [bro:] **1** *s.* brygd **2** *v.* brygga; *s.th. is brewing* ngt är i görningen; *there is mischief brewing* det är ugglor i mossen

brewery [bro:'əri] bryggeri

bribe [brajb] muta

brick [brikk] tegel[sten]; *drop* (*throw*) *a brick* trampa i klaveret

bricklayer [brikk'lejə] murare

bridal [braj'dl] brud-; *bridal couple* brudpar; *bridal crown* brudkrona

bride [brajd] brud

bridegroom [braj'dgro:m] brudgum

bridesmaid [braj'dzmejd] [brud]tärna

bridge [bridʒ] bro, brygga; kommandobrygga; fiolstall

bridle [brajdl] betsel

brief [bri:f] kortfattad; *be brief* fatta sig kort

briefcase [bri:'fkejs] portfölj

briefly [bri:'fli] kort och gott

briefs [bri:fs] trosor

brier [braj'ə] törnbuske, nyponbuske

bright [brajt] ljus, lysande; klar (*om färg*); begåvad

brighten [braj'tn] klarna, ljusna

brill [brill] slätvar

brilliant [brill'jənt] strålande, lysande, briljant, snillrik

brim [brimm] brätte

bring [briŋ] ha (ta) med sig, komma med, medföra, tillföra; *bring me the books* ta hit böckerna; *bring o.s. to* komma sig för med att; *bring about* utlösa, framkalla, få till stånd, åstadkomma; *bring forth* frambringa; *bring together* sammanföra; *bring up* fostra, uppföda, uppfostra

bringing up [briŋ'iŋ app'] fostran; *bringing up of children* barnuppfostran

brink [briŋk] rand, kant

brisk [brisk] livlig; uppiggande

brisket [briss'kit] bringa (*av kött*)

bristle [briss'l] borst

Britain [britt'n] *Great Britain* Storbritannien

British [britt'iʃ] **1** *adj.* brittisk **2** *s.*, *the British* britterna

Briton [britt'n] britt

Brittany [britt'əni] Bretagne

brittle [britt'l] skör, spröd

broach [broətʃ] föra på tal

broad [brå:d] bred; *in broad daylight* mitt på ljusa dagen

broadcast [brå:'dka:st] **1** *v.* sända (*i radio el. TV*) **2** *s.* radioutsändning

broaden [brå:'dn] bredda

broad-minded [brå:'dmaj'ndid] vidsynt

broccoli [bråkk'åli] broccoli

brogue [broog] (*irländsk*) dialekt; sportsko

broil [bråjl] halstra

broke [broək] **1** *adj.* pank **2** *imperf. av break*

broken [broə'kən] bruten, sönder, trasig; *be broken* gå sönder

broker [broə'kə] mäklare

brokerage [broə'kəridʒ] mäkleri; mäklararvode

bronchitis [bråŋkaj'tis] luftrörskatarr

bronze [brånz] brons

brooch [broətʃ] brosch

brood [bro:d] **1** *v.* grubbla; ruva (*on på*) **2** *s.* kull; yngel

brook [brokk] bäck

broom [bro:m] kvast

broth [bråθ] spad; *meat broth* buljong

brothel [bråθ'əl] bordell

brother [braðʼə] bror; *brother[s] and sister[s]* syskon

brotherhood [braðʼəhod] broderskap, brödraskap

brother-in-law [braðʼərinlå:] svåger

brought [brå:t] *imperf. och perf. part. av bring*

brow [brao] ögonbryn; panna; *knit one's brows* rynka pannan

browbeat [brao'bi:t] skrämma, spela översittare mot

brown [braon] **1** *adj.* brun **2** *v.* bryna

brownie [brao'ni] tomte; nötkaka

browse [braoz] beta; skumma (*böcker*)

bruise [bro:z] blåmärke

brunt [brant] stöt, våldsamhet

brush [braʃ] **1** s. borste; pensel; snår **2** v. borsta; nudda; *brushed out (om hår)* utslaget; *brush up* friska upp *(bildl.)*

brushwood [braʃ'wod] ris, snår

Brussels [brass'ls] Bryssel

Brussels sprouts [brass'lsprao'ts] brysselkål

brutal [bro:'tl] brutal

brute [bro:t] **1** s. djur; odjur **2** adj. djurisk; rå

bubble [babb'l] bubbla

buccaneer [bakəni:'ə] sjörövare

buck [bakk] bock, hane

bucket [bakk'it] hink, pyts grävskopa; *kick the bucket* dö

buckle [bakk'l] **1** s. spänne **2** v. spänna; böja, buckla [till]

bud [badd] **1** v. knoppas **2** s. knopp; *nip in the bud* kväva i sin linda

budge [badʒ] röra sig ur fläcken

budgerigar [badʒ'əriga:] undulat

budget [badʒ'it] budget; *budget with a deficit* underbalanserad budget

budget bill [badʒ'it bill] statsverksproposition

budgie [badʒ'i] undulat

buff [baff] **1** adj. mattgul **2** s. sämskskinn

buffalo [baff'ələo] buffel

buffer [baff'ə] buffert

buffet 1 v. [baff'it] knuffa **2** s. [baff'it] knuff **3** s. [bo:'fej] buffé

bug [bagg] vägglus

bugle [bjo:'gl] signalhorn; jakthorn

build [bild] bygga, uppföra, anlägga; *build on* bebygga; *build of brick* mura

building [bill'diŋ] byggnad; anläggning, bygge

buildings [bill'diŋz] bebyggelse, byggnader

built [bilt] *imperf. och perf. part. av* build

built-up area [bill'tap a:'əriə] tätort

bulb [balb] lök; glödlampa

Bulgarian [balga:'riən] **1** s. bulgar **2** adj. bulgarisk

bulge [baldʒ] utbuktning; bukta ut

bulging [ball'dʒiŋ] buktig

bulk [balk] skeppslast; volym, massa

bulkhead [ball'khed] vattentätt skott

bulky [ball'ki] skrymmande

bull [boll] tjur

bulldog [boll'dåg] bulldogg

bulldozer [boll'dəozə] schaktningsmaskin

bullet [boll'it] kula (*från gevär o.d.*)

bullfight [boll'fajt] tjurfäktning

bullfinch [boll'fintʃ] domherre

bullion [boll'jən] guldtacka

bullock [boll'ək] ung tjur, oxe

bull's-eye [boll'zaj] [skottavlas] prick

bully [boll'i] översittare

bulrush [boll'raʃ] säv

bum [bamm] luffare

bumble-bee [bamm'blbi:] humla

bump [bamp] **1** s. bula, knöl; duns, törn **2** v. stöta, dunsa; *bump into* törna emot

bumper [bamm'pə] kofångare, stötfångare

bumpy [bamm'pi] knagglig

bun [bann] bulle

bunch [bantʃ] knippa, klase

bundle [bann'dl] bunt, knyte

bungalow [baŋ'gələo] enplanshus, bungalow

bungle [baŋ'gl] [för]fuska

bungler [baŋ'glə] klåpare

bungy jump [bann'gidʒamp] bungy jump

bunk [baŋk] brits, koj; humbug

bunny [bann'i] kanin

buoy [båj] boj

buoyant [båj'ənt] flytande; sorglös

burbot [bə:'bət] lake

burden [bə:'dn] börda

burdensome [bə:'dnsəm] betungande

bureau [bjo:'ərəo] kontor; *Am.* byrå *(möbel)*

bureaucracy [bjoråkk'rəsi] byråkrati

burglar [bə:'glə] inbrottstjuv

burglar alarm [bə:'glə əla:'m] tjuvlarm

burglary [bə:'gləri] inbrott (*under natten*)

burglary insurance [bə:'gləri inʃo:'ərəns] inbrottsförsäkring

Burgundy [bə:'gəndi] Bourgogne

burial [service] [berr'iəl (sə:'vis)] jordfästning

burly [bə:'li] bastant

burn [bə:n] **1** v. brinna; brännas; bränna; brännas vid **2** s. brännsår, brännskada

burning hot [bə:'ning hått'] brännhet

burnish [bə:'niʃ] polera

burnt [bə:nt] vidbränd

burrow [barr'əo] **1** s. håla **2** v. gräva ett hål

burst [bə:st] **1** v. brista; sprängas; spränga **2** s., burst of laughter skrattsalva

bury [berr'i] begrava

bus [bass] buss

bus driver [bass' drajvə] busschaufför

bush [boʃ] buske; beat about the bush gå som katten kring het gröt

bushel [boʃ'l] bushel (rymdmått=i Storbrit. 36,37 l, i USA 35,24 l)

bushy [boʃ'i] yvig

business [bizz'nis] affär[er], rörelse; angelägenhet; business is dull affärerna går trögt; it's none of your business det angår dig inte

business conditions [bizz'nis kəndiʃ'ənz] konjunkturer

business economics [bizz'nis i:kənåmm'iks] företagsekonomi

business hours [bizz'nis ao'əz] affärstid

businesslike [bizz'nislajk] affärsmässig

businessman {bizz'nismən] affärsman, företagare

business trip [bizz'nis trip] tjänsteresa, affärsresa

bus stop [bass ståpp] busshållplats

bust [bast] byst

bus terminus [bass tə:'minəs] ändhållplats

bustle [bass'l] **1** v. jäkta **2** s. jäkt, brådska

bustling [bass'ling] hetsig, jäktig

busy [bizz'i] **1** adj. sysselsatt; be busy doing s.th. vara i färd med att göra ngt; be busy with hålla på med **2** v., busy o.s with pyssla med, syssla med

busybody [bizz'ibådi] beskäftig människa

but [batt] **1** konj. men; utan; nothing else but inget annat än; no one but me ingen utom jag; but for them om inte de hade varit; the last but one den näst sista **2** s. aber **3** adv., all but nästan

butcher [bott'ʃə] slaktare; butcher's köttaffär, slakteributik

butler [batt'lə] hovmästare, förste betjänt

butt [batt] **1** s. kolv; fimp **2** v. stöta, stånga

butter [batt'ə] smör

buttercup [batt'əkap] smörblomma

butterfly [batt'əflaj] fjäril

butterfly net [batt'əflaj nett] fjärilshåv

butterfly stroke [batt'əflaj strəok] fjärilsim

buttermilk [batt'əmilk] kärnmjölk

buttock[s] [batt'ək(s)] skinka; bakdel

button [batt'n] **1** s. knapp **2** v. button [up] knäppa, knäppa igen

buttonhole [batt'nhəol] **1** s. knapphål **2** v. uppehålla med prat

buttoning [batt'ning] knäppning

buxom [bakk'səm] mullig; fryntlig

buy [baj] köpa

buyer [baj'ə] köpare

buzz [bazz] **1** s. surr **2** v. surra

buzzard [bazz'əd] ormvråk

buzzer [bazz'ə] summer

by [baj] hos, bredvid, invid; av; by and by snart, så småningom; by and large i stort sett; close by here här bredvid; by now vid det här laget; one by one en och en; by that därmed; by train med tåg; by the way i förbigående [sagt], för övrigt

by-election [baj'ilekʃən] fyllnadsval

by-law [baj'lå:] lokal förordning

bypass [baj'pa:s] **1** s. sidoväg **2** v. gå (leda) förbi

bystander [baj'ständə] åskådare
byword [baj'wə:d] ordstäv; öknamn

C

C, c [si:] (*bokstav o. ton*) C, c
cab [käbb] droska, taxi
cab rank [käbb'rängk] droskstation
cab stand [käbb'ständ] *Am.* droskstation
cabaret [käbb'ərej] kabaré
cabbage [käbb'idʒ] kål
cabin [käbb'in] koja; hytt, kajuta
cabinet [käbb'init] skåp; kabinett
cabinet minister [käbb'init minn'istə] statsråd
cable [kej'bl] 1 *s.* kabel, vajer; telegram 2 *v.* telegrafera
cable television [kejbl tell'iviʃən] kabel-TV
cacao [kəka:'əo] kakaoträd, kakaoböna
cackle [käkk'l] 1 *v.* kackla, pladdra 2 *s.* kackel, pladder
cactus [käkk'təs] kaktus
cad [kädd] lymmel
caddie [kädd'i] caddie (*i golf*)
caddy [kädd'i] teburk
cadet [kədett'] yngre son; kadett
café [kaff'ej] kafé
cafeteria [kafəte:'riə] cafeteria
cage [kejdʒ] bur
cage bird [kej'dʒbə:d] burfågel
cagey [kej'dʒi] slug, försiktig
cake [kejk] kaka, tårta
cake slice [kejk'slajs] tårtspade
caked breasts [kej'kd bress'ts] mjölkstockning
calamity [kəlämm'iti] katastrof, olycka
calculate [käll'kjolejt] kalkylera, [be]räkna
calculating machine [käll'kjolejting məʃi:'n] räknemaskin
calculation [källkjolej'ʃən] beräkning, uträkning; kalkyl
calculator [käll'kjolejtə] kalkylator,
[mini]räknare
calendar [käll'ində] kalender, almanacka
calf [ka:f] (*pl, calves* [ka:vz]) kalv; vad (*på ben*)
calfskin [ka:'fskin] kalvskinn
call [kå:l] 1 *v.* kalla; [an]ropa; gala (*om gök*); *be called* heta, kallas; *I'd like to be called at 6* får jag be om väckning kl. 6; *call a strike* utlysa strejk; *call in* inkalla; *call on* hälsa på; *call out* uppbåda; *call together* sammankalla; *call up* ringa till, *mil.* inkalla 2 *s.* rop; (*djurs*) läte; visit; *alarm call* telefonväckning
call box [kå:l'båks] telefonkiosk, telefonhytt
calling [kå:'ling] yrke
callous [käll'əs] hård, okänslig
callus [käll'əs] valk
calm [ka:m] 1 *s.* lugn, stillhet; stiltje 2 *adj.* lugn, stilla 3 *v.* lugna; *calm down* lugna sig
calorie [käll'əri] kalori
cambric [kej'mbrik] battist
camcorder [kämm'kå:də] (*liten bärbar*) videokamera
came [kejm] *imperf. av* come
camel [kämm'əl] kamel
camera [kämm'ərə] kamera
camomile [kämm'əmajl] *wild camomile* kamomill
camouflage [kämm'ofla:ʒ] 1 *s.* kamouflage 2 *v.* kamouflera
camp [kämp] 1 *s.* förläggning; tältplats, läger 2 *v.* tälta, campa
campaign [kämpej'n] kampanj, fälttåg
camp bed [kämm'pbed] tältsäng
campfire [kämm'pfajə] lägereld
camping [kämm'ping] camping
camping ground [kämm'ping graond] campingplats
campus [kämm'pəs] *Am.* universitetsområde, skolområde
camshaft [kämm'ʃa:ft] kamaxel
can [känn] 1 *hjälpv.* kan; får 2 *s.* dunk; *Am.* konservburk; konservera
Canada [känn'ədə] Kanada

Canadian [kənej'djən] 1 *s.* kanadensare 2 *adj.* kanadensisk

canal [kənäll'] (*grävd*) kanal

canary [kənä:'əri] kanariefågel; *the Canary Islands* Kanarieöarna

cancel [känn'səl] upphäva, annullera, återkalla, inställa, avbeställa, makulera

cancer [känn'sə] cancer

candid [känn'did] uppriktig

candidate [känn'didit] kandidat

candidly [känn'didli] uppriktigt sagt

candle [känn'dl] [stearin]ljus

candle-end [känn'dlend] ljusstump

candlelight [känn'dl lajt] eldsljus

candlestick [känn'dlstik] ljusstake

candour [känn'də] uppriktighet

candy [känn'di] kandisocker; *Am.* karameller, godis

cane [kejn] rotting

cane sugar [kej'n ∫ogg'ə] rörsocker

canine tooth [kej'najn to:'θ] hörntand

canned fruit [känn'd fro:t] fruktkonserver

cannery [känn'əri] konservfabrik

cannibal [känn'ibəl] kannibal

cannon [känn'ən] kanon

cannot [känn'åt] kan inte, får inte

canoe [kəno:'] kanot

can-opener [känn əo'pənə] burköppnare

canopy [känn'əpi] sänghimmel; baldakin

cant [känt] slang, tjuvspråk; hyckleri

canteen [känti:'n] marketenteri

canter [känn'tə] 1 *v.* rida i kort galopp 2 *s.* kort galopp

canvas [känn'vəs] segelduk, tältduk, duk, tavla

canyon [känn'jən] kanjon

cap [käpp] mössa; kapsyl

capable [kej'pəbl] duglig, duktig

capacity [kəpäss'iti] förmåga, kapacitet

cape [kejp] udde

caper [kej'pə] 1 *s.* kapris; glädjesprång 2 *v.* skutta

capercaillie [käpəkej'li] tjäder

capital [käpp'itl] 1 *s.* kapital; huvudstad; stor bokstav 2 *adj.* huvudsaklig

capital punishment [käpp'itl pann'i∫mənt] dödsstraff

capitalism [käpp'itəlizəm] kapitalism

capitulation [kəpitjolej'∫ən] kapitulation

capricious [kəpri∫'əs] nyckfull, oberäknelig, lynnig

Capricorn [käpp'rikå:n] *Tropic of Capricorn* Stenbockens vändkrets

capsize [käpsaj'z] kapsejsa

capsule [käpp'sjo:l] kapsel

captain [käpp'tin] kapten, sjökapten

caption [käpp'∫ən] rubrik, bildtext, filmtext

captivate [käpp'tivejt] fängsla, tjusa

captivating [käpp'tivejting] tjusig

captivity [käptivv'iti] fångenskap

capture [käpp't∫ə] tillfångata, kapa

car [ka:] bil

caramel [kärr'əmel] kola

caravan [kärr'əvan] karavan; husvagn

caraway [kärr'əwej] kummin

car body [ka:' bådd'i] karosseri

carbohydrate [ka:'bəohaj'drejt] kolhydrat

carbon [ka:'bən] kol

carbonic acid [ka:bånn'ik äss'id] kolsyra

carbon monoxide [ka:'bən månåkk'sajd] koloxid

carbon paper [ka:'bən pejpə] karbonpapper

carcass [ka:'kəs] as

carcinogenic [ka:sinodʒenn'ik] cancerframkallande

card [ka:d] kort

cardamom [ka:'dəməm] kardemumma

cardboard [ka:'dbå:d] kartong, papp

cardigan [ka:'digən] kofta

cardinal [ka:'dinl] 1 *s.* kardinal 2 *adj., cardinal number* grundtal; *cardinal points* väderstreck

card index [ka:'dindeks] kartotek

card-sharper [ka:'d∫a:pə] falskspelare

care [kä:'ə] 1 *s.* vård, omvårdnad, skötsel; försiktighet; *take care* akta sig; *take care of* sköta, ta vara på 2 *v.*

bekymra sig; *I don't care* det bryr jag mig inte om; *care for* bry sig om; *not care a bit about* strunta i

career [kəri:'ə] karriär, [levnads]bana

carefree [kä:'əfri:] sorglös

careful [kä:'əfol] aktsam, ordentlig, noggrann, omsorgsfull, försiktig; *be careful!* se dig för!; *be careful with* akta

careless [kä:'əlis] slarvig, vårdslös; *be careless* slarva

carelessness [kä:'əlisnis] slarv, vårdslöshet

caress [kəress'] **1** *v.* smeka **2** *s.* smekning

caressing [kəress'ing] smeksam

caretaker [kä:'ətejkə] portvakt, vaktmästare, uppsyningsman

cargo [ka:'gəo] last, frakt

cargo ship [ka:'gəoʃip] lastbåt

caribou [kərr'ibo:] amerikansk ren

caricature [kärr'ikətʃo:ə] **1** *s.* karikatyr **2** *v.* karikera

caries [kä:'ərii:z] karies, tandröta

carnal [ka:'nl] köttslig

carnation [ka:nej'ʃən] nejlika

carnival [ka:'nivəl] karneval

carnivorous [ka:nivv'ərəs] köttätande

carol [kärr'l] julsång, lovsång

carpenter [ka:'pintə] snickare

carpet [ka:'pit] matta

car rental agency [ka:' renn'tl ej'dʒənsi] biluthyrningsfirma

carriage [kärr'idʒ] vagn, ekipage; hållning

carrier [kärr'iə] bärare; *aircraft carrier* hangarfartyg; *paper carrier* papperskasse

carrier bag [kärr'iə bägg] cykelväska

carrion [kärr'iən] as

carrot [kärr'ət] morot

carry [kärr'i] bära; föra; *carry away* hänföra; *carry on* bedriva, fortsätta; *carry out* utföra, uträtta, verkställa; *carry through* genomföra

carrying out [kärr'iing ao't] utförande

car safety-seat [ka:' sej'ftisi:t] bilbarnstol

carsick [ka:'sik] bilsjuk

cart [ka:t] kärra, vagn

cartel [ka:tell'] kartell

carter [ka:'tə] åkare

car theft [ka:'θeft] bilstöld

cartilage [ka:'tilidʒ] brosk

carton [ka:'tn] kartong, pappask

cartoon [ka:to:'n] skämtteckning

cartridge [ka:'tridʒ] patron

carve [ka:v] skära, snida, tälja

carving knife [ka:'vingnajf] förskärare

case [kejs] fall, händelse; [rätts]fall, mål; fodral, etui, hylsa; *in any case* i alla fall; *in that case* i så fall

case record [kej's rekk'å:d] [sjukhus]journal

cash [käʃ] **1** *s.* kassa; kontanter; *cash on delivery* postförskott; *pay [in] cash* betala kontant **2** *v.* lösa in [check]

cash box [käʃ'båks] kassaskrin

cash desk [käʃ' desk] kassa (*i butik*)

cash discount [käʃ'diss'kaont] kassarabatt

cash dispensing machine [käʃ dispenn'sing məʃi:'n] bankomat

cashier [käʃi:'ə] kassör; kassa (*i bank*)

cash register [käʃ' redʒ'istə] kassaapparat

casing [kej'sing] fodral

casino [kəsi:'nəo] kasino

cask [ka:sk] fat, tunna

casket [ka:'skit] skrin, schatull

cassette deck [kəsett'dekk'] kassettdäck

cassette radio [kəsett' rej'diå] kassettradio

cassette tape recorder [kasett' tej'prikå:də] kassettbandspelare

cast [ka:st] stöpa; gjuta

castanet [kästənett'] kastanjett

caste [ka:st] kast[väsende]

casting rod [ka:'stingrådd] kastspö

cast iron [ka:'st aj'ən] gjutjärn

castle [ka:'sl] slott, borg

castor oil [ka:'stəräjl] ricinolja

casual [käʒ'joəl] tillfällig; planlös; nonchalant

casual clothes [käʒ'joəl klɔoðz] fritidskläder

casualty [käʒ'joəlti] olycksfall; *casualties (pl)* döda och sårade

casualty department [käʒ'joəlti dipa:'tmənt] akutmottagning

cat [kätt] katt; *let the cat out of the bag* försäga sig

catalogue [kätt'alåg] katalog

catapult [kätt'əpalt] katapult; slangbåge

cataract [kätt'əräkt] katarakt; grå starr

catarrh [kəta:'] katarr; *catarrh of the stomach* magkatarr

catastrophe [kətäss'trofi] katastrof

catastrophic [kätəstråff'ik] katastrofal

cat burglar [kätt'bə:glə] fasadklättrande tjuv

catch [kätʃ] 1 v. fånga, gripa; ådraga sig; ertappa; hinna med (*tåg o.d.*); *catch a cold* få snuva, bli förkyld; *catch the infection* bli smittad; *catch s.b. up* hinna ikapp ngn; *catch up with* hinna fatt 2 s. fångst; spärr

catching [kätʃ'ing] smittsam, vinnande

catchword [kätʃ'wə:d] lystringsord; slagord; uppslagsord

category [kätt'igəri] kategori

cater [kej'tə] leverera mat; *cater for* sörja för, tillgodose

caterer [kej'tərə] mathållare; leverantör

caterpillar [kätt'əpilə] larv; bandtraktor

cathedral [kəði:'drəl] domkyrka, katedral

Catholic [käθ'əlik] 1 s. katolik 2 adj. katolsk

cattle [kätt'l] boskap, nötkreatur

cattle breeding [kätt'lbri:ding] boskapsskötsel

caught [kå:t] *imperf. och perf. part. av catch; get caught* fastna, bli fast

cauliflower [kåll'iflaoə] blomkål

cause [kå:z] 1 s. orsak, grund; *cause and effect* orsak och verkan 2 v. förorsaka, åstadkomma; forma

caution [kå:'ʃən] försiktighet

cautious [kå:'ʃəs] försiktig, varsam

cavalcade [kävəlkej'd] kavalkad

cavalier [kävəli:'ə] kavaljer

cavalry [kävv'əlri] kavalleri

cave [kejv] håla, grotta; *cave in* falla ihop, störta in

cavern [kävv'ən] grotta

caviar[e] [kävv'ia:] kaviar

cavity [kävv'iti] hålighet

CD player [si:di: plej'ə] CD-spelare

CD record [si:di: rekk'å:d] CD-skiva

CD-ROM [si:di:råmm'] CD-ROM

CD-ROM drive [si:di:råmm' drajv] *data.* CD-[ROM-]läsare

cease [si:s] upphöra

cedar [si:'də] ceder[trä]

ceiling [si:'ling] [inner]tak

ceiling lamp [si:'ling lämp] taklampa

celebrate [sell'ibrejt] fira; *celebrated* berömd

celebration [selibrej'ʃən] firande

celebrity [silebb'riti] berömdhet, celebritet, kändis

celery [sell'əri] selleri

cell [sell] cell

cellar [sell'ə] källare

cello [tʃell'əo] *mus.* cello, violoncell

cellular telephone [sell'jolə tell'ifəon] mobiltelefon

cellulose [sell'joləos] cellulosa

cellulose wadding [sell'joləos wådd'ing] cellstoff

Celt [kelt] kelt

Celtic [kell'tik] keltisk

cement [simenn't] 1 s. cement, kitt 2 v. cementera

cemetery [semm'itri] kyrkogård

cenotaph [senn'əta:f] minnesgravvård

censorship [senn'səʃip] censur

censure [senn'ʃə] 1 s. klander 2 v. klandra; kritisera

census [senn'səs] folkräkning

centenary [senti:'nəri] hundraårsdag

centilitre [senn'tili:tə] centiliter

centimetre [senn'timi:tə] centimeter

central [senn'trəl] central; *central bank* riksbank

central heater [senn'trəl hi:'tə] värmepanna

central heating [senn'trəl hi:'ting] centralvärme; värmeledning

central station [senn'trəl stej'ʃən] centralstation

centralize [senn'trəlajz] centralisera

centre [senn'tə] centrum, center; medelpunkt

centreboard [senn'təbɑ:d] sjö. centerbord

centrifuge [senn'trifjo:dʒ] centrifugera

century [senn'tʃori] århundrade, sekel; *in the twentieth century* på nittonhundratalet

cep [sepp] *bot.* karljohanssvamp

ceramics [siramm'iks] keramik

cerat [si:'ərit] cerat

cereal [si:'əriəl] sädesslag; frukostflingor

ceremony [serr'imэni] ceremoni

certain [sə:'tn] viss, säker; *a certain Mr. A.* en viss herr A; *for certain* förvisso, utan tvivel, med bestämdhet

certainly [sə:'tnli] säkerligen, säkert, visst, förvisso

certainty [sə:'tnti] visshet, säkerhet

certificate [sətiff'ikit] intyg, certifikat, betyg

certify [sə:'tifaj] intyga (*skriftligt*)

cesspool [sess'po:l] kloakbrunn; gödselstack

chafe [tʃejf] skava; *chafed feet* skoskav

chaff [tʃɑ:f] agnar

chaffer [tʃäff'ə] schackra

chaffinch [tʃäff'intʃ] bofink

chagrin [ʃägg'rin] förtret, besvikelse

chain [tʃejn] kedja, kätting

chain saw [tʃejn'nså:] motorsåg

chair [tʃä:'ə] stol; *easy chair* vilstol; *folding chair* vilstol, fällstol

chairman [tʃä:'əmən] ordförande

chalk [tʃå:k] krita

challenge [tʃäll'indʒ] **1** *v.* utmana **2** *s.* utmaning

challenge prize [tʃäll'indʒ prajz] vandringspris

chamber [tʃej'mbə] kammare

chamberlain [tʃej'mbəlin] kammarherre

chambermaid [tʃej'mbəmejd] hotellstäderska; husa

chamber music [tʃej'mbə mjo:'zik] kammarmusik

chamber pot [tʃej'mbəpåt] potta

chamois [ʃämm'wɑ:] stenget; sämskskinn

champ [tʃämp] tugga [på], bita [i]

champagne [ʃämpej'n] champagne

champion [tʃämm'pjən] mästare, champion

championship [tʃämm'pjənʃip] *sport.* mästerskap

chance [tʃɑ:ns] tillfälle; slump; chans; utsikt; *have every chance of* ha alla utsikter; *by chance* händelsevis; *quite by chance* av en ren händelse

chancel [tʃɑ:'nsl] kor

chancellor [tʃɑ:'nsələ] kansler

chandelier [ʃändili:'ə] ljuskrona

change [tʃejndʒ] **1** *v.* ändra; växla; förändra; byta; förändras, förbytas; klä om sig; *change one's mind* ändra sig; *change hands* byta ägare **2** *s.* ändring; förändring; vändning, skiftning; växel[pengar]; ombyte; *change of address* adressförändring; *change of air* luftombyte; *change of life* övergångsålder

changeable [tʃej'ndʒəbl] föränderlig, ombytlig

changeover [tʃej'ndʒəo'və] övergång

changing of the guard [tʃej'ndʒing əv ðə gɑ:'d] vaktparad

changing room [tʃej'ndʒingro:m] omklädningsrum

channel [tʃänn'l] (*naturlig*) kanal, farled; (*radio, TV*) kanal; *the Channel* Engelska kanalen

chanterelle [tʃäntərell'] kantarell

chaos [kej'ås] kaos

chap [tʃäpp] spricka; karl, grabb

chapbook [tʃäpp'bokk] skillingtryck

chapel [tʃäpp'əl] kapell, gudstjänstlokal

chaperon [ʃäpp'ərəon] *bildl.* förkläde

chaplain [tʃæpp'lin] kaplan

chapter [tʃæpp'tə] kapitel

charabanc [ʃærr'əbäng] *åld.* turist-buss

character [kärr'iktə] karaktär; bokstav; *principal character* huvudperson

characteristic [käriktəriss'tik] **1** *adj.* karakteristisk, utmärkande (*of* för) **2** *s.* kännetecken, utmärkande drag

characterize [kärr'iktərajz] karakterisera, känneteckna

charcoal [tʃa:'kəol] träkol

charcoal tablet [tʃa:'kəol täbb'lit] koltablett

charge [tʃa:dʒ] **1** *v.* anklaga (*with* för); ta betalt; ålägga; *charge s.b. with s.th.* tillvita ngn ngt **2** *s.* kostnad; anklagelse; *at my charge* på min bekostnad; *in charge* tjänstgörande; *be in* (*have*) *charge of* ha hand om, sköta; *take charge of* ta hand om

charge [tʃa:dʒ] laddning

charismatic [kärismätt'ik] karismatisk

charitable [tʃärr'itəbl] barmhärtig, välgörenhets-; *charitable purposes* välgörande ändamål

charity [tʃärr'iti] välgörenhet

charm [tʃa:m] **1** *s.* tjusning, behag, charm; berlock; förtrollning **2** *v.* tjusa; förtrolla

charming [tʃa:'ming] förtjusande, bedårande

chart [tʃa:t] sjökort; [väg]plansch

charter [tʃa:'tə] **1** *s.* urkund, kontrakt; privilegium **2** *v.* hyra, abonnera; befrakta, chartra

chartered accountant [tʃa:'təd əkaon'tənt] auktoriserad revisor

charter flight [tʃa:'tə flajt] charterflyg

charter trip [tʃa:'tə trip] charterresa

charwoman [tʃa:'womən] städerska

chase [tʃejs] jaga, förfölja

chasm [käzz'm] svalg, klyfta

chassie [ʃäss'i] bilunderrede, chassi

chaste [tʃejst] kysk, ren

chasten [tʃej'sn] tukta; luttra

chastise [tʃästaj'z] tukta

chat [tʃätt] småprata

chatter [tʃätt'ə] snattra, pladdra

chatterbox [tʃätt'əbåks] pratmakare

chatty article [tʃätt'i a:'tikl] kåseri

cheap [tʃi:p] billig

cheat [tʃi:t] **1** *v.* fuska; fiffla, lura **2** *s.* skojare, bedragare

check [tʃekk] **1** *v.* hämma, hejda, stävja; kontrollera **2** *s.* kontroll; *Am.* nota, check; *check!* schack!

checkers [tʃekk'əz] *Am.* damspel

checking-in [tʃekk'ingin] incheckning

checkmate [tʃekk'mejt] **1** *s.* schack och matt **2** *v.* besegra

cheek [tʃi:k] kind; fräckhet

cheeky [tʃi:'ki] fräck, uppkäftig

cheer [tʃi:'ə] **1** *s.* hurrarop, leve; munterhet; *cheers!* skål! **2** *v.* hurra; *cheer up* pigga upp, muntra upp, gaska upp [sig]

cheerful [tʃi:'əfol] glad; gladlynt

cheerio [tʃi:'əriəo'] hej då!

cheerless [tʃi:'əlis] otrivsam

cheese [tʃi:z] ost

cheese slicer [tʃi:'z slaj'sə] osthyvel

chef [ʃeff] köksmästare

chemical [kemm'ikəl] kemisk

chemicals [kemm'ikəlz] kemikalier

chemise [ʃəmi:'z] damlinne

chemist [kemm'ist] kemist; apotekare; *chemist's* apotek

chemistry [kemm'istri] kemi

cheque [tʃekk] check (*for* på)

chequebook [tʃekk'bok] checkhäfte

chequered [tʃekk'əd] brokig; rutig

cherish [tʃerr'iʃ] hysa; vårda

cherry [tʃerr'i] körsbär

chess [tʃess] schack; *a game of chess* ett parti schack

chessboard [tʃess'bå:d] schackbräde

chessman [tʃess'mən] schackpjäs

chess player [tʃess plej'ə] schackspelare

chest [tʃest] bröstkorg; kista; *chest of drawers* byrå

chestnut [tʃess'natt] kastanje

chew [tʃo:] tugga; *chew the cud* idissla

chewing gum [tʃo:'inggam] tuggummi

chick[en] [tʃikk'(in)] kyckling

chickenpox [tʃikk'inpäks] vattenkoppor

chicory [tʃikk'əri] endiv[sallad]

chief [tʃi:f] **1** s. ledare, chef, hövding **2** adj. huvudsaklig; *chief physician* överläkare

chiefly [tʃi:'fli] huvudsakligen

chieftain [tʃi:'ftən] hövding

child [tʃajld] (*pl children* [tʃill'drən]) barn; *child allowance* barnbidrag; *child welfare* barnavård; *child welfare committee* barnavårdsnämnd

childhood [tʃaj'ldhod] barndom

childish [tʃaj'ldiʃ] barnslig

childminder [tʃa'jld majndə] dagmamma

childproof [tʃaj'ldpro:f] barnsäker

child-rearing [tʃaj'ldri:ə'ring] barnuppfostran

children's book [tʃill'drənz bokk'] barnbok

children's clothes [tʃill'drənz kləoðz] barnkläder

children's disease [tʃill'drənz dizi:'z] barnsjukdom

children's serving [tʃill'drənz sə:'ving] barnportion

children's specialist [tʃill'drənz speʃ'əlist] barnläkare

child's ticket [tʃajldz tikk'it] barnbiljett

chill [tʃill] kyla

chilly [tʃill'i] kylig

chime [tʃajm] **1** s. klockspel; harmoni **2** v. klinga

chimney [tʃimm'ni] skorsten

chimney pot [tʃimm'nipåt] skorstenspipa

chimney sweep [tʃimm'niswi:p] sotare

chimpanzee [tʃimpənzi:'] schimpans

chin [tʃinn] haka

China [tʃaj'nə] Kina

china [tʃaj'nə] porslin

Chinese [tʃajni:'z] **1** s. kines; (*språk*) kinesiska **2** adj. kinesisk

chink [tʃingk] s. springa

chip [tʃipp] *data.* chip; spån; skärva

chipolata sausage [tʃippəla:'tə såss'idʒ] prinskorv

chipped [tʃipt] kantstött

chips [tʃips] *kokk.* pommes frites; chips

chirp [tʃə:p] kvittra; kvitter

chisel [tʃizz'l] mejsel, stämjärn; [ut]mejsla

chit [tʃitt] barnunge; kort skriftligt meddelande

chivalrous [ʃivv'əlrəs] ridderlig

chivalry [ʃivv'əlri] ridderlighet

chive [tʃajv] gräslök

chock [tʃåkk] kil, kloss

chockful [tʃåkk'fol] proppfull

chocolate [tʃåkk'əlit] choklad, pralin

chocolate bar [tʃåkk'əlit ba:] chokladkaka

choice [tʃåjs] val, urval

choir [kwaj'ə] kör; kor

choke [tʃəok] **1** v. kväva; kvävas **2** s. choke

choking [tʃəo'king] kvävning

choose [tʃo:z] välja, utvälja (*from* bland)

choosy [tʃo:'zi] kinkig, kräsen

chop [tʃåpp] **1** v. hugga, hacka **2** s. hugg; kotlett

chopper [tʃåpp'ə] köttyxa, köttkniv

choppy [tʃåpp'i] krabb (*om sjö*); ombytlig (*om vind*)

chord [kå:d] ackord

chore [tʃå:] husliga småsysslor

choreography [kåriågg'rəfi] koreografi

chorus [kå:'rəs] kör; refräng

chose [tʃəoz] *imperf. av* choose

chosen [tʃəo'zn] [ut]vald

Christ [krajst] Kristus

christen [kriss'n] döpa

Christendom [kriss'ndəm] kristenheten

christening [kriss'ning] dop

Christian [kriss'tʃən] kristen, kristlig; *Christian name* förnamn

Christianity [kristiänn'iti] kristendom[en]

Christmas [kriss'məs] jul; *Father*

chromosome

Christmas jultomten; *A Merry Christmas!* god jul!; *Christmas carol* julsång; *Christmas Eve* julafton; *Christmas holidays* jullov; *Christmas present* julklapp; *Christmas tree* julgran

chromosome [krəo'məsəom] kromosom

chronic [krånn'ik] kronisk

chronicle [krånn'ikl] krönika

chronological [krånəlådʒ'ikəl] kronologisk

chrysalis [kriss'əlis] puppa

chubby [tʃabb'i] knubbig

chuck [tʃakk] slänga, kasta

chucker-out [tʃakk'ərao't] utkastare, ordningsvakt

chuckle [tʃakk'l] småskratta

chum [tʃamm] god vän, kamrat

chunk [tʃangk] tjockt stycke

church [tʃə:tʃ] kyrka; *go to church* gå i kyrkan

church bell [tʃə:'tʃbell] kyrkklocka

church tower [tʃə:'tʃ taoə] kyrktorn

churchyard [tʃə:'tʃja:'d] kyrkogård

churn [tʃə:n] kärna (smör); röra om

chute [ʃo:t] ränna; rutschbana, kälkbacke; sopnedkast

cigar [siga:'] cigarr

cigarette [sigərett'] cigarett

cinder [sinn'də] slagg; *cinders (pl)* aska

Cinderella [sindərell'ə] Askungen

cine-camera [sinn'ikämm'ərə] smalfilmskamera

cinema [sinn'imə] biograf; *at the cinema* på bio; *go to the cinema* gå på bio

cinnamon [sinn'əmən] kanel

cipher [saj'fə] nolla; siffra; chiffer

circle [sə:'kl] **1** *s.* cirkel, krets; rad (*på teater*) **2** *v.* kretsa

circuit [sə:'kit] strömkrets; *short circuit* kortslutning

circuit card [sə:'kit ka:d] kretskort

circular [sə:'kjolə] **1** *adj.* cirkelrund, rund- **2** *s.* cirkulär

circulate [sə:'kjolejt] cirkulera; *circulate for comment* sända ut på remiss

circulation [sə:kjolej'ʃən] omlopp, cirkulation, spridning

circumcise [sə:'kəmsajz] omskära

circumference [səkamm'fərəns] omkrets

circumlocution [sə:kəmləkjo:'ʃən] omsvep

circumscribe [sə:kəmskraj'b] omskriva

circumstance [sə:'kəmstəns] omständighet

circumstantial [sə:kəmstänn'ʃəl] omständlig; *circumstantial evidence* indicium

circumvent [sə:kəmvenn't] kringgå, överlista

circus [sə:'kəs] cirkus

cite [sajt] citera

citizen [sitt'izn] medborgare; borgare

citizenship [sitt'iznʃip] medborgarskap

city [sitt'i] (*större*) stad; *the City* City of London

city buildings [sitt'i bill'dingz] tätortsbebyggelse

city centre [sitt'i senn'tə] innerstad

city council [sitt'i kao'nsl] stadsfullmäktige

city planning [sitt'i plänn'ing] stadsplanering

civic [sivv'ik] medborgar-, medborgerlig

civics [sivv'iks] samhällslära

civil [sivv'l] medborgerlig, borgerlig; civil; hövlig; *civil marriage* borgerlig vigsel; *civil servant* statstjänsteman; *civil status* civilstånd; *civil war* inbördeskrig

civilian [sivill'jən] civilperson

civilization [sivilajzej'ʃən] civilisation, kultur

civilized [sivv'ilajzd] civiliserad

clad [klädd] klädd

claim [klejm] **1** *s.* anspråk, krav, fordran; klagomål; *lay claim to* göra anspråk på **2** *v.* göra anspråk på; påstå

claimant [klej'mənt] fordringsägare

clam [klämm] mussla

clammy [klämm'i] fuktig, klibbig och kall

clamour [klämm'ə] larm

clamp [klämp] tving, krampa

clan [klänn] klan, stam

clandestine [kländess'tin] hemlig

clang [kläng] skalla, genljuda

clap [kläpp] klappa; applådera

claque [kläkk] hejarklack

claret [klärr'ət] rödvin (*från Bordeaux*)

clarify [klärr'ifaj] klargöra, göra klar; klarna

clarinet [klärinett'] klarinett

clarity [klärr'iti] klarhet

clash [kläʃ] skrälla; braka samman; vara oförenlig

clasp [kla:sp] 1 *s.* spänne, lås 2 *v.* knäppa

clasp knife [kla:'spnaj'f] fällkniv

class [kla:s] klass; *class of society* samhällsklass; *in a class of its own* i särklass

classic [kläss'ik] klassiker

classical [kläss'ikəl] klassisk; *classical music* klassisk musik

classics [kläss'iks] klassiska språk, klassisk litteratur

classify [kläss'ifaj] indela i klasser, klassificera; *classify [as top secret]* hemligstämpla

classmate [kla:'smejt] klasskamrat

classroom [kla:'sro:m] klassrum

clatter [klätt'ə] rassla, smattra

clause [klå:z] sats, mening

claw [klå:] klo

clay [klej] lera

clayey [klej'i] lerig

clean [kli:n] 1 *adj.* ren; *clean copy* utskrift 2 *v.* rengöra, städa, putsa; rensa; *clean one's nails* peta naglarna; *clean up* städa

cleaning [kli:'ning] rengöring, städning; renhållning

cleanly 1 *adj.* [klenn'li] renlig 2 *adv.* [kli:'nli] rent

cleanse [klens] rengöra; rentvå

clean-shaven [kli:'nʃej'vn] slätrakad

clear [kli:'ə] 1 *adj.* klar, tydlig, överskådlig; avgjord; *be clear* framgå; *become clear[er]* (*bildl.*) klarna;

that's clear! det förstås!; *make clear* åskådliggöra; *a clear conscience* rent samvete; *get a clear idea of s.th.* få ngt klart för sig 2 *v.* klara; *clear away* röja undan; *clear from snow* ploga; *clear off* klara av; *clear out* ge sig i väg; *clear a path for* röja väg för; *clear up* (*om vädret*) klarna

clearance [kli:'ərəns] röjning

clearing [kli:'əring] röjning, uthuggning; avräkning

clearness [kli:'ənis] klarhet

cleave [kli:v] klyva

cleft [kleft] *imperf. och perf. part. av cleave*

clemency [klemm'ənsi] mildhet, barmhärtighet

clement [klemm'ənt] mild, barmhärtig

clench [klentʃ] nita; gripa hårt om; *clench one's fist* knyta näven

clergy [klə:'dʒi] prästerskap

clergymen [klə:'dʒiman] präst

clerk [kla:k] kontorist; *recording clerk* notarie

clever [klevv'ə] begåvad; skicklig, duktig

cliché [kli:'ʃej] kliché; *bildl.* schablon

click [klikk] 1 *s.* knäpp 2 *v.* knäppa; klicka

client [klaj'ənt] klient

climate [klaj'mit] klimat

climax [klaj'mäks] klimax, höjdpunkt

climb [klajm] klättra; bestiga

climber [klaj'mə] bergsbestigare

climbing plant [klaj'ming pla:nt] klängväxt

clinch [klintʃ] blockera; avgöra; närkamp

cling [kling] klamra sig fast (*to* vid)

clinic [klinn'ik] klinik

clip [klipp] klämma, hållare

clipper [klipp'ə] klipperskepp; baddare

clipping [klipp'ing] (*tidnings-*) klipp

cloak [kləok] kappa, mantel

cloakroom [kləo'kro:m] kapprum; resgodsinlämning; toalett (*på restaurang o.d.*)

clock [klåkk] klocka, ur; *speaking clock* fröken Ur

clockwise [klåkk'wajz] medurs

clockwork [klåkk'wə:k] urverk

clog [klågg] **1** *s.* träsko **2** *v.* hindra

cloister [klåj'stə] kloster; pelargång

close 1 *v.* [klåoz] stänga; tillsluta; *close down* upphöra **2** *adj.* [klåos] kvav; nära; *close to* nära intill; *a close shave* nära ögat; *it was a close thing* det satt hårt åt

closet [klåzz'it] skrubb; klosett

close-up [klåo'zap] närbild

closing remark [klåo'zing rima:'k] slutkläm

clot [klått] klimp, klump

cloth [klåθ] duk, skynke, trasa, tyg

clothe [klåoð] kläda

clothes [klåoðz] kläder

clothes hanger [klåo'ðzhängə] klädhängare

clothes line [klåo'ðzlajn] klädstreck

clothes-peg [klåo'ðzpeg] klädnypa

clothing [klåo'ðing] kläder, beklädnad

cloud [klaod] moln, sky

cloudberry [klao'dberri] hjortron

cloudburst [klaod'bə:st] skyfall

cloudy [klao'di] molnig

clove [klåov] **1** *s.* kryddnejlika **2** *imperf. av* cleave

clover [klåo'və] klöver

clown [klaon] pajas, clown

club [klabb] klubba; klubb; *clubs (pl)* klöver [kort]

cluck [klakk] klucka; skrocka

clue [klo:] ledtråd

clump [klammp] **1** *s.* klunga, buskage; klump **2** *v.* klampa

clumsy [klamm'zi] klumpig

clung [klang] *imperf. och perf. part. av* cling

cluster [klass'tə] klunga

clutch [klatʃ] **1** *s.* (*i bil*) koppling **2** *v.* gripa tag i

coach [kəotʃ] **1** *s.* diligens; [turist]buss; privatlärare, tränare **2** *v.* träna, ge lektioner

coagulate [kəoägg'jolejt] koagulera, levra sig

coal [kəol] kol

coal black [kəo'lbläkk'] kolsvart

coalition government [kəoaliʃ'ən gavv'nmənt] samlingsregering, koalitionsregering

coal mine [kəo'lmajn] kolgruva

coarse [kå:s] grov

coast [kəost] kust

coat [kəot] rock, kappa; lager; beläggning; *coat of arms* vapensköld; *fur coat* päls[kappa]

coated fabric [kəo'tid fäbb'rik] vävplast

coat-hanger [kəot'hängə] klädhängare

coating [kəo'ting] beläggning

coax [kəoks] smickra; lirka med

cob [kåbb] ridhäst; majskolv

cobble [kåbb'l] kullersten

cobbler [kåbb'lə] skomakare

cobblestone [kåbb'lstəon] kullersten

cobra [kəo'brə] *zool.* glasögonorm

cobweb [kåbb'web] spindelväv

cock [kåkk] **1** *s.* tupp; *vulg.* pitt, kuk **2** *v., cock* spänna hanen på; *cock one's ears* spetsa öronen

cock and bull story [kåkk'ən boll' stå:'ri] rövarhistoria

cockchafer [kåkk'tʃejfə] ollonborre

cockle [kåkk'l] [hjärt]mussla; liten båt

cockney [kåkk'ni] infödd londonbo; londondialekt

cockpit [kåkk'pit] förarkabin

cockroach [kåkk'rəotʃ] kackerlacka

cocksure [kåkk'ʃo:ə] tvärsäker

cocky [kåkk'i] mallig

cocoa [kəo'kəo] [drick]choklad

coconut [kəo'kənat] kokosnöt

cocoon [kəko:'n] kokong

cod [kådd] torsk

coddle [kådd'l] pjoska med

code [kəod] **1** *s.* kod; lagsamling **2** *v.* koda

cod liver oil [kådd'livəråj'l] torskleverolja

co-driver [kəo'draj'və] avbytare (*i motortävling*)

co-education [kəo'edjokej'ʃən] samundervisning

coerce [kəʊ:'s] tvinga till lydnad

coercion [kəʊ:'ʃən] tvång

coexistence [kəʊigziss'tɛns] samlevnad

coffee [kåff'i] kaffe

coffee cup [kåff'ikap] kaffekopp

coffee maker [kåff'imejkə] kaffebryggare

coffin [kåff'in] likkista

cog [kågg] kugge

cogent [kəʊ'dʒənt] bindande, övertygande

cogwheel [kågg'wi:l] kugghjul

coherent [kəʊhi:'ərənt] sammanhängande

coil [kåjl] **1** s. slinga; spole **2** v. rulla ihop

coin [kåjn] mynt, slant

coincide [kəʊinsaj'd] sammanfalla

coincidence [kəʊinn'sidəns] händelse, tillfällighet, sammanträffande

Coke [kəʊk] Coca-Cola (*varumärke*)

coke [kəʊk] koks; kokain

cold [kəʊld] **1** adj. kall, frusen; *be cold* frysa; *get cold* kallna **2** s. köld, kyla; förkylning; *catch a cold* bli förkyld, få snuva; *have a cold in the head* vara snuvig; *head cold* snuva

colic [kåll'ik] kolik

collaborate [kəläbb'ərejt] samarbeta

collaboration [kəläbərej'ʃən] samröre

collaborator [kəläbb'ərejtə] medarbetare

collapse [kəläpp's] **1** v. rasa, falla ihop **2** s. sammanbrott

collapsible [kəläpp'səbl] hopfällbar

collar [kåll'ə] krage

collarbone [kåll'əbəʊn] nyckelben

collate [kåll'ejt] kollationera, jämföra

colleague [kåll'i:g] kollega

collect [kəlekk't] samla; inkassera

collection [kəlekk'ʃən] samling, insamling, avhämtning; uppbörd

collective [kəlekk'tiv] kollektiv

collector [kəlekk'tə] samlare

college [kåll'idʒ] högskola; *college of technology* teknisk högskola; *training college* seminarium

collide [kəlaj'd] kollidera, krocka

collier [kåll'iə] kolgruvearbetare

colliery [kåll'iəri] kolgruva

collision [kəlɪʒ'ən] krock, kollision; *head-on collision* frontalkrock

colloquial [kələʊ'kwiəl] samtals-, talspråks-, vardaglig

collusion [kəlʊ:'ʒən] maskopi

Cologne [kələʊ'n] Köln

colonel [kəʊ:'nl] överste

colonize [kåll'ənajz] kolonisera

colony [kåll'əni] koloni

colossal [kəlåss'l] kolossal

colour [kall'ə] **1** s. färg; *lose its colour* färga av sig **2** v. färga

colour-blind [kall'əblajnd] färgblind

coloured [kall'əd] kulört, färgad

colour film [kall'ə film] färgfilm

colt [kəʊlt] unghäst

coltsfoot [kəʊ'ltsfʊt] bot. tussilago

columbine [kåll'əmbajn] akleja

column [kåll'əm] spalt, kolumn; kolonn

columnist [kåll'əmnist] kåsör

comb [kəʊm] **1** s. kam **2** v. kamma

combat [kåmm'bət] strid, kamp

combattant [kåmm'bətənt] kämpe, stridande

combination [kåmbinej'ʃən] kombination; *in combination with* i förening med

combine [kəmbaj'n] kombinera

combing [kəʊ'ming] kamning

combustible [kəmbass'təbl] brännbar

combustion [kəmbass'tʃən] förbränning

come [kamm] komma; *come about* hända; *come along* följa med; *come from* härröra från; *come in for criticism* uppbära kritik; *come off* lossna, lyckas; *come off a victor* utgå som segrare; *come out* komma fram; *come round* kvickna till; *when it comes to it* när det kommer till kritan; *come true* gå i uppfyllelse; *come up to* gå upp mot; *come up to a p.'s expectations* motsvara ngns förväntningar

comedian [kəmi:'djən] komiker

comedy [kåmm'idi] komedi, lustspel

comely [kamm'li] vacker, behaglig

comet [kåmm'it] komet

comfort [kamm'fət] trevnad

comfortable [kamm'fətəbl] bekväm, komfortabel, behaglig; *be comfortably off* ha sitt på det torra

comforter [kamm'fətə] (tröst-) napp

comic [kåmm'ik] **1** *adj.* komisk; *comic strip* tecknad serie **2** *s.* serie-magasin

comma [kåmm'ə] komma[tecken]; *inverted commas* citationstecken

command [kəma:'nd] **1** *v.* befalla, kommendera **2** *s.* befallning, kommando; befäl

commandeer [kåməndi:'ə] tvångs-uttaga, rekvirera

commander [kəma:'ndə] befälhava-re; anförare; kommendörkapten

commander-in-chief [kəma:'ndər intʃi:'f] överbefälhavare

commandment [kəma:'ndmənt] bud

commemorate [kəmemm'ərejt] fira minnet av

commence [kəmenn's] börja

commend [kəmenn'd] anbefalla; prisa

comment [kåmm'ənt] **1** *s.* kommentar[er] **2** *v.* kommentera; *comment on* kommentera

commentary [kåmm'əntəri] kommentar

commentator [kåmm'entejtə] radio-reporter, kommentator

commerce [kåmm'ə:s] handel

commercial [kəmə:'ʃəl] kommersiell; *commercial correspondence* handelskorrespondens

commission [kəmiʃ'ən] uppdrag; kommission; provision; [officers]-fullmakt

commissionaire [kəmiʃənä:'ə] dörr-vaktmästare

commit [kəmitt'] begå, föröva

committee [kəmitt'i] kommitté, utskott, styrelse

commodity [kəmådd'iti] [handels]-vara

commodore [kåmm'ədå:] kommendör

common [kåmm'ən] vanlig, allmän; gemensam (*to* for); simpel; *in common* gemensamt; *common sense* sunt förnuft; *House of Commons* underhuset

common law husband (wife) [kåm-m'ən lå: hazz'bənd (wajf)] sambo

commonplace [kåmm'ənplejs] var-daglig, alldaglig

commonwealth [kåmm'ənwelθ] sam-välde

commotion [kəməo'ʃən] liv, oväsen

communicate [kəmjo:'nikejt] medde-la sig

communication [kəmjo:nikej'ʃən] förbindelse, kommunikation; med-delande; *enter into communication with* träda i förbindelse med

communion [kəmjo:'njən] gemen-skap; *Holy Communion* nattvardsgång

communiqué [kəmjo:'nikej] kommu-niké

communist [kåmm'jonist] kommunist

community [kəmjo:'niti] gemenskap; samhälle; *community singing* allsång

commute [kəmjo:'t] förvandla; (*till och från jobbet*) pendla

commuter [kəmjo:'tə] pendlare

commuter train [kəmjo:'tə trejn] pen-deltåg

compact 1 *adj.* [kəmpäkk't] kompakt; dryg **2** *s.* [kåmm'päkkt] fördrag; puderdosa

companion [kəmpänn'jən] följesla-gare, kamrat

companionship [kəmpänn'jənʃip] kamratskap

company [kamm'pəni] sällskap; bo-lag, [affärs]företag; umgänge; kom-pani; *part company* skiljas; *subsidiary company* dotterbolag

company car [kamm'pəni ka:] firma-bil, tjänstebil

comparable [kamm'pərəbl] jämför-lig, jämförbar

comparatively [kəmpärr'ətivli] jäm-förelsevis

compare [kəmpä:'ə] jämföra

comparison [kəmpärr'isn] jämförelse

compartment [kəmpa:'tmənt] kupé; avdelning

compass [kamm'pəs] kompass

compasses [kamm'pəsiz] passare

compassion [kəmpäʃ'ən] medlidande

compassionate [kəmpäʃ'ənit] medlidsam, deltagande

compatibility [kəmpätibill'iti] kompatibilitet

compatible [kəmpätt'əbl] förenlig, kompatibel

compatriot [kəmpätt'riət] landsman

compel [kəmpell'] tvinga

compensate [kamm'pensejt] kompensera, ersätta, gottgöra

compensation [kåmpensej'ʃən] kompensation, ersättning, gottgörelse

compère [kåmm'pä:ə] konferencié

compete [kəmpi:'t] tävla, konkurrera

competent [kamm'pitənt] kompetent, sakkunnig

competition [kåmpitiʃ'ən] tävlan, tävling, konkurrens (*for* om)

competitive [kəmpett'itiv] konkurrenskraftig

competitor [kəmpett'itə] medtävlare, konkurrent

complacency [kəmplej'snsi] välbehag; självbelåtenhet

complain [kəmplej'n] klaga; beklaga sig (*of* över; *to* for); reklamera

complaint [kəmplej'nt] klagan, klagomål; reklamation; åkomma

complaisant [kəmplej'sənt] älskvärd, foglig

complement [kamm'pliment] 1 *s.* komplement 2 *v.* komplettera

complementary [kåmplimenn'təri] fyllnads-, kompletterande

complete [kəmpli:'t] 1 *adj.* fullständig, komplett 2 *v.* fullfölja, fullborda; komplettera

completely [kəmpli:'tli] helt och hållet

complex [kamm'pleks] komplex

complexion [kəmplekk'ʃən] hy

compliance [kəmplaj'əns] tillmötesgående; samtycke; *in compliance with* i enlighet med

compliant [kəmplaj'ənt] undfallande

complicate [kamm'plikejt] komplicera

complicated [kamm'plikejtid] invecklad, tillkrånglad, svårlöst

complication [kåmplikej'ʃən] komplikation; följdsjukdom

complicity [kəmpliss'iti] medbrottslighet

compliment [kamm'plimənt] 1 *s.* komplimang; *compliments* (*pl*) hälsningar 2 *v.* komplimentera

comply [kəmplaj'] *comply with* tillmötesgå, villfara; rätta sig efter

component [kəmpəo'nənt] beståndsdel, komponent

compose [kəmpəo'z] komponera; sätta (text); utgöra

composer [kəmpəo'zə] kompositör, tonsättare

composite [kamm'pəzit] sammansatt

composition [kåmpəziʃ'ən] komposition, sammansättning; [skol]uppsats

compositor [kəmpázz'itə] sättare (*på tryckeri*)

composure [kəmpəo'ʒə] fattning, lugn

compound [kamm'paond] 1 *adj.* sammansatt; *compound interest* ränta på ränta 2 *s.* sammansättning; läger; inhägnad

comprehend [kåmprihenn'd] uppfatta, begripa

comprehension [kåmprihenn'ʃən] fattningsförmåga; sammanfattning

comprehensive [kåmprihenn'siv] omfattande; *comprehensive motor car insurance* helförsäkring (*för motorfordon*); *comprehensive school* grundskola

compress 1 *v.* [kəmpress'] komprimera; *compressed air* tryckluft 2 *s.* [kamm'pres] kompress

comprise [kəmpraj'z] inbegripa, omfatta

compromise [kamm'prəmajz] 1 *v.* kompromettera; kompromissa 2 *s.* kompromiss

compulsion [kəmpall'ʃən] tvång

compulsory [kəmpall'səri] obligato

risk; *compulsory military service* allmän värnplikt; *compulsory saving* tvångssparande

computer [kəmpjoˈtə] dator

computer aided [kəmpjoˈtər ejˈdid] datorstödd

computer file [kəmpjoˈtə fajl] dataregister; [data]fil

computer game [kəmpjoˈtə gejm] dataspel

computerized [kəmpjoˈtərajzed] datoriserad

computer terminal [kəmpjoˈtə təːˈminal] dataterminal

comrade [kammˈrejd] kamrat

conceal [kənsiːˈl] dölja, gömma

concede [kənsiːˈd] medge, ge efter

conceited [kənsiːˈtid] egenkär, inbilsk, högfärdig

conceivable [kənsiːˈvəbl] tänkbar, upptänklig

conceive [kənsiːˈv] fatta, börja hysa; uttänka

concentrate [kånnˈsentrejt] koncentrera [sig]

concentration [kånsentrejˈʃən] koncentration; satsning, inriktning

concentration camp [kånsentrejˈʃən kämp] koncentrationsläger

concept [kånnˈsept] begrepp

conception [kənseppˈʃən] uppfattning[sförmåga]; tanke, idé; befruktning; *form a conception of* göra sig en föreställning om

concern [kənsəːˈn] **1** *v.* röra, angå; *concern o.s.* befatta sig; *as far as I'm concerned* vad mig beträffar **2** *s.* angelägenhet, bekymmer; koncern

concerned [kənsəːˈnd] orolig, bekymrad

concerning [kənsəːˈning] beträffande, angående

concert [kånnˈsət] samförstånd; konsert

concerted [kənsəːˈtid] gemensam

concert hall [kånnˈsət håːl] konserthus

concession [kənseˈʃən] medgivande, eftergift

conciliate [kənsillˈiejt] försona

conciliation [kənsilliejˈʃən] försoning

concise [kənsajˈs] kortfattad, koncis

conclude [kənkloːˈd] sluta sig till

conclusion [kənkloːˈʃən] avslutning, slutledning, slutsats

conclusive [kənkloːˈsiv] slutlig; avgörande

concoction [kənkåkkˈʃən] hopkok

concord [kångˈkåːd] sämja

concrete [kånnˈkriːt] **1** *s.* betong **2** *adj.* konkret

concussion [kənkaˈʃən] hjärnskakning

condemn [kəndemmˈ] fördöma

condenser [kəndennˈsə] kondensator

condescending [kåndisennˈding] nedlåtande

condition [kəndiˈʃən] villkor, betingelse, tillstånd, förhållande, skick; *in condition as presented* i befintligt skick; *on [the] condition that* på villkor att, under förutsättning att

conditionally [kəndiˈʃənəli] villkorligt

conditioned [kəndiˈʃənd] betingad

conditioner [kəndiˈʃənə] (*hår-*) balsam

condom [kånnˈdəm] kondom

condone [kəndəoˈn] förlåta; gottgöra

conduct **1** *v.* [kəndakkˈt] leda, anföra; dirigera; *conducted tour* sällskapsresa **2** *s.* [kånnˈdəkt] uppförande

conductor [kəndakkˈtə] dirigent; ledare

cone [kəon] kägla; kotte

confectioner's [kənfekkˈʃənəz] konditori

confederate [kənfeddˈərit] förbunden

confederation [kənfedərejˈʃən] statsförbund

confer [kənfəːˈ] konferera, rådgöra; tilldela

conference [kånnˈfərəns] konferens

confess [kənfessˈ] bekänna, bikta sig

confession [kənfeˈʃən] bekännelse, bikt; *confession of faith* trosbekännelse

confide [kənfajˈd] lita, tro (*in* på); anförtro

confidence [kånnˈfidəns] förtroende, tilltro, tillförsikt (*in* for)

confidential [kånfidenn'ʃəl] förtrolig, konfidentiell

confine [kənfaj'n] begränsa; stänga in; *confined to one's bed* sängliggande

confinement [kənfaj'nmənt] fångenskap; inskränkning; förlossning

confirm [kənfə:'m] bekräfta, bestyrka, stadfästa

confirmation [kånfəmej'ʃən] bekräftelse; konfirmation

confirmed [kənfə:'md] inbiten; obotlig

confiscate [kånn'fiskejt] beslagta

conflagration [kånfləgrej'ʃən] stor brand

conflict [kånn'flikt] konflikt

confluence [kånn'fluəns] sammanflöde; tillopp

conform [kənfå:'m] överensstämma; rätta sig (*to* efter)

conformity [kənfå:'miti] likhet, överensstämmelse

confounded [kənfao'ndid] förbaskad

confront [kənfrann't] konfrontera, möta

confuse [kənfjo:'z] förvirra, förbrylla, förväxla

confused [kənfjo:'sd] oredig, omtöcknad, förvirrad; trasslig

confusion [kənfjo:'ʃən] förvirring, villervalla; sammanblandning; förväxling

confute [kənfjo:'t] vederlägga

congeal [kəndʒi:'l] frysa till is; bli stel

congenial [kəndʒi:'njəl] besläktad; kongenial

congestion [kəndʒess'tʃən] stockning

conglomeration [kənglåmərej'ʃən] sammelsurium, hopgyttring

congratulate [kəngrätt'jolejt] gratulera, lyckönska, uppvakta

congratulation [kəngrätjolej'ʃən] gratulation, lyckönskan; *sincere congratulations* hjärtliga lyckönskningar

congregation [kånggrigej'ʃən] församling, menighet

congress [kång'gres] kongress

conifer [kəə'nifə] barrträd

coniferous forest [kəəniff'ərəs fårr'ist] barrskog

conjecture [kəndʒekk'tʃə] **1** *s.* gissning **2** *v.* gissa

conjugal [kånn'dʒogl] äktenskaplig

conjunction [kəndʒang'kʃən] förening

conjure [kann'dʒə] trolla

conjurer [kann'dʒərə] trollkonstnär

connect [kənekk't] ansluta; sammanbinda; koppla; *be connected with* sammanhänga med; *connect up* koppla (*telefon*)

connected [kənekk'tid] förbunden, förenad

connecting rod [kənekk'ting rådd] vevstake

connection [kənekk'ʃən] förbindelse, sammanhang, samband; anslutning; *in this connection* i samband därmed

connive [kənaj'v] konspirera; *connive at* se genom fingrarna med

connoisseur [kånisə:'] kännare

conquer [kång'kə] erövra, besegra

conquest [kång'kwest] erövring

conscience [kånn'ʃəns] samvete

conscientious [kånʃienn'ʃəs] samvetsgrann; *conscientious objector* vapenvägrare

conscious [kånn'ʃəs] medveten; vid medvetande

consciousness [kånn'ʃəsnis] medvetande

conscript [kånn'skript] värnpliktig

conscription [kənskripp'ʃən] värnplikt

consecrate [kånn'sikrejt] inviga, helga

consecration [kånsikrej'ʃən] invigning

consecutive [kənsekk'jotiv] på varandra följande

consensus [kənsenn'səs] samstämmighet

consent [kənsenn't] samtycke; *by common consent* enhälligt

consequence [kånn'sikwəns] följd, konsekvens; betydelse; *in consequence* följaktligen

consequently [kånn'sikwəntli] således

conservation [kånsəvej'ʃən] bevarande

conservative [kənsə:'vətiv] konservativ

conservatory [kənsə:'vətri] växthus; konservatorium

consider [kənsidd'ə] anse, betrakta; betänka, tänka på, reflektera på

considerable [kənsidd'ərəbl] betydande, ansenlig, avsevärd

considerate [kənsidd'ərit] hänsynsfull, omtänksam

consideration [kənsidərej'ʃən] hänsyn, omtanke; övervägande; *time for consideration* betänketid; *take into consideration* ta med i beräkningen, ta hänsyn till

considering [kənsidd'əring] i betraktande av

consign [kənsaj'n] överlämna; sända

consignment [kənsaj'nmənt] sändning

consist [kənsiss't] bestå, utgöras (*of* av)

consistency [kənsiss'tənsi] (*om fasthetsgrad*) konsistens; konsekvens

consistent [kənsiss'tənt] konsekvent

consolation [kånsəlej'ʃən] tröst

console [kənsəo'l] trösta

consolidate [kənsåll'idejt] *bildl.* befästa

consonant [kånn'sənənt] **1** *adj.* överensstämmande **2** *s.* konsonant

consort [kånn'så:t] gemål

conspicuous [kənspikk'joəs] iögonenfallande; framstående

conspiracy [kənspirr'əsi] sammansvärjning, konspiration

conspire [kənspaj'ə] sammansvärja sig

constable [kann'stəbl] konstapel

constant [kånn'stənt] konstant, ständig

constellation [kånstəlej'ʃən] stjärnbild

consternation [kånstənej'ʃən] bestörtning

constipated [kånn'stipejtid] hård i magen

constipation [kånstipej'ʃən] förstoppning

constituency [kənstitt'joənsi] valkrets

constituent [kənstitt'joənt] beståndsdel; väljare

constitute [kånn'stitjo:t] utgöra

constituted [kånn'stitjo:tid] beskaffad

constitution [kånstitjo:'ʃən] grundlag; statsskick, författning

constitutional law [kånstitjo:'ʃənl lå:] statsrätt

constrain [kənstrej'n] tvinga; lägga band på; begränsa

constrict [kənstrikk't] dra samman

construct [kənstrakk't] konstruera

construction [kənstrakk'ʃən] konstruktion; byggnad

construe [kənstro:'] konstruera; tolka

consul [kånn'səl] konsul

consulate [kånn'sjolit] konsulat

consult [kənsall't] konsultera, rådfråga

consultant [kənsall'tənt] konsult

consultation [kånsəltej'ʃən] samråd, överläggning; konsultation

consume [kənsjo:'m] förtära, förbruka, konsumera

consumer [kənsjo:'mə] konsument

consummate 1 *v.* [kånn'səmejt] fullborda **2** *adj.* [kånn'səmit] fulländad

consumption [kənsamm'pʃən] förbrukning, förtäring; konsumtion; lungsot

contact 1 *s.* [kånn'täkt] beröring **2** *v.* [kəntäkk't] sätta sig i förbindelse med

contact breaker point [kånn'täkt brejkəpåjnt] brytarspets

contact lens [kånn'täkt lenz] kontaktlins

contagion [kəntej'dʒən] smitta; smittosam sjukdom

contagious [kəntej'dʒəs] smittosam

contain [kəntej'n] rymma, innehålla

container [kəntej'nə] behållare

contaminate [kəntämm'inejt] förorena

contemplate [kånn'templejt] begrunda; planera

contemporary [kəntemm'pərəri] samtida

contempt [kəntemm'pt] förakt

contemptuous [kəntemm'ptjoəs] föraktfull

contend [kəntenn'd] kivas

content 1 adj. [kəntenn't] belåten, nöjd; be content with nöja sig med, finna sig i **2** s. [kånn'tent] halt, proportion

contentment [kəntenn'tmənt] belåtenhet

contents [kånn'tents] (pl) innehåll

contest 1 s. [kånn'test] tävlan, tävling **2** v. [kəntess't] bestrida

contested [kəntess'tid] omstridd

context [kånn'tekst] sammanhang (i text)

contiguous [kəntigg'joəs] angränsande

continent [kånn'tinənt] **1** s. kontinent **2** adj. återhållsam; continent man renlevnadsman

continental [kåntinenn'tl] kontinental

contingency [kəntinn'dʒənsi] eventualitet, tillfällighet

continual [kəntinn'joəl] ständig[t återkommande]

continuation [kəntinjoej'ʃən] fortsättning

continue [kəntinn'jo] fortsätta; fullfölja

continuous [kəntinn'joəs] jämn, oavbruten; sammanhängande; kontinuerlig

contortion [kåntå:'ʃən] förvridning; grimas

contour [kånn'to:ə] kontur

contraceptive [kåntrəsepp'tiv] preventivmedel; contraceptive tablet p-piller

contract 1 s. [kånn'träkt] kontrakt **2** v. [kənträkk't] ådraga sig

contraction [kənträkk'ʃən] sammandragning

contractor [kənträkk'tə] entreprenör; building contractor byggmästare

contradict [kåntradikk't] motsäga

contraption [kənträpp'ʃən] apparat, manick

contrary 1 adj. [kånn'trəri] motsatt; ogynnsam; on the contrary däremot, tvärtom; contrary to i motsats till; it's contrary to the law det strider mot lagen **2** adj. [kånträ:'əri] enveten, omöjlig

contrast 1 s. [kånn'tra:st] kontrast; motsats **2** v. [kəntra:'st] kontrastera (with mot)

contribute [kəntribb'jo:t] medverka, bidraga

contribution [kåntribjo:'ʃən] bidrag, tillskott, medverkan, inlägg (i diskussion)

contributor [kəntribb'jotə] bidragsgivare; medarbetare

contributory [kəntribb'jotəri] bidragande

contrite [kånn'trajt] ångerfull

contrive [kəntraj'v] uttänka; lyckas

control [kəntrəo'l] **1** s. kontroll, behärskning **2** v. kontrollera, behärska

controller [kəntrəo'lə] kontrollant

control of the environment [kəntrəo'l əv ði invaj'ərənmənt] miljövård

controversial [kåntrəvə:'ʃəl] kontroversiell, brännbar

controversy [kånn'trəvə:si] kontrovers, tvist

convalescent [kånvəless'nt] konvalescent

convene [kənvi:'n] komma tillsammans; sammankalla

convenience [kənvi:'njəns] bekvämlighet; at your earliest convenience så snart det passar dig

convenient [kənvi:'niənt] bekväm; lämplig

convent [kånn'vənt] [nunne]kloster

convention [kənvenn'ʃən] sammankomst; överenskommelse, konvention

conventional [kənvenn'ʃənl] konventionell

converge [kənvə:'dʒ] sammanlöpa, sammanstråla

conversation [kånvəsej'ʃən] konversation, samspråk, samtal
converse 1 v. [kənvə:'s] konversera **2** adj. [kånn'və:s] motsatt
conversion [kənvə:'ʃən] förvandling; omvändelse
convert 1 v. [kənvə:'t] omvända **2** s. [kånn'və:t] konvertit
convertible [kənvə:'tibl] cabriolet
convey [kånvej'] framföra, överbringa
conveyance [kənvej'əns] befordran; fortskaffningsmedel
convict 1 v. [kənvikk't] överbevisa, förklara skyldig **2** s. [kånn'vikt] straffånge
conviction [kənvikk'ʃən] övertygelse; fällande dom
convince [kənvinn's] övertyga
convincing [kənvinn'sing] övertygande
convocation [kånvəkej'ʃən] sammankallande; församling
convoy [kånn'våj] konvoj
convulsion [kånvall'ʃən] krampryckning, konvulsion
coo [ko:] kuttra
cook [kokk] **1** v. koka, laga mat **2** s. kock, kokerska
cookery book [kokk'əribokk'] kokbok
cookie [kokk'i] Am. [småkaka
cooking [kokk'ing] matlagning
cooking fat [kokk'ing fätt] matfett
cool [ko:l] **1** adj. sval; lugn **2** s. svalka **3** v. kallna
cooler [ko:'lə] kylare
cooling [ko:'ling] avkylning
coolness [ko:'lnis] s. svalka
coop [ko:p] **1** s. hönsbur, kaninbur **2** v. stänga in
cooperate [kəoåpp'ərejt] medverka, samverka, samarbeta
cooperation [kəoåpərej'ʃən] medverkan; samverkan, samarbete; kooperation
cooperative [kəoåpp'ərətiv] samarbetsvillig; kooperativ
co-operative shop [kəoåpp'ərətiv ʃåpp] konsumbutik
coopt [kəoåpp't] invälja ny ledamot

coordinate [kəoå:'dinejt] samordna
coordination [kəoå:dinej'ʃən] samordning
cop [kåpp] sl. polis
Copenhagen [kəopnhej'gən] Köpenhamn
cope with [kəo'p wið] gå i land med; mäta sig med
copier [kåpp'iə] kopiator
copper [kåpp'ə] koppar
copperplate [kåpp'əplejt] kopparstick
coppice [kåpp'is] skogsdunge
copse [kåpps] skogsdunge
copy [kåpp'i] **1** s. kopia, avskrift; exemplar **2** v. kopiera, skriva av
copyright [kåpp'irajt] litterär äganderätt, upphovsrätt
copy-typing [kåpp'itajping] renskrivning (på maskin)
copywriter [kåpp'irajtə] reklamtextförfattare
coral [kårr'əl] korall
cord [kå:d] lina, rep, snöre; spinal cord ryggmärg; vocal cord stämband
cordage [kå:'didʒ] tågvirke
cordial [kå:'djəl] hjärtlig; hjärtstyrkande
core [kå:] kärnhus; kärna
cork [kå:k] **1** s. kork **2** v., cork up korka igen
corkscrew [kå:'kskro:] korkskruv
cormorant [kå:'mrənt] skarv (fågel)
corn [kå:n] spannmål, säd; liktorn; Am. majs
corncob [kå:'nkåb] majskolv
cornea [kå:'ni:ə] hornhinna
corner [kå:'nə] hörn, vrå; corner of the eye ögonvrå
cornet [kå:'nit] strut
cornflower [kå:'nflaoə] blåklint
Cornish [kå:'niʃ] från Cornwall, kornisk
corny [kå:'ni] sl. fånig, barnslig; banal
coronary artery [kårr'ənəri a:'təri] kransartär
coronation [kårrənej'ʃən] kröning
coroner [kårr'ənə] undersökningsdomare
coronet [kårr'ənit] adelskrona

corporal [kå:'prl] **1** s. korpral **2** adj. kroppslig

corporation [kå:pərej'ʃən] Am. bolag

corps [kå:] kår

corpse [kå:ps] lik

corpuscle [kå:'pasl] blodkropp

corral [kåra:'l] inhägnad

correct [kərekk't] **1** adj. korrekt, riktig; *correct language* vårdat språk; *the account is correct* räkningen stämmer **2** v. korrigera, rätta

correction [kərekk'ʃən] rättelse

correlation [kårilej'ʃən] korrelation, ömsesidigt förhållande

correspond [kårispånn'd] korrespondera, brevväxla; *correspond to* motsvara

correspondence [kårispånn'dəns] motsvarighet, korrespondens

correspondent [kårispånn'dənt] korrespondent

corresponding [kårispånn'ding] motsvarande

corridor [kårr'idå:] korridor

corroborate [kərabb'ərejt] bekräfta

corrode [kərəo'd] fräta

corrosion [kərəo'ʃən] korrosion, frätning

corrugated cardboard [kårr'ogejtid ka:'dbå:d] wellpapp

corrupt [kərapp't] fördärvad; korrumperad

corruption [kərapp'ʃən] korruption

corset [kå:'sit] korsett

Corsica [kå:'sikə] Korsika

Corsican [kå:'sikən] korsikan

cortège [kå:tej'ʃ] kortege

cosmetic [kåzmett'ik] kosmetik, skönhetsmedel

cost [kåsst] **1** v. kosta **2** s. kostnad; *costs* (pl) [om]kostnader; *cost of living* levnadskostnader; *cost of production* tillverkningskostnad

costly [kåss'tli] dyrbar

cost price [kåss't prajs] självkostnadspris, inköpspris

costume [kåss'tjo:m] [dam]dräkt; kostym

cosy [kəo'zi] **1** adj. småtrevlig, hemtrevlig **2** s. tehuv

cot [kått] barnsäng; *cot with bars* spjälsäng

cottage [kått'idʒ] stuga

cotton [kått'n] bomull

cotton dress [kått'n dress] bomullsklänning

cotton fabric [kått'n fäbb'rik] bomullstyg

cotton reel [kått'n ri:l] (tom) trådrulle

cotton waste [kått'n wejst] trassel

cotton wool [kått'n woll] vadd, bomull; *unrefined cotton wool* fettvadd

couch [kaotʃ] **1** s. schäslong **2** v. avfatta

cough [kåff] hosta

cough medicine [kåff'meddi'sin] hostmedicin

coulisse [ko:li:'s] kuliss

council [kəo'nsl] råd, församling; *city (town) council* stadsfullmäktige; *county council* (ung.) landsting

councillor [kəo'nsilə] rådsmedlem, stadsfullmäktig

counsel [kao'nsəl] råd[plägning]; advokat[er]; *counsel for the defence* försvarsadvokat

counsellor [kao'nslə] rådgivare; Am. advokat

count [kaont] **1** v. räkna; *that doesn't count* det räknas inte; *count on* räkna med **2** s. greve; räkning; *keep count of* hålla reda på

counter [kao'ntə] **1** s. (butiks)disk; spelmark; räknare **2** v., *counter to* tvärt emot

counteract [kaontəräkk't] motverka

counter-attack [kao'ntərətäkk] motanfall

counterbalance 1 v. [kaontəbäll'əns] uppväga **2** s. [kəo'ntəbälləns] motvikt

counter-claim [kao'ntəklejm] motfordran

counterfeit [kao'ntəfit] **1** v. förfalska **2** adj. förfalskad **3** s. förfalskning

counterpane [kao'ntəpejn] sängöverkast

counterpart [kəo'ntəpa:t] motstycke

countess [kao'ntis] grevinna

counting [kao'nting] räkning, hopräkning

countless [kao'ntlis] otalig

country [kann'tri] land; terräng; *in the country* på landet; *country cousin* oskuld från landet; *country people* allmoge

countryman [kann'trimən] landsman; lantman

countryside [kann'trisaj'd] landsbygd

county [kao'nti] grevskap; län

coup [ko:] kupp

couple [kapp'l] **1** *s.* par; *a couple of* ett par, några; *married couple* äkta par **2** *v.* [hop]koppla

coupon [ko:'pån] kupong

courage [karr'id3] mod

courageous [kərej'd3əs] modig

courier [kori:'ə] kurir

courier's van [kori:'əs vänn] budbil

course [kå:s] kurs; bana, lopp; maträtt; förlopp; *course of events* skeende; *in due course* i sinom tid; *of course* naturligtvis, visst, förstås; *a matter of course* en självklar sak

court [kå:t] **1** *s.* hov; domstol; rätt; [tennis]bana; gård; *at court* vid hovet; *in court, before the court* inför rätta, i rätten; *court of appeal* hovrätt **2** *v.* uppvakta, göra sin kur

courteous [kə:'tjəs] artig; hövisk

courtesy [kə:'tisi] artighet; tillmötesgående

court house [kå:'thəo's] tingshus

court martial [kå:'tma:'ʃəl] krigsrätt

court practice [kå:'t präkk'tis] tingstjänstgöring

courtship [kå:'tʃip] uppvaktning, frieri

courtyard [kå:'tja:'d] gårdsplan

cousin [kazz'n] kusin

cove [kəov] bukt, liten vik

covenant [kavv'inənt] avtal; förbund

Coventry [kavv'əntri] *send s.b. to Coventry* frysa ut ngn

cover [kavv'ə] **1** *v.* täcka över; dölja; skydda; bevaka; tillryggalägga;

avverka; betäcka (*göra dräktig*) **2** *s.* täcke; huv; överdrag; pärm; kapell; [bords]kuvert; täckning

covert 1 *adj.* [kavv'ət] hemlig **2** *s.* [kavv'ə] gömställe; snår

covet [kavv'it] eftertrakta

cow [kao] ko

coward [kao'əd] mes, ynkrygg

cowardice [kao'ədis] feghet

cowardly [kao'ədli] feg

cowberry [kao'bəri] lingon

cower [kao'ə] krypa ihop

cow-house [kao'haos] ladugård

cowslip [kao'slip] gullviva

coy [kåj] blyg

coyote [kåj'əot] prärievarg

crab [kräbb] krabba

crack [kräkk] **1** *v.* knaka; spräcka; knäcka; spricka, rämna; *crack jokes* vitsa **2** *s.* skräll

cracked [kräkkt] sprucken; förryckt, tokig

cracker [kräkk'ə] smällkaramell; kex

crackle [kräkk'l] knastra

cradle [krej'dl] *s.* vagga

craft [kra:ft] hantverk; fartyg

craftsman [kra:'ftsmən] yrkesman, hantverkare

crafty [kra:'fti] listig

crag [krägg] brant klippa; klippspets

craggy [krägg'i] skrovlig

cram [krämm] proppa full; plugga med

cramp [krämmp] kramp

cranberry [kränn'bəri] tranbär

crane [krejn] trana; lyftkran

crank [krängk] vev; fantast, monoman

crankshaft [kräng'kʃa:ft] vevaxel

crash [kräʃ] **1** *s.* skräll, krasch, brak **2** *v.* skrälla, braka; störta

crash helmet [kräʃ'helmit] skyddshjälm, störthjälm

crate [krejt] [öl]back; spjällåda

crater [krej'tə] krater

crave [krejv] be om; längta efter

craven [krej'vn] **1** *adj.* feg **2** *s.* feg stackare

craw [krå:] *s.* kräva

crawfish [krå:'fiʃ] *Am.* kräfta

crawl [krå:l] kravla, krypa, kräla, åla

crayfish [krej'fiʃ] kräfta

crayon [krej'ən] färgkrita

craze [krejz] mani

crazy [krej'zi] tokig, galen, mycket förtjust (*about* i)

creak [kri:k] 1 v. knarra, gnissla 2 s. gnissel, knarr

cream [kri:m] grädde; kräm

crease [kri:s] 1 s. (*på kläder*) rynka 2 v. vecka; skrynkla

creased [kri:st] skrynklig

crease proof [kri:'spro:f] skrynkelfri

create [kri:ej't] skapa

creation [kri:ej'ʃən] skapelse

creative [kri:ej'tiv] skapande

creator [kri:ej'tə] skapare

creature [kri:'tʃə] varelse

crèche [krejʃ] barndaghem

credentials [kridenn'ʃəlz] (*pl*) rekommendationsbrev; kreditiv

credible [kredd'əbl] trovärdig, trolig

credit [kredd'it] 1 s. kredit 2 v. kreditera; *put s.th. to one's credit* tillgodoräkna sig ngt

credit card [kredd'it ka:d] kontokort; kreditkort, köpkort

creditor [kredd'itə] fordringsägare, borgenär

credulous [kredd'joləs] godtrogen

creed [kri:d] troslära, trosbekännelse

creek [kri:k] *Am.* bäck

creep [kri:p] krypa

creeper [kri:'pə] slingerväxt

cremate [krimej't] bränna, kremera

crept [krept] *imperf. och perf. part. av creep*

crescent [kress'nt] halvmåne

cresset [kress'it] marschall

crest [kresst] krön

crestfallen [kress'tfå:ln] slokörad

Crete [kri:t] Kreta

crevice [krevv'is] [berg]skreva

crew [kro:] besättning; arbetslag; *one of the crew* besättningsman

crew-cut [kro:'katt] snaggad

crib [kribb] 1 s. barnsäng; krubba 2 v. fuska, skriva av

cricket [krikk'it] syrsa; kricket

crime [krajm] brott, förbrytelse

criminal [krimm'inl] 1 *adj.* kriminell; brottslig; *criminal code* strafflag 2 s. förbrytare, brottsling

criminality [kriminäll'iti] brottslighet, kriminalitet

crimson [krimm'sn] högröd, karmosinröd

crinkle [kring'kl] 1 s. veck 2 v. vecka, rynka

cripple [kripp'l] 1 s. krympling 2 v. lamslå

crisis [kraj'sis] kris

crisp [krisp] 1 v. krusa 2 *adj.* knaprig, frasig, mör

crispbread [kriss'pbredd'] knäckebröd

crisps [kriss'ps] *kokk.* chips

criss-cross [kriss'krås] 1 *adv.* kors och tvärs 2 v. genomkorsa

criterion [krajti:'əriən] kriterium, kännetecken

critic [kritt'ik] kritiker

critical [kritt'ikəl] kritisk

criticism [kritt'isizəm] kritik

criticize [kritt'isajz] kritisera; klandra

critique [kriti:'k] kritik; recension

croak [krəok] kraxa, kväka

crochet [krəo'ʃej] 1 v. virka 2 s. virkning

crockery [kråkk'əri] lergods; porslin

crocodile [kråkk'ədajl] krokodil

crocus [krəo'kəs] krokus

crofter [kråff'tə] torpare

crofter's holding [kråff'təz høo'lding] torp

croissant [kroasa:'ng] giffel

crony [krəo'ni] gammal god vän

crook [krokk] krok, krök; bov

crooked [krokk'id] krokig; ohederlig

crooner [kro:'nə] schlagersångare

crop [kråpp] 1 s. skörd, gröda 2 v. beskära; *crop up* (*bildl.*) dyka upp

croquet [krəo'kej] krocket

cross [kråss] 1 s. kors 2 v. korsa, köra över, överskrida 3 *adj.* vresig

crossbar [kråss'ba:] tvärslå

cross-country race [kråss'kann'tri rej's] terränglöpning

cross-examine [kråss'igzämm'in] korsförhöra

cross-eyed [kråss'ajd] skelögd

crossing [kråss'ing] korsning; över-
gång; överresa

crossroad[s] [kråss'råod(z)] vägkors-
ning, korsväg

cross-section [kråss sekk'ʃən] genom-
skärning, tvärsnitt

cross stitch [kråss'stitʃ] korsstygn

cross street [kråss'stri:t] tvärgata

cross striped [kråss'strajpt] tvärrandig

crossword [puzzle] [kråss'wə:d
(pazz'l)] korsord

crow [kråo] 1 s. kråka; as the crow
flies fågelvägen 2 v. gala

crowbar [kråo'ba:] spett

crowd [kraod] skara, hop, skock,
vimmel; crowd of people folkmassa

crowded [krao'did] alldeles full, full
med folk

crowding [krao'ding] trängsel

crown [kraon] 1 s. krona (äv. mynt,
träd- o.d.); hjässa 2 v. kröna

crown prince [krao'n prinn's] kron-
prins

crucial [kro:'ʃəl] avgörande, kritisk

crucifix [kro:'sifiks] krucifix

crude [kro:d] rå, obearbetad; crude
oil råolja

cruel [kro:'əl] grym

cruelty [kro:'əlti] grymhet

cruelty to animals [kro:'əlti tə änn'i-
məls] djurplågeri

cruise [kro:z] 1 v. kryssa 2 s. kryss-
ning

cruise control [kro:'skåntråol] tekn.
farthållare

cruiser [kro:'zə] kryssare

crumb [kramm] s. smula

crumble [kramm'bl] smula [sönder]

crunch [krantʃ] krossa; knapra på

crusade [kro:sej'd] korståg

crush [kraʃ] 1 v. krossa; övertrumfa
2 s. trängsel

crushed [kraʃt] tillplattad, tillintet-
gjord

crust [krast] skorpa (hårdnad yta);
skare

crutch [kratʃ] krycka

cry [kraj] 1 v. gråta, skrika 2 s. gråt,

skrik; a far cry en lång väg

cryptic [kripp'tik] hemlig

crystal [kriss'tl] [berg]kristall

crystallize [kriss'təlajz] utkristallisera

cub [kabb] [djur]unge; pojkvalp

Cuban [kjo:bən] 1 s. kuban 2 adj.
kubansk

cube [kjo:b] kub

cubic metre [kjo:'bik mi:'tə] kubik-
meter

cubicle [kjo:'bikl] sovhytt

cuckoo [kokk'o:] gök

cucumber [kjo:'kəmbə] gurka

cuddle [kadd'l] krama, kela med

cue [kjo:] vink; biljardkö

cuff [kaff] manschett

cuff link [kaff'lingk] manschettknapp

culminate [kall'minejt] kulminera

culmination [kalminej'ʃən] kulmen

culprit [kall'prit] gärningsman

cult [kallt] kult, dyrkan

cultivate [kall'tivejt] odla, bearbeta
(jord)

cultivated [kall'tivejtid] kultiverad,
bildad

cultivation [kalltivej'ʃən] odling

cultural [kall'tʃərəl] kulturell

culture [kall'tʃə] kultur, bildning

cumbersome [kamm'bəsəm] besvär-
lig, ohanterlig

cumulative [kjo:'mjolətiv] växande,
ökad

cunning [kann'ing] 1 s. list[ighet]
2 adj. listig, underfundig

cunt [kannt] vulg. fitta

cup [kapp] 1 s. kopp, bägare 2 v., cup
one's hands kupa händerna

cupboard [kabb'əd] skåp

cupidity [kjopidd'iti] snikenhet;
lystnad

cupola [kjo:'pələ] kupol

curate [kjo'ərit] pastorsadjunkt

curator [kjorej'tə] univ. intendent

curb [kə:b] 1 s. trottoarkant 2 v. tygla

curd cake [kə:'d kej'k] ostkaka

cure [kjo:'ə] 1 v. bota, kurera 2 s.
kur, botemedel

cure-all [kjo:'orå:'l] universalmedel

curfew [kə:'fjo:] utegångsförbud

curiosity [kjo:əriåss'iti] nyfikenhet; kuriositet

curious [kjo:'əriəs] nyfiken; egendomlig; *a curious coincidence* ett egendomligt sammanträffande

curl [kə:l] 1 *v.* ringla; locka 2 *s.* [hår]lock

curler [kə:'lə] papiljott

curly [kə:'li] lockig

currant [karr'ənt] vinbär; korint

currency [karr'ənsi] valuta

currency regulations [karr'ənsi regjolej'ʃənz] valutabestämmelser

current [karr'ənt] 1 *adj.* allmän, gängse, aktuell 2 *s.* ström

curriculum [kərikk'joləm] lärokurs, undervisningsplan

curry [karr'i] 1 *s.* currystuvning 2 *v.* bereda (*hudar*); rykta; *curry favour with s.b.* ställa sig in hos ngn

curry powder [karr'i paodə] curry

curse [kə:s] 1 *v.* förbanna 2 *s.* förbannelse

cursed [kə:'sid] *adj.* förbannad

cursory [kə:'srəri] flyktig

curt [kə:t] kort, tvär

curtail [kə:tej'l] avkorta, beskära

curtain [kə:'tn] gardin; ridå

curtsy [kə:'tsi] niga

curve [kə:v] kurva

cushion [koʃ'ən] kudde; dyna

cuspidor [kass'pidå:] *Am.* spottkopp

custard [kass'təd] vaniljkräm; vaniljsås

custodian [kastəo'djan] väktare; vårdare, förmyndare

custody [kass'tədi] förvar; arrest, häkte

custom [kass'təm] vana, sedvänja, bruk

customary [kass'təməri] bruklig

customer [kass'təmə] kund

customs [kass'təmz] (*väsende*) tull; tull[verk]; *declare at customs* tulldeklarera

customs declaration [kass'təmz dekləərej'ʃən] tulldeklaration

customs duty [kass'təmz djo:'ti] tull[avgift]

customs officer [kass'təmz åff'isə] tulltjänsteman

cut [katt] 1 *v.* klippa; skära; hugga; rista; slå (*hö*); *cut away* schakta bort; *cut out* stryka (*i text*), slå ur bräde 2 *s.* snitt; skärsår; hugg; rispa

cute [kjo:t] söt, näpen

cuticle [kjo:'tikl] överhud, nagelband

cutlass [katt'ləs] kort svärd

cutler [katt'lə] knivsmed

cutlery [katt'ləri] eggverktyg; matbestick

cutlet [katt'lit] kotlett

cutter [katt'ə] kniv; tillskärare; *sjö.* kutter

cut-throat [katt'θrəot] 1 *s.* mördare 2 *adj.* mördande

cutting [katt'ing] (*tidnings-*) klipp, urklipp; klippning

cutting board [katt'ingbå:d] skärbräde

cuttlefish [katt'lfiʃ] bläckfisk

cycle [saj'kl] 1 *s.* cykel 2 *v.* cykla

cyclist [saj'klist] cyklist

cylinder [sill'ində] cylinder

cymbal [simm'bəl] symbal

cynical [sinn'ikəl] cynisk

cypress [saj'pris] *bot.* cypress

cystitis [sistaj'tis] *med.* urinvägsinfektion

Czech [tʃekk] 1 *s.* tjeck 2 *adj.* tjeckisk; *the Czech Republic* Tjeckiska republiken, Tjeckien

d

D, d [di:] (*bokstav o. ton*) D, d

dachshund [dækk'shond] tax

dad[dy] [dädd'(i)] pappa

daffodil [däff'ədil] påsklilja

dagger [dägg'ə] dolk

dago [dej'gəo] (*nedsättande om*) sydeuropé

daily [dej'li] 1 *adj.* daglig; *daily allowance* dagtraktamente 2 *s.* dagstidning 3 *adv.* dagligen

daintiness [dej'ntinis] läckerhet

dainty [dej'nti] läcker

dairy [dä:'əri] mejeri

dais [dej'is] estrad

daisy [dej'zi] tusensköna

dally [däll'i] leka; sola

dam [dämm] 1 *s.* damm, fördämning 2 *v.* dämma

damage [dämm'idʒ] 1 *s.* skada, åverkan 2 *v.* skada; *easily damaged* ömtålig

damages [dämm'idʒiz] skadestånd

Dame [dejm] Dame (*titel för adlad kvinna*)

dame [dejm] *Am., sl.* tjej, brud

damn [dämm] förbanna; *damn!* jäklar!

damp [dämmp] 1 *s.* fukt 2 *adj.* fuktig

damper [dämm'pə] spjäll; sordin

dance [da:ns] 1 *s.* dans 2 *v.* dansa

dance music [da:'nsmjo:zik] dansmusik

dancer [da:'nsə] dansör, dansös

dandelion [dänn'dilajən] maskros

dandruff [dänn'drəf] mjäll

Dane [dejn] (*pers.*) dansk

danger [dej'ndʒə] fara; *danger of fire* eldfara

dangerous [dej'ndʒrəs] farlig

dangle [däng'gl] dingla [med]

Danish [dej'niʃ] *adj.* dansk; *Danish [pastry]* wienerbröd

dapper [däpp'ə] prydlig, nätt

dare [dä:'ə] våga, tordas; understå sig; *I dare say* nog, kanske, förmodligen; *you dare!* du skulle bara våga!

daring [dä:'əring] oförvägen; djärv

dark [da:k] mörk; *dark blue* mörkblå; *dark room* mörkrum

darken [da:'kən] fördunkla, förmörka

darkened [da:'kənd] mörklagd

darkness [da:'knis] mörker

darling [da:'ling] älskling

darn [da:n] stoppa, laga hål

darning needle [da:'ningni:dl] stoppnål

dart [da:t] [kast]pil

dash [däʃ] 1 *v.* rusa; kasta; stänka 2 *s.* slag; skvätt; tankstreck; framstöt

dashboard [däʃ'bå:d] instrumentbräda

dashing [däʃ'ing] elegant; livlig

dastardly [däss'tədli] feg, usel

data [dej'ta] data

data processing [dej'ta prəo'sesing] databehandling

date [dejt] 1 *v.* datera 2 *s.* dadel; datum; *bring up to date* aktualisera, modernisera; *out of date* föråldrad, omodern; *up to date* modern

daub [då:b] kludda

daughter [då:'tə] dotter

daughter-in-law [då:'tərinlå:] svärdotter, sonhustru

dauntless [då:'ntlis] oförfärad

dawn [då:n] 1 *v.* gry; *it dawned upon me* det gick upp för mig 2 *s.* gryning

day [dej] dag; *day and night* dygn; *day by day* dag för dag; *the day before yesterday* [i] förrgår; *day of departure* avresedag; *day of the week* veckodag; *the next few days* de närmaste dagarna; *the other day* häromdagen; *one of these days* endera dagen

daylight [dej'lajt] dager, dagsljus

day nursery [dej' nə:'sri] daghem

daytime [dej'tajm] *in the daytime* på dagarna, om dagen

dazed [dejzd] omtöcknad

dazzle [däzz'l] blända; förvirra

deacon [di:'kn] diakon

dead [dedd] död; *elektr.* strömlös; *the dead man* den döde; *dead heat* dött lopp; *in dead earnest* på fullt allvar; *stop dead* tvärstanna

deaden [dedd'n] förta[ga], dämpa

deadline [dedd'lajn] sista tidpunkt, gräns

deadlock [dedd'låk] baklås; dödläge

deadly [dedd'li] dödlig

deaf [deff] döv; *deaf and dumb* dövstum

deal [di:l] 1 *v.* handla, göra affärer (*in* med); ge (*i kortspel*); utdela; *deal with* handla om, ha att göra med 2 *s.* överenskommelse; giv; planka; *deals* (*pl*) plank, virke; *a good deal* åtskilligt, en hel del; *a great deal* ganska mycket, en hel del

dealer [di:'lə] handlare; *vard.* langare

dealings [di:'lings] affärer

dealt [dellt] *imperf. och perf. part. av*
deal

dean [di:n] prost

dear [di:'ə] kär, avhållen; dyr; *oh
dear!* kära nån!, kors!; *for dear life*
för brinnande livet

dearth [də:θ] brist

death [deθ] död; dödsfall; *to death*
ihjäl

deathbed [deθ'bed] dödsbädd

death duty [deθ' djo:ti] arvsskatt

death rate [deθ'rejt] dödlighet, döds-
tal

debase [dibej's] förnedra

debate [dibej't] **1** *s.* debatt **2** *v.* de-
battera

debauch [dibå:'tʃ] **1** *v.* fördärva **2** *s.*
utsvävning

debit [debb'it] **1** *s.* debet **2** *v.* debitera

debonair [debənä:'ə] belevad, älsk-
värd

debris [debb'ri:] spillror

debt [dett] skuld

debtor [dett'ə] gäldenär

debut [dej'bo:] debut

decade [dekk'ejd] decennium, årti-
onde

decanter [dikänn'tə] karaff

decathlon [dekäθ'lån] tiokamp

decay [dikej'] **1** *v.* förfalla **2** *s.* förfall

decayed [dikej'd] murken

deceased [disi:'st] avliden

deceit [disi:'t] bedrägeri

deceitful [disi:'tfol] bedräglig

deceive [disi:'v] bedra[ga]

December [disemm'bə] december

decency [di:'snsi] anständighet

decent [di:'snt] hygglig; anständig

decentralize [di:senn'trəlajz] decent-
ralisera

decide [disaj'd] avgöra, besluta;
bestämma sig, besluta sig, fastna
(*on* för)

decided [disaj'did] bestämd

deciduous tree [disidd'joəs tri:'] löv-
träd

decimal [dess'iml] decimal-; *decimal
fraction* decimalbråk; *decimal point*
decimalkomma

decipher [disaj'fə] dechiffrera

decision [disiʃ'ən] beslut, avgörande;
utslag; *make a decision* fatta ett beslut

decisive [disaj'siv] utslagsgivande

deck [dekk] **1** *s.* [fartygs]däck **2** *v.*
pryda, smycka

deckchair [dekk'tʃä:ə] fällstol, vil-
stol

deckhand [dekk'händ] matros

declaration [deklərej'ʃən] förklaring;
tillkännagivande, deklaration

declare [diklä:'ə] förklara, tillkänna-
ge; påstå; deklarera; förtulla; *declare
... at customs* tulldeklarera

declension [diklenn'ʃən] nedgång;
deklination

decline [diklaj'n] **1** *v.* avböja, undan-
be sig, frånsäga sig **2** *s.* tillbaka-
gång; *be on the decline* vara på upp-
hällningen

decoction [dikåkk'ʃən] lag, avkok

decode [di:'kəo'd] dechiffrera

decompose [di:kəmpəo'z] upplösa,
upplösas

decorate [dekk'ərejt] dekorera,
smycka

decoration [dekərej'ʃən] dekoration

decorative [dekk'ərətiv] dekorativ

decorous [dekk'ərəs] värdig, anstän-
dig

decorum [dikå:'rəm] anständighet

decoy [di:'kåj] **1** *s.* lockfågel; lock-
bete; bulvan **2** *v.* locka

decrease 1 *v.* [di:kri:'s] avta[ga],
minska **2** *s.* [di:'kri:s] avtagande,
minskning

decree [dikri:'] påbud

decrepit [dikrepp'it] ålderdomssvag

decry [dikraj'] nedsätta, fördöma

dedicate [dedd'ikejt] tillägna, viga,
ägna

deduce [didjo:'s] härleda, sluta sig till

deductible [didakk'təbl] avdragsgill

deduction [didakk'ʃən] avdrag, av-
räkning

deed [di:d] handling; stordåd; doku-
ment

deem 58

deem [di:m] anse, mena
deep [di:p] djup; djupsinnig; *deep dish* karott
deepen [di:'pən] fördjupa
deep-freeze [di:'pfri:z] **1** *s.* frysbox **2** *v.* djupfrysa
deeply [di:'pli] djupt; *enter deeply into* fördjupa sig i
deep-rooted [di:'pro:'tid] seglivad, djupt rotad
deer [di:'ə] rådjur; *fallow deer* dovhjort; *red deer* [kron]hjort
de-escalation [di:'eskəlej'ʃən] nedtrappning
deface [difej's] vanställa
defamation [defəmej'ʃən] ärekränkning
defame [difej'm] smutskasta
default [difå:'lt] brist; försummelse; uraktlåtelse att betala; *data. (ung.)* förvalt värde
defeat [difi:'t] **1** *s.* nederlag **2** *v.* besegra
defect [di:'fekt] defekt, lyte, missbildning
defective [difekk'tiv] bristfällig
defence [difenn's] försvar
defenceless [difenn'slis] värnlös, försvarslös
defend [difenn'd] försvara
defendant [difenn'dənt] svarande
defensive [difenn'siv] defensiv, försvars-
defer [difə:'] uppskjuta; ge vika för
deference [deff'rəns] underkastelse; hänsyn
deficiency [difiʃ'nsi] brist
deficient [difiʃ'nt] bristande, otillräcklig
deficit [deff'isit] underskott
defience [difaj'əns] trots (*of* mot)
defile [difaj'l] skända; defilera
define [difaj'n] definiera
definite [deff'init] definitiv
definitely [deff'initli] bestämt
definition [definiʃ'ən] definition
deflect [diflekk't] böja [sig] åt sidan, avleda
deform [difå:'m] deformera

deformed [difå:'md] vanskapt
defray [difrej'] bestrida, betala
defrost [di:frås's't] avfrosta
deft [deff't] van, skicklig
defunct [difang'kt] avliden; inte längre förekommande
defy [difaj'] trotsa
degenerate 1 *v.* [didʒenn'ərejt] urarta **2** *adj.* [didʒenn'ərit] degenererad
degrade [digrej'd] degradera
degree [digri:'] grad; [akademisk] examen
deign [dej'n] värdigas
deity [di:'ti] gudom
deject [didʒekk't] nedslå, göra nedslagen
delay [dilej'] **1** *v.* fördröja, försena, sinka **2** *s.* dröjsmål; anstånd
delegate [dell'igit] delegat
delegation [delləgej'ʃən] delegation
delete [dili:'t] utplåna; stryka
deleterious [deliti:'əriəs] skadlig, fördärvlig
deletion [dili:'ʃən] strykning, uteslutning
deliberate 1 *v.* [dilibb'ərejt] överlägga, rådpläga **2** *adj.* [dilibb'ərit] behärskad; avsiktlig
deliberation [dilibərej'ʃən] överläggning
delicacy [dell'ikəsi] finkänslighet; läckerhet, delikatess
delicate [dell'ikit] finkänslig; ömtålig; delikat
delicious [diliʃ'əs] läcker
delight [dilaj't] glädje
delighted [dilaj'tid] förtjust, mycket glad (*with* över); *I shall be delighted to* det skall bli mig ett nöje att
delightful [dilaj'tfoll] förtjusande, underbar
delineate [dilinn'iejt] skissera
delinquency [diling'kwənsi] brottslighet; *juvenile delinquency* ungdomsbrottslighet
delirious [dilirr'iəs] yrande; *be delirious* yra
deliver [dilivv'ə] leverera, avlämna, överlämna, dela ut

depress

delivery [dilivv'əri] leverans; framförande (*av föredrag o.d.*); förlossning

delivery note [dilivv'əri nəot] följesedel

delivery office [dilivv'əri åff'is] paketutlämning

dell [dell] dalgång

delude [dilo:'d] lura, vilseleda

deluge [dell'jo:dʒ] syndaflod, översvämning

delusion [dilo:'ʃən] villfarelse

delve [dellv] gräva

demand [dima:'nd] 1 v. kräva, fordra, begära, anmana 2 s. krav, fordran; efterfrågan; yrkande (*for* på); *in demand* eftersökt; *on demand* vid anfordran

demarcate [di:'ma:kejt] avgränsa

demean [dimi:'n] *demean o.s.* förnedra sig, nedlåta sig

demeanour [dimi:'nə] uppförande

democracy [dimåkk'rəsi] demokrati

democrat [demm'əkrät] demokrat

democratic [deməkrätt'ik] demokratisk

demolish [dimåll'iʃ] rasera

demon [di:'mən] demon, ond ande

demonstrate [demm'ənstrejt] demonstrera; påvisa

demonstration [dəmənstrej'ʃən] demonstration

demonstrative [dimånn'strətiv] demonstrativ; övertygande

demonstrator [demm'ənstrejtə] demonstrant

demoralize [dimärr'əlajz] demoralisera

demur [dimə:'] göra invändningar

demure [dimjo:'ə] sedesam; pryd; tillgjort blyg

den [denn] (*djurs o. bildl.*) håla

denial [dinaj'əl] förnekande; vägran

Denmark [denn'ma:k] Danmark

denomination [dinåminej'ʃən] benämning; valör (*på sedlar*); religiös inriktning

denominator [dinåmm'inejtə] nämnare (*i matematik*)

denote [dinəo't] beteckna, utmärka

denounce [dinao'ns] utpeka; uppsäga; ange

dense [dens] tät, svårgenomtränglig; dum, slö; *densely populated* tätbefolkad

density [denn'siti] täthet

dent [dent] 1 s. buckla, inbuktning 2 v. buckla [till]

dental floss [denn'tl flåss] tandtråd

dental nurse [denn'tl nə:s] tandsköterska

dentist [denn'tist] tandläkare

denunciation [dinansiej'ʃən] fördömande; angivelse

deny [dinaj'] förneka, dementera; neka

deodorant [di:əo'dərənt] transpirationsmedel, deodorant

depart [dipa:'t] avresa, avgå

department [dipa:'tmənt] departement; avdelning

departmental manager [di:pa:tmenn'tl männ'idʒə] avdelningschef

department store [dipa:'tmənt stå:] varuhus

departure [dipa:'tʃə] avfärd, avgång

depend [dipenn'd] ankomma, bero (*on* på)

dependence [dipenn'dəns] beroende

dependent [dipenn'dənt] underlydande; beroende; *dependent on others* osjälvständig

depict [dipikk't] avbilda, skildra

deplorable [diplå:'rəbl] bedrövlig, beklaglig

deplore [diplå:'] beklaga

depopulation [di:påpjolej'ʃən] avfolkning

deport [dipå:'t] deportera, bortföra; *deport o.s.* uppföra sig

deposit [dipåzz'it] 1 v. insätta (*i bank*), deponera 2 s. pant; avlagring, bottensats

depot [depp'əo] depå; [di:'pəo] *Am.* järnvägsstation

deprave [diprej'v] fördärva

depreciate [dipri:'ʃiejt] nedvärdera

depress [dipress'] deprimera; trycka

ner; försvaga
depressed [dipress't] nedstämd
depressing [dipress'ing] nedslående
depression [dipreʃ'ən] depression; fördjupning; lågtryck
deprive [dipraj'v] beröva, frånta[ga]
depth [depθ] djup; *depth of field* skärpedjup
depth charge [depp'θ tʃsa:dʒ] sjunkbomb
deputize [depp'jotajz] vikariera
deputy [depp'joti] ställföreträdare, vikarie; supplant; *deputy managing director* vice verkställande direktör
derail [direj'l] [bringa att] spåra ur
derailment [direj'lmənt] urspåring
derange [direj'ndʒ] rubba, bringa i oordning
Derby [da:'bi] *the Derby* Derby (*hästkapplöpning*)
derby [da:'bi] plommonstop
deregister [diredʒ'istə] avregistrera
derelict [derr'əlikt] övergiven
derision [diriʃ'ən] åtlöje, hån
derive [diraj'v] härleda
dermis [də:'mis] underhud
derogatory [dirågg'ətəri] nedsättande
descend [disenn'd] gå ner; slutta; sänka sig; *descend abruptly* stupa; *be descended from* härstamma från
descendant [disenn'dənt] ättling
descent [disenn't] nedstigning; sluttning; härstamning
describe [diskraj'b] beskriva, skildra; framställa
description [diskripp'ʃən] beskrivning, skildring, framställning; signalement
descry [diskraj'] upptäcka, varsna
desecrate [dess'ikrejt] vanhelga
desert 1 *adj.* [dezz'ət] öde **2** *s.* [dezz'ət] öken **3** *v.* [dizə:'t] överge, deser-tera; *feel deserted* känna sig utläm-nad
deserve [dizə:'v] förtjäna, vara värd
design [dizaj'n] **1** *v.* rita, teckna **2** *s.* anslag, komplott; ritning; mönster
designate [dezz'ignejt] beteckna
designation [dezignej'ʃən] beteck-

ning
designer [dizaj'nə] formgivare
desirable [dizaj'ərəbl] önskvärd
desire [dizaj'ə] **1** *s.* önskan; begär, åtrå **2** *v.* önska; *as desired* enligt önskan
desist [diziss't] avstå; upphöra
desk [desk] skrivbord, skolbänk
desolate [dess'əlit] ödslig
desolation [desəlej'ʃən] ödslighet, enslighet
despair [dispä:'ə] **1** *v.* misströsta **2** *s.* förtvivlan (*at* över); *in despair* förtvivlad
desperate [dess'pərit] desperat
despise [dispaj'z] förakta; rata
despite [dispaj't] trots
despondency [dispånn'dnsi] förtvivlan
dessert [dizə:'t] dessert, efterrätt
destination [destinej'ʃən] mål, destination
destine [dess'tin] fastställa, bestämma
destiny [dess'tini] öde
destitute [dess'titjo:t] utarmad, utblottad
destroy [distraj'] förstöra; förgöra; makulera
destroyer [distraj'ə] jagare
destruction [distrakk'ʃən] förstörelse
desultory [dess'ltri] osammanhängande, virrig
detach [ditätʃ'] lösgöra
detached [ditätʃ't] fristående; *detached bell-tower* klockstapel
detachment [ditätʃ'mənt] avskiljande; avskildhet; objektivitet
detail [di:'tejl] detalj; *further details* närmare detaljer; *in detail* utförligt, i detalj
detailed [di:'tejld] utförlig, detaljerad
detain [ditej'n] uppehålla; kvarhålla
detect [ditekk't] upptäcka
detective [ditekk'tiv] detektiv; *detective story (novel)* detektivroman
deter [ditə:'] avskräcka
detergent [ditə:'dʒent] rengöringsmedel

deteriorate [diti:'əriərejt] försämra[s]

deterioration [diti:'əriərej'ʃən] försämring

determination [ditə:minej'ʃən] bestämdhet

determine [ditə:'min] bestämma

detest [ditess't] avsky

detestable [ditess'təbl] avskyvärd

detonating powder [dett'əonejting pao'də] knallpulver

detour [di:'to:] omväg

detriment [dett'rimənt] skada, förlust

detrimental [detrimenn'tl] skadlig

deuce [djo:s] **1** s. tvåa; 40 lika (*i tennis*) **2** *deuce!* tusan!, fan!

devalue [di:väll'jo] devalvera

devastation [devəstej'ʃən] ödeläggelse

develop [divell'əp] utveckla [sig]; framkalla (*film*)

developing [divell'əping] framkallning (*av film*); *developing country* utvecklingsland

development [divell'əpmənt] utveckling; *development work* utvecklingsarbete

deviation [di:viej'ʃən] utvikning, avvikelse

device [divaj's] plan; påhitt; uppfinning, anordning; *leave s.b. to his own device* låta ngn sköta sig själv

devil [devv'l] djävul, sate; *poor devil* stackars sate; *talk of the devil and he'll appear* när man talar om trollen

devilish [devv'liʃ] djävlig

devious [di:'viəs] slingrande; irrande

devise [divaj'z] hitta på, tänka ut

devoid [divåj'd] *devoid of* blottad på, tom på

devote [divəo't] ägna

devoted [divəo'tid] hängiven, tillgiven

devotion [divəo'ʃən] tillgivenhet; andakt

devour [divao'ə] [upp]sluka, förtära

devout [divao't] gudfruktig

dew [djo:] dagg

dexterity [deksterr'iti] händighet

dexterous [dekk'strəs] händig, fing-

erfärdig

diabetes [dajəbi:'ti:z] sockersjuka, diabetes

diabetic [dajəbett'ik] diabetiker

diagnosis [dajəgnəo'sis] diagnos

dial [daj'əl] **1** s. urtavla; fingerskiva **2** v. slå [telefonnummer]

dialect [daj'əlekt] dialekt

dialogue [daj'əlåg] dialog

diameter [dajämm'itə] diameter

diamond [daj'əmənd] diamant; *diamonds* (*pl*) ruter [kort]

diaper [daj'əpə] haklapp; sanitetsbinda; *Am.* blöja

diaphragm [daj'əfräm] mellangärde; *foto.* bländare; pessar

diapositive [dajəpåzz'itiv] diapositiv

diarrhoea [dajeri:'ə] diarré

diary [daj'əri] dagbok

dice *se* die 2

dictaphone [dikk'təfəon] dikteringsmaskin

dictate [diktej't] diktera, föreskriva

dictation [diktej'ʃən] diktamen

dictator [diktej'tə] diktator

dictatorship [diktej'təʃip] diktatur

diction [dikk'ʃən] uttryckssätt, stil

dictionary [dikk'ʃənri] lexikon, ordbok

die [daj] **1** v. dö; slockna; *I'm dying for a cup of tea* jag längtar hemskt mycket efter en kopp te **2** s. (*pl dice* [dajs]) tärning

diesel engine [di:'zəl enn'dʒin] dieselmotor

diet [daj'ət] diet; föda; *be on a diet* hålla diet

differ [diff'ə] vara olika; vara av olika mening

difference [diff'rəns] skillnad, olikhet; mellanskillnad; *difference of age* åldersskillnad

different [diff'rənt] olika

differentiate [difərenn'ʃiejt] differentiera

difficult [diff'ikəlt] svår; *difficult of access* svårtillgänglig; *difficult road* svårframkomlig väg; *difficult to digest* hårdsmält; *difficult to manage*

svårhanterlig; *difficult to read* svår-
läst; *difficult to survey* svåröverskåd-
lig; *make difficult* försvåra

difficulty [diff'ikəlti] svårighet; *make
difficulties* bråka, krångla

diffident [diff'idnt] blyg

diffuse 1 *adj.* [difjo:'s] diffus; spridd;
svamlig **2** *v.* [difjo:'z] sprida; spridas

dig [digg] gräva; gilla; *dig up* rota
fram

digest 1 *s.* [daj'dʒest] sammandrag
2 *v.* [didʒess't] smälta

digestion [didʒess'tʃən] matsmältning

digit [didʒ'it] finger, tå; siffra

dignified [digg'nifajd] värdig, akt-
ningsvärd

dignity [digg'niti] värdighet

digress [dajgress'] avvika (*från
ämne*)

digs [diggs] lya, bostad

dilapidated [diläpp'idejtid] förfallen,
fallfärdig

dilate [dajlej't] utvidga; utbreda sig

dilemma [dilemm'ə] dilemma

diligence [dill'idʒəns] flit

diligent [dill'idʒənt] flitig

dill [dill] dill

dilly-dally [dill'idäli] vela, vackla

dilute [dajljo:'t] späda [ut]

diluted [dajljo:'təd] utspädd

dilution [dajljo:'ʃən] utspädning

dim [dimm] **1** *adj.* matt; vag **2** *v.* mat-
tas

dime [dajm] *Am.* tiocentslant

dimension [dimenn'ʃən] dimension

diminish [diminn'iʃ] förminska

diminutive [diminn'jotiv] mycket
liten, diminutiv

dimly [dimm'li] *be dimly seen* skymta,
skönjas

dimple [dimm'pl] skrattgrop

din [dinn] larm

dine [daj'n] äta middag

dinghy [ding'gi] jolle

dingy [dinn'dʒi] smutsig, grådaskig

dining car [daj'ningka:] restaurang-
vagn

dining room [daj'ningro:m] matsal

dining table [daj'ningtejbl] matbord

dinner [dinn'ə] middag; *have dinner*
äta middag; *a three-course dinner*
en middag med tre rätter

dinner jacket [dinn'ə dʒäkk'it] smo-
king

dinner service [dinn'ə sə:'vis] mat-
servis

dinosaur [daj'nəså:] skräcködla

dint [dint] *by dint of* med uppbjudan-
de av, genom

diocese [daj'əsis] biskopsstift

dip [dip] **1** *s.* dopp; *have a dip* doppa
sig **2** *v.* doppa; *dip the lights* blända
av

diploma [dipləo'mə] diplom

diplomacy [diplåmm'əsi] diplomati

diplomat [dipp'ləmät] diplomat

diplomatic [dipləmätt'ik] diplomatisk

dire [daj'ə] gräslig; *in dire need of* i
trängande behov av

direct [direkk't] **1** *adj.* direkt; *direct
current* likström; *direct hit* fullträff
2 *v.* rikta (*at* mot); *bildl.* inrikta;
dirigera; regissera (*film*)

direction [direkk'ʃən] riktning, håll;
anvisning, föreskrift; regi; direk-
tion; *directions (pl)* direktiv; *direc-
tions for use* bruksanvisning; *sense
of direction* lokalsinne

direction post [direkk'ʃən pəost] väg-
visare

directly [direkk'tli] direkt; genast; så
snart som

director [direkk'tə] direktör; regis-
sör; [*deputy*] *managing director*
[vice] verkställande direktör; *board
of directors* styrelse

directory [direkk'tri] **1** *s.* adresska-
lender **2** *adj.* ledande, vägvisande

directory enquiries [direkk'təri in-
kwaj'əriz] nummerbyrå

dirt [də:t] smuts

dirty [də:'ti] smutsig, skitig; snuskig;
dirty linen smutskläder; *make ...
dirty* smutsa [ner]

disability [disəbill'iti] invaliditet, lyte

disabled [disej'bld] obrukbar; handi-
kappad; redlös (*om båt*); *disabled
person* rörelsehindrad, invalid

disadvantage [disədva:'ntidʒ] nackdel

disadvantageous [disädvəntej'dʒəs] ofördelaktig

disagree [disagri:'] vara oense; *fish disagrees with me* jag tål inte fisk

disagreeable [disəgri:'əbl] obehaglig, otrevlig, osympatisk

disappear [disəpi:'ə] försvinna

disappoint [disəpåj'nt] göra besviken; svika

disappointed [disapåj'ntid] besviken (*in* på; *at* over)

disappointment [disəpåj'ntmənt] besvikelse

disapprove [disəpro:'v] avstyrka, ogilla

disarm [disa:'m] avväpna

disarmament [disa:'məmənt] nedrustning

disaster [diza:'stə] olycka, katastrof

disastrous [diza:'strəs] olycksbringande, ödesdiger

disband [disbänn'd] upplösa[s] (*om trupp*)

disbelief [disbili:'f] tvivel, misstro

disc [disk] skiva

discard [diska:'d] kassera, kasta bort, utrangera

disc bar [dis'k ba:] skivstång

disc brake [dis'k brejk] skivbroms

disc clutch [dis'k klatʃ] lamellkoppling

discern [disə:'n] urskilja, skönja

discharge [distʃa:'dʒ] 1 v. avlasta; avlossa, avskjuta; utmynna 2 s. avlastning; avlossande; utsläpp; *med.* flytning

disciple [disaj'pl] lärjunge

discipline [diss'iplin] disciplin

disclaim [disklej'm] frånsäga sig, förneka

disclose [diskləo'z] avslöja, blotta, röja

disclosure [diskləo'ʒə] avslöjande

disco [diss'kəo] diskotek

discolour [diskall'ə] avfärga, bli urblekt

discomfort [diskamm'fət] obehag,

olust; vantrivsel

disconcerted [diskənsə:'tid] snopen; förvirrad

disconnected [diskənekk'tid] osammanhängande, virrig

discontent [diskəntenn't] 1 *adj.* missnöjd 2 s. missnöje 3 v. göra missnöjd

discontinue [diskəntinn'jo] avbryta, upphöra med

discord [diss'kå:d] slitning; oenighet

discotheque [diss'kəotek] diskotek

discount 1 s. [diss'kaont] rabatt; diskonto; *at a discount* till underkurs 2 v. [disskao'nt] avdra, diskontera

discourage [diskarr'idʒ] avskräcka; nedslå

discourse [diskå:'s] föredrag

discourteous [diskə:'tjəs] oartig

discover [diskavv'ə] upptäcka

discovery [diskavv'əri] upptäckt

discredit [diskredd'it] 1 s. vanrykte, vanheder 2 v. misskreditera; betvivla

discreet [diskri:'t] diskret

discrepancy [diskrepp'nsi] skiljaktighet; avvikelse

discretion [diskreʃ'ən] godtycke; urskillning, gottfinnande

discriminate [diskrimm'inejt] diskriminera

discrimination [diskrimminej'ʃən] urskillning

discus [diss'kəs] diskus

discuss [diskass'] diskutera, resonera; *much discussed* omdebatterad

discussion [diskaʃ'ən] diskussion, resonemang

disdain [disdej'n] 1 v. förakta, försmå 2 s. förakt

disease [dizi:'z] sjukdom

disembark [diss'imba:'k] landsätta; landstiga

disfavour [disfej'və] 1 s. ogillande, onåd 2 v. ogilla, missgynna

disfigure [disfigg'ə] vanpryda

disgrace [disgrej's] onåd

disgraceful [disgrej'sfoll] vanhedrande

disgruntled [disgrann'tld] missbelåten

disguise [disgaj'z] förkläda (*as* till)

disgust 64

disgust [disgass't] 1 v. äckla; *be disgusted at* vämjas vid 2 s. avsky, avsmak

disgusting [disgass'ting] äcklig, motbjudande

dish [diʃ] [mat]rätt, anrättning; fat; *dishes* (pl) disk

dish cloth [diʃ'klåθ] disktrasa

disheartening [disha:'tning] nedslående

dishevelled [diʃevv'ld] rufsig

dishonest [disånn'ist] ohederlig, oärlig

dishonour [disånn'ə] vanära

disillusioned [disillo:'ʃənd] desillusionerad

disinclined [disinklaj'nd] obenägen

disinfect [disinfekk't] desinficera

disinfectant [disinfekk'tənt] desinfektionsmedel

disinherited [disinherr'itid] arvlös

disintegrate [disinn'tigrejt] upplösa

disintegration [disintigrej'ʃən] upplösning

disinterested [disinn'tristid] oegennyttig

disk drive [diss'kdrajv] *data.* diskettenhet, diskettstation

diskette [diskett'] *data.* diskett

disk memory [diss'k memm'əri] *data.* skivminne

dislike [dislaj'k] 1 s. motvilja, avsmak 2 v. ogilla, tycka illa om

dislocate [diss'ləokejt] rubba; *get dislocated* gå ur led

disloyal [diss'låjəl] osolidarisk, illojal

dismal [dizz'məl] kuslig

dismantle [dismänn'tl] ta isär, nedmontera

dismay [dismej'] 1 s. förskräckelse 2 v. förskräcka

dismember [dismemm'bə] sönderslita, stycka

dismiss [dismiss'] avfärda; avskeda

dismissal [dismiss'əl] avsked

dismount [dismao'nt] stiga av; demontera

disobedient [disəbi:'djənt] olydig

disobey [disəbej'] vara olydig, inte

lyda

disobliging [disəblaj'dʒing] ogin, vrång

disorder [diså:'də] oreda, oordning

disordered [diså:'dəd] oordnad

disorderly [diså:'dəli] oordentlig (*om sak*); bråkig

disown [disəo'n] inte kännas vid, förneka

disparity [dispärr'iti] olikhet, skillnad

dispassionate [dispäʃ'nit] sansad

dispatch [dispätʃ'] 1 v. expediera, sända 2 s. rapport, depesch

dispel [dispell'] förjaga, skingra

dispensable [dispenn'səbl] umbärlig

dispense [dispenn's] utdela; *dispense with* klara sig utan, avvara

dispenser [dispenn'sə] farmaceut

disperse [dispə:'s] skingra

dispirited [dispirr'itid] nedslagen

displace [displej's] flytta, rubba; avsätta

display [displej'] skylta med, visa

displeased [displi:'zd] missbelåten

disposal [dispəo'zəl] förfogande; *be at a p.'s disposal* stå till ngns disposition

disposed [dispəo'zd] disponerad; benägen

disposition [dispəziʃ'ən] disposition, uppläggning; sinnelag

dispossess [dispəzess'] fördriva; *dispossess of* beröva

disprove [dispro:'v] vederlägga

dispute [dispjo:'t] 1 v. tvista 2 s. dispyt

disputed [dispjo:'tid] omtvistad

disqualify [diskwåll'ifaj] diskvalificera

disregard [disriga:'d] 1 v. bortse från, åsidosätta, ej bry sig om 2 s. ringaktning

disrepute [disripjo:'t] vanrykte

disrespectful [disrispekk'tfoll] respektlös

dissatisfaction [diss'sätisfäkk'ʃən] missnöje, missbelåtenhet

dissatisfied [diss'sätt'isfajd] missnöjd

dissect [disekk't] dissekera

dissenter [disenn'tə] oliktänkande

dissimilar [disimm'ilə] olika

dissipated [disipej'tid] utsvävande

dissolve [dizåll'v] upplösa

distaff [diss'ta:f] slända; *on the distaff side* på spinnsidan

distance [diss'təns] distans; avstånd, håll; *at a distance* på avstånd; *in the distance* i fjärran

distant [diss'tənt] avlägsen, fjärran

distaste [distej'st] avsmak, motvilja

distasteful [distej'stfoll] osmaklig

distill [distill'] destillera

distinct [disting'kt] tydlig; [åt]skild

distinction [disting'kʃən] utmärkelse; åtskillnad; *make a distinction* göra åtskillnad

distinctive [disting'ktiv] utmärkande; utpräglad

distinguish [disting'gwiʃ] urskilja; göra skillnad; utmärka; *distinguish o.s.* utmärka sig; *distinguish between* skilja mellan

distinguished [disting'gwiʃt] förnämlig, framstående

distort [distå:'t] förvrida; förvränga

distortion [distå:'ʃən] förvridning; förvrängning

distract [disträkk't] distrahera

distraint [distrej'nt] utmätning

distraught [distrå:'t] distraherad

distress [distress'] 1 *v.* bedröva 2 *s.* nöd; sjönöd; *distress signal* nödsignal

distribute [distribb'jo:t] utdela, fördela, distribuera

distribution [distribjo:'ʃən] utdelning, fördelning, distribution

district [diss'trikt] område, trakt, bygd, distrikt; kvarter

distrust [distrass't] misstro

disturb [distə:'b] störa

disturbance [distə:'bəns] störning

disturbing [distə:'bing] oroande

disunited [disjo:naj'tid] oenig

ditch [ditʃ] dike

ditch bank [ditʃ'bängk] dikesren

ditto [ditt'əo] detsamma, dito

ditty [ditt'i] visa

dive [dajv] 1 *v.* dyka 2 *s.* dykning

diver [daj'və] dykare

diverge [dajvə:'dʒ] gå isär; avvika

divergent [dajvə:'dʒənt] avvikande

divers [daj'və:z] åtskilliga, varjehanda

diverse [dajvə:'s] olika; mångfaldig

diversion [dajvə:'ʃən] skenmanöver; förströelse

divert [dajvə:'t] avleda; förströ

divide [divaj'd] dela; dividera; indela, dela [sig]; skifta; söndra; *divide up* stycka, dela upp

dividend [divv'idend] återbäring; utdelning (*på aktie*)

divine [divaj'n] gudomlig

diving [daj'ving] dykning

divining rod [divaj'ningråd] slagruta

divinity [divinn'iti] gudomlighet; teologi

division [diviʃ'ən] [upp]delning; division; avdelning; avstavning; votering

divorce [divå:'s] 1 *v.* skilja; skiljas 2 *s.* skilsmässa

divorced [divå:'st] frånskild

divulge [dajvall'dʒ] avslöja

dizziness [dizz'inis] yrsel

dizzy [dizz'i] svindlande, yr

do [do:] göra, uträtta; duga; *how do you do!* god dag!; *what can I do for you?* varmed kan jag stå till tjänst?; *I do hope that* jag hoppas verkligen att; *don't!* låt bli!; *that will do* det duger; *what are you doing?* vad har du för dig?; *get ... done* få ... färdig; *do over again* göra om (på nytt); *do without* undvara, umbära; *do you happen to have ...?* har du möjligen...?

docile [dəo'sajl] foglig

dock [dåkk] [skepps]docka

docker [dåkk'ə] sjåare, hamnarbetare

docks [dåkks] (*pl*) varv; kaj, tilläggsplats

doctor [dåkk'tə] 1 *s.* doktor, läkare; *doctor on duty* jourhavande läkare; *doctor's certificate* läkarintyg; *doctor's dissertation* doktorsavhandling

2 v. förfalska

doctrine [dåkk'trin] lära, doktrin

document [dåkk'jomənt] handling, dokument, urkund

documentary [film] [dåkjomenn'təri (film)] dokumentär[film]

dodge [dådʒ] **1** v. hoppa undan [för] **2** s. hopp åt sidan; knep

dog [dågg] hund; *the dog days* röt-månaden; *hot dog* varm korv

dogged [dågg'id] sammanbiten

dole [dəol] arbetslöshetsunderstöd; *be on the dole* vara arbetslös; *dole out* utdela

doleful [dəo'lfol] dyster, sorgsen

doll [dåll] docka

doll's house [dåll'z haos] dockskåp

dolphin [dåll'fin] *zool.* delfin

domain [dəmej'n] domän, område

dome [dəom] dom, kupol

domestic [dəmess'tik] tam (*om djur*); inrikes, inhemsk; *domestic animal* husdjur; *domestic aviation* inrikes-flyg; *domestic policy* inrikespolitik; *domestic science* skolkök; *domestic servant* hembiträde

domesticated [dəmess'tikejtid] hus-lig, domestiserad

domicile [dåmm'isajl] hemvist, bo-ningsort; fast bostad

dominant [dåmm'inənt] förhärskan-de; dominerande

dominate [dåmm'inejt] dominera

domination [dåminej'ʃən] dominans; välde, makt

domineer [dåmini:'ə] dominera, ty-rannisera

dominion [dəminn'jən] herravälde; besittning; dominion

don [dånn] **1** s. lärare vid college **2** v. ta på sig

donate [dəonej't] donera

donation [dəonej'ʃən] donation

done [dann] (*perf. part. av do*) gjord, gjort; kokt, stekt; färdig; slut

donkey [dång'ki] åsna

doom [do:m] **1** s. dom; undergång **2** v. döma

door [då:] dörr, port; lucka

door handle [då:' händl] dörrhandtag

doorkeeper [då:'ki:pə] portvakt

door key [då:'ki:] dörrnyckel

doorstep[s] [då:'step(s)] [farstu]-trappa

doorway [då:'wej] dörröppning

dope [dəop] **1** v. dopa **2** s. knark; knarkare

dope pedlar [dəo'p pedd'lə] [narko-tika]langare

doping [dəo'ping] dop[n]ing

dor [beetle] [då:'(bi:tl)] tordyvel

dormitory [då:'mitri] sovsal; student-hem

dormobile [då:'məbi:l] husbil

dose [dəos] **1** s. dos, sats **2** v. dosera

dot [dått] **1** s. prick **2** v. förse med prickar

dotage [dəo'tidʒ] svaghet, senilitet

dote [dəo't] *dote on* vara svag för

double [dabb'l] **1** adj. dubbel; *double Dutch* rotvälska; *double floor* tross-botten **2** v. fördubbla; *double up* vika sig

double bass [dabb'lbej's] basfiol

double-cross [dabb'lkråss'] bedra, lura

double-dealer [dabb'ldi:'lə] bedra-gare

double-decker [dabb'ldekk'ə] tvåvå-ningsbuss; biplan

doubt [daot] **1** v. betvivla, tvivla på **2** s. tvivel[smål]; *there is no doubt* det råder inget tvivel

doubtful [dao'tfol] tvivelaktig

doubtless [dao'tlis] utan tvivel, otvi-velaktigt

dough [dəo] deg

dove [davv] duva

dovetail [davv'tejl] hopsinka; sinka

dowager [dao'ədʒə] änkenåd

down [daon] **1** adv.o. prep. ned, ned-för, utför; nere; omkull **2** s. dun

downfall [dao'nfå:l] fall, ruin; sky-fall

downhearted [dao'nha:'tid] miss-modig, nedslagen

downhill [dao'nhill'] utförsbacke; *downhill race* störtlopp; *downhill* *run* utförsåkning; *downhill slope* nedförsbacke

down payment [dao'npejmǝnt] handpenning

downpour [dao'npå:] störtregn

downright [dao'nrajt] rent av

downstairs [dao'nstä:'ǝz] nedför trappan, där nere; i nedre våningen

downtown [dao'ntao'n] i centrum; ute på stan

downtrodden [dao'ntrådn] förtrampad

downward[s] [dao'nwad(z)] nedåt

dowry [dao'ri] hemgift; gåva

doyen [dåj'en] nestor

doze [dǝoz] dåsa, slumra

dozen [dazz'n] dussin; *by the dozen* dussinvis

drab [dräbb] gulbrun; enformig

draft [dra:ft] **1** *s.* utkast; *Am.* [luft]drag; *Am.* uttagning **2** *v.* avfatta, formulera

drag [drägg] släpa; dragga

dragon [drägg'ǝn] drake

dragonfly [drägg'ǝnflaj] trollslända

drain [drejn] **1** *v.* dränera **2** *s.* avlopp

drainage [drej'nidʒ] dränering; avloppsledningar

drainpipe [drej'npajp] avloppsrör; stuprör

dram [drämm] sup, snaps

drama [dra:'mǝ] drama; dramatik

dramatic [drämätt'ik] dramatisk

dramatist [drämm'ǝtist] dramatiker

dramatize [drämm'ǝtajz] dramatisera

drank [drängk] *imperf. av* drink

drape [drejp] drapera, kläda

draper's shop [drej'pǝz ʃåpp] manufakturaffär

drapery [drej'pǝri] drapering; manufakturvaror

drastic [dräss'tik] drastisk

drastic measure [dräss'tik meʒ'ǝ] kraftåtgärd

draught [dra:ft] [luft]drag; klunk; [fiskares] fångst

draught beer [dra:'ft bi:'ǝ] fatöl

draughts [dra:fts] damspel

draw [drå:] **1** *v.* dra; rita, teckna;

utställa, utfärda; trassera; tappa öl; *draw on the reserves* tära på reserverna; *draw up* avfatta (*avtal*), göra upp (*förslag*), utforma (*text*), upprätta (*skrivelse*) **2** *s.* dragning; oavgjord tävlan

drawback [drå:'bäkk] nackdel; olägenhet

drawbridge [drå:'bridʒ] vindbrygga

drawer [drå:] byrålåda; trassent; tecknare; *chest of drawers* byrå

drawing [drå:'ing] teckning, ritning

drawing board [drå:'ingbå:d] ritbräde

drawing pin [drå:'ingpin] häftstift

drawing room [drå:'ingro:m] salong

drawl [drå:l] **1** *s.* släpigt uttal **2** *v.* tala släpande

drawn [drå:n] oavgjord (*i spel*)

dread [dredd] **1** *v.* frukta **2** *s.* fruktan

dreadful [dredd'fol] förskräcklig

dream [dri:m] **1** *s.* dröm **2** *v.* drömma

dreary [dri:'ǝri] dyster, trist

dredge [dredʒ] **1** *s.* mudderverk **2** *v.* muddra upp

dredger [dredʒ'ǝ] mudderverk

dregs [dregz] drägg, bottensats

drench [drentʃ] **1** *s.* hällregn **2** *v.* genomblöta

dress [dress] **1** *v.* klä, klä [på] sig, ikläda; lägga upp [hår] **2** *s.* klänning; klädsel; dräkt; *formal dress* högtidsdräkt

dress circle [dress sǝ:kl] 1:a raden (*på teater*)

dressed [drest] påklädd; finklädd; utklädd (*as till*)

dressing case [dress'ingkejs] necessär

dressing gown [dress'inggaon] morgonrock

dressmaker [dress'mejkǝ] sömmerska

dress rehearsal [dress' rihǝ:'sǝl] generalrepetition

drew [dro:] *imperf. av* draw

dribble [dribb'l] dribbla

drier [draj'ǝ] tork

drift [drift] **1** *v.* driva **2** *s.* driva; avdrift

drill [drill] **1** v. borra **2** s. borr; exercis

drilling machine [drill'ing məʃi:'n] borrmaskin

drink [dringk] **1** v. dricka; supa; *drink to* skåla med **2** s. dryck; drink; *meat and drink* mat och dryck

drinking water [dring'king wå:'tə] dricksvatten

drip [dripp] droppa, drypa

dripping [dripp'ing] [stek]flott

drive [drajv] **1** v. köra; skjutsa; driva; tränga; *drive away* fördriva **2** s. åktur

drivel [drivv'l] **1** s. svammel; dregel **2** v. svamla, dregla

driven [drivv'n] *perf. part. av* drive

driver [drajv'ə] förare, chaufför

driving licence [draj'ving laj'səns] körkort

driving mirror [draj'ving mirr'ə] backspegel

drizzle [drizz'l] duggregn

droll [drəol] lustig, rolig

dromedary [dramm'ədəri] dromedar

drone [drəon] **1** s., *zool. o. bildl.* drönare; (*ljud*) surrande **2** v. slöa

droop [dro:p] hänga ner

drop [dråpp] **1** v. tappa, släppa; droppa, drypa; *drop behind* bli efter; *drop in* titta in; *drop the Mr.* (*etc.*) lägga bort titlarna; *drop a line!* skriv en rad! **2** s. droppe, skvätt

drophead coupé [dråpp'hedd ko:pej'] cabriolet

drought [draot] torka

drove [drəov] **1** s. hjord **2** *imperf. av* drive

drown [draon] dränka; *be drowned* drunkna

drowsy [drao'zi] dåsig, yrvaken

drudgery [dradʒ'əri] slavgöra

drug [dragg] **1** s. drog; *drugs* (*pl*) narkotika **2** v. förgifta

drug addict [dragg' ädd'ikt] narkoman

druggist [dragg'ist] *Am.* apotekare

drum [dramm] trumma

drummer [dramm'ə] trumslagare

drumstick [dramm'stik] trumpinne

drunk [drangk] drucken, full, onykter, berusad; *get drunk* supa sig full

drunkard [drang'kəd] fyllerist

drunken driving [drang'ken draj'ving] rattfylleri

drunkenness [drang'kənnis] fylleri

dry [draj] **1** adj. torr; *dry weather* uppehållsväder; *get ... dry* torka; *go dry* sina; *run dry* torka ut **2** v. torka; *hang ... to dry* hänga på tork

dry-cleaner's [draj' kli:'nəz] kemtvätt (*lokal*)

dry-cleaning [draj' kli:'ning] kemtvätt (*metod*)

drying rack [draj'ing räkk] torkställ

dual [djo:'əl] tvåfaldig

dub [dabb] dubba [till]; dubba (*film*)

dubious [djo:'bjəs] tvivelaktig; tveksam

duchess [datʃ'is] hertiginna

duck [dakk] anka

duckbill [dakk'bil] näbbdjur

duck-billed platypus [dakk'bild plätt'ipos] näbbdjur

duct [dakkt] rör, ledning

ductile [dakk'tajl] smidig

dud [dadd] blindgångare; oduglig sak el. person

due [djo:] **1** adj. skyldig; vederbörlig; *due date* förfallodag; *due to* beroende på; *in due course* i sinom tid, i vederbörlig ordning **2** s. (*ngns*) rätt

duel [djo:'əl] **1** s. tvekamp, duell **2** v. duellera

dues [djo:z] avgifter

duet [djoett'] duett

dug [dagg] *imperf. och perf. part. av* dig

dugout [dagg'aot] skyddsrum

duke [djo:k] hertig

dull [dall] matt, glanslös; dov; trög; *business is dull* affärerna går trögt

dullard [dall'əd] slöfock

duly [djo:'li] vederbörligen

dumb [damm] stum

dumb-bell [damm'bel] hantel

dumbfound [damfao'nd] förstumma, göra mållös

dummy [damm'i] skyltdocka; napp; träkarl (*i kortspel*)

dump [damp] **1** s. duns; [sop]tipp

2 v. stjälpa av; tippa; dumpa (*varor*)
dumpling [damm'pling] äppelmunk;
klimp
dune [djo:n] dyn
dung [dang] 1 v. gödsla 2 s. gödsel
dungeon [dann'dʒən] fängelsehåla
dunghill [dang'hil] gödselstack
dupe [djo:p] lura, dupera
duplicate [djo:'plikit] dubblett, kopia
duplicity [djo:pliss'iti] dubbelspel,
falskhet
durable [djo'ərəbl] hållbar, varaktig,
slitstark
duration [djoərej'ʃən] varaktighet;
for the duration of s.th. så länge ngt
varar
during [djo:'əring] under, på (*om tid*)
dusk [dask] dunkel, skymning
dusky [dass'ki] dunkel, skum
dust [dast] 1 s. damm, stoft 2 v.
damma
dustbin [dass'tbinn] soptunna
duster [dass'tə] dammtrasa
dustpan [dass'tpänn] sopskyffel
dusty [dass'ti] dammig
Dutch [datʃ] holländsk; *the Dutch*
holländarna; *Dutch party (treat)*
knytkalas
Dutchman [datʃ'mən] holländare
dutiable [djo:'tjəbl] tullpliktig
duty [djo:'ti] plikt, skyldighet, förplik-
telse; tull[avgift]; *duty unpaid* oför-
tullad; *on duty* i tjänst, vakthavande
duty-free [djo:'tifri:'] tullfri
dwarf [dwå:f] dvärg
dwell [dwell] bo, vistas
dwelling [dwell'ing] bostad
dwelt [dwelt] *imperf. och perf. part.
av dwell*
dwindle [dwinn'dl] krympa ihop;
förminskas
dye [daj] färga (*textil o.d.*)
dying [daj'ing] döende
dyke [dajk] damm, dike; *sl.* lesbisk
kvinna
dynamic [dajnämm'ik] dynamisk
dynamite [daj'nəmajt] dynamit
dynasty [dinn'əsti] ätt, dynasti
dyslexic [dislekk'sik] *med.* ordblind

e

E, e [i:] (*bokstav o. ton*) E, e
each [i:tʃ] var, varje, vardera; per
person, per styck; *each individually*
var för sig; *each other* varandra
eager [i:'gə] ivrig; *eager to learn*
vetgirig
eagerness [i:'gənis] iver
eagle [i:'gl] örn
eagle owl [i:'gl aol] berguv
ear [i:'ə] öra; gehör; *by ear* efter gehör
earache [i:'ərejk] örsprång
eardrum [i:'ədram] trumhinna
earflap [i:'əfläp] öronskydd
earl [ə:l] (*engelsk*) greve
earlier [ə:'liə] tidigare, förr
early [ə:'li] tidig; *early in life* vid
unga år
early summer [ə:'li samm'ə] försom-
mar
earmark [i:'əma:k] 1 s. kännetecken
2 v. märka
earn [ə:n] förtjäna, tjäna; *earn one's
living* förtjäna sitt uppehälle
earnest [ə:'nist] 1 adj. allvarlig 2 s.
allvar; *be in earnest* mena allvar
earnings [ə:'ningz] förtjänst, inkomst
earplugs [i:'əplagz] öronproppar
earring [i:'əring] örhänge
earshot [i:'əʃåt] hörhåll
earth [ə:θ] jord, mark; *earth closet*
torrklosett, mulltoa; *how on earth?*
hur i all världen?
earthenware [ə:'θənwaə] lergods,
keramik
earthly [ə:'θli] jordisk
earthquake [ə:'θkwejk] jordbävning
earthworm [ə:'θwə:m] daggmask
earthy [ə:'θi] jordnära; grov, plump
earwax [i:'əwäks] *plug of earwax*
vaxpropp
earwig [i:'əwig] tvestjärt
ease [i:z] välbehag; *at ease* nöjd och
belåten, i lugn och ro; *feel ill at
ease* vantrivas
easel [i:'zl] staffli

easement [i:'zmənt] servitut

easily [i:'zili] lätt, med lätthet; *easily digested* lättsmält

easiness [i:'zinis] lätthet

east [i:st] ost, öst; *the east* öster; *the Far East* Fjärran östern

East Africa [i:'st äff'rikə] Östafrika

Easter [i:'stə] påsk; *Happy Easter!* glad påsk!; *Easter Eve* påskafton; *Easter holidays* påsklov; *Easter Monday* annandag påsk; *Easter Sunday* påskdag[en]

easterly [i:'stəli] ostlig, östlig

eastern [i:'stən] östlig, österut, östra

Eastern Europe [i:'stən jo:'ərəp] Östeuropa

East Indian [i:'st inn'djən] ostindisk

eastward[s] [i:'stwəd(z)] österut, mot öster

easy [i:'zi] lätt; [lätt och] ledig; *easy does it!* sakta i backarna!

easy chair [i:'zi tʃä:'ə] vilstol

easygoing [i:'zigəoing] sorglös, lättsinnig

eat [i:t] äta; fräta

eatable [i:'təbl] ätbar

eaten [i:'tn] *perf. part. av* eat

eating house [i:'tinghaos] servering, matställe

eavesdrop [i:'vzdråp] tjuvlyssna

ebb [ebb] ebb

ebony [ebb'əni] ebenholts

eccentric [iksenn'trik] **1** *adj.* originell, säregen **2** *s.* original (*person*)

echo [ekk'əo] **1** *v.* eka **2** *s.* eko

echo sounder [ekk'əosaondə] ekolod

eclipse [iklipp's] **1** *s.* månförmörkelse, solförmörkelse **2** *v.* förmörka

ecological [i:kålådʒ'ikəl] ekologisk

ecology [ikåll'ədʒi] ekologi

economic [i:kənåmm'ik] ekonomisk

economical [i:kənåmm'ikəl] sparsam

economics [i:kənåmm'iks] nationalekonomi

economist [ikånn'əmist] ekonom

economize [i:kånn'əmajz] hushålla, vara sparsam

economy [i:kånn'əmi] ekonomi, sparsamhet

ecstasy [ekk'stəsi] extas

eczema [ekk'simə] eksem

eddy [edd'i] **1** *s.* virvel **2** *v.* virvla

edge [edʒ] **1** *s.* egg; kant, rand; *be on edge* vara spänd; *turn the edge of* (*bildl.*) bryta udden av **2** *v.* kanta; snedda [över]

edible [edd'ibl] ätbar

edict [i:'dikt] edikt, påbud

edification [edifikej'ʃən] uppbyggelse

edifice [edd'ifis] byggnad

edifying [edd'ifajing] uppbygglig

edit [edd'it] utge; redigera

edition [idiʃ'ən] utgåva, upplaga

editor [edd'itə] redaktör; utgivare; *letter to the editor* insändare

editorial [editå:'riəl] ledare, ledarartikel; *editorial office* redaktion (*lokal*); *editorial staff* redaktion[s-personal]

editor-in-chief [edd'itə in tʃi:'f] chefredaktör

educate [edd'jo:kejt] utbilda, uppfostra

educated [edd'jokejtid] bildad

education [edjokej'ʃən] bildning; uppfostran; utbildning; *higher education* högre undervisning

educational system [edjokej'ʃənl siss'tim] skolväsen, undervisningsväsen

educationalist [edjokej'ʃənəlist] pedagog

eel [i:l] ål

efface [ifej's] utplåna

effect [ifekk't] verkan, effekt; *in effect* i själva verket; *have an effect* inverka; *take effect* göra verkan

effective [ifekk'tiv] effektiv; verksam; verkningsfull; slagkraftig

effects [ifekk'ts] inventarier

effeminate [ifemm'init] förvekligad, omanlig

effervesce [efəvess'] bubbla, fradga

efficacious [efikej'ʃəs] verksam, effektiv

efficiency [ifiʃ'ənsi] effektivitet

efficient [ifiʃ'ənt] effektiv (*om person*)

effort [eff'ət] försök, ansträngning; *effort of will* viljeansträngning

effrontery [efrann'təri] oförskämdhet

effusive [efjo:'siv] översvallande

e.g. [i:'dji:'] (*förk. för exempli gratia*) t.ex.

egg [egg] **1** *s.* ägg **2** *v.*, *egg on* driva på

eggcup [egg'kap] äggkopp

egg-nog [egg'någ] äggtoddy

eggshell [egg'ʃel] äggskal

egg white [egg' wajt] äggvita

egoistical [egəoiss'tikəl] egoistisk

egotism [egg'əotizm] egoism

Egypt [i:'dʒipt] Egypten

Egyptian [i:dʒipp'ʃən] **1** *adj.* egyptisk **2** *s.* egyptier

eider [aj'də] *zool.* ejder

eider-down [aj'dədaon] ejderdun

eight [ejt] åtta

eighteen [ejti:'n] arton

eighteenth [ej'ti:'nθ] artonde; *the eighteenth century* sjuttonhundratalet

eighth [ejtθ] åttonde

eightieth [ej'tiiθ] åttionde

eighty [ej'ti] åttio

either [aj'ðə] vardera, endera, någondera; *either ... or* antingen ... eller; *on either side of* på vardera sidan om

ejaculation [idʒäkjolej'ʃən] utrop; utstötning; ejakulation, utlösning

eject [idʒekk't] kasta ut, utstöta

ejection seat [i:dʒekk'ʃən si:t] katapultstol

eke out [i:'k aot] dryga ut; komplettera

elaborate **1** *v.* [iläbb'ərejt] utarbeta **2** *adj.* [iläbb'ərit] omsorgsfullt utarbetad, välgenomtänkt

elapse [iläpp's] förflyta

elastic [iläss'tik] **1** *adj.* tänjbar, elastisk; *elastic bandage* elastisk binda **2** *s.* resår[band]

elated [ilej'tid] upprymd

elbow [ell'bəo] armbåge

elbow room [ell'bəoro:m] svängrum

elder [ell'də] äldre (*om släktskapsförhållande*)

elderly [ell'dəli] äldre, ganska gammal

eldest [ell'dist] äldst (*om släktskaps-*

förhållande)

elect [ilekk't] välja (*genom röstning*)

election [ilekk'ʃən] val; inval; *general election* allmänna val

election campaign [ilekk'ʃən kämpej'n] valrörelse

elector [ilekk'tə] väljare

electoral [ilekk'tərəl] val-; *electoral promise* vallöfte; *electoral register* röstlängd; *electoral system* valsätt

electorate [ilekk'tərit] valmanskår

electric [ilekk'trik] elektrisk; *electric heater* elektriskt element

electric guitar [ilekk'trik gita:'] elgitarr

electrician [ilektriʃ'ən] elektriker

electricity [ilektriss'iti] elektricitet

electricity board [ilektriss'iti bå:d] elverk

electrocute [ilekk'trəkjo:t] avrätta i elektriska stolen

electronic mail [ilektrånn'ik mejl] elektronisk post; *se äv. e-mail*

electronics [ilektrånn'iks] elektronik

elegant [ell'igənt] elegant

element [ell'imənt] element; grundämne; inslag

elementary [elimenn'təri] elementär; *elementary school* folkskola

elephant [ell'ifənt] elefant

elevate [ell'ivejt] upphöja

elevation [elivej'ʃən] upphöjelse; höjd

elevator [ell'ivejtə] *Am.* hiss

eleven [ilevv'n] elva

eleventh [ilevv'nθ] elfte

elf [ellf] älva, alf; dvärg

elicit [iliss'it] framlocka

eligible [ell'idʒəbl] valbar

eliminate [ilimm'inejt] eliminera; *eliminated* (*sport.*) utslagen

elimination [iliminej'ʃən] *sport.* utslagning

elite [ejli:'t] elit

elk [ellk] älg

elm [ellm] alm

elope [iləo'p] rymma hemifrån för att gifta sig

eloquent [ell'əkwənt] vältalig

else [ells] annars; annan; *nowhere else* ingen annanstans

elsewhere [ell'swä:'ə] annanstans, på annat håll

elucidate [illo:'sidejt] belysa, förklara

elusive [illo:'siv] undvikande; gäckande

emaciate[d] [imej'ʃiejt(id)] utmärglad

e-mail [i:'mejl] e-post

emanate [emm'ənejt] utflöda, emanera

emancipated [imänn'sipejtid] frigjord, emanciperad

embalm [imba:'m] balsamera

embankment [imbäng'kmənt] banvall

embark [imba:'k] gå (ta) ombord

embarrass [imbärr'əs] göra förlägen, förvirra; besvära

embarrassed [imbärr'əst] generad, förlägen

embarrassing [imbärr'əsing] besvärande, genant

embarrassment [imbärr'əsmənt] förlägenhet; besvär

embassy [emm'bəsi] ambassad, beskickning

embellish [imbell'iʃ] försköna

embers [emm'bəz] glöd

embezzle [imbezz'l] förskingra

emblem [emm'bləm] emblem, symbol

emboss [imbåss'] ciselera

embrace [imbrej's] **1** *v.* omfamna, krama; omfatta **2** *s.* omfamning

embroider [imbråj'də] brodera

emerald [emm'ərəld] smaragd

emerge [imə:'dʒ] stiga upp, höja sig; uppstå

emergency [imə:'dʒənsi] nödläge; nödfall; akutfall; *in an emergency* i nödfall

emergency exit [imə:'dʒənsi ekk'sit] nödutgång; reservutgång

emergency landing [imə:'dʒənsi länn'ding] nödlandning

emery wheel [emm'əriwi:l] smärgelskiva

emigrant [emm'igrənt] utvandrare, emigrant

emigrate [emm'igrejt] utvandra, emigrera

emigration [emigrej'ʃən] utvandring, emigration

eminence [emm'inəns] hög rang; eminens; höjd

eminent [emm'inənt] framstående, eminent

emissary [emm'isri] sändebud; [hemlig] agent

emit [imitt'] avge, ge ifrån sig

emolument [imåll'joment] inkomst, arvode

emotion [imoʊ'ʃən] sinnesrörelse

emotional [imoʊ'ʃnəl] känslo-; lättrörd

emperor [emm'pərə] kejsare

emphasis [emm'fəsis] betoning

emphasize [emm'fəsajz] understryka, betona, poängtera

emphatic [imfätt'ik] eftertrycklig

empire [emm'pajə] välde, imperium; kejsardöme

employ [implåj'] anställa

employee [emplåji:'] tjänsteman; arbetstagare, anställd

employer [implåj'ə] arbetsgivare

employment [implåj'mənt] anställning

employment exchange [implåj'mənt ikstʃej'ndʒ] arbetsförmedling

emporium [empå:'rjəm] handelscentrum; varuhus

empress [emm'pris] kejsarinna

empty [emm'pti] **1** *adj.* tom; *empty bottle* tomflaska; *empty space* tomrum **2** *v.* tömma

empty-handed [emm'ptihänn'did] tomhänt, med oförrättat ärende

emptying [emm'ptiing] tömning

enable [inej'bl] möjliggöra

enact [inäkk't] stadga; uppföra, spela

enamel [inämm'əl] **1** *s.* emalj **2** *v.* emaljera

enamoured [inämm'əd] förälskad

encamp [inkämm'p] slå läger

encase [inkej's] innesluta, inlägga

enchant [intʃa:'nt] tjusa, förtrolla

enchantment [intʃa:'ntmənt] förtjusning, förtrollning

enclose [inkləʊ'z] innesluta, inhägna; bifoga

enclosure [inkləʊ'ʒə] inhägnad; bilaga (*i brev*)

encore [ångkå:'] da capo

encounter [inkaʊ'ntə] **1** *v.* möta **2** *s.* möte

encourage [inkarr'idʒ] uppmuntra

encroach [inkrəʊ'tʃ] inkräkta

encumber [inkamm'bə] betunga; belamra

end [end] **1** *s.* slut, avslutning, ända; *end in itself* självändamål; *in the end* till slut; *come to an end* gå till ända; *get to the end of* få slut på; *make both ends meet* få det att gå ihop **2** *v.* sluta; mynna

endanger [indej'ndʒə] sätta i fara, riskera

endear [indi:'ə] göra älskad

endeavour [indevv'ə] **1** *v.* bemöda sig **2** *s.* försök, strävan

ending [enn'ding] ändelse

endless [enn'dlis] ändlös, oändlig

endorse [indå:'s] endossera, teckna på baksidan av; *bildl.* stödja

endow [indaʊ'] donera; förläna

endurance [indjʊ:'ərəns] tålamod

endure [indjʊ:'ə] uthärda, lida

enema [enn'imə] lavemang

enemy [enn'imi] fiende, ovän (*of* till)

energetic [enədʒett'ik] energisk

energy [enn'ədʒi] energi, kraft, eftertryck

enforce [infå:'s] framtvinga, upprätthålla

engage [ingej'dʒ] engagera

engaged [ingej'dʒd] förlovad; upptagen; *become engaged* förlova sig (*to* med)

engagement [ingej'dʒmənt] engagemang; förpliktelse; förlovning

engaging [ingej'dʒing] intagande, näpen

engender [indʒenn'də] skapa, alstra

engine [enn'dʒin] motor; maskin; lokomotiv

engine driver [enn'dʒin drajʹvə] lokförare

engineer [endʒini:'ə] ingenjör

engineering [endʒini:'əring] ingenjörskonst; maskinteknik; *engineering industry* verkstadsindustri; *engineering worker* verkstadsarbetare

engine failure [enn'dʒin fejʹljə] motorstopp

English [ing'gliʃ] **1** *adj.* engelsk **2** *s.* engelska (*språk*); *the English* engelsmännen (*nationen*)

Englishman [ing'gliʃmən] engelsman

Englishwoman [ing'gliʃwomən] engelska (*kvinna*)

engrave [ingrejʹv] gravera

enhance [inha:'ns] förhöja; förstora

enigma [inigg'mə] gåta

enjoin [indʒåj'n] ålägga

enjoy [indʒåjʹ] åtnjuta; njuta av; *enjoy o.s.* ha roligt

enjoyment [indʒåjʹmənt] njutning; åtnjutande

enlarge [inla:'dʒ] förstora

enlighten [inlajʹtn] upplysa

enlist [inliss't] mönstra (*som värnpliktig*); värva

enmity [enn'miti] fiendskap

enormous [inå:'məs] enorm, ofantlig

enough [inafʹf] nog, tillräcklig[t]; *be enough* räcka, förslå

enrage [inrejʹdʒ] reta

enrich [inritt'ʃ] berika

enroll [inrəʊ'l] inskriva; enrollera

ensign [enn'sajn] flagga, vimpel; [enn'sn] *Am.* fänrik (*i flottan*)

enslave [inslejʹv] förslava

ensure [inʃʊ:'ə] tillförsäkra, garantera

entail [intejʹl] **1** *v.* medföra **2** *s.* fideikommiss (*oavytterlig släktegendom ärvd odelad enl. särskilda regler*)

entangle [intäng'gl] snärja, trassla in (till); *get entangled in* snärja in sig i

enter [enn'tə] gå in, inträda; *enter into* inlåta sig i (på); *enter upon* tillträda

enterprise [enn'təprajz] företag; företagsamhet

enterprising [enn'təprajzing] företagsam; tilltagsen

entertain [entətejʹn] underhålla, roa;

hysa, förpläga
entertaining [entətej'ning] underhållande, roande
entertainment [entətej'nmənt] underhållning; tillställning
enthusiasm [inθ(j)o:'ziäzəm] entusiasm
enthusiastic [inθjo:ziäss'tik] entusiastisk, begeistrad
entice [intaj's] locka, förleda (*into* till)
entire [intaj'ə] hel
entirely [intaj'əli] helt
entirety [intaj'əti] helhet
entitle [intaj'tl] berättiga; *entitled to vote* röstberättigad
entrails [enn'trejlz] inälvor
entrance [enn'trəns] ingång, entré; inträde; tillträde; inlopp; *entrance examination* inträdesprov
entreat [intri:'t] bönfalla, be
entrench [intrenn'tʃ] förskansa
entrust [intrass't] anförtro
entry [enn'tri] inträde; ingång; anteckning; uppslagsord
entry permit [enn'tri pə:'mit] inresetillstånd
enumeration [injo:mərej'ʃən] uppräkning
envelop [invell'əp] insvepa, innesluta
envelope [enn'viləop] kuvert
envious [enn'viəs] avundsjuk
environment [invaj'ərənmənt] miljö; omgivning[ar]
envisage [invizz'idʒ] föreställa sig
envoy [enn'våj] sändebud
envy [enn'vi] 1 *s.* avund[sjuka] 2 *v.* avundas
epic [epp'ik] 1 *adj.* episk 2 *s.* epos
epidemic [epidemm'ik] 1 *s.* epidemi 2 *adj.* epidemisk
epidermis [epidə:'mis] *anat.* överhud
epileptic [epilepp'tik] epileptiker
episcopalian [ipiskəpej'ljən] medlem av episkopalkyrkan
episode [epp'isəod] episod
epitaph [epp'ita:f] epitaf, gravskrift
epoch [i:'påk] epok
equal [i:'kwəl] 1 *adj.* lika, likställd (*to* med); *be equal to the occasion*

vara situationen vuxen 2 *s.* like, jämlike
equality [i:kwåll'iti] jämlikhet, likställdhet
equally [i:'kwəli] lika, i lika hög grad
equanimity [i:kwənimm'iti] jämnmod
equation [ikwej'ʃən] ekvation
equator [ikwej'tə] ekvator
equestrian [ikwess'triən] 1 *adj.* ryttar- 2 *s.* ryttare
equinox [i:'kwinåks] dagjämning
equip [ikwipp'] utrusta, ekipera
equipment [ikwipp'mənt] utrustning
equity [ekk'witi] rimlighet; rättvisa; sedvanerätt; eget kapital (*i bolag*)
equivalent [ikwivv'ələnt] lika, likvärdig
equivocal [ikwivv'əkl] tvetydig; oviss
eradicate [irädd'ikejt] utrota
erase [irej'z] radera
eraser [irej'zə] kautschuk, radergummi
erect [irekk't] 1 *adj.* upprätt, rak 2 *v.* uppresa; uppföra
ermine [ə:'min] hermelin
erode [irəod] erodera, fräta bort
erotic [irätt'ik] erotisk
errand [err'ənd] ärende, uträttning; *go on an errand* uträtta ett ärende
errand boy [err'ənd båj] springpojke
erratic [irätt'ik] irrande, planlös; underlig; *erratic block* flyttblock
erroneous [irəo'njəs] felaktig
error [err'ə] fel, misstag
erudition [erodiʃ'ən] lärdom
eruption [irapp'ʃən] utbrott
escalate [ess'kəlejt] utvidga, trappa upp
escalator [ess'kəlejtə] rulltrappa
escape [iskej'p] 1 *v.* fly, undkomma; undgå, undfalla 2 *s.* flykt, rymning
eschew [istʃo:'] undvika
escort 1 *s.* [ess'kå:t] eskort 2 *v.* [iskå:'t] eskortera
Eskimo [ess'kiməo] eskimå
espalier [ispall'jə] spaljé
especially [ispeʃ'əli] särskilt
espionage [espiəna:'ʃ] spionage

espouse [ispao'z] gifta sig med; ansluta sig till

espresso [ispress'əo] espresso

Esq. (*förk. för* esquire [iskwaj'ə] väpnare) Herr (*i adresser, står efter namnet*)

essay [ess'ej] essä, uppsats

essence [ess'ns] väsen; huvudinnehåll; essens

essential [isenn'ʃəl] väsentlig

establish [istäbb'liʃ] etablera, upprätta, inrätta, fastställa, grunda

established [istäbb'liʃt] vedertagen; *established church* statskyrka

establishment [istäbb'liʃmənt] etablissemang, inrättning; upprättande, införande; *the Establishment* det bestående samhället, etablissemanget

estate [istej't] [jorda]gods, egendom; *estates* (*pl*) stånder; *real* (*personal*) *estate* fast (lös) egendom; *estate of a deceased person* dödsbo

estate agent [istej't ej'dʒənt] fastighetsmäklare

estate car [istejt'ka:] kombi[bil], herrgårdsvagn

estate inventory [istej't inn'ventåri] bouppteckning; *make an estate inventory* förrätta bouppteckning

estate owner [istej't əonə] godsägare

esteem [isti:'m] **1** *s.* respekt, högaktning **2** *v.* uppskatta

esteemed [isti:'md] ansedd, aktad

estimate [ess'timejt] **1** *v.* uppskatta, beräkna **2** *s.* överslag, förhandsberäkning

estimation [estimej'ʃən] uppskattning

Est[h]onian [estəo'niən] estnisk

estrange [istrej'ndʒ] göra främmande; stöta bort

estuary [ess'tjoəri] flodmynning

etch [etʃ] etsa

etching [etʃ'ing] etsning

eternal [itə:'nl] evig

eternity [itə:'niti] evighet

ethanediol [i:θej'ndaj'ål] *kem.* glykol

ethical [eθ'ikəl] etisk

ethics [eθ'iks] etik

etiquette [etikett'] etikett, umgänges-

E.U. [i:'jo:'] *the E.U.* EU

Europe [jo:'ərəp] Europa

European [joərəpi:'ən] **1** *adj.* europeisk **2** *s.* europé

European highway [joərəpi:'ən haj'wej] europaväg

European Union [joərəpi:'ən jo:'njən] *the European Union* Europeiska unionen

evacuate [iväkk'joejt] evakuera, utrymma

evacuation [iväkkjoej'ʃən] utrymning, evakuering; avföring

evade [ivej'd] undvika, undgå

evaluate [iväll'joejt] utvärdera

evaporate [iväpp'ərejt] avdunsta

evaporation [iväpərej'ʃən] avdunstning

evasion [ivej'ʃən] undvikande; undanflykt[er]

evasive [ivej'siv] undvikande; *evasive action* undanmanöver

eve [i:v] afton, dag före helg

even [i:'vən] **1** *adj.* jämn **2** *v.* [ut]jämna; *even out* jämna **3** *adv.* redan; *even then* redan då; *not even* inte ens

evening [i:'vning] afton, kväll

event [ivenn't] händelse, evenemang; *at all events* i alla händelser

eventful [ivenn'tfol] händelserik

eventually [ivenn'tjoəli] slutligen, till slut

ever [evv'ə] någonsin; *ever since* alltifrån; *ever since then* alltsedan dess; *ever so* väldigt; *for ever* för alltid, i evighet; *hardly ever* nästan aldrig

evergreen [evv'əgri:n] vintergrön [växt]; evergreen (*schlager*)

everlasting [evəla:'sting] ständig, evig

every [evv'ri] var, varje, varenda; *every fourth* var fjärde; *every now and then* då och då; *every other* varannan

everybody [evv'ribådi] var [och en]; alla; *everybody else* alla andra

everyday [evv'ridej] vardaglig;

everyday clothes vardagskläder; *in everyday life* i vardagslag; *everyday speech* dagligt tal

everyone [evv'riwan] alla, varenda en

everything [evv'riθing] allt, allting

everywhere [evv'riwä:ə] överallt

evict [i:vikk't] vräka, avhysa

eviction vräkning

evidence [evv'idəns] bevis; vittnesmål

evidently [evv'idəntli] självfallet, tydligen

evil [i:'vl] **1** *adj.* elak, ond **2** *s.* ont; ondska; *a necessary evil* ett nödvändigt ont

evoke [ivəo'k] frammana, väcka

evolution [i:vəlo:'ʃən] utveckling

evolve [ivåll'v] utveckla [sig]; härleda[s]

ewe [jo:] tacka, fårhona

exact [igzäkk't] exakt

exacting [igzäkk'ting] fordrande

exactly [igzäkk'tli] noga; exakt, just; *not exactly* inte precis; *that's exactly it!* just det!

exactness [igzäkk'tnis] exakthet

exaggerate [igzädʒ'ərejt] överdriva

exaggeration [igzädʒərej'ʃən] överdrift

exam [igzämm'] *vard.* examen; tenta

examination [igzämm'inej'ʃən] granskning, undersökning; examen; tentamen; prövning; *written examination* [skol]skrivning

examine [igzämm'in] granska, undersöka; mönstra; förhöra, pröva; vittja (*nät*)

example [igza:'mpl] exempel; föredöme; *set an example* föregå med gott exempel

exasperate [igzä:'spərejt] reta, förbittra

excavation [ekskəvej'ʃən] utgrävning

exceed [iksi:'d] övergå, överstiga; överskrida

exceedingly [iksi:'dingli] ytterst, i högsta grad

excel [iksell'] överträffa; vara bäst, excellera

excellent [ekk'sələnt] utmärkt, för-

träfflig

except [iksepp't] utom, med undantag av; *all except me* alla utom jag

exception [iksepp'ʃən] undantag; *take exception to* ogilla

exceptional [iksepp'ʃənl] ovanlig, exceptionell; *in exceptional cases* undantagsvis

excess [iksess'] övermått; självrisk; *excesses* utsvävningar

excessive [iksess'iv] omåttlig, överdriven; *excessive price* överpris

exchange [ikst]ejn'dʒ] **1** *v.* [ut]växla, utbyta **2** *s.* [ut]byte; börs; [telefon]-växel; *exchange of flats* våningsbyte

exchequer [ikst]ekk'ə] skattkammare; *Chancellor of the Exchequer* finansminister (*i Storbrit.*)

excise [eksaj'z] accis

excite [iksaj't] upphetsa

excited [iksaj'tid] uppjagad, upphetsad

excitement [iksaj'tmənt] uppståndelse; upphetsning; oro; spänning

exciting [iksaj'ting] upphetsande; spännande, medryckande

exclaim [iksklej'm] utropa, utbrista

exclamation [ekskləmej'ʃən] utrop; *exclamation mark* utropstecken

exclude [iksklo:'d] utesluta

excluding [iksklo:'ding] exklusive

exclusion [iksklo:'ʃən] uteslutande

exclusive [iksklo:'siv] exklusiv

exclusively [iksklo:'sivli] uteslutande

excrete [ekskri:'t] avsöndra

excursion [ikskə:'ʃən] utflykt, utfärd; strövtåg

excuse **1** *v.* [ikskjo:'z] ursäkta, urskulda, rättfärdiga; *excuse me!* ursäkta!; *you are excused* du kan (får) gå **2** *s.* [ikskjo:'s] ursäkt; återbud; undanflykt

execute [ekk'sikjo:t] utföra; avrätta

execution [eksikjo:'ʃən] utförande; avrättning, exekution

executive [igzekk'jotiv] **1** *s.* företagsledare **2** *adj.* verkställande

exempt [igzemm't] **1** *adj.* befriad **2** *v.* befria

exemption [igzemm'pʃən] befrielse, frikallande, dispens

exercise [ekk'səsajz] 1 *s.* motion, kroppsrörelse; skrivning 2 *v.* utöva; *exercise control* utöva kontroll

exert [igzə:'t] använda; *exert o.s.* anstränga sig; *exerting all one's strength* med uppbjudande av alla sina krafter

exertion [igzə:'ʃən] [kraft]ansträngning

exhale [ekshej'l] utandas

exhaust [igzå:'st] 1 *v.* uttömma 2 *s.* avgas

exhausted [igzå:'stid] utmattad, urlakad

exhaust emission control [igzå:'st imiʃ'ən kån'tråol] avgasrening

exhaustive [igzå:'stiv] uttömmande, fullständig

exhaust pipe [igzå:'st pajp] avgasrör

exhibit [igzibb'it] exponera, utställa

exhibition [eksibiʃ'ən] utställning; *opening of an exhibition* vernissage

exhilarated [igzill'ərejtid] upprymd

exhort [igzå:'t] uppmana

exigency [ekk'sidʒnsi] nödläge; nödvändighet

exile [ekk'sajl] 1 *s.* exil, landsflykt 2 *v.* landsförvisa

exist [igziss't] existera, finnas till; föreligga

existence [igziss'təns] existens, tillvaro; *struggle for existence* kampen för tillvaron

existing [igziss'ting] befintlig, existerande

exit [ekk'sit] avfart; utgång

exit permit [ekk'sit pə:'mit] utrese-tillstånd

exorbitant [igzå:'bitənt] omåttlig, oerhörd

expand [ikspänn'd] expandera, utvidga

expanse [ikspänn's] vidd, yta

expansion [ikspänn'ʃən] expansion, utvidgning

expatriate [ekspätt'riejt] landsförvisa

expect [ikspekk't] vänta, förvänta,

vänta sig; *better than expected* över förväntan bra

expectant [ikspekk'tənt] *expectant mother* blivande mor

expectation [ekspektej'ʃən] förväntan, förhoppning

expedient [ikspi:'djənt] 1 *adj.* fördelaktig, lämplig 2 *s.* utväg, medel

expedition [ekspidiʃ'ən] upptäcktsresa, expedition

expel [ikspell'] utstöta, utesluta

expendable package [ikspenn'dəbl päkk'idʒ] engångsförpackning

expenditure [ikspenn'ditʃə] förbrukning; utgifter

expense [ikspenn's] utgift, utlägg; bekostnad; *at the expense of* på bekostnad av

expensive [ikspenn'siv] dyr, dyrbar, påkostad

experience [ikspi:'əriəns] 1 *s.* erfarenhet; upplevelse; vana; *get experience* praktisera, lära sig ett jobb 2 *v.* erfara, uppleva

experienced [ikspi:'əriənst] erfaren, van, rutinerad

experiment [iksperr'imənt] 1 *s.* experiment 2 *v.* experimentera

expert [ekk'spə:t] expert, sakkunnig, kännare

expert knowledge [ekk'spə:t nåll'-idʒ] sakkunskap

expiration [ekspajarej'ʃən] utandning

expire [ikspaj'ə] gå till ända; avlida

explain [iksplej'n] förklara; *explain away* bortförklara

explanation [eksplənej'ʃən] förklaring

explicable [ekk'splikəbl] förklarlig

explicit [ikspliss'it] uttrycklig

explode [ikspləo'd] explodera

exploit 1 *s.* [ekk'splåjt] bragd, bedrift 2 *v.* [iksplåj't] utnyttja

explore [iksplå:'] utforska, undersöka

explorer [iksplå:'rə] forskningsresande, upptäcktsresande

explosion [ikspləo'ʃən] explosion, krevad

explosive [ikspləo'siv] 1 *s.* sprängämne **2** adj. explosiv

export 1 s. [ekk'spå:t] export, utförsel **2** v. [ekspå:'t] exportera

expose [ikspəo'z] utsätta (to för); exponera (film)

exposed [ikspəo'zd] utsatt, blottställd

exposure [ikspəo'ʒə] exponering

express [ikspress'] **1** v. uttrycka; express a wish uttala en önskan **2** adj. uttrycklig

express goods [ikspress' goddz] ilgods

expression [ikspreʃ'ən] min; uttryck

expressive [ikspress'iv] uttrycksfull

expressly [ikspress'li] uttryckligen

express train [ikspress' trejn] snälltåg

exquisite [ikk'skwizit] utsökt, raffinerad

extend [ikstenn'd] utsträcka [sig]

extension [ikstenn'ʃən] utbredning, utsträckning

extension cord [ikstenn'ʃən kå:d] förlängningssladd; skarvsladd

extensive [iksten'siv] omfattande; omfångsrik; vidsträckt

extent [ikstenn't] omfattning, omfång; utsträckning, vidd; to a great extent i hög grad, i stor utsträckning; to some extent i viss mån

extenuate [ekstenn'joejt] förringa; förmildra

extenuating circumstances [ekstenn'joejting sə:'kəmstənsəs] förmildrande omständigheter

exterior [eksti:'əriə] exteriör, yttre

exterminate [ekstə:'minejt] utrota

external [ekstə:'nl] yttre, utvändig; for external use för utvärtes bruk

externally [eksta:'nəli] till det yttre

extinct [iksting'kt] utdöd

extinction [iksting'kʃən] släckning; utrotning

extinguish [iksting'gwiʃ] släcka; förinta

extort [ikstå:'t] utpressa, framtvinga, avtvinga

extortion [ikstå:'ʃən] utpressning, utsugning

extra [ekk'strə] extra

extract 1 s. [ekk'sträkt] utdrag **2** v. [iksträkk't] utvinna; extract s.th. from s.b. avpressa

extraction [iksträkk'ʃən] utdragning; härkomst

extradition [ekstradiʃ'ən] utlämning (av brottsling)

extramarital [ekk'strəmärr'itl] utomäktenskaplig; extramarital relations utomäktenskapliga förbindelser, vänsterprassel

extraordinarily [ikstrå:'dnrəli] särdeles, utomordentligt

extraordinary [ikstrå:'dnri] utomordentlig

extravagant [ikstravv'igənt] extravagant, slösaktig; överdriven

extravasation [ekstrəvəsej'ʃən] utgjutning

extreme [ikstri:'m] **1** adj. ytterlig, extrem **2** s. ytterlighet; go to extremes gå till överdrift

extremely [ikstri:'mli] synnerligen, ytterst; extremely bad urusel; extremely old urgammal

extricate [ekk'strikejt] lösgöra, befria

extrovert [ekk'strəovə:t] bildl. utåtriktad

exuberance [igzjo:'brəns] överflöd; översvallande glädje

eye [aj] öga; hyska; have a sure eye ha gott ögonmått; have one's eyes opened to få upp ögonen för; keep an eye on hålla ett öga på; see eye to eye with vara helt ense med

eyeball [aj'bå:l] ögonglob

eyebrow [aj'brəo] ögonbryn

eye drops [aj'dråps] ögondroppar

eyeglass [aj'gla:s] monokel; eyeglasses (pl, Am.) glasögon

eyelash [aj'läʃ] ögonfrans

eyelid [aj'lid] ögonlock

eyeshadow [aj'ʃädəo] ögonskugga

eyesight [aj'sajt] syn

eyewitness [aj'witt'nis] ögonvittne

f

F, f [ef] (*bokstav o. ton*) F, f

fabric [fäbb'rik] väv, tyg

fabrication [fäbrikej'ʃən] påhitt, lögn

fabulous [fäbb'joləs] sagolik

face [fejs] 1 *s.* ansikte; fasad; *on the face of it* ytligt sett 2 *v.* vetta mot; oförskräckt möta; *face death* se döden i vitögat

face cream [fej'skri:m] ansiktskräm

facet [fäss'it] fasett

facetious [fəsi:'ʃəs] skämtsam

face value [fej'sväljo] nominellt värde

facial [fej'ʃəl] ansikts-

facial treatment [fej'ʃəl tri:'tmənt] ansiktsbehandling

facilitate [fəsill'itejt] underlätta

facility [fəsill'iti] lätthet; *facilities* (*pl*) anordningar, hjälpmedel

facing [fej'sing] [upp]slag (*på plagg*)

facsimile [fäksimm'ili] *tele.* fax

fact [fäkt] faktum

factor [fäkk'tə] faktor

factory [fäkk'təri] fabrik

factory owner [fäkk'təri əo'nə] fabrikör

factual error [fäkk'tjoəl err'ə] sakfel

faculty [fäkk'əlti] förmåga, fallenhet; fakultet

fade [fejd] vissna; blekna, mattas

faded [fej'did] vissen; urblekt

faeces [fi:'si:s] (*pl*) avföring

fag [fägg] 1 *v.* slita, knoga 2 *s.* slit, knog; *sl.* cigg

fail [fejl] misslyckas, slå slint; svika; underlåta; få underbetyg, bli underkänd

failure [fej'ljə] misslyckande; *engine failure* motorstopp

faint [fejnt] 1 *v.* svimma 2 *adj.* matt, svag 3 *s.* svimning

fair [fä:'ə] 1 *adj.* ljushårig, ljus; just, ärlig; *fair copy* renskrift; *fair play* rent spel 2 *s.* mässa, marknad

fairground [fä:'əgraond] nöjesfält

fairly [fä:'əli] någorlunda, tämligen, ganska

fairy [fä:'əri] älva

fairytale [fä:'əritejl] saga

faith [fejθ] förtroende; tro; *in good faith* i god tro

faithful [fejθfol] trogen, plikttrogen

faithfully [fejθfoli] *Yours faithfully* (*i brev*) högaktningsfullt

faithfulness [fejθfolnis] trohet

faithless [fejθlis] trolös

fake [fejk] 1 *v.* försköna; förfalska 2 *s.* förfalskning

falcon [få:'lən] falk

fall [få:l] 1 *v.* falla, störta, stupa; mynna (*om flod*); *fall asleep* somna; *fall in love* förälska sig (*with* i); *fall into the hands of* råka i händerna på; *fall over* välta, ramla omkull 2 *s.* fall; *Am.* höst; *the Fall* [*of man*] syndafallet

fallacy [fäll'əsi] bedräglighet

fallen [få:'lən] *perf. part. av fall*

fallow [fäll'əo] *lie fallow* ligga i träda

fallow deer [fäll'əodi:ə] [dov]hjort

false [få:ls] falsk, oäkta; *false start* tjuvstart; *false step* felsteg; *false teeth* löständer

falsehood [få:'lshod] lögn[er]

falseness [få:'lsnis] falskhet

falsification [få:'lsifikej'ʃən] förfalskning

falsify [få:'lsifaj] förfalska

falter [få:'ltə] stappla; stamma; tveka

fame [fejm] rykte, ryktbarhet

familiar [fəmill'jə] förtrogen, känd

family [fämm'ili] familj; släkt, ätt; *family trait* släktdrag; *family with children* barnfamilj

famine [fämm'in] hungersnöd

famished [fämm'iʃt] svulten

famous [fej'məs] berömd, ryktbar

fan [fänn] 1 *s.* fläkt; solfjäder; idoldyrkare 2 *v.* fläkta; underblåsa

fanatic [fənätt'ik] 1 *s.* fanatiker 2 *adj.* fanatisk

fan belt [fänn' belt] fläktrem

fanciful [fänn'sifoll] fantasifull, fantasi-; fantastisk

fancy [fänn'si] 1 *s.* fantasi; infall;

förkärlek 2 v. föreställa sig; tycka om 3 adj. fantasi-, lyx-

fancy ball [fänn'si bå:l] maskerad

fancy dress [fänn'sidress'] maskeraddräkt

fancy dress ball [fänn'si dress bå:l] se fancy ball

fang [fäng] bete, huggtand

fantastic [fäntäss'tik] fantastisk

far [fa:] 1 adj. fjärran, avlägsen; the Far East Fjärran östern 2 adv. långt; as far as ända till, såvitt; as far as I know såvitt jag vet; by far ojämförligt; far and wide vitt och brett; so far hittills

farce [fa:s] fars, spex

fare [fä:ə] biljettpris, taxa; kost; bill of fare matsedel

farewell [fä:əwell'] farväl

far-fetched [fa:'fetʃt] långsökt

farm [fa:m] bondgård, lantgård

farmer [fa:'mə] bonde, jordbrukare, lantbrukare

farm worker [fa:'m wə:kə] lantarbetare

farmyard [fa:'mja:d] kringbyggd gårdsplan

far-reaching [fa:'ri:'tʃing] vittgående, vittomfattande

fart [fa:t] vard. prutta

farther [fa:'ðə] längre

farthest [fa:'ðist] längst

fasade [fəsa:'d] fasad

fascinate [fäss'inejt] fascinera, fängsla

fascism [fäʃ'izəm] fascism

fashion [fäʃ'ən] mode

fashionable [fäʃ'nəbl] modern; elegant

fashion model [fäʃ'ən mådd'l] mannekäng

fashion show [fäʃ'ən ʃəo] mannekänguppvisning

fast [fa:st] fast; snabb

fasten [fa:'sn] fästa

fastidious [fästidd'iəs] kräsen

fastness [fa:'stnis] fasthet; fästning

fat [fätt] 1 s. fett 2 adj. fet

fatal [fej'tl] ödesdiger, fatal; fatal accident dödsolycka

fate [fejt] öde

father [fa:'ðə] far, fader

father-in-law [fa:'ðərinlå:] svärfar

fathom [fäð'əm] famn (mått)

fatigue [fəti:'g] trötthet

fatness [fätt'nis] fetma

fatten [fätt'n] göda (djur)

fattening [fätt'ning] fettbildande

fatty [fätt'i] fet (om kött)

fatuous [fätt'jos] enfaldig

faucet [få:'sit] kran

fault [få:lt] fel; find fault with anmärka på, klandra

faultless [få:'ltlis] felfri

faulty [få:'lti] felaktig

fauna [få:'nə] fauna

favour [fej'və] 1 v. gynna; favorisera 2 s. gunst; tjänst; out of favour i onåd; ask a favour of s.b. be ngn om en tjänst

favourable [fej'vərəbl] gynnsam

favourite [fej'vərit] 1 s. favorit, gunstling 2 adj. favorit-

favourite dish [fej'vərit diʃ] favoriträtt

fax [fäkks] tele. 1 s. [tele]fax[meddelande]; fax [machine] tele. [tele]fax 2 v. faxa

fear [fi:ə] 1 v. frukta, befara 2 s. fruktan, rädsla

fearless [fi:'əlis] orädd

feasible [fi:'zəbl] utförbar, möjlig

feast [fi:st] festa

feat [fi:t] hjältedåd, prestation

feather [feð'ə] [fågel]fjäder

feature [fi:'tʃə] [anlets]drag

February [febb'roəri] februari

fed [fedd] imperf. och perf. part. av feed; fed up with trött på, utled på

federal [fedd'ərəl] förbunds-, federal; Federal Chancellor förbundskansler

federation [fedərej'ʃən] förbund, förening; federation of trade unions fackförbund

fee [fi:] avgift; arvode, honorar

feeble [fi:'bl] klen, svag

feed [fi:d] 1 v. mata, föda, fodra 2 s. foder

feeding bottle [fi:'dingbåttl] napp-
flaska
feeding stuff [fi:'ding staff] [krea-
turs]foder
feel [fi:l] känna [sig], må; kännas;
feel like ha lust att; *feel poorly* må
illa; *feel sick* må illa, vilja kräkas
feeler [fi:'lə] trevare
feeling [fi:'ling] **1** *s.* känsla, inlevel-
se; känsel; *have a feeling* känna på
sig, ha på känn **2** *adj.* känslig, lätt-
rörd
feet [fi:t] (*pl av foot* [fott]) fötter
feign [fejn] låtsa
felicitate [filiss'itejt] lyckönska
feline [fi:'lajn] kattlik
fell [fell] **1** *s.* fäll, skinn **2** *v.* fälla,
hugga ner **3** *imperf. av fall*
felling [fell'ing] avverkning
fellow [fell'əo] kamrat; make; like;
medlem
fellow actor [fell'əoäkk'tə] med-
spelare
fellow countryman [fell'əokann'tri-
mən] landsman
fellow creature [fell'əokri:'tʃə] med-
människa
fellow passenger [fell'əopäss'ind3ə]
medpassagerare
fellow student [fell'əostjo:dənt] stu-
dentkamrat
felon [fell'ən] brottsling
felt [fellt] **1** *s.* filt (*material*) **2** *imperf.
och perf. part. av feel*
female [fi:'mejl] **1** *s.* hona; kvinna
2 *adj.* kvinnlig, hon-
feminine [femm'inin] kvinnlig, femi-
nin
feminist [femm'inist] feminist
feminist movement [femm'inist
mo:'vmənt] kvinnorörelse
fen [fenn] kärr, sank mark
fence [fens] **1** *s.* stängsel, staket,
gärdsgård; *vard.* hälare **2** *v.* fäkta
fencing [fenn'sing] fäktning
fend [fend] avvärja; *fend for o.s.* klara
sig själv
fender [fenn'də] skydd, stötfångare;
Am. stänkskärm

fenland [fenn'länn'd] sumpmark
ferment 1 *v.* [fə:menn't] jäsa **2** *s.*
[fə:'ment] jäsämne; jäsning
fermentation [fə:mentej'ʃən] jäsning
fern [fə:n] ormbunke
ferocious [fərəo'ʃəs] grym, vild
ferret [ferr'it] **1** *s.* vessla **2** *v.* spåra
upp, snoka
ferry [ferr'i] färja
ferry service [ferr'i sə:'vis] färjför-
bindelse
fertile [fə:'tajl] bördig, fruktbar
fertility [fə:till'iti] fruktbarhet
fertilization [fə:tilajzej'ʃən] befrukt-
ning
fertilize [fə:'tilajz] göda (*jord, växter*);
befrukta
fertilizer [fə:'tilajzə] gödningsämne
fertilizing [fə:'tilajzing] gödning
fervent [fə:'vnt] innerlig, het
fester [fess'tə] vara sig (*om sår*)
festival [fess'təvəl] fest; högtid,
helg; festival
festive [fess'tiv] festlig
festivity [festivv'iti] högtidlighet;
feststämning
festoon [festo:'n] girland
fetch [fetʃ] hämta; *go and fetch* gå
efter, hämta
fetching [fetʃ'ing] tilltalande; näpen
fête [fejt] **1** *s.* fest **2** *v.* fira
fetter [fett'ə] fängsla, fjättra
feud [fjo:d] fejd
feudal [fjo:'dl] feodal, läns-
fever [fi:'və] feber
feverish [fi:'vəriʃ] febrig
few [fjo:] få; *a few* ett fåtal, några få
fiancé [fia:'nsej] fästman
fiancée [fia:'nsej] fästmö
fiasco [fiäss'kəo] fiasko; *be a fiasco*
göra fiasko
fib [fibb] **1** *s.* nödlögn **2** *v.* narras
fibre [faj'bə] fiber
fibreboard [faj'bəba:d] träfiberplatta
fiction [fikk'ʃən] skönlitteratur
fiddle [fidd'l] fiol, fela; *as fit as a
fiddle* pigg som en mört
fidelity [fidell'iti] trofasthet
fidgety [fidʒ'iti] bråkig (*om barn*);

nervös

field [fi:ld] fält, åker; område, gebit

field events [fi:'ld ivenn'ts] friidrotts-tävling (*utan löpgrenar*)

fieldfare [fi:'ld fä:ə] snöskata

field glasses [fi:'ldgla:siz] (*pl*) kikare

fiend [fi:nd] djävul; fantast

fierce [fi:'əs] vild, grym

fiery [faj'əri] eldig, hetsig

fife [fajf] liten flöjt

fifteen [fifti:'n] femton

fifteenth [fifti:'nθ] femtonde

fifth [fifθ] 1 *räkn.* femte 2 *s.* femtedel

fiftieth [fiff'tiiθ] femtionde

fifty [fiff'ti] femtio

fig [figg] fikon; *not a fig* inte ett dugg

fight [fajt] 1 *s.* slagsmål, strid 2 *v.* strida, slåss, kämpa; *fight [out]* ut-kämpa

fighter [faj'tə] [slags]kämpe; *fighter [aircraft]* jaktplan

fighting mood [faj'ting mo:d] strids-humör

figure [figg'ə] 1 *s.* figur, gestalt, skep-nad; siffra 2 *v.* figurera, förekomma; *figure out* räkna ut

figure skating [figg'əskejting] konst-åkning

file [fajl] 1 *v.* fila; arkivera 2 *s.* fil; mapp, [samlings]pärm; *single (Indi-an) file* gåsmarsch

filial [fill'jəl] sonlig, dotterlig

filibuster [fill'ibastə] fribytare; *Am.* långpratare i senaten

fill [fill] fylla; plombera; stoppa; *fill up* fylla i, tanka; *fill her up!* full tank!

fillet [fill'it] filé; *fillet of beef* oxfilé

filling [fill'ing] plomb; fyllning

filling station [fill'ing stej'ʃən] ben-sinstation

filling-up [fill'ingapp'] påfyllning

film [film] 1 *s.* [tunn] hinna, skikt; film 2 *v.* filma

filmstrip [fill'mstrip] filmremsa; still-film

filter [fill'tə] filter

filthy [fill'θi] svinaktig, oanständig

fin [finn] fena

final [faj'nl] 1 *adj.* slutlig, slutgiltig

2 *s.*, *sport.* final; *enter the finals* gå till finalen

finale [fina:'li] final (*i musik*)

finally [faj'nəli] slutligen

finance [fajnänn's] finansiera

finances [fajnänn'siz] (*pl*) finanser

financial [fajnänn'ʃəl] ekonomisk, penning-; *financial position* eko-nomi, affärsställning; *financial year* räkenskapsår

financier [fajnänn'siə] finansman

finch [fintʃ] fink

find [fajnd] 1 *v.* finna, hitta, anträffa; *find again* återfinna; *find out* komma underfund med, få reda på; *find the way* hitta [vägen] 2 *s.* fynd

finder [faj'ndə] upphittare; [kamera]-sökare

fine [fajn] 1 *adj.* fin 2 *s.* böter 3 *v.* bötfälla

fine looking [faj'nlokk'ing] grann, ståtlig

finesse [finess'] finess

finger [fing'gə] 1 *s.* finger; *keep one's fingers crossed for s.b.* hålla tummarna för ngn 2 *v.* fingra på

fingerprint [fing'gəprint] finger-avtryck

finish [finn'iʃ] 1 *v.* avsluta, göra fär-dig; sluta; äta upp, dricka ur 2 *s.* yt-behandling; *sport.* upplopp

finished [finn'iʃt] färdig; slut; *finished and done* undanstökad

Finland [finn'land] Finland

Finlander [finn'ländə] finländare

Finn [finn] finländare

Finnish [finn'iʃ] 1 *adj.* finländsk, finsk 2 *s.* finska (*språk*)

fir [fə:] fura, barrträd

fire [faj'ə] 1 *s.* brand, eld[svåda]; brasa; *in case of fire* vid eldsvåda; *catch fire* fatta eld 2 *v.* avfyra; antända

fire alarm [faj'ərala:m] brandlarm

firearm[s] [faj'əra:m(z)] skjutvapen

fire brigade [faj'əbrigejd] brandkår

fire engine [faj'ərendʒin] brandbil

fire escape [faj'əriskejp] brandstege

fire extinguisher [faj'əriksting'-

gwi[ʃə] eldsläckare

fire insurance [faj'ərinʃo:'ərəns] brandförsäkring

fire ladder [faj'əlädd'ə] brandstege

fireman [faj'əmən] brandsoldat

fireplace [faj'əplejs] öppen spis, eldstad

fireproof [faj'əpro:f] eldfast

fireside [faj'əsajd] plats vid öppna spisen; *by the fireside* vid brasan

firewood [faj'əwod] ved

fireworks [faj'əwə:ks] (*pl*) fyrverkeri

firm [fə:m] **1** *adj.* fast, hård **2** *s.* firma; *firm of consultants* konsultfirma; *firm of undertakers* begravningsbyrå **3** *adv.* fast

firmness [fə:'mnis] stadga, fasthet

first [fə:st] **1** *adv.* först, främst; *first of all* först och främst **2** *adj. o. räkn.* första, främsta; *first night* premiär; *in the first place* för det första **3** *s.* första; *at first* till att börja med, först; *the first that comes* första bästa

first-aid bandage [fə:'stejd bänn'didʒ] första förband

first-aid kit [fə:'stejd kitt] förbandslåda

first-class [fə:'stkla:'s], **first-class ticket** [fə:'stkla:s tikk'it] förstaklassbiljett

first-rate [fə:'strej't] förstklassig

firth [fə:θ] fjord

fish [fiʃ] **1** *s.* fisk **2** *v.* fiska

fisherman [fiʃ'əmən] fiskare

fish-hook [fiʃ'hokk'] metkrok

fishing [fiʃ'ing] fiske

fishing boat [fiʃ'ingbəot] fiskebåt

fishing licence [fiʃ'inglajsens] fiskekort

fishing line [fiʃ'inglajn] [met]rev

fishing rod [fiʃ'ingråd] metspö

fishmonger's [fiʃ'månggəz] fiskaffär

fission [fiʃ'ən] klyvning

fissure [fiʃ'ə] klyfta, spricka; klyvning

fist [fist] [knyt]näve

fit [fitt] **1** *v.* passa; avpassa; *fit up* inreda **2** *adj.* lämplig, passande; pigg, i form; *as fit as a fiddle* pigg som en mört; *fit for nothing* slagen till slant;

fit for work arbetsför **3** *s.* [sjukdoms]-anfall; *the skirt is a good fit* kjolen sitter bra

fitness [fitt'nis] lämplighet

fitness training [fitt'nis trej'ning] styrketräning

fitted carpet [fitt'id ka:'pit] heltäckande matta

fitter [fitt'ə] montör

fittings [fitt'ingz] (*pl*) utrustning; maskindelar; armatur

five [fajv] **1** *räkn.* fem **2** *s.* femma

fiver [faj'və] fempundsedel

fix [fiks] **1** *v.* bestämma; avtala (*tid*), fastställa; fästa, fixera, sätta fast **2** *s.* knipa

fixed [fikst] bestämd (*om tid*); fastgjord, fastsatt (*to* vid); *fixed to the wall* väggfast

fizz [fizz] **1** *v.* fräsa, moussera **2** *s.* champagne

flabbergast [fläbb'əga:st] slå med häpnad, förbluffa

flabby [fläbb'i] slapp, slak

flag [flägg] flagga; *fly the flag* flagga; *flag of convenience* bekvämlighetsflagg

flagging [flägg'ing] avmattning

flagpole [flägg'pəol] flaggstång

flagrant [flej'grənt] uppenbar; skändlig

flair [flä:'ə] väderkorn; stil; känsla

flak [fläkk] luftvärn

flake [flejk] **1** *s.* flaga, flinga; *shed flakes* flagna **2** *v.* flagna

flamboyant [flämm'båjnt] färggrann

flame [flejm] **1** *s.* flamma, låga **2** *v.* flamma

flank [flängk] **1** *v.* flankera **2** *v.* sida, flank; *thick flank* innanlår

flannel [flänn'l] flanell; *flannels* (*pl*) flanellkostym, flanellbyxor

flap [fläpp] **1** *s.* flik; klaff; [källar]-lucka **2** *v.* slå, smälla

flare [flä:'ə] **1** *v.* fladdra; *flare up* brusa upp **2** *s.* bloss

flash [fläʃ] **1** *v.* blixtra **2** *s.* blixt (*foto.*); prål; *flash of genius* snilleblixt; *flash of lightning* blixt; *in a*

flash i ett huj
flashlight [flä∫'lajt] *Am.* ficklampa
flashover [flä∫'əovə] [elektriskt] överslag
flask [fla:sk] fickflaska, plunta
flat [flätt] **1** *s.* lägenhet, våning **2** *adj.* flat, platt; fadd
flat-footed [flätt'fotid] plattfotad
flat iron [flätt'aj'ən] strykjärn
flatter [flätt'ə] smickra
flattering [flätt'əring] smickrande
flattery [flätt'əri] smicker
flavour [flej'və] **1** *v.* smaksätta, krydda **2** *s.* smak, arom; *extraneous flavour* bismak
flaw [flå:] skavank
flax [fläkks] lin
flea [fli:] loppa
fled [fledd] *imperf. och perf. part. av flee*
flee [fli:] fly; *flee from* undfly
fleece [fli:s] **1** *s.* fårskinn; ull **2** *v.* klippa (*får*); skinna
fleet [fli:t] flotta
Flemish [flemm'i∫] flamländsk
flesh [fle∫] kött
flew [flo:] *imperf. av fly*
flex [flekks] sladd
flexible [flekk'səbl] böjlig, flexibel, smidig; *flexible cord* sladd
flick [flikk] knäpp; *the flicks (sl.)* bio
flicker [flikk'ə] fladdra (*om låga*)
flier [flaj'ə] flygare
flight [flajt] flykt; flygning, flygtur; *flight of stairs* trappa
flimsy [flimm'zi] svag, bräcklig
flinch [flint∫] rygga tillbaka, rycka till
fling [fling] slunga, kasta
flint [flint] flinta
flip [flipp] **1** *v.* knäppa iväg; slå till; vända på **2** *s.* knäpp
flippant [flipp'ənt] vanvördig
flirt [flə:t] **1** *v.* flörta **2** *s.* flört
flit [flitt] fladdra (*om fågel*)
float [fləot] **1** *v.* flyta; sväva; vaja; dala **2** *s.* flöte
flock [flåkk] **1** *s.* flock, skara **2** *v.* flocka sig
floe [fləo] isflak

flog [flågg] slå, prygla
flood [fladd] **1** *s.* flod (*högvatten o. bildl.*); syndaflod; översvämning **2** *v.* översvämma
floodlighting [fladd'lajting] fasadbelysning
floor [flå:] golv; våning; *on the first floor* på andra våningen, en trappa upp, *Am.* på första våningen (*bottenvåningen*); *on the ground floor* på nedre botten; *on the second floor (Am.)* på andra våningen, en trappa upp
flop [flåpp] **1** *v.* flaxa; göra fiasko **2** *s.* fiasko
floppy disc [flåpp'i disk] *data.* diskett
floppy drive [flåpp'i drajv] *data.* diskettenhet
flora [flå:'rə] flora
florid [flårr'id] blommande, prunkande
florist's [flårr'ists] blomsterhandel
flounce [flaons] volang
flounder [flao'ndə] **1** *s.* flundra **2** *v.* sprattla
flour [flao'ə] mjöl
flourish [flarr'i∫] **1** *v.* blomstra; stoltsera; svänga **2** *s.* fanfar
floury [flao'əri] mjölig
flow [fləo] **1** *v.* flöda; flyta, rinna **2** *s.* flöde
flower [flao'ə] blomma
flower bed [flao'əbed] [blom]rabatt
flowerpot [flao'əpåt] blomkruka
flowery [flao'əri] blommig
flown [fləon] *perf. part. av fly*
flu [flo:] influensa
fluctuate [flakk'tjoejt] fluktuera, variera
flue [flo:] rökkanal
fluent [flo:'ənt] ledig, flytande
fluently [flo:'əntli] flytande; *speak English fluently* tala engelska flytande
fluff [flaff] ludd
fluid [flo:'id] **1** *s.* vätska **2** *adj.* flytande
fluke [flo:k] tur; hulling; plattfisk
flung [flang] *imperf. och perf. part.*

forage

av fling

fluorescent tube [flo:əress'nt tjo:'b] lysrör

flurry [flarr'i] **1** *s.* förvirring, oro **2** *v.* förvirra

flush [flaʃ] spruta; spola

fluster [flass'tə] **1** *v.* upphetsa; förvirra **2** *s.* förvirring

flute [flo:t] flöjt

flutter [flatt'ə] flaxa, fladdra

flux [flaks] flöde; flytning

fly [flaj] **1** *v.* svaja; fly; flyga **2** *s.* fluga; gylf

fly agaric [flaj əgärr'ik] röd flugsvamp

flyer [flaj'ə] flygare

flying [flaj'ing] **1** *s.* flygning **2** *adj.* flyg-

flyover [flaj'əovə] genomfartsled över gatunivå i stad

flywheel [flaj'wi:l] svänghjul

FM [efemm'] (*förk. för frequency modulation*) FM

foal [fəol] föl

foam [fəom] **1** *s.* skum; *foam plastic* skumplast; *foam rubber* skumgummi **2** *v.* skumma

focal length [fəo'kəl leng'θ] brännvidd

focal point [fəo'kəl pǎjnt] brännpunkt

focus [fəo'kəs] fokus

fodder [fådd'ə] foder

foe [fəo] *poet.* fiende

foetal damage [fi:'təl dämm'idʒ] fosterskada

foetus [fi:'təs] foster

fog [fågg] dimma, tjocka

foil [fåjl] **1** *s.* folie; florett **2** *v.* besegra, gäcka

foist [fåjst] *foist s.th. on to s.b.* pracka på ngn ngt

fold [fəold] **1** *s.* veck; rynka **2** *v.* vika; *fold up* falla ihop

folding [fəo'lding] hopfällbar

folding chair [fəo'lding tʃä:'ə] vilstol, fällstol

folding rule [fəo'lding ro:l] tumstock

foliage [fəo'liidʒ] lövverk

folk dance [fəo'kda:ns] folkdans

folk music [fəokmjo:'zik] folkmusik

folks [fəoks] (*pl*) folk, människor

folk song [fəo'ksǎng] folkvisa

follow [fåll'əo] följa; förstå

follower [fåll'əoə] efterföljare; anhängare

following [fåll'əoing] följande

folly [fåll'i] dårskap

foment [fəmenn't] underblåsa; *med.* badda

fond [fånd] *be fond of* hålla av, tycka om

fondle [fånn'dl] smeka; smekas; kela

food [fo:d] mat, föda; födoämne; foder

fool [fo:l] **1** *s.* dåre, tok **2** *v.* lura

foolhardy [fo:'lha:di] våghalsig

foolish [fo:'liʃ] dåraktig

foolishness [fo:'liʃnis] dumhet

foolproof [fo:'lpro:f] idiotsäker

foolscap [fo:'lzkäp] pappershatt; skrivpapper (*i folioformat*)

foot [fott] (*pl feet* [fi:t]) fot; *on foot* till fots

football [fott'bå:l] fotboll

football hooliganism [fott'bå:l ho:'ligənizm] *ung.* läktarvåld

football player [fott'bå:l plej'ə] fotbollsspelare

footfall [fott'få:l] ljud av steg

foothold [fott'həold] fotfäste

footing [fott'ing] *be on a friendly footing with* stå på god fot med; *gain a footing* vinna insteg

footlights [fott'lajts] (*pl*) ramp[ljus]

footman [fott'mən] betjänt

footnote [fott'nəot] fotnot

footpath [fott'pa:θ] gångstig

footprint [fott'print] fotspår

footstep [fott'stepp] fotsteg

footstool [fott'sto:l] pall

for [få:] **1** *prep.* för; av; på, i (*om tid*); om; *I for one* jag för min del; *for and against* för och emot; *what is the German for it?* vad heter det på tyska?; *I haven't been home for ten years* jag har inte varit hemma på tio år **2** *adv.* för, ty

forage [fårr'idʒ] **1** *s.* foder; plundring **2** *v.* plundra

forbade

forbade [fəbädd'] *imperf. av forbid*

forbear 1 *v.* [få:bä:'ə] låta bli **2** *s.*
[få:'bä:ə] förfader

forbearance [få:bä:'ərns] överseende;
tålamod

forbid [fəbidd'] förbjuda

forbidden [fəbidd'n] olovlig, otill-
låten

forbidding [fəbidd'ing] avskräckande,
frånstötande

force [få:s] **1** *s.* kraft, styrka; våld; *by
force* med våld; *by force of habit* av
gammal vana; *come into force* träda
i kraft **2** *v.* tvinga; *force aside* undan-
tränga; *force s.th. on s.b.* påtvinga
ngn ngt; *force through* driva igenom;
force o.s. upon tränga sig på; *force
one's way* tränga fram

forced [få:st] tvungen; tvångs-, nöd-;
forced labour tvångsarbete

forcible [få:'səbl] kraftig; tvångs-

forcibly [få:'səbli] med våld

ford [få:d] **1** *s.* vadställe **2** *v.* vada över

fore [få:] **1** *adj.* främre **2** *s., sjö.* för,
förut; *bring to the fore* aktualisera,
föra på tal

forearm [få:'ra:m] underarm

foreboding [få:bəo'ding] varsel

forecast [få:'ka:st] prognos

forecastle [fəo'ksl] *sjö.* skans

forefinger [få:'finggə] pekfinger

foregone conclusion [få:'gån kən-
klo:'ʃən] förutfattad mening, given
sak

foreground [få:'graond] förgrund

forehead [fårr'id] panna

foreign [fårr'in] utländsk, främman-
de; *the Ministry for Foreign Affairs*
utrikesdepartementet; *foreign ex-
change* utländsk valuta; *Foreign Min-
ister* utrikesminister; *Foreign Office*
utrikesdepartementet (*i Storbrit.*);
Foreign Secretary utrikesminister (*i
Storbrit.*); *foreign politics* utrikes-
politik; *foreign trade* utrikeshandel

foreigner [fårr'inə] utlänning, främ-
ling

foreman [få:'mən] arbetsledare,
förman, bas

foremost [få:'məost] främst, först

forenoon [få:'no:n] förmiddag

forerunner [få:'ranə] föregångare

foresee [få:si:'] förutse

foresight [få:'sajt] förutseende

forest [fårr'ist] skog

forestall [få:stå:'l] förekomma, före-
gripa

forester [fårr'istə] skogvaktare

forestry [fårr'istri] skogsbruk

foretaste [få:'tejst] försmak

foretell [få:tell'] förutsäga

forewarn [få:wå:'n] varsko

forfeit [få:'fit] **1** *v.* förverka **2** *adj.*
förverkad

forgave [fəgej'v] *imperf. av forgive*

forge [få:dʒ] **1** *v.* smida; förfalska
2 *s.* smedja; *forging of documents*
urkundsförfalskning

forget [fəgett'] glömma; *I forget* jag
har glömt

forget-me-not [fəgett'minått'] *bot.*
förgätmigej

forgetful [fəgett'fol] glömsk

forgive [fəgivv'] förlåta

forgiven [fəgivv'n] *perf. part. av
forgive*

forgiveness [fəgivv'nis] förlåtelse

forgo [få:gəo'] avstå från, försaka

forgot [fəgått'] *imperf. av forget*

forgotten [fəgått'n] *perf. part. av
forget*

fork [få:k] **1** *s.* gaffel **2** *v.* grena sig

forlorn [fələ:'n] övergiven; hopplös

form [få:m] **1** *s.* form; skolklass; for-
mulär, blankett; *it's bad form* det pas-
sar sig inte; *matter of form* formsak
2 *v.* forma, bilda

formal [få:'məl] formell

formality [få:mäll'iti] formalitet

formation [få:mej'ʃən] formering,
bildning

former [få:'mə] förutvarande, förra,
före detta

formerly [få:'məli] förr [i världen],
förut, fordom

formidable [få:'midəbl] fruktans-
värd; väldig

formula [få:'mjolə] formel

formulate [få:'mjolejt] formulera

formulation [få:mjolej'ʃən] formulering

fornication [få:nikej'ʃən] otukt

forsake [fəsej'k] överge

forsaken [fəsej'kn] *perf. part. av forsake*

forsook [fəsokk'] *imperf. av forsake*

fort [få:t] fäste, fort

forth [få:θ] fram[åt]; bort, ut; *and so forth* och så vidare

forthcoming [få:'θkaming] förestående

forthwith [få:'θwiθ] omedelbart

fortieth [få:'tiθ] fyrtionde

fortify [få:'tifaj] befästa

fortnight [få:'tnajt] fjorton dagar; *every fortnight* var fjortonde dag

fortress [få:'tris] fästning

fortunate [få:'tʃnət] lycklig

fortunately [få:'tʃnətli] lyckligtvis

fortune [få:'tʃən] förmögenhet; lycka

fortune-teller [få:'tʃəntell'ə] spåman, spåkvinna

forty [få:'ti] fyrtio

forward [få:'wəd] **1** *adj.* främre; framåt-; framfusig **2** *v.* eftersända, vidarebefordra, sända; *to be forwarded to* för vidarebefordran till **3** *adv.* framåt; *look forward to* glädja sig åt, emotse **4** *s., sport.* forward, anfallsspelare

forwarding agent [få:'wəding ej'dʒənt] speditör

forwards [få:'wədz] framlänges

foster [fåss'tə] fostra; uppamma

foster-child [fåss'tə tʃajld] fosterbarn

fought [få:t] *imperf. och perf. part. av fight*

foul [faol] skämd; oren; ojust; *foul play* ojust spel

found [faond] **1** *v.* grunda, grundlägga, stifta, upprätta; gjuta, stöpa **2** *imperf. och perf. part. av find*

foundation [faondej'ʃən] grundval, grund; stiftelse

founder [fao'ndə] **1** *s.* grundare; gjutare **2** *v.* sjunka, förlisa

foundry [fao'ndri] gjuteri

fountain [fao'ntin] källa; fontän, springbrunn

fountain pen [fao'ntinpen] reservoarpenna

four [få:] fyra

fourfold [få:'fåold] fyrdubbel

four-leaf clover [få:'li:'f kləo'və] fyrklöver

four-stroke engine [få:strəok' enn'dʒin] fyrtaktsmotor

fourteen [få:'ti:'n] fjorton

fourteenth [få:'ti:'nθ] fjortonde

fourth [få:θ] **1** *räkn.* fjärde **2** *s.* fjärdedel

fowl [faol] höns[fågel]

fox [fåks] räv

fox trap [fåkk'sträp] rävsax

fraction [fräkk'ʃən] bråkdel; bråk

fracture [fräkk'tʃə] [ben]brott

fragile [fräd'ʒajl] bräcklig

fragment [frägg'mənt] fragment, spillra

fragrance [frej'grəns] väldoft

frail [frejl] skör; svag, skröplig

frame [frejm] **1** *s.* ram, stomme; spant; [glasögon]båge; *frame of mind* sinnesstämning **2** *v.* inrama

frame-up [frej'map] komplott

framework [frej'mwə:k] ram, infattning; grundstomme

franc [frängk] franc

France [fra:ns] Frankrike

franchise [fränn'tʃajz] medborgarrätt; rösträtt; tillstånd

frank [frängk] frimodig

frankly [fräng'kli] uppriktigt [sagt]

frantic [fränn'tik] rasande, förtvivlad

fraternal [frətə:'nl] broderlig

fraud [frå:d] bedrägeri

fraught [frå:t] försedd, fylld

frayed [frejd] fransig

freak [fri:k] nyck; kuriositet

freckle [frekk'l] fräkne

freckled [frekk'ld] fräknig

free [fri:] **1** *adj.* fri; ledig; gratis; *free fight* allmänt slagsmål; *be free* ha ledigt; *free and easy* ogenerad; *free of charge* avgiftsfri; *you are free to* det står dig fritt att **2** *v.* befria, göra fri; *free o.s.* frigöra sig

freedom [fri:'dəm] frihet; *freedom of the press* tryckfrihet; *freedom of speech* yttrandefrihet

free-for-all [fri:'forɑ:l] allmänt gräl

freehold flat [fri:'hɔɔld flätt] *ung.* insatslägenhet

freelance [fri:'lɑ:ns] **1** *s.* frilans **2** *v.* frilansa

freely [fri:'li] fritt; frikostigt

freemason [fri:'mejsn] frimurare

freestyle [fri:'stajl] freestyle

freeze [fri:z] frysa [till is]

freight [frejt] frakt; fraktgods

freight truck [frej't trakk'] *Am.* långtradare

French [frentʃ] **1** *adj.* fransk; *French bean* brytböna, skärböna; *French horn* valthorn; *French roll* franskbröd, franska **2** *s.* franska (*språk*); *the French* fransmännen

Frenchman [frenn'tʃmən] fransman

Frenchwoman [frenn'tʃwomən] fransyska

frenzy [frenn'zi] raseri, vanvett

frequency [fri:'kwənsi] frekvens

frequent 1 *adj.* [fri:'kwənt] ofta förekommande, vanlig **2** *v.* [frikwenn't] ofta besöka, frekventera

frequently [fri:'kwəntli] titt och tätt, ofta

fresco [fress'kəo] fresk

fresh [freʃ] färsk; fräsch; *vard.* fräck; *fresh water* sötvatten

freshen [up] [freʃ'n app'] friska upp; fräscha upp

freshman [freʃ'mən] recentior; *Am.* förstaårselev (*på high school*)

fret [frett] **1** *v., bildl.* fräta; reta; oroa sig; *fret o.s.* gräma sig **2** *s., mus.* band (*på stränginstrument*)

friar [fraj'ə] tiggarmunk

fricassee [frikəsi:'] frikassé

friction [frikk'ʃən] friktion

Friday [fraj'di] fredag; *Good Friday* långfredagen

fried [frajd] stekt

friend [frend] vän; bekant; *be friends* vara vänner, vara sams; *close friends*

goda vänner; *a friend of mine* en vän till mig; *friend of one's childhood* barndomsvän

friendly [frenn'dli] vänlig; kamratlig

friendship [frenn'dʃip] vänskap

fright [frajt] förskräckelse, skrämsel

frighten [fraj'tn] skrämma, avskräcka

frightful [fraj'tfol] förskräcklig

frigid [fridʒ'id] kylig; kallsinnig

fringe [frindʒ] frans; [pann]lugg

frisky [friss'ki] yster

frivolous [frivv'ələs] lättsinnig

frock [fråkk] klänning

frog [frågg] groda

frogman [frågg'mən] grodman

frolic [fråll'ik] **1** *v.* springa och leka **2** *s.* skoj, upptåg

from [fråmm] från; *from below* nedifrån, underifrån; *from here* härifrån; *from home* hemifrån; *from now on* hädanefter; *from this* härav; *from the front* framifrån; *from the north* norrifrån; *from time to time* alltemellanåt; *from which* varav

front [frant] **1** *s.* front; framsida; *in front* framtill; *in front of* framför **2** *adj.* främre

front door [frann'tdå:] huvudingång

frontier [frann'tiə] gräns

front tooth [frann't to:θ] framtand

frost [fråst] frost

frost-bitten [fråss'tbitn] frostskadad; *get frost-bitten* förfrysa

frosting [fråss'ting] glasyr (*på tårta*)

frosty [fråss'ti] frost-

froth [fråθ] skum, fradga

frown [fraon] rynka pannan, rynka ögonbrynen

froze [frəoz] *imperf. av freeze*

frozen [frəo'zn] *perf. part. av freeze*

fruit [fro:t] frukt

fruitful [fro:'tfol] fruktbar

fruitless [fro:'tlis] fruktlös, resultatlös

fruit shop [fro:'tʃåp] fruktaffär

frustrate [frastrej't] omintetgöra, frustrera

fry [fraj] steka, bräcka

frying pan [fraj'ingpän] stekpanna

fuck [fakk] *vulg.* knulla

gall

fuel [fjo:'əl] bränsle

fugitive [fjo:'dʒitiv] **1** s. flykting **2** adj. flyktig

fulfil [follfil'] uppfylla

fulfilment [follfil'mənt] fullbordan

full [foll] **1** adj. full; fullsatt; yppig (om figur); full board and lodging helpension; full moon fullmåne; full stop punkt (skiljetecken); full up mätt **2** s., in full till fullo

full-fledged [foll'fledʒ'd] fullfjädrad

full-grown [foll'grəo'n] fullvuxen

fully [foll'i] fullständigt, till fullo; fully automatic helautomatisk

fully booked [foll'i bokk't] fullbokad

fumble [famm'bl] famla; fumla

fume [fjo:m] utdunstning; ilska; ånga

fun [fann] skämt, nöje; great fun mycket roligt; for fun på skoj, för ro skull; poke fun at driva med; what fun! så roligt!

function [fang'kʃən] **1** s. funktion **2** v. fungera

functional [fang'kʃənl] funktionell

functionary [fang'kʃnəri] funktionär

fund [fannd] fond, tillgång

fundamental [fandəmenn'tl] grundläggande, fundamental

fundamentalism [fandəmenn'tlizm] fundamentalism

funeral [fjo:'nərəl] begravning; funeral service jordfästning

funk [fangk] rädsla; in a blue funk skraj

funnel [fann'l] tratt; skorsten (på båt)

funny [fann'i] rolig, lustig, kul

fur [fə:] päls

fur coat [fə:'kəot] päls[kappa]

furious [fjo:'əriəs] rasande, ursinnig; get furious with s.b. bli förbannad på ngn

furnace [fə:'nis] ugn, [värme]panna

furnish [fə:'niʃ] förse; möblera

furniture [fə:'nitʃə] möbler; a piece of furniture en möbel; furniture shop möbelaffär

furrier [farr'iə] körsnär

furrow [farr'əo] fåra

further [fə:'ðə] **1** adj. bortre; ytterligare, vidare; further training vidareutbildning **2** adv. längre bort, längre fram **3** v. [be]främja

furthest [fə:'ðist] längst; mest avlägsen

furtive [fə:'tiv] förstulen

fury [fjo:'əri] raseri; in a fury rasande

fuse [fjo:z] **1** v. sammansmälta **2** s., elektr. propp, säkring; stubintråd

fuselage [fjo:'zila:ʃ] flygplanskropp

fusion [fjo:'ʃn] fusion, sammanslagning

fuss [fass] väsen, ståhej, rabalder; make a fuss trassla, krångla, fjäska; make a fuss about göra affär av

futile [fjo:'tajl] meningslös, fåfäng

future [fjo:'tʃə] **1** s. framtid; in future i fortsättningen; in the future i framtiden **2** adj. framtida, blivande

g

G, g [dʒi:] (bokstav o. ton) G, g

gab [gäbb] 1 v. prata **2** s. prat; the gift of the gab välsmort munläder

gable [gej'bl] gavel

gadfly [gädd'flaj] broms

gadget [gädʒ'it] manick

Gael [gejl] gael

Gaelic [gej'lik] gaelisk, keltisk

gag [gägg] **1** s. munkavle; skämt **2** v. sätta munkavle på

gage [gejdʒ] pant; utmaning

gaiety [gej'əti] glädje

gain [gejn] **1** v. vinna; tjäna; skaffa sig; gain recognition vinna erkännande **2** s. vinst; uppgång

gait [gejt] gång

gal [gäl] flicka

galaxy [gäll'əksi] galax, stjärnsystem; bildl. lysande samling; the Galaxy Vintergatan

gale [gejl] storm, blåst; gale warning stormvarning

gall [gå:l] galla

gallant [gäll'ənt] tapper; artig

gallery [gäll'əri] galleri; läktare

galley [gäll'i] galär; slup; skeppskök

gallon [gäll'ən] gallon *(rymdmått=ca 4,5 l, Am. 3,8 l)*

gallop [gäll'əp] 1 *s.* galopp 2 *v.* galoppera

gallows [gäll'əoz] galge

gallstone [gå:'lstəon] gallsten

galore [gəlå:'] i massor

galosh [gəlåʃ'] galosch

galvanize [gäll'vənajz] galvanisera; egga

gamble [gämm'bl] spela; sätta på spel

gambler [gämm'blə] spelare

gambol [gämm'bl] 1 *v.* skutta 2 *s.* glädjesprång

game [gejm] spel, lek; utgång *(i kortspel)*; villebråd, vilt; *I'm game* jag är med på det

gamekeeper [gej'mki:pə] skogvaktare

gang [gäng] liga, gäng

gangrene [gäng'gri:n] *med.* kallbrand

gangway [gäng'wej] landgång

gaol [dʒejl] fängelse

gap [gäpp] gap, hål

gape [gejp] gapa; stirra

garage [gärr'a:ʒ] garage, bilverkstad

garbage [ga:'bidʒ] [köks]avfall, sopor

garbage truck [ga:'bidʒ trakk] sopbil

garden [ga:'dn] trädgård, tomt

gardener [ga:'dnə] trädgårdsmästare

gardening [ga:'dning] trädgårdsarbete

garden plot [ga:'dnplåt] täppa, land

gargle [ga:'gl] gurgla sig

garland [ga:'land] girland

garlic [ga:'lik] vitlök

garment [ga:'mənt] plagg

garnet [ga:'nit] granat *(ädelsten)*

garnish [ga:'niʃ] garnera *(mat)*

garret [gärr'it] vindsrum

garrison [gärr'isn] besättning, garnison

garrulous [gärr'oləs] pratsjuk

garter [ga:'tə] strumpeband

gas [gäs] 1 *s.* gas; *sl.* prat; *Am.* bensin 2 *v.* gasa

gas cooker [gäss'kokk'ə] gasspis

gaseous [gäss'jəs] gas-

gasket [gä:'skit] *tekn.* packning

gasoline [gäss'oli:n] *Am.* bensin

gasp [ga:sp] 1 *v.* flämta 2 *s.* flämtning

gastric [gäss'trik] mag-; *gastric flu* maginfluensa

gastritis [gästraj'tis] akut magkatarr

gasworks [gäss'wə:ks] gasverk

gate [gejt] grind; [ingångs]spärr

gatecrasher [gejt'kräʃə] objuden gäst

gateway [gej'twej] port[gång]

gather [gäð'ə] samla; samlas

gathering [gäð'əring] sammankomst

gaudy [gå:'di] brokig, grann, prålig

gauge [gejdʒ] mätare, mätinstrument

Gaul [gå:l] Gallien; gallier

gauntlet [gå:'ntlit] sporthandske; gatlopp

gauze bandage [gå:'z bänn'didʒ] gasbinda

gave [gejv] *imperf. av* give

gay [gej] 1 *adj.* glad; färgglad 2 *s.*, *vard.* bög

gazelle [gazell'] *zool.* gasell

gear [gi:'ə] växel; *change gear* växla

gearbox [gi:'əbåks] växellåda

gear lever [gi:'ə li:və] växelspak

geld [gelld] snöpa

gelding [gell'ding] valack

gem [dʒemm] ädelsten

gender [dʒenn'də] kön, genus

gene [dʒi:n] arvsanlag, gen

general [dʒenn'ərəl] 1 *adj.* allmän, generell; *general agreement* ramavtal; *general condition* allmäntillstånd; *general impression* helhetsintryck; *general strike* storstrejk 2 *s.* general; *in general* i allmänhet

generalize [dʒenn'ərəlajz] generalisera

generally [dʒenn'ərəli] i allmänhet; *generally applicable* allmängiltig

generation [dʒenərej'ʃən] generation, släktled

generator [dʒenn'ərejtə] generator

generosity [dʒenərås'iti] frikostighet, generositet

generous [dʒenn'ərəs] generös, frikostig, storsint

genetic [dʒenett'ik] genetisk

genetics [dʒenett'ikks] genetik

genial [dʒiː'njəl] gynnsam; trevlig, vänlig

genitals [dʒenn'itls] (pl) könsorgan

genius [dʒiː'njəs] geni, snille

genre [ʃɑːˈngrə] genre

gentle [dʒenn'tl] varlig; mild; stilla

gentleman [dʒenn'tlmən] herre; gentleman

gentry [dʒenn'tri] lågadel

genuine [dʒenn'join] genuin, äkta, oförfalskad

genuineness [dʒenn'joinnis] äkthet

geographical [dʒiəgräff'ikəl] geografisk

geography [dʒiägg'rəfi] geografi

geology [dʒiåll'ədʒi] geologi

geometry [dʒiåmm'itri] geometri

geranium [dʒirej'njəm] pelargon

germ [dʒəːm] 1 s. bakterie; embryo 2 v. gro

German [dʒəː'mən] 1 adj. tysk; German measles röda hund 2 s. tysk; tyska (språket); the Germans tyskarna

Germany [dʒəː'məni] Tyskland

germinate [dʒəː'minejt] gro

gesticulate [dʒestik'jolejt] gestikulera

gesture [dʒes'tʃə] gest

get [gett] få, erhålla; bli; låta, laga att; get along klara sig; get back återfå; get better krya på sig; get well krya på dig!; get the better of få övertag över; get broken gå sönder; get cool svalna; get ... going få ... i gång; get off komma ifrån, bli ledig, stiga av, klara sig; get on well trivas; get on well together samsas; get on with trivas med; work is getting on fine det går undan med arbetet; get out gå av, stiga av; get out of the habit of vänja sig av med att; get out of a p.'s way gå ur vägen för ngn; get round (bildl.) kringgå; get tired tröttna, bli trött; get started komma i gång; get s.b. to do s.th. få ngn att göra ngt; get up stiga upp; get one's

own way få sin vilja igenom; get o.s. all wet blöta ner sig; get scolded få ovett

getaway [gett'awej] start; flykt

get-up [gett'əp] utstyrsel

ghastly [gɑː'stli] hemsk

ghost [gəost] ande; vålnad, spöke

ghostlike [gəo'stlajk] spöklik

giant [dʒaj'ənt] jätte

gibberish [gibb'əriʃ] rotvälska

gibe [dʒajb] pik, stickord

giddiness [gidd'inis] svindel

giddy [gidd'i] vimmelkantig, yr

gift [gift] gåva (äv. bildl.); fallenhet, begåvning

gifted [giff'tid] begåvad

gift voucher [giff'tvao'tʃə] presentkort

gigantic [dʒajgänn'tik] jättelik

giggle [gigg'l] fnittra

gild [gild] förgylla

gill [gill] gäl

gilt [gilt] 1 adj. förgylld 2 s. förgyllning

gilt-edged securities [gill'tedʒd sikjoːˈəritiz] guldkantade (prima) värdepapper

gimlet [gimm'lit] handborr; gindrink

gimmick [gimm'ik] trick, knep

gin [dʒinn] gin

ginger [dʒinn'dʒə] ingefära

ginger ale [dʒinn'dʒərej'l] ingefärsläsk

ginger beer [dʒinn'dʒəbiː'ə] ingefärsläsk

gingerbread biscuit [dʒinn'dʒəbred biss'kit] pepparkaka

gingerly [dʒinn'dʒəli] försiktigt

gipsy [dʒipp'si] zigenare

gipsy woman [dʒipp'si womm'ən] zigenerska

giraffe [dʒirɑː'f] giraff

gird [gəːd] omgjorda, omsluta

girdle [gəː'dl] 1 s. gördel 2 v. omgjorda

girl [gəːl] flicka, tjej

girlfriend [gəː'lfrend] väninna; flickvän

Girl Guide [gəː'lgajd] flickscout

girt [gə:t] *imperf. och perf. part. av gird*

gist [dʒist] huvudsak, kärna

give [givv] ge, skänka; *give away* ge bort; *give away in marriage* gifta bort; *give back* ge tillbaka; *give in* foga sig, ge upp; *give o.s.* ge sig; *give out* utlämna; *give up* avstå [från], ge upp; *give way* ge vika, rasa

given [givv'n] **1** *adj.* given **2** *perf. part. av give*

giver [givv'ə] givare

glacier [gläss'jə] jökel, glaciär

glad [glädd] glad (*at* över); *be glad at* glädja sig åt; *I'm glad to hear that* det var trevligt att höra; *I'm so glad* det gläder mig

glade [glejd] (*skogs-*) glänta

gladly [glädd'li] gärna

glamour [glämm'ə] förtrollning, tjusning

glance [gla:ns] **1** *s.* blick **2** *v.*, *glance through* ögna igenom

gland [gländ] körtel

glare [glä:'ə] **1** *s.* skarpt sken **2** *v.* lysa skarpt; glänsa

glaring [glä:'əring] bländande; (*om färg*) skrikig, gräll

glass [gla:s] glas

glasses [gla:'siz] (*pl*) glasögon

glassworks [gla:'swə:ks] glasbruk

glaze [glejz] **1** *v.* sätta glas i; glasera **2** *s.* glasyr

glazing [glej'zing] glasyr

gleam [gli:m] **1** *v.* glimma **2** *s.* glimt

glean [gli:n] plocka, samla

glee [gli:] glädje; flerstämmig sång

glen [glenn] dalgång

glib [glibb] talför; ledig

glide [glajd] glida

glider [glaj'də] segelflygplan

gliding [glaj'ding] segelflygning

glimpse [glimps] skymt, glimt; *catch a glimpse of* skymta, se en skymt av

glint [glint] **1** *v.* glittra, blänka **2** *s.* glitter, blänk

glisten [gliss'n] glittra, glimma

glitter [glitt'ə] glittra

gloat [gləot] stirra, glo

globe [gləob] glob; *the globe* jordklotet

gloom [glo:m] dysterhet; mörker

gloomy [glo:'mi] trist, dyster

glorify [glå:'rifaj] förhärliga

glorious [glå:'riəs] ärofull; härlig

glory [glå:'ri] ära; salighet

gloss [glåss] **1** *s.* glans **2** *v.* göra glänsande

glossary [glåss'əri] ordlista

glove [glavv] handske

glow [gləo] **1** *v.* glöda **2** *s.* glöd

glue [glo:] **1** *s.* lim **2** *v.* limma

glum [glamm] dyster; vresig

gluten [glo:'tən] gluten; *gluten free* glutenfri

glutton [glatt'n] frossare, matvrak

gnash [näʃ] gnissla (*med tänderna*)

gnat [nätt] knott

gnaw [nå:] gnaga

go [gəo] gå, fara, resa, åka, bege sig; *let go* släppa, låta falla; *if all goes well* om det vill sig väl; *be going to* vilja, ämna; *go about* gå över stag; *go away* resa bort, åka bort, gå sin väg; *go back* återgå; *go by* rätta sig efter; *go for a walk* gå ut och gå; *go in for sport* idrotta; *go off* gå av (*om skott*); *go on* fortsätta; *be going on* pågå; *go out* gå bort, slockna; *go through* genomgå; *go to* tillfalla; *go to bed* lägga sig, gå till sängs; *go to seed* fröa sig; *go to waste* gå till spillo; *go up* gå upp; *go without* försaka

goad [gəod] **1** *s.* sporre **2** *v.* sporra

goal [gəol] mål

goalkeeper [gəo'lki:pə] målvakt

goal kick [gəo'l kikk] utspark

goat [gəot] get

gobble [gåbb'l] sluka

go-between [gəo'bitwi:n] mellanhand

goblet [gåbb'lit] pokal

god [gådd] gud; [*God*] *bless you!* prosit!

goddess [gådd'is] gudinna

goggle [gågg'l] rulla [med ögonen]; blänga; stirra

goggles [gågg'lz] (*pl*) stora glasögon; skyggglappar

going through [gəo'ing θro:'] genomgång

goitre [gåj'tə] *med.* struma

gold [gəold] guld

gold-digger [gəo'ld digg'ə] guldgrävare

golden [gəo'ldən] gyllene, av guld; *golden parachute* fallskärmsavtal

goldfish [gəo'ldfiʃ] guldfisk

goldsmith [gəo'ldsmiθ] guldsmed

golf [gålf] golf; *golf course* golfbana

gondola [gånn'dələ] gondol

gone [gånn] 1 *adj.* borta, försvunnen 2 *perf. part. av* go

gong [gång] gonggong

gonorrhoea [gånåri:'ə] *med.* gonorré

good [godd] bra, god; *a good deal en* hel del; *hold good* hålla streck; *Good Friday* långfredag[en]; *good heavens!* jösses!; *good living* vällevnad; *for good* för alltid

goodbye [godd'baj'] adjö

good-for-nothing [godd'fənaθing] odåga

good-looking [godd'lokk'ing] snygg; *be good-looking* se bra ut

good-natured [godd'nej'tʃəd] godmodig

goodness [godd'nis] godhet; *for goodness' sake!* för Guds skull!

goods [godz] (*pl*) gods, varor, fraktgods

goods train [godd'ztrejn] godståg

goodwill [godd'will'] gott rykte; välvillig inställning

goody [godd'i] karamell

goody-goody [godd'igodd'i] *vard.* 1 *s.* hycklare 2 *adj.* gudsnådelig

goof [go:f] *vard.* dumbom

goofy [go:'fi] *vard.* dum, fjantig

goose [go:s] (*pl geese* [gi:s]) gås

gooseberry [go:'zbəri] krusbär

gorge [gå:dʒ] 1 *s.* [bergs]klyfta; svalg 2 *v.* frossa

gorgeous [gå:'dʒəs] härlig; praktfull

gorilla [gərill'ə] gorilla

goshawk [gåss'hå:k] *zool.* duvhök

gospel [gåss'pəl] evangelium

gossamer [gåss'əmə] flor; fin spindelväv

gossip [gåss'ip] 1 *s.* skvaller 2 *v.* skvallra

got [gatt] *imperf. och perf. part. av* get

gout [gaot] *med.* gikt

govern [gav'ən] styra, regera

governess [gavv'ənis] guvernant

government [gavv'nmənt] 1 *s.* regering; styrelse 2 *adj.* statlig

government bill [gavv'nmənt bill'] proposition, lagförslag

government office [gavv'nmənt åff'is] ämbetsverk

government subsidy [gavv'nmənt sabb'sidi] statsbidrag

governor [gavv'ənə] guvernör, ståthållare; *vard.* pappa, herre

gown [gaon] dräkt; klänning

grab [gräbb] roffa åt sig, grabba tag i

grace [grejs] nåd; grace

graceful [grej'sfol] graciös

gracious [grej'ʃəs] nådig; älskvärd

grade [grejd] vitsord (*i betyg*)

gradient [grej'djənt] stigning

gradually [grädd'joəli] gradvis, efterhand, successivt

graduate 1 *v.* [grädd'joejt] gradera 2 *adj.* [grädd'joit] utexaminerad; *graduate engineer* civilingenjör 3 *s.* [grädd'joit] *university graduate* akademiker; *graduate of agricultural college* agronom

graduation [grädjoej'ʃən] gradering

graft [gra:ft] 1 *v.* ympa 2 *s.* ympkvist; *Am.* korruption

grain [grejn] korn, frö, gryn; spannmål; *against the grain* mot naturen

graininess [grej'ninis] kornighet (*i film*)

gram [grämm] gram

grammar [grämm'ə] grammatik

grammar school [grämm'əsko:l] högre läroverk

gramophone [grämm'əfəon] grammofon

granary [gränn'əri] kornbod

grand [gränd] storartad

grandchild [grænn'tʃajld] barnbarn

granddaughter [gränn'då:tə] sondotter, dotterdotter

grandeur [gränn'dʒə] prakt, ståt

grandfather [gränn'dfa:ðə] farfar, morfar

grandmother [gränn'maðə] farmor, mormor

grand piano [gränn'd pjänn'əo] flygel

grand slam [gränn'd slämm'] storslam

grandson [gränn'san] dotterson, sonson

grandstand [gränn'dständ] åskådarläktare

grange [grej'ndʒ] lantgård

granite [gränn'it] granit

grant [gra:nt] 1 v. bevilja, bifalla, tillerkänna; anslå (pengar); take it for granted ta för givet; grant a respite bevilja uppskov 2 s. upplåtelse

granular [gränn'jolə] kornig

granulated sugar [gränn'jolejtid ʃogg'ə] strösocker

grape [grejp] [vin]druva; sour grapes, said the fox surt, sa räven om rönnbären

grape-sugar [grej'pʃogg'ə] druvsocker

graph [gräf] grafisk framställning

grapple [gräpp'l] fatta tag i; ge sig i kast med

grasp [gra:sp] 1 v. fatta, ta tag i, gripa 2 s. grepp

grass [gra:s] gräs

grass grown [gra:sgrəo'n] gräsbevuxen

grasshopper [gra:'shåpə] gräshoppa

grass snake [gra:'s snejk] snok

grass widow [gra:'sswidd'əow] gräsänka

grass widower [gra:'sswidd'əowə] gräsänkling

grassy [gra:'si] gräs-, gräsbevuxen

grate [grejt] 1 s. rost, galler 2 v. riva, gnissla

grateful [grej'tfol] tacksam

gratify [grätt'ifaj] tillfredsställa

gratin [grätt'ong] gratäng; gratin dish gratängfat; bake in a gratin dish gratinera

grating [grej'ting] galler

gratitude [grätt'itjo:d] tacksamhet

gratuity [grətjo:'iti] gåva; gratifikation

grave [grejv] grav

gravel [grävv'əl] grus

gravitation [grävitej'ʃən] tyngdkraft, gravitation; the law of gravitation tyngdlagen

gravity [grävv'iti] tyngdkraft; allvar; centre of gravity tyngdpunkt; force of gravity dragningskraft, tyngdkraft

gravy [grej'vi] sky, köttsaft, sås

gray [grej] Am. grå

graze [greiz] 1 s. skrubbsår 2 v. snudda; (om djur) beta

grease 1 s. [gri:s] fett, flott; grease spot flottfläck 2 v. [gri:z] smörja

greasing [gri:'zing] smörjning

greasy [gri:'zi] flottig

great [grejt] stor; Great Britain Storbritannien; great grandfather farfarsfar; great grandmother farmorsmor; a great many en hel del; great power stormakt; the greater part den övervägande delen

great tit [grejt titt] talgoxe

greatly [grej'tli] i hög grad

greatness [grej'tnis] storhet

grebe [gri:b] dopping

Greece [gri:s] Grekland

greed [gri:d] vinningslystnad; glupskhet

greedy [gri:'di] glupsk, sniken

Greek [gri:k] 1 s. grek; (språk) grekiska 2 adj. grekisk

Greek woman [gri:k womm'ən] grekiska

green [gri:n] grön; be green grönska; green fruit kart

greenback [gri:'nbäk] Am., sl. dollarsedel

greengrocer's [gri:'ngrəosəz] grönsaksaffär

greenhouse [gri:'nhaos] växthus

Greenland [gri:'nlənd] Grönland

greens [gri:nz] (pl) grönsaker

greet [gri:t] hälsa; hälsa välkommen

greeting [gri:'ting] hälsning

gregarious [grigä:'əriəs] som lever i

flock; sällskaplig

grew [gro:] *imperf. av* grow

grey [grej] grå

greyhaired [grej'hä:'əd] gråhårig

greyhound [grej'haond] vinthund

greyhound-racing [grej'haond rej's-ing] hundkapplöpning

grey seal [grej si:l] gråsäl

gridiron [gridd'ajən] halster

grief [gri:f] smärta, sorg; *come to grief* råka i olycka

grievance [gri:'vns] anledning till missnöje; klagomål

grieve [gri:v] sörja; gräma sig

griffin [griff'in] grip

grill [grill] **1** *s.* grill **2** *v.* grilla, halstra

grim [grimm] bister

grimace [grimej's] grimas

grime [grajm] **1** *s.* smuts; sot **2** *v.* smutsa ner

grin [grinn] smila

grind [grajnd] mala; finfördela; slipa

grinding [graj'nding] slipning; *grinding wheel* slipskiva

grindstone [graj'ndstəon] slipsten

grip [gripp] tag, grepp, fattning

grisly [griss'li] gräslig

gristle [griss'l] brosk (*i kött*)

grit [gritt] grus; mod, gott gry

grizzly [grizz'li] **1** *adj.* gråaktig **2** *s.* grisslybjörn

groan [grəon] stöna

grocer's [shop] [grəo'səz (ʃåpp)] speceriaffär

grocery [grəo'səri] specerier; speceriaffär

groggy [grågg'i] drucken; ostadig

groin [gråjn] ljumske, skrev

groom [gro:m] rykta

groove [gro:v] **1** *s.* räffla, ränna, spont **2** *v.* räffla

grope [grəop] treva, famla (*for* efter)

gross [grəos] **1** *adj.* brutto; fet; *gross profit* bruttovinst; *gross national product* (*GNP*) bruttonationalprodukt **2** *s.* gross (*144 st.*)

grotesque [grəotəsk'k] grotesk

ground [graond] **1** *imperf. och perf. part. av* grind **2** *s.* mark, jord; botten;

grund; *grounds* (*pl*) ägor, kaffesump; *on grounds of principle* av principiella skäl; *ground frost* tjäle

ground floor [graʊ'ndflå:'] bottenvåning

group [gro:p] **1** *s.* grupp; *group of islands* ögrupp **2** *v.* gruppera

grouse [graos] skogshönsfågel

grove [grəov] skogsdunge

grow [grəo] växa; *grow old* åldras; *grow thinner* smalna; *grow up* växa upp; *grow weak* försvagas, avmattas; *grow worse* förvärras

growl [graol] **1** *v.* morra **2** *adj.* morrande

grown [grəon] *perf. part. av* grow

grown-up [grəo'nap] vuxen, fullvuxen

growth [grəoθ] växt, tillväxt

grub [grabb] **1** *v.* gräva; knoga **2** *s.* larv; *vard.* käk

grudge [gradʒ] **1** *s.* agg, missunnsamhet **2** *v.* missunna; *not grudge s.b. s.th.* unna ngn ngt

gruel [gro:'əl] välling

gruesome [gro:'səm] hemsk, hemsk

grumble [gramm'bl] knota (*at* över)

grunt [grant] **1** *v.* grymta, knorra **2** *s.* grymtande

guarantee [gärənti:'] **1** *s.* garanti; *personal guarantee* borgensförbindelse **2** *v.* garantera

guarantor [gärəntå:'] borgensman

guard [ga:d] **1** *v.* vakta; bevaka **2** *s.* vakt, vaktpost; bevakning; [tåg]konduktör; *be on one's guard* vara på sin vakt

guardian [ga:'djən] förmyndare, beskyddare

guenon [gənəo'n] markatta

guerrilla [gərill'ə] gerilla

guess [gess] **1** *s.* gissning **2** *v.* gissa, gissa sig till

guest [gest] gäst; *guest of honour* hedersgäst

guffaw [gaffå:'] **1** *v.* gapskratta **2** *s.* gapskratt

guidance [gaj'dəns] [väg]ledning

guide [gajd] **1** *s.* guide, reseledare, vägvisare **2** *v.* [väg]leda, guida

guild [gild] skrå

guile [gajl] svek; list

guilt [gilt] skuld; *sense of guilt* skuldkänsla

guilty [gill'ti] skyldig; skuldmedveten

guinea [ginn'i] guinea (=£ 1.05)

guinea pig [ginn'ipig] marsvin

guitar [gita:'] gitarr

gulf [galf] vik, bukt

gull [gall] mås, trut

gullet [gall'it] matstrupe

gullible [gall'ibl] enfaldig, lättlurad

gully [gall'i] ravin; rännsten, avlopp

gulp [galp] svälja, sluka

gum [gamm] 1 *s.* gummi 2 *v.* gummera

gums [gamz] (*pl*) tandkött

gun [gann] gevär; kanon; revolver

gunman [gann'mən] gangster, pistolman

gunner [gann'ə] artillerist

gunpowder [gann'paodə] krut

gunshot [gann'ʃåt] kanonskott

gunwale [gann'l] reling

gush [gaʃ] välla (*forth fram*)

gust [gast] vindstöt

gusto [gass'təo] smak; förkärlek

gusty [gass'ti] stormig

gut [gatt] tarm; *guts* (*pl*) inälvor; *have no guts* vara feg

gutter [gatt'ə] rännsten, takränna

guy [gaj] *Am.* karl, grabb

gymnasium [dʒimnej'zjəm] gymnastiksal

gymnastics [dʒimnäss'tiks] gymnastik; *do gymnastics* gymnastisera

gynaecologist [gajnikåll'ədʒist] gynekolog

h

H, h [ejtʃ] (*bokstav o. ton*) H, h

haberdasher's [häbb'ədäʃəz] sybehörsaffär

habit [häbb'it] vana; *be in the habit of* bruka, ha för vana

habit-forming [häbb'itfa:ming] vanebildande

habitual [həbitt'joəl] vane-

hackneyed [häkk'nid] sliten, banal

haddock [hädd'ək] kolja

haemorrhage [hemm'əridʒ] blödning; *cerebral hemorrhage* hjärnblödning

haemorrhoids [hemm'əråjdz] (*pl*) hemorrojder

haggard [hägg'əd] härjad, sliten

haggle [hägg'l] schackra

hail [hejl] 1 *v.* hagla 2 *s.* hagel

hair [hä:'ə] hår; hårstrå; *a hair of the dog* en återställare

hairbrush [hä:'əbraʃ] hårborste

hairdresser [hä:'ədresə] frisör

hairgel [hä:'ədʒel] hårgelé

hairpin [hä:'əpin] hårnål

hair ribbon [hä:'əribb'ən] hårband

hairslide [hä:'əslajd] hårspänne

hairstyle [hä:'ə stajl] frisyr

hair tonic [hä:'ə tånn'ik] hårvatten

hairy [hä:'əri] luden

hale [hejl] frisk, kry; *hale and hearty* frisk och kry

half [ha:f] 1 *s.* halva, hälft; *half an hour* en halvtimme; *over half* över hälften 2 *adj.* halv 3 *adv., it's half past twelve* klockan är halv ett; *half run* småspringa

half-back [ha:'fbäk] *sport.* halvback

half-hour [ha:'fao'ə] halvtimme

half-time [ha:'ftajm] *sport.* halvtid

halfway [ha:fwej'] halvvägs

halibut [häll'ibət] helgeflundra

hall [hå:l] hall, tambur; sal

hall porter [hå:'lpå:tə] portier

hallo [hələo'] hallå!, hej!

hallow [häll'əo] helga

Halloween [häll'əoi:'n] Allhelgonaafton

halo [hej'ləo] gloria; ljusring

halt [hå:lt] 1 *s.* halt, uppehåll; anhalt; *halt signal* stoppsignal 2 *v.* göra halt

halting place [hå:'lting plejs] rastplats

halve [ha:v] halvera

ham [hämm] skinka

hamburger [hämm'bə:gə] *kokk.* hamburgare

hamlet [hämm'lit] liten by

hammer [hämm'ə] 1 *v.* hamra 2 *s.*

hammare; *sport.* slägga; *throw the hammer* kasta slägga

hammock [hämm'ək] hängmatta; hammock

hand [händ] **1** *s.* hand; visare (*på ur*); arbetare; *get the upper hand of* få överhand över; *have a good hand with* ha gott handlag med; *lay hands on* tillägna sig, tillskansa sig; *at hand* till hands; *close at hand* på nära håll; *by hand* för hand; *on one hand* å ena sidan; *on the other hand* däremot, å andra sidan **2** *v.* [över]räcka; *hand in* lämna [in]; *hand over* överräcka, lämna ifrån sig

handbag [händ'bäg] handväska

handball [händ'bål] *sport.* handboll

handbook [händ'bok] handbok

handbrake [hänn'dbrejk] handbroms

handcraft [hänn'dkra:ft] hemslöjd, konsthantverk; hantverk; slöjd

handcuffs [hänn'dkafs] (*pl*) handbojor

handicap [hänn'dikäp] handikapp

handicraft [hänn'dikra:ft] *se handcraft*

handkerchief [häng'kətʃif] näsduk

handle [hänn'dl] **1** *v.* hantera, handskas med; handlägga; behandla **2** *s.* skaft, handtag; vred; öra

handlebar [hänn'dlba:] styrstång

hand luggage [hänn'dlagidʒ] handbagage

handmade [hänn'dmej'd] handgjord

handrail [hänn'drejl] ledstång

handsome [hänn'səm] vacker

hand wheel [hänn'd wi:l] ratt (*på maskin o.d.*)

handwriting [hänn'drajting] handstil

handwritten [hänn'drittn] handskriven

handy [hänn'di] händig; behändig; lätthanterlig

handyman [hänn'dimän] tusenkonstnär

hang [häng] hänga

hang-gliding [häng'gglajding] drakflygning (*med förare*)

hangar [häng'ə] hangar

hanger [häng'ə] [kläd]hängare, galge

hangover [häng'əovə] baksmälla

hansom [cab] [hänn'səm (käbb')] tvåhjulig droska

haphazard [häpp'häzz'əd] på måfå

hapless [häpp'lis] olycklig

happen [häpp'ən] hända (*to s.b.* ngn); ske; gå till; inträffa; *it so happened that* det föll sig så att; *happen to* råka, händelsevis komma att; *do you happen to have …?* har du möjligen…?

happening [häpp'ning] händelse

happiness [häpp'inis] lycka

happy [häpp'i] lycklig, glad; *happy about* glad åt, lycklig över; *make … happy* glädja; *many happy returns!* har den äran att gratulera!

happy-go-lucky [häpp'igəolakk'i] sorglös

harass [härr'əs] ansätta, plåga

harbour [ha:'bə] hamn

hard [ha:d] hård; svår; slitsam; *a hard blow* ett svårt slag; *be hard up* ha ont om pengar

hard-boiled [ha:'båj'ld] hårdkokt

hard currency [ha:d karr'ənsi] hårdvaluta

hard disk [ha:d diss'k] hårddisk

harden [ha:'dn] hårdna; härda

hardly [ha:'dli] knappast; *hardly ever* nästan aldrig

hardship [ha:'dʃip] strapats, vedermöda

hardware [ha:'dwä:ə] järnvaror; *data.* maskinvara, hårdvara; *hardware store* (*Am.*) järnaffär

hard-working [ha:'dwɔ:'king] strävsam, hårt arbetande

hare [hä:'ə] hare

harebell [hä:'əbel] blåklocka

haricot beans [härr'ikɔo bi:nz] haricots verts

harlot [ha:'lɔt] sköka

harm [ha:m] **1** *s.* skada, ont; *there's no harm done* det är ingen olycka skedd; *there's no harm in him* det är inte ngt ont i honom **2** *v.* skada, göra illa

harmful [ha:'mfol] skadlig, farlig

harmless [ha:'mlis] oförarglig,

ofarlig; *render ... harmless* oskad-
liggöra
harmonica [ha:månn'ika] munspel
harmonious [ha:məo'njəs] harmonisk
harmony [ha:'məni] harmoni, sam-
klang
harness [ha:'nis] sele
harp [ha:p] harpa
harpoon [ha:po:'n] harpun
harpsichord [ha:p'sikå:d] *mus.* cem-
balo
harrier [härr'iə] *zool.* kärrhök
harrow [härr'əo] 1 *s.* harv 2 *v.* harva;
plåga
harsh [ha:ʃ] barsk; omild; hård (*om
ljud*)
hart [ha:t] hjort
harvest [ha:'vist] 1 *s.* skörd 2 *v.*
skörda
hash [häʃ] 1 *v.* finhacka 2 *s.* pytt i
panna
hashish [häʃiʃ] hasch
haste [hejst] hast; *make haste* skynda
sig, raska på
hasten [hej'sn] skynda [sig]
hasty [hej'sti] hastig; förhastad
hat [hätt] hatt
hatch [hätʃ] 1 *v.* kläcka 2 *s.* kull; last-
lucka
hatchet [hätʃ'it] yxa
hate [hejt] 1 *v.* hata 2 *s.* hat
hatred [hej'trid] hat
haughty [hå:'ti] arrogant; högmodig
haul [hå:l] hala
haunt [hå:nt] 1 *s.* tillhåll 2 *v.* spöka,
hemsöka; ofta besöka
have [häv] 1 *hjälpv.* ha; *have been* ha
varit; *have got* (*vard.*) ha 2 *huvudv.*
ha; äta; dricka; laga att; låta; *have a
cigar* ta en cigarr; *have a feeling* ana;
have to (+*infinitiv*) vara tvungen att;
have to wait få vänta; *we had better
go* det är bäst att vi går; *have spare
time* ha tid till övers; *have patience*
ge sig till tåls; *have to do s.th. over
again* få baksluka
haven [hej'vn] hamn; tillflyktsort
haversack [hävv'əsäk] ryggsäck
havoc [hävv'ək] plundring, ödeläg-

gelse
hawk [hå:k] hök
hawser [hå:'zə] tross
hawthorn [hå:'θå:n] hagtorn
hay [hej] hö
hay fever [hejfi:'və] hösnuva
hayloft [hej'låft] [hö]skulle
hazard [häzz'əd] 1 *s.* slump; risk 2 *v.*
riskera
hazardous [häzz'ədəs] vansklig, risk-
fylld
haze [hejz] dis; töcken
hazelnut [hej'zlnat] hasselnöt
hazy [hej'zi] disig
he [hi:] han
head [hedd] huvud; tät; ledare; över-
huvud; *heads or tails?* krona eller
klave?; *be head of* förestå; *head of
cabbage* kålhuvud; *head over heels*
hals över huvud; *lose one's head*
förlora fattningen
headache [hedd'ejk] huvudvärk
headdress [hedd'dres] huvudbonad
headgear [hedd'gi:ə] huvudbonad
heading [hedd'ing] överskrift, rubrik
headlight [hedd'lajt] strålkastare (*på
bil*), framlykta; helljus
headline [hedd'lajn] 1 *v.* rubricera
2 *s.* rubrik
headlong [hedd'lång] med huvudet
före; besinningslöst
headmaster [hedd'ma:'stə] rektor
head office [hedd' åff'is] huvudkontor
headquarters [hedd'kwå:'təz] *pl* hög-
kvarter
headstrong [hedd'strång] envis
head waiter [hedd'wejtə] hovmästare
headwind [hedd'wind] motvind
heal [hi:l] läka; läkas
health [helθ] hälsa
health food store [hell'θfo:d stå:]
hälsokostbutik
health insurance [hell'θ inʃo:'ərəns]
sjukförsäkring
healthy [hell'θi] frisk; hälsosam
heap [hi:p] 1 *s.* hop, hög (*of med*)
2 *v.* hopa; råga; *heap up* hopa
hear [hi:'ə] höra; få höra; *hear badly
with one ear* höra dåligt på ena örat;

hear of höra talas om

heard [hə:d] *imperf. och perf. part. av hear*

hearing [hi:'əring] hörsel

hearing aid [hi:'əringejd] hörapparat

hearsay [hi:'əsej] hörsägen

heart [ha:t] hjärta; *at heart* innerst inne, i grund och botten; *by heart* utantill

heart attack [ha:'t ətäkk'] hjärtattack

heart disease [ha:'t dizi:'z] hjärtfel

heartburn [ha:'tbə:n] halsbränna

hearth [ha:θ] härd

heartily [ha:'tili] hjärtligt

heartless [ha:'tlis] hjärtlös

heart-rending [ha:'trending] upplsitande

hearts [ha:ts] *pl* hjärter

hearty [ha:'ti] hjärtlig; kraftig

heat [hi:t] 1 *s.* hetta, glöd; värme; *be in heat* löpa *(om tik)* 2 *v.* upphetta, värma, elda

heathen [hi:'ðən] 1 *s.* hedning 2 *adj.* hednisk

heather [heð'ə] ljung

heating [hi:'ting] uppvärmning

heat pump [hi:t pamp] värmepump

heatwave [hi:'t wejv] värmebölja

heave [hi:v] häva, vräka

heaven [hev'n] himmel

heavenly body [hevv'ənli bådd'i] himlakropp

heavily [hevv'ili] tungt

heavy [hevv'i] tung

heavyweight [hevv'iwejt] tungvikt

Hebrew [hi:'bro:] 1 *s.* hebré; *(språk)* hebreiska 2 *adj.* hebreisk

heckle [hekk'l] häckla; utfråga

hectic [hekk'tik] jäktig

hectogram [hekk'təogräm] hekto

hedge [hedʒ] häck

hedgehog [hedʒ'håg] igelkott

heed [hi:d] bekymra sig om; *take heed* akta sig

heedless [hi:'dlis] ovarsam

heel [hi:l] 1 *s.* häl; klack; *head over heels* hals över huvud 2 *v.* klacka; *heel over* få slagsida

he-goat [hi:'gəo't] bock

heifer [heff'ə] kviga

height [hajt] höjd, *(persons)* längd

heinous [hej'nəs] avskyvärd

heir [ä:'ə] arvinge

held [held] *imperf. och perf. part. av hold*

helicopter [hell'ikåptə] helikopter

hell [hell] helvete; *hell!* fy fan!

hellfire sermon [hell'faj'ə sɔ:'mən] straffpredikan

hello [heləo'] hallå!, hej!

helm [helm] roder

helmet [hell'mit] hjälm

help [help] 1 *s.* hjälp; *with the help of* med hjälp av 2 *v.* hjälpa till; *help each other* hjälpas åt; *I can't help it* jag rår inte för det; *it can't be helped* det kan inte hjälpas; *she couldn't help laughing* hon kunde inte annat än skratta, hon kunde inte hålla sig för skratt; *it won't help much* det hjälper inte stort; *help yourself, please!* var så god!, ta för er!

helpful [hell'pfol] hjälpsam

helping [hell'ping] portion

helpless [hell'plis] hjälplös

helter-skelter [hell'təskell'tə] huller om buller

hem [hemm] 1 *s.* fåll 2 *v.* fålla

hemisphere [hemm'isfiə] halvklot

hemo- [hi:'məo] *se haemo-*

hemp [hemp] hampa

hen [henn] höna

hence [hens] hädanefter; härav; följaktligen

hepatica [hipätt'ikə] blåsippa

her [hə:] henne; hennes; sin

herald [hell'əld] härold

herb [hə:b] ört, kryddväxt

herbal tea [hə:'bl ti:] örtte

herd [hə:d] hjord

here [hi:'ə] här; hit; *here you are!* så god!; *here, there and everywhere* litet varstans

hereby [hiə'baj'] härigenom

hereditary [hiredd'itəri] ärftlig, nedärvd

heredity [hiredd'iti] ärftlighet

heresy [herr'əsi] kätteri

heretic [herr'ətik] kättare

herewith [hi'əwið'] härmed

heritage [herr'itidʒ] arv

hernia [hə:'njə] bråck

hero [hi:'ərəʊ] hjälte

heroic [hirəʊ'ik] hjälte-; heroisk

heroine [herr'əʊin] hjältinna

heron [herr'ən] häger

herring [herr'ing] sill; *Baltic herring* strömming; *smoked Baltic herring* böckling

hers [hə:z] hennes; sin

herself [hə:sell'f] själv, sig [själv]

hesitate [hezz'itejt] tveka, dröja

hesitation [hezitej'ʃən] tvekan, tveksamhet

hew [hjo:] hugga, hacka

hewn [hjo:n] *perf. part. av* hew

hexagon [hekk'səgən] sexhörning

heyday [hej'dej] höjdpunkt; glansdagar

hi [haj] hej!; hör hit!

hibernate [haj'bənejt] övervintra, ligga i ide

hiccup [hikk'ap] **1** *s.* hicka; *have the hiccups* ha hicka **2** *v.* hicka

hid [hidd] *imperf. och perf. part. av* hide

hidden [hidd'n] gömd, dold; *hidden meaning* undermening

hide [hajd] **1** *v.* gömma, dölja; gömma sig **2** *s.* [djur]hud

hide-and-seek [haj'dnsi:'k] kurragömma

hideous [hidd'jəs] förskräcklig, avskyvärd

hiding place [haj'ding plejs] gömställe

hieroglyph [haj'ərəglyf] hieroglyf

high [haj] hög; *high boot* stövel; *high finance* storfinans; *high jump* höjdhopp; *in high spirits* uppsluppen; *in the highest degree* i högsta grad; *highest point* höjdpunkt

highbrow [haj'brəʊ] intellektuell [person]

high chair [haj'tʃä:'ə] barnstol

highly [haj'li] högt

highness [haj'nis] höghet; höjd

high school [haj'sko:l] *Am.* high school (*årskurserna 7-12*)

high-spirited [haj'spirr'itid] modig

highway [haj'wej] landsväg

hijack [haj'dʒäk] kapa (*flygplan*)

hike [hajk] **1** *v.* fotvandra **2** *s.* fotvandring

hilarious [hilä:'əriəs] lustig, uppsluppen

hilarity [hilärr'iti] munterhet

hill [hill] kulle, backe

him [himm] honom

himself [himsell'f] själv, sig [själv]

hinder [hinn'də] [för]hindra

hind leg [haj'nd legg] bakben

hindrance [hinn'drəns] hinder

Hindu [hindo:'] **1** *s.* hindu **2** *adj.* hinduisk

hinge [hindʒ] gångjärn

hint [hint] **1** *s.* vink, antydan **2** *v.* antyda

hip [hipp] *anat.* höft; *bot.* nypon

hippopotamus [hipəpått'əməs] flodhäst

hire [haj'ə] **1** *s.* hyra **2** *v.* hyra

hire purchase [haj'ə pə:'tʃəs] avbetalningsköp; *buy on hire purchase* köpa på avbetalning

his [hizz] hans; sin

hiss [hiss] **1** *v.* väsa, fräsa **2** *s.* väsning

historical [histärr'ikəl] historisk

history [hiss'təri] historia; *history of art* konsthistoria; *history of literature* litteraturhistoria

hit [hitt] **1** *v.* träffa; drabba **2** *s.* [full]träff

hitch-hike [hitʃ'hajk] lifta

hitch-hiker [hitʃ'hajkə] liftare

hitherto [hið'əto:'] hittills

hit song [hitt sång] schlager

HIV [ejdʒajvi:'] (*förk. för human immunodeficiency virus*) hiv

hive [hajv] (*bi-*) kupa

HIV positive [ejdʒajvi:' påss'itiv] hiv-positiv; hivsmittad

hoarse [hå:s] hes

hoax [həʊks] **1** *s.* spratt **2** *v.* lura

hobby [håbb'i] hobby

hobgoblin [håbb'gåblin] troll

hobnob [håbb'nåb] umgås som vänner

hoe [håo] hacka

hog [hågg] svin

hoist [håjst] hissa

hold [håold] 1 v. hålla; rymma, innehålla; anse; *hold one's own* hävda sig; *hold out one's hand* sträcka fram handen; *hold together* hålla ihop; *hold up* framhäva, upprätthålla 2 s. grepp, fäste; fattning; lastrum; *get hold of* få fatt i

holder [håo'ldə] hållare

hold-up [håo'ldap] uppehåll; rån

hole [håol] hål; lucka; glugg

holiday [håll'idej] lov, ferier; ledighet, semester; *be on holiday* ha semester; *holiday compensation* semesterersättning

holiday-trip [håll'idej tripp] semesterresa

holiness [håo'linis] helighet

hollow [håll'əo] 1 s. sänka, fördjupning 2 adj. ihålig 3 v. urholka

holly [håll'i] järnek

hollyhock [håll'ihåk] stockros

holy [håo'li] helig

holy day [håo'lidej'] helgdag

holy water [håo'liwå'tə] vigvatten

homage [håmm'idʒ] hyllning; *pay homage to* hylla, uppvakta

homburg [håmm'bə:g] homburg (*ett slags filthatt*)

home [håom] hem; *home for the aged* ålderdomshem; *at home* hemma

home computer [håomkəmpjo:'tə] hemdator

home ground [håo'm graond] hemmaplan

homely [håo'mli] hemlik; enkel, alldaglig; ful

home-made [håo'mmej'd] hemgjord

homesickness [håo'msiknis] hemlängtan

homespun [håo'mspan] hemvävd; enkel

homestead [håo'msted] hemman, gård

homewards [håo'mwədz] hemåt

homework [håo'mwə:k] hemarbete,

[hem]läxa

homicide [håmm'isajd] mord, dråp

homing pigeon [håo'ming pidʒ'in] brevduva

homosexual [håo'məosekk'ʃoəl] homosexuell

honest [ånn'ist] ärlig, rättskaffens

honesty [ånn'isti] ärlighet

honey [hann'i] honung

honeymoon [hann'imo:n] smekmånad, bröllopsresa

honeysuckle [hann'isakl] kaprifol

honk [hångk] tuta; snattra

honour [ånn'ə] 1 s. heder, ära; *word of honour* hedersord 2 v. hedra

honourable [ånn'ərəbl] hederlig

hood [hodd] huva, kapuschong; [motor]huv; sufflett

hoodoo [ho:'do:'] 1 s. trolldom 2 adj. olycks-

hoodwink [hodd'wingk] lura

hoof [ho:f] hov, klöv

hook [hok] 1 s. krok, hake, hängare 2 v. haka; *hook it* smita; *hooked rug* ryamatta

hooligan [ho:'ligən] ligist

hoop [ho:p] tunnband, rullband

hoot [ho:t] 1 v. skräna; tuta 2 s. skrän

hop [håpp] 1 s. humle; dans; skutt 2 v. hoppa

hop, step and jump [håpp'stepp'ənd-ʒamm'p] tresteg

hope [håop] 1 v. hoppas (*for* på); *I hope so* jag hoppas det 2 s. hopp, förhoppning (*of* om)

hopeful [håo'pfol] hoppfull, förhoppningsfull

hopeless [håo'plis] hopplös

horizon [həraj'zn] horisont

horizontal [hårizånn'tl] vågrät, horisontell

hormone [hå:'məon] hormon

horn [hå:n] horn, lur (*instrument*)

horned owl [hå:nd aol] zool. uv

hornet [hå:'nit] bålgeting

horny [hå:'ni] hornartad; vard. kåt

horoscope [hårr'əskəop] horoskop

horrible [hårr'əbl] ohygglig; vard. hemsk, gräslig

horrid [hårr'id] gräslig

horrifying [hårr'ifajing] skräckinjagande

horror [hårr'ə] fasa

horror film [hårr'əfilm] skräckfilm

hors d'oeuvres [å:dɔ:'vrz] smörgåsbord

horse [hå:s] häst

horseback [hå:'bäk] *be on horseback* sitta till häst

horsehair [hå:'shä:'ə] tagel

horseman [hå:'smən] ryttare; hästkarl

horsepower [hå:'spaoə] hästkraft

horse racing [hå:'srejsing] hästkapplöpning

horseradish [hå:'srädiʃ] pepparrot

horticulture [hå:'tikaltʃə] trädgårdsskötsel

hose [həoz] långstrumpor; slang

hose clip [həo'z klipp] slangklämma

hosiery [həo'zəri] trikåvaror; strumpor

hospitable [håss'pitəbl] gästfri

hospital [håss'pitl] sjukhus

hospitality [håspitäll'ti] gästfrihet

host [həost] värd; [här]skara; *our host and hostess* vårt värdfolk

hostage [håss'tidʒ] gisslan

hostel [håss'tl] härbärge; *youth hostel* vandrarhem

hostess [həo'stis] värdinna

hostile [håss'tajl] fientlig

hostility [håstill'iti] fiendskap

hot [hått] het, varm; hetsig; starkt kryddad; *hot dish* varmrätt; *hot dog* varm korv; *hot snack* småvarmt; *hot water* varmvatten

hotel [həotell'] hotell; *make a reservation at a hotel* beställa hotellrum

hotel room [həotell'rɔ:m] hotellrum

hothouse [hått'haos] drivhus

hot plate [hått'plejt] kokplatta, värmeplatta

hot-water tap [hått'wå:'tə täpp] varmvattenkran

hound [haond] 1 *s.* jakthund 2 *v.* hetsa

hour [ao'ə] timme; *for hours* i timtal

hour-glass [ao'əgla:s] timglas

hour hand [ao'ə händ] timvisare

hourly wage [ao'əli wejdʒ] timpenning

house 1 *s.* [haos] hus; villa; fastighet; *the House of Commons* underhuset; *keep house* hushålla 2 *v.* [haoz] hysa

housebreaking [hao'sbrejking] inbrott (*under dagen*)

household [hao'shəold] hushåll (*personer*); *household goods* (*pl*) bohag; *household utensils* (*pl*) husgeråd

housekeeper [hao'ski:pə] hushållerska

housekeeping [hao'ski:ping] hushåll (*arbete*); *do one's own housekeeping* ha självhushåll

housemaid [hao'smejd] husa

housewife [hao'swajf] husmor; hemmafru

housework [hao'swə:k] hushållsarbete

housing queue [hao'zing kjo:] bostadskö

housing shortage [hao'zing ʃå:'tidʒ] bostadsbrist

hove [həov] *imperf. och perf. part. av heave*

hovel [håvv'l] skjul

hover [håvv'ə] stryka omkring; sväva

hovercraft [håvv'əkra:ft] svävare, svävfarkost

how [hao] hur; *how is it that* hur kommer det sig att; *how kind you are!* vad du är snäll!; *how much is it?* vad kostar det?; *how then?* hur så?

however [haoevv'ə] 1 *konj.* emellertid 2 *adv.* hur ...än

howl [haol] 1 *v.* tjuta, yla 2 *s.* tjut

howling [hao'ling] tjut[ande]

H.P. *förk. för* horsepower *el.* Houses of Parliament

hub [habb] nav

hubbub [habb'əb] oväsen, bråk

hubcap [habb' käpp] navkapsel

huckleberry [hakk'lberri] *Am.* blåbär

huddle [hadd'l] krypa ihop; *huddle up* tota ihop

hue [hjo:] färgton

hug [hagg] 1 *v.* krama 2 *s.* kram

huge [hjo:dʒ] väldig

hull [hall] [fartygs]skrov; skida; skal

hulled oats [hall'd əo'ts] havregryn

hullo [haləo'] *se hello*

hum [hamm] gnola, nynna; surra

human [hjo:'mən] mänsklig

humane [hjo:mej'n] human

humanitarian [hjo:mänitä:'riən] humanitär

humanity [hjo:männ'iti] humanitet; mänskligheten

humble [ham'bl] underdånig, ödmjuk; *of humble origin* av ringa börd

humdrum [hamm'dram] alldaglig; enformig

humid [hjo:'mid] fuktig

humidity [hjomidd'iti] fuktighet

humiliate [hjomill'iejt] förödmjuka

humiliation [hjo:miliej'ʃən] förnedring

humility [hjo:mill'iti] ödmjukhet

hummingbird [hamm'ingbə:d] *zool.* kolibri

humorous [hjo:'mərəs] humoristisk

humour [hjo:'mə] humör; humor; *in a bad humour* på dåligt humör

hump [hamp] puckel

hunch [hantʃ] puckel; föraning

hunchbacked [hann'tʃbäkt] puckelryggig

hundred [hann'drəd] *räkn. o. s.* hundra; hundratal; *about a hundred* ett hundratal

hung [hang] *imperf. och perf. part. av* hang

Hungarian [hanggä:'əriən] **1** *adj.* ungersk **2** *s.* ungrare; (*språk*) ungerska

Hungary [hang'gəri] Ungern

hunger [hang'gə] **1** *s.* hunger; *live on the hunger line* leva på svältgränsen **2** *v., bildl.* hungra (*for* efter)

hung-over [hangəo'və] bakfull

hungry [hang'gri] hungrig; *be hungry* hungra, vara hungrig

hunt [hant] **1** *v.* jaga; *hunt out* (*bildl.*) spåra upp **2** *s.* jakt

hunter [hann'tə] jägare

hunting [hann'ting] jakt

hunting dog [hann'ting dåg] jakthund

hurdle [hə:'dl] *sport.* häck, hinder

hurl [hə:l] kasta, slunga; *hurl out* utslunga

hurrah [hora:'] hurra!

hurricane [harr'ikən] orkan

hurried [harr'id] jäktad; hastig

hurry [harr'i] **1** *s.* brådska, jäkt; *in a hurry* i hast; *be in a hurry* ha bråttom **2** *v.* skynda [sig], jäkta; *hurry on with* skynda på med; *hurry up* raska på, skynda på

hurt [hə:t] skada, såra; *hurt o.s.* slå sig, göra sig illa; *get hurt* skada sig

hurtle [hə:'tl] stöta; störta; rassla

husband [hazz'bənd] make, (*äkta*) man; *hen-pecked husband* toffelhjälte

husbandry [hazz'bəndri] lantbruk

hush [haʃ] **1** *v.* tysta ner; tystna **2** *s.* tystnad, stillhet

husk [hask] (*på säd*) agn

husky [hass'ki] **1** *adj.* hes; stor och stark **2** *s.* eskimåhund

hussy [hass'i] slyna

hustle [hass'l] trängas, knuffas; knuffa; jäkta

hut [hatt] hydda

hyacinth [haj'əsinθ] hyacint

hydrangea [hajdrej'ndʒə] hortensia

hydrochloric acid [haj'drəklårr'ik äss'id] saltsyra

hydroelectric power station [haj'drəo ilekk'trik pao'ə stej'ʃən] vattenkraftverk

hydrogen [haj'drədʒən] väte

hydrogen bomb [haj'drədʒən båmm] vätebomb

hygiene [haj'dʒi:n] hygien

hygienic [hajdʒi:'nik] hygienisk

hymn [himm] hymn; psalm

hypermarket [haj'pəma:kit] stormarknad

hypersensitive [haj'pə:senn'sitiv] överkänslig

hyphen [haj'fən] bindestreck

hyphenation [hajfənej'ʃən] avstavning

hypnosis [hipnəo'sis] hypnos

hypnotize [hipp'nətajz] hypnotisera

hypocrisy [hip∆kk'rəsi] hyckleri
hypocrite [hipp'əkrit] hycklare
hypocritical [hip∆kritt'ikəl] skenhelig
hypodermic syringe [hajpədə:'mik sirr'ind3] injektionspruta
hypothesis [hajpåθ'isis] hypotes
hysterical [histerr'ikl] hysterisk

I

I, i [aj] (*bokstav*) I, i
I [aj] jag
ice [ajs] is
iceberg [aj'sbə:g] isberg
ice-breaker [aj'sbrejkə] isbrytare
ice-cold [aj'skəo'ld] iskall
ice cream [aj'skri:'m] glass
ice hockey [aj'shåkk'i] ishockey
Iceland [aj'slənd] Island
Icelandic [ajslänn'dik] **1** *adj.* isländsk **2** *s.* isländska (*språk*)
icicle [aj'sikl] istapp
icing [aj'sing] glasyr
icy [aj'si] isig
ID card [ajdi:'ka:d] ID-kort
idea [ajdi:'ə] idé, infall, påhitt, uppslag; begrepp; *get a clear idea of* få klart för sig; *have some idea of* ha litet hum om
ideal [ajdi:'əl] **1** *adj.* idealisk, mönstergill **2** *s.* ideal
idealistic [ajdiəliss'tik] ideell
idealize [ajdi:'əlajz] idealisera
identical [ajdenn'tikəl] identisk
identify [ajdenn'tifaj] identifiera
identity [ajdenn'titi] identitet; *prove one's identity* legitimera sig
identity card [ajdenn'titi ka:d] identitetskort, legitimationskort
ideology [ajdiåll'əd3i] ideologi, världsåskådning
idiom [idd'iəm] idiom, språkegenhet
idiot [idd'iət] idiot
idiotic [idiått'ik] idiotisk, fånig
idle [aj'dl] **1** *adj.* fåfäng; sysslolös **2** *v.* slöa; gå på tomgång
idling [aj'dling] tomgång

idol [aj'dl] idol
idolize [aj'dəlajz] avguda
idyll [idd'il] idyll
idyllic [ajdill'ik] idyllisk
i.e. (=*id est*) (utläses *that is* [ðätt izz']) dvs.
if [iff] om, ifall
igloo [igg'lo:] snögrotta, igloo
ignition [ignif'ən] tändning (*på bil*)
ignition key [ignif'ən ki:] startnyckel
ignoble [ignəo'bl] låg, tarvlig
ignominious [ignəminn'iəs] snöplig
ignorant [igg'nərənt] okunnig
ignore [ignå:'] ignorera; vara okunnig om; ej låtsas om
ill [ill] sjuk, dålig; *feel ill at ease* vantrivas; *get ill, be taken ill* bli sjuk
ill-bred [ill'bredd'] ouppfostrad
illegal [ili:'gəl] illegal, olaglig
illegible [iledʒ'əbl] oläslig
illegitimate [ilidʒitt'imit] olaglig, illegitim
ill-humoured [ill'hjo:'məd] misslynt
illicit [iliss'it] olaglig, otillåten
illiteracy [ilitt'ərəsi] analfabetism
illiterate [ilitt'ərit] analfabet
ill-mannered [ill'männ'əd] ohyfsad
illness [ill'nis] sjukdom
illogical [ilådʒ'ikəl] ologisk
illuminate [iljo:'minejt] illuminera, belysa
illuminated [iljo:'minejtid] upplyst; *illuminated sign* ljusreklam
illusion [ilo:'ʒən] illusion, villa
illustrate [ill'əstrejt] illustrera
illustration [iləstrej'fən] illustration
illustrious [ilass'triəs] berömd, lysande
I'm [ajm] = *I am*
image [imm'idʒ] bild, avbild
imagery [imm'idʒri] bildverk; bildspråk
imaginary [imädʒ'inri] inbillad
imagination [imädʒinej'fən] fantasi, inbillning
imaginative [imädʒ'inətiv] fantasifull
imagine [imädʒ'in] föreställa sig; ha för sig, inbilla sig
imagined [imädʒ'ind] inbillad, tänkt

imbibe [imbaj'b] dricka, absorbera

imbue [imbjo:'] genomdränka, genomsyra

imitate [imm'itejt] härma, imitera, efterlikna

imitation [imitej'ʃən] imitation

immaculate [imäkk'jolit] ren, obefläckad

immaterial [iməti:'əriəl] okroppslig; oväsentlig

immature [imətjo:'ə] omogen

immeasurable [imeʒ'ərəbl] omätlig

immediately [imi'djətli] omedelbart, omgående

immemorial [imimå:'riəl] urminnes

immense [imenn's] ofantlig

immersion [imə:'ʃən] nedsänkning

immigrant [imm'igrənt] invandrare

immigrate [imm'igrejt] immigrera, invandra

immigration [imigrej'ʃən] invandring

imminent [imm'inənt] nära förestående, överhängande

immoderate [imådd'ərit] omåttlig

immodest [imådd'ist] oblyg

immoral [imårr'əl] omoralisk

immortal [imå:'tl] odödlig

immovable [imo:'vəbl] orubblig, orörlig

immune [imjo:'n] immun

imp [imp] satunge

impact [imm'päkt] slag, stöt

impair [impä:'ə] skada, försämra

impart [impa:'t] meddela; förläna

impartial [impa:'ʃəl] opartisk

impassable [impäss'əbl] oframkomlig

impasse [ämpa:'s] återvändsgata; dödläge

impatient [impej'ʃənt] otålig

impeach [impi:'tʃ] anklaga

impeachment [impi:'tʃmənt] anklagelse, förebråelse

impeccable [impekk'əbl] oklanderlig

impede [impi:'d] hindra

impediment [impedd'imənt] hinder

impel [impell'] tvinga; *feel impelled to* känna sig föranledd att

impending [impenn'ding] överhängande, hotande

impenetrable [impenn'itrəbl] ogenomtränglig

imperative [imperr'ətiv] nödvändig, obligatorisk

imperceptible [impəsepp'təbl] omärklig

imperfect [impə:'fikt] ofullkomlig

imperial [impi:'əriəl] kejserlig

imperialism [impi:'əriəlizəm] imperialism

imperil [imperr'il] äventyra

impersonal [impə:'snl] opersonlig

impertinence [impə:'tinəns] oförskämdhet

impertinent [impə:'tinənt] närgången; näsvis

imperturbable [impətə:'bəbl] orubblig

impervious [impə:'vjəs] ogenomtränglig

impetuous [impett'joos] våldsam, häftig

impetus [imm'pitəs] fart

implacable [impläkk'əbl] obeveklig, obönhörlig, oförsonlig

implement 1 *s.* [imm'plimənt] tillbehör; verktyg, redskap 2 *v.* [implemenn't] utföra; genomföra

implicate [imm'plikejt] innebära; inbegripa

implication [implikej'ʃən] innebörd

implicit [impliss'it] inbegripen, underförstådd

implied [implaj'd] underförstådd

implore [implå:'] bönfalla

imply [implaj'] innebära

impolite [impəlaj't] ohövlig, oartig

import 1 *v.* [impa:'t] importera 2 *s.* [imm'på:t] import

importance [impå:'təns] betydelse, vikt

important [impå:'tənt] betydande, viktig

impose [impəo'z] påtvinga; påbörda; *impose upon* utnyttja, dra fördel av

impossible [impåss'əbl] omöjlig

impostor [impåss'tə] bedragare

impotent [imm'pətnt] maktlös, impotent

impoverish [impʌvv'əriʃ] utarma

impracticable [impräkk'tikəbl] out-förbar

impregnable [impregg'nəbl] ointaglig; obestridlig

impregnate [imm'pregnejt] impregnera

impress 1 s. [imm'pres] prägel, märke 2 v. [impress'] göra intryck på; imponera

impression [impreʃ'ən] *bildl.* intryck; *make an impression* imponera, göra intryck

impressive [impress'iv] imponerande

imprint [imm'print] avtryck

imprison [imprizz'n] fängsla, sätta i fängelse

imprisonment [imprizz'nmənt] fängelse[straff]

improbable [impråbb'əbl] otrolig, osannolik

improper [impråpp'ə] opassande

improve [impro:'v] förbättra; förädla; *she improves on closer acquaintance* hon vinner i längden

improvement [impro:'vmənt] förbättring

improvise [imm'prəvajz] improvisera

imprudent [impro:'dənt] oförståndig, oklok; oförsiktig

impudent [imm'pjodənt] fräck

impulse [imm'pals] impuls

impulsive [impall'siv] impulsiv

impunity [impjo:'niti] straffrihet; *with impunity* ostraffat

impure [impjo:'ə] oren

impute [impjo:'t] tillskriva, tillvita

in [in] 1 *prep.* i; inom; på; *in a week* om en vecka; *in the country* på landet 2 *adv.* inne; in; *is Mr. A. in?* träffas herr A.?

inability [inəbill'iti] oförmåga

inaccessible [inäksess'əbl] otillgänglig, oåtkomlig

inaccurate [inäkk'jorit] felaktig

inaction [inäkk'ʃən] overksamhet

inactive [inäkk'tiv] overksam

inadequate [inädd'ikwit] otillräcklig; inadekvat

inadmissible [inädmiss'əbl] otillåtlig

inane [inej'n] tom; idiotisk

inasmuch [inəzmatʃ'] *inasmuch ... as* eftersom

inattentive [inətenn'tiv] ouppmärksam

inaudible [inå:'dəbl] ohörbar

inaugurate [inå:'gjorejt] inviga

inauguration [inå:gjorej'ʃən] invigning

inborn [inn'bå:'n] medfödd

incalculable [inkäll'kjoləbl] oöverskådlig

incapable [inkej'pəbl] oförmögen

incapacitate [inkəpäss'itejt] göra oförmögen

incendiary [insenn'djəri] 1 s. mordbrännare; brandbomb; brännbart ämne 2 *adj.* lättantändlig; mordbrands-

incense 1 s. [inn'sens] rökelse 2 v. [insenn's] [upp]reta

incentive [insenn'tiv] 1 s. motiv 2 *adj.* eggande

incessant [insess'nt] oavbruten, oupphörlig

incest [inn'sest] incest

inch [intʃ] tum *(2,54 cm)*

incidence [inn'sidns] frekvens; räckvidd

incident [inn'sidənt] händelse; episod, intermezzo

incidental [insidenn'tl] tillfällig

incidentally [insidenn'tli] helt apropå

incinerate [insinn'ərejt] förbränna

incision [insiʒ'ən] snitt, inskärning

incite [insaj't] hetsa, [upp]egga

inclination [inklinej'ʃən] lutning; böjelse, benägenhet, lust

inclined [inklaj'nd] benägen, hågad, upplagd

include [inklo:'d] inberäkna, inkludera

included [inklo:'did] inklusive

incoherent [inkəohi:'ərnt] osammanhängande

income [inn'kam] intäkt, inkomst[er]; *income and expenditure* inkomster och utgifter

income tax [inn'kəmtäks] inkomst-

skatt; *income tax demand note* skatt-
sedel

incomparable [inkåmm'pərəbl] oför-
liknelig, ojämförlig

incomparably [inkåmm'pərəbli] ojäm-
förligt

incompatible [inkəmpätt'əbl] ofören-
lig

incompetent [inkåmm'pitənt] inkom-
petent, oduglig

incomplete [inkəmpli:'t] ofullständig

incomprehensible [inkåmprihenn'-
səbl] obegriplig

inconceivable [inkənsi:'vəbl] otänk-
bar

incongruity [inkånggro:'əti] missför-
hållande; orimlighet

incongruous [inkång'groəs] ofören-
lig; motsägande

inconsiderate [inkənsidd'ərit] hän-
synslös

inconsistent [inkånsiss'tənt] inkon-
sekvent

inconsolable [inkənsəo'ləbl] otröstlig

incontrovertible [inkåntrəvə:'təbl]
ovedersäglig

inconvenience [inkənvi:'njəns] olä-
genhet

inconvenient [inkənvi:'njənt] oläg-
lig; besvärlig

incorporate [inkå:'pərejt] införliva

incorrect [inkərekk't] oriktig

incorruptible [inkərapp'təbl] omutlig

increase 1 v. [inkri:'s] öka, växa, tillta
(*by* med); *increase the control* skärpa
kontrollen **2** s. [inn'kri:s] ökning,
tilltagande

incredible [inkredd'əbl] otrolig

incredulous [inkredd'joləs] skeptisk

increment [inn'krimənt] tillväxt; höj-
ning (*av lön*)

incriminate [inkrimm'inejt] anklaga

incubation period [inkjobej'ʃən
pi:'əriəd] inkubationstid

incubator [inn'kjobejtə] äggkläck-
ningsmaskin; kuvös

incur [inkə:'] ådraga sig

incurable [inkjo:'ərəbl] obotlig

indebted [indett'id] skuldsatt

indecent [indi:'snt] oanständig

indeed [indi:'d] sannerligen, minsann;
indeed! jaså!

indefatigable [indifätt'igəbl] out-
tröttlig

indefinite [indeff'init] obestämd

indelible [indell'ibl] outplånlig

indelicate [indell'ikit] ofin

indemnity [indemm'niti] gottgörelse

indent [indenn't] tanda, göra snitt i
kanten; göra indrag (*i text*)

indentation [indentej'ʃən] tandning;
skåra

independence [indipenn'dəns] själv-
ständighet, oberoende

independent [indipenn'dənt] själv-
ständig

indescribable [indiskraj'bəbl] obe-
skrivlig

index [inn'deks] index; pekfinger;
subject index sakregister

India [inn'djə] Indien

Indian [inn'djən] **1** *adj.* indisk; indi-
ansk **2** *s.* indier; *American Indian*
indian

india rubber [inn'djərabb'ə] kaut-
schuk, radergummi

indicate [inn'dikejt] utvisa, visa,
tyda på

indication [indikej'ʃən] angivande;
symtom

indict [indaj't] anklaga, åtala

indictment [indaj'tmənt] anklagelse,
åtal

indifference [indiff'rəns] likgiltighet

indifferent [indiff'rənt] likgiltig

indigenous [indidʒ'inəs] infödd;
medfödd

indigestion [indidʒess't ʃən] dålig
matsmältning

indignant [indigg'nənt] indignerad,
uppbragt

indignation [indignej'ʃən] indig-
nation

indignity [indigg'niti] skymf

indirect [indirekk't] indirekt

indiscreet [indiskri:'t] indiskret,
taktlös; tanklös

indiscriminate [indiskrimm'init] urskillningslös; okritisk

indispensable [indispenn'səbl] oumbärlig, omistlig

indisposed [indisspəo'zd] indisponerad; ohågad

indisputable [indisspjo:'təbl] obestridlig

indistinct [indisting'kt] otydlig

individual [individd'joəl] 1 *s.* individ 2 *adj.* individuell; enskild; *individual taxation* särbeskattning

indoctrination [indåktrinej'ʃən] indoktrinering

indolent [inn'dələnt] slö, loj, indolent

indomitable [indåmm'itəbl] otämjbar, oövervinnelig

indoors [indå:'z] inne, inomhus

indubitable [indjo:'bitəbl] otvivelaktig

induce [indjo:'s] förmå

indulge [indall'dʒ] skämma bort; tillfredsställa; hysa; *indulge in daydreams* fantisera

indulgence [indall'dʒəns] eftergivenhet, överseende

indulgent [indall'dʒənt] överseende, släpphänt; *be indulgent towards* ha överseende med

induration [indjurej'ʃən] förhårdnad

industrial [indass'triəl] industriell; *industrial injury* yrkesskada; *industrial worker* industriarbetare

industrialization [indastriəlajzej'ʃən] industrialisering

industrious [indass'triəs] arbetsam, flitig

industry [inn'dəstri] industri, näring; flit; *trade and industry* näringsliv

inebriate [ini:'briət] drucken

ineffaceable [inifej'səbl] outplånlig

ineffective [inifekk'tiv] ineffektiv

inefficient [inifiʃ'ənt] ineffektiv

inept [inepp't] orimlig; dum

ineradicable [inirädd'ikəbl] outrotlig

inert [inə:'t] trög, slö

inertia [inə:'ʃə] tröghet

inevitable [inevv'itəbl] oundviklig, ofrånkomlig

inexcusable [inikskjo:'zəbl] oursäktlig

inexhaustible [inigzå:'stəbl] outsinlig

inexorable [inekk'srəbl] obeveklig

inexpensive [inekspenn'siv] billig

inexperienced [inikspi:'riənst] oerfaren

inexplicable [inekk'splikəbl] oförklarlig

infallible [infäll'əbl] ofelbar

infamous [inn'fəməs] ökänd; avskyvärd

infancy [inn'fənsi] barndom

infant [inn'fənt] 1 *s.* spädbarn 2 *adj.* spädbarns-, småbarns-; *infant prodigy* underbarn; *infant school* småskola; *infant teacher* småskollärare

infatuation [infätjoej'ʃən] svärmeri, förälskelse

infeasible [infi:'zəbl] ogenomförbar

infect [infekk't] smitta [ner], infektera

infection [infekk'ʃən] smitta, infektion

infer [infə:'] sluta sig till; innebära

inference [inn'fərəns] slutsats

inferior [infi:'əriə] mindervärdig, underhaltig; underlägsen (*to s.b.* ngn); lägre

inferiority [infiəriårr'iti] underlägsenhet; *inferiority complex* mindervärdeskomplex

infernal [infə:'nl] djävulsk, infernalisk

infest [infess't] hemsöka

infidel [inn'fidl] otrogen, icke-kristen

infidelity [infidell'iti] otrohet

infighting [inn'faj'ting] *sport.* närkamp

infinite [inn'finit] oändlig

infinitesimal [infinitess'iml] mycket liten

infirm [infə:'m] orkeslös

infirmary [infə:'məri] sjukhus; sjuksal

inflammable [inflämm'əbl] eldfarlig

inflammation [infləmej'ʃən] inflammation; *inflammation of the bladder* (*urinary tract*) blåskatarr; *inflammation of the ears* öroninflammation

inflatable [inflej'təbl] uppblåsbar

inflated [inflej'tid] uppblåst

inflation [inflej'ʃən] inflation

inflict [inflikk't] tillfoga, förorsaka

influence [inn'flǝǝns] **1** *s.* inverkan, inflytande, påverkan **2** *v.* påverka

influential [infloenn'ʃǝl] inflytelserik

influenza [infloenn'zǝ] influensa

influx [inn'flaks] tillströmning

inform [infå:'m] informera, underrätta, orientera, meddela; ange, uppge

informal [infå:'mǝl] informell

informant [infå:'mǝnt] sagesman

information [infǝmej'ʃǝn] uppgift[er], upplysning[ar], information[er], underrättelse[r]; *a piece of information* en upplysning (*etc.*); *further information* närmare underrättelser; *by way of information* upplysningsvis

informative [infå:'mǝtiv] upplysande

informer [infå:'mǝ] angivare

infringe [infrinn'dʒ] överträda, kränka; *infringe on* inkräkta

infringement [infrinn'dʒmǝnt] inträng; kränkning

infuriate [infjo:'ǝriejt] göra rasande

infuse [infjo:'z] ingjuta; (*om te e.d.*) låta dra

ingenious [indʒi:'njǝs] fyndig, sinnrik

ingot [ing'gǝt] [guld]tacka

ingrained [inn'grej'nd] inrotad

ingratiate [ingrej'ʃiejt] *ingratiate o.s.* ställa sig in

ingratiating [ingrej'ʃiejting] inställsam

ingratitude [ingrätt'itjo:d] otack

ingredient [ingri:'djǝnt] ingrediens

inhabit [inhäbb'it] bebo

inhabitable [inhäbb'itǝbl] beboelig

inhabitant [inhäbb'itǝnt] invånare

inhale [inhej'l] inandas

inherent [inhi:'ǝrnt] inneboende, medfödd

inherit [inherr'it] ärva (*from* av)

inheritance [inherr'itǝns] arv; påbrå

inhibited [inhibb'itid] hämmad

inhibition [inhibiʃ'ǝn] hämning

inhuman [inhjo:'man] omänsklig

inimical [inimm'ikl] fientlig

inimitable [inimm'itǝbl] oefterhärmlig

iniquitous [inikk'witǝs] orättfärdig

iniquity [inikk'witi] ogärning

initial [iniʃ'ǝl] initial; *initial capital* startkapital

initiate [iniʃ'iejt] påbörja, inleda

initiative [iniʃ'iǝtiv] initiativ

injection [indʒekk'ʃǝn] injektion

injunction [indʒang'kʃǝn] uppmaning, föreskrift

injure [inn'dʒǝ] kränka; såra

injurious [indʒo:'ǝriǝs] skadlig

injury [inn'dʒǝri] skada

injustice [indʒass'tis] orättvisa

ink [ingk] bläck

inkling [ing'kling] aning

inkwell [ing'kwell] bläckhorn

inland [inn'lǝnd] inrikes; *inland revenue office* uppbördsverk

in-laws [inn'lå:z] släktingar genom giftermål

inlet [inn'let] ingång; vik

inmate [inn'mejt] intern; invånare

inmost [inn'mǝost] innerst

inn [inn] värdshus

innate [inej't] medfödd

inner [inn'ǝ] inre

innermost [inn'ǝmǝost] innersta

innings [inn'ingz] (*pl*) inneomgång (*i kricket*); framgångsrik period

innkeeper [inn'ki:pǝ] värdshusvärd

innocence [inn'ǝsns] oskuld

innocent [inn'ǝsnt] oskyldig, oskuldsfull

innovator [inn'ǝovejtǝ] nyskapare

innuendo [injoenn'dǝo] anspelning, insinuation

innumerable [injo:'mǝrǝbl] otalig, oräknelig

inoculate [inåkk'jolejt] inympa; vaccinera

inorganic [inå:gänn'ik] oorganisk

inquest [inn'kwest] (*rättsligt*) förhör

inquire [inkwaj'ǝ] fråga; *inquire into* undersöka

inquiry [inkwaj'ǝri] förfrågan

inquisitive [inkwizz'itiv] nyfiken, frågvis

inroad [inn'rǝod] intrång

insane [insej'n] vansinnig

insanitary [insänn'itǝri] ohygienisk

insanity [insänn'iti] vansinne

insatiable [insej'ʃəbl] omättlig

inscription [inskripp'ʃən] inskrift, inskription

inscrutable [inskro:'təbl] outgrundlig

insect [inn'sekt] insekt

insecticide [insekk'tisajd] insekts-[bekämpnings]medel

insecure [insikjo:'ə] otrygg

insensible [insenn'səbl] okänslig

insensitive [insenn'sitiv] (*kroppsligt*) känslolös

inseparable [insepp'ərəbl] oskiljaktig

insert [insə:'t] inskjuta; införa

inside [inn'sajd] **1** *prep.* inne, innanför, inuti **2** *s.* inre, insida; *inside out* ut och in, med avigsidan ut; *turn s.th. inside out* vända ut och in på ngt

insidious [insidd'iəs] lömsk

insight [inn'sajt] inblick; inlevelse

insignificant [insigniff'ikənt] obetydlig, ringa, oansenlig

insinuate [insinn'joejt] insinuera

insinuation [insinjoej'ʃən] antydning

insipid [insipp'id] smaklös, tråkig

insist [insiss't] insistera; *insist on* vidhålla

insofar [in səo fa:] *insofar as* i den mån som

insolent [inn'sələnt] oförskämd

insoluble [insåll'jobl] olöslig

insomnia [insåmm'njə] sömnlöshet

insomuch [insəomatʃ'] *insomuch as* till den grad att, eftersom

inspect [inspekk't] inspektera, besiktiga, visitera, syna

inspection [inspekk'ʃən] besiktning, inspektion, översyn

inspector [inspekk'tə] inspektör; poliskommissarie

inspiration [inspərej'ʃən] inspiration

inspire [inspaj'ə] inspirera

install [instå:'l] installera

instalment [instå:'lmənt] avbetalning; avsnitt; *instalment credit* avbetalningslån; *buy on the instalment plan* köpa på avbetalning

instance [inn'stəns] exempel; *for instance* till exempel

instantaneous [instəntej'njəs] ögonblicklig

instant coffee [inn'stənt kåff'i] snabbkaffe

instantly [inn'stəntli] omedelbart, på stående fot

instead [instedd'] i stället; *instead of* i stället för

instep [inn'step] vrist

instigation [instigej'ʃən] tillskyndan

instil[l] [instill'] ingjuta; inge

instinct [inn'stingkt] instinkt, drift

institute [inn'stitjo:t] institut; *institute of technology* teknisk högskola

institution [instijto:'ʃən] institution, anstalt

instruct [instrakk't] utbilda, instruera; *be instructed to* få i uppdrag att

instruction [instrakk'ʃən] anvisning, instruktion; utbildning, undervisning

instructive [instrakk'tiv] lärorik

instructor [instrakk'tə] instruktör

instrument [inn'strəmənt] instrument, redskap; *instrument of debt* skuldsedel; *instrument panel* instrumentbräde

instrumental [instro:menn'tl] instrumental; bidragande

insubordinate [insəbå:'dnit] uppstudsig, olydig

insufferable [insaff'ərəbl] olidlig

insufficient [insəfiʃ'ənt] otillräcklig

insular [inn'sjolə] ö-; insulär; trångsynt

insulate [inn'sjolejt] isolera

insulin [inn'sjolin] insulin

insult 1 *s.* [inn'salt] förolämpning, kränkning **2** *v.* [insall't] förolämpa, kränka

insulting [insall'ting] sårande, kränkande

insuperable [insjo:'pərəbl] överstiglig

insurance [inʃo:'ərəns] försäkring; *insurance company* försäkringsbolag

insure [inʃo:'ə] försäkra, assurera

insurmountable [insə:mao'ntəbl] oöverkomlig

insurrection [insərekk'ʃən] uppror

intact [intäkk't] orörd, intakt

integral [inn'tigrǝl] väsentlig; hel-

integrity [integg'riti] fullständighet; okränkbarhet

intellect [inn'tilekt] förstånd, tanke-förmåga

intellectual [intilekk'tʃoǝl] andlig, intellektuell

intelligence [intell'idʒǝns] intelli-gens; underrättelse[r]

intelligent [intell'idʒǝnt] intelligent

intelligible [intell'idʒǝbl] begriplig

intemperate [intemm'prit] omåttlig

intend [intenn'd] ämna, avse, ha för avsikt

intense [intenn's] intensiv

intensify [intenn'sifaj] intensifiera

intensity [intenn'siti] intensitet

intention [intenn'ʃǝn] avsikt, mening, uppsåt

intentional [intenn'ʃǝnl] avsiktlig, uppsåtlig

inter [intǝ:'] begrava

interaction [intǝräkk'ʃǝn] växel-verkan

intercept [intǝsepp't] uppsnappa; genskjuta

interceptor [intǝsepp'tǝ] jaktplan

interchange [intǝtʃej'ndʒ] utväxla; omväxla

intercourse [inn'tǝ:kå:s] umgänge; *sexual intercourse* samlag, sexuellt umgänge

interest [inn'trist] **1** *s.* intresse; ränta **2** *v.* intressera; *interested in* intres-serad av (för)

interested party [inn'tristǝd pa:'ti] intressent

interesting [inn'tristing] intressant

interfere [intǝfi:'ǝ] ingripa; *interfere with* störa, hindra, inkräkta på

interference [intǝfi:'ǝrǝns] inbland-ning, ingrepp; *unlawful interference* egenmäktigt förfarande

interior [inti:'ǝriǝ] inre, interiör

interlace [intǝlej's] sammanfläta

interlude [inn'tǝlo:d] intermezzo

intermediate [intǝmi:'djǝt] mellan-liggande; *make an intermediate land-*

ing mellanlanda

interment [intǝ:'mǝnt] begravning

interminable [intǝ:'mnǝbl] ändlös

intermission [intǝmiʃ'ǝn] uppehåll, avbrott

internal [intǝ:'nl] invändig, intern, invärtes; *internal combustion engine* förbränningsmotor

international [intǝ:näʃ'ǝnl] interna-tionell; *international match* lands-kamp

interplay [inn'tǝplej'] samspel

interpose [intǝpǝo'z] inskjuta

interpret [intǝ:'prit] tolka, tyda

interpretation [intǝ:pritej'ʃǝn] tolk-ning

interpreter [intǝ:'pritǝ] tolk

interrogate [interr'ǝgejt] förhöra

interrogation [interǝgej'ʃǝn] förhör, utfrågning

interrupt [intǝrapp't] avbryta

intersect [intǝsekk't] skära, korsa

intersection [intǝsekk'ʃǝn] skärnings-punkt, korsning

intersperse [intǝspǝ:'s] blanda in, strö in

interval [inn'tǝvǝl] mellanrum, intervall; tonsteg; mellanakt

intervene [intǝvi:'n] ingripa

intervention [intǝvenn'ʃǝn] ingri-pande, intervention

interview [inn'tǝvjo:] **1** *s.* intervju **2** *v.* intervjua

intestine [intess'tin] tarm; *intestines* (*pl*) tarmar, inälvor

intimacy [inn'timǝsi] förtrolighet

intimate 1 *adj.* [inn'timit] intim, för-trolig **2** *v.* [inn'timejt] låta påskina

intimidate [intimm'idejt] skrämma

into [inn'to] in i

intolerant [intåll'ǝrǝnt] intolerant

intonation [intǝnej'ʃǝn] tonfall

intoxicate [intåkk'sikejt] berusa

intoxicated [intåkk'sikejtid] berusad

intoxication [intåksikej'ʃǝn] rus

intrepid [intrepp'id] djärv

intrepidity [intripidd'iti] djärvhet

intricate [inn'trikit] invecklad

intrigue [intri:'g] **1** *s.* intrig **2** *v.* intri-

gera; förbrylla
intrinsic [intrinn'sik] inre
introduce [intrədjo:'s] introducera, införa; presentera
introduction [intrədakk'∫ən] inledning, introduktion; presentation; *doctor's letter of introduction* läkarremiss
introductory [intrədakk'təri] inledande
intrude [intro:'d] tränga sig på, störa
intrusion [intro:'∫ən] intrång
intrusive [intro:'siv] närgången
intuition [intjoi∫'ən] intuition
inundate [inn'əndejt] översvämma
invade [invej'd] invadera
invader [invej'də] inkräktare
invalid 1 *adj.* [invällid'id] ogiltig **2** *adj.* [inn'vəlid] invalid-; sjuklig **3** *s.* [inn'vəlid] invalid; sjukling
invaluable [invällʹjoəbl] ovärderlig
invariable [invä:'əriəbl] oföränderlig
invariably [invä:'əriəbli] ständigt
invasion [invej'∫en] invasion
invective [invekk'tiv] invektiv, skymford
inveigle [invej'gl] locka
invent [invenn't] uppfinna, hitta på
invented [invenn'tid] uppdiktad
invention [invenn'∫ən] uppfinning
inventive [invenn'tiv] uppfinningsrik
inventor [invenn'tə] uppfinnare
inventory [inn'ventäri] inventering; *make an estate inventory* förrätta bouppteckning
invert [invə:'t] kasta om; *inverted commas* citationstecken
invertebrate [invə:'tibrit] ryggradslös
invest [invess't] placera (*pengar*), investera
investigate [invess'tigejt] utreda; undersöka, utforska
investigation [investigej'∫ən] utredning; undersökning
investment [invess'tmənt] investering; kapitalplacering
inveterate [invett'ərət] inbiten
invidious [invidd'jəs] anstötlig; förhatlig

invigorate [invigg'ərejt] stärka
invincible [invinn'səbl] oövervinnelig
inviolable [invaj'ələbj] okränkbar
invisible [invizz'əbl] osynlig
invitation [invitej'∫ən] inbjudan
invite [invaj't] [in]bjuda, invitera; *invite s.b. to dinner* bjuda ngn på middag; *invite s.b. out for dinner* bjuda ut ngn på middag
invoice [inn'våjs] **1** *s.* faktura **2** *v.* fakturera
invoke [invəo'k] anropa; framkalla
involuntary [invåll'əntri] ofrivillig
involve [invåll'v] inveckla
inward [inn'wəd] **1** *adj.* invändig, inre **2** *adv.* inåt
iodine [aj'ədi:n] jod
IOU [aj'əojo:'] (= *I owe you*) skuldförbindelse
Iranian [irej'niən] **1** *s.* iranier **2** *adj.* iransk
Iraqi [ira:'ki] **1** *s.* irakier **2** *adj.* irakisk
irascible [iräss'ibl] lättretlig
Ireland [aj'ələnd] Irland
iris [aj'əris] iris
Irish [aj'əri∫] **1** *adj.* irländsk **2** *s.* (*språk*) irländska; *the Irish* irländarna
Irishman [aj'əri∫mən] irländare
irksome [ə:'ksəm] tröttsam
iron [aj'ən] **1** *s.* järn; strykjärn **2** *v.* stryka
ironic[al] [ajrånn'ik(l)] ironisk
ironing [aj'əning] strykning (*med strykjärn*)
ironmonger's [aj'ənmånggəz] järnhandel
irony [aj'ərəni] ironi
irradiate [irej'diejt] [be]stråla
irreconcilable [irekənsaj'ləbl] oförsonlig, oförenlig
irregular [iregg'julə] oregelbunden
irregularity [iregjolärr'iti] oegentlighet
irrelevant [irell'ivənt] ovidkommande, osaklig, irrelevant
irremissible [irimiss'əbl] oeftergivlig
irreplaceable [iriplej'səbl] oersättlig
irreproachable [iriprəo't∫əbl] oklanderlig

irresistible [iriziss'təbl] oemotståndlig

irresolute [irezz'əlo:t] obeslutsam, villrådig

irresolution [irr'ezələ:'ʃən] vankelmod, obeslutsamhet

irrespective [irispekk'tiv] *irrespective of* oavsett

irresponsible [irispånn'səbl] oansvarig, ansvarslös

irrevocable [irevv'əkəbl] oåterkallelig

irrigation [irigej'ʃən] konstbevattning; *irrigation system* bevattningsanläggning

irritable [irr'itəbl] retlig

irritate [irr'itejt] reta, irritera

irritating [irr'itejting] retsam, irriterande

island [aj'lənd] ö

isle [ajl] ö

islet [aj'lit] holme, liten ö

isolate [aj'səlejt] isolera

Israel [izz'rejəl] Israel

Israeli [izrej'li] 1 *s.* israel 2 *adj.* israelisk

issue [iʃ'o:] 1 *v.* utfärda; ge ut 2 *s.* utgång, resultat; nummer; *special issue* extranummer

isthmus [iss'məs] näs

it [itt] den, det; *that's it* det är sant, så är det; *it's raining* det regnar

Italian [itäll'jən] 1 *s.* italienare; (*språk*) italienska 2 *adj.* italiensk

italics [itäll'iks] (*pl*) kursivering

Italy [itt'əli] Italien

itch [itʃ] 1 *s.* klåda; skabb 2 *v.* klia

item [aj'tem] punkt, nummer; [bokförings]post; *extra item* extranummer

itinerary [ajtinn'ərəri] resplan, resväg

its [its] dess; sin

it's [its] = *it is; it has*

itself [itsell'f] själv, den (det, sig) själv

I've [ajv] = *I have*

ivory [aj'vəri] elfenben

ivy [aj'vi] murgröna

j

J, j [dʒej] (*bokstav*) J, j

jab [dʒäbb] 1 *v.* stöta 2 *s.* stöt

jabber [dʒäbb'ə] snattra

jack [dʒäkk] domkraft; knekt (*i kortsp.*); *jack of all trades* tusenkonstnär

jackal [dʒäkk'ä:l] sjakal

jackdaw [dʒäkk'då:] kaja

jacket [dʒäkk'it] jacka, kavaj, blazer

jacket crown [dʒäkk'it kraon] jacketkrona

jade [dʒejd] hästkrake; jade

jaded [dʒej'did] utsliten; blaserad

jag [dʒägg] hack

jagged [dʒägg'id] tandad, naggad

jaguar [dʒägg'jua:] *zool.* jaguar

jail [dʒejl] fängelse

jailbird [dʒej'lbə:d] fängelsekund

jam [dʒämm] 1 *s.* sylt; stockning; *make jam* [*of*] sylta 2 *v.* klämma; *the lock has jammed* dörren har gått i baklås

Jamaica pepper [dʒəmej'kə pepp'ə] kryddpeppar

jangle [dʒäng'gl] 1 *v.* gnissla; slamra 2 *s.* gnissel; slammer

janitor [dʒänn'itə] portvakt

January [dʒänn'joəri] januari

Japan [dʒəpänn'] Japan

Japanese [dʒäpəni:'z] 1 *adj.* japansk 2 *s.* japan, japanska; (*språk*) japanska

jar [dʒa:] burk, krus

jargon [dʒa:'gən] struntprat; rotvälska; jargong

jaundice [dʒå:'ndis] gulsot

jaundiced [dʒå:'ndist] avundsjuk; bitter

jaunt [dʒå:nt] utflykt

jaunty [dʒå:'nti] käck; nonchalant

javelin [dʒävv'lin] [kast]spjut

jaw [dʒå:] käke; *jaws* (*pl*) gap, käftar (*hos djur*)

jay [dʒej] nötskrika

jaywalker [dʒej'wå:kə] oförsiktig fotgängare

jazz [dʒæz] jazz

jealous [dʒell'əs] svartsjuk

jealousy [dʒell'əsi] svartsjuka

jeans [dʒi:nz] (*pl*) jeans

jeep [dʒi:p] jeep

jeer [dʒi:'ə] 1 *v.* håna 2 *s.* hån

jelly [dʒell'i] gelé

jellyfish [dʒell'ifiʃ] manet

jemmy [dʒemm'i] kofot

jeopardize [dʒepp'ədajz] äventyra, riskera

jerk [dʒə:k] 1 *v.* knycka; rycka 2 *s.* knyck; ryck

jerky [dʒə:'ki] ryckig

Jerry [dʒerr'i] tysk [soldat]

jerry-built [dʒerr'ibilt] fuskbyggd; byggd på spekulation

jersey [dʒə:'zi] tröja

jest [dʒest] 1 *s.* skämt 2 *v.* skämta

jet [dʒett] [vätske]stråle; munstycke

jet plane [dʒett' plejn] jetplan

jet set [dʒett'set] jetset

jetty [dʒett'i] pir, kaj

Jew [dʒo:] jude

jewel [dʒo:'əl] juvel

jeweller [dʒo:'ələ] juvelerare; *jeweller's shop* guldsmedsaffär

jewellery [dʒo:'əlri] smycken, juveler; *piece of jewellery* smycke

Jewess [dʒo:'is] judinna

Jewish [dʒo:'iʃ] judisk; *Jewish woman* judinna

jib [dʒibb] 1 *s.* klyvare 2 *v.* streta emot

jiff[y] [dʒiff'(i)] ögonblick

jigsaw [dʒigg'så:] lövsåg; *jigsaw puzzle* pussel

jingle [dʒiŋ'gl] 1 *v.* klirra, pingla 2 *s.* klirrande, pinglande

jitters [dʒitt'əz] *get the jitters* bli skakis, få stora darren

jittery [dʒitt'əri] *vard.* skakis, nervis

job [dʒåbb] jobb

job security [dʒåbb sikjo:'əriti] anställningstrygghet

jocular [dʒåkk'jolə] skämtsam

jog [dʒågg] knuffa, lunka, jogga; friska upp (*minnet*)

join [dʒåjn] förena; foga ihop, skarva, sammansluta; ansluta sig till, sälla sig till

joiner [dʒåj'nə] [möbel]snickare

joinery [dʒåj'nəri] snickeri

joint [dʒåjnt] 1 *s.* skarv, fog; led; stek 2 *adj.* gemensam; *joint stock* aktiekapital; *joint taxation* sambeskattning

joke [dʒəok] 1 *s.* skämt, kvickhet, vits, skoj; *practical joke* spratt 2 *v.* skoja, skämta

joker [dʒəo'kə] skojare, skämtare

jolly [dʒåll'i] 1 *adj.* glad, livad 2 *adv.* mycket

jolt [dʒəolt] guppa

jostle [dʒåss'l] knuffa[s]

jot [dʒått] 1 *s.* jota 2 *v.* anteckna

journal [dʒə:'nl] journal, dagbok; tidskrift, tidning

journalist [dʒə:'nəlist] journalist

journey [dʒə:'ni] resa, färd; *a pleasant journey!* lycklig resa!; *journey home* hemresa; *journey through* genomresa

journeyman [dʒə:'nimən] gesäll; hantlangare

Jove [dʒəov] Jupiter; *by Jove!* ta mig tusan!

jovial [dʒəo'vjəl] gladlynt, jovialisk

joy [dʒåj] glädje, fröjd (*at* over)

joyful [dʒåj'fol] glad, glädjande

joyous [dʒåj'əs] glad, glädjande

jubilant [dʒo:'bilənt] jublande

jubilee [dʒo:'bili:] jubileum

judge [dʒadʒ] 1 *v.* bedöma; döma 2 *s.* domare; kännare

judgement [dʒadʒ'mənt] dom; omdöme

judging [dʒadʒ'iŋ] bedömande

judicial system [dʒo:diʃ'əl siss'tim] rättsväsen

judicious [dʒodiʃ'əs] förståndig

jug [dʒagg] kanna, mugg

juggle [dʒagg'l] jonglera

juice [dʒo:s] saft

juicy [dʒo:'si] saftig; mustig

July [dʒo:laj'] juli

jumble [dʒamm'bl] 1 *v.* blanda ihop 2 *s.* virrvarr

jump [dʒamp] 1 *v.* hoppa 2 *s.* hopp

jumper [dʒamm'pə] jumper

jumping on the spot [dʒamm'ping ånn ðə spått'] svikthopp

jumping sheet [dʒamm'ping ʃi:t] brandsegel

jumpy [dʒamm'pi] nervös

junction [dʒang'kʃən] knutpunkt

juncture [dʒang'ktʃə] föreningspunkt; kritiskt ögonblick

June [dʒo:n] juni

jungle [dʒang'gl] djungel

junior [dʒo:'njə] junior, yngre

juniper [dʒo:'nipə] en(buske)

junk [dʒangk] skräp; djonk

juridical [dʒoəridd'ikəl] juridisk

jurisdiction [dʒoərisdikk'ʃən] rättskipning; domvärjo

juror [dʒo:'ərə] jurymedlem

jury [dʒo:'əri] jury

just [dʒast] **1** *adj.* rättvis, rättfärdig **2** *adv.* nyss, just; *just like that* utan vidare; *just outside* strax utanför; *just right* lagom; *just washed* nytvättad

justice [dʒass'tis] rättvisa; *do justice* skipa rättvisa

justifiable [dʒass'tifajəbl] befogad

justification [dʒastifikej'ʃən] berättigande

justify [dʒass'tifaj] rättfärdiga, berättiga

juvenile [dʒo:'vənajl] ungdomlig; barnslig; *juvenile books* ungdomsböcker; *juvenile delinquency* ungdomsbrottslighet

K, k [kej] (*bokstav*) K, k

kale [kejl] *bot.* grönkål

kangaroo [kanggaro:'] känguru

keel [ki:l] köl

keen [ki:n] vass, skarp; skarpsinnig; angelägen; *keen on* pigg på

keep [ki:p] hålla; behålla, bibehålla; uppehålla; förhålla sig; hålla sig; förbli; förvara; *keep away from* avhålla sig från; *keep going* hålla i gång; *keep together* hålla ihop; *keep up* uppehålla, hålla uppe, underhålla; *keep s.b. waiting* låta ngn vänta

keeper [ki:'pə] väktare, vårdare; [musei]intendent

keeping [ki:'ping] förvar; *in keeping with* i stil med

keepsake [ki:'psejk] minne, souvenir

keg [kegg] kagge

kennel [kenn'l] hundkoja; hundgård

kept [kept] *imperf. och perf. part. av keep*

kerb [kə:b] trottoarkant

kerchief [kə:'tʃif] sjalett, halsduk

kernel [kə:'nl] kärna

kerosene [kerr'əsi:n] *Am.* fotogen

kettle [kett'l] kittel

kettledrum [kett'ldram] puka

key [ki:] nyckel; tangent; tonart

keyboard [ki:'bå:d] klaviatur, tangentbord

keyhole [ki:'həol] nyckelhål

key map [ki:'mäpp'] översiktskarta

keynote [ki:'nəot] grundton; *bildl.* grundprincip

kick [kikk] **1** *s.* spark **2** *v.* sparka

kick-off [kikk' åff'] avspark

kid [kidd] **1** *s.* killing; [barn]unge **2** *v.* narra; *no kidding!* det menar du inte!

kidnap [kidd'näp] kidnappa

kidney [kidd'ni] njure

kill [kill] döda, slå ihjäl

kiln [kiln] kalkugn

kilo [ki:'ləo] kilo

kilometre [kill'əmi:tə] kilometer

kilt [kilt] kilt (*skotsk kjol*)

kin [kinn] släkting[ar]; *next of kin* närmaste släkting[ar]

kind [kajnd] **1** *s.* slag, sort; *all kinds of things* allt möjligt; *of that kind* dylik **2** *adj.* vänlig, snäll (*to* mot); *kind deed* välgärning; *kind regards* hjärtliga hälsningar

kindle [kinn'dl] tända; tändas

kindly [kaj'ndli] **1** *adj.* vänlig **2** *adv.* vänligen

kindness [kaj'ndnis] vänlighet

kindred spirit [kinn'drid spirr'it] själsfrände

king [king] kung

kingdom [king'dəm] kungadöme, kungarike; *bildl.* rike

kink [kingk] fnurra; hugskott

kinsman [kinn'zmən] släkting

kiosk [kiåss'k] kiosk

kipper [kipp'ə] kipper (*ett slags rökt o. saltad sill*)

kiss [kiss] **1** *s.* kyss **2** *v.* kyssa

kisser [kiss'ə] *sl.* trut, mun

kit [kitt] utrustning, redskap

kitbag [kitt'bäg] redskapsväska; packning

kitchen [kitt'ʃin] kök

kitchenette [kitʃinett'] kokvrå

kitchen garden [kitt'ʃin ga:dn] köksträdgård

kitchen roll [kitt'ʃin rəol] hushållsrulle

kite [kajt] [leksaks]drake

kite-flying [kaj'tflajing] drakflygning (*med lina*)

kith and kin [kiθ'n kinn'] släkt och vänner

kitten [kitt'n] kattunge

knack [näkk] skicklighet; vana; handlag

knapsack [näpp'säk] ränsel

knave [nejv] skurk; knekt (*i kortspel*)

knead [ni:d] knåda

knee [ni:] knä

kneecap [ni:'käp] knäskål

kneel [ni:l] knäböja

knelt [nelt] *imperf. och perf. part. av kneel*

knew [njo:] *imperf. av know*

knickers [nikk'əz] (*pl*) [dam]underbyxor; knäbyxor

knife [najf] (*pl knives* [najvz]) kniv

knight [najt] riddare; springare, häst (*i schack*)

knit [nitt] sticka (*med stickor*); *knit one's brows* rynka pannan

knitting [nitt'ing] stickning

knob [nåbb] knapp, knopp

knock [nåkk] **1** *v.* knacka, bulta; *knock down* fälla, slå omkull **2** *s.* knackning

knoll [nəol] liten kulle

knot [nått] knut; knop; kvist (*i trä*)

know [nəo] veta; kunna; känna till;

you know ju, som du vet; *get to know* få kännedom om

know-how [nəo'hao] expertkunnande

knowingly [nəo'ingli] med vett och vilja

knowledge [nåll'idʒ] kunskap; vetskap; kännedom; *previous knowledge* förkunskaper; *thorough knowledge* solida kunskaper

knowledgeable [nåll'idʒəbl] kunnig

known [nəon] **1** *adj.* känd, bekant **2** *perf. part. av know*

knuckle [nakk'l] knoge

knuckleduster [nakk'ldastə] knogjärn

Koran [kora:'n] *the Koran* Koranen

L, l [el] (*bokstav*) L, l

£ *förk. för pound[s]*

lab [läbb] labb

label [lej'bl] **1** *s.* etikett; adresslapp **2** *v.* pollettera

laboratory [ləbårr'ətəri] laboratorium

laborious [labå:'riəs] mödosam

labor union [lej'bə jo:'njən] *Am.* fackförening

labour [lej'bə] **1** *s.* möda; arbete; arbetskraft; *be in labour* ha förlossningsvärkar **2** *v.* knoga, arbeta

labourer [lej'bərə] arbetare

labour market policy [lej'bə ma:'kit påll'isi] arbetsmarknadspolitik

laburnum [ləbö:'nəm] gullregn

labyrinth [läbb'ərinθ] labyrint

lace [lejs] **1** *v.* snöra; spetsa (*dryck*); förse med spets **2** *s.* snöre; virkad[e] spets[ar]

lacerate [läss'ərejt] riva sönder; plåga

lack [läkk] **1** *s.* brist **2** *v.* sakna; *be lacking* saknas, fattas

lackey [läkk'i] lakej

lacquer [läkk'ə] **1** *v.* lackera **2** *s.* lack

lad [lädd] pojke

ladder [lädd'ə] stege; maska (*på strumpor*)

laden [lej'dn] lastad; nedtyngd

lading [lej'ding] lastning; *bill of lading* konossement

ladle [lej'dl] slev

lady [lej'di] dam; *ladies'* [cloak-]-room damtoalett (*på restaurang e.d.*); *ladies and gentlemen!* mina damer och herrar!; *lady's bicycle* damcykel; *ladies' hairdresser* damfrisörska; *ladies' hairdressers* damfrisering

ladybird [lej'dibə:d] nyckelpiga

Lady Day [lej'di dej] Marie bebådelsedag

ladylike [lej'dilajk] förnäm, som anstår en dam

lag behind [lägg' bihaj'nd] sacka efter

laggard [lägg'əd] **1** *s.* sölkorv **2** *adj.* sölig

lagoon [lago:'n] lagun

laid [lejd] *imperf. och perf. part. av* lay; *laid up* upplagd, sängliggande

lain [lejn] *perf. part. av lie*

lair [lä:'ə] lya

laird [lä:'əd] skotsk godsägare

lake [lejk] [in]sjö

lamb [lämm] lamm

lamb chop [lämm' tʃåpp] lammkotlett

lambswool [lämm'zwol] lammull

lame [lejm] halt; *bildl.* lam

lamella [ləmell'ə] lamell

lament [ləmenn't] **1** *s.* klagan, jämmer **2** *v.* klaga

lamp [lämp] lampa; lykta

lamp-post [lämm'ppəost] lyktstolpe

lampshade [lämm'pʃejd] lampskärm

lance [la:ns] lans, spjut

land [länd] **1** *s.* land **2** *v.* landa, landstiga; hamna

landed [länn'did] jordägande

landing [länn'ding] landning, landstigning

landing net [länn'dingnet] håv

landlady [länn'lejdi] [hyres]värdinna

landlord [länn'lå:d] [hyres]värd

landmark [länn'dma:k] gränsmärke; milstolpe

landscape [länn'skejp] landskap

landslide [länn'dslajd] ras, skred

lane [lejn] gränd; [kör]fil

language [läng'gwidʒ] språk; *correct language* vårdat språk

language course [läng'gwidʒ kå:s] språkkurs

languid [läng'gwid] trög; matt

languish [läng'gwiʃ] avmattas; tråna

lank [längk] mager; rakt (*om hår*)

lanky [läng'ki] lång och gänglig

lantern [länn'tən] lykta, lanterna

lap [läpp] **1** *s.* knä, sköte; skvalp; *sport.* varv **2** *v.* skvalpa; *sport.* varva; lapa

lapel [ləpell'] rockuppslag

Laplander [läpp'ländə] same

lapse [läps] **1** *s.* misstag; förlopp **2** *v.* förfalla; förflyta

larceny [la:'səni] stöld

larch [la:tʃ] *bot.* lärkträd

lard [la:d] ister, späck

large [la:dʒ] stor, omfångsrik; *large pincers* hovtång; *at large* i frihet, i allmänhet

largely [la:'dʒli] till stor del

larger [la:'dʒə] större

large-scale production [la:'dʒskejl prədakk'ʃən] stordrift

largest [la:'dʒist] störst

lark [la:k] **1** *s.* lärka; skoj **2** *v.* skoja

larynx [lärr'ingks] struphuvud

lascivious [ləsivv'jəs] vällustig, liderlig

lash [läʃ] **1** *v.* prygla, piska **2** *s.* snärt; piska

lass [läss] flicka

lassitude [läss'itjo:d] trötthet

lasso [läss'əo] lasso

last [la:st] **1** *v.* räcka, vara **2** *adj.* sist; förra; *last spring* i våras; *last week* förra veckan; *the last but one* näst sist **3** *s.* sista; *at last* till sist

lasting [la:'sting] varaktig, dryg

lastly [la:'stli] slutligen

latch [lätʃ] dörrklinka, lås

latchkey [lätʃ'ki:] dörrnyckel, portnyckel

late [lejt] **1** *adj.* sen; *of late* på sista tiden; *be late* dröja, vara försenad, komma för sent **2** *adv.* sent

lately [lej'tli] på senaste tiden

latent [lej'tənt] latent

later [lej'tə] *later in the day* fram på dagen; *later on* längre fram, senare

lateral [lätt'rl] sido-

latest [lejtəst] *by Saturday at the latest* senast på lördag

lath [la:θ] ribba, spjäla

lathe [lejð] svarv

lather [la:'ðə] **1** *s.* lödder **2** *v.* löddra

Latin [lätt'in] latin

latitude [lätt'itjo:d] breddgrad; obundenhet

latter [lätt'ə] sistnämnd, senare

lattice [lätt'is] gallerverk

Latvia [lätt'viə] Lettland

Latvian [lätt'viən] **1** *s.* lett **2** *adj.* lettisk

laud [lå:d] **1** *s.* lov **2** *v.* prisa

laugh [la:f] skratta *(at* åt); *laughed to scorn* utskrattad

laughing stock [la:'fing ståkk] driftkucku

laughter [la:'ftə] skratt

launch [lå:ntʃ] **1** *s.* barkass **2** *v.* sjösätta; lansera

laundry [lå:'ndri] tvättinrättning, tvättstuga; tvätt[kläder]

laureate [lå:'riət] lagerkrönt

laurel [lårr'əl] lager[träd]

lava [la:'və] lava

lavatory [lävv'ətəri] toalett, WC; *men's lavatory* herrtoalett

lavender [lävv'ində] lavendel

lavish [lävv'iʃ] slösaktig; slösande

law [lå:] lag, förordning; rätt; juridik

lawful [lå:'foll] laglig, lagenlig

lawless [lå:'lis] laglös

lawn [lå:n] gräsmatta

lawnmower [lå:'nmɔɔə] gräsklippare

lawsuit [lå:'so:t] process, rättstvist

lawyer [lå:'jə] jurist, advokat

lawyer's office [lå:'jɔːz åff'is] advokatbyrå

lax [läks] lös; slarvig; vag

lay [lej] **1** *v.* lägga; *lay ... bare* blotta; *lay eggs* värpa; *lay out* lägga ut; *lay down rules* uppställa regler; *lay the table* duka; *lay ... waste* ödelägga **2** *imperf. av* lie

lay-by [lej'baj] rastplats *(vid bilväg)*

layer [lej'ə] lager, skikt; *put in layers* varva

layman [lej'mən] lekman

layout [lej'aot] layout; planering

laziness [lej'zinis] lättja

lazy [lej'zi] lat; *be lazy* lata sig

lb. *förk. för pound* pund (=454 gram)

lead 1 *v.* [li:d] leda, föra, anföra; mynna; *lead an active life* föra ett rörligt liv; *lead to* föranleda **2** *s.* [li:d] ledning; koppel **3** *s.* [ledd] bly, blyerts

leader [li:'də] ledare, anförare; ledarartikel

leading [li:'ding] ledande, tongivande; *leading part* huvudroll

leaf [li:f] *(pl leaves* [li:vz]) löv, blad; *in leaf* utslagen

leaflet [li:'flit] reklamlapp, flygblad

league [li:g] förbund; *sport.* liga

leak [li:k] läcka

leaky [li:'ki] otät

lean [li:n] **1** *adj.* mager **2** *v.* luta; luta sig

leaning [li:'ning] lutad

leant [lent] *imperf. och perf. part. av lean*

leap [li:p] **1** *s.* språng, hopp; *by leaps and bounds* med stormsteg **2** *v.* hoppa

leap day [li:'pdej] skottdag

leapfrog [li:'pfråg] hoppa bock

leapt [lept] *imperf. och perf. part. av leap*

leap year [li:'pjə:] skottår

learn [lə:n] lära [sig], erfara, få veta

learned [lə:'nid] lärd

learner's car [lə:'nəz ka:] övningsbil

learning [lə:'ning] lärdom

learnt [lə:nt] *imperf. och perf. part. av learn*

lease [li:s] **1** *s.* arrende **2** *v.* arrendera, hyra ut, leasa

leash [li:ʃ] **1** *s.* koppel **2** *v.* koppla

least [li:st] minst; *at least* åtminstone; *least of all* allra minst

leather [leð'ə] läder, skinn

leatherjacket [leð'ədʒäkk'it] skinnjacka

leave [li:v] **1** *v.* lämna, efterlämna;

avgå, avresa; *leave ... alone* lämna
... i fred, låta bli; *leave ... behind*
lämna kvar; *leave off* sluta; *leave out*
utelämna; *I leave it to you to* jag över-
låter åt dig att; *be left* finnas kvar,
återstå, bli över; *left behind* kvarläm-
nad 2 *s.* permission, tjänstledighet;
take leave säga adjö; *be on leave*
vara tjänstledig, ha permission

leaven [levv'n] surdeg

Lebanese [lebb'əni:z] 1 *s.* libanes 2
adj. libanesisk

Lebanon [lebb'ənån] Libanon

lecture [lekk't∫ə] 1 *s.* föredrag, före-
läsning 2 *v.* föreläsa

lecturer [lekk't∫ərə] föredragshållare;
senior lecturer docent

led [ledd] *imperf. och perf. part. av*
lead

ledge [ledʒ] hylla

ledger [ledʒ'ə] huvudbok; liggare

lee [li:] lä

leech [li:t∫] blodigel

leek [li:k] purjolök

leer [li:'ə] snegla

leeward [li:'wəd] *to leeward* i lä

left [left] 1 *adj.* vänster; *to the left*
till vänster 2 *s., the Left* vänstern
3 *imperf. och perf. part. av* **leave**

left-handed [leff'thänn'did] vänster-
hänt

left-hand page [leff'thänd pej'dʒ]
vänstersida

left-hand traffic [leff'thänd träff'ik]
vänstertrafik

left luggage office [leff'tlagg'idʒ
åff'is] effektförvaring

leftovers [leff'təo'vəz] *pl* rester

leg [legg] ben; [stövel]skaft; *pull a
person's leg* driva med ngn

legacy [legg'əsi] arv

legal [li:'gəl] rättslig, laglig; *legal aid*
rättshjälp; *legal domicile* hemort;
legal proceedings rättegång; *legal
science* rättsvetenskap

legation [ligej'∫ən] legation

legend [ledʒ'ənd] legend, sägen;
inskrift

legendary [ledʒ'əndəri] legendarisk

leggings [legg'ingz] *pl* benläder;
barndamasker

legible [ledʒ'əbl] läslig

legislation [ledʒislej'∫ən] lagstift-
ning

legitimate 1 *v.* [lidʒitt'imejt] legiti-
mera 2 *adj.* [lidʒitt'imit] legitim,
rättmätig

leisure [leʒ'ə] fritid; ledighet; *at your
leisure* när det passar dig (er)

leisurely [leʒ'əli] 1 *adj.* ledig, maklig
2 *adv.* utan brådska

lemon [lemm'ən] citron

lemonade [lemənej'd] läskedryck,
lemonad

lend [lend] låna [ut] (*to* åt)

lending [lenn'ding] utlåning

lending rate [lenn'ding rejt] utlå-
ningsränta

length [lengθ] längd; *at length* till
slut, utförligt

lengthen [leng'θən] förlänga

lengthy [leng'θi] långvarig; *a lengthy
dispute* en segsliten tvist

lenient [li:'njənt] skonsam

lens [lens] lins, objektiv

Lent [lent] fastan

lent [lent] *imperf. och perf. part. av*
lend

leopard [lepp'əd] leopard

leper [lepp'ə] spetälsk

leprosy [lepp'rəsi] spetälska

lesbian [lezz'biən] 1 *adj.* lesbisk 2 *s.*
lesbisk kvinna

less [less] mindre

lessen [less'n] [för]minska; minskas

lesser [less'ə] mindre

lesson [less'n] läxa; lektion

lest [lest] för att inte, av fruktan att

let [lett] låta; hyra ut; *let down* låta
ner; *let loose* släppa, frige; *let out*
släppa ut

lethal [li:'θəl] dödlig

lethargy [leθ'ədʒi] letargi; slöhet;
dvala

letter [lett'ə] bokstav; brev, skrivel-
se; *letter of attorney* fullmakt; *ex-
press letter* expressbrev; *special
delivery letter* (*Am.*) expressbrev

letter box [lett'əbåks] brevlåda
letter-card [lett'əka:d] kortbrev
letting [out] [lett'ing (aot)] uthyrning
lettuce [lett'is] sallad[shuvud]
leukaemia [ljo:ki:'miə] med. leukemi
level [levv'l] **1** s. nivå; *a level tea-spoonful* en struken tesked; *on a level with* i jämnhöjd med **2** v. [ut]-jämna
levelling [levv'ling] nivellering
lever [li:'və] hävstång; spak
levity [levv'iti] lättsinnighet
levy [levv'i] uppbåd; uttaxering
lewd [lo:d] liderlig
ley [lej] [slåtter]vall
liability [lajəbill'iti] ansvar; *liabilities (pl)* skulder; *liability insurance* ansvarighetsförsäkring
liable [laj'əbl] ansvarig; utsatt; *be liable to* riskera att; *liable for military service* värnpliktig
liaison [liej'zå:ŋ] förbindelse; *liaison officer* sambandsofficer
liana [li:änn'ə] lian
liane [li:a:'n] lian
liar [laj'ə] lögnare
libel [laj'bl] ärekränkning (*i skrift*), smädeskrift
liberal [libb'ərəl] liberal; frikostig
liberalism [libb'ərəlizəm] liberalism
liberalize [libb'ərəlajz] liberalisera
liberate [libb'ərejt] befria, frige
liberation [libərej'ʃən] befrielse, frigörelse, frigivning
liberty [libb'əti] frihet
librarian [lajbrä:'əriən] bibliotekarie
library [laj'brəri] bibliotek
libretto [librett'əo] libretto
lice [lajs] *se louse*
licence [laj'səns] **1** s. licens, tillstånd; tygellöshet **2** v. ge tillstånd; *be fully licensed* ha spriträttigheter
licentious [lajsenn'ʃəs] utsvävande, tygellös
lichen [laj'ken] lav
lick [likk] slicka
lid [lidd] lock (*på kärl o.d.*)
lie [laj] **1** s. lögn; *white lie* nödlögn **2** v. ljuga (*to* för) **3** *oreg.* v. ligga; *lie*

down lägga sig
lieu [ljo:] *in lieu of* i stället för
lieutenent [leftenn'ənt] löjtnant
life [lajf] liv; levnad; *life in society* samhällsliv
lifebelt [laj'fbelt] livbälte
lifeboat [laj'fbəot] livbåt
life insurance [laj'f inʃo:'ərəns] livförsäkring
life jacket [laj'f dʒäkk'it] flytväst
lifeless [laj'flis] livlös
life-saving [laj'fsejving] livräddning
life-size [laj'fsajz] *adj.* naturlig storlek
lifetime [laj'ftajm] livstid
lift [lifft] **1** v. lyfta; lätta (*om dimma*) **2** s. hiss; skjuts; *get a lift* [få] åka med, få skjuts
ligament [ligg'əmənt] ligament, ledband
light [lajt] **1** s. ljus, sken; lyse; belysning; *you are standing in my light* du skymmer mig; *get light* ljusna **2** v. tända; *light a fire* elda **3** *adj.* ljus; lätt; *light blue* ljusblå; *light current* svagström; *light music* underhållningsmusik
light beer [lajt bi:'ə] lättöl
lighten [laj'tn] blixtra; lysa upp; ljusna; lätta, göra lättare
lighter [laj'tə] tändare; läktare, pråm
light-hearted [laj'tha:'tid] bekymmerslös
lighthouse [laj'thaos] fyr
lighting [laj'ting] belysning
light lager beer [lajt la:'gə bi:'ə] *se light beer*
lightly [laj'tli] *adv.* lätt; *lightly boiled* löskokt
lightness [laj'tnis] lätthet
lightning [laj'tning] blixtrande; *a flash of lightning* en blixt
lightning-conductor [laj'tningkəndaktə] åskledare
like [lajk] **1** *adj.* lik; *what's it like living in London?* hur är det att bo i London? **2** *prep.* som; i likhet med; liksom; *nothing like* inte tillnärmelsevis; *like that* så där; *just like that*

utan vidare; *something like that* någonting ditåt; *like this* så här **3** *s.* like; *or the like* eller liknande, eller dylikt **4** *v.* tycka om; *he likes being in England* han trivs i England

liked [lajkt] omtyckt

likelihood [laj'klihod] sannolikhet

likely [laj'kli] **1** *adj.* sannolik, trolig; *it's hardly likely* det är föga troligt; *he is likely to* han torde, han lär **2** *adv.* sannolikt

likeness [laj'knis] likhet

liking [laj'king] tycke, förkärlek; *take a liking to* fatta tycke för

lilac [laj'lək] **1** *s.* syren **2** *adj.* lila

lilt [lilt] visa; rytm

lily [lill'i] lilja; *lily of the valley* liljekonvalje

limb [limm] lem

limbering-up [limbəringapp'] *sport.* uppmjukning

limbo [limm'bəo] förgård till helvetet; glömska; fängelse

lime [lajm] kalk; lind; lime (*frukt*)

limelight [laj'mlajt] rampljus; *be in the limelight* stå i rampljuset

limestone [laj'mstəon] kalksten

limit [limm'it] **1** *s.* gräns; *speed limit* fartbegränsning; *that's really the limit!* det är höjden! **2** *v.* begränsa

limitation [limitej'ʃən] begränsning

limited [limm'itid] begränsad; *limited (liability) company* aktiebolag med begränsad ansvarighet

limp [limp] halta, linka

limpid [limm'pid] klar, genomskinlig

linden [linn'dən] *Am.* lind

line [lajn] **1** *s.* linje, streck, rad; lina, rev; bransch, fack; replik; *line of cars* bilkö; *line-up* (*Am.*) kö **2** *v.* fodra; linjera; *line up* (*Am.*) köa, ställa sig i kö

lineage [linn'iidʒ] härstamning

linear [linn'iə] längd-, linje-; lineär-

lineman [laj'nman] banvakt

linen [linn'in] linne[tyg]

liner [laj'nə] linjefartyg, linjeflygplan

lingerie [läng'ʃəri] damunderkläder

linguistic [linggwiss'tik] språklig

lining [laj'ning] foder (*i kläder o.d.*)

link [lingk] **1** *s.* led, länk **2** *v.* förena

links [lingks] golfbana

lino [laj'nəo], **linoleum** [linəo'ljəm] korkmatta, linoleum

linseed [linn'si:d] linfrö

lintel [linn'tl] överstycke (*på dörr, fönster*)

lion [laj'ən] lejon

lip [lipp] läpp

lip-service [lipp'sə:vis] tomma ord

lipstick [lipp'stik] läppstift

liquefy [likk'wifaj] kondensera; anta vätskeform; *liquefied petroleum gas* gasol

liqueur [likjo:'ə] likör

liquid [likk'wid] **1** *s.* vätska **2** *adj.* flytande

liquidate [likk'widejt] likvidera

liquidation [likwidej'ʃən] avveckling

liquidity [likwidd'iti] likviditet

liquids [likk'widz] flytande ämnen

liquor [likk'ə] vätska; sprit

liquorice [likk'əris] lakrits

Lisbon [lizz'bən] Lissabon

lisp [lisp] läspa

list [list] **1** *s.* lista, förteckning (*of* över); slagsida **2** *v.* lista, göra upp en förteckning över; ha slagsida

listen [liss'n] lyssna (*to* på), höra på; *listen in* lyssna på radio; *listen to* avlyssna, åhöra

listener [liss'nə] lyssnare

listless [liss'tlis] likgiltig, apatisk

lit [litt] *imperf. och perf. part. av light*

litany [litt'əni] litania

literal [litt'ərəl] ordagrann

literally [litt'ərəli] bokstavligen

literary [litt'əräri] litterär

literature [litt'əritʃə] litteratur

lithe [lajð] smidig, vig

Lithuania [liθjoej'niə] Litauen

Lithuanian [liθjoej'niən] litauer

litigation [litigej'ʃən] process

litre [li:'tə] liter

litter [litt'ə] kull (*av däggdjur*); skräp; bår

little [litt'l] **1** *adj.* liten; föga; *little*

children småbarn; *little finger*
lillfinger 2 *adv.* litet; föga; *a little*
better något bättre 3 *s.* litet; *a little*
något, litet, en smula; *little by little*
så småningom, undan för undan
live 1 *v.* [livv] leva, bo 2 *adj.* [lajv]
levande; *live ammunition* skarpladdad ammunition
livelihood [laj'vlihod] uppehälle
lively [laj'vli] livlig
liver [livv'ə] lever
livery [livv'əri] livré
live-stock [laj'vståk] kreatursbesättning
livid [livv'id] blygrå, dödsblek; *vard.*
rasande, ilsken
living [livv'ing] 1 *adj.* levande 2 *s.*
levebröd
living room [livv'ingro:m] vardagsrum
lizard [lizz'əd] ödla
load [ləod] 1 *v.* lasta; belasta; ladda
2 *s.* last; belastning; laddning
loading [ləo'ding] lastning
loaf [ləof] limpa; *tin loaf* formbröd
loan [ləon] lån
loath [ləoð] ovillig, ohågad
loathing [ləo'ðing] vämjelse
loathsome [ləo'ðsəm] vämjelig
lobby [låbb'i] korridor; foajé
lobbyist [låbb'iist] korridorpolitiker
lobe [ləob] flik; lob
lobster [låbb'stə] hummer; *spiny*
lobster langust
local [ləo'kəl] orts-, lokal; *local taxes*
kommunalskatt
locality [ləokäll'iti] läge, plats
locate [ləkej't] förlägga, placera,
lokalisera
loch [låkk] (*i Skottland*) sjö; vik
lock [låkk] 1 *s.* lås; sluss; [hår]lock;
pass (take) through a lock slussa
2 *v.* låsa; *lock up* låsa in
locker [låkk'ə] [förvarings]fack i] skåp
locket [låkk'it] medaljong
locksmith [låkk'smiθ] låssmed
locust [ləo'kəst] gräshoppa
lodestar [ləo'dsta:] polstjärna; ledstjärna

lodge [lådʒ] 1 *v.* härbärgera 2 *s.*
[grind]stuga; [ordens]loge
lodger [lådʒ'ə] inneboende, hyresgäst
lodgings [lådʒ'ingz] *pl* hyresrum,
bostad
loft [låft] vind, loft
lofty [låf'ti] förnäm, högdragen
log [lågg] [timmer]stock, vedträ
logic [lådʒ'ik] logik
logical [lådʒ'ikl] logisk
loin [låjn] länd[stycke]; *loin of pork*
fläskkarré
loiter [låj'tə] gå och driva, stå och
hänga
loll [låll] vräka sig; sträcka sig
lollipop [låll'ipåp] klubba, slickepinne
London [lann'dən] London
Londoner [lann'dənə] londonbo
loneliness [ləo'nlinis] ensamhet
lonely [ləo'nli] ensam
lonesome [ləo'nsəm] ensam
long [lång] 1 *adj.* lång; *be long* dröja,
vara sen; *long jump* längdhopp; *long*
trousers långbyxor 2 *v.* längta (*for*
efter) 3 *adv.* länge; långt
longed for [lång'd få:] efterlängtad
longevity [låndʒevv'iti] långt liv
longing [lång'ing] 1 *s.* längtan (*for*
efter); *be longing for* vara sugen [på]
2 *adj.* längtansfull
longitude [lånn'dʒitjo:d] longitud
loo [lo:] *vard.* toa
look [lokk] 1 *v.* titta, se (*at* på); *look*
and see titta efter; *look after* se efter,
passa; *look down upon* ringakta, se
ner på; *look for* leta efter; *look for-*
ward to se fram emot; *we shall look*
into the matter vi skall undersöka
saken; *look out for* se upp för, hålla
utkik efter; *look through* se igenom
2 *s.* blick, titt; *looks* (*pl, äv.*) utseende
looking-glass [lokk'inggla:s] spegel
lookout [lokk'əo't] utkik
looks [loks] *se look 2*
loom [lo:m] 1 *s.* vävstol 2 *v.* torna
upp sig
loop [lo:p] ögla
loophole [lo:'phəol] skottglugg;
kryphål

loose [lo:s] **1** *adj. o. adv.* lös; loss; *come loose* lossna; *get loose* slita sig **2** *v.* lossa

loosen [lo:'sn] lösa, lossa på

loot [lo:t] **1** *s.* rov, byte **2** *v.* plundra

lop-eared [låpp'i:əd] slokörad

lopsided [låpp'sajdid] osymmetrisk; skev

lord [lå:d] lord; herre; *the Lord* Herren

lordly [lå:'dli] högdragen; ståtlig

lordship [lå:'dʃip] herravälde; *your lordship* ers nåd

lorry [lårr'i] lastbil; *breakdown lorry* bärgningsbil; *transport lorry* långtradare

lose [lo:z] mista, tappa bort, förlora; *lose ground* förlora terräng; *lose the tread* tappa tråden; *lose one's way* villa bort sig

loss [låss] förlust; *at a loss for a reply* svarslös

lost [låst] förlorad, bortkommen, borttappad; *get lost* komma bort, gå förlorad; *lost property office* hittegodsmagasin; *lost in* fördjupad i

lot [lått] lott; mängd; massa; *draw lots for* dra lott om; *lots of* ... en massa ...; *quite a lot* [*of*] en hel del; *the lot* alltihop

lotion [ləo'ʃn] hårvatten, rakvatten

lottery [lått'əri] lotteri

lottery prize list [lått'əri praj'zlist] dragningslista

lottery ticket [lått'əri tikk'it] lottsedel

loud [laod] ljudlig, högljudd

loudspeaker [lao'dspi:'kə] högtalare

lounge [lao'ndʒ] **1** *v.* flanera **2** *s.* vestibul; soffa

lounge suit [lao'ndʒ sjo:t] kavajkostym

louse [laos] (*pl lice* [lajs]) lus

lout [laot] drummel

love [lavv] **1** *s.* kärlek; *in love* förälskad; *love from* kära hälsningar från **2** *v.* älska

love letter [lavv lett'ə] kärleksbrev

loveliness [lavv'linis] ljuvlighet, skönhet

lovely [lavv'li] ljuvlig, vacker; härlig

lover [lavv'ə] älskare

love story [lavv'stå:ri] kärlekshistoria, kärleksroman

loving [lavv'ing] kärleksfull

low [ləo] **1** *adj.* låg; gemen; *low-[power] current* svagström; *low heat* sparlåga; *low neck* urringning; *low tide* ebb **2** *v.* råma

lower [ləo'ə] **1** *adj.* lägre, nedre; *lower class* underklass; *lower jaw* underkäke; *lower lip* underläpp; *lower part of the body* underkropp **2** *v.* sänka; fälla

lowest [ləo'ist] lägst, nederst

lowland [ləo'ləndz] lågland; *the Lowlands* Skotska lågländerna

low-necked [ləo'nekk't] urringad

loyal [låj'əl] solidarisk, lojal

LPG (*förk. för liquefied petroleum gas*) gasol

Ltd. (*förk. för limited*) AB

lubricant [lo:'brikənt] smörjmedel

lubricate [lo:'brikejt] smörja

lubricating oil [lo:'brikejting åjl] smörjolja

lucid [lo:'sid] klar, strålande

luck [lakk] tur, lycka; *good luck!* lycka till!

lucky [lakk'i] lycko-, lyckosam; *be lucky* ha tur

lucrative [lo:'krativ] lukrativ, lönande

ludicrous [lo:'dikrəs] löjlig

lug [lagg] släpa

luggage [lagg'idʒ] packning, bagage

luggage ticket [lagg'idʒ tikk'it] polletteringskvitto

lukewarm [lo:'kwå:m] ljum

lull [lall] **1** *v.* vyssja; lugna sig **2** *s.* stiltje; avbrott

lullaby [lall'əbaj] vaggsång, vaggvisa

lumbago [lambej'gəo] ryggskott

lumber [lamm'bə] **1** *s.* timmer; skräp **2** *v.* lufsa

luminous [lo:'minəs] självlysande

lump [lamp] klump, klimp; *lump sugar* bitsocker; *lump* [*of*] *sugar* sockerbit

lumpy [lamm'pi] klimpig

lunacy [lo:'nəsi] vansinne

lunar [lo:'nə] mån-

lunatic [lo:'nətik] **1** *adj.* vansinnig **2** *s.* dåre, galning

lunch [lantʃ] lunch

lung [lang] lunga

lunge [landʒ] **1** *s.* utfall **2** *v.* göra utfall

lurch [lə:tʃ] **1** *v.* sladda, kränga **2** *s.* krängning; *leave in the lurch* lämna i sticket

lure [ljo:'ə] lockbete

lurid [ljo:'ərid] hemsk, makaber, bloddrypande; gräll; brandröd

lurk [lə:k] ligga på lur

luscious [laʃ'əs] härlig, ljuvlig

lush [laʃ] yppig

lustre [lass'tə] glans

lustrous [lass'trəs] glansig

lusty [lass'ti] kraftig, stark

lute [lo:t] luta

luxurient [lagzjo:'əriənt] yppig, frodig

luxurious [lagzjo:'əriəs] lyxig

luxury [lakk'ʃəri] lyx

lying [laj'ing] lögnaktig; liggande

lymph gland [limm'f gländ] lymfkörtel

lynch [lintʃ] lyncha

lynx [lingks] lodjur

lyre [laj'ə] lyra

lyric poet [lirr'ik poo'it] lyriker

lyrics [lirr'iks] *pl* lyrik; text (*t. sång*)

m

M, m [em] (*bokstav*) M, m

ma [ma:] *vard.* mamma

mac [mäkk] regnrock

macadam [məkädd'əm] makadam

macaroni [mäkərəo'ni] makaroner

mace [mejs] spira; spikklubba

machination [mäkinej'ʃən] intrig

machine [məʃi:'n] maskin

machine-gun [məʃi:'ngan] kulspruta

machinery [məʃi:'nəri] maskineri

mackerel [mäkk'rəl] *zool.* makrill

mackintosh [mäkk'intåʃ] regnrock

mad [mädd] galen, tokig (*with* av; *on* i, på)

madam [mädd'əm] min fru, fröken

made [mejd] *imperf. och perf. part. av make*

madman [mädd'mən] dåre, galning

madness [mädd'nis] vansinne

magazine [mägəzi:'n] magasin

maggot [mägg'ət] [ost]mask

Magi [mej'dʒaj] *the [three] Magi* de tre vise männen

magic [mädʒ'ik] **1** *s.* trolleri, magi **2** *adj.* magisk; *magic formula* trollformel

magician [mədʒiʃ'ən] trollkarl

magistrate [mädʒ'istrit] rådman

magnanimous [mägnänn'iməs] storsint

magnet [mägg'nit] magnet

magnetic [mägnett'ik] magnetisk

magnificence [mägniff'isns] prakt, glans

magnificent [mägniff'isnt] praktfull, storslagen, ståtlig

magnifier [mägg'nifajə] *tekn.* förstärkare; förstorare

magnify [mägg'nifaj] förstora

magnitude [mägg'nitjo:d] storlek

magpie [mägg'paj] skata

mahogany [məhågg'əni] mahogny

maid [mejd] ungmö; tjänsteflicka, hembiträde

maiden name [mej'dn nej'm] flicknamn

maiden voyage [mej'dn våj'idʒ] jungfruresa

mail [mejl] **1** *s.* post **2** *v.* posta

mail coach [mej'lkəotʃ] diligens

mail-order [mej'lå:də] postorder

maim [mejm] stympa

main [mejn] huvud-, viktigast; *main building* huvudbyggnad; *main road* utfart (*från stad*); *main street* huvudgata; *the main theme* den röda tråden; *the main thing* huvudsaken

mainland [mej'nlənd] fastland

mainly [mej'nli] framför allt, huvudsakligen

mainmast [mej'nma:st] stormast

maintain [mejn'tej'n] upprätthålla, bibehålla, underhålla; hävda, påstå

maintenance [mej'ntinəns] underhåll

maize [mejz] majs

majestic [mədʒess'tik] majestätisk

majesty [mädʒ'isti] majestät

major [mej'dʒə] **1** s. major; *mus.* dur **2** *adj.* större, huvud-; *major road* huvudled

majority [mədʒärr'iti] majoritet, flertal; myndig ålder

make [mejk] göra; låta, förmå; utgöra, bli; tillaga; *make a killing* göra en bra affär; *make s.b. change his mind* få ngn på andra tankar; *make ... clear[er]* förtydliga; *make good* gottgöra; *make impossible* omöjliggöra; *make sure of* förvissa sig om; *make up* hitta på, utgöra, sminka; *make up for it* ta skadan igen; *make ... up into packets* bunta ihop; *make up one's mind* besluta sig; *make ... worse* förvärra **2** s. fabrikat

make-believe [mej'kbili:v] **1** s. låtsaslek **2** *adj.* föregiven, falsk

maker [mej'kə] tillverkare

makeshift [mej'kʃift] **1** s. provisorium **2** *adj.* provisorisk

make-up [mej'kap] make-up, smink

maladjusted [mäll'ədʒass'tid] missanpassad

malady [mäll'ədi] sjukdom

malcontent [mäll'kəntent] missnöjd

male [mejl] **1** s. man; hane **2** *adj.* manlig

male chauvinism [mejlʃəo'vinizm] manschauvinism

malefactor [mäll'ifäktə] missdådare

malevolent [məlevv'ələnt] illvillig

malice [mäll'is] illvillighet, skadeglädje

malicious [məliʃ'əs] illvillig, elak

malign [məlaj'n] elakartad, skadlig

malignant [məligg'nənt] ondskefull; svårartad

mallard [mäll'a:d] [vild]and, gräsand

malleable [mäll'jəbl] smidbar; foglig

mallet [mäll'it] klubba; hammare

malt [må:lt] malt

maltreat [mältri:'t] misshandla

mammal [mämm'əl] däggdjur

mammary cancer [mämm'əri känn'-sə] bröstcancer

mammoth [mamm'əθ] mammut

man [männ] **1** s. man; människa **2** v. bemanna

manage [männ'idʒ] klara [sig], orka; sköta; få bukt med; *manage to find* lyckas hitta; *manage to get along somehow* hanka sig fram

management [männ'idʒmənt] ledning; skötsel; förvaltning, direktion

manager [männ'idʒə] föreståndare; ledare; chef, direktör

managing director [männ'idʒing direkk'tå:] verkställande direktör; *deputy managing director* vice verkställande direktör

mandatory [männ'dətri] mandat-; obligatorisk

mandoline [mändəli:'n] mandolin

mane [mejn] [häst]man

manger [mej'ndʒə] krubba

mangle [mäng'gl] **1** s. mangel **2** v. mangla; fördärva

manhandle [männ'händl] tilltyga

mania [mej'njə] mani

maniac [mej'njäk] dåre

manifest [männ'ifest] **1** s. manifest **2** v. manifestera, visa **3** *adj.* uppenbar

manifestation [mänifestej'ʃen] manifestation; tecken

manifold [männ'ifəold] mångfaldig

manipulate [mənipp'jolejt] hantera; manipulera; förfalska

mankind [mänkaj'nd] mänskligheten, människosläktet

manly [männ'li] manlig

manner [männ'ə] sätt, vis, maner; *good manners (pl)* fint sätt; *manner of speaking* uttryckssätt

mannerism [männ'ərizm] maner

manoeuvre [məno:'və] **1** s. manöver **2** v. manövrera

man-of-war [männ'əwå:'] örlogsfartyg

manor [house] [männ'ə (haos)] herrgård

mansion [männ'ʃən] herrgård

manslaughter [männ'slå:tə] dråp

mantelpiece [männ'tlpi:s] spiselhylla

mantle [männ'tl] mantel

manual [männ'joəl] **1** *adj.* hand- **2** *s.* handbok

manual labour [männ'joal lej'bə] kroppsarbete

manufacture [mänjofäkk'tʃə] **1** *v.* tillverka, fabricera **2** *s.* tillverkning, fabrikation, fabrikat

manufacturer [mänjofäkk'tʃərə] tillverkare

manure [mənjo:'ə] **1** *v.* gödsla **2** *s.* gödsel

manuscript [männ'joskript] manuskript, handskrift

Manx [mängks] från ön Man

many [menn'i] många, mycket, flera, åtskilliga; *a great many* en hel del

many-sided [menisaj'did] mångsidig

map [mäpp] **1** *s.* karta (*of* över) **2** *v.* kartlägga; *map out* (*bildl.*) kartlägga

maple [mej'pl] lönn

mar [ma:] fördärva

marauder [mərå:'də] plundrare, marodör

marble [ma:'bl] marmor; [leksaks]-kula

March [ma:tʃ] mars

march [ma:tʃ] **1** *v.* marschera, tåga; *march off* avtåga **2** *s.* marsch, tåg

marchioness [ma:'ʃənis] markisinna

mare [mä:'ə] sto, märr

margarine [ma:dʒəri:'n] margarin

margin [ma:'dʒin] marginal

marguerite [ma:gəri:'t] *bot.* prästkrage

marigold [mä:'rigəold] *bot.* ringblomma

marinade [märinej'd] marinad

marine [məri:'n] flotta, marin

mariner [märr'inə] matros, sjöman

marital [märr'itl] äktenskaplig

maritime [märr'itajm] sjöfarts-; kust-

marjoram [ma:'dʒorəm] *bot.* mejram

mark [ma:k] **1** *s.* märke, spår, kännetecken; betyg **2** *v.* markera, märka; betygsätta; *mark my words!* sanna mina ord!

market [ma:'kit] **1** *s.* torg, marknad;

find a market for vinna avsättning för **2** *v.* marknadsföra

market day [ma:'kitdej] torgdag

market hall [ma:'kit hå:l] saluhall

market stall [ma:'kit stå:l] torgstånd

marksman [ma:'ksman] skarpskytt

marmalade [ma:'məlejd] marmelad

marmot [ma:'mət] murmeldjur

maroon [məro:'n] **1** *adj.* kastanjebrun **2** *v.* landsätta på öde ö

marquess [ma:'kwis] markis (*adelstitel*)

marriage [märr'idʒ] äktenskap, giftermål, vigsel; *church marriage* kyrklig vigsel; *civil marriage* borgerlig vigsel

married [märr'id] gift (*to* med)

marrow [märr'əo] märg

marry [märr'i] viga; gifta sig med

marsh [ma:ʃ] kärr, träsk

marshal [ma:'ʃəl] **1** *s.* marskalk **2** *v.* ställa upp

marshy [ma:ʃi] sumpig

marsupial [ma:sjo:'pjəl] pungdjur

mart [ma:t] handelsplats

marten [ma:'tin] mård

martial [ma:'ʃl] krigisk; *martial law* belägringstillstånd

martin [ma:'tin] hussvala

martyr [ma:'tə] martyr

marvel [ma:'vl] **1** *s.* under **2** *v.* förundra sig

marvellous [ma:'viləs] underbar

Marxist [ma:'ksist] marxistisk

marzipan [ma:zipän'] marsipan

mascot [mäss'kət] maskot

mash [mäʃ] **1** *s.* mos **2** *v.* mosa; *mashed potatoes* potatismos

mask [ma:sk] **1** *s.* mask; munskydd; *skin-diver's mask* cyklopöga **2** *v.* maskera

mason [mej'sn] **1** *s.* stenhuggare; frimurare **2** *v.* mura

masque [ma:sk] maskspel

masquerade [mäskərej'd] maskerad

mass [mäss] massa; mängd; mässa; *high mass* (*katolsk*) högmässa

massacre [mäss'əkə] **1** *s.* massaker **2** *v.* massakrera

massage [mäss'a:ʒ] **1** *s.* massage **2** *v.*

mean

massera

massive [mäss'iv] massiv, stadig

mass media [mäss' mi:'djə] pl massmedia

mass production [mäss' prədəkk'ʃən] massproduktion

mast [ma:st] mast

master [ma:'stə] 1 s. husbonde; mästare; husse; master and mistress herrskap; Master of Business Administration (Am.) civilekonom 2 v. bemästra

master builder [ma:'stə bill'də] byggmästare

masterly [ma:'stəli] virtuos, mästerlig

masterpiece [ma:'stəpi:s] mästerverk

mastery [ma:'stəri] mästerskap; herravälde; gain the mastery of bli herre över

mastiff [mäss'tif] mastiff (stor dogg)

masturbate [mässt'əbejt] onanera

masturbation [mästəbej'ʃən] onani

mat [mätt] 1 s. matta, dörrmatta 2 adj. matt

matador [mätt'ədå:] matador

match [mätʃ] 1 s. like, make; match; parti; tändsticka; box of matches tändsticksask 2 v. passa ihop

match box [mätʃ'båks] tändsticksask (tom)

matchless [mätʃ'lis] makalös

mate [mejt] 1 s. styrman; kamrat 2 v. para sig

material [məti:'əriəl] 1 s. material, tyg; materials (pl) materiel 2 adj. väsentlig

maternal [mətə:'nl] moders-; maternal uncle morbror

maternity clinic [mətə:'niti klinn'ik] mödravårdscentral

maternity hospital [mətə:'niti håss'-pitl] BB

maternity ward [mətə:'niti wå:d] BB

mathematical [mäθimätt'ikəl] matematisk

mathematics [mäθimätt'iks] matematik

matinée [mätt'inej] matiné

matriculate [mətrikk'jolejt] skriva in sig vid universitet

matriculation [mətrikjolej'ʃən] inträdesexamen

matrimonial [mätt'rimøo'njəl] äktenskaps-

matrimony [mätt'rimøni] äktenskap

matron [mej'trən] fru; husmor (på sjukhus o.d.)

matter [mätt'ə] materia; ämne; angelägenhet, fråga; it doesn't matter det gör detsamma (ingenting); it's a matter of course det är självklart; what's the matter? hur är det fatt?, vad är det?; matter of habit vanesak; matter of secondary importance bisak; matter of taste smaksak; it matters a lot det har stor betydelse

matter-of-fact [mätt'ərəvfäkk't] nykter, saklig

mattress [mätt'ris] madrass

mature [mətjo:'ə] bildl. mogen

maturity [mətjo:'riti] mognad

maudlin [må:'dlin] gråtmild, sentimental

maul [må:l] misshandla

Maundy Thursday [må:'ndi θə:'zdi] skärtorsdag

mauve [må:v] malvafärgad, ljuslila

maxim [mäkk'sim] regel, maxim

maximum [mäkk'siməm] 1 adj. maximal 2 s. maximum

maximum speed [mäkk'siməm spi:d] topphastighet

May [mej] maj

may [mej] 1 hjälpv. kan, får, må, torde 2 s. hagtorn

maybe [mej'bi:] kanske

May Day [mej'dej] första maj

mayonnaise [mejənej'z] majonnäs

mayor [mä:'ə] borgmästare

maypole [mej'pəol] majstång

maze [mejz] labyrint

me [mi:] mig; it's me det är jag

mead [mi:d] mjöd

meadow [medd'əo] äng

meagre [mi:'gə] bildl. mager

meal [mi:l] mål[tid]; [råg]mjöl

mean [mi:n] 1 v. mena, avse; betyda 2 s. medeltal 3 adj. gemen, nedrig; snål; medel-

meander [miänn'də] **1** s. slingrande lopp **2** v. slingra sig

meaning [mi:'ning] betydelse, innebörd, mening

means [mi:nz] medel; *by means of* medelst; *by all means!* ja, gärna [för mig]!; *by no means* ingalunda; *means of communication* kommunikationsmedel; *means of control* bekämpningsmedel

means test [mi:'nz test] behovsprövning

meant [ment] *imperf. och perf. part. av mean*

meantime [mi:'ntaj'm] *in the meantime* under tiden

meanwhile [mi:'nwaj'l] under tiden

measles [mi:'zlz] mässling; *German measles* röda hund

measly [mi:'zli] ynklig

measure [meʒ'ə] **1** s. mått; åtgärd **2** v. mäta

measurement [meʒ'əmənt] mätning; mått

meat [mi:t] kött; *ground meat (Am.)* köttfärs

meat ball [mi:'t bå:l] köttbulle

mechanic [mikänn'ik] mekaniker; montör

mechanical [mikänn'ikəl] mekanisk, maskinell

mechanism [mekk'ənizəm] mekanism

medal [medd'l] medalj

medallion [medäll'jən] medaljong

meddle [medd'l] blanda sig i

meddlesome [medd'lsəm] som lägger sig i, klåfingrig

mediate [mi:'dejt] medla; förmedla

mediation [mi:diej'ʃən] medling

mediator [mi:'diejtə] medlare

medical [medd'ikəl] medicinsk; *medical care* sjukvård, läkarvård; *medical certificate* sjukintyg; *medical staff* vårdpersonal

medicine [medd'sin] medicin, läkemedel

medieval [medii:'vəl] medeltida

mediocre [midiəo'kə] slätstruken, medelmåttig

meditate [medd'itejt] meditera

Mediterranean [meditərej'njan] *the Mediterranean* Medelhavet

medium [mi:'djəm] **1** adj. medel-; medelmåttig; *medium size* mellanstorlek **2** s. medium, medel

medley [medd'li] **1** s. blandning; potpurri **2** adj. brokig

meek [mi:k] ödmjuk

meet [mi:t] möta, träffa; mötas, träffas; sammanträda; *meet with* röna, erfara, råka ut för

meeting [mi:'ting] möte; sammanträffande; sammanträde; *sports meeting* idrottstävling

meeting place [mi:'tingplejs] mötesplats

megalomania [megg'ələomej'njə] storhetsvansinne

melancholy [mell'ənkəli] **1** s. svårmod **2** adj. melankolisk, vemodig

melanoma [mell'ənəomə] *med.* melanom

mellow [mell'əo] **1** adj. mogen; fyllig **2** v. mogna

melody [mell'ədi] melodi

melon [mell'ən] melon

melt [melt] smälta

melting point [mell'tingpåjnt] smältpunkt

melting pot [mell'tingpåt] smältdegel

member [memm'bə] medlem, ledamot

membership [memm'bəʃip] medlemskap

membership fee [memm'bəʃip fi:] medlemsavgift

membrane [memm'brejn] hinna, membran

memo [memm'əo] PM

memoirs [memm'wa:z] memoarer

memorable [memm'ərəbl] minnesvärd

memorandum [memər'ann'dəm] promemoria; diplomatisk not

memorial [mimä:'riəl] minnesmärke

memory [memm'əri] minne; *escape one's memory* falla ur minnet

menace [menn'əs] **1** s. hot **2** v. hota

mend [mend] laga, reparera; bättra sig

menial [mi:'njəl] simpel; tjänar-

menopause [männ'əopå:z] klimakterium

men's room [menn'z ro:m] herrtoalett (*på restaurang o.d.*)

menstruation [menstroej'ʃən] menstruation

menswear [menn'zwä:'ə] herrkläder

mental [menn'tl] mental, själslig;
mental disease sinnessjukdom

mentally [menn'təli] mentalt; *mentally
ill* sinnessjuk

mention [menn'ʃən] 1 *v.* nämna;
not to mention för att inte tala om;
don't mention it! för all del! 2 *s.*
omnämnande

menu [menn'jo:] matsedel, meny

mercantile [mə:'kentajl] handels-,
köpmans-

mercenary [mə:'sinri] 1 *s.* legosoldat
2 *adj.* sniken

merchandise [mə:'tʃəndajz] handelsvaror

merchant [mə:'tʃənt] köpman

merchant navy [mə:'tʃənt nej'vi] handelsflotta

merchant vessel [mə:'tʃənt vess'l]
handelsfartyg

merciful [mə:'sifoll] barmhärtig

merciless [mə:'silis] obarmhärtig

mercury [mə:'kjori] kvicksilver

mercy [mə:'si] barmhärtighet

mere [mi:'ə] blott och bar, ren

merely [mi:'əli] enbart, blott och bart

merge [mə:dʒ] slå ihop; låta uppgå

merger [mə:'dʒə] sammanslagning,
fusion

meringue [məräng'] maräng

merit [merr'it] förtjänst, merit

meritorious [meritå:'riəs] förtjänstfull

mermaid [mə:'mejd] sjöjungfru

merry [merr'i] munter, glad

merry-go-round [merr'igəoraond]
karusell

mesh [meʃ] nätverk; maska

mess [mess] 1 *s.* röra, oreda; mäss;
he looked a mess han såg ryslig ut;
make a mess stöka till 2 *v.*, *mess* [*up*]
smutsa ner, stöka till; *mess about*

pyssla; larva sig

message [mess'idʒ] budskap, meddelande

messenger [mess'indʒə] sändebud,
bud(bärare)

messy [mess'i] kletig; rörig

met [mett] *imperf. och perf. part. av*
meet

metabolism [metabb'əlizəm] ämnesomsättning

metal [mett'l] metall; makadam

meteor [mi:'tjə] meteor

meteorologist [mi:tiərållˈådʒist] meteorolog

meter [mi:'tə] mätare; *Am.* meter

meter maid [mi:'təmejd] *vard.* lapplisa

method [meθ'əd] metod

Methodist [meθ'ədist] metodist

methylated spirit [meθ'ilejtid spirr'it]
rödsprit

meticulous [mitikk'joləs] petig,
mycket noggrann

metre [mi:'tə] meter

metric system [mett'rik siss'tim]
metersystem

metropolis [mitråpp'əlis] världsstad

mettle [mett'l] mod, kurage

mew [mjo:] jama

mews [mjo:z] huslänga (*urspr. stalllängor som byggts om*)

Mexican [mekk'sikən] 1 *s.* mexikan
2 *adj.* mexikansk

Mexico [mekk'sikəo] Mexiko

mica [maj'kə] glimmer

mice [majs] *se mouse*

Michaelmas [mikk'lməs] mickelsmässa (29 sept.)

microcomputer [maj'krə kåmpjo:'tə]
mikrodator

microphone [maj'krəfəon] mikrofon

microprocessor [maj'krə prəo'sesə]
mikroprocessor

microscope [maj'krəskəop] mikroskop

microwave oven [maj'krəwejv avv'ən]
mikrovågsugn

mid [midd] mellan-, mitt-

middle [midd'l] 1 *adj.* mellan-,
mellerst; *the Middle Ages* medeltiden

2 s. mitt; *in the middle of* mitt i
middle-aged [midd'lej'dʒd] medel-
ålders
middleman [midd'lmən] mellanhand
midge [midʒ] mygga
midget [midʒ'it] **1** s. dvärg; liten
sportbil **2** *adj.* miniatyr-
midnight [midd'najt] midnatt
midnight sun [midd'najt sann'] mid-
nattssol
midshipman [mid'ʃipmən] sjökadett
midst [midd'st] *in the midst of* mitt i
midsummer [midd'samə] midsommar;
Midsummer Eve midsommarafton
midway [midwej'] halvvägs
midwife [midd'wajf] barnmorska
mien [mi:n] hållning; uppsyn
might [majt] **1** *v.* kunde [kanske],
fick [lov att] **2** s. styrka, kraft
mighty [maj'ti] **1** *adj.* mäktig, väldig
2 *adv.* mycket
migraine [mi:'grejn] migrän
migrate [majgrej't] flytta
migration [majgrej'ʃən] folkvandring
migratory bird [maj'grətəri bə:'d]
flyttfågel
mild [majld] mild, lindrig
mildew [mill'djo:] *bot.* mjöldagg;
mögel
mile [majl] engelsk mil (=*1 609 m*)
mileage [maj'lidʒ] antal tillryggalag-
da mil; milkostnad
militant [mill'itnt] stridslysten
military [mill'itəri] **1** s. militär **2** *adj.*
militärisk; *military forces* strids-
krafter; *military power* krigsmakt;
military service militärtjänst; *mili-
tary unit* truppförband
militia [miliʃ'ə] lantvärn, milis
milk [milk] **1** s. mjölk **2** *v.* mjölka
milkman [mill'kman] mjölkbud
milksop [mill'ksåpp] morsgris, mes
milk tooth [mill'kto:θ] mjölktand
Milky Way [mill'ki wej'] *the Milky
Way* vintergatan
mill [mill] kvarn; fabrik
millennium [milenn'iəm] årtusende
millet [mill'it] hirs
milliner [mill'inə] modist

millinery [mill'inri] modevaror
million [mill'jən] miljon
millionaire [miljənä:'ə] miljonär
mimic [mimm'ik] **1** s. imitatör **2** *v.*
härma
mimicry [mimm'ikri] härmande;
skyddande förklädnad
mince [mins] finhacka; *not mince
matters* inte skräda orden
minced meat [minn'st mi:t] köttfärs
mincemeat [minn'smi:t] pajfyllning
(*av mandel, russin, äpplen, m.m.*)
mind [majnd] **1** s. sinne[lag], själ;
åsikt, avsikt, lust; *broaden one's
mind* vidga sina vyer; *divert one's
mind* skingra tankarna; *keep in mind*
hålla i minnet **2** *v.* bry sig om; ha
ngt emot; sköta, passa; *mind one's
P's and Q's* hålla tungan rätt i mun;
never mind! bry dig inte om det!
minded [majn'did] -sinnad, benägen
mine [majn] **1** s. gruva; mina **2** *v.*
gräva **3** *pron.* min, mitt, mina
miner [maj'nə] gruvarbetare
mineral [minn'ərəl] mineral
mingle [ming'gl] blanda [sig]
miniature camera [minn'jətʃə käm-
m'ərə] småbildskamera
minimize [minn'imajz] minimera
minimum [minn'iməm] **1** *adj.* mini-
mal **2** s. minimum
mining [maj'ning] **1** s. gruvdrift
2 *adj.* gruv-
minion [minn'jən] gunstling, kelgris
minister [minn'istə] minister;
[frikyrko]pastor
ministry [minn'istri] ministerium;
Ministry of Education utbildnings-
departement
mink [mingk] mink
mink coat [ming'k kəot] minkpäls
minor [maj'nə] **1** *adj.* mindre **2** s.
minderårig; *mus.* moll
minority [majnårr'iti] minoritet;
minderårighet
mint [mint] **1** s. mynta (*växt*);
mynt[verk] **2** *v.* mynta, prägla
minus [maj'nəs] minus
minute 1 s. [minn'it] minut; *five*

modem

minutes past three fem minuter över tre **2** *adj.* [majnjo:'t] mycket liten; mycket noggrann

minutes [minn'its] *pl* protokoll

miracle [mirr'əkl] underverk, mirakel

mirage [mirr'a:ʒ] hägring

mire [maj'ə] dy

mirror [mirr'ə] spegel

mirth [mə:θ] munterhet

misadventure [miss'ədvenn'tʃə] *by misadventure* av våda

misapprehension [miss'əprihenn'ʃən] missförstånd

misbehaviour [miss'bihej'vjə] dåligt uppförande

miscalculate [miss'käll'kjolejt] missräkna

miscalculation [miskälkjolej'ʃən] felräkning

miscarriage [miskärr'idʒ] missfall

miscellaneous [misilej'njəs] blandad, mångsidig

miscellany [misell'əni] blandning

mischief [miss'tʃif] rackartyg, skada; *there is mischief brewing* det är ugglor i mossen

misconception [miss'kənsepp'ʃən] missförstånd

misconduct [miskånn'dakt] vanskötsel; dåligt uppförande

miser [maj'zə] snåljåp

miserable [mizz'ərəbl] eländig

misery [mizz'əri] elände, olycka

misfire [misfaj'ə] klicka

misfit [miss'fit] missanpassad

misfortune [misfå:'tʃən] olycka

misgivings [misgivv'ingz] *pl* onda aningar

mishap [miss'häp] malör, missöde

misinterpret [misintə:'prit] vantolka

mislay [mislej'] förlägga, slarva bort

misleading [misli:'ding] missvisande, vilseledande

mismanage [mismänn'idʒ] missköta

misplace [misplej's] felplacera; förlägga

misprint [miss'print] tryckfel

misrepresent [miss'reprizenn't] ge felaktig framställning av

Miss [miss] fröken (*Smith*)

miss [miss] **1** *s.* miss, bom **2** *v.* missa, bomma; sakna; *be missing* fattas, saknas

missile [miss'ajl] projektil, robot; *guided missile* robotvapen

mission [miʃ'ən] mission, uppdrag

missionary [miʃ'nəri] missionär

mist [mist] dimma; imma

mistake [mistej'k] **1** *s.* misstag, fel **2** *v.*, *mistake for* förväxla med

mister [miss'tə] herr[n]

mistletoe [miss'ltəo] mistel

mistress [miss'tris] husmor; lärarinna; älskarinna; matte

mistrust [mistrass't] misstro

misty [miss'ti] dimmig

misunderstand [miss'əndəstänn'd] missförstå, missuppfatta

misunderstanding [miss'andəstänn'ding] missförstånd, missuppfattning

mitt [mitt] [tum]vante

mite [majt] skarv; smula; kvalster

mitigate [mitt'igejt] mildra, lindra

mitigation [mitigej'ʃən] lindring

mitre [maj'tə] mitra

mitten [mitt'n] [tum]vante

mix [miks] blanda [till]

mixer [mikk'sə] blandare; mixer; *be a good mixer* ha lätt att umgås med folk

mixture [mikk'stʃə] blandning

mix-up [mikk'sap] röra; slagsmål

moan [məon] **1** *v.* jämra sig **2** *s.* jämmer

moat [məot] vallgrav

mob [måbb] **1** *s.* slödder; pöbel **2** *v.* mobba

mobile [məo'bajl] mobil; rörlig

mobility [məobill'iti] rörlighet

mobilize [məo'bilajz] mobilisera

mock [måkk] **1** *adj.* oäkta, falsk **2** *v.* driva med, göra till åtlöje

mocking [måkk'ing] spefull

mockingbird [måkk'ingbə:d] härmfågel

mode [məod] sätt; tonart

model [mådd'l] **1** *s.* modell, förebild **2** *adj.* föredömlig, mönstergill

modem [məo'dem] *tele.* modem

moderate 1 *adj.* [mådd'ərit] måttlig, moderat **2** *v.* [mådd'ərejt] dämpa; sitta som ordförande

moderation [mådərej'ʃən] måtta

modern [mådd'ən] modern

modernize [mådd'ənajz] modernisera

modest [mådd'ist] blygsam

modesty [mådd'isti] blygsamhet

modify [mådd'ifaj] modifiera

modulate [mådd'jolejt] modulera

moist [måjst] fuktig

molar [məo'lə] kindtand

molasses [məläss'iz] melass; *Am.* sirap

mole [məol] mullvad; födelsemärke

molecule [måll'ikjo:l] molekyl

molest [məless't] antasta

mollify [måll'ifaj] blidka

mollusc [måll'əsk] blötdjur

moment [məo'ment] ögonblick, moment; *at the moment* för ögonblicket; *in a moment* om ett ögonblick, strax

momentary [məo'mentri] som varar ett ögonblick; flyktig

momentum [məomenn'təm] fart

monarch [månn'ək] monark

monarchy [månn'əki] monarki

monastery [månn'əstri] [munk]kloster

Monday [mann'di] måndag

monetary [mann'itri] penning-, finans-

money [mann'i] pengar; *even money* jämna pengar; *be short of money* ha ont om pengar

money box [mann'ibåks] sparbössa; kassaskrin

moneylender [mann'ilendə] penningutlånare

money order [mann'i å:'də] postanvisning, postväxel

monger [mång'gə] handlare

Mongolian [månggəo'ljən] mongolisk

mongrel [mång'grel] byracka

monitor [månn'itə] **1** *s.* ordningsman; monitor **2** *v.* bevaka

monk [mangk] munk

monkey [mang'ki] apa

monkey-nut [mang'kinat] jordnöt

monkeywrench [mang'kirentʃ] skiftnyckel

monochrome [månn'əkrəom] svartvit (*om film*)

monopolize [manåpp'əlajz] lägga beslag på

monopoly [mənåpp'əli] monopol

monotonous [mənått'nəs] enformig, monoton

monsoon [månso:'n] monsun

monster [månn'stə] vidunder, monster, odjur

monstrous [månn'strəs] monstruös; kolossal

month [manθ] månad; *six months* ett halvt år

monthly [mann'θli] **1** *adj.* månatlig[en] **2** *s.* månadstidskrift

monument [månn'joment] monument

moo [mo:] råma

mood [mo:d] humör, stämning

moody [mo:'di] lynnig, på dåligt humör

moon [mo:n] måne; *once in a blue moon* mycket sällan

moonlight [mo:'nlajt] månsken; *sl.* extraknäcka

moor [mo:'ə] **1** *s.* hed **2** *v.* förtöja

moose [mo:s] älg

mop [måpp] **1** *s.* svabb **2** *v.* svabba

mope [məop] tjura

moped [məo'ped] moped

moral [mårr'əl] moralisk

morale [måra:'l] moral, anda

morality [məräll'iti] moral

morals [mårr'əlz] *pl* moral

morass [məräss'] moras, träsk

morbid [må:'bid] sjuklig

mordant [må:'dənt] vass, bitande

more [må:] mer[a], flera; *more beautiful* vackrare; *more and more* alltmer[a]

moreover [må:rəo'və] dessutom

morgue [må:g] bårhus

morning [må:'ning] morgon, förmiddag; *good morning!* god morgon (dag)!; *this morning* i morse, i förmiddags; *yesterday morning* i går morse morning coat [må:'ning kəo't] jackett

morning paper [må:'ning pej'pə] morgontidning

Moroccan [mərákk'ən] **1** adj. marockansk **2** s. marockan

Morocco [mərákk'əo] Marocko

moron [må:'rån] idiot

morose [mərəo's] dyster

morphine [må:'fi:n] morfin

morsel [må:'sl] munsbit, smula

mortal [må:'tl] dödlig

mortality [må:täll'iti] dödlighet

mortar [må:'tə] murbruk; mortel; mörsare

mortgage [må:'gidʒ] **1** s. inteckning **2** v. inteckna

mortification [må:tifikej'ʃən] späkning; förödmjukelse; harm; kallbrand

mortuary [må:'tjoəri] bårhus; grav-

mosaic [məzej'ik] mosaik

mosque [måsk] moské

mosquito [məski:'təo] mygga, moskit

mosquito bite [məski:'təobajt] myggbett

moss [måss] mossa

most [məost] **1** adj. o. s. mest, flest, det mesta, de flesta; *most of* större delen; *at the most* på sin höjd **2** adv. mest; *most of all* allra helst; *the most beautiful* vackrast

mote [məot] dammkorn; skärva, grand

motel [məotell'] motell

moth [måθ] mal, nattfjäril

mother [maŏ'ə] mor, mamma

mother-in-law [maŏ'ərinlå:] svärmor

mother-of-pearl [maŏ'ərəvpə:'l] pärlemor

motion [məo'ʃən] **1** s. rörelse; motion, förslag **2** v. ge tecken

motionless [məo'ʃnlis] orörlig

motive [məo'tiv] motiv

motive power [məo'tiv pao'ə] drivkraft

motley [mått'li] brokig

motor [məo'tə] **1** s. motor; bil **2** v. bila

motor accident [məo'tə äkk'sidənt] bilolycka

motor boat [məo'tə bəot] motorbåt

motor car [məo'təka:] bil

motorcycle [məo'təsajkl] motorcykel

motorism [məo'tərizəm] bilism

motorist [məo'tərist] bilist

motorman [məo'təmən] lokförare (*på ellok*)

motorway [məo'təwej] motorväg

motor works [məo'tə wə:ks] bilfabrik

mottle [mått'l] **1** s. fläck **2** v. göra fläckig

motto [mått'əo] valspråk

mould [məold] **1** s. mylla; mögel; gjutform **2** v. forma, gjuta; *moulding of public opinion* opinionsbildning

moulder [məo'ldə] multna

mouldy [məo'ldi] möglig; *get mouldy* mögla

moult [məolt] rugga

mound [maond] gravkulle; riksäpple

mount [maont] **1** v. montera; bestiga **2** s. berg

mountain [mao'ntin] berg, fjäll

mountain ash [mao'ntin äʃ] rönn

mountain bike [mao'ntənbajk] mountain bike

mountain chain [mao'ntin tʃejn] bergskedja

mountaineer [maontini:'ə] bergsbestigare, bergsbo

mountaineering [maontini:'əring] bergsbestigning

mountainous [mao'ntinəs] bergig

mountain slope [mao'ntin sləop] bergsluttning

mountebank [mao'ntibängk] kvacksalvare, skojare

mourn [må:n] sörja (*en avliden*)

mourner [må:'nə] sörjande

mourning [må:'ning] sorgdräkt; sorg; *in mourning* sorgklädd

mouse [maos] (*pl mice* [majs]) mus

mousetrap [maos'träp] råttfälla

mousse [mo:s] fromage

moustache [məsta:'ʃ] mustasch

mouth [maoθ] mun, gap; mynning

mouth organ [mao'θå:gən] munspel

mouthpiece [mao'θpi:s] munstycke; språkrör, talesman

mouth-to-mouth [mao'θ tə mao'θ] *the mouth-to-mouth method* mun-

-mot-mun metoden

movable [moː'vəbl] rörlig

move [moːv] 1 *v.* röra [sig], flytta [sig]; beveka; motionera (*väcka förslag*) 2 *s.* drag; rörelse

moved [moːvd] rörd

movement [moː'vmənt] rörelse; sats (*i musik*)

movie [moː'vi] film; *movies* (*pl, Am.*) biograf

moving [moː'viŋ] flyttning; rörande

mow [məo] klippa (*gräs o.d.*), meja

mower [məo'ə] slåttermaskin

mown [məon] *perf. part. av mow*

M.P. [empiː'] (*förk. för Member of Parliament*) parlamentsledamot

Mr. [miss'tə] herr (*framför namn*)

Mrs. [miss'iz] fru (*framför namn*)

Ms. [miz, məz] *används framför namn när man inte vill ange Miss el. Mrs.*

much [matʃ] mycket, mycken; *very much* väldigt mycket; *how much is it?* vad kostar det?

muck [makk] dynga, lort

mucous membrane [mjoː'kəs memm'brejn] slemhinna

mud [madd] slam, gyttja

muddle [madd'l] 1 *s.* virrvarr 2 *v.*, *muddle through* krångla sig igenom

muddy [madd'i] gyttjig, grumlig

mudguard [madd'gaːd] stänkskärm

muff [maff] muff; klåpare; tabbe

muffin [maff'in] tekaka, muffin

muffle [maff'l] dämpa; linda om

mufti [maff'ti] civila kläder

mug [magg] 1 *s.* mugg; *sl.* ansikte 2 *v.* överfalla, råna

mulatto [mjoːlätt'əo] mulatt

mulberry [mall'bri] mullbär[sträd]

mule [mjoːl] mula, mulåsna

mulish [mjoː'liʃ] trilsk

mulled [and spiced] wine [mald (ənd spajsd) wajn] *ung.* glögg

multiple [mall'tipl] flerdubbel

multiplication [maltiplikej'ʃən] multiplikation

multiply [mall'tiplaj] multiplicera (*by* med), öka[s]

multi-storey building [mall'tiståː'ri bill'diŋ] höghus

multi-storey garage [mall'tiståː'ri gärːaːʒ] parkeringshus

multitude [mall'titjoːd] mängd

mum [mamm] 1 *adj.* tyst 2 *s.* tystnad; *vard.* mamma

mumble [mamm'bl] mumla

mummy [mamm'i] mumie; *vard.* mamma

mumps [mamm'ps] påssjuka

munch [mantʃ] mumsa

mundane [mann'dejn] världslig

Munich [mjoː'nik] München

municipal [mjoːniss'ipəl] kommunal; *municipal court* tingsrätt

municipality [mjoːnisipäll'iti] kommun, samhälle

munition [mjoniʃ'ən] ammunition

mural [mjoː'rəl] 1 *adj.* mur-, vägg- 2 *s.* väggmålning

murder [məː'də] 1 *s.* mord 2 *v.* mörda

murderer [məː'dərə] mördare

murderous [məː'dərəs] mordisk

murky [məː'ki] mörk, dyster

murmur [məː'mə] 1 *s.* sorl, mummel 2 *v.* sorla, mumla

muscle [mass'l] muskel

muse [mjoːz] 1 *v.* fundera 2 *s.* musa

museum [mjoːziː'əm] museum

mush [maʃ] mos

mushroom [maʃ'roːm] champinjon, svamp

music [mjoː'zik] musik; *set s.th. to music* tonsätta ngt

musical [mjoː'zikəl] 1 *adj.* musikalisk; *musical box* speldosa; *musical comedy* operett; *musical instrument* musikinstrument 2 *s.* musikal

music hall [mjoː'zik håːl] varietélokal; *music-hall performance* varietéföreställning

musician [mjoːziʃ'ən] musiker

music paper [mjoː'zik pejpə] notpapper

musk [mask] mysk

musket [mass'kit] muskot

musketeer [maskitiː'ə] musketör

muskrat [mass'krät] bisamråtta

Muslim [mozz'lim] muslim

muslin [mazz'lin] muslin

mussel [mass'l] mussla

must [mast] **1** v. måste; *must not* får inte **2** s. must

mustard [mass'təd] senap

muster [mass'tə] **1** v. uppbjuda **2** s. mönstring

musty [mass'ti] unken

mute [mjo:t] stum

mutilate [mjo:'tilejt] lemlästa, stympa

mutineer [mjo:tini:'ə] myterist

mutiny [mjo:'tini] myteri

mutter [matt'ə] **1** v. muttra, mumla **2** s. mummel

mutton [matt'n] fårkött; *leg of mutton* fårstek

mutual [mjo:'tjoəl] ömsesidig, inbördes

muzzle [mazz'l] **1** s. mynning; munkorg **2** v. tysta ner

my [maj] min, mitt, mina

myocardial infarction [majəoka:'djəl infa:'kʃən] hjärtinfarkt

myrrh [mə:] myrra

myrtle [mə:'tl] myrten

myself [majsell'f] mig, [mig] själv

mysterious [misti:'əriəs] hemlighetsfull, mystisk, gåtfull

mystery [miss'təri] mysterium

mystic [miss'tik] mystisk

mystify [miss'tifaj] förbrylla, mystifiera

myth [miθ] myt

mythology [miθåll'ədʒi] mytologi

n

N, n [en] (*bokstav*) N, n

nag [nägg] **1** v. tjata **2** s. häst{krake}

nagging [nägg'ing] tjatig

nail [nejl] **1** s. nagel; spik **2** v. spika

nail file [nej'lfajl] nagelfil

nail scissors [nej'lsizəz] nagelsax

nail varnish [nej'lva:niʃ] nagellack

naïve [na:i:'v] naiv

naked [nej'kid] naken, bar

name [nejm] **1** s. namn; benämning (*for* på) **2** v. uppkalla

name-day [nej'mdej] namnsdag

namely [nej'mli] nämligen

namesake [nej'msejk] namne

nanny [nänn'i] barnsköterska

nap [näpp] tupplur; ludd, lugg

napkin [näpp'kin] servett; blöja

Naples [nej'plz] Neapel

nappy [näpp'i] blöja

narcosis [na:kəo'sis] narkos

narcotics [na:kått'iks] *pl* narkotika

narrate [nərej't] berätta

narrative [närr'ətiv] berättelse

narrow [närr'əo] **1** adj. trång, smal **2** v. smalna

narrowing [närr'əoing] avsmalnande

nasal [nej'zl] nasal, näs-

nasal spray [nej'zəlsprej] nässpray, näs0spray

nasturtium [nəstə:'ʃəm] krasse

nasty [na:'sti] otäck; smutsig; elak; *have a nasty smell* lukta illa

natal [nej'tl] födelse-

natality [nätäll'iti] *Am.* nativitet

nation [nej'ʃən] nation

national [näʃ'ənl] nationell; *national anthem* nationalsång; *national coat of arms* riksvapen; *national income* nationalinkomst; *national insurance* socialförsäkring; *national park* reservat, nationalpark; *national planning* samhällsplanering; *national team* landslag

nationality [näʃənäll'iti] nationalitet

nationalize [näʃ'nəlajz] förstatliga

native [nej'tiv] **1** s. infödd; inföding; *native of* hemmahörande i **2** adj. infödd; födelse-; *native country* fosterland, hemland; *native place* hembygd

nativity [nətivv'iti] födelse

natural [nätt'frəl] naturlig; *natural resources* naturtillgångar; *natural science* naturvetenskap

naturally [nätt'frəli] naturligtvis

nature [nej't ʃə] natur

naught [nå:t] nolla, intet

naughty [nå:'ti] stygg, elak

nausea [nå:'sjə] äckel

nauseate [nå:'siejt] äckla

nauseating [nå:'siejting] äcklig

nautical mile [nå:'tikal majl] sjömil, nautisk mil

naval [nejv'l] sjö-, fartygs-

nave [nejv] hjulnav; skepp (*i kyrka*)

navel [nej'vəl] navel

navigate [nävv'igejt] navigera

navigation [nävigej'ʃən] navigation

navvy [nävv'i] rallare

navy [nej'vi] flotta; marin

nay [nej] **1** *adv., åld.* nej **2** *s.* nejröst

Nazi [na:'tsi] nazist

near [ni:'ə] **1** *adj. o. adv.* nära, i närheten av, vid; *be near* förestå, vara nära **2** *v. bring … near* närma

nearer [ni:'ərə] närmare

nearest [ni:'ərist] närmast

nearly [ni:'əli] nästan; inemot

nearsighted [ni:'əsajt'tid] närsynt

neat [ni:t] prydlig, vårdad

nebulous [nebb'joləs] dimmig; dunkel

necessary [ness'isəri] nödvändig; *be necessary* behövas; *if necessary* om så erfordras

necessity [nisess'əti] nödvändighet; *necessities* (*pl*) förnödenheter

neck [nekk] **1** *s.* hals; *the back of the neck* nacken **2** *v., vard.* hångla

necklace [nekk'lis] halsband

necktie [nekk'taj] slips

née [nej] född

need [ni:d] **1** *v.* behöva; *be needed* behövas, gå åt; *badly (much) needed* välbehövlig **2** *s.* behov; *be in need* lida nöd; *in case of need* i nödfall

needle [ni:'dl] nål, synål; barr

needless [ni:'dlis] onödig

needlework [ni:'dlwə:k] handarbete

needy [ni:'di] behövande

negative [negg'ətiv] negativ; *answer in the negative* svara nekande

neglect [niglekk't] **1** *v.* försumma, underlåta, vansköta **2** *s.* försummelse

neglected [niglekk'tid] ovårdad

negligence [negg'lidʒəns] försumlighet; vårdslöshet

negligent [negg'lidʒənt] försumlig

negligible [negg'lidʒəbl] försumbar, som kan bortses från

negotiate [nigəo'ʃiejt] förhandla, underhandla

negotiation [nigəoʃiej'ʃən] förhandling, underhandling

neigh [nej] gnägga

neighbour [nej'bə] granne

neighbourhood [nej'bəhod] grannskap; närhet; *in this neighbourhood* här i trakten

neighbouring [nej'bəring] närbelägen; *neighbouring country* grannland

neither [naj'ðə] ingendera; *neither … nor* varken … eller

neon tube [ni:'ən tjo:b] neonrör

nephew [neff'jo] brorson, systerson

nerve [nə:v] nerv; själsstyrka; fräckhet; *get on a p.'s nerves* enervera ngn

nerve-racking [nə:'vräkk'ing] nervpåfrestande

nervous [nə:'vəs] nervös; *nervous disorder* nervsjukdom

nest [nest] [fågel]bo

nesting box [ness'tingbåks] fågelholk

nestle [ness'l] bygga bo; trycka sig intill; ligga inbäddad

net [nett] **1** *s.* nät **2** *adj.* netto; *net weight* nettovikt

Netherlands [neð'ələndz] *the Netherlands* Nederländerna

nettle [nett'l] *bot.* nässla; *stinging nettle* brännässla

nettle-rash [nett'lräʃ] nässelutslag

network [nett'wə:k] nätverk; kedja av radiostationer

neurosis [njoərəo'sis] neuros

neurotic [njoərått'ik] **1** *adj.* neurotisk **2** *s.* neurotiker

neuter [njo:'tə] **1** *s.* neutrum **2** *adj.* neutral

neutral [njo:'trəl] neutral

neutrality [njo:träll'iti] neutralitet

neutralize [njo:'trəlajz] neutralisera

neutron [njo:'trån] neutron

never [nevv'ə] aldrig

nevertheless [nevəðəless'] likväl, icke desto mindre, ändå

new [njo:] ny; färsk; *new moon* nymåne; *new year* nyår; *New Year's Day* nyårsdagen; *New Year's Eve* nyårsafton

new built [njo:'bilt] nybyggd

newborn [njo'bå:n] nyfödd

newcomer [njo:'kamm'ə] nykomling

newfangled [njo:'fänggld] nymodig

newly [njo:'li] nyligen; ny-

newly established [njo:'li istäbb'lift] nystartad (*om företag*)

newly-formed [njo:'li få:md] nybildad

newly married [nio'li märr'id] nygift

newly pressed [njo:'liprest] nypressad

newly qualified [njo:'li kwåll'ifajd] nyexaminerad

newly-wed [njo:'liwed] nygift

news [njo:z] *pl* nyheter; underrättelser; *a piece of news* en nyhet

news agency [njo:'z ej'dʒənsi] nyhetsbyrå

news broadcast [njo:'z brå:'dka:st] nyhetsutsändning

news item [njo:'zajtem] [tidnings]-notis

newspaper [njo:'spejpə] tidning

newsreel [njo:'zri:l] journalfilm

news-stand [njo:'zständ] tidningskiosk

newt [njo:t] vattenödla

New Zealand [njo:zi:'lənd] Nya Zeeland

next [nekst] nästa, nästkommande; *next autumn* i höst (*nästkommande*); *next to* intill

nib [nibb] spets; näbb; penna

nibble [nibb'l] knapra på; nafsa efter

nice [najs] snäll, rar; skön; *we had a very nice time* vi hade mycket trevligt; *nice and comfortable* hemtrevlig

nicety [naj'səti] finhet; noggrannhet; läckerhet; *to a nicety* precis lagom, elegant

nick [nikk] skåra; *in the nick of time* i grevens tid

nickel [nikk'l] nickel; *Am.* 5-centsslant

nickname [nikk'nejm] smeknamn; öknamn

nicotine [nikk'əti:n] nikotin

niece [ni:s] systerdotter, brorsdotter

niggardly [nigg'ədli] knusslig

nigh [naj] *åld., poet.* nära; nästan

night [najt] natt; kväll; *good night!* god natt!; *first night* premiär

night club [naj'tklab] nattklubb

nightingale [naj'tinggejl] näktergal

nightmare [naj'tmɛ:ə] mardröm

nightshirt [naj'tʃə:t] nattskjorta

nightwatchman [naj'twått'ʃmən] nattvakt

nil [nill] intet, noll

Nile [naj'l] *the Nile* Nilen

nimble [nimm'bl] livlig; händig

nincompoop [ninn'kəmpo:p] dumhuvud, våp

nine [najn] **1** *räkn.* nio **2** *s.* nia

ninepins [naj'npinz] kägelspel

nineteen [naj'nti:'n] nitton

nineteenth [naj'nti:'nθ] nittonde

ninetieth [naj'ntiiθ] nittionde

ninety [naj'nti] nittio

ninth [najnθ] nionde

nip [nipp] nypa; knipa; *nip in the bud* kväva i sin linda

nippers [nipp'əz] *pl* avbitartång

nitrate [naj'trejt] nitrat

nitric acid [naj'trik äss'id] salpetersyra

nitrogen [naj'trədʒən] kväve

no [nəo] **1** *s.* nej **2** *adv.* nej; inte **3** *adj.* ingen, ingenting; *no one* ingen

Nobel Prize [nəo'bel prajz] nobelpris; *Nobel prize winner* nobelpristagare

nobility [nobill'iti] adel

noble [nəo'bl] ädel; förnäm; adlig

nobody [nəo'bədi] ingen

nocturnal [nåktə:'nl] nattlig

nod [nådd] **1** *v.* nicka **2** *s.* nick

noise [nåjz] buller, oljud, oväsen; ljud; *make a noise* bullra, stoja

noiseless [nåj'zlis] ljudlös

noisy [nåj'zi] högljudd, bråkig, bullrig; *be noisy* väsnas, bråka (*stoja*)

nomad [nəo'məd] nomad

nominal [nåmm'inl] nominell

nominate [nåmm'inejt] benämna; nominera

nominee [nåmini:'] kandidat

non-alcoholic [nånn'älkəhåll'ik] alkoholfri

nonchalant [nånn'ʃələnt] nonchalant

non-commissioned officer [nånn'kə-miʃ'ənd åff'isə] underbefäl

non-committal [nånn'kəmitt'l] 1 s. vägran att uttala sig 2 adj. avvaktande

nondescript [nånn'diskript] obestämbar

none [nann] ingen, inget, inga; none the less icke desto mindre

non-existent [nånn'igziss'tənt] obefintlig

non-fiction [nånfikk'ʃən] facklitteratur

non-iron [nånn'aj'ən] strykfri

nonplus [nånn'plass'] 1 s. bryderi 2 v. göra förlägen

non-returnable bottle [nånn'ritə:'-nəbl bått'l] engångsglas

nonsense [nånn'səns] nonsens, struntprat

non-stop [nånn'ståpp'] utan uppehåll

nook [nokk] vinkel; vrå

noon [no:n] middag; at noon klockan tolv på dagen

noose [no:s] ögla, snara

nor [nå:] ej heller; neither ... nor varken ... eller

Nordic [nå:'dik] nordisk; the Nordic countries Norden

normal [nå:'məl] normal

Norman [nå:'mən] 1 s. normand 2 adj. normandisk

normative [nå:'mətiv] normgivande

Norse [nå:s] norsk

north [nå:θ] 1 s. norr, nord; to the north mot norr 2 adj. nordlig, nord-; the North Pole nordpolen; the North Sea Nordsjön

north-east [nå:'θi:'st] nordost

northeastern [nå:'θi:'stən] nordostlig, nordöstra

northern [nå:'ðən] nordlig, nordisk; Northern Africa Nordafrika

northerner [nå:'ðənə] nordbo

north-west [nå:'θwess't] nordväst

northwestern [nå:'θwess'tən] nordvästlig, nordvästra

Norway [nå:'wej] Norge

Norway lobster [nå:'wej låbb'stə]

zool. havskräfta

Norwegian [nå:wi:'dʒən] 1 adj. norsk 2 s. norrman, norska; (språk) norska

nose [nəoz] näsa; nos; blow one's nose snyta sig

nosebleed [nəo'zbli:d] näsblod

nosedive [nəo'z daj'v] störtdykning

nose drops [nəo'zdråps] näsdroppar

nosegay [nəo'zgej] bukett

nostalgia [nåställ'dʒiə] hemlängtan; nostalgi

nostalgic [nåställ'dʒik] nostalgisk; hemsjuk

nostril [nåss'tril] näsborre

not [nått] inte; not at all visst inte; not only ... but [also] icke blott utan även; he's not at all himself han är sig inte lik

notable [nəotəbl] märkvärdig; framstående

notation [nəotej'ʃən] beteckningssätt

notch [nåtʃ] hack

note [nəot] 1 s. not, ton; anteckning; give the note ange tonen; make a note of notera; note of hand revers; strike the right note träffa den rätta tonen 2 v. lägga märke till, anteckna

notebook [nəo'tbok] anteckningsbok

noted [nəo'tid] berömd

notepaper [nəo'tpejpə] brevpapper

noteworthy [nəo'twə:ði] anmärkningsvärd

nothing [naθ'ing] ingenting; nothing like inte tillnärmelsevis

nothingness [naθ'ingnis] intet, intighet

notice [nəo'tis] 1 s. meddelande, anslag; uppsägning; förvarning, varsel (vid strejk); give notice varsla, varsko; give notice of utlysa; take notice of lägga märke till; under notice uppsagd 2 v. uppmärksamma, märka

noticeable [nəo'tisəbl] anmärkningsvärd; märkbar

noticeboard [nəo'tisbå:d] anslagstavla

notify [nəo'tifaj] underrätta

notion [nəo'ʃən] aning; föreställning

notoriety [nəotərəj'əti] allmänt känd person

notorious [nəotå:'riəs] beryktad, ökänd

notwithstanding [nåtwiðstänn'ding] **1** prep. trots **2** adv. trots det, icke desto mindre

nought [nå:t] **1** s. nolla **2** räkn. noll

noun [naon] substantiv

nourish [narr'iʃ] uppföda; bildl. hysa

nourishing [narr'iʃing] närande

nourishment [narr'iʃmənt] näring; föda

novel [nåvv'əl] roman

novelty [nåvv'əlti] nyhet, nymodighet

November [nəovemm'bə] november

novice [nåvv'is] novis, nybörjare

now [nao] nu; till now hittills; now ... än ... än; now and then stundtals, då och då

nowadays [nao'ədejz] nuförtiden, numera

nowhere [nəo'wä:ə] ingenstans

noxious [nåkk'ʃəs] skadlig

nozzle [nåkk'l] munstycke; nos, tryne

nuclear [njo:'kliə] kärn-; nuclear physics kärnfysik; nuclear power station kärnkraftverk; nuclear weapon kärnvapen

nucleic acid [njo:'kliik äss'id] nukleinsyra

nucleus [njo:'kliəs] cellkärna

nude [njo:'d] naken

nudge [nadʒ] **1** v. knuffa till **2** s. lätt knuff

nudist [njo:'dist] nudist

nugget [nagg'it] guldklimp

nuisance [njo:'sns] obehag, besvär; what a nuisance så förargligt!

null [nall] ogiltig; värdelös

nullify [nall'ifaj] annullera, förklara ogiltig

numb [namm] domnad; numb with cold stel av köld

number [namm'bə] **1** s. nummer, tal; antal; in large numbers massvis **2** v. numrera

numerator [njo:'mərejtə] täljare

numerical order [njo:merr'ikəl å:'də] nummerordning

numerous [njo:'mərəs] talrik

nun [nann] nunna

nuptial [napp'ʃəl] bröllops-, äktenskaplig

nurse [nə:s] **1** s. [sjuk]sköterska; barnsköterska; male nurse sjukvårdare **2** v. sköta, vårda

nursemaid [nə:'smejd] barnflicka

nursery [nə:'sri] barnkammare; plantskola

nursery school [nə:'sri sko:l] lekskola, förskola

nursing room [nə:'sing ro:m] skötrum

nursing table [nə:'sing tejbl] skötbord

nurture [nə:'tʃə] **1** s. näring **2** v. uppföda

nut [natt] **1** s. nöt; mutter **2** adj., nuts (pl) tokig

nutcracker [natt'kräkk'ə] nötknäppare

nutmeg [natt'meg] muskot[nöt]

nutrition [njotriʃ'ən] näring

nutritious [njo:triʃ'əs] näringsrik

nutshell [natt'ʃel] nötskal

nylon [naj'lən] nylon

nylon shirt [naj'lən ʃə:t] nylonskjorta

O

O, o [əo] (bokstav) O, o; (i telefonnummer m.m.) noll

oak [əok] ek

oaken [əo'kn] av ek

oar [å:] åra

oasis [əoej'sis] oas

oath [əoθ] ed; svordom; take one's oath upon gå ed på

oats [əots] pl havre

obedience [əbi:'djəns] lydnad

obedient [əbi:'djənt] lydig

obese [əobi:'s] mycket fet

obesity [əobi:'siti] överdriven fetma

obey [əbej'] lyda

obituary [əbitt'joəri] (döds-) runa; obituary notice dödsannons

object 1 s. [åbb'dʒikt] objekt, föremål; object lesson skolexempel **2** v. [əbdʒekk't] invända (to mot)

objection [əbdʒekk'ʃən] invändning,

anmärkning
objective [əbdʒəkk'tiv] **1** *adj.* objektiv **2** *s.* avsikt; mål
obligation [åbligej'ʃən] förbindelse, förpliktelse
oblige [əblaj'dʒ] tillmötesgå; göra en tjänst; *be obliged to* vara tvungen att; *much obliged!* tack så mycket!
obliging [əblaj'dʒing] tillmötesgående, tjänstvillig
oblique [əbli:'k] sned
obliquely [əbli:'kli] på snedden
obliterate [əblitt'ərejt] utplåna
oblivion [əblivv'iən] glömska
oblong [åbb'lång] avlång
obnoxious [åbnåkk'ʃəs] anstötlig; avskyvärd
oboe [əo'bəo] oboe
obscene [åbsi:'n] slipprig, oanständig
obscure [əbskjo:'ə] oklar, dunkel
obscurity [əbskjo:'əriti] oklarhet, dunkel
observance [əbzə:'vəns] efterlevnad
observation [åbzə:vej'ʃən] observation, iakttagelse, rön
observatory [əbzə:'vətri] observatorium
observe [əbzə:'v] observera, iaktta, beakta
observer [əbzə:'və] iakttagare
obsession [əbseʃ'ən] tvångsföreställning
obsolete [åbb'səli:t] föråldrad
obstacle [åbb'stəkl] hinder (*to* för, mot)
obstinate [åbb'stinit] envis; *the obstinate age* trotsåldern
obstruct [əbsträkk't] spärra; hindra
obtain [əbtej'n] erhålla, förvärva; *obtain ... by force* tilltvinga sig
obtainable [əbtej'nəbl] *be obtainable* finnas att tillgå
obtrusive [əbtro:'siv] påträngande
obtuse [əbtjo:'s] trubbig; trög (*om förstånd*)
obvious [åbb'viəs] uppenbar, tydlig, självklar
obviously [åbb'viəsli] uppenbarligen, tydligen

occasion [əkej'ʃən] tillfälle
occasional [əkej'ʃənl] enstaka; tillfällig
occasionally [əkej'ʃnəli] emellanåt
occupation [åkjopej'ʃən] sysselsättning, yrke; ockupation
occupational [åkjopej'ʃənl] yrkes-; *occupational disease* yrkessjukdom; *occupational therapy* sysselsättningsterapi
occupied [åkk'jopəjd] sysselsatt, upptagen
occupy [åkk'jopaj] sysselsätta; ockupera
occur [əkə:'] inträffa, hända, förekomma; *it never occurred to me* det föll mig aldrig in
occurrence [əkarr'əns] händelse, förekomst
occurring [əkə:'ring] förekommande
ocean [əo'ʃən] ocean, världshav
Oceania [əoʃiej'njə] Oceanien
o'clock [əklåkk'] *six o'clock* klockan sex
octane rating [åkk'tejn rej'ting] oktantvärde
octave [åkk'tiv] oktav
octavo [åktej'vəo] oktavformat
October [åktəo'bə] oktober
octopus [åkk'təpəs] bläckfisk
odd [ådd] udda; konstig; *odd fish* stofil
odds [ådz] odds, utsikter; *odds and ends* (*vard.*) prylar
odious [əo'djəs] avskyvärd
odometer [əodåmm'itə] vägmätare
odour [əo'də] lukt
oesophagus [i:såff'əgəs] matstrupe
of [åv] av, från, om
off [åff] **1** *prep.* åstad, i väg; bort **2** *adv., adj. o. pred. be off* ge sig i väg; *be well off* vara förmögen **3** *attr., adj.,* *on the off chance* i förhoppning [om]
offal [åff'l] avfall, avskräde
offence [əfenn's] anstöt; förseelse
offend [əfenn'd] förnärma, stöta
offender [əfenn'də] förbrytare
offensive [əfenn'siv] **1** *s.* offensiv

2 adj. anstötlig

offer [åff'ə] **1** v. erbjuda [sig] **2** s. erbjudande, anbud, offert

offering [åff'əring] offer[gåva]; erbjudande

offhand [åff'hänn'd] **1** adv. genast; på rak arm **2** adj. nonchalant

office [åff'is] kontor; ämbete

officer [åff'isə] officer; polisman; ämbetsman

official [əfiʃ'əl] **1** adj. officiell; *official journey* tjänsteresa; *official reports* offentliga utredningar **2** s. ämbetsman, tjänsteman; funktionär

officious [əfiʃ'əs] servil; officiös

offprint [åff'print] särtryck

offset [åff'set] **1** s. offset[tryck]; kompensation **2** v. kompensera; *offset print* offsettrycka

offspring [åff'spring] avkomma

often [åff'ən] ofta

ogle [əo'gl] snegla på; flirta

ogre [əo'gə] jätte, troll

oh [əo] jaså

ohm [əom] ohm

oil [åjl] olja

oilcloth [åj'lklåθ] vaxduk

oil heating [åil'hi:ting] oljeeldning

oil lamp [åj'lpej'nt] oljefärg

oil painting [åj'lpej'nting] oljemålning

oil rig [åil'rigg] oljeborrplattform

oil skins [åj'lskinz] pl oljeställ

ointment [åj'ntmənt] salva

okay [əokej'] okej

old [əold] gammal; *old age* ålderdom; *old man* gubbe; *old woman* gumma

older [əo'ldə] äldre

oldest [əo'ldist] äldst

old-fashioned [əo'ldfäʃ'ənd] omodern, gammaldags, gammalmodig

olive [åll'iv] **1** s. oliv **2** adj. olivgrön

Olympic Games [əlimm'pik gej'mz] olympiad, olympiska spel

ombudsman [åmm'bodzmən] ombudsman

omelette [åmm'lit] omelett

omen [əo'men] omen, förebud

ominous [åmm'inəs] olycksbådande

omission [əmiʃ'ən] utelämnande, underlåtenhet

omit [əmitt'] utelämna

omnipotent [åmnipp'ətnt] allsmäktig

omnipresent [åmnipprezz'nt] allestädes närvarande

omniscient [åmniss'iənt] allvetande

on [ånn] **1** prep. på, vid; *on top of* ovanpå **2** adv. framåt

once [wanns] **1** adv. en gång; *once more* en gång till; *once a week* en gång i veckan; *once in a while* ngn enstaka gång, då och då **2** s., *at once* genast, med ens; *for once* för en gångs skull

once-for-all cost [wans forå:'l kåss't] engångskostnad

one [wann] **1** räkn. o. adj. en, ett; endera; *[the] one ... the other* den ene ... den andre; *one after the other* efter varandra; *one of these days* endera dagen **2.** etta **3** pron. man

one-bedroom flat [wann' bedd'ro:m flätt] tvårumslägenhet

one-coloured [wann'kall'əd] enfärgad

one-family house [wann'fämm'ili haos] enfamiljshus

oneself [wansell'f] sig [själv]

one-sided [wann'saj'did] ensidig

onion [ann'jən] lök

onlooker [ånn'lokə] åskådare

only [əo'nli] **1** adv. bara, endast; *so-so* si och så; *I saw him only yesterday* jag såg honom senast i går **2** adj. enda

onset [ånn'set] anfall; början

onslaught [ånn'slå:t] våldsamt anfall

onwards [ånn'wədz] framåt

ooze [o:z] sippra fram, läcka ut

opaque [əopej'k] ogenomskinlig, oklar

open [əo'pən] **1** adj. öppen; *open to new ideas* mottaglig för nya idéer **2** v. öppna; inleda; *open out* utmynna (om gata o.d.); *open slightly* glänta på

open-air restaurant [əo'pnä:'ə ress'-tərənt] uteservering

open-hearted [əo'pənha:tid] öppenhjärtig

opening [əo'pning] öppning; öppnande; uppslag (*i bok*)

openness [əo'pənnis] öppenhet

opera [åpp'ərə] opera

opera house [åpp'ərəhaos] operahus

opera singer [åpp'ərəsingə] operasångare

operate [åpp'ərejt] operera (*on s.b.* ngn); verka; vara i gång; *be operated on* bli opererad

operation [åpərej'ʃən] operation; drift, gång; *in operation* i funktion

operator [åpp'ərejtə] telefonist; maskinist

opiate [əo'piət] sömnmedel

opinion [əpinn'jən] åsikt, mening; opinion; *form an opinion of* bilda sig en uppfattning om; *in my opinion* enligt min åsikt; *of one opinion* enig, ense; *public opinion* den allmänna opinionen

opinion poll [əpinn'jən pəol] opinionsundersökning

opinionated [əpinn'jənejtid] dogmatisk; egensinnig

opium [əo'pjəm] opium

opponent [əpəo'nənt] motståndare

opportune [åpp'ətjo:n] laglig, passande

opportunist [åpp'ətjo:nist] opportunist

opportunity [åpətjo:'niti] tillfälle, chans; *take the opportunity* passa på tillfället

oppose [əpəo'z] motsätta sig

opposite [åpp'əzit] **1** *adj.* motsatt; mitt emot **2** *adv.* mitt emot **3** *s.* motsats

opposition [åpəziʃ'ən] opposition

oppress [əpress'] förtrycka; nedtynga

oppression [əpreʃ'ən] förtryck

opt [åpt] välja; *opt for* uttala sig för

optical [åpp'tikəl] optisk; *optical illusion* synvilla

optician [åptiʃ'ən] optiker

optimist [åpp'timist] optimist

optimistic [åptimiss'tik] optimistisk

option [åpp'ʃən] valfrihet, alternativ; option

optional [åpp'ʃənl] valfri, frivillig

opulence [åpp'joləns] välstånd, överflöd

opulent [åpp'jolənt] rik; överflödande

or [å:] eller; annars; *3 or 4 days* 3 à 4 dagar

oral [å:'ral] muntlig

orange [årr'indʒ] **1** *s.* apelsin **2** *adj.* brandgul

orange juice [årr'indʒ dʒo:'s] apelsinjuice

orange marmalade [årr'indʒ ma:'-məlejd] apelsinmarmelad

orange squash [årr'indʒ skwåʃ] apelsinsaft

orang-utan [å:'rəngo:'täng] orangutang

oration [å:rej'ʃən] högtidligt tal

orator [årr'ətə] vältalare

orb [å:b] klot, sfär; riksäpple

orbit [å:'bit] (*satellits e.d.*) bana

orchard [å:'tʃəd] fruktträdgård

orchestra [å:'kistrə] orkester, kapell

orchid [å:'kid] orkidé

ordeal [å:di:'l] eldprov

order [å:'də] **1** *v.* beställa; befalla; påbjuda; (*sport.*) *order off* utvisa; *get … into order* ordna, reda **2** *s.* beställning, order (*for* på); befallning; ordning; orden; *out of order* trasig, i olag; *social order* samhällsskick

orderly [å:'dəli] **1** *adj.* redig, ordentlig **2** *s.* sjukvårdsbiträde; ordonnans

ordinance [å:'dinəns] förordning

ordinary [å:'dnri] vanlig, ordinär; ordinarie; *ordinary people* vanligt folk; *ordinary plate* flat tallrik; *ordinary share* stamaktie; *ordinary train* persontåg

ordnance [å:'dnəns] artilleri; krigsmateriel

ore [å:] malm

organ [å:'gən] organ; orgel

organic [å:gänn'ik] organisk

organism [å:'gənizəm] organism

organization [å:gənajzej'ʃən] organisation

organize [å:'gənajz] organisera

organizing ability [å:'gənajzing əbill'iti] organisationsförmåga

orgasm [å:'gäzəm] orgasm

orgy [å:'dʒi] orgie

Orient [å:'riənt] *the Orient* Orienten

orient [å:'riənt] orientera

oriental [å:riənn'tl] orientalisk

orientation [å:rientej'ʃən] inriktning

orienteering [å:rientiə'ring] *sport.* orientering

orifice [å:'rifis] öppning, mynning

origin [årr'idʒin] ursprung, upphov, härstamning

original [ərridʒ'ɔnl] **1** *adj.* ursprunglig, originell; *original inhabitant* urinnevånare **2** *s.* original

originally [ərridʒ'ənəli] ursprungligen

originate [əridʒ'ənejt] härröra; [här]-stamma från; ge upphov till

originator [əridʒ'ənejtə] upphovsman

ornament [å:'nəmənt] ornament

orphan [å:'fən] föräldralös

orthodox [å:'θədåks] rättrogen

oscillate [åss'ilejt] pendla

ostensible [åstenn'səbl] föregiven, påstådd

ostentatious [åstentej'ʃəs] vräkig, prålig

ostrich [åss'tritʃ] struts

other [að'ə] annan, övrig; *each other* varandra; *the other day* häromdagen; *on the other hand* däremot

otherwise [að'əwajz] annars, i annat fall; annorlunda, på annat sätt

otter [ått'ə] utter

ought to [å:'t to:] bör, borde

ounce [aons] uns *(ca 28 gram)*

our [a'ə] *poss. pron, fören.* vår; *our house* vårt hus

ours [ao'əz] *poss. pron, självst.* vår; *these books are ours* de här böckerna är våra

ourselves [aoɔsell'vz] oss [själva]

oust [aost] fördriva

out [aot] ut; fram; ute; framme; *out there* där ute; *out of* av, upp (ut) ur, ur

outboard motor [aotbå:'d məo'tə] aktersnurra

outbreak [ao'trejk] utbrott

outburst [ao'tbə:st] utbrott

outcast [ao'tkɔ:st] utstött varelse

outclass [aotkla:'s] utklassa

outcome [ao'tkam] resultat

outcry **1** s. [ao'tkraj] rop, larm **2** *v.* [aotkraj'] ropa, larma; överrösta

outdo [aotdo:'] överträffa

outdoor clothes [ao'tdå:'klɔoðz] ytterkläder

outdoor life [ao'tdå:'laj'f] friluftsliv

outdoors [ao'tdå:'z] utomhus

outer [ao'tə] yttre; *outer dimension* yttermått; *outer door* ytterdörr; *outer space* världsrymden

outermost [ao'təməost] ytterst

outfit [ao'tfit] **1** *s.* utrustning; företag; arbetslag **2** *v.* utrusta

outflow [ao'tflɔo] utlopp, utflöde

outgrow [aotgrɔo'] växa ur

outgrown [aotgrɔo'n] urvuxen

outgrowth [əo'tgrɔoθ] utväxt

outhouse [ao'thaos] uthus

outing [ao'ting] utflykt

outlandish [aotlänn'diʃ] egendomlig, bisarr

outlaw [ao'tlå:] fredlös

outlay [ao'tlej] utlägg, utgifter

outlet [ao'tlet] utgång; avlopp

outline [ao'tlajn] **1** *s.* kontur; utkast; *in rough outline* i grova drag **2** *v.* skissera

outlive [aotlivv'] överleva, leva längre än

outlook [ao'tlok] utsikt; utkik

outmanoeuvre [aotmɔno:'və] utmanövrera

outnumber [aotnamm'bə] vara överlägsen i antal

out of date [ao'təvdej't] *adj.* föråldrad

out of doors [ao'təvdå:'z] utomhus

out-of-the-way [ao'təvðəwej'] *out-of-the-way spot* avkrok

outpatient department [ao'tpejʃənt dipa:'tmənt] poliklinik

outpost [ao'tpəost] utpost

output [ao'tpot] produktion

outrage [ao'trejdʒ] **1** *s.* övergrepp; skymf **2** *v.* kränka; skymfa

outrageous [aotrej'dʒəs] kränkande

outright 1 *adv.* [aotraj't] rent ut, helt

och hållet **2** *adj.* [ao'trajt] fullständig

outset [ao'tset] början

outside [aotsaj'd] **1** *prep.* utanför; utanpå; utom **2** *s.* utsida; *from outside* utifrån **3** *adj.* yttre; ytter-; *outside forward* (*sport.*) ytter

outsider [aotsaj'də] utomstående

outskirts [ao'tskə:ts] *pl* utkanter, ytterområden

outspoken [aotspəo'kən] frispråkig

outstanding [aotstänn'ding] framstående

outward[s] [ao'twəd(z)] utvändig, utåt

outwit [aotwitt'] överlista

oval [əo'vəl] oval

ovary [əo'vəri] *anat.* äggstock

oven [əvv'n] ugn

ovenproof [əvv'npro:f] ugnseldfast

over [əo'və] över; omkull; *be over* vara över[ståden]; *over again* om igen

overall 1 *s.* [əo'vərå:l] städrock; (*pl*) *overalls* overall **2** *adj.* [əo'vərå:l] total; generell **3** *adv.* [əovərå:'l] på det hela taget; överallt

overbearing [əovəbä:'əring] myndig, högdragen

overcast [əo'vəka:st] mulen

overcoat [əo'vəkəot] ytterrock, överrock

overcome [əovəkamm'] övervinna

overcrowding [əovəkrao'ding] trångboddhet

overdo [əovədo:'] överdriva

overdose [əo'vədəoz] överdos

overdraft [əo'vədra:ft] överskridande av bankkonto

overdress [əo'vədress'] styra ut

overdue [əo'vədjo:'] [för länge sedan] förfallen; försenad

overeat [əo'vəri:'t] föräta sig

overexcited [əo'vəriksaj'tid] uppjagad

overflow [əovəfləo'] svämma över

overflowing [əovəfləo'ing] översvallande

overhaul [əo'vəhå:l] översyn

overhead projector [əo'vəhed prədʒekk'tə] overheadprojektor

overheads [əo'vəhedd'z] *pl* samkostnader

overhead valve [əo'vəhed väll'v] toppventil

overhear [əovəhi:'ə] råka få höra

overland [əovəlänn'd] landvägen

overlap [əovəläpp'] delvis täcka, överlappa

overload [əo'vələo'd] överbelasta

overlook [əovəlokk'] förbise; överse med

overpopulation [əo'vəpåpjolej'ʃən] överbefolkning

overpower [əovəpao'ə] övermanna, överväldiga

overqualified [əo'vəkwåll'ifajd] överkvalificerad

overrate [əo'vərej't] överskatta

override [əo'vəraj'd] åsidosätta; överskrida

overripe [əovəraj'p] övermogen

overrule [əovəro:'l] upphäva; ogilla

overseas [əovəsi:'z] utomlands, på andra sidan havet

overseer [əo'vəsi:ə] tillsyningsman

oversight [əo'vəsajt] förbiseende

oversleep [əovəsli:'p] försova sig

overstate [əovəstej't] överdriva

overstrain [əovəstrej'n] överanstränga [sig]

overstrung [əovəstrang'] överspänd

overt [əo'və:t] offentlig; öppen

overtake [əovətej'k] köra (gå) om; hinna upp

overtax [əovətäkk's] överbeskatta; fordra för mycket av

overthrow [əovəθrəo'] störta, avsätta

overtime [əo'vətajm] övertid; *overtime compensation* övertidsersättning

overture [əo'vətjo:ə] uvertyr

overweight [əo'vəwejt] övervikt

overwhelm [əovəwell'm] överväldiga

overwhelmed [əovəwell'md] överväldigad

overwork 1 *s.* [əo'vəwə:'k] överansträngning **2** *v.* [əo'vəwə:'k] överanstränga **3** *s.* [əo'vəwə:k] övertidsarbete

overworked [əo'vəwə:'kt] överansträngd

overwrought [əo'vərɔ:'t] överspänd; överlastad

owe [əo] vara skyldig, ha att tacka för; *owing to* på grund av; *owing to this* härigenom

owl [aol] uggla

own [əon] 1 v. äga; rå om, vidkännas 2 adj. egen; *one's own* ens egen; *get one's own way* få sin vilja igenom

owner [əo'nə] ägare

ownership [əo'nəʃip] äganderätt

ox [åks] (pl oxen [åkk'sən]) oxe

oxide [åkk'sajd] oxid

oxidize [åkk'sidajz] oxidera

Oxonian [åksəo'njən] 1 adj. oxford- 2 s. oxfordstudent

oxygen [åkk'sidʒən] syre

oyster [åj'stə] ostron

oystercatcher [åj'stəkatʃə] strandskata

oz. förk. för ounce

ozone layer [əo'zəonlejə] ozonskikt

p

P, p [pi:] (bokstav) P, p

pa [pa:] *vard.* pappa

pace [pejs] steg; tempo; hastighet

Pacific [pəsiff'ik] *the Pacific* Stilla havet

pacifier [päss'ifajə] *Am.* (tröst-) napp

pacifism [päss'ifizm] pacifism

pacify [päss'ifaj] stilla, lugna

pack [päkk] 1 v. emballera, packa; *packed lunch* matsäck; *pack up* packa in 2 s. [varg]flock; packe; *pack of cards* kortlek

package [päkk'idʒ] förpackning, packe, kolli

packet [päkk'it] bunt, paket; *packet of cigarettes* cigarettpaket

packing [päkk'ing] emballage

pact [päkkt] pakt, fördrag

pad [pädd] 1 s. sudd, tuss; skrivblock 2 v. vaddera

paddle [pädd'l] 1 s. paddel 2 v. paddla; plaska

paddling pool [pädd'lingpo:l] plaskdamm

paddock [pädd'ək] hästhage; sadelplats

Paddy [pädd'i] *vard.* irländare

padlock [pädd'låk] hänglås

pagan [pej'gən] 1 s. hedning 2 adj. hednisk

page [pejdʒ] sida, blad

pageant [pädʒ'ənt] parad, skådespel

page-boy [pej'dʒ båj] pickolo

paid [pejd] *imp. och perf. part.* av pay

pail [pejl] hink

pain [pejn] 1 s. plåga; smärta; *give pain* göra ont; *I have a pain in my back* jag har ont i ryggen; *take pains to* vinnlägga sig om att 2 v. plåga; smärta

painful [pej'nfol] plågsam, smärtsam; pinsam

painless [pej'nlis] smärtfri

pain relieving [pej'nrili:'ving] smärtstillande

painstaking [pej'nstejking] flitig; noggrann

paint [pejnt] 1 v. måla, pensla; *freshly painted* nymålad 2 s. [målar]färg; smink; *wet paint!* nymålat!

paintbrush [pej'ntbraʃ] pensel

painter [pej'ntə] målare

painting [pej'nting] måleri, målning

pair [pä:'ə] par

pal [päll] kamrat, kompis

palace [päll'is] palats, slott

palatable [päll'ətəbl] smaklig

palate [päll'ət] gom

pale [pejl] 1 adj. blek 2 s. påle 3 v. blekna

Palestine [päll'əstajn] Palestina

Palestinian [päləstinn'iən] 1 s. palestinier 2 adj. palestinsk

palette [päll'ət] palett

paling [pej'ling] plank, staket

pall [på:l] 1 s. bårtäcke 2 v. tröttna

palliative [päll'iətiv] lindrande [medel]

pallid 146

pallid [päll'id] blek

palm [pa:m] palm; handflata

palpable [päll'pǝbl] kännbar

palpitate [päll'pitejt] klappa; darra

palpitation [pälpitej'ʃǝn] *med.* hjärt-klappning

palsy [på:'lzi] slaganfall; förlamning

paltry [på:'ltri] eländig

pamper [pämm'pǝ] klema bort

pamphlet [pämm'flit] broschyr

pan [pänn] panna

pancake [pänn'kejk] pannkaka

pancreas [pänn'kriǝs] *anat.* bukspott-körtel

pane [pejn] [fönster]ruta

panel [pänn'l] ruta, fält; panel (*per-soner*); instrumenttavla

panelling [pänn'ling] panel

pang [päng] smärta; *pangs of con-science* samvetskval

panic [pänn'ik] panik

panic-stricken [pänn'ikstrikǝn] skräckslagen

pansy [pänn'si] pensé; *sl.* bög

pant [pänt] 1 *v.* flämta 2 *s.* flämtning

panther [pänn'θǝ] panter

panties [pänn'tiz] (*pl*) underbyxor, trosor

pantry [pänn'tri] skafferi

pants [pänts] (*pl*) byxor, underbyxor

panty liner [pänn'tilajnǝ] trosskydd

papal [pej'pǝl] påvlig

paper [pej'pǝ] 1 *s.* papper; tidning; uppsats, skrivning; *a piece of paper* ett papper; *cross-ruled paper* rutat papper 2 *v.* tapetsera

paperback [pej'pǝbäk] pocketbok

paper bag [pej'pǝ bägg] papperspåse

paper clip [pej'pǝklip] gem

paper handkerchief [pej'pǝ häng'kǝ-tʃif] pappersnäsduk

paper mill [pej'pǝ mill] pappersbruk

paper napkin [pej'pǝ näpp'kin] pap-persservett

paper plate [pej'pǝ plejt] pappers-tallrik

paprika [päpp'rikǝ] paprika

par [pa:] pari; nivå; *golf.* par

parable [pärr'ǝbl] parabel, liknelse

parachute [pärr'ǝʃo:t] fallskärm

parade [pǝrej'd] 1 *s.* parad 2 *v.* para-dera

paradigmatic shift [pärǝdigmätt'ik ʃift] paradigmskifte

paradise [pärr'ǝdajs] paradis

paradox [pärr'ǝdåks] paradox

paraffin [pärr'ǝfin] fotogen; *solid paraffin* paraffin

paragon [pärr'ǝgǝn] mönster

paragraph [pärr'ǝgra:f] paragraf; stycke, avsnitt

parallel [pärr'ǝlǝl] parallell; *parallel connection* parallellkoppling

paralyse [pärr'ǝlajz] förlama, paraly-sera

paralysis [pǝräll'isis] förlamning

paramount [pärr'ǝmaont] förnämst

parapet [pärr'ǝpit] skyttevärn, bröst-värn

paraphernalia [pärǝfǝnej'ljǝ] grejor

parasite [pärr'ǝsajt] parasit; snyltgäst

parasol [pärr'ǝsål] parasoll

paratyphoid [pärǝtaj'fåjd] paratyfus

parcel [pa:'sl] paket

parcel post [pa:'slpǝost] paketpost; *send by parcel post* skicka som paket

parch [pa:tʃ] förtorka

parchment [pa:'tʃmǝnt] pergament

pardon [pa:'dn] 1 *v.* benåda, förlåta 2 *s.* förlåtelse; *I beg your pardon* för-låt, hur sa?

pare [pä:'ǝ] beskära; skala

parent [pä:'ǝrǝnt] förälder; målsman

parenthesis [pǝrenn'θisis] parentes

parish [pärr'iʃ] församling, socken

park [pa:k] 1 *s.* park 2 *v.* parkera

parking [pa:'king] parkering; *parking meter* parkeringsautomat; *parking offence* felparkering; *parking place* parkeringsplats; *parking prohibited* parkeringsförbud

parlance [pa:'lǝns] talspråk; *in com-mon parlance* i dagligt tal

parley [pa:'li] 1 *s.* överläggning 2 *v.* underhandla

parliament [pa:'lǝmǝnt] parlament, riksdag

parlour [pa:'lǝ] vardagsrum

parlourmaid [pa:'ləmejd] husa

parochial [pərəo'kjəl] församlings-; trångsynt

parody [pärr'ədi] parodi

parole [pərəo'l] hedersord; lösen; villkorlig frigivning

parquet [pa:'kej] parkett

parrot [pärr'ət] papegoja

parry [pärr'i] parera

parsimonious [pa:siməo'njəs] njugg, knusslig

parsley [pa:'sli] persilja

parsnip [pa:'snip] palsternacka

parson [pa:'sn] kyrkoherde; präst

part [pa:t] **1** s. del; avdelning; roll; stämma (*i musik*); *be part of* ingå i; *part of the world* världsdel; *take part* deltaga **2** v. dela sig, skiljas

partake [pa:tej'k] delta[ga]; *partake of* förtära

partial [pa:'ʃəl] partisk; ofullständig

participant [pa:tiss'ipənt] deltagare

participate [pa:tiss'ipejt] delta[ga], medverka

participation [pa:tisipej'ʃən] deltagande, medverkan, delaktighet

particle [pa:'tikl] partikel

particular [pətikk'jolə] **1** adj. speciell; noggrann, nogräknad **2** s., *in particular* i synnerhet

particularly [pətikk'joləli] i synnerhet

parting [pa:'ting] avsked; delning; bena

partisan [pa:tizänn'] anhängare; partisan

partition [pa:tiʃ'ən] **1** s. delning; avdelning **2** v. dela

partly [pa:'tli] delvis; dels; *partly ... partly* dels ... dels

partner [pa:'tnə] kompanjon, partner, delägare; [bords] kavaljer

partridge [pa:'tridʒ] rapphöna

part-time [pa:'t tajm] deltid

party [pa:'ti] parti; fest, kalas; part

party game [pa:'ti gejm] sällskapsspel

party novelty [pa:'ti nåvv'əlti] skämtartikel

pass [pa:s] **1** s. [bergs]pass; godkän-

nande; passerkort; *sport.* passning **2** v. passera; förflyta; hända; godkänna; skicka; *sport.* passa; *pass over* förbigå; *pass the winter* övervintra

passable [pa:'səbl] framkomlig

passage [päss'idʒ] passage, korridor, genomgång; [över]resa; genomfart; avsnitt

passbook [pa:'s bokk] bankbok

passenger [päss'indʒə] passagerare; *passenger plane* trafikflygplan; *passenger train* persontåg

passer-by [pa:'səbaj'] förbipasserande

passing [pa:'sing] övergående; *in passing* i förbifarten

passion [päʃ'ən] passion, lidelse; vrede

passionate [päʃ'ənət] lidelsefull

passive [päss'iv] passiv

pass-key [pa:'ski:] huvudnyckel; dyrk

Passover [pa:'səovə] (*judisk*) påskhögtid

passport [pa:'spå:t] pass; *passport inspection* passkontroll

password [pa:ss'wə:d] lösen[ord]

past [pa:st] **1** adv. förbi **2** adj. förfluten **3** s., *the past* det förflutna

paste [pejst] **1** s. deg; klister **2** v. klistra

pasteboard [pej'stbå:d] papp, kartong

pastel [colour] [päss'tl (kall'ə)] pastellfärg

pasteurize [päss'tərajz] pastörisera

pastime [pa:'stajm] tidsfördriv

pastry [pej'stri] bakelse

pasture [pa:'stʃə] betesmark, bete

pasty [pej'sti] köttpastej

pat [pätt] **1** s. klapp; klick **2** v. klappa **3** adv. precis

patch [pätʃ] **1** v. lappa **2** s. lapp

patent [pej'tənt] **1** s. patent; *patent pending* patentsökt **2** v. patentera **3** adj. uppenbar; *patent medicine* patentmedicin

paternal [pətə:'nl] faders-, faderlig

path [pa:θ] stig; bana; gång; väg

pathetic [pəθett'ik] gripande, patetisk

patience [pej'ʃəns] tålamod; patiens; *play (at) patience* lägga patiens

patient [pej'ʃənt] 1 s. patient 2 adj. tålig

patina [pätt'inə] patina

patriot [pej'triət] patriot

patriotic [pejtriätt'ik] patriotisk

patrol [pətrəo'l] 1 s. patrull 2 v. patrullera

patron [pej'trən] beskyddare; skyddshelgon; gynnare

patronage [pätt'rənidʒ] beskydd

patron saint [pej'trən sejnt] skyddshelgon

patter [pätt'ə] smattra; tassa

pattern [pätt'ən] mönster

paunch [på:ntʃ] buk

pauper [på:'pə] fattighjon

pause [på:z] paus

pave [pejv] stenlägga; pave the way for bana väg för

pavement [pej'vmənt] gångbana; trottoar

pavilion [pəvill'jən] paviljong

paw [på:] tass

pawn [på:n] 1 s. [schack]bonde; pant 2 v. pantsätta

pawnbroker [på:'nbrəokə] pantlånare

pawnshop [på:'nʃåp] pantbank

pay [pej] 1 v. betala; löna sig; be paid få betalt; get paid out få betalt för gammal ost; how much am I to pay? vad är jag skyldig?; pay a fine böta; pay attention to beakta; pay for betala (vara, arbete), bekosta, umgälla; pay off by instalments amortera; pay s.b. a visit avlägga visit hos ngn, besöka ngn 2 s. avlöning

payable [pej'əbl] betalbar

pay day [pej'dej] avlöningsdag

payment [pej'mənt] betalning

pay TV [pej'ti:vi:'] betal-TV

PC [pi:si:'] (förk. för personal computer) PC

pea [pi:] ärta

peace [pi:s] frid, ro; fred; keep the peace hålla fred; in peace and quiet i lugn och ro

peaceable [pi:'səbl] fredlig

peaceful [pi:'sfol] fridfull; fredlig

peace negotiations [pi:s nigəoʃiej'-ʃəns] fredsförhandlingar

peach [pi:tʃ] persika

peacock [pi:'kåk] påfågel

peak [pi:k] topp, spets; höjdpunkt; peak season högsäsong

peaked [pi:kt] spetsig, mager

peal [pi:l] [åsk]knall; klockringning

peanut [pi:'nat] jordnöt

pear [pä:'ə] päron

pearl [pə:l] pärla; pearls before swine pärlor för svin

pearl necklace [pə:'l nekk'lis] pärlhalsband

pearl onion [pə:'l ann'jən] syltlök

peasant [pezz'nt] bonde

pea soup [pi:'so:'p] ärtsoppa

peat [pi:t] torv

peatbog [pi:'tbåg] torvmosse

pebble [pebb'l] kiselsten; pebbles (pl) småsten

peck [pekk] picka, hacka

peckish [pekk'iʃ] hungrig; sugen

peculiar [pikjo:'ljə] säregen, egendomlig, besynnerlig

peculiarity [pikjo:liärr'iti] egendomlighet

pecuniary [pikjo:'njəri] penning-

pedagogic[al] [pedəgådʒ'ik(əl)] pedagogisk

pedal [pedd'l] 1 s. pedal; trampa 2 v. trampa

pedal car [pedd'l ka:] trampbil

pedant [pedd'ənt] pedant

peddle [pedd'l] gå omkring och sälja

pedestrian [pidess'triən] fotgängare

pedestrian crossing [pidess'triən kråss'ing] övergångsställe

pedigree [pedd'igri:] stamtavla

pedlar [pedd'lə] gatuförsäljare, dörrknackare

peel [pi:l] 1 v. skala; flagna av, fjälla; peel off skala av 2 s. skal

peep [pi:p] kika

peeping Tom [pi:'pingtåm] [smyg]tittare

peer [pi:'ə] 1 s. jämlike; pär 2 v. kika, titta

peerless [pi:'əlis] makalös

peevish [pi:'viʃ] retlig

peewit [pi:'wit] *zool.* vipa

peg [pegg] pinne

pelican [pell'ikən] pelikan

pellet [pell'it] liten kula; piller; hagel

pell-mell [pellmell'] huller om buller

pelt [pelt] 1 *s.* djurskinn 2 *v.* kasta på

pelvis [pell'vis] bäcken

pen [penn] penna, bläckpenna; kätte, bur

penal [pi:'nl] straff-; *penal servitude* straffarbete

penalty [penn'lti] straff; vite; straffspark; utvisning (*i ishockey*); *under* [*a*] *penalty of a £10 fine* vid vite av 10 pund

pence *se* penny

pencil [penn'sl] 1 *s.* [blyerts]penna 2 *v.* rita (*m. blyerts*)

pencil sharpener [penn'sl ʃa:'pənə] pennvässare

pendant [penn'dənt] 1 *s.* örhänge 2 *adj.* nedhängande

pending [penn'ding] pågående; i avvaktan på

pendulum [penn'djoləm] pendel

penetrate [penn'itrejt] genomtränga

penguin [peng'gwin] pingvin

pen holder [penn'həoldə] pennskaft

penicillin [penisill'in] penicillin

peninsula [pininn'sjolə] halvö

penis [pi:'nis] penis

penitence [penn'itəns] ånger

penitent [penn'itənt] ångerfull

penitentiary [penitenn'ʃəri] 1 *s.* fängelse 2 *adj.* bot-

penknife [penn'najf] pennkniv

pen-name [penn'nejm] pseudonym

pennant [penn'ənt] vimpel

pennon [penn'ən] vimpel

penny [penn'i] (*pl pence* [pens] *för värdet, pennies för myntet*) = 1/100 pund

pension [penn'ʃən] pension; *grant a pension to* pensionera

pensioner [penn'ʃənə] pensionär

pensive [penn'siv] tankfull

pentagon [penn'təgən] femhörning; *the Pentagon (amerikanska försvarsledningen)*

penthouse [penn'thaos] skjul; lyxvåning på taket av byggnad

pent-up [penn't app] undertryckt, återhållen

peony [pi:'əni] pion

people [pi:'pl] folk, människor; *people say* man (folk) säger

pep [pepp] fart, kläm

pepper [pepp'ə] 1 *s.* peppar 2 *v.* peppra

peppermint [pepp'əmint] pepparmint

per [pə:] per

perambulator [prämm'bjolejtə] barnvagn

perceive [pəsi:'v] förnimma, bli varse

per cent [pəsenn't] procent

percentage [pəsenn'tidʒ] procent[tal]

perceptible [pəsepp'təbl] kännbar, förnimbar

perception [pəsepp'ʃən] förnimmelse; uppfattning

perch [pə:tʃ] abborre; hönspinne

perchance [pətʃa:'ns] till äventyrs

percolate [pə:'kəlejt] brygga (*kaffe*)

percussion instrument [pə:kaʃ'ən inn'strəmənt] slaginstrument

perdition [pə:diʃ'ən] fördärv

peremptory [pəremm'tri] bestämd; diktatorisk

perennial [pərenn'jəl] flerårig

perfect 1 *adj.* [pə:'fikt] perfekt, fullkomlig 2 *v.* [pəfekk't] fullända

perfection [pəfekk'ʃən] fulländning

perfidious [pə:fidd'jəs] trolös

perforate [pə:'fərejt] perforera

perform [pəfå:'m] uppföra; uppträda; fullgöra (*plikt*)

performance [pəfå:'məns] framförande; föreställning; prestation

perfume [pə:'fjo:m] parfym

perfumery [pə:fjo:'məri] parfymeri

perfunctory [pəfang'ktəri] vårdslös, likgiltig

perhaps [pəhäpp's] kanske, eventuellt, möjligen

peril [perr'il] fara; *deadly peril* livsfara

perilous [perr'iləs] livsfarlig

period [pi:'əriəd] period; lektions-

periodical 150

timme; menstruation

periodical [piəriådd'ikəl] 1 *s.* tidskrift 2 *adj.* periodisk

perish [perr'iʃ] omkomma, förgås; bli skämd

perishable goods [perr'iʃəbl godz] färskvaror

perjury [pə:'dʒəri] mened

perk [pə:k] tränga sig på; *perk up* kvickna till, sätta näsan i vädret

perky [pə:'ki] morsk, kavat

perm [pə:m] 1 *v.* permanenta 2 *s.* permanent

permanent [pə:'mənənt] permanent, stadigvarande; ordinarie; *permanent wave* permanent[ning]

permeate [pə:'miejt] genomtränga

per mil[le] [pəmill'] promille

permission [pəmiʃ'ən] tillåtelse, lov, tillstånd

permit 1 *v.* [pəmitt'] tillåta 2 *s.* [pə:'mit] tillstånd

permutation lock [pə:mjotej'ʃən låkk] bokstavslås

pernicious [pə:niʃ'əs] fördärvlig

perpendicular [pə:pəndikk'jolə] lodrät

perpetrate [pə:'pitrejt] föröva

perpetually [pəpett'jooli] ideligen

perplexed [pəplekk'st] rådlös

persecute [pə:'sikjo:t] förfölja

persevere [pə:sivi:'ə] framhärda

Persian lamb coat [pə:'ʃən lämm'kəot] persianpäls

persistent [pəsiss'tənt] efterhängsen, uthållig

person [pə:'sn] person

personage [pə:'sənidʒ] personlighet

personal [pə:'snl] personlig; *personal estate* lös egendom; *personal matter* privatangelägenhet

personal computer *se PC*

personality [pə:sənäll'iti] personlighet

personnel [pə:sənell'] personal

perspective [pəspekk'tiv] perspektiv

perspicacious [pə:spikej'ʃəs] skarpsynt

perspicuous [pəspikk'joəs] åskådlig,

tydlig

perspiration [pə:spørej'ʃən] svettning, transpiration; *underarm perspiration* armsvett

perspire [pəspaj'ə] svettas

perspiring [pəspaj'əring] svettig

persuade [pəswej'd] övertala

persuasion [pəswej'ʃən] övertalning

persuasive powers [pəswej'siv pao'əz] (*pl*) övertalningsförmåga

pert [pə:t] näsvis

pertain [pə:tej'n] angå, gälla

pertinence [pə:'tinəns] saklighet

pertinent [pə:'tinənt] saklig

perturb [pətə:'b] störa; förvirra

Peru [pəro:'] Peru

peruse [pəro:'s] noggrant genomläsa

Peruvian [pəro:'viən] 1 *s.* peruan 2 *adj.* peruansk

pervade [pəvej'd] genomtränga

perverse [pəvə:'s] onaturlig; vrång

perverted [pəvə:'tid] pervers

pessimist [pess'imist] pessimist

pessimistic [pesimiss'tik] pessimistisk

pest [pest] plågoris

pester [pess'tə] trakassera

pestilence [pess'tiləns] farsot

pestle [pess'l] mortelstöt

pet [pett] 1 *v.* kela 2 *s.* kelgris; favoritdjur

petal [pett'l] kronblad

peter out [pi:'tə ao't] ta slut

petition [pitiʃ'ən] inlaga; skrift; anhållan

petrify [pett'rifaj] förstena

petrol [pett'rəl] bensin; *petrol pump* bensinpump; *petrol tank* bensintank; *petrol truck* tankbil

petroleum [pitrəo'ljəm] petroleum

petticoat [pett'ikəot] underkjol

petty [pett'i] liten; småaktig; *petty theft* snatteri

petulant [pett'jolənt] kinkig

pew [pjo:] kyrkbänk

pewter [pjo:'tə] tenn[legering]; tennkärl

phantom [fänn'təm] spöke, vålnad

pharmacy [fa:'masi] apotek

phase [fejz] fas, skede

pilot

pheasant [fezz'nt] fasan

phenomenal [fənämm'inl] fenomenal

phenomenon [fənämm'inən] fenomen, företeelse

philosopher [filåss'əfə] filosof

philosophize [filåss'əfajz] filosofera

philosophy [filåss'əfi] filosofi

phone [fəon] 1 *s.* telefon 2 *v.* ringa, telefonera

phone booth [fəon bo:θ] telefonkiosk

phonecard [fəon'ka:d] telefonkort

phonetic notation [fəonett'ik nəotej'ʃən] uttalsbeteckning; fonetisk transkription

phoney [fəo'ni] *Am.* falsk, skum

phonograph [fəo'nəgra:f] *Am.* grammofon

photo [fəo'təo] foto

photocopy [fəo'təkåpp'i] fotokopia

photograph [fəo'təgra:f] 1 *v.* fotografera 2 *s.* fotografi

photographer [fətågg'rəfə] fotograf

phrase [frejz] fras

phrase book [frej'zbokk] parlör

pH value [pi:'ej'tʃ väll'jo:] pH-värde

physical [fizz'ikəl] fysisk; *physical suffering* sveda och värk

physician [fizi'ʃən] läkare; *assistant physician* underläkare

physicist [fizz'isist] fysiker

physics [fizz'iks] fysik

physiotherapist [fizz'iəoθerr'əpist] sjukgymnast

physiotherapy [fizz'iəoθerr'əpi] sjukgymnastik

physique [fizi:'k] kroppsbyggnad, fysik

pianist [pi:'ənist] pianist

piano [piänn'əo] piano

pick [pikk] 1 *v.* plocka; rensa; välja; stjäla ur; *pick one's teeth* peta tänderna; *pick up* snappa upp 2 *s.* hacka

picket [pikk'it] stake; piket; strejkvakt

pickle [pikk'l] ättikslag; besvärlig situation

pickled cucumber [pikk'ld kjo:'kambə] ättiksgurka

pickpocket [pikk'påkit] ficktjuv

picnic [pikk'nik] utflykt, picknick

pictorial [piktå:'riəl] illustrerad [vecko]tidning; illustration, bildserie

picture [pikk'tʃə] bild, tavla, målning; *the pictures* (*pl*) bio; *motion picture* film; *picture of the time* tidsskildring

picture book [pikk'tʃəbok] bilderbok

picture gallery [pikk'tʃəgäll'əri] tavelgalleri

picture postcard [pikk'tʃə pəo'stka:d] vykort

picture puzzle [pikk'tʃə pazz'l] rebus

picturesque [piktʃəress'k] pittoresk

pidgin [English] (in[gliʃ]) bruten engelska; blandform av två språk (*där det ena är engelska*)

pie [paj] paj; pastej

piece [pi:s] bit, stycke; pjäs; föremål; *a piece of good advice* ett gott råd; *a piece of information* en underrättelse; *a piece of news* en nyhet; *go to pieces* gå i kras; *piece of music* musikstycke

piecemeal [pi:'smi:l] bit för bit

piecework [pi:'swə:k] ackordsarbete

pier [pi:'ə] pir, kaj

pierce [pi:'əs] spetsa, genomborra

piercing [pi:'əsing] genomträngande

piety [paj'əti] fromhet

pig [pigg] gris, svin; [järn]tacka; *buy a pig in a poke* köpa grisen i säcken

pigeon [pidʒ'in] duva

pigeon-hole [pidʒ'inhəol] 1 *s.* fack (*i hylla o.d.*) 2 *v.* kategorisera, inordna

pig-iron [pigg'ajən] tackjärn

pigsty [pigg'staj] svinstia

pike [pajk] gädda; pik

pikeperch [paj'kpə:tʃ] gös

pile [pajl] 1 *s.* trave, stapel; lugg (*på tyg*) 2 *v.* trava, stapla

pilfer [pill'fə] snatta

pilgrim [pill'grim] pilgrim

pilgrimage [pill'grimidʒ] vallfart

pill [pill] piller; *the Pill* p-piller

pillage [pill'idʒ] 1 *s.* plundring 2 *v.* plundra

pillar [pill'ə] pelare

pillar box [pill'əbåks] brevlåda

pillow [pill'əo] [huvud]kudde

pillowcase [pill'əokejs] örngott

pilot [paj'lət] lots; pilot

pimpernel [pimm'pənel] *bot. [scarlet] pimpernel* rödmire; *the Scarlet Pimpernel* Röda nejlikan

pimple [pimm'pl] finne, kvissla

pin [pinn] 1 *s.* knappnål, nål; stift; kägla 2 *v.* fästa

pinafore [pinn'əfå:] förkläde

pincers [pinn'səz] (*pl*) kniptång; klo (*på kräftdjur*)

pinch [pintʃ] nypa, klämma; knycka, stjäla

pincushion [pinn'koʃən] nåldyna

pine [pajn] 1 *s.* tall, fura 2 *v.* tråna; tyna [bort]

pineapple [paj'näpl] ananas

pining [paj'ning] trånsjuk

pinion [pinn'jən] vingspets, vingpenna; litet kugghjul

pink [pingk] 1 *adj.* skär 2 *s.* nejlika

pinnacle [pinn'əkl] tinne

pint [pajnt] pint (=0,57 *l*)

pioneer [pajəni:'ə] pionjär, föregångsman

pioneering [pajəni:'əring] banbrytande

pious [paj'əs] from

pip [pipp] [frukt]kärna; prick (*på tärning*); tidssignal

pipe [pajp] 1 *s.* rör[ledning]; pipa 2 *v.* pipa; *pipe down!* var tyst!

pipe-cleaner [paj'pkli:nə] piprensare

pipe tobacco [paj'p təbäkk'əo] piptobak

pipe wrench [paj'prentʃ] rörtång

piping [paj'ping] rörledning

pique [pi:k] 1 *s.* förtrytelse 2 *v.* såra

pirate [paj'ərit] pirat, sjörövare

pistil [piss'til] pistill

pistol [piss'tl] pistol

piston [piss'tən] kolv

piston ring [piss'tən ring] kannring

pit [pitt] grop; gruva; bakre parkett

pitch [pitʃ] 1 *s.* kast; tonhöjd, tonfall; beck 2 *v.* kasta; *pitch camp* slå läger

pitch-dark [pitʃ'da:k] beckmörk

pitcher [pitʃ'ə] tillbringare

piteous [pitt'iəs] ömklig; sorglig

pitfall [pitt'få:l] fallgrop

pith [piθ] märg

pithy [piθ'i] märgfull, kraftfull

pitiable [pitt'iəbl] ynklig

pitiful [pitt'ifol] ynklig, ömklig

pitiless [pitt'ilis] obarmhärtig

pittance [pitt'ns] torftig lön (*mat etc.*)

pity [pitt'i] 1 *v.* beklaga 2 *s.* medlidande; synd, skada; *what a pity!* så synd!

pivot [pivv'ət] svängtapp

pivot tooth [pivv'ət to:θ] stifttand

placard [pläkk'a:d] plakat, löpsedel

placate [pləkej't] försona, blidka

place [plejs] 1 *s.* ställe, plats; ort; lokal; *in the first place* i första hand; *place of birth* födelseort; *place of refuge* tillflyktsort, asyl; *place of work* arbetsplats; *in place* i rätt läge; *take place* äga rum, bli av 2 *v.* placera, anbringa

place name [plej'snejm] ortnamn

placid [pläss'id] lugn, fridfull

placing [plej'sing] placering

plagiarize [plej'dʒjərajz] plagiera

plague [plejg] pest

plaice [plejs] rödspotta

plaid [plädd] schal, pläd

plain [plejn] 1 *s.* slätt 2 *adj.* klar; enkel, alldaglig; *plain speaking* ord och inga visor; *plain truth* osminkad sanning

plainly [plej'nli] rent ut

plaintiff [plej'ntif] kärande, målsägare

plaintive [plej'ntiv] klagande

plait [plätt] 1 *s.* fläta 2 *v.* fläta

plan [plänn] 1 *v.* planera 2 *s.* plan

plane [plejn] 1 *s.* hyvel; plan 2 *v.* hyvla; glida 3 *adj.* plan

planet [plänn'it] planet

plank [plängk] planka

planned economy [plänn'd i:kånn'əmi] planhushållning

planning [plänn'ing] planläggning, planering

plant [pla:nt] 1 *s.* planta; aggregat; *Am.* fabrik 2 *v.* plantera

plantation [pläntej'ʃən] plantering; plantage

planting seed [pla:'ntingsi:d] utsäde

plaque [pläkk] minnestavla

plaster [pla:'stə] **1** s. gips; murbruk; plåster; *put ... in plaster* gipsa **2** v. rappa

plastic [pläss'tik] plast; *plastic bag* plastpåse; *plastic coated fabric* galon

plate [plejt] platta, skiva; plansch; tallrik; *small plate* assiett

plateau [plätt'əo] platå

plater [plej'tə] plåtslagare

plate rack [plej't räkk] torkställ, diskställ

platform [plätt'få:m] plattform, estrad, talarstol; perrong; lastflak; *platform ticket* perrongbiljett

platinum [plätt'inəm] platina

platitude [plätt'itjo:d] platityd, banalitet

platter [plätt'ə] tallrik

plausible [plå:'zəbl] rimlig, antaglig

play [plej] **1** v. spela, leka; *play truant* skolka **2** s. spel, lek; pjäs; *fair play* rent spel

player [plej'ə] spelare

playground [plej'graond] skolgård, lekplats

playing card [plej'ingka:d] spelkort

playmate [plej'mejt] lekkamrat

playwright [plej'rajt] dramatiker

plea [pli:] svaromål; ursäkt

plead [pli:d] plädera; bönfalla; *plead guilty* erkänna sig skyldig

pleasant [plezz'nt] trevlig, angenäm; *pleasant journey!* lycklig resa!

please [pli:z] behaga, tilltala, göra till lags; *please ... var snäll och ...*; *yes, please!* ja, tack!

pleasure [plez'ə] glädje, nöje, behag; *at pleasure* efter behag

pleat [pli:t] **1** v. vecka, plissera **2** s. veck

plebiscite [plebb'isit] folkomröstning

plectrum [plekk'trəm] plektron

pledge [pledʒ] pant

plenty of [plenn'ti əv] mycket, gott om

pliable [plaj'əbl] smidig, böjlig

pliers [plaj'əz] (*pl*) flacktång

plight [plajt] utsatt tillstånd

plod on [plådd' ånn'] traggla, knoga

plot [plått] **1** s. komplott; tomt **2** v. konspirera

plough [plao] **1** v. plöja **2** s. plog

pluck [plakk] **1** s. mod **2** v. plocka; pungslå

plucky [plakk'i] kavat

plug [plagg] **1** s. plugg, tapp; stickkontakt **2** v. plugga

plum [plamm] plommon

plumb [plamm] **1** s. [bly]lod, sänke **2** adj. lodrät

plumber [plamm'ə] rörmokare

plumbing [plamm'ing] rörmokeri

plummet [plamm'it] **1** s. lod, sänke **2** v. dyka ner

plump [plamp] knubbig, fyllig

plunder [plann'də] **1** v. plundra **2** s. plundring; byte

plunge [plandʒ] dyka ner, störta sig i

plural [plo:'ərəl] pluralis

plus [plass] plus

plus fours [plass' få:'z] golfbyxor

plush [plaʃ] **1** s. plysch **2** adj. finfin

ply [plaj] **1** s. veck; lager **2** v. bearbeta

p.m. [pi:'emm'] (*förk. för post meridiem*) e.m. (*eftermiddag*)

pneumatic drill [njo:mätt'ik drill] tryckluftsborr

pneumonia [njo:məo'njə] lunginflammation

poach [pəotʃ] pochera, förlora ägg; tjuvjaga

poacher [pəo'tʃə] tjuvskytt

pocket [påkk'it] ficka

pocket calculator [påkk'it käll'kjolejtə] miniräknare

pocket knife [påkk'itnajf] fickkniv

pocket lens [påkk'it lens] lupp

pock-marked [påkk'ma:kt] koppärrig

pod [pådd] balja, skida

poem [påo'im] dikt

poet [pəo'it] poet, diktare, skald

poetical [pəoett'ikəl] poetisk

poetry [pəo'itri] poesi

poignant [påj'nənt] skarp; gripande

point [påjnt] **1** v. peka (*at* på); spetsa; *point out* påpeka, peka ut **2** s. punkt; poäng; spets; *be on the point of choking* hålla på att kvävas; *his strong* *point* hans starka sida; *main point* (*bildl.*) tyngdpunkt; *point at issue* sakfråga; *point of the compass* väderstreck; *point of view* ståndpunkt, synpunkt, åsikt; *to the point!* till saken!

point-blank [påj'ntblängk] rättfram, rakt på sak; avfyrad på nära håll

point duty [påj'nt djo:'ti] tjänstgöring som trafikpolis

pointed [påj'ntid] spetsig

pointer [påj'ntə] pekpinne, visare (*på instrument*)

pointless [påj'ntlis] uddlös; poänglös; meningslös

poise [påjz] 1 *v.* balansera 2 *s.* balans

poison [påj'zn] 1 *v.* förgifta 2 *s.* gift

poisoning [påj'zning] förgiftning

poisonous [påj'znəs] giftig

poke [pəok] 1 *v.* peta (*at* på); stöta till; sticka ut; *poke about* rota, böka; *poke fun at* driva med 2 *s.* knuff; *buy a pig in a poke* köpa grisen i säcken

poker [pəo'kə] poker; eldgaffel

Poland [pəo'lənd] Polen

polar circle [pəo'lə sə:'kl] polcirkel

pole [pəol] stör, stång, påle; pol

Pole [pəol] polack

polecat [pəo'lkät] iller

polemics [pålemm'iks] polemik

pole vault [pəo'lvå:'lt] stavhopp

pole-vaulter [pəo'lvå:'ltə] stavhoppare

police [pəli:'s] polis

police car [pəli:'ska:] polisbil

policeman [pəli:'smən] polis[man]

police station [pəli:'s stej'ʃən] polisstation

policy [påll'isi] politik, taktik; försäkringsbrev

polio [pəo'liəo] polio

Polish [pəo'liʃ] 1 *adj.* polsk 2 *s.* polska (*språk*)

polish [påll'iʃ] 1 *v.* putsa, polera 2 *s.* putsmedel, polityr

polite [pəlajt'] artig, hövlig

politeness [pəlajt'nis] artighet

politic [påll'itik] klok; *the body politic* staten

political [pəlitt'ikəl] politisk; *political science* statskunskap

politician [påliti'ʃ'ən] politiker

politics [påll'itiks] politik

polka [påll'kə] polka

poll [pəol] 1 *s.* röstning 2 *v.* rösta

pollen [påll'ən] pollen

pollute [pəlo:'t] förorena

pollution [pəlo:'ʃən] förorening, nedsmutsning, miljöförstöring

polygamy [pəligg'əmi] polygami

pommel [pəmm'l] sadelknapp

pompous [påmm'pəs] ståtlig; uppblåst

pond [pånd] damm

ponder [pånn'də] begrunda, fundera

ponderous [pånn'drəs] tung

pontoon [pånto:'n] ponton

pony [pəo'ni] ponny

poodle [po:'dl] pudel

pooh-pooh [po:'po:] rynka på näsan åt

pool [po:l] pol; bassäng; pott; *play the pools* tippa

pools coupon [po:'lz ko:pån] tipskupong

poop [po:p] akter[däck]

poor [po:'ə] fattig; stackars

poorly [po:'əli] illamående; *feel poorly* må illa

pop [påpp] 1 *v.* smälla av; kasta fram; *pop in* titta in; *pop off* (*vard.*) kila iväg, kola av; *pop up* dyka upp 2 *s.* smäll, knall; kolsyrad läsk 3 *adj.* (*kortform av popular*) populär

pop concert [påpp kånn'sət] popkonsert

popcorn [påpp'kå:n] popcorn

pope [pəop] påve

pop-eyed [påpp'ajd] med utstående ögon; förvånad

poplar [påpp'lə] poppel

pop music [påpp mjo:'sik] popmusik

pop musician [påpp' mjo:zi'ʃ'ən] popmusiker

poppy [påpp'i] vallmo

popular [påpp'jolə] populär, omtyckt, folklig

popularity [påpjolärr'iti] popularitet

population [påpjolej'ʃən] befolkning

populous [påpp'joləs] tättbefolkad, folkrik

porch [på:tʃ] portal; *Am.* veranda

porcupine [på:'kjopajn] piggsvin

pore [på:] por

pork [på:k] fläsk; *loin of pork* fläsk-karré

pork butcher's [på:'kbott'ʃəz] charku-teri

pork chop [på:'k tʃåpp] fläskkotlett

pornography [på:någg'rəfi] porno-grafi

porous [på:'rəs] porös

porpoise [på:'pəs] tumlare

porridge [pårr'idʒ] gröt

port [på:t] hamn[stad]; portvin; ba-bord; *to port* om babord

portable [på:'təbl] portabel, bärbar; *portable typewriter* reseskrivmaskin

portend [på:tenn'd] förebåda

porter [på:'tə] stadsbud, bärare; port-vakt; vaktmästare

portfolio [på:tfəo'ljəo] portfölj

porthole [på:'thəol] hyttventil; kanon-port

portion [på:'ʃən] portion; del

portly [på:'tli] ståtlig

portrait [på:'trit] porträtt

Portugal [på'tjogəl] Portugal

Portuguese [på:tjogi:'z] 1 *s.* portugis; (*språk*) portugisiska 2 *adj.* portugisisk

pose [pəoz] 1 *v.* posera 2 *s.* pose

posh [påʃ] flott

position [pəziʃ'ən] position, ställning

positive [påzz'ətiv] positiv

posse [påss'i] civiluppbåd; polisstyrka

possess [pəzess'] äga, besitta

possession [pəzeʃ'ən] besittning, in-nehav; *come into possession of* kom-ma i åtnjutande av; *take possession of* ta i besittning

possessor [pəzess'ə] innehavare

possibility [påsəbill'iti] möjlighet

possible [påss'əbl] möjlig, eventuell; *as soon as possible* så snart som möjligt

possibly [påss'əbli] eventuellt, möjli-gen

post [pəost] 1 *s.* post; befattning; stolpe 2 *v.* posta

postage [pəo'stidʒ] [brev]porto

postal [pəo'stl] post-; *postal address* postadress; *postal giro account* post-girokonto; *postal parcel* paket

postcard [pəo'stka:d] brevkort

postcode [pəos'tkəod] postnummer

poster [pəo'stə] affisch

poste restante [pəostress'ta:nt] poste restante

posterior [påsti'əriə] 1 *adj.* senare än; bakre 2 *s.* bakdel

posterity [påsterr'iti] efterkommande, eftervärld

posthumous [påss'tjoməs] postum, efterlämnad

postman [pəo'stmən] brevbärare

postmark [pəo'stma:k] poststämpel

post-mortem [pəostmå:'tem] obduk-tion

post office [pəo'ståff'is] postkontor

post office box [pəo'ståff'is båkk's] postbox

postpone [pəostpəo'n] uppskjuta, bordlägga

postponement [påstpəo'nmənt] upp-skov

postscript [pəo'stskript] efterskrift, P.S.

posture [påss'tʃə] hållning; läge

posy [pəo'zi] blombukett

pot [pått] kruka; burk; kanna; gryta

potash [pått'äʃ] pottaska; soda

potato [pətej'təo] (*pl potatoes*) po-tatis

potato flour [pətej'təo flao'ə] pota-tismjöl

potato peeler [pətej'təo pi:'lə] pota-tisskalare

potato salad [pətej'təo säll'əd] pota-tissallad

potency [pəo'tənsi] styrka, makt, potens

potent [pəo'tənt] stark, mäktig, potent

potential [pətenn'ʃəl] möjlig

potluck [pått'lak] husmanskost; *take pot luck* hålla till godo med vad huset förmår

pot marigold [pått mä:'rigəold] *bot.* ringblomma

pot plant [pått'pla:nt] krukväxt

potter [pått'ə] krukmakare
pouch [paotʃ] pung
poultry [pəo'ltri] fjäderfä, höns
pounce [paons] kasta sig över
pound [paond] **1** v. stöta, dunka **2** s.
(*mynt*) pund; (*vikt*) [skål]pund (= *ca* 454 *g*); *pound sterling* engelska pund
pour [på:] hälla, ösa, strömma, ösregna; *pour down* ösregna
pouring rain [på:'ring rejn] ösregn
pout [paot] tjura
poverty [påvv'əti] fattigdom
powder [pao'də] **1** s. krut; pulver, puder **2** v. pudra
powdered milk [pao'dəd milk] torrmjölk
power [pao'ə] makt, förmåga, kraft; *be in power* ha makten
power failure [pao'ə fej'ljə] elavbrott, strömavbrott
powerful [pao'əfol] kraftfull, mäktig, kraftig
powerless [pao'əlis] kraftlös, maktlös
power station [pao'ə stej'ʃən] kraftverk
power steering [pao'ə sti:'əring] servostyrning
practicable [präkk'tikəbl] utförbar
practical [präkk'tikəl] praktisk; *practical reason* sakskäl
practically [präkk'tikli] praktiskt taget, så gott som
practice [präkk'tis] övning, vana; praktik; *it's the practice* det är praxis; *put ... into practice* omsätta ... i praktiken, praktisera
practise [präkk'tis] utöva; öva sig, träna; praktisera; *practise usury* ockra
practitioner [präktiʃ'ənə] praktiserande jurist (läkare)
Prague [pra:g] Prag
prairie [prä:'əri] prärie
praise [prejz] **1** s. beröm **2** v. berömma
pram [prämm] barnvagn
prance [pra:ns] kråma sig
prank [prängk] upptåg
prattle [prätt'l] prata, babbla
prawn [prå:n] räka

pray [prej] be
prayer [prä:'ə] bön
pre- [pri:] före-, förut-, för-
preach [pri:tʃ] predika
preamble [pri:ämm'bl] inledning
precarious [prikä:'əriəs] ohållbar, osäker
precaution [prikå:'ʃən] försiktighetsåtgärd
precede [pri:si:'d] företräda, föregå
precedent [pri:si:'d] **1** s. [press'idənt] prejudikat **2** adj. [prisi:'dnt] föregående
preceding [pri:si:'ding] föregående
precept [pri:'sept] föreskrift
precinct [pri:'singkt] område
precious [preʃ'əs] dyrbar, värdefull
precipice [press'ipis] stup, brant
precipitate 1 v. [prisipp'itejt] störta ner; påskynda **2** adj. [prisipp'itit] brådstörtad
precipitation [prisipitej'ʃən] nederbörd
precise [prisaj's] precis, just
precisely [prisaj'sli] precis
precision [prisiʃ'ən] precision
preclude [priklo:'d] utestänga
precocious [prikəo'ʃəs] brådmogen
precursor [prikə:'sə] föregångare
predatory [predd'ətri] rov-
predecessor [pri:'disesə] företrädare, föregångare
predict [pridikk't] förutsäga
prediction [pridikk'ʃən] förutsägelse
predilection [pri:dlekk'ʃən] förkärlek
predominance [pridåmm'inəns] bildl. övervikt
predominant [pridåmm'inənt] förhärskande, övervägande
pre-eminent [priemm'inənt] överlägsen
prefab [pri:'fäb] (*kortform av prefabricated*) monteringsfärdigt [hus]
preface [preff'is] förord, företal
prefer [prifə:'] föredra (*to* framför)
preferably [preff'ərabli] företrädesvis; helst
preference [preff'ərəns] företräde; förkärlek
prefix [pri:'fiks] förstavelse

pregnancy [pregg'nənsi] graviditet

pregnancy test [pregg'nənsi test] graviditetstest

pregnant [pregg'nənt] gravid; innehållsrik

prehistoric age [pri:histårr'ik ejdʒ] forntid

prejudice [predʒ'odis] fördom

preliminary [prilimm'inäri] preliminär; förberedande

prelude [prell'jo:d] förspel, upptakt

premature [premətjo:'ə] omogen; förhastad

prematurely [premətjo:'əli] i förtid

premeditated [primedd'itejtid] överlagd

premier [premm'jə] **1** s. premiärminister **2** adj. främst

premise [premm'is] premiss; premises (pl) fastighet, egendom

premium [pri:'mjəm] premie; Premium Bond premieobligation

premonition [pri:məniʃ'ən] förvarning

preoccupied [priåkk'jopajd] tankfull

preparation [prepərej'ʃən] förberedelse, utarbetande

preparatory [pripärr'ətri] förberedande

prepare [pripä:'ə] förbereda; bereda, tillreda; preparera, tillaga; prepared for beredd på

preponderance [pripånn'dərəns] bildl. slagsida, överlägsenhet

preposterous [pripåss'trəs] orimlig

prerogative [prirågg'ətiv] privilegium, förmånsrätt

prescribe [priskraj'b] ordinera, föreskriva

prescription [priskripp'ʃən] föreskrift; [läkar]recept; sold on prescription receptbelagd

presence [prezz'ns] närvaro; presence of mind sinnesnärvaro

present 1 adj. [prezz'nt] nuvarande, närvarande; under present conditions under rådande förhållanden **2** s. [prezz'nt] present; the present nuet; at present för tillfället; for the pres-

ent tills vidare **3** v. [prizenn't] skänka, överlämna, erbjuda; presentera

presentation [prezentej'ʃən] presentation

present-day [prezz'ntdej'] nutida

presentiment [prizenn'timənt] aning, förkänsla

preserve [prizə:'v] **1** v. bevara, bibehålla; konservera **2** s. sylt

president [prezz'idənt] president; ordförande; Am. verkställande direktör

press [press] **1** v. pressa, trycka; ansätta; be pressed for time ha ont om tid; press s.b. for money kräva ngn på pengar **2** s. press

press conference [press' kånn'fərəns] presskonferens

press stud [press' stadd'] tryckknapp

pressure [preʃ'ə] tryck, påtryckning; jäkt

prestige [presti:'ʒ] prestige

presumably [prizjo:'məbli] förmodligen

presume [prizjo:'m] förutsätta, förmoda

presumption [prizamm'pʃən] förutsättning; övermod

presumptuous [prizamm'ptjoəs] övermodig, arrogant; självsäker

presuppose [pri:səpəo'z] förutsätta

pretence [pritenn's] förevändning

pretend [pritenn'd] låtsas; pretend to be ge sig ut för att vara

pretention [pritenn'ʃən] anspråk

pretentious [pritenn'ʃəs] anspråksfull

pretext [pri:'tekst] förevändning, svepskäl

pretty [pritt'i] **1** adj. söt, nätt; (ironiskt) snygg **2** adv. tämligen

pretty-pretty [pritt'ipritt'i] snarfager

prevail [privej'l] segra, ta överhanden; råda; övertala

prevailing [privej'ling] rådande

prevalent [prevv'ələnt] vanlig, gängse

prevarication [privärikej'ʃən] bortförklaring

prevent [privenn't] [för]hindra; förebygga; avhålla

preview [pri:'vjo:] **1** s. förhandsgranskning **2** v. förhandsgranska

previous [pri:'vjəs] föregående, förutvarande

previously [pri:'vjəsli] förut, tidigare

prey [prej] **1** s. byte, rov **2** v., *prey on* tära på

price [prajs] pris; *at the price of* till ett pris av; *at about what price?* i vilket prisläge?

price freeze [prajs fri:z] prisstopp

priceless [praj'slis] ovärderlig

price list [praj'slist] prislista

price range [praj's rejndʒ] prisläge

price reduction [praj's ridakk'ʃən] prissänkning

prick [prikk] **1** s. stick; *sl.* pitt **2** v. sticka

prickle [prikk'l] **1** s. tagg **2** v. sticka

prickly [prikk'li] taggig

pride [prajd] stolthet

priest [pri:st] (*katolsk*) präst

prig [prigg] pedant

priggish [prigg'iʃ] pedantisk

prim [primm] pryd

primacy [praj'məsi] överhöghet; företräde

primary [praj'məri] primär; *primary school* grundskola, folkskola; *primary election* primärval

prime [prajm] **1** s. början; *the prime* (*bildl.*) den bästa tiden **2** *adj.* primär; viktigaste **3** v., *konst.* grunda

prime minister [praj'm minn'istə] statsminister, premiärminister

primer [praj'mə] nybörjarbok

primeval forest [prajmi:'vəl fårr'ist] urskog

primitive [primm'itiv] primitiv

primitive rock [primm'itiv råkk] *geol.* urberg

primrose [primm'rəoz] gullviva

prince [prins] prins; furste

princely [prinn'sli] furstlig

princess [prinsess'] prinsessa; furstinna

principal [prinn'səpəl] **1** *adj.* huvudsaklig; *the principal parts of a verb* tema på ett verb; *the principal point* kärnpunkten **2** s. huvudperson; rek-

tor; chef; uppdragsgivare

principality [prinsipäll'iti] furstendöme

principally [prinn'səpli] främst, framför allt

principle [prinn'səpl] grundsats, princip; *on* (*in*) *principle* av (i) princip; *based on principle* principiell

print [print] **1** v. trycka; *foto.* kopiera; *print out* (*data.*) skriva ut **2** s. tryck; avtryck; kopia; grafik; *prints* (*pl*) grafiska blad; *appear in print* komma ut i tryck

printer [prinn'tə] boktryckare; *data.* skrivare

printing [prinn'ting] tryckning

printing ink [prinn'ting ingk] trycksvärta

printing press [prinn'ting press] tryckpress

printing works [prinn'twɔ:ks] tryckeri

printout [prin'taot] *data.* utskrift

prior [praj'ə] föregående, tidigare

prism [prizz'əm] prisma

prison [prizz'n] fängelse

prisoner [prizz'nə] fånge; *prisoner of war* krigsfånge

privacy [praj'vəsi] avskildhet

private [praj'vit] **1** *adj.* privat, enskild; *private person* privatperson **2** s. menig; *privates* (*pl*) könsdelar; *in private* mellan fyra ögon

privately [praj'vitli] underhand

privation [prajvej'ʃən] umbärande, försakelse

privilege [privv'ilidʒ] **1** v. privilegiera **2** s. privilegium

privy [privv'i] **1** *adj.*, *privy to* invigd i; *Privy Council* kungens stora råd **2** s. avträde, dass

prize [prajz] **1** s. pris, vinst, belöning **2** v. värdera högt; bända (*open* upp); baxa

prize competition [praj'z kåmpitiʃ'ən] pristävlan

prize winner [praj'z winn'ə] pristagare

pro [prəo] proffs

probability [pråbəbill'iti] sannolikhet

probable [pråbb'əbl] sannolik, trolig

probably [pråbb'əbli] troligen, nog, antagligen

probation [prəbej'ʃən] prov; villkorlig dom; *be on probation* stå under övervakning

probationer [prəbej'ʃnə] villkorligt dömd [person]

probation officer [prəbej'ʃən åff'issə] övervakare

probe [prəob] 1 *s.* sond 2 *v.* sondera

problem [pråbb'ləm] problem

procedure [prəsi:'dʒə] procedur, tillvägagångssätt

proceed [prəsi:'d] förfara, gå till väga

proceeds [prəo'si:dz] (*pl*) avkastning

process [prəo'ses] 1 *s.* process 2 *v.* behandla, preparera

procession [prəse'ʃən] procession

proclaim [prəklej'm] proklamera

procure [prəkjo:'ə] skaffa, uppbringa

prod [prådd] sticka; egga

prodigal [prådd'igl] slösaktig; *the prodigal son* den förlorade sonen

prodigious [prədidʒ'əs] ofantlig

prodigy [prådd'idʒi] underverk; vidunder

produce 1 *v.* [prədjo:'s] producera, framställa, skapa, åstadkomma; ta fram; regissera 2 *s.* [prådd'jo:s] jordbruksprodukt

producer [prədjo:'sə] producent; regissör

product [prådd'əkt] produkt, alster

production [prədakk'ʃən] produktion, framställning; [film]inspelning, uppsättning

productive [prədakk'tiv] produktiv

profane [prəfej'n] 1 *adj.* världslig 2 *v.* vanhelga

profession [prəfe'ʃ'ən] yrke, yrkesarbete; bedyrande

professional [prəfe'ʃ'ənl] facklig, professionell, yrkes-; *professional journal* facktidskrift; *professional man* fackman; *professional secrecy* tystnadsplikt; *professional woman* yrkeskvinna

professor [prəfess'ə] professor; *assistant professor* (*Am.*) docent

proffer [pråff'ə] erbjuda, framräcka

proficient [prəfiʃ'ənt] skicklig

profile [prəo'fajl] profil

profit [pråff'it] 1 *s.* vinst, förtjänst; *profit and loss account* vinst- och förlustkonto; *sell at a profit* sälja med vinst; *yield a profit* ge vinst 2 *v. profit by* vinna på, dra fördel av, begagna sig av

profitable [pråff'itəbl] givande, lönande

profiteer [pråfiti:'ə] ockrare

profound [prəfao'nd] djup; djupsinnig

profuse [prəfjo:'s] överflödande; slösaktig

progeny [pråddʒ'ini] avkomma

prognosis [prågnəo'sis] prognos

program [prəo'gräm] *data.* 1 *s.* program 2 *v.* programmera

programme [prəo'gräm] 1 *s.* program; kursplan 2 *v.* göra upp ett program för

programmer [prəo'grämə] programmerare

programming [prəo'gräming] programmering

progress 1 *s.* [prəo'gres] framsteg, framåtskridande; *make progress* göra framsteg 2 *v.* [prəgress'] göra framsteg; röra sig framåt

progressive [prəgress'iv] progressiv

prohibit [prəhibb'it] förbjuda

prohibition [prəoibiʃ'ən] förbud

project 1 *s.* [pråddʒ'ekt] projekt, plan 2 *v.* [prədʒekk't] planlägga; projicera; sticka ut

projecting [prədʒekk'ting] utskjutande

proletarian [prəoletä:'əriən] proletär

prolific [prəliff'ik] fruktbar; produktiv

prolong [prəlång'] förlänga

prom [pråmm] promenadkonsert

prominence [pråmm'inəns] *give prominence to* framhålla, framhäva

prominent [pråmm'inənt] framstående, framträdande

promiscuous [prəmiss'kjoəs] promiskuös; oordnad, rörig

promise [pråmm'is] 1 *s.* löfte, utfästelse 2 *v.* lova, utfästa sig

promissory note [pråmm'isəri nəot]

skuldsedel

promontory [pråmm'əntri] hög udde

promote [prəməo't] [be]främja, bidraga till

promotion [prəməo'ʃən] befordran

prompt [pråmt] **1** adj. omgående; punktlig **2** adv. precis **3** v. föranleda; driva på; sufflera

prompter [pråmm'ptə] sufflör

promulgate [pråmm'əlgejt] kungöra, utfärda; förkunna

prone [prəon] raklång, framstupa; benägen

prong [pråŋ] gaffelspets; grepe

pronoun [prəo'naon] pronomen

pronounce [prənao'ns] uttala; avkunna

pronounced [prənao'nst] utpräglad

pronunciation [prənansiej'ʃən] uttal

proof [pro:f] **1** s. bevis; prov; korrektur **2** adj. motståndskraftig; proof against water vattentät **3** v. impregnera; korrekturläsa

proof sheet [pro:'f ʃi:t] råbalans

prop [pråpp] stötta

propaganda [pråpəgänn'də] propaganda

propagate [pråpp'əgejt] fortplanta sig; utbreda; propagera

propagation [pråpəgej'ʃən] fortplantning; utbredning

propel [prəpell'] framdriva

propeller [prəpell'ə] propeller

propensity [prəpenn'siti] böjelse, benägenhet

proper [pråpp'ə] passande; säregen; egen; proper name egennamn; the proper authority vederbörande myndighet; it's not proper det passar sig inte

properly [pråpp'əli] ordentligt; talk properly tala rent

property [pråpp'əti] egendom; ägodelar; landed property fastighet, jordagods; property left by s.b. kvarlåtenskap

prophecy [pråff'isi] spådom

prophesy [pråff'əsaj] spå; förutsäga

prophet [pråff'it] profet

propitious [prəpiʃ'əs] fördelaktig

proportion [prəpå:'ʃən] proportion, förhållande

proportional [prəpå:'ʃən] proportionell

proportionately [prəpå:'ʃnitli] förhållandevis

proposal [prəpəo'zəl] förslag; frieri

propose [prəpəo'z] föreslå; fria; propose a toast to utbringa en skål för

proposed [prəpəo'zd] tilltänkt

proposition [pråpəziʃ'ən] förslag; påstående

proprietor [prəpraj'ətə] ägare

propriety [prəpraj'əti] anständighet

propulsion [prəpall'ʃən] framdrivande

prose [prəoz] prosa

prosecute [pråss'ikjo:t] åtala

prosecution [pråsikjo:'ʃən] åtal

prosecutor [pråss'ikjo:tə] åklagare

prospect 1 s. [pråss'pekt] utsikt, förväntningar **2** v. [prəspekk't] prospektera

prospective buyer [prəspekk'tiv baj'ə] spekulant

prospectus [prəspekk'təs] prospekt

prosper [pråss'pə] blomstra, ha framgång

prosperity [pråsperr'iti] välstånd; framgång

prosperous [pråss'prəs] blomstrande; gynnsam

prostate [pråss'tejt] prostata

prosthesis [pråss'θisis] protes

prostitute [pråss'titjo:t] prostituerad

prostitution [pråstitjo:'ʃən] prostitution

prostrate [pråss'trejt] utsträckt på marken; besegrad

protect [prətekk't] [be]skydda

protection [prətekk'ʃən] [be]skydd

protective goggles [prətekk'tiv gågg'lz] skyddsglasögon

protein [prəo'ti:n] protein, äggviteämne

protest 1 s. [prəo'test] protest **2** v. [prətess't] protestera; bedyra

Protestant [prått'istənt] **1** s. protestant **2** adj. protestantisk

protract [prəträkk't] förlänga

protruding [prətro:'ding] utstående, utskjutande

proud [praod] stolt (*of* över)

prove [pro:v] bevisa; *experience proves* erfarenheten visar

proverb [prävv'ə:b] ordspråk

provide [prəvaj'd] förse, skaffa; *provide for* dra försorg om

provided [prəvaj'did] förutsatt att, såvida

providence [prävv'idəns] försynen

province [prävv'ins] provins; landskap; *in the provinces* i landsorten

provision [prəvi'ʒ'ən] anslag; anstalt; förråd; *provisions* (*pl*) livsmedel, proviant, matsäck

provisional [prəvi'ʒ'ənl] provisorisk

provocative [prəväkk'ətiv] utmanande

provoke [prəvao'k] förarga; framkalla; egga

prow [prao] stäv

prowess [prao'is] tapperhet

prowl [praol] stryka omkring

proximity [präksimm'iti] närhet

proxy [präkk'si] fullmakt (*vid röstning*)

prude [pro:d] pryd

prudence [pro:'dəns] försiktighet; klokhet

prudent [pro:'dənt] försiktig, förtänksam

prune [pro:n] **1** *s.* katrinplommon **2** *v.* beskära (*träd*)

Prussian [praʃ'ən] preussisk

pry [praj] snoka; *pry open* bända upp

pseudo- [sjo:'dəo] falsk, sken-

psychiatric [sajkiätt'rik] psykiatrisk

psychiatrist [sajkaj'ətrist] psykiater

psychic [saj'kik] psykisk

psychologic[al] [sajkəlädʒ'ik(əl)] psykologisk

psychologist [sajkåll'ədʒist] psykolog

psychology [sajkåll'ədʒi] psykologi

psychosis [sajkəo'sis] psykos

psychotherapy [sajkəθerr'əpi] psykoterapi

pub [pabb] krog, värdshus

puberty [pjo:'bəti] pubertet

public [pabb'lik] **1** *adj.* offentlig, allmän; *public assistance* socialhjälp; *public health committee* hälsovårdsnämnd; *public house* krog, värdshus; *public library* stadsbibliotek; *public revenue* statsinkomster; *public school* internatskola **2** *s.*, *in public* offentligt; *the public* allmänheten

publican [pabb'likən] värdshusvärd

publication [pablikej'ʃən] publikation, skrift; utgivning

publicity [pabliss'iti] publicitet

publish [pabb'liʃ] publicera, ge ut

publisher [pabb'liʃə] [bok]förläggare

publishing company [pabb'liʃing kamm'pəni] bokförlag

pudding [podd'ing] pudding

puddle [padd'l] pöl

puerile [pjo:'ərajl] barnslig

puff [paff] **1** *s.* pust, bloss **2** *v.* blåsa, blossa; *puff and blow* stånka

puff paste [paff' pejst] *kokk.* smördeg

puff pastry [paff' pejstri] *kokk.* smördeg

pug [pagg] mops

pugnacious [pagnej'ʃəs] stridslysten

pull [poll] **1** *v.* dra[ga], rycka, slita (*at* i); *pull down* riva; *pull o.s. together* rycka upp sig; *pull faces* grimasera **2** *s.* dragning, ryck

pullet [poll'it] unghöna

pulley [poll'i] talja, block

pulmonary [pall'mənəri] lung-

pulp [palp] [pappers]massa; mos

pulpit [poll'pit] talarstol, predikstol

pulsate [palsej't] pulsera

pulse [pals] puls

pumice [pamm'is] pimpsten

pump [pamp] **1** *s.* pump **2** *v.* pumpa

pumpkin [pamm'pkin] *bot.* pumpa

pun [pann] **1** *s.* vits **2** *v.* vitsa

punch [pantʃ] **1** *v.* stansa, klippa [biljett] **2** *s.* stans; [vin]bål

Punch and Judy show [pantʃ'ənd-ʒo:'di ʃəo] kasperteater

punctilious [pangktill'jəs] pedantisk

punctual [pang'ktjoəl] punktlig

punctuation mark [pangktjoej'ʃən ma:k] skiljetecken

puncture [pəŋ'ktʃə] punktering
pundit [pann'dit] lärd hindu; *vard.* expert; lärd person
pungent [pann'dʒənt] skarp; stickande
punish [pann'iʃ] [be]straffa
punishment [pann'iʃmənt] straff
punt [pant] **1** *v.* staka **2** *s.* eka
punter [pann'tə] spelare; *vard.* kund, klient
puny [pjo:'ni] liten, ynklig
pup [papp] valp
pupil [pjo:'pl] elev; lärjunge; pupill
puppet [papp'it] marionett
puppet show [papp'itʃəo] dockteater
puppy [papp'i] [hund]valp
purblind [pə:'blajnd] skumögd
purchase [pjo:'tʃəs] **1** *s.* [in]köp, uppköp **2** *v.* köpa
purchase tax [pə:'tʃəs täks] omsättningsskatt
pure [pjo:'ə] ren, äkta, oblandad; *pure silk* helsiden
pure-bred [pjo:'əbred] renrasig
purée [pjo:'ərej] puré
purely [pjo:'əli] enbart
purgative [pə:'gətiv] avföringsmedel, laxativ
purgatory [pə:'gətəri] skärseld
purge [pə:dʒ] **1** *s.* utrensning; rening **2** *v.* rensa ut; rena; tömma tarmen
purify [pjo:'ərifaj] rena; *purifying plant* reningsverk
purity [pjo:'əriti] renhet
purple [pə:'pl] purpur
purport [pə:'pɔt] betydelse, mening
purpose [pə:'pəs] ändamål, avsikt, föresats; *for the purpose of* i avsikt att; *on purpose* med avsikt, med flit; *to no purpose* förgäves
purposeful [pə:'pəsfol] målmedveten
purposely [pə:'pəsli] enkom, uppsåtligen
purr [pə:] spinna (*om katt*)
purse [pə:s] **1** *s.* portmonnä, börs **2** *v.* snörpa på
pursue [pəsjo:'] förfölja
pursuit [pəsjo:'t] förföljelse, förföljande, jakt
purvey [pə:vej'] leverera, anskaffa

(*livsmedel*)
purveyor [pə:vej'ə] leverantör; *purveyor to the Queen* (*King*) hovleverantör
pus [pass] var
push [poʃ] **1** *v.* skjuta, knuffa, stöta; knuffas; *push back* stöta ifrån sig; *push o.s. forward* hålla sig framme; *push up the prices* trissa upp priserna **2** *s.* knuff, stöt; energi
push-button [poʃ'battn] tryckknapp
pusher [poʃ'ə] *vard.* streber; [knark]-langare
pushing [poʃ'ing] framfusig
pushover [poʃ'əovə] *vard.* lätt sak; lättbesegrad motståndare
pusillanimous [pjo:silänn'iməs] rädd; försagd
pussy [poss'i] *sl.* mus; *vulg.* fitta
pussy cat [poss'ikät] kissekatt
put [pott] **1** *v.* sätta, ställa, lägga; sticka; stoppa; *put all one's eggs in one basket* sätta allt på ett bräde; *put forward* framlägga (*planer o.d.*); *put in* inskjuta, insätta; *put off* uppskjuta; *put on* sätta på sig; *put out* sätta fram, släcka; *put up at a hotel* ta in på hotell; *put up with* finna sig i, hålla tillgodo med; *put to death* avliva; *put to sleep* sova, få att sova; *put together* sammanställa
putrid [pjo:'trid] rutten
putt [patt] (*i golf*) putta
putty [patt'i] **1** *s.* spackel **2** *v.* spackla
puzzle [pazz'l] **1** *s.* gåta **2** *v.* förbrylla
pygmy [pigg'mi] pygmé; dvärg
pyjamas [pədʒa:'məz] (*pl*) pyjamas
pylon [paj'lən] [radio]mast
pyramid [pirr'əmid] pyramid
Pyrenees [pirrəni:'z] *the Pyrenees* Pyrenéerna

q

Q, q [kjo:] (*bokstav*) Q, q
quack [kwäkk] **1** *v.* snattra **2** *s.* kvack-

salvare

quadrangle [kwådd'rränggl] fyrkantig kringbyggd gård (*i college e.d.*)

quadruped [kwådd'roped] fyrfota djur

quail [kwejl] **1** *v.* tappa modet, bäva **2** *s.* vaktel

quaint [kwejnt] gammaldags; egendomlig

quake [kwejk] **1** *s.* skalv **2** *v.* skälva, skaka

Quaker [kwej'kə] kväkare

qualification [kwålifikej'ʃən] kvalifikation, merit; förutsättning

qualified [kwåll'ifajd] behörig

qualify [kwåll'ifaj] kvalificera

quality [kwåll'iti] kvalitet, egenskap

qualm [kwa:m] kväljningar; oro; *qualms* (*pl*) samvetsbetänkligheter

quandary [kwånn'dəri] bryderi

quantity [kwånn'titi] kvantitet, mängd

quarantine [kwårr'ənti:n] karantän

quarrel [kwårr'əl] **1** *s.* gräl **2** *v.* gräla, träta

quarrelsome [kwårr'lsəm] grälsjuk

quarry [kwårr'i] stenbrott

quart [kwå:t] quart (=1/4 *gallon*)

quarter [kwå:'tə] fjärdedel; kvartal; kvarter; väderstreck; *quarter of an hour* kvart

quarter-final [kwå:'təfajnl] kvartsfinal

quarterdeck [kwå:'tədek] akterdäck

quartermaster [kwå:'təma:stə] intendent; styrman

quartet [kwå:tett'] kvartett

quartz watch [kwå:tz wåtʃ] kvartsur

quaver [kwej'və] **1** *v.* darra **2** *s.* åttondelsnot

quay [ki:] kaj

queasy [kwi:'zi] obehaglig; illamående; kräsen

queen [kwi:n] drottning; dam (*i kortspel*)

queer [kwi:'ə] egendomlig; homosexuell, *sl.* bög

quell [kwell] undertrycka

quench [kwentʃ] släcka; svalka; underkuva

querulous [kwerr'oləs] gnällig

query [kwi:'əri] fråga; ifrågasätta

quest [kwest] **1** *s.* sökande; undersökning **2** *v.* söka efter

question [kwess'tʃən] **1** *s.* fråga; angelägenhet; *be a question of* handla om, vara fråga om; *the ... in question* vederbörande; *out of the question* uteslutet **2** *v.* fråga; utfråga; ifrågasätta

questionmark [kwess'tʃənma:k] frågetecken

questionnaire [kwestʃənä:'ə] frågeformulär

queue [kjo:] **1** *s.* kö **2** *v.* köa; *queue up* köa, ställa sig i kö

queue ticket [kjo:'tikk'it] nummerlapp

quibble [kwibb'l] **1** *s.* spetsfundigheter **2** *v.* rida på ord; käbbla

quick [kwikk] rask, kvick

quicken [kwikk'ən] ge liv åt; påskynda

quickly [kwikk'li] raskt, kvickt

quicksand [kwikk'sänd] kvicksand, flygsand

quicksilver [kwikk'silvə] kvicksilver

quick-witted [kwikk'witt'id] slagfärdig

quid [kwidd] *sl.* pund

quiescence [kwajess'ns] lugn

quiet [kwaj'ət] **1** *adj.* lugn, stilla **2** *s.* lugn, stillhet **3** *v.* lugna, stilla

quill [kwill] gåspenna

quilt [kwilt] sängtäcke

quilt bag [kwilt bägg] påslakan

quilted jacket [kwill'tid jäkk'et] täckjacka

quinine [kwini:'n] kinin

quintet [kwinn'tət] *mus.* kvintett

quirk [kwə:k] spydighet; snirkel

quit [kwitt] **1** *v.* ge sig av; sluta **2** *adj.* kvitt

quite [kwajt] alldeles, helt och hållet; ganska; *quite contrary* tvärtemot; *quite a lot* en hel del; *quite right* mycket riktigt; *I don't quite understand* jag förstår inte riktigt

quits [kwitt's] kvitt; *double or quits* kvitt eller dubbelt; *call it quits* låta udda vara jämnt

quiver [kwivv'ə] darra, skälva, flimra

quiz [kwizz] **1** *s.* förhör; frågelek **2** *v.*

skoja, driva med
quotation [kwəotej'ʃən] citat
quote [kwəot] citera; offerera
quotient [kwəo'ʃənt] kvot

r

R, r [a:] (*bokstav*) R, r
rabbit [räbb'it] kanin; *Welsh rabbit* grillad ostsmörgås
rabble [räbb'l] slödder
rabid [räbb'id] galen, ursinnig
race [rejs] 1 *s.* lopp, kapplöpning; ras 2 *v.* springa i kapp; rusa (*om motor*)
racecourse [rej'skå:s] kapplöpningsbana
racehorse [rej'shå:s] kapplöpningshäst
racer [rej'sə] racerbil
racetrack [rej'sträkk'] *Am.* kapplöpningsbana
racial prejudice [rej'ʃəl predʒ'odis] rasfördom
racing [rej'sing] kapplöpning
racing boat [rej'singbəot] kappseglingsbåt
racing driver [rej'sing draj'və] racerförare
racism [rej'sizm] rasism
rack [räkk] ställ, hylla; sträckbänk
racket [räkk'it] racket; oväsen; bedrägeri
racketeer [räkəti:'ə] utpressare
racoon [rəko:'n] tvättbjörn
racy [rej'si] karakteristisk; livlig; vågad
radar [rej'da:] radar
radiance [rej'djəns] strålglans
radiate [rej'diejt] bestråla; utstråla
radiation [rejdiej'ʃən] bestrålning; utstrålning
radiator [rej'diejtə] [värme]element; [bil]kylare
radical [rädd'ikəl] radikal
radio [rej'diəo] radio; *radio program* radioprogram; *radio transmitter*

radiosändare
radioactive [rej'diəoäkk'tiv] radioaktiv
radish [rädd'iʃ] rädisa
radium [rej'djəm] radium
R.A.F. (*förk. för Royal Air Force*) engelska flygvapnet
raffle [räff'l] 1 *s.* tombola 2 *v.* lotta bort
raft [ra:ft] 1 *s.* flotte 2 *v.* flotta
rafting [ra:'fting] forsränning
rag [rägg] 1 *s.* trasa; bråk; *rags* (*pl*) lump, trasor 2 *v.* skoja
ragged [rägg'id] trasig
ragout [rägo:'] ragu
rag-rug [rägg'rag] trasmatta
raid [rejd] 1 *s.* räd, razzia 2 *v.* göra en räd
rail [rejl] 1 *s.* räcke; räls, järnvägsskena; reling 2 *v.* okväda
railbus [rej'lbəs] rälsbuss
railing [rej'ling] räcke
railroad [rej'lrəod] *Am.* järnväg
railway [rej'lwej] järnväg; *railway junction* järnvägsknut; *railway station* järnvägsstation; *railway timetable* tågtidtabell; *railway track* järnvägsspår
raiment [rej'mənt] skrud
rain [rejn] 1 *s.* regn 2 *v.* regna
rainbow [rej'nbəo] regnbåge
raincoat [rej'nkəot] regnrock, regnkappa
rainfall [rej'nfå:l] regnskur; nederbörd
rainforest [rej'nfårist] regnskog
rainy [rej'ni] regnig
raise [rejz] höja, lyfta; uppväcka; uppföda; odla; stegra
raisin [rej'zn] russin
raising [rej'zing] höjning
rake [rejk] 1 *s.* räfsa, kratta; rucklare 2 *v.* räfsa, kratta; *rake ... together* räfsa ihop
rally [räll'i] 1 *v.* samla; samlas; driva med 2 *s.* samling
RAM [rämm] *data.* (*förk. för random access memory*) RAM
ram [rämm] bagge; ramm

ramble [rämm'bl] flanera; svamla

ramification [rämifikej'ʃən] förgrening; konsekvens, följd

ramify [rämm'ifaj] förgrena [sig]

rampant [rämm'pənt] vild; frodig

rampart [rämm'pa:t] fästningsvall

ramshackle house [rämm'ʃäkl haos] ruckel, kyffe

ran [ränn] *imperf. av* run

rancid [ränn'sid] härsken

rancour [räng'kə] hat, hätskhet

random [ränn'dəm] slumpvis; *at random* på en höft, på måfå

rang [räng] *imperf. av* ring

range [rejndʒ] 1 *s.* skotthåll; räckvidd; rad; köksspis; skjutbana; bergskedja 2 *v.* ordna; vandra genom

rangefinder [rej'ndʒfajndə] avståndsmätare

ranger [rej'ndʒə] skogvaktare; vandrare; *Am.* ridande polis

rank [rängk] 1 *s.* grad, rang; *mil.* led; *the rank and file* manskapet 2 *v.* rangordna 3 *adj.* från, stinkande

ransack [ränn'säk] rannsaka

ransom [ränn'səm] lösen; lösensumma

rant [ränt] 1 *v.* orera; skryta 2 *s.* skryt

rape [rejp] 1 *s.* raps; våldtäkt 2 *v.* våldta

rapid [räpp'id] 1 *adj.* hastig 2 *s.*, *rapids (pl)* fors

rapture [räpp'tʃə] hänförelse

rare [rä:'ə] sällsynt, rar

rarity [rä:'əriti] sällsynthet, raritet

rascal [ra:'skl] lymmel, skojare

rash [räʃ] 1 *adj.* överilad 2 *s.* utslag (på huden)

rasp [ra:sp] 1 *s.* rasp 2 *v.* raspa

raspberry [ra:'zbəri] hallon

rat [rätt] råtta; *rat poison* råttgift

rate [rejt] 1 *s.* hastighet; taxa, valutakurs; *rates (pl)* kommunalskatt; *at a rate of* med en hastighet av; *at any rate* i varje fall; *rate of exchange* växelkurs; *rate of growth* tillväxttakt; *rate of interest* räntefot 2 *v.* värdera; taxera; förtjäna

rateable value [rejt'təbl väll'jo:] taxeringsvärde

rather [ra:'ðə] hellre, snarare; tämligen; väl, alltför

ratify [rätt'ifaj] stadfästa

rating [rej'ting] värdering; taxering; matros; uppsträckning, utskällning

ratio [rej'ʃiəo] förhållande, proportion

ration [räʃ'ən] 1 *v.* ransonera 2 *s.* ranson

rational [räʃ'ənl] rationell

rationalize [räʃ'nəlajz] rationalisera

rationing [räʃ'ning] ransonering

rattle [rätt'l] 1 *v.* skramla, skallra; skrämma; *rattle off* rabbla upp 2 *s.* skrammel

rattlesnake [rätt'lsnejk] skallerorm

raucous [rå:'kəs] hes, skrovlig

ravage [rävv'idʒ] härja

rave [rejv] yra; *(om vind)* rasa; svärma

raven [rej'vn] korp

ravenous [rävv'inəs] *vard.* hungrig som en varg

ravine [rəvi:'n] ravin

ravish [rävv'iʃ] hänföra

raw [rå:] rå, obearbetad; *raw material* råmaterial, råvara

ray [rej] [ljus]stråle; rocka

rayon [rej'ån] konstsilke

raze [rejz] rasera

razor [rej'zə] rakapparat

razor blade [rej'zə blejd] rakblad

reach [ri:tʃ] 1 *v.* nå, räcka, uppnå 2 *s.* räckhåll, räckvidd

react [ri:äkk't] reagera (*to* för); återverka

reaction [riäkk'ʃən] reaktion

reactionary [ri:äkk'ʃnəri] reaktionär

reactor [ri:äkk'tə] reaktor

read [ri:d] (*imperf. och perf. part.* [redd]) läsa; avläsa; uppfatta

reader [ri:'də] läsare, läsebok; *readers (pl)* läsekrets

readily [redd'ili] gärna

readiness [redd'inis] beredskap; villighet

reading [ri:'ding] läsning, lektyr

ready [redd'i] färdig, klar, redo; *get ... ready* göra ... färdig

ready-made clothing [redd'imejd kləo'ðing] konfektion

ready-to-eat [redd'i tə i:t] färdiglagad mat

real [ri:'əl] faktisk, verklig, reell; *real estate* fast egendom; *real income* realinkomst

realistic [ri:əliss'tik] realistisk; *realistic description* verklighetsskildring

reality [riäll'iti] realitet, verklighet

realization [riəlajzej'ʃən] förverkligande

realize [ri:'əlajz] förverkliga; inse

really [ri:'əli] verkligen, faktiskt, egentligen

realm [relm] rike

reap [ri:p] skörda

reaper [ri:'pə] skördeman; skördemaskin; *reaper binder* självbindare

rear [ri:'ə] 1 *s.* bakre del 2 *adj.* bakre; *rear engine* svansmotor; *rear light* baklykta; *rear wheel* bakhjul 3 *v.* resa; uppföda

rear admiral [ri:'ərädd'mrəl] konteramiral

rearguard [ri:'əga:d] eftertrupp

rearmament [ri:a:'məmənt] upprustning

rearrange [ri:ərej'ndʒ] omplacera

rearrangement [ri:ərej'ndʒmənt] omläggning

reason [ri:'zn] 1 *s.* skäl, orsak, anledning (*for, of* till); förnuft; *weighty reasons* tungt vägande skäl; *for that reason* av den orsaken; *what is the reason for ...?* varpå beror ...? 2 *v.* resonera

reasonable [ri:'znəbl] skälig, rimlig; förnuftig; *be reasonable* ta reson

reasoning [ri:'zning] resonemang

reassure [ri:əʃo:'ə] lugna

reassuring [ri:əʃo:'əring] betryggande

rebel [rebb'l] rebell

rebellion [ribell'jən] uppror

rebound [ribaə'nd] studsa tillbaka

rebuff [ribaff'] avvisa, snäsa av

rebuilding [ri:bill'ding] återuppbyggnad, ombyggnad

rebuke [ribjo:'k] 1 *v.* tillrättavisa 2 *s.* tillrättavisning

recalcitrant [rikäll'sitrənt] motspäns-

tig; motsträvig

recall [rikå:'l] återkalla; erinra [sig]

recede [risi:'d] gå tillbaka

receipt [risi:'t] kvitto

receive [risi:'v] få, erhålla, mottaga

receiver [risi:'və] mottagare; *receiver of stolen goods* hälare

recent [ri:'snt] ny, färsk; *in recent times* på senare tid

recently [ri:'sntli] nyligen

receptacle [risepp'təkl] [förvarings]-kärl

reception [risepp'ʃən] mottagning, reception

recipe [ress'ipi] [mat]recept

recipient [risipp'jənt] 1 *s.* mottagare 2 *adj.* mottaglig

reciprocal [risipp'rəkl] ömsesidig

recital [risaj'tl] recitation; solistframträdande

recite [risaj't] deklamera

reckless [rekk'lis] våghalsig; hänsynslös

reckon [rekk'n] beräkna; anse

reclaim [riklej'm] återkräva; återfå; uppodla

recline [riklaj'n] luta sig bakåt; vila

recluse [riklo:'s] enstöring; eremit

recognition [rekəgniʃ'ən] igenkännande; *gain recognition* vinna erkännande

recognize [rekk'əgnajz] känna igen; erkänna, inse

recoil 1 *s.* [ri:'kåjl] rekyl 2 *v.* [rikåj'l] rygga tillbaka

recollection [rekəlekk'ʃən] hågkomst, erinring

recommend [rekəmenn'd] rekommendera

recompense [rekk'əmpens] 1 *v.* ersätta 2 *s.* ersättning

reconcile [rekk'ənsajl] försona, förlika

reconnaissance [rikänn'isəns] spaning, rekognoscering

reconnoitre [rekənåj'tə] rekognosera

reconsider [ri:kənsidd'ə] ompröva

reconstruct [ri:kənstrakk't] rekonstruera, återuppbygga

reconstruction [ri:kənstrakk'ʃən] uppbyggnadsarbete, rekonstruktion

record 1 s. [rekk'å:d] rekord; grammofonskiva; upptecning **2** v. [rikå:'d] uppteckna; spela in

recorder [rikå:'də] blockflöjt; inspelningsapparat; registrator

recording [rikå:'ding] inspelning

recording clerk [rikå:'ding kla:k] notarie

record player [rekk'å:d plej'ə] skivspelare

recount [rikao'nt] uppräkna; berätta

recover [rikavv'ə] tillfriskna, hämta sig

recovery [rikavv'əri] förbättring, tillfriskande

recreation [rekriej'ʃən] rekreation

recrimination [rikriminej'ʃən] motbeskyllning

recruit [rikro:'t] **1** s. rekryt **2** v. rekrytera

rectify [rekk'tifəj] rätta; likrikta

rector [rekk'tə] kyrkoherde

rectum [rekk'təm] anat. ändtarm

recumbent [rikamm'bənt] tillbakalutad

recuperate [rikjo:'pərejt] hämta sig

recur [rikə:'] återkomma; upprepas

recycle [ri:saj'kl] återanvända

red [redd] röd; the Red Cross Röda korset; red onion rödlök; the Red Sea Röda havet; red tape byråkrati; red wine rödvin

redcurrant [redd karr'ənt] bot. rödvinbär

redden [redd'n] bli röd, rodna

redeem [ridi:'m] infria

red-haired [redd'hä:'əd] rödhårig

red-handed [redhänn'dəd] caught red-handed fångad på bar gärning

red-headed [redhedd'id] rödhårig

red-hot [redhått'] rödglödgad

red-letter day [redd'lettədej'] helgdag; bildl. högtidsdag

redouble [ridabb'l] fördubblas; öka

redoubtable [ridao'təbl] fruktansvärd

redress [ridress'] **1** s. upprättelse, gottgörelse **2** v. avhjälpa, gottgöra

reduce [ridjo:'s] minska, reducera; reduce to pulp mosa

reduction [ridakk'ʃən] [för]minskning; sänkning (av pris); inskränkning; nedskärning

redundant [ridann'dənt] övertalig; överflödig

redwood [redd'wod] rödvedsträd

reed [ri:d] rö, vass

re-educate [ri:edd'jo:kejt] omskola

re-education [ri:'edjokej'ʃən] omskolning

reef [ri:f] **1** v. reva (segel) **2** s. [klipp]rev

reef knot [ri:'fnåt] råbandsknop

reek [ri:k] **1** s. stank **2** v. ryka; stinka

reel [ri:l] **1** s. filmrulle, rulle; reel (skotsk dans); reel of cotton trådrulle **2** v. ragla

re-election [ri:ilekk'ʃən] omval

re-establish [ri:istäbb'liʃ] återupprätta

refer [rifə:'] hänvisa

referee [refəri:'] **1** s. [fotbolls]domare **2** v. döma (i fotboll)

reference [reff'rəns] hänvisning; have reference to hänföra sig till

reference book [reff'rəns bokk] uppslagsbok

referendum [refərenn'dəm] folkomröstning

refine [rifaj'n] förädla, raffinera

refinement [rifaj'nmənt] finess

refinery [rifaj'neri] raffinaderi

reflect [riflekk't] [åter]spegla, reflektera; överväga; be reflected avspegla sig

reflection [riflekk'ʃən] reflexion; eftertanke; betänkande, övervägande; spegelbild

reflex [ri:'fleks] reflex; reflex camera spegelreflexkamera

reform [rifå:'m] **1** v. reformera **2** s. reform

reformation [refəmej'ʃən] reformation

reformatory [rifå:'mətəri] uppfostringsanstalt

refractory [rifräkk'təri] uppstudsig

refrain [rifrej'n] **1** v. avhålla sig, avstå **2** s. refräng

refresh [rifreʃ'] friska upp; *refresh o.s.* läska sig

refreshment [rifreʃ'mənt] förfriskning

refrigerator [rifridʒ'ərejtə] kylskåp

refuel [rifjo:'əl] tanka

refuge [reff'jo:dʒ] tillflykt

refugee [refjodʒi:'] flykting; *refugee camp* flyktingläger

refund [rifann'd] återbetala

refusal [rifjo:'zəl] vägran, nekande, avslag

refuse 1 *v.* [rifjo:'z] vägra, neka 2 *s.* [reff'jo:s] avfall, sopor 3 *adj.* [reff'-jo:s] avfalls-, sop-; *refuse bucket* sophink; *refuse chute* sopnedkast; *refuse dump* soptipp; *refuse lorry* sopbil

refute [rifjo:'t] vederlägga

reg. [redʒ'istəd] *förk för register[ed]*

regain [rigej'n] återfå, återvinna

regal [ri:'gl] kunglig

regale [rigej'l] undfägna; kalasa

regard [riga:'d] 1 *s.* hänsyn; *regards (pl)* hälsningar 2 *v.* betrakta, anse; *as regards* vad beträffar

regarding [riga:'ding] i fråga om

regardless of [riga:'dlis əv] utan hänsyn till

regeneration [ridʒenərej'ʃən] pånyttfödelse

regent [ri:'dʒnt] regent

regime [rejʒi:'m] regim; levnadsordning

regiment [redʒ'imənt] regemente

region [ri:'dʒən] region

register [redʒ'istə] 1 *s.* register 2 *v.* registrera, inregistrera; skriva in sig (*på hotell*); rekommendera (*brev*); pollettera; *registered* rekommenderas

registration [redʒistrej'ʃən] [in]registrering; *registration certificate* besiktningsinstrument; *registration fee* anmälningsavgift

regret [rigrett'] 1 *v.* ångra; beklaga 2 *s.* ånger; saknad, sorg

regrettable [rigrett'əbl] beklaglig

regular [regg'jolə] 1 *adj.* regelbunden, reguljär; riktig, äkta 2 *s.* stamanställd; stamgäst

regulate [regg'joulejt] reglera

regulation [regjolej'ʃən] stadga, förordning, bestämmelse; *regulations (pl)* reglemente

rehabilitate [ri:əbill'itejt] rehabilitera, ge upprättelse

rehabilitation [ri:əbilitej'ʃən] rehabilitering

rehearsal [rihə:'səl] repetition

rehearse [rihə:'s] repetera

reign [rejn] 1 *s.* regeringstid 2 *v.* regera

rein [rejn] 1 *s.* töm, tygel 2 *v.* tygla

reindeer [rej'ndi:ə] ren

reindeer sleigh [rej'ndi:ə slej] pulka

reinforce [ri:infå:'s] förstärka; armera

reiterate [ri:itt'ərejt] ånyo upprepa

reject [ridʒekk't] förkasta; kassera, utdöma; avstyrka, underkänna

rejoicing [ridʒåj'sing] jubel

rejoin [ridʒåj'n] svara

rejoinder [ridʒåj'ndə] replik

rejuvenate [ridʒo:'vinejt] föryngra; föryngras

relapse [rilæpp's] 1 *v.* återfalla 2 *s.* återfall

relate [rilej't] återge; relatera (*to* till)

related [rilej'tid] besläktad (*to* med)

relation [rilej'ʃən] anförvant, släkting; relation, förhållande

relationship [rilej'ʃənʃip] förhållande; släktskap; *enter into a relationship with* träda i förbindelse med

relative [rell'ətiv] 1 *adj.* relativ 2 *s.* släkting, anhörig

relax [rilækk's] koppla av, vila

relaxation [rilæksej'ʃən] avslappning

relaxed [rilækk'st] avslappnad, avspänd

relay [ri:lej'] relä

relay race [ri:'lej rejs] *sport.* stafett[löpning]

release [rili:'s] 1 *v.* befria, frige, utlösa 2 *s.* befrielse, frigivning

relegate [rell'igejt] hänskjuta; förvisa

relentless [rilenn'tlis] omedgörlig

relevant [rell'əvənt] relevant, hörande till saken

reliable [rilaj'əbl] pålitlig, vederhäftig

relic [rell'ik] relik

relief [rili:'f] lättnad, lindring, undsättning; relief; *be a relief* ge lättnad, lätta

relieve [rili:'v] befria; avlösa; undsätta

relieved [rili:'vd] lättad

religion [rilidʒ'ǝn] religion

religious [rilidʒ'ǝs] religiös; *religious community* trossamfund

relinquish [riling'kwiʃ] frångå, ändra

relish [rell'iʃ] 1 *s.* förtjusning; smaktillsats; stark sås; *give relish to* sätta piff på (*mat*) 2 *v.* njuta av

reloading [ri:lǝo'ding] omlastning

reluctant [rilakk'tǝnt] motvillig

rely [rilaj'] förlita sig, lita ([*up*]*on* på)

remain [rimej'n] [för]bli; återstå, bli kvar; *it remains to be seen* det återstår att se

remainder [rimej'ndǝ] behållning, rest

remaining [rimej'ning] överbliven, återstående, resterande

remains [rimej'nz] (*pl*) lämningar; kvarlevor

remand [rima:'nd] återsända, återförvisa

remark [rima:'k] yttrande, anmärkning; iaktta

remarkable [rima:'kǝbl] märklig, märkvärdig

remarried [ri:märr'id] omgift

remedy [remm'idi] 1 *s.* botemedel, bot 2 *v.* avhjälpa, råda bot för

remember [rimemm'bǝ] minnas, komma ihåg; *remember me to your parents!* hälsa dina föräldrar!

remembrance [rimemm'brǝns] minne

remind [rimaj'nd] påminna, erinra (*of* om)

reminder [rimaj'ndǝ] påminnelse

reminiscence [reminiss'ns] minne, hågkomst

remit [rimitt'] mildra; översända; uppskjuta

remittance [rimitt'ǝns] [penning]remissa

remnant [remm'nǝnt] kvarleva, rest

remorse [rimå:'s] ånger, samvetskval

remote [rimǝo't] avlägsen

remote control [rimǝo't kǝntrǝo'l] fjärrkontroll

removable [rimo:'vǝbl] avtagbar

removal [rimo:'vǝl] flyttning

remove [rimo:'v] undanröja, avlägsna, avsätta

remuneration [rimjo:nǝrej'ʃǝn] ersättning, gottgörelse

Renaissance [rǝnej'sǝns] *the Renaissance* renässansen

rend [rennd] slita sönder

render [renn'dǝ] återge; tolka; [möjlig]göra

rendezvous [rånn'divo'] träff, möte

renew [rinjo:'] förnya, uppliva; omsätta (*växel*)

renewal [rinjo:'ǝl] förnyelse; omsättning (*av växel*)

renounce [rinao'ns] avsäga sig, ta avstånd från

renovate [renn'ǝovejt] renovera

renown [rinao'n] ryktbarhet

rent [rennt] 1 *s.* hyra; spricka 2 *v.* hyra; arrendera 3 *imperf. och perf. part. av* rend

reorganization [ri:'å:gǝnajzej'ʃǝn] nyordning, omorganisation

reorganize [ri:å:'gǝnajz] omorganisera

repair [ripä:'ǝ] 1 *v.* reparera; ersätta; bege sig 2 *s.* lagning; reparation; skick; *keep … in repair* underhålla

repair shop [ripä:'ǝ ʃåp] verkstad; *motor car repair shop* bilverkstad

repairing [ripä:'ǝring] lagning

repairman [ripä:'ǝmǝn] reparatör

reparation [repǝrej'ʃǝn] reparation; ersättning

repartee [repa:ti:'] kvick replik

repast [ripa:'st] måltid

repay [ri:pej'] återbetala; vedergälla

repeal [ripi:'l] upphäva

repeat [ripi:'t] 1 *v.* repetera, upprepa 2 *s.*, *mus.* repris

repeatedly [ripi:'tidli] upprepade gånger

repel [ripell'] stöta tillbaka

repent [ripenn't] ångra [sig]

repentance [ripenn'təns] ånger

repentant [ripenn'tənt] ångerfull

repertory [repp'ətəri] repertoar

repetition [repitiʃ'ən] repetition, upprepning

replace [riplej's] ersätta, byta ut

replacemant [riplej'smənt] ersättare; ersättning

replenish [riplenn'iʃ] åter fylla

replica [repp'likə] replik, kopia

reply [riplaj'] **1** v. replikera, svara **2** s. svar; *in reply to* som svar på; *at a loss for a reply* svarslös

report [ripå:'t] **1** v. rapportera, referera, meddela; ange (*för myndighet*); skvallra på; *report to the police* polisanmäla **2** s. rapport; betänkande, utlåtande; reportage; betyg; anmälan; knall

reporter [ripå:'tə] reporter

repose [ripəo'z] **1** v. vila sig **2** s. vila, lugn

repository [ripåzz'itri] förvaringsplats

reprehensible [reprihenn'səbl] klandervärd

represent [reprizenn't] föreställa, presentera; framställa; företräda

representation [reprizentej'ʃən] framställning; föreställning; representation

representative [reprizenn'tətiv] **1** adj. representativ **2** s. representant, ombud

repress [ripress'] undertrycka

reprieve [ripri:'v] **1** v. benåda **2** s. uppskov

reprimand [repp'rima:nd] reprimand

reprisals [ripraj'zəlz] (pl) repressalier

reproach [riprəo'tʃ] **1** v. förebrå **2** s. förebråelse

reproduce [ri:prədjo:'s] avbilda, återge; reproducera

reproduction [ri:prədakk'ʃən] reproduktion, avbildning

reproof [ripro:'f] tillrättavisning

reprove [ripro:'v] tillrättavisa

reptile [repp'tajl] reptil, kräldjur

republic [ripabb'lik] republik

republican [ripabb'likən] republikan

repudiate [ripjo:'diejt] förkasta, tillbakavisa

repugnance [ripagg'nəns] motvilja; motsägelse

repugnant [ripagg'nənt] motbjudande; motstridig

repulsive [ripall'siv] vedervärdig, motbjudande

reputable [repp'jotəbl] aktad

reputation [repjotej'ʃən] anseende; rykte

repute [ripjo:'t] anseende, rykte

request [rikwess't] **1** v. anmoda, begära; uppmana; *request s.b. to pay* kräva ngn på pengar; *request permission to speak* begära ordet **2** s. anhållan, bön, begäran; uppmaning; *at the request of* på uppdrag av

requested [rikwess'tid] ombedd

require [rikwaj'ə] [er]fordra, kräva; *be required* fordras

requisite [rekk'wizit] erforderlig

rerun [ri:'rann'] repris, nypremiär

rescue [ress'kjo:] **1** s. räddning **2** v. rädda

rescuer [ress'kjoə] räddare

research [risə:'tʃ] **1** s. forskning **2** v. forska

resemblance [rizemm'bləns] likhet (*to* med)

resemble [rizemm'bl] likna

resent [rizenn't] ta illa vid sig

resentment [rizenn'tmənt] förbittring

reservation [rezəvej'ʃən] reservation; bokning; [indian]reservat; *make a reservation* reservera sig, boka plats

reserve [rizə:'v] **1** s. reserv, förbehåll **2** v. reservera; *reserve for* (*to*) förbehålla sig

reserved [rizə:'vd] reserverad, tillknäppt

reside [rizaj'd] residera

residence [rezz'idəns] residens

residence permit [rezz'idəns pə:'mit] uppehållstillstånd

resident [rezz'idənt] bofast, bosatt

residential [rezidenn'ʃəl] bostads-

residue [rezz'idjo:] återstod, rest

resign [rizaj'n] ta avsked [från];

resign o.s. resignera; *resign o.s. to* foga sig i

esignation [rezignej'ʃən] avskeds-ansökan; resignation

esilient [rizill'jənt] elastisk

esin [rezz'in] kåda

esist [riziss't] motstå

esistance [riziss'təns] motstånd

esistant [riziss'tənt] resistent

esolute [rezz'əlo:t] rådig, beslutsam

esolution [rezəlo:'ʃən] resolution

esolve [rizäll'v] **1** *v.* besluta; lösa **2** *s.* beslut

esort [rizå:'t] **1** *s.* utväg; tillflykt; rekreationsort **2** *v., resort to* tillgripa, anlita

esound [rizao'nd] genljuda

esource [riså:'s] resurs

espect [rispekk't] **1** *s.* respekt, akt-ning; avseende; *in this respect* här-vidlag **2** *v.* respektera

espectable [rispekk'təbl] respektabel, anständig

espective [rispekk'tiv] respektive

espectively [rispekk'tivli] respektive

espiration [respərej'ʃən] andning, andhämtning

espiratory organ [rispaj'ərətri å:'gən] andningsorgan

espite [ress'pajt] respit, frist

esplendent [risplenn'dənt] glänsande

espond [rispänn'd] svara; reagera på

esponse [rispänn's] gensvar

esponsibility [rispånsəbill'iti] ansvar; *shirk responsibility* undandra sig ansvar

esponsible [rispänn'səbl] ansvarig; ansvarsfull

est [rest] **1** *s.* rest, återstod; *the rest* det övriga **2** *v.* vila

estaurant [ress'torånt] restaurang, krog

estaurant keeper [ress'torånt ki:'pə] källarmästare

estful [ress'tfol] vilsam

estive [ress'tiv] motspänstig; otålig

estless [ress'tlis] rastlös

estore [ristå:'] restaurera, återställa

estrain [ristrej'n] lägga band på

restraint [ristrej'nt] hämning; hinder; förbehållsamhet

restrict [ristrikk't] inskränka, begränsa

restriction [ristrikk'ʃən] restriktion, inskränkning

result [rizall't] **1** *s.* resultat **2** *v.* resul-tera

results pool [rizall'ts po:l] stryktips

resume [rizjo:'m] återuppta[ga]

resurrection [rezərekk'ʃən] uppstån-delse, återupplivande

retail [ri:'tejl] detaljhandel

retailer [ri:tej'lə] återförsäljare

retain [ritej'n] behålla

retainer [ritej'nə] trotjänare; *jur.* för-handsarvode (*t. advokat*)

retaining fee [ritej'ning fi:'] *se re-tainer*

retaliation [ritäliej'ʃən] vedergällning, hämnd

retarded [rita:'did] utvecklingsstörd

reticence [rett'isns] tystlåtenhet

retina [rett'innə] näthinna

retire [ritaj'ə] retirera, dra sig tillbaka

retired [ritaj'əd] pensionerad

retirement [ritaj'əmənt] avskildhet

retort [ritå:'t] kolv

retouch [ri:tatʃ'] retuschera

retreat [ritri:'t] **1** *s.* reträtt; tillflykts-ort **2** *v.* retirera; dra sig tillbaka

retribution [retribjo:'ʃən] vedergäll-ning

retrieve [ritri:'v] apportera; återvinna

retroactive [retrəoäkk'tiv] retroaktiv

retrograde [rett'rəogrejd] **1** *adj.* till-bakariktad **2** *v.* gå tillbaka

retrospect [rett'rəospekt] återblick

return [ritə:'n] **1** *s.* retur; återkomst; avkastning; *in return* i gengäld; *many happy returns!* har den äran att gratu-lera!; *return home* hem-komst **2** *v.* returnera; återkomma; återlämna; återsända

return ticket [ritə:'n tikk'it] tur- och returbiljett

returnable bottle [ritə:'nəbl bått'l] returglas

reunion [ri:jo:'njən] återförening

reunite [ri:jo:naj't] återförena

Rev. *förk för* Reverend

revalue [ri:väll'jo:] omvärdera

reveal [rivi:'l] uppenbara, avslöja

revel [revv'l] festa om, rumla; frossa

Revelation [revilej'ʃən] Uppenbarelseboken

revenge [rivenn'dʒ] **1** *s.* hämnd, revansch; *take one's revenge* ta revansch **2** *v.* hämnas

revenue [revv'injo:] inkomst; statsinkomster

reverberate [rivə:'bərejt] genljuda

reverberation [rivə:bərej'ʃən] eko

reverence [revv'ərəns] vördnad; pietet

reverend [revv'rənd] **1** *adj.* vördnadsvärd **2** *s.*, *the Reverend John Smith* kyrkoherde (pastor) John Smith

reverie [revv'əri] dagdröm

reverse [rivə:'s] **1** *v.* backa **2** *s.* bakslag; baksida **3** *adj.* omvänd, motsatt

reversing light [rivə:'sing lajt] backlykta

revert [rivə:'t] återgå

review [rivjo:'] **1** *v.* recensera **2** *s.* recension; resning (*i mål*)); revy

reviewer [rivjo:'ə] recensent

revile [rivaj'l] smäda

revise [rivaj'z] omarbeta, revidera; repetera; *revise one's opinion* ändra ståndpunkt

revision [rivi'ʒən] omarbetning, revision; repetition

revival [rivaj'vəl] återupplivande; väckelse; repris, nypremiär

revive [rivaj'v] återuppliva

revoke [rivəo'k] återkalla

revolt [rivəo'lt] **1** *s.* revolt, uppror **2** *v.* revoltera, göra uppror; känna avsky

revolting [rivəo'lting] upprörande; upprorisk; motbjudande

revolution [revəlo:'ʃən] revolution; varv

revolve [rivåll'v] rotera

revolver [rivåll'və] revolver

revue [rivjo:'] revy

revulsion [rivall'ʃən] häftig reaktion (*med olust*)

reward [riwå:'d] **1** *v.* belöna **2** *s.* belöning, hittelön

rheumatic [ro:mätt'ik] reumatiker

rheumatism [ro:'mətizəm] reumatism

rheumatoid arthritis [ro:'mətåjd a:θraj'tis] ledgångsreumatism

Rhine [raj'n] *the Rhine* Rhen

rhinoceros [rajnåss'ərəs] noshörning

rhubarb [ro:'ba:b] rabarber

rhyme [rajm] **1** *s.* rim **2** *v.* rimma (*with* på)

rhythm [rið'əm] rytm

rib [ribb] revben; spröt; spant

ribald [ribb'ld] plump, rå

ribbon [ribb'ən] band

rice [rajs] [ris]gryn

rich [ritʃ] rik (*in* på); mustig; dråplig

richness [ritʃ'nis] *bildl.* rikedom

rickets [rikk'its] *med.* rakitis

rickety [rikk'iti] skranglig

rid [ridd] befria från; *get rid of* göra sig av med, bli kvitt

ridden [ridd'n] *perf. part. av* ride

riddle [ridd'l] gåta

ride [rajd] **1** *v.* rida; åka **2** *s.* ritt; åktur

rider [raj'də] ryttare; cyklist

ridge [ridʒ] ås, rygg

ridicule [ridd'ikjo:l] åtlöje

ridiculous [ridikk'joləs] löjlig

riding [raj'ding] **1** *s.* ridning **2** *adj.*, *riding dress* riddräkt; *riding school* ridskola

rife [rajf] gängse, vanlig; *rife with* uppfylld av

rifle [raj'fl] räffla; gevär

rift [rift] reva, spricka

rig [rigg] **1** *s.* rigg **2** *v.* rigga; göra klar; lura

right [rajt] **1** *s.* rätt[ighet]; *right of way* förkörsrätt **2** *adj.* rätt, riktig; rät, rak; höger; *at right angles* i rät vinkel; *I'm all right* jag mår bra, det är ingen fara med mig; *be right* ha rätt; *put right* ställa till rätta **3** *adv.* riktigt; genast; *just right* lagom; *right away* med detsamma; *right ahead* rakt fram; *quite right* mycket riktigt **4** *v.* rätta till; *the problem will right itself* problemet kommer att rätta till sig

right-about [raj'təbaot] helt om

righteous [raj'tʃəs] rättfärdig

right-handed [raj'thändid] högerhänt

rightly or wrongly [rajt'li å: rång'li] med rätt eller orätt

right of common [rajt ɔv kåmm'ɔn] *ung.* allemansrätt

rigid [ridʒ'id] stel; sträng

rigmarole [rigg'mərɔol] svammel

rigorous [rigg'ərəs] sträng

rigour [rigg'ə] stränghet

rim [rimm] fälg; kant; brädd

rind [rajnd] skal; svål; bark

ring [ring] **1** *s.* ring; klang, ringning **2** *v.* ringa, klinga

ring finger [ring'fingɡə] ringfinger

ringing [ring'ing] ringning

ringleader [ring'li:də] anstiftare

ringoff [ring'åf] avringning

ringworm [ring'wə:m] revorm

rink [ringk] skridskobana

rinse [rins] skölja, spola

riot [raj'ət] upplopp

rip [ripp] **1** *v.* riva, slita, skära; rämna **2** *s.* reva; skåra

ripe [rajp] mogen

ripen [raj'pən] mogna

ripple [ripp'l] **1** *s.* krusning, vågskvalp **2** *v.* krusa sig, klucka

rise [rajz] **1** *v.* resa sig, stiga [upp] **2** *s.* uppgång, ökning; *give rise to* föranleda; *rise in value* värdestegring

risen [rizz'n] *perf. part. av rise*

rising [raj'zing] resning, uppror

risk [risk] **1** *s.* risk (*of for*) **2** *v.* riskera, äventyra

risky [riss'ki] riskabel

risqué [ri:'skej] vågad, frivol

rival [raj'vol] **1** *s.* rival, medtävlare **2** *v.* tävla med

river [rivv'ə] flod, älv; *small river* å

river trout [rivv'ə traot] forell

rivet [rivv'it] **1** *v.* nita **2** *s.* nit

roach [rəotʃ] mört

road [rəod] väg

roadblock [rəo'd blåkk] vägspärr

road communication [rəo'd kəmjo:-nikej'ʃən] vägförbindelse

road hog [rəo'dhåg] bildrulle, bildåre

road map [rəo'd mäpp] bilkarta, vägkarta

road safety [rəo'd sej'fti] trafiksäkerhet

roadside [rəo'dsajd] vägkant

road sign [rəo'd sajn] vägskylt, vägmärke

roadster [rəo'dstə] sportbil

road surface [rəo'd sə:'fis] vägbeläggning

road user [rəo'djo:zə] trafikant

roadway [rəo'dwej] körbana

roadwork [rəo'dwə:k] konditionsträning, löpträning (*längs väg*); *roadworks* (*pl*) vägarbete

roam [rəom] **1** *v.* ströva omkring **2** *s.* strövtåg

roar [rå:] **1** *v.* ryta (*at* åt), vråla; brusa, dåna; *roar with laughter* gap-skratta **2** *s.* vrål; dån; *roar of laughter* gap-skratt

roast [rəost] **1** *s.* stek **2** *v.* steka, rosta, steka i ugn **3** *adj.*, *roast beef* rostbiff; *roast lamb* lammstek

rob [råbb] råna, röva, plundra

robber [råbb'ə] rövare, rånare

robbery [råbb'əri] rån

robin [råbb'in] rödhake

robot [rəo'båt] robot

robust [rəbass't] oöm

rock [råkk] **1** *s.* klippa; *Am.* sten; polkagris; *sunk rock* [klipp]grund **2** *v.* vagga, vicka; gunga; spela (dansa) rock

rock carving [råkk' ka:'ving] hällristning

rock climbing [råkk' klajming] klippklättring

rockery [råkk'əri] stenparti

rocket [råkk'it] raket; *vard.* tillrättavisning, skrapa

rocking chair [råkk'ingtʃä:ə] gungstol

rock video [råkk' vidd'eo] rockvideo

rocky [råkk'i] klippig, bergig

rococo [rəkəo'kəo] rokoko

rod [rådd] spö (*met-*)

rode [rəod] *imperf. av ride*

rodent [rəo'dənt] gnagare

roe [rəo] [fisk]rom; rådjur

roebuck [rəo'bak] råbock

roe-deer [rəo'di:ə] rådjur

rogue [rəog] skälm; skojare

roll [rəol] **1** *v.* rulla; välta; kavla; *rolling in money* stenrik; *roll up* rulla ihop **2** *s.* rulle; vals; lista; frukostbröd

roll-call [rəo'lkå:l] namnuppprop

roller [rəo'lə] vals; roller; dyning; spole

roller coaster [rəo'ləkəo'stə] berg- och dalbana

roller skate [rəo'ləskejt] **1** *s.* rullskridsko **2** *v.* åka rullskridskor

rollick [rål'ik] leka upplsuppet

rolling mill [rəo'lingmill] valsverk

rolling pin [rəo'lingpin] kavel

Roman [rəo'mən] romersk; *Roman Catholic* romersk-katolsk

romance [rəomänn's] romans; romantik

Romania [ro:mej'njə] Rumänien

romantic [rəmänn'tik] romantisk

Romanticism [rəomänn'tisizəm] romantiken

Rome [rəom] Rom

romp [råmp] **1** *v.* leka, rasa, stoja **2** *s.* vild lek; yrhätta, vildbasare

rompers [råmm'pəz] (*pl*) sparkdräkt

roof [ro:f] [ytter]tak

roof-rack [ro:'f räkk] takräcke (*på bil*)

rook [rokk] torn (*schackpjäs*); råka (*fågel*)

rookie [rokk'i] *Am.*, *vard.* nykomling; rekryt

room [ro:m] rum; utrymme, plats

roost [ro:st] hönspinne; hönshus

rooster [ro:'stə] tupp

root [ro:t] rot; rotfrukt

root filling [ro:'t fill'ing] rotfyllning

rope [rəop] rep, lina; *learn the ropes* lära sig knepen

rope ladder [rəo'p lädd'ə] repstege

ropeway [rəo'pwej] linbana

rosary [rəo'zəri] radband

rose [rəoz] **1** *s.* ros **2** *adj.* rosa **3** *imperf. av rise*

rose bush [rəoz'boʃ] rosenbuske

rose-coloured [rəo'zkalləd] rosa

rose-hip [rəo'zhip] nypon

rosemary [rəo'zməri] rosmarin

roseola [rəozi:'ålə] sjukdom med röda hudutslag, t.ex. röda hund

rosin [råzz'in] *s.* harts **2** *v.* hartsa

rostrum [råss'trəm] talarstol

rot [rått] **1** *s.* röta **2** *v.* ruttna

rotate [rəotej't] rotera

rotation [rəotej'ʃən] rotation

rotisserie [rəotiss'əri:] grillbar

rotten [rått'n] rutten, skämd; *vard.* urusel, eländig

rotter [rått'ə] *vard.* knöl, kräk

rough [raff] **1** *adj.* skrovlig, ojämn, sträv; lurvig; obearbetad; hårdhänt; *rough copy* kladd; *rough homespun* vadmal; *rough play* ruff (*i sport*) **2** *adv.* hårt; kärvt; *vard.*, *cut up rough* ilskna till; *play rough* spela ojust **3** *s.* oländig terräng; råskiss; bråkmakare **4** *v.*, *rough it* leva primitivt, slita ont; *rough out* skissera, göra ett utkast

roughly [raff'li] rått, våldsamt; ungefär

roulette [rolett'] rulett

round [raond] **1** *adj.* rund; *round trip* rundresa, *Am.* tur- och returresa; *in round figures* i runda tal **2** *s.* omgång; varv; rond, sväng **3** *v.* runda; avrunda **4** *adv.* runt, omkring; *for the second time round* för andra gången **5** *prep.* om, runt, kring; *round the clock* dygnet runt

roundabout [rao'ndəbaot] omväg; rondell; rundresa

round shaped [rao'ndʒejpt] trind

round-up [rao'ndap] razzia

rouse [raoz] elda, egga

rout [raot] vild flykt

route [ro:t] rutt, färdväg

routine [ro:ti:'n] **1** *s.* rutin, slentrian; (*i show e.d.*) nummer **2** *adj.* slentrianmässig

rove [rəov] ströva omkring

rover [rəo'və] vandrare; sjörövare

row 1 *v.* [rəo] ro **2** *s.* [rəo] rad; gata **3** *s.* [rao] gräl; bråk

rowan [rəo'ən] rönn; *rowan-berry* rönnbär

rowdy [rao'di] busig

rowing [rəo'ing] rodd

rowing boat [rəo'ingbəot] roddbåt

rowlock [råll'ək] årtull

royal [råj'əl] kunglig

royalty [råj'əlti] kunglighet; royalty, författarhonorar

R.S.V.P. [a:essvi:pi:'] o.s.a.

rub [rabb] gnida, frottera; *rub out* sudda ut

rubber [rabb'ə] **1** s. gummi; kautschuk; *kortsp.* robbert; *vard.* kondom; *rubbers (pl)* galoscher **2** adj. gummi-; *rubber band* gummiband; *rubber boots* gummistövlar

rubbish [rabb'iʃ] skräp, smörja, strunt

rubble [rabb'l] stenskärv; klappersten

ruby [ro:'bi] rubin

rucksack [rakk'säk] ryggsäck

rudder [radd'ə] roder

ruddy [radd'i] rödbrun; rödblommig; jäkla

rude [ro:d] ohövlig; oförskämd

rue [ro:] ångra

rueful [ro:'foll] ynklig; sorglig

ruff [raff] kräs, halskrage; brushane; snorgärs

ruffian [raff'iən] buse, skurk

ruffle [raff'l] **1** v. rufsa till; reta; skrävla **2** s. kräs

rug [ragg] [liten] matta; resfilt, pläd

rugby [football] [ragg'bi (fott'bå:l)] rugby

rugged [ragg'id] skrovlig; barsk

rugger [ragg'ə] rugby[fotboll]

ruin [ro:'in] **1** s. ruin, undergång, fördärv; *go to ruin* förfalla (*om byggnad o.d.*) **2** v. fördärva; ruinera

rule [ro:l] **1** v. härska, regera; linjera; avgöra; fälla utslag; *rule out* utesluta **2** s. styrelse, välde; regel; *as a rule* i allmänhet; *rule of thumb* tumregel

ruler [ro:'lə] regent, härskare; linjal

rum [ramm] **1** s. rom (*dryck*) **2** adj. underlig

rumba [ramm'bə] rumba

rumble [ramm'bl] **1** v. dåna, mullra **2** s. dån, muller

ruminate [ro:'minejt] idissla; grubbla

rummage [ramm'idʒ] **1** v. genomleta **2** s. genomletande

rumour [ro:'mə] **1** s. rykte; *there's a rumour* det ryktas att **2** v., *it's rumoured* det ryktas att

rump [ramp] bakdel; kvarleva

rumple [ramm'pl] skrynkla, rufsa till

run [rann] **1** v. springa, löpa; rinna; sköta; köra; lyda; låta; kandidera; pågå; *be running* vara i gång; *run aground* gå på grund; *run away* rymma; *run down* springa omkull, köra över; *it runs in the family* det ligger i släkten; *run into* köra på; *run a race with* springa ikapp med; *run over* köra över; *run short* tryta, ta slut **2** s. lopp; [an]sats; följd; *in the long run* på sikt, i det långa loppet; *take a run* ta sats

runaway [rann'əwej] förrymd; rymmare

rune [ro:n] (*skrivtecken*) runa

runestone [ro:nstəon] runsten

rung [rang] **1** perf. part. av ring **2** s. stegpinne

runner [rann'ə] löpare; [kälk]med

runner-up [rann'ərapp] i final besegrad medtävlare

running [rann'ing] **1** s. drift, gång **2** adj. löpande; i följd

runway [rann'wej] startbana

rupture [rapp'tʃə] bristning

rural [ro:'ərəl] lantlig

ruse [ro:z] knep, list

rush [raʃ] **1** v. rusa, störta **2** s. rusning; säv

rush hour [raʃ'aoə] rusningstid

rush-hour traffic [raʃ'aoə träff'ik] rusningstrafik

rusk [rask] skorpa

Russia [raʃ'ə] Ryssland

Russian [raʃ'ən] **1** s. ryss; (*språk*) ryska **2** adj. rysk; *Russian pasty* pirog

rust [rast] **1** v. rosta **2** s. rost

rustic [rass'tik] **1** adj. lantlig **2** s. lantbo

rustle [rasl] **1** s. prassel **2** v. prassla

rusty [rass'ti] rostig

rut [ratt] **1** *s.* slentrian; brunst[tid]
2 *v.* vara brunstig
ruthless [ro:'θlis] obarmhärtig
rye [raj] råg; *Am.* whisky
rye bread [raj'bred] rågbröd
rye flour [raj'flaɔ:ə] rågmjöl

S

S, s [es] *(bokstav)* S, s
Sabbath [säbb'əθ] sabbat
sable [sej'bl] sobel
sabotage [säbb'ota:ʃ] **1** *s.* sabotage
2 *v.* sabotera
saboteur [säbətə:'] sabotör
sabre [sej'bə] sabel
sack [säkk] **1** *s.* säck; *(torrt)* vin,
sherry **2** *v.* avskeda; plundra
sacred [sej'krid] helig
sacrifice [säkk'rifajs] **1** *s.* offer, upp-
offring **2** *v.* offra, uppoffra
sacrilege [säkk'rilidʒ] helgerån
sacristy [säkk'risti] sakristia
sad [sädd] sorglig; ledsen *(about* över)
saddle [sädd'l] **1** *s.* sadel **2** *v.* sadla
saddle-horse [sädd'lhå:s] ridhäst
sadist [sej'dist] sadist
safe [sejf] **1** *adj.* säker, pålitlig, trygg;
välbehållen; riskfri **2** *s.* kassaskåp;
safe deposit box bankfack
safeguard [sej'fga:d] **1** *s.* garanti;
skydd **2** *v.* skydda; garantera
safety [sej'fti] säkerhet
safety belt [sej'fti belt] säkerhetsbälte
safety catch [sej'fti kätʃ] *(på vapen)*
säkring
safety device [sej'fti divaj's] säker-
hetsanordning; skyddsanordning
safety pin [sej'fti pinn] säkerhetsnål
safety razor [sej'fti rej'zə] rakhyvel
safety valve [sej'ftivälv] säkerhets-
ventil
saffron [säff'rən] saffran
sag [sägg] bågna
sagacity [səgäss'iti] skarpsinne,
klokhet
sage [sejdʒ] **1** *adj.* vis **2** *s.* salvia

Sahara [səha:'rə] *the Sahara* Sahara
said [sedd] *imperf. och perf. part. av*
say
sail [sejl] **1** *s.* segel **2** *v.* segla; *sail*
large slöra
sailboat [sej'lbəot] *Am.* segelbåt
sailcloth [sej'lklåθ] segelduk
sailing [sej'ling] segling
sailing boat [sej'ling bəot] segelbåt
sailor [sej'lə] sjöman; seglare; *be a*
good sailor tåla sjön
sailplane [sej'lplejn] segelflygplan
saint [sejnt] helgon
sake [sejk] *for your sake* för din skull
salad [säll'əd] sallad *(rätt)*; *salad*
bowl salladskål
salary [säll'əri] *(tjänstemans)* lön;
salary earner löntagare
sale [sejl] försäljning; realisation; *for*
sale till salu
salesman [sej'lzmən] försäljare; bu-
tiksbiträde
saleswoman [sej'lzwomm'ən] försäl-
jare; butiksbiträde
salient [sej'ljənt] framträdande,
iögon[en]fallande
saline [sej'lajn] salthaltig, salt-
saliva [səlaj'və] saliv
sallow [säll'əo] **1** *s.* sälg **2** *adj.* gulblek
(i sht om hy)
sally [säll'i] kvickhet, utfall
salmon [samm'ən] lax
salmon trout [samm'ən traot] öring
saloon [səlo:'n] täckt bil; *Am.* krog
salt [så:lt] **1** *s.* salt; saltkar **2** *v.* salta
3 *adj.* salt-; saltad
salt cellar [så:'ltsell'ə] saltkar
saltpetre [så:'ltpi:tə] salpeter
salt water [så:'ltwå:'tə] saltvatten
salubrious [səlo:'briəs] hälsosam
salutary [säll'jotəri] nyttig, hälsosam
salutation [säljotej'ʃən] hälsning
salute [səlo:'t] **1** *s.* salut **2** *v.* salutera;
hälsa
salvage [säll'vidʒ] **1** *s.* bärgning **2** *v.*
bärga
salvation [sälvej'ʃən] frälsning; rädd-
ning; *the Salvation Army* Frälsnings-
armén

alve [sälv] **1** *v.* bärga; lugna; mildra, lindra **2** *s.* salva

ame [sej'm] samma; *the same* samma, detsamma; *all the same* i alla fall; *much the same* ungefär detsamma

ample [sa:'mpl] **1** *s.* [varu]prov; *sample test* stickprov **2** *v.* prova

anatorium [sänətå:'riəm] sanatorium

anctify [säng'ktifaj] helga

anction [säng'kʃən] **1** *s.* sanktion **2** *v.* sanktionera

anctuary [säng'ktjoəri] helgedom

and [sänd] **1** *s.* sand **2** *v.* sanda

andal [sänn'dl] sandal

andbank [sänn'dbangk] rev, sandbank

andpaper [sänn'dpejpə] sandpapper

andpit [sänn'dpit] sandlåda

andstone [sänn'dstəon] sandsten

andwich [sänn'widʒ] sandwich, dubbelsmörgås

andy [sänn'di] sandig, sandfärgad; *sandy beach* sandstrand

ane [sejn] klok, förnuftig

ang [säng] *imperf. av sing*

anguinari [säng'gwinari] blodig; blodtörstig

anguine [säng'gwin] sangvinisk, rörlig (ombytlig) sinnelag

anitary [sänn'itəri] sanitär, bakteriefri; *sanitary napkin* dambinda; *sanitary towel (Am.)* dambinda; *sanitary protection* mensskydd

anitation [sänitej'ʃən] sanitetsinstallation

anity [sänn'iti] mental hälsa; sunt förnuft

sank [sängk] *imperf. av sink*

Santa Claus [säntaklå:'z] jultomten

sap [säpp] sav; dumbom

sapling [säpp'ling] ungt träd

sapper [säpp'ə] ingenjörssoldat

sapphire [säff'ajə] safir

sarcastic [sa:käss'tik] spydig, sarkastisk

sardine [sa:di:'n] sardin

Sardinia [sa:dinn'jə] Sardinien

sash [säʃ] skärp; fönsterbåge

sat [sätt] *imperf. och perf. part. av sit*

Satan [sej'tən] satan

satchel [sätt'ʃəl] axelväska

satellite [sätt'əlajt] satellit

satiate [sej'ʃiejt] mätta; proppa i

satin [sätt'in] satäng

satire [sätt'ajə] satir

satiric [sətirr'ik] satirisk

satisfaction [sätisfäkk'ʃən] belåtenhet, tillfredsställelse; *give satisfaction* utfalla till belåtenhet

satisfactory [sätisfäkk'təri] tillfredsställande

satisfied [sätt'isfajd] nöjd, tillfreds; mätt

satisfy [sätt'isfaj] tillfredsställa, tillgodose

saturate [sätt'ʃərejt] indränka; mätta

Saturday [sätt'ədi] lördag

sauce [så:s] sås; uppnosighet; *white sauce* stuvning, vit sås; *cook in white sauce* stuva

saucepan [så:'spən] kastrull

saucepan holder [så:'spən həo'ldə] grytlapp

saucer [så:'sə] tefat; *flying saucer* flygande tefat

saucy [så:'si] uppkäftig

Saudi Arabia [sao:'di ərej'bjə] Saudi-Arabien

sauna [så:'nə] bastu

saunter [så:'ntə] flanera, släntra

sausage [såss'idʒ] korv

savage [sävv'idʒ] **1** *s.* vilde **2** *adj.* vild

savanna [səvänn'ə] savann

save [sejv] **1** *v.* rädda, bärga; spara; bespara **2** *s. sport.* räddning **3** *prep.* utom

saving [sej'ving] sparande, besparing; *savings (pl.)* besparingar; *savings association* sparkassa; *savings bank* sparbank

saviour [sej'vjə] frälsare

savoury [sej'vəri] välsmakande

saw [så:] **1** *s.* såg **2** *v.* såga **3** *imperf. av see*

saw blade [så:'blejd] sågblad

sawdust [så:'dast] sågspån

sawmill [så:'mil] sågverk

sawn [så:n] *perf. part. av saw*

Saxon [säkk'sən] **1** s. saxare (*i England el. Tyskland*); anglosaxare **2** adj. saxisk; anglosaxisk

saxophone [säkk'səfəon] saxofon

say [sej] säga; *that is to say* det vill säga; *I say* hör på, hör nu; *that is not to say that* därmed är inte sagt att; *you don't say?* säger du det?, det menar du inte!; *it says in the paper* det står i tidningen; *he is said to be rich* han sägs (lär) vara rik

saying [sej'ing] ordstäv

scab [skäbb] skabb; strejkbrytare

scabbard [skäbb'əd] svärdskida

scaffold [skäff'əld] [byggnads]ställning

scalding hot [skå:'lding hått] skållhet

scale [skejl] **1** s. skala (*äv. mus.*); vågskål; [fisk]fjäll; *scales (pl)* [hushålls]våg; *on a large scale* i stor skala **2** v. skala; fjälla (*fisk*); väga; bestiga; *scale down* förminska; *scale up* förstora

scallop [skäll'əp] kammussla

scalp [skälp] skalp

scamp [skämp] **1** v. fuska, slarva **2** s. rackare; odåga

scan [skänn] studera noggrant; ögna igenom; avsöka; svepa över; avläsa, scanna

scandal [skänn'dl] skandal

scandalous [skänn'dələs] skandalös

Scandinavia [skändinej'vjə] Skandinavien

Scandinavian [skändinej'vjan] **1** adj. skandinavisk **2** s. skandinav

scanner [skänn'ə] *data.* scanner, bildläsare

scantily [skänn'tili] knappt

scanty [skänn'ti] torftig, knapp

scapegoat [skej'pgəot] syndabock

scar [ska:] ärr

scarce [skä:'əs] sällsynt; knapp

scarcely [skä:'əsli] knappast; *scarcely ... before* knappt ... förrän

scarcity [skä:'siti] knapphet

scare [skä:'ə] skrämma

scarecrow [skä:'əkrəo] fågelskrämma

scarf [ska:f] halsduk

scarlet [ska:'lit] scharlakansröd

scarlet fever [ska:'lit fi:'və] scharlakansfeber

scathing [skej'ðing] skarp, bitande (*kritik o.d.*)

scatter [skätt'ə] sprida; *scatter abou* strö omkring sig

scatterbrained [skätt'əbrejnd] virrig

scavenger [skävv'ind3ə] gatsopare

scene [si:n] scen; uppträde; *make a scene* ställa till en scen

scenery [si:'nəri] landskap; sceneri

scent [sennt] **1** s. doft, vittring **2** v. parfymera; vädra

sceptic [skepp'tik] skeptisk

sceptre [sepp'tə] spira

schedule [ʃedd'jo:l] schema, plan

scheme [ski:m] **1** s. plan; schema; intrig **2** v. planera; intrigera

schizophrenia [skitsəofri:'njə] schizofreni

schnapps [ʃnäpp's] brännvin

scholar [skåll'ə] lärd man; stipendiat lärjunge

scholarship [skåll'əʃip] stipendium; lärdom

school [sko:l] **1** s. skola; fiskstim; *public school* internatskola **2** v. skola, träna

school bag [sko:'l bägg'] skolväska

school book [sko:'l bokk'] skolbok

schoolboy [sko:'lbåi] skolpojke

schoolchild [sko:'ltʃajld] skolbarn

schoolfellow [sko:'lfell'əo] skolkamrat

schoolgirl [sko:'lgə:l] skolflicka

schooling [sko:'ling] skolning, skolgång

schoolmaster [sko:'lma:stə] magister

schoolmistress [sko:'lmistris] lärarinna

schoolteacher [sko:'lti:tʃə] skollärare, skollärarinna

school year [sko:'ljə:] skolår

schooner [sko:'nə] skonare

sciatica [sajätt'ikə] ischias

science [saj'əns] [natur]vetenskap

scientific [sajəntiff'ik] vetenskaplig

scientist [saj'əntist] vetenskapsman, forskare

scissors [sizz'əz] *a pair of scissors* en sax

scoff [skåff] håna

scold [skəold] skälla på, gräla på

scolded [gett skəo'ldid] *get scolded* få ovett

scolding [skəo'lding] skrapa, tillrättavisning

scoop [sko:'p] **1** *s.* skopa; uppseendeväckande tidningsnyhet **2** *v.* ösa

scooter [sko:'tə] sparkcykel; skoter

scope [skəop] spelrum

scorch [skå:tʃ] sveda, förbränna

score [skå:] **1** *s.* skåra; tjog; poängsumma; partitur **2** *v.* göra mål; skåra, rispa; *mus.* orkestrera

scorn [skå:n] hån; *put to scorn* håna

scornful [skå:'nfoll] hånfull; *scornful laughter* hånskratt

scorpion [skå:'pjən] skorpion

Scot [skått] skotte

Scotch [skåttʃ] skotsk whisky

scot-free [skått'fri:'] ostraffad; oskadd

Scotland [skått'lənd] Skottland

Scotsman [skått'smən] skotte

Scotswoman [skått'swomm'ən] skotska

Scottish [skått'iʃ] skotsk

scoundrel [skəo'ndrəl] skurk, rackare

scour [skao'ə] skura; genomsöka

scourge [skə:dʒ] **1** *s.* gissel **2** *v.* gissla

scouring cloth [skao'əring klåθ] skurtrasa

scout [skaot] **1** *s.* spejare; scout **2** *v.* spana

scowl [skaol] **1** *v.* se bister ut **2** *s.* bister uppsyn

scramble [skrämm'bl] **1** *v.* blanda; *elektr.* förvränga; klättra, kravla; trängas; kivas **2** *s.* klättring; rusning

scrambled eggs [skrämm'bld egg'z] äggröra

scrap [skräpp] **1** *s.* skrot; bit; urklipp; *scrap merchant* skrothandlare **2** *v.* skrota

scrape [skrejp] **1** *v.* skrapa; *scrape through* trassla sig igenom **2** *s.* skrapning; knipa

scraper [skrej'pə] skrapa

scratch [skrätʃ] **1** *v.* klia; riva, klösa; krafsa; *scratch out* stryka över; *scratch o.s.* klia sig **2** *s.* skrap; skråma, rispa; *be up to scratch* hålla måttet, uppfylla kraven; *start from scratch* börja från början **3** *adj.* improviserad; *sport.* utan handicap

scrawl [skrå:l] klottra

scream [skri:m] **1** *s.* skrik **2** *v.* skrika

screamer [skri:'mə] skrikhals

screaming [skri:'ming] skrikig

screech [skri:tʃ] **1** *s.* gnissel **2** *v.* gnissla

screen [skri:n] **1** *s.* [bild]skärm; raster; [TV-]ruta **2** *v.* skydda; sålla; visa (*film e.d.*)

screw [skro:] **1** *s.* skruv; propeller **2** *v.* skruva; *vard. o. bildl* klämma åt ngn; *vulg.* pippa, sätta på ngn; *screw up one's eyes* kisa

screw clamp [skro:' klämp] skruvtving

screwdriver [skro:'drajvə] skruvmejsel

scribble [skribb'l] **1** *v.* klottra **2** *s.* klotter

scribe [skrajb] skrivare; skriftlärd

script [skript] handskrift

scripture [skripp'tʃə] helig skrift; bibelställe; *the Holy Scripture* den heliga skrift

scroll [skrəol] pergamentsrulle; snirkel

scrotum [skrəo'təm] pung

scrub [skrabb] **1** *s.* skrubbning; busksnår **2** *v.* skrubba

scrubbing-brush [skrabb'ing braʃ] rotborste

scruples [skro:'plz] samvetsbetänkligheter, skrupler

scrupulous [skro:'pjoləs] samvetsgrann

scrutinize [skro:'tinajz] skärskåda

scuffle [skaff'l] slagsmål (*på lek*)

scull [skall] **1** *s.* vrickåra **2** *v.* ro

scullery [skall'əri] diskrum

sculptor [skall'ptə] skulptör, bildhuggare

sculpture [skall'ptʃə] skulptur

scum [skamm] **1** s. skum; *bildl.* avskum **2** v. skumma

scurrilous [skarr'iləs] plump, grovkornig

scurry [skarr'i] kila; skynda, jäkta

scurvy [skə:'vi] skörbjugg

scuttle [skatt'l] **1** s. kolhink; *sjö.* ventil, lucka; **2** v. kila, rusa; *sjö.* borra i sank

scythe [sajð] **1** s. lie **2** v. slå med lie

sea [si:] s. sjö, hav; sjögång; *at sea* till sjöss

sea acorn [si:'ejkå:n] havstulpan

seabird [si:'bə:d] sjöfågel

sea captain [si:'käptin] sjökapten

seagull [si:'gal] fiskmås

sea horse [si:'hå:s] sjöhäst

seal [si:l] **1** s. sigill; säl **2** v. försegla, lacka

sealing wax [si:'lingwäks] lack

seam [si:m] **1** s. söm **2** v. sömma

seaman [si'mən] sjöman; *able seaman* matros

seamstress [semm'stris] sömmerska

seamy [si:'mi] tarvlig, eländig; *the seamy side of life* (*bildl.*) livets skuggsida

seance [sej'a:ns] seans

search [sə:tʃ] **1** v. söka, leta (*for* efter); kroppsvisitera **2** s. sökande, spaning

searchlight [sə:'tʃlajt] strålkastare, sökarljus

seascape [si:'skejp] marinmålning

seashore [si:'ʃå:] havsstrand

seasick [si:'sik] sjösjuk

seaside [si:'sajd] havskust; *seaside resort* badort

season [si:'zn] **1** s. årstid, säsong **2** v. krydda; härda

seasoning [si:'zning] krydda

season ticket [si:'sən tikk'it] säsongsbiljett, rabattkort (*på tåg e.d.*)

seat [si:t] säte, sits, sittplats, bänk; [riksdags]mandat

seat belt [si:t belt] bilbälte, säkerhetsbälte

seat reservation [si:'t rezəvej'ʃən] [sitt]platsbiljett

seaweed [si:'wi:d] sjögräs, tång

seaworthy [si:'wə:ði] sjösäker

secession [siseʃ'ən] utträde

secluded [siklo:'did] avskild

second [sekk'ənd] **1** s. sekund; sekundant; *seconds* (*pl, äv.*) andrasortering, *vard.* påfyllning (*av mat*); *just a second!* ett ögonblick! **2** v. stödja; sekundera **3** *räkn., adj., adv.* andra; andra[-]; *at second hand* i andra hand; *come second* komma tvåa; *on second thoughts* vid närmare eftertanke; *second cousin* syssling; *the second best* den näst bästa

secondary [sekk'əndəri] **1** *adj.* sekundär; senare; *secondary effects* biverkningar; *secondary school* läroverk **2** s. underordnad

second-class ticket [sekk'əndkla:'s tikk'it] andraklassbiljett

second hand [sekk'ənd hänn'd] sekundvisare

second-hand [sekəndhänn'd] andrahands-, begagnad; *second-hand bookshop* antikvariat

second-rate [sekəndrej't] sekunda

secrecy [si:'krisi] sekretess; hemlighetsfullhet; *in secrecy* i hemlighet

secret [si:'krit] **1** *adj.* hemlig; dold; *secret motive* baktanke; *secret service* underrättelsetjänst **2** s. hemlighet

secretariat [sekrətä:'əriət] sekretariat, kansli

secretary [sekk'rətri] sekreterare; *Foreign Secretary* (*Storbrit.*) utrikesminister; *secretary of state* minister, *Am.* utrikesminister; *secretary of state for the environment* miljöminister

secrete [sikri:'t] utsöndra

secretion [sikri:'ʃən] utsöndring, sekret

sect [sekt] sekt

section [sekk'ʃən] sektion; [tvär]snitt

sector [sekk'tə] sektor, avsnitt

secular [sekk'jolə] världslig

secure [sikjo:'ə] **1** *adj.* trygg, säker **2** v. säkra, försäkra sig om, tillförsäkra

security [sikjo:'əriti] trygghet, säkerhet; borgen; värdepapper

sedan [sidänn'] täckt bil, sedan

sedate [sidej't] lugn, stillsam

sedative [sedd'ətiv] lugnande *(medel)*

sedentary [sedd'ntəri] stillasittande

sediment [sedd'imənt] avlagring, sediment

seduce [sidjo:'s] förföra

see [si:] **1** *v.* se, inse; besöka, träffa; *be seen* synas; *we'll see* vi får väl se; *see you again!* på återseende!; *I'll be seeing you!* vi ses!; *see [to it] that* se till att; *see through* genomskåda **2** *s.* biskopsstift

seed [si:d] frö; utsäde; *seed of dissension* tvistefrö

seedy [si:'di] sjaskig; illamående

seek [si:k] söka; *seek out* uppsöka, leta reda på

seem [si:m] verka, förefalla, tyckas

seeming [si:'ming] synbar; skenbar

seemly [si:'mli] anständig, passande

seen [si:n] *perf. part. av see*

seep [si:p] läcka, sippra ut

see-saw [si:'så:] gungbräde

seethe [si:ð] sjuda

segment [segg'mənt] segment; klyfta

segregate [segg'rigejt] avskilja [sig]

seize [si:z] gripa, fatta tag i; beslagta

seizure [si:'ʒə] gripande; anfall, attack

seldom [sell'dəm] sällan

select [silekk't] utse, utvälja

selection [silekk'ʃən] uttagning, urval

selective strike [silekk'tiv straj'k] punktstrejk

self [self] jag; själv

self-adhesive [sell'fədhi:'siv] självhäftande

self-assured [sell'fəʃo:'əd] självmedveten

self-centred [sell'fsenn'təd] självupptagen

self-confidence [sell'fkånn'fidəns] självförtroende

self-confident [sell'fkånn'fidənt] självsäker

self-conscious [sell'fkånn'ʃəs] självmedveten; besvärad, generad

self-contained house [sell'fkəntej'nd

haos] enfamiljshus

self-control [sell'fkəntrəo'l] självbehärskning

self-criticism [sell'fkritt'isizəm] självkritik

self-deception [sell'fdisepp'ʃən] självbedrägeri

self-defence [sell'fdifenn's] självförsvar

selfish [sell'fiʃ] självisk

self-knowledge [sell'fnåll'idʒ] självkännedom

self-mastery [sell'fma:'stəri] självövervinnelse

self-portrait [sell'fpå:'trit] självporträtt

self-possession [sell'fpəzeʃ'ən] fattning, besinning

self-preservation [sell'fprezəvej'ʃən] självbevarelsedrift

self-reproach [sell'friprəo'tʃ] självförebråelse

self-sacrificing [sell'fsäkk'rifəjsing] självuppoffrande

self-satisfied [sell'fsätt'isfajd] självbelåten

self-service [sell'fsə:'vis] självbetjäning; självservering; *self-service shop* snabbköp

self-supporting [sell'fsəpə:'ting] självförsörjande

self-willed [sell'fwill'd] självsvådlig

sell [sell] sälja; *sell off* slumpa, realisera

seller [sell'ə] säljare

semblance [semm'bləns] utseende, skepnad

semester [simess'tə] *Am.* termin

semicircle [semm'isə:kl] halvcirkel

semi-final [semm'ifaj'nl] semifinal

seminal [semm'inl] inflytelserik, nyskapande

seminal fluid [semm'inl flo:'id] sädesvätska

seminar [semm'ina:] seminarium *(vid univ.)*

Semitic [simitt'ik] semitisk

senate [senn'it] senat

senator [senn'ətə] senator

send

send [send] skicka, sända; *send away* avvisa; *send for* tillkalla, skicka efter; *send out* utvisa

sender [senn'də] avsändare

sending out [senn'ding ao't] utvisning

send-off [senn'd åff'] bra start; *vard.* avskedsfest, hjärtligt avsked (*på jvgstn e.d.*)

senile [si:'najl] senil

senior [si:'njə] äldre; *senior high school* (*Am.*) gymnasium; *senior master* lektor

sensation [sensej'∫ən] känsla; sensation

sensational [sensej'∫ənl] uppseende-väckande, sensationell

sense [sens] **1** *s.* sinne, förnuft; be-märkelse; *common sense* sunt förnuft; *it doesn't make sense* det är obegrip-ligt; *out of one's senses* från vettet; *sense of justice* rättskänsla; *sense of responsibility* ansvarskänsla; *sense of smell* luktsinne **2** *v.* känna; upp-fatta

senseless [senn'slis] meningslös; medvetslös, sanslös

sensible [senn'səbl] förståndig, för-nuftig

sensitive [senn'sitiv] mottaglig, känslig, ömtålig (*to* för)

sensual [senn'sjoal] sinnlig

sent [sent] *imperf. och perf. part. av send*

sentence [senn'təns] **1** *v.* döma **2** *s.* dom; mening, sats; *death sentence* dödsdom

sententious [sentenn'∫əs] moralise-rande; tillgjort formell

sentiment [senn'timənt] känsla; känslosamhet

sentimental [sentimenn'tl] sentimen-tal; *sentimental value* affektionsvärde

sentinel [senn'tinəl] vaktpost

sentry [senn'tri] vaktpost

separate 1 *v.* [sepp'ərejt] skilja, av-skilja **2** *adj.* [sepp'rit] separat, skild

September [səptemm'bə] september

sepulchre [sepp'əlkə] grav

sequel [si:'kwəl] följd, fortsättning;

uppföljare

sequence [si:'kwəns] serie, sekvens

sequester [sikwess'tə] avskilja; be-lägga med kvarstad

Serbo-Croatian [sə:'bəokrəoej'∫ən] serbokroatisk

serenade [serinej'd] serenad

serene [siri:'n] lugn, fridfull

serenity [sirenn'iti] lugn, stillhet

serf [sə:f] livegen, träl

sergeant [sa:'dʒənt] sergeant

serial [si:'əriəl] **1** *s.* följetong **2** *adj.* serie-

series [si:'əri:z] serie, rad

serious [si:'əriəs] allvarlig, allvarsam, seriös; *be serious* mena allvar

seriousness [si:'əriəsnis] allvar

sermon [sə:'mən] predikan

serpent [sə:'pnt] orm

serum [siə'rum] serum

servant [sə:'vənt] tjänare; *servants* (*pl*) tjänstefolk

serve [sə:v] tjäna; betjäna, servera; *sport.* serva

service [sə:'vis] **1** *s.* tjänst, betjäning; servering; gudstjänst; servis; *sport.* serve; *morning service* högmässa; *service in return* gentjänst **2** *v.* serva, ha på service

servile [sə:'vajl] servil

servitude [sə:'vitjo:d] träldom, slaveri

servo technique [sə:'vəo tekni:'k] servoteknik

session [se∫'ən] sammanträde

set [sett] **1** *v.* sätta; lägga (*här*); *set about* gripa sig an med; *set a day* be-stämma en tid; *set free* befria; *set in* tillstöta; *set out* ge sig av; *set one's mind on s.th.* föresätta sig ngt; *set a trap* gillra en fälla; *set up* uppföra, anlägga, förbereda, arrangera; *set up house* (*home*) skaffa sig egen bo-stad **2** *s.* uppsättning; servis; umgäng-eskrets; hållning **3** *adj.* orörlig; klar, färdig; bestämd; belägen

setback [sett'bäk] motgång

setsquare [sett'skwä:ə] vinkelhake

settee [seti:'] soffa för två

setting [sett'ing] infattning; sättning;

iscensättning

ettle [sett'l] sätta till rätta; bosätta sig, slå sig ner; ordna upp; bestämma

ettlement [sett'lmənt] uppgörelse; betalning; koloni

ettler [sett'lə] nybyggare

et-up [sett'ap] hållning; struktur; uppsättning

even [sevv'n] **1** *räkn.* sju **2** *s.* sjua

eventeen [sevv'nti:'n] sjutton

eventeenth [sevv'nti:'nθ] sjuttonde

eventh [sevv'nθ] sjunde

eventieth [sevv'ntiəθ] sjuttionde

eventy [sevv'nti] sjuttio

ever [sevv'ə] hugga av, slita av

everal [sevv'rəl] åtskilliga, ett flertal

evere [sivi:'ə] sträng; kännbar, svår

ew [səo] sy; *sew on* sy fast (i); *sew up* sy ihop

ewer [sjo:'ə] kloak, avlopp

sewing [səo'ing] sömnad; *sewing cotton* sytråd; *sewing machine* symaskin; *sewing materials* sybehör; *sewing needle* synål

sewn [səon] *perf. part. av* sew

sex [seks] kön; sex; *sex education* sexualundervisning

sexton [sekk'stən] kyrkvaktmästare

sexual [sekk'sjoəl] sexuell; *sexual instinct* sexualdrift; *sexual offence* sedlighetsbrott; *sexual organs* könsorgan

sexy [sekk'si] sexig

shabby [ʃäbb'i] sjabbig, tarvlig

shack [ʃäkk] timmerkoja, hydda

shade [ʃejd] **1** *s.* [lamp]kupa; skugga; nyans **2** *v.* skugga

shading [ʃej'ding] schattering

shadow [ʃädd'əo] skugga

shady [ʃej'di] skuggig; skum, ruskig

shaft [ʃa:ft] axel; schakt; skaft; stråle

shaggy [ʃägg'i] lurvig, raggig

shake [ʃejk] skaka; skälva

shaken [ʃej'kən] *perf. part. av* shake

shaking-up [ʃej'kingapp'] uppryckning

shaky [ʃej'ki] trasslig; skakande

shale [ʃejl] lerskiffer

shall [ʃäll] skall, kommer att

shallow [ʃäll'əo] grund

sham [ʃämm] **1** *v.* simulera **2** *adj.* låtsad; falsk **3** *s.* hycklare; bluff

shamble [ʃämm'bl] lufsa

shambles [ʃämm'blz] (*pl*) blodbad; *vard.* röra, oreda

shame [ʃejm] **1** *s.* skam; *shame on you!* fy skäms! **2** *v.* skämma ut; göra skamsen

shameful [ʃej'mfol] skamlig

shampoo [ʃämpo:'] **1** *v.* schamponera **2** *s.* schamponering; schampo

shamrock [ʃämm'råk] [tre]klöver (*Irlands nationalemblem*)

shanty [ʃänn'ti] hydda, kåk; sjömansvisa

shape [ʃejp] **1** *s.* gestalt; form **2** *v.* forma, gestalta [sig]

shapely [ʃej'pli] välväxt

share [ʃä:'ə] **1** *s.* [en] del; aktie; plogbill; *go shares* dela lika **2** *v.* dela

shareholder [ʃä:'əhəoldə] aktieägare; *annual meeting of shareholders* bolagsstämma

share majority [ʃä:'ə mədʒårr'iti] aktiemajoritet

shark [ʃa:k] haj

sharp [ʃa:p] skarp; häftig; precis

sharpen [ʃa:'pən] skärpa, vässa

sharpness [ʃa:'pnis] skärpa

shatter [ʃätt'ə] splittra; skingra

shave [ʃejv] **1** *v.* raka [sig] **2** *s.*, *a shave* en rakning; *it was a close shave* det var nära ögat

shavings [ʃej'vingz] (*pl*) hyvelspån

shawl [ʃå:l] sjal

she [ʃi:] hon

sheaf [ʃi:f] kärve

shear [ʃi:'ə] **1** *v.* klippa (*får*) **2** *s.*, *shears* (*pl*) stor sax

sheath [ʃi:θ] slida, skida, balja; kondom; *sheath knife* slidkniv

shed [ʃedd] **1** *s.* skjul, bod, kur **2** *v.* fälla (*tårar*); *shed needles* barra

sheep [ʃi:p] (*pl sheep*) får

sheepish [ʃi:'piʃ] fåraktig

sheer [ʃi:'ə] **1** *s.* gir **2** *v.* gira **3** *adj.* ren, idel; skir **4** *adv.* tvärbrant

sheet [ʃi:t] lakan; [pappers]ark; skot;

sheet metal 18

sheets of music nothäfte
sheet metal [ʃiː'tmetl] plåt
shelf [ʃell'f] hylla
shell [ʃell] 1 *s.* skal; snäcka; granat 2 *v.* skala, rensa; bombardera
shellac [ʃəläkk'] schellack
shellfish [ʃell'fiʃ] skaldjur
shelter [ʃell'tə] 1 *v.* skydda 2 *s.* skydd; skyddsrum
shelve [ʃelv] *bildl.* lägga på hyllan, skjuta upp
shelving [ʃell'ving] långgrund
shepherd [ʃepp'əd] herde
shield [ʃiːld] 1 *s.* sköld 2 *v.* skydda
shift [ʃift] 1 *s.* ombyte; skift 2 *v.* skifta, byta om
shift work [ʃiff't wəːk] skiftarbete
shifty [ʃiff'ti] listig
shimmer [ʃimm'ə] 1 *s.* skimmer 2 *v.* skimra
shin [bone] [ʃinn'(bəon)] skenben
shine [ʃajn] 1 *v.* skina, lysa; stråla; glänsa 2 *s.* glans
shingle [ʃing'gl] takspån, skifferplatta; klappersten
shingles [ʃing'gls] (*pl*) *med.* bältros
shiny [ʃaj'ni] blank, glänsande; blanksliten
ship [ʃipp] 1 *s.* fartyg, skepp 2 *v.* skeppa
shipbroker [ʃipp'brəokə] skeppsmäklare
shipment [ʃipp'mənt] skeppning
shipowner [ʃipp'əonə] skeppsredare
shipping [ʃipp'ing] sjöfart; tonnage
shipping company [ʃipp'ing kamm'pəni] rederi
shipshape [ʃipp'ʃejp] i mönstergill ordning
shipwreck [ʃipp'rek] 1 *s.* skeppsbrott, haveri 2 *v.* förlisa
shipyard [ʃipp'jaːd] skeppsvarv
shirk [ʃəːk] smita ifrån
shirt [ʃəːt] skjorta
shit [ʃitt] *vulg.* 1 *s.* skit 2 *v.* skita 3 *shit!* jävlar!
shiver [ʃivv'ə] 1 *v.* huttra, rysa, darra 2 *s., have the shivers* ha frossa
shoal [ʃəol] [fisk]stim; sandrev

shock [ʃåkk] 1 *s.* stöt; chock; *a shock of hair* kalufs 2 *v.* chockera
shock absorber [ʃåkk' əbsåː'bə] stöt dämpare
shocking [ʃåkk'ing] upprörande
shockproof [ʃåkk'proːf] stötsäker
shod [ʃådd] *imperf. och perf. part. av shoe*
shoddy [ʃådd'i] oäkta; usel
shoe [ʃoː] sko
shoeblack [ʃoː'bläk] skoputsare
shoe brush [ʃoː'braʃ] skoborste
shoehorn [ʃoː'håːn] skohorn
shoelace [ʃoː'lejs] skosnöre
shoemaker [ʃoː'mejkə] skomakare
shoe polish [ʃoː'påll'iʃ] skokräm
shoe shop [ʃoː'ʃåpp] skoaffär
shoe-tree [ʃoː'triː] skoblock
shone [ʃån] *imperf. och perf. part. av shine*
shook [ʃokk] *imperf. av shake*
shoot [ʃoːt] 1 *v.* skjuta; filma, fotografera 2 *s.* skott (*på träd*); fors
shooting [ʃoː'ting] skottlossning; skytte, jakt (*med gevär*)
shop [ʃåpp] 1 *s.* affär, butik; verkstad; *set up shop* öppna eget; *talk shop* prata jobb 2 *v.* handla; *shop around* titta runt
shopkeeper [ʃåpp'kiːpə] affärsinnehavare, handlande
shoplifter [ʃåpp'liftə] butikssnattare
shopping bag [ʃåpp'ingbäg] shoppingväska
shopping street [ʃåpp'ing striːt] affärsgata
shop steward [ʃåpp stjoː'əd] fackföreningsombud
shop window [ʃåpp'windəo] skyltfönster
shore [ʃåː] 1 *s.* strand 2 *imperf. av shear*
shorn [ʃåːn] *perf. part. av shear*
short [ʃåːt] 1 *adj.* kort-, kortvarig; *be short of* ha ont om; *short cut* genväg; *short film* kortfilm; *short story* novell 2 *adv.* tvärt; *run short* tryta, ta slut 3 *s., vard.* kortslutning; kortfilm
shortage [ʃåː'tidʒ] brist

shortbread [ʃå:'tbred] mördegskaka

short-circuit [ʃå:'tsə:'kit] kortslutning

shortcoming [ʃå:'tkamm'ing] underskott, brist

shorten [ʃå:'tn] förkorta, lägga upp; förkortas

shortening [ʃå:'tning] avkortning; matfett (*till bakning*)

shorthand [ʃå:'thänd] stenografi; *shorthand pad* stenogramblock

shortly [ʃå:'tli] snart, inom kort

shorts [ʃå:ts] (*pl*) kortbyxor, shorts

short-sighted [ʃå:'tsaj'tid] närsynt; kortsynt

shot [ʃått] **1** *s.* skott, hagel, kula; skytt *put the shot* stöta kula **2** *adj.*, *be shot with green* skifta i grönt **3** *imperf. och perf. part. av* shoot

should [ʃodd] skulle, bör, borde

shoulder [ʃəo'ldə] axel, skuldra; bog

shoulder blade [ʃəo'ldəblejd] skulderblad

shoulder strap [ʃəo'ldəsträp] axelband

shout [ʃaot] **1** *v.* skrika, ropa; *shout for joy* jubla **2** *s.* skrik, rop

shove [ʃavv] **1** *v.* knuffa, putta; knuffas **2** *s.* knuff

shovel [ʃavv'l] **1** *s.* skovel, skyffel **2** *v.* skyffla, skotta

show [ʃəo] **1** *v.* visa (sig), uppvisa; ställa ut; *show off* briljera **2** *s.* visning; revy

showcase [ʃəo'kejs] monter

shower [ʃao'ə] **1** *s.* skur; dusch; *have a shower* duscha **2** *v.*, *shower s.th. upon s.b.* (*bildl.*) överösa ngn med ngt

showmanship [ʃəo'manʃip] publikfrieri

shown [ʃəon] *perf. part. av* show

show-window [ʃəo'windəo] skyltfönster

showy [ʃəo'i] prålig, grann

shrank [ʃrängk] *imperf. av* shrink

shred [ʃredd] **1** *s.* lapp, remsa; *not a shred* inte en tillstymmelse **2** *v.* strimla, skära i remsor

shrew [ʃro:] argbigga; *zool.* näbbmus

shrewd [ʃro:d] slug

shriek [ʃri:k] **1** *v.* skrika **2** *s.* gällt skrik

shrill [ʃrill] gäll

shrimp [ʃrimp] räka

shrine [ʃrajn] helgedom; reliksrin

shrink [ʃringk] krympa; *shrink at* rygga tillbaka för

shrivel [ʃrivv'l] skrynkla; skrumpna

shroud [ʃraod] svepning

shrub [ʃrabb] buske

shrug [ʃragg] *shrug one's shoulders* rycka på axlarna

shrunk [ʃrangk] *perf. part. av* shrink

shudder [ʃadd'ə] **1** *v.* rysa **2** *s.* rysning

shuffle [ʃaff'l] gå släpigt; blanda kort; slarva

shun [ʃann] sky, undvika

shunt [ʃant] **1** *v.* växla **2** *s.* växling

shunt lead [ʃann'tli:d] shuntledning

shut [ʃatt] **1** *v.* stänga; stängas; *shut one's eyes* blunda; *shut up* spärra in, falla ihop, hålla mun; *shut up!* håll käften! **2** *adj.* stängd; sluten; *keep one's eyes shut* blunda

shutter [ʃatt'ə] [fönster]lucka; slutare (*på kamera*); *shutter release* avtryckare; *shutter setting* tidsinställning

shuttle [ʃatt'l] skyttel; skottspole

shuttlecock [ʃatt'lkåk] fjäderboll; lekboll

shuttle service [ʃatt'l sə:'vis] skytteltrafik

shy [ʃaj] **1** *adj.* blyg; skygg **2** *v.* skygga; kasta

Siberia [sajbi:'əriə] Sibirien

Sicilian [sisill'jən] siciliansk

Sicily [siss'ili] Sicilien

sick [sikk] sjuk; illamående; *be sick* kräkas, ha kväljningar; *feel sick* må illa, vilja kräkas; *report sick* sjukskriva sig

sickle [sikk'l] skära

sick listed [sikk'listid] sjukskriven

side [sajd] **1** *s.* sida; kant; håll; *side by side* jämsides; *take sides for* ta parti för **2** *v.*, *side with* ta parti för

sideburns [saj'dbə:nz] (*pl*) *Am.* korta polisonger

sidecar [saj'dka:] sidvagn

sidewalk [saj'dwå:k] *Am.* trottoar

sideways [saj'dwejz] åt (från) sidan, på sned

side-whiskers [saj'd wiss'kəz] (*pl*) polisonger

siege [si:dʒ] belägring

sieve [sivv] 1 *s.* såll 2 *v.* sålla

sift [sift] sikta, sålla; granska

sigh [saj] 1 *s.* suck 2 *v.* sucka

sight [sajt] 1 *s.* syn; anblick, åsyn; synhåll; sevärdhet; *catch sight of* få syn på 2 *v.* sikta

sighted [saj'tid] seende

sightseeing [saj'tsi:ing] sightseeing; *sightseeing tour* rundtur

sign [sajn] 1 *s.* tecken; skylt 2 *v.* underteckna; signera

signal [sigg'nl] 1 *s.* signal 2 *v.* signalera 3 *adj.* betydande; påtaglig

signal box [sigg'nlbåks] ställverk

signature [sigg'nitʃə] signatur; underskrift; namnteckning

signboard [sajn'nbå:d] skylt

significance [signiff'ikəns] betydelse

significant [signiff'ikənt] betydelsefull

signification [signifikej'ʃən] innebörd

signify [sigg'nifəj] betyda; beteckna

signing [saj'ning] undertecknande

signpost [saj'n pəost] vägvisare

silence [saj'ləns] 1 *s.* tystnad, tysthet 2 *v.* tysta

silencer [saj'lənsə] ljuddämpare

silent [saj'lənt] tyst; *silent film* stumfilm

silhouette [siloett'] silhuett

silica [sill'ikə] kiselsyra

silicon [sill'ikən] kisel

silicone [sill'ikəon] silikon

silk [silk] siden, silke

silkworm [sill'kwə:m] silkesmask

sill [sill] fönsterbräde

silly [sill'i] dum, enfaldig

silo [saj'ləo] silo

silver [sill'və] 1 *s.* silver 2 *adj.* silver-; *silver wedding* silverbröllop 3 *v.* försilvra

silver-plated ware [sill'vəplej'tid wä:'ə] nysilver

similar [simm'ilə] liknande, snarlik

simmer [simm'ə] puttra, sjuda

simper [simm'pə] le tillgjort

simple [simm'pl] enkel; enfaldig

simpleton [simm'pltən] dumbom, dummerjöns

simplicity [simpliss'iti] enkelhet

simplification [simmplifikej'ʃən] förenkling

simplify [simm'plifəj] förenkla

simply [simm'pli] helt enkelt

simulate [simm'jolejt] simulera

simultaneous [siməltej'njəs] samtidig

sin [sinn] 1 *s.* synd; *sin of omission* underlåtenhetssynd 2 *v.* synda

since [sinns] 1 *adv.* sedan; *ever since* sedan dess 2 *prep.* sedan, alltsedan 3 *konj.* sedan; eftersom; *ever since* allt sedan, ända sedan

sincere [sinsi:'ə] uppriktig

sincerely [sinsi:'əli] *Yours sincerely* Din tillgivne (*i brev*)

sincerity [sinserr'iti] uppriktighet

sine [sajn] sinus

sinew [sinn'jo:] sena

sinewy [sinn'jo:i] senig

sinful [sinn'fol] syndig

sing [sing] sjunga

singe [sinn'dʒ] sveda

singer [sing'ə] sångare, sångerska

singing bird [sing'ingbə:d] sångfågel

single [sing'gl] enkel; enda; (*om pers.*) singel, ensamstående; ogift; *single parent* ensamstående förälder

singles [sing'gls] (*pl*) *sport.* singel

singular [sing'gjolə] 1 *adj.* enastående; egendomlig 2 *s.* singularis

sinister [sinn'istə] ondskefull; olycksbådande

sink [singk] 1 *v.* sjunka; sänka; *sink down* digna, segna ner 2 *s.* diskbänk, avloppsbrunn

sinker [sing'kə] sänke

sinking [sing'king] sänkning

sinner [sinn'ə] syndare

sinusitis [sajnəsajt'is] bihåleinflammation

slang

sip [sipp] 1 v. smutta, läppja på 2 s. liten klunk

siphon [saj'fən] sifon

Sir [sə:] Sir (titel för baronet och knight)

sir [sə:] min herre

sirloin [sə:'låjn] ländstycke, oxstek

sissy [siss'i] förvekligad pojke

sister [siss'tə] syster

sister-in-law [siss'tərinlå:] svägerska

sit [sitt] sitta; *sit down* sätta sig; *sit on eggs* ruva

site [sajt] läge; *(obebyggd)* tomt

sitting room [sitt'ingro:m] vardagsrum

situated [sitt'joejtid] belägen

situation [sitjoej'ʃən] situation, läge

six [sikks] 1 *räkn.* sex; *six months* ett halvår 2 s. sexa

sixteen [sikk'sti:n] sexton

sixteenth [sikk'sti:nθ] sextonde

sixth [siksθ] sjätte

sixtieth [sikk'stiəθ] sextionde

sixty [sikk'sti] sextio

size [sajz] 1 s. storlek; nummer; format; *they are the same size* de är lika stora 2 v., *size up* skatta, bedöma

sizzle [sizz'l] fräsa (*i stekpanna*)

skate [skejt] 1 s. skridsko 2 v. åka skridskor

skateboard [skej'tbå:d] rullbräda, skateboard

skating [skej'ting] skridskoåkning

skating rink [skej'ting ringk] skridskobana

skeleton [skell'itn] skelett

skerry [skerr'i] skär, ö

sketch [sketʃ] 1 s. skiss; sketch 2 v. skissera

ski [ski:] 1 v. åka skidor 2 s. skida

ski boot [ski:'bo:t] pjäxa

skid [skidd] 1 v. sladda, slira 2 s. sladd

skier [ski:'ə] skidåkare

skiff [skiff] jolle, liten roddbåt

ski glasses [ski:'gla:sis] (*pl*) skidglasögon

skiing [ski:'ing] skidåkning; *good skiing surface* bra skidföre

skiing boot [ski:'ing bo:t] pjäxa

ski jumping [ski:'dʒamping] backhoppning

skilful [skill'fol] skicklig, kunnig

ski lift [ski:'lift] skidlift

ski lift card [ski:'lift ka:d] liftkort

skill [skill] skicklighet

skilled [skild] erfaren, kunnig

skim [skimm] skumma; *skimmed milk* skummjölk

skimp [skimp] snåla med

skimpy [skimm'pi] snål; knapp

skin [skinn] 1 s. skinn, hud; skal 2 v. skala; flå

skin cancer [skinn'känn'sə] hudcancer

skin cream [skinn'kri:m] hudkräm

skin diver [skinn'dajvə] sportdykare

skip [skipp] 1 v. skutta, hoppa; hoppa över; *skip it!* strunta i det! 2 s. hopp, skutt

skipper [skipp'ə] skeppare, kapten

skipping rope [skipp'ingrəop] hopprep

skirmish [skə:'miʃ] skärmytsling

skirt [skə:t] kjol

ski stick [ski:'stik] skidstav

skittle [skitt'l] kägla

ski wax [ski:'wäks] valla

skulk [skalk] hålla sig undan, maska; smyga

skull [skall] skalle

sky [skaj] himmel, sky

sky-high [skaj'haj'] skyhög

skylark [skaj'la:k] lärka

skyscraper [skaj'skrejpə] skyskrapa

slab [släbb] stenplatta, skiva

slack [släkk] lös, slapp; slak

slacken [släkk'ən] slappna; minska; slacka på (*skot*)

slacks [släks] (*pl*) [fritids]långbyxor

slag [slägg] slagg

slain [slejn] *perf. part. av slay*

slake [slejk] släcka (*törst*)

slalom [sla:'ləm] slalom; *slalom skiing* slalomåkning; *slalom slope* slalombacke

slam [slämm] 1 v. smälla igen 2 s. smäll

slander [sla:'ndə] 1 s. förtal 2 v. baktala

slang [släng] slang, slangspråk; *slang expression* slanguttryck

slant

slant [slɑː'nt] slutta; snedda; luta

slanting [slɑː'nting] sned; lutande

slap [släpp] **1** *v.* daska; dunka; smälla **2** *s.* dask; dunk; smäll; örfil **3** *adv.* direkt, tvärt

slapstick [släpp'stik] slapstick, fars

slash [släʃ] **1** *v.* hugga till, slitsa upp **2** *s.* hugg, jack

slat [slätt] spjäla, latta

slate [slejt] skiffer

slaughter [slå:'tə] **1** *s.* slakt **2** *v.* slakta

slaughterhouse [slå:'təhaos] slakteri

Slav [slɑ:v] **1** *s.* slav (*folk*) **2** *adj.* slavisk

slave [slejv] slav, träl

slave-driver [slej'vdrajvə] slavdrivare

slave market [slej'v ma:'kit] slavmarknad

slavery [slej'vəri] slaveri

slave trade [slej'v trejd] slavhandel

slavish [slej'viʃ] slavisk

slay [slej] dräpa

sledge [sledʒ] **1** *s.* kälke **2** *v.* åka kälke

sledgehammer [sledʒ'hämm'ə] slägga

sleek [sli:k] slät, blank

sleep [sli:p] **1** *v.* sova **2** *s.* sömn

sleeper [sli:'pə] syll, sliper; sovare; sovvagn; *be a sound sleeper* ha god sömn

sleeper ticket [sli:'pə tikk'it] sovvagnsbiljett

sleeping [sli:'ping] sovande; *the Sleeping Beauty* Törnrosa

sleeping bag [sli:'pingbägg] sovsäck

sleeping car [sli:'pingka:] sovvagn

sleeping compartment [sli:'ping kəmpa:'tmənt] sovkupé

sleeping draught [sli:'ping dra:ft] sömnmedel

sleeping mat [sli:'ping mätt] liggunderlag

sleeping pad [sli:'ping pädd] liggunderlag

sleeping pill [sli:'ping pill] sömntablett

sleeping sickness [sli:'pingsikniss] sömnsjuka

sleepless [sli:'pliss] sömnlös

sleepwalker [sli:'pwå:kə] sömngångare

sleepy [sli:'pi] sömnig

sleet [sli:t] snöslask

sleeve [sli:v] ärm; *have s.th. up one's sleeve* ha ngt i beredskap

sleigh [slej] **1** *s.* släde **2** *v.* åka släde

slender [slenn'də] smärt, spenslig; knapp

slept [slept] *imperf. och perf. part. av sleep*

sleuth[-hound] [slo:'θ(haond)] spårhund; detektiv

slew [slo:] *imperf. av slay*

slice [slajs] skiva

slick [slikk] flink; glatt; smart

slid [slidd] *imperf. och perf. part. av slide*

slide [slajd] **1** *s.* kana, rutschbana; diapositiv; *tekn.* släde **2** *v.* halka; låta glida

slide film [slajd'film] diafilm

slide rule [slaj'dro:l] räknesticka

slight [slajt] lindrig, obetydlig, lätt

slim [slimm] **1** *v.* banta **2** *adj.* smärt, liten

slime [slajm] slem

sling [sling] slunga

slink [slingk] slinka

slip [slipp] **1** *v.* halka, glida; *slip through* slinka igenom **2** *s.* glidning; miss, felsteg; underklänning; snedsprång; remsa; *slip of paper* papperslapp; *slip of the tongue* felsägning

slipped disc [slipp't diss'k] diskbråck

slipper [slipp'ə] toffel

slipperiness [slipp'əriniss] halka

slippery [slipp'əri] glatt, hal, slipprig

slipping clutch [slipp'ing klatʃ'] frikoppling

slipshod [slipp'ʃåd] vårdslös, slarvig

slipway [slipp'wej] slip

slit [slitt] **1** *v.* skära upp **2** *s.* skåra; springa, sprund

slither [sli'ðə] hasa, glida

slithery [slið'əri] hal

sloe [sləo] slånbär

slogan [sləo'gən] slagord, slogan

slop [slåpp] utspillt vatten; *slops* (*pl*)

snatch

slaskvatten; *slop pail* slaskhink

lope [sləʊp] **1** *v.* luta, slutta **2** *s.* lutning, sluttning

lot [slått] springa, öppning

loth [sləʊθ] slöhet

lot machine [slått'məʃi:n] [mynt]-automat

louch [slaʊtʃ] **1** *s.* dålig hållning **2** *v.* sloka

lough 1 *s.* [slaff] urkrupet ormskinn **2** *s.* [sləʊ] träsk

lovenly [slavv'nli] sjaskig

low [sləʊ] **1** *adj.* långsam, trög **2** *adv.* långsamt, sakta **3** *v.* sakta, försena; *be slow* gå efter (*om klocka*); *slow down* sakta farten, ta det lugnare

low motion [sləʊ'məʊ'ʃən] ultrarapid

lug [slagg] snigel

luggish [slagg'iʃ] trög

lum [slamm] slum

lumber [slamm'bə] **1** *v.* slumra **2** *s.* slummer

lump [slamp] prisfall, kris

lung [slang] *imperf.* och *perf. part.* av *sling*

lunk [slangk] *imperf.* och *perf. part.* av *slink*

lur [slə:] **1** *v.* [ut]tala otydligt; förtala **2** *s.* otydligt [ut]tal; skamfläck; förolämpning

lurp [slə:p] sörpla

lush [slaʃ] slask, snösörja; gyttja

lut [slatt] slampa

sly [slaj] **1** *adj.* slug **2** *s.*, *on the sly* i smyg

smack [smäkk] **1** *v.* smacka **2** *s.* slag; bismak; fiskebåt

small [små:l] liten, ringa; *small beer* svagdricka; *small change* småpengar; *the small hours* småtimmarna; *small town* småstad

smallholder [små:'lhəʊ'ldə] småbrukare

smallpox [små:'lpåks] smittkoppor

smart [sma:t] **1** *adj.* stilig; smart, slipad; snabb **2** *v.* svida; sveda **3** *s.* smärta, sveda

smarten up [sma:'tən app] piffa upp

smash [smäʃ] **1** *v.* krossa, slå sönder **2** *s.* träff, kollision

smear [smi:'ə] **1** *v.* smörja; smeta [ner] **2** *s.* fläck; smutskastning; *make smears* smeta av sig

smeary [smi:'əri] kladdig

smell [smell] **1** *v.* lukta, dofta, osa **2** *s.* lukt, doft, os

smelt [smelt] *imperf.* och *perf. part.* av *smell*

smile [smajl] **1** *s.* leende **2** *v.* le (*at* åt); *smile scornfully* hånle

smirk [smə:k] flina, hånle (*at* åt)

smith [smiθ] smed

smithy [smið'i] smedja

smock [måkk] överdragsklänning

smog [smågg] rökblandad dimma

smoke [sməʊk] **1** *s.* rök **2** *v.* röka, ryka

smoker [sməʊ'kə] rökare; rökkupé

smokescreen [sməʊ'kskri:n] rökridå

smoking [sməʊ'king] rökning; *no smoking* rökning förbjuden; *smoking compartment* rökkupé

smoky [sməʊ'ki] rökig

smooth [smo:ð] **1** *adj.* jämn, slät **2** *v.* jämna (släta) till

smorgasbord [små:'gəsbå:d] smörgåsbord

smother [smað'ə] kväva; överhölja

smoulder [sməʊ'ldə] pyra

smudge [smadʒ] **1** *v.* fläcka **2** *s.* smutsfläck

smug [smagg] prudentlig; självbelåten

smuggle [smagg'l] smuggla

smuggling [smagg'ling] smuggling

smut [smatt] sotflaga; oanständighet

snack [snäkk] mellanmål

snag [snägg] hake, krux; dolt hinder; grenstump

snail [snejl] snigel (*med hus*)

snake [snejk] orm

snake bite [snej'k bajt] ormbett

snake-charmer [snej'ktʃa:mə] ormtjusare

snap [snäpp] **1** *v.* nafsa; knäcka; knäppa; knäckas **2** *s.* knäpp[ning]

snare [snä:'ə] snara

snarl [sna:l] morra

snatch [snätʃ] rycka (till sig); *snatch*

up uppsnappa
sneak [sni:k] smyga
sneakers [sni:'kəz] (*pl*) gymnastik-
skor, tennisskor
sneer [sni:'ə] **1** *v.* håne; driva med;
sneer at pika, håna **2** *s.* hånleende
sneeze [sni:z] nysa
sniff [sniff] vädra, andas in
snigger [snigg'ə] **1** *v.* fnittra **2** *s.* fnitter
snipe [snajp] beckasin
sniper [snaj'pə] prickskytt, krypskytt
snivel [snivv'l] snörvla; lipa
snob [snåbb] snobb
snobbish [snåbb'iʃ] snobbig
snooker [sno:'kə] snooker (*slags
biljardspel*)
snoop [sno:p] snoka, lägga näsan i
blöt
snooze [sno:z] **1** *s.* tupplur **2** *v.* ta sig
en tupplur
snore [snå:] **1** *v.* snarka **2** *s.* snarkning
snorkel [snå:'kl] snorkel
snort [snå:t] fnysa
snot [snått] snor
snout [snaot] nos, tryne
snow [snəo] **1** *s.* snö **2** *v.* snöa
snowball [snəo'bå:l] snöboll
snowboard [snəo'bå:d] snowboard
snow clearing [snəo'kli:əring] snö-
skottning
snowdrift [snəo'drift] snödriva
snowflake [snəo'flejk] snöflinga
snowman [snəo'mən] snögubbe
snowplough [snəo'plao] snöplog
snow scooter [snəo'sko:tə] snöskoter
snowstorm [snəo'stå:m] snöstorm
snow tyre [snəo'tajə] vinterdäck
snub [snabb] snäsa av
snub nose [snabb'nəoz] uppnäsa
snuff [snaff] **1** *s.* snus; *take snuff* snusa
2 *v.* snusa; vädra; *bildl.* kväva, göra
slut på
snuffbox [snaff'båks] snusdosa
snuffle [snaff'l] snörvla
snug [snagg] hemtrevlig; ombonad
snuggle [snagg'l] lägga sig skönt;
kura ihop sig
so [səo] **1** *adv.* så; *and so on* och så
vidare; *so do I* det gör jag också; *I*

think so jag tror det; *isn't that so?*
eller hur? **2** *konj., so that* för att
soak [səok] **1** *v.* blöta [upp], genom-
dränka **2** *s.* blötläggning; rotblöta
soaking [səo'king] **1** *s.* uppblötning;
blötläggning **2** *adj., soaking wet*
genomblöt
soap [səop] **1** *s.* såpa; tvål **2** *v.* såpa;
tvåla in
soapbox [səo'båks] tvålask; provi-
sorisk talarstol
soap bubble [səo'pbabb'l] såpbubbla
soap flakes [səo'pflejks] tvålflingor
soar [så:] sväva högt
sob [såbb] snyfta
sober [səo'bə] nykter, sansad; sober
so-called [səo'kå:'ld] så kallad
soccer [såkk'ə] (*förk. för Association
Football*) fotboll
sociable [səo'ʃəbl] trevlig, sällskap-
lig; *sociable person* sällskapsmän-
niska
social [səo'ʃəl] **1** *adj.* social, samhälls-
sällskaplig; *social conditions* sam-
hällsförhållanden; *social criticism*
samhällskritik; *social democracy*
socialdemokrati; *social life* sällskaps-
liv; *social order* samhällsskick; *so-
cial science* socialvetenskap; *social
welfare* socialvård; *social welfare
committee* socialnämnd; *social [wel-
fare] policy* socialpolitik **2** *s.*
samkväm
socialism [səo'ʃəlizəm] socialism
socialist [səo'ʃəlist] **1** *s.* socialist
2 *adj.* socialistisk
socialistic [səoʃəliss'tik] socialistisk
socialization [səoʃəlajzej'ʃən] socia-
lisering
socialize [səo'ʃəlajz] socialisera
society [səsaj'əti] samhälle; samfund,
sällskap; societet
sociology [səosiåll'ədʒi] sociologi
sock [såkk] **1** *s.* socka, strumpa **2** *v.*
klappa till
socket [såkk'it] (*elektriskt*) uttag;
[lamp]sockel
sod [sådd] **1** *s.* grästorva, *sl.* jäkel
2 *sod off!* dra åt helvete!

soda [səo'də] soda; *soda water* soda-vatten, vichyvatten

sodden [sådd'n] genomdränkt

sodium [səo'djəm] natrium

sofa [səo'fə] soffa; *sofa bed* bäddsoffa

soft [såft] mjuk, len; vek; stilla; *soft breeze* svag bris

soft drink [såff'tdringk] läskedryck; alkoholfri dryck

soft-soap [såff't səo'p] såpa

software [såff'twä:ə] *data.* program-[vara], mjukvara

soil [såjl] 1 *s.* jordmån, mark 2 *v.* smutsa ner

soiled [såjld] solkig, smutsig

soirée [swa:'rej] soaré

sojourn [sådʒ'ə:n] 1 *v.* vistas 2 *s.* vistelse; sejour

solace [såll'əs] 1 *s.* tröst 2 *v.* trösta

solar [səo'lə] sol-; solar-; *solar eclipse* solförmörkelse; *solar energy* solenergi; *solar system* solsystem

sold [səold] såld; *sold out* slutsåld

solder [səol'də] löda

soldier [səol'dʒə] soldat

soldierly [səo'ldʒəli] militärisk, soldatmässig

sole [səol] 1 *adj.* ensam, enda 2 *s.* sula; sjötunga 3 *v.* sula, halvsula

solemn [såll'əm] högtidlig

solemnity [səlemm'niti] högtidlighet

solicit [səliss'it] enträget be om, söka utverka; (*om prostituerad*) bjuda ut sig

solicitor [səliss'itə] domstolsjurist, lägre advokat

solicitous [səliss'itəs] ivrig; bekymrad, orolig

solid [såll'id] 1 *adj.* gedigen, massiv, solid; fast 2 *s.*, *solids* (*pl*) fasta ämnen, fast föda

solidarity [sålidärr'iti] solidaritet, samhörighet

soliloquy [səlill'əkwi] monolog

solitary [såll'itəri] enslig; ensam[stående]

solitude [såll'itjo:d] ensamhet

solo [səo'ləo] 1 *s.* solo 2 *adj.* solo-; ensam-; *solo part* solostämma 3 *adv.*

solo, ensam

soloist [səo'ləoist] solist

solstice [såll'stis] solstånd

soluble [såll'jobl] löslig, lösbar

solution [səlo:'ʃən] lösning

solve [sålv] lösa (*gåta*)

solvent [såll'vənt] 1 *adj.* lösande; solvent 2 *s.* lösningsmedel

sombre [såmm'bə] mörk, dyster

some [samm] 1 *pron.* någon, något, några, somliga 2 *adv.* ungefär, omkring

somebody [samm'bədi] någon

somehow [samm'hao] på ett eller annat sätt

someone [samm'wan] någon

somersault [samm'əså:lt] kullerbytta, frivolt; *turn a somersault* slå en kullerbytta

something [samm'θing] något, någonting; *something like that* någonting ditåt

sometimes [samm'tajmz] ibland; *sometimes ... sometimes ...* ömsom ... ömsom ...

somewhat [samm'wåt] något, en smula

somewhere [samm'wä:ə] någonstans

son [sann] son

sonata [səna:'tə] sonat

song [sång] sång, visa; *for a song* för en spottstyver

songbird [sång'bə:d] sångfågel

songbook [sång'bok] visbok

song thrush [sång'θraʃ] taltrast

sonic boom [sånn'ik bo:'m] [ljud]bang

son-in-law [sann'inlå:] svärson, måg

soon [so:n] snart

sooner [so:'nə] hellre; förr, tidigare

soot [sott] 1 *s.* sot 2 *v.* sota ner

soothe [so:ð] lindra; lugna, lena

sooty [sott'i] sotig

sop [såpp] doppad brödbit; mäta

sophisticated [səfiss'tikejtid] sofistikerad, raffinerad; avancerad

soporific [såpəri'ffik] sövande

soprano [səpra:'nəo] sopran

sorbet [så:bej'] sorbet

sorcerer [så:'sərə] trollkarl

sordid [så:'did] smutsig; simpel; *sordid gain* snöd vinning

sore [så:] 1 *adj.* öm, ond; *have a sore throat* ha ont i halsen 2 *s.* ömt ställe

sorrel [sårr'l] 1 *s.* harsyra; fux 2 *adj.* rödbrun

sorrow [sårr'əo] sorg

sorrowful [sårr'əofol] sorgtyngd

sorry [sårr'i] ledsen; *sorry!* förlåt!; *be sorry for* beklaga; *feel sorry for* tycka synd om

sort [så:t] 1 *s.* sort, slag; *out of sorts* vissen, nere 2 *v.* sortera, ordna

soufflé [so:'flej] sufflé

sough [sao] 1 *s.* sus 2 *v.* susa

sought [så:t] *imperf. och perf. part. av seek*

soul [səol] själ

sound [saond] 1 *s.* läte, ljud; sund 2 *v.* låta, ljuda; sondera, pejla 3 *adj.* sund, frisk; grundlig; *be a sound sleeper* ha god sömn

sound barrier [sao'nd bärr'iə] ljudvall

soup [so:p] soppa; *clear soup* buljong; *soup ladle* soppslev; *soup plate* djup tallrik, sopptallrik

sour [sao'ə] sur

source [så:s] källa

souse [saos] 1 *s.* saltlake 2 *v.* lägga i saltlake; blöta

south [saoθ] 1 *s.* syd, söder; *to the south of* söder om 2 *adj.* sydlig, syd-; *South Africa* Sydafrika; *South America* Sydamerika; *south coast* sydkust; *the South Pacific* Söderhavet; *the South Pole* sydpolen; *the South Sea Islands* Söderhavsöarna 3 *adv.* söderut, åt söder

south-east [sao'θi:'st] sydost, sydöst

south-eastern [sao'θi:'stən] sydöstra, sydöstlig

southern [saÐ'ən] södra, sydlig, sydländsk; *Southern Europe* Sydeuropa

south-west [sao'θwess't] sydväst

southwester [saoθwess'tə] sydväster, sydvästlig

south-westerly [sao'θwess'təli] sydvästlig

south-western [sao'θwess'tən] sydvästra, sydvästlig

souvenir [so:'vəniə] souvenir

sou'wester [saowess'tə] sydväst (*huvudbonad*)

sovereign [såvv'rin] 1 *adj.* suverän 2 *s.* sovereign (*guldmynt = 20 shilling*)

Soviet [səo'viet] sovjetisk; *the Soviet Union* Sovjetunionen

sow 1 *s.* [sao] sugga 2 *v.* [səo] så, utså

sowing [səo'ing] sådd

sown [səon] *perf. part. av sow*

soya [såj'ə] soja

soy sauce [såj'så:s] sojasås

spa [spa:] kurort

space [spejs] utrymme; rymd; tidrymd

spacecraft [spej'skra:ft] rymdfarkost

space research [spej's risə:'tʃ] rymdforskning

spacerocket [spej'sråkk'it] rymdraket

spacesuit [spej's sjo:t] rymddräkt

spacious [spej'ʃəs] rymlig

spade [spejd] spade; *spades (pl)* spader (*kort*)

Spain [spejn] Spanien

span [spänn] 1 *s.* [bro]spann; spännvidd 2 *v.* överbrygga 3 *imperf. av spin*

spangle [späng'gl] paljett, glitter

Spaniard [spänn'jəd] spanjor

Spanish [spänn'iʃ] 1 *adj.* spansk 2 *s.* spanska (*språk*)

spank [spängk] daska till, ge smisk

spanking [späng'king] stryk, smisk

spanner [spänn'ə] skruvnyckel; *adjustable spanner* skiftnyckel

spar [spa:] 1 *s.* bom, mast 2 *v.* träningsboxas

spare [spä:ə] 1 *v.* skona; avvara; *enough and to spare* mer än nog; *kindly spare me* jag undanber mig 2 *s.* reservdel 3 *adj.* reserv-; *spare part* reservdel; *spare rib* revbensspjäll; *spare room* gästrum; *spare time* fritid; *spare wheel* reservhjul

spark [spa:k] 1 *s.* gnista; *emit sparks* gnistra 2 *v.* gnistra, blixtra

sparkle [spa:'kl] spraka, gnistra, tindra

spark plug [spa:'k plagg] tändstift

sparrow [spärr'əo] [grå]sparv

sparrowhawk [spärr'əohå:k] sparvhök

sparse [spa:s] gles, tunnsådd

Spartan [spa:'tən] spartansk

spasm [späzz'əm] spasm

spastic [späss'tik] spastiker

spat [spätt] *imperf. och perf. part. av* *spit*

spatter [spätt'ə] stänka ner

spawn [spå:n] 1 *s.* [fisk]rom 2 *v.* leka, lägga rom; ge upphov till

speak [spi:k] tala (*to* med), yttra sig; *so to speak* så att säga; *speaking clock* fröken Ur

speakeasy [spi:'ki:zi] lönnkrog

speaker [spi:'kə] talare, talman

spear [spi:'ə] spjut

special [spe∫'əl] speciell, särskild; *special performance* extraföreställning, gästspel; *special train* extratåg

specialist [spe∫'əlist] specialist (*in* på), fackman

speciality [spe∫'əlti] specialitet

specialize [spe∫'əlajz] specialisera sig (*in* på)

specially [spe∫'əli] särskilt

species [spi:'∫i:z] art; slag, sort

specific [spisiff'ik] speciell, specifik; *specific nature* särart

specification [spesifikej'∫ən] specifikation; förteckning

specify [spess'ifaj] specificera

specimen [spess'imin] exemplar; prov

specious [spi:'∫əs] bestickande, skenfager

speck [spekk] fläck, prick

speckled [spekk'ld] spräcklig

spectacle [spekk'təkl] skådespel; *spectacles* (*pl*) glasögon

spectacular [spektäkk'jolə] effektfull

spectator [spektej'tə] åskådare

spectre [spekk'tə] spöke

spectrum [spekk'trəm] spektrum

speculate [spekk'jolejt] spekulera

speech [spi:t∫] tal; anförande

speech-day [spi:'t∫dej] skolavslutning

speechless [spi:'t∫lis] mållös, stum

speed [spi:d] 1 *s.* fart, hastighet; växel

2 *v., speed up* skynda på, forcera

speedboat [spi:'dbəot] racerbåt

speeding offence [spi:'ding əfenn's] fortkörning

speed limit [spi:'dlimit] hastighetsbegränsning

speedometer [spidåmm'itə] hastighetsmätare

spell [spell] 1 *v.* stava; bokstavera 2 *s.* förtrollning; period

spelling [spell'ing] rättstavning, rättskrivning

spelt [spelt] *imperf. och perf. part av* *spell*

spend [spend] tillbringa; ge ut, spendera

spendthrift [spenn'dθrift] slösare

spent [spent] 1 *adj.* slut 2 *imperf. och perf. part av* spend

sperm [spə:m] sperma

sphere [sfi:'ə] sfär, glob; krets

sphinx [sfingks] sfinx

spice [spajs] 1 *s.* krydda 2 *v.* krydda

spider [spaj'də] spindel

spike [spajk] ax; pigg

spill [spill] spilla

spilt [spilt] *imperf. o. perf. part. av* *spill*

spin [spinn] snurra, rotera; spinna

spinach [spinn'id3] spenat

spinal cord [spaj'nl kå:'d] ryggmärg

spindle [spinn'dl] spole

spin-dry [spindraj'] centrifugera

spine [spajn] ryggrad

spinning [spinn'ing] spinning; spinnfiske

spinning rod [spinn'ingråd] spinnspö

spinning wheel [spinn'ingwi:l] spinnrock

spinster [spinn'stə] ungmö

spiral [spaj'ərəl] 1 *adj.* spiral-; *spiral staircase* spiraltrappa 2 *s.* spiral 3 *v.* löpa (gå) i spiral

spire [spaj'ə] tornspira, spets

spirit [spirr'it] anda, stämning; ande; själ; spöke, sprit; mod; *in high spirits* uppsluppen

spirit level [spirr'it levv'l] vattenpass

spirited [spirr'itid] käck, hurtig

spirits [spirr'its] sprit, spritdrycker

spiritual [spirr'it∫oəl] **1** *adj.* andlig, själslig **2** *s.* andlig sång

spit [spitt] **1** *v.* spotta; (*om katt*) fräsa **2** *s.* [stek]spett

spite [spajt] **1** *s.* illvilja; *in spite of* trots **2** *v.* retɑ; trakassera

spiteful [spaj'tfol] skadeglad

spitz [spits] spets[hund]

splash [splä∫] plaska

splashing [splä∫'ing] slask[ande]

splatter [splätt'ə] stänka, stänka ner

spleen [spli:n] mjälte; livsleda, svårmod

splendid [splenn'did] härlig

splendour [splenn'də] ståt

splint [splint] spjäla

splinter [splinn'tə] **1** *s.* flisa, sticka; splitter, spillra **2** *v.* splittra

split [splitt] **1** *v.* dela, klyva; splittra; spricka; splittras **2** *adj.* delad, kluven; *split pin* saxsprint **3** *s.* klyvning, splittring; *do the splits* gå ner i spagat

splutter [splatt'ə] **1** *v.* sluddra, spotta fram, fräsa **2** *s.* spottande; sprättande; sludder

spoil [spåjl] **1** *v.* spoliera, förstöra; skämma bort **2** *s.* byte

spoilt [spåjlt] *imperf. o. perf. part. av* **spoil**

spoke [spəok] **1** *s.* eker; stegpinne **2** *imperf. av* **speak**

spoken [spəo'kn] *perf. part. av* **speak**

spokesman [spəo'ksmən] talesman

sponge [spann'dʒ] **1** *s.* [tvätt]svamp **2** *v.* parasitera, snylta; tvätta med en svamp

sponge cake [spann'dʒkejk] sockerkaka

sponsor [spånn'sə] **1** *s.* sponsor; borgensman; fadder **2** *v.* sponsra; stå för

spontaneous [spåntej'njəs] spontan

spool [spo:l] **1** *s.* spole **2** *v.* spola

spoon [spo:n] **1** *s.* sked **2** *v.* ösa

sporadic [spərädd'ik] sporadisk

spore [spå:] *s.* spor

sport [spå:t] **1** *s.* sport, idrott; idrottsman; *sports* (*pl*) idrott, sport; *a good sport* en trevlig kamrat **2** *v.* ståta med

sporting [spå:'ting] sportslig

sports car [spå:ts ka:] sportbil

sports ground [spå:ts graond] idrottsplats

sportsman [spå:'tsmən] idrottsman; friluftsmänniska

sports shop [spå:ts∫åp] sportaffär

sporty [spå:'ti] sportig

spot [spått] **1** *s.* fläck, prick; finne, kvissla; reklaminslag (*i radio o. TV*); *jumping on the spot* svikthopp **2** *v.* fläcka ner; känna igen

spot check [spått' t∫ekk] stickprov

spotlight [spåt'lajt] strålkastare

spot on [spått'ånn'] **1** *adv.* på pricken, alldeles **2** *adj.* precis

spotted [spått'id] prickig, fläckig

spouse [spaoz] make, maka

spout [spaot] **1** *s.* pip; stuprör **2** *v.* spruta ut

sprain [sprejn] stuka, vricka

sprang [spräng] *imperf. av* **spring**

sprat [srätt] skarpsill

sprawl [srå:l] sträcka ut, spreta med

spray [sprej] **1** *v.* spruta; bespruta; stänka **2** *s.* sprej; stänk, yrande skum; kvist

spray bottle [sprej'båtl] sprejflaska

spray-paint [sprej'pejnt] sprutlackera

spread [spredd] **1** *v.* sprida [sig], breda ut [sig] **2** *s.* kalas, skrovmål

spreading [spredd'ing] spridning

spree [spri:] festa om

sprig [sprigg] kvist

sprightly [spraj'tli] munter, yster

spring [spring] **1** *s.* vår; fjäder, resår; svikt; källa; *last spring* i våras; *this spring* i vår **2** *v.* utlösa; komma med, kasta fram; *spring a leak* (*sjö.*) springa läck; *spring open* flyga upp, öppna sig

springboard [spring'bå:d] trampolin, svikt

springboard diving [spring'bå:d daj'-ving] svikthopp

spring-cleaning [spring'kli:ning] storstädning, vårstädning

spring day [spring' dej] vårdag

springiness [spring'inis] svikt, spänst

springlike [spring'lajk] vårlig

spring term [spring' tə:m] vårtermin

sprinkle [spring'kl] 1 s. stänk 2 v. strö; stänka, bespruta

sprite [sprajt] fé, tomte, älva

sprout [spraot] 1 v. spira, gro 2 s. grodd, skott; *Brussels sprouts* (pl) brysselkål

spruce [spro:s] 1 s. gran 2 adj. prydlig 3 v., *spruce up* göra fin

sprung [sprang] imperf. och perf. part. av spring

spry [spraj] rask, pigg

spun [spann] imperf. och perf. part. av spin

spur [spə:] 1 v. sporra 2 s. sporre

spurious [spjo:'əriəs] falsk, oäkta

spurn [spə:n] föraktfullt avvisa

spurt [spə:t] 1 v. spurta; spruta 2 s. spurt; stråle

spy [spaj] 1 v. spionera; speja 2 s. spion; spejare

squabble [skwåbb'l] käbbla, kivas

squad [skwådd] grupp; patrull

squadron [skwådd'rən] skvadron; eskader; division

squalid [skwåll'id] smutsig; eländig

squall [skwå:l] 1 v. skrika, skråla 2 s. vindstöt, stormby

squalor [skwåll'ə] smuts; elände

squander [skwånn'də] slösa [bort]

square [skwä:'ə] 1 s. kvadrat, ruta; torg; vard. insnöad person 2 adj. fyrkantig; kraftig; ärlig; kvitt; *square measure* ytmått; *square metre* kvadratmeter 3 adv. vinkelrätt [mot]; direkt 4 v. göra rätvinklig; upphöja i kvadrat; reglera, göra upp; få att stämma

squash [skwåʃ] 1 v. pressa sönder 2 s. trängsel; mos; saft

squat [skwått] 1 v. sitta på huk; ta i besittning 2 adj. undersätsig

squatter [skwått'ə] nybyggare; *Br.* husockupant

squaw [skwå:] indiankvinna

squeak [skwi:k] 1 v. gnissla, pipa 2 s. gnissel

squeal [skwi:l] skrika; *sl.* tjalla

squeamish [skwi:'miʃ] illamående; överkänslig

squeeze [skwi:z] klämma, krama

squint [skwint] 1 v. skela 2 s. vindögdhet

squint-eyed [skwinn'tajd] vindögd

squire [skwaj'ə] godsägare; väpnare

squirm [skwə:m] vrida sig; våndas

squirrel [skwirr'əl] ekorre

squirt [skwə:t] 1 v. spruta ut 2 s. stråle

stab [stäb] 1 v. hugga, sticka 2 s. hugg, stöt

stability [stəbill'iti] stabilitet

stabilize [stej'bilajz] stabilisera

stable [stej'bl] 1 adj. stabil 2 s. stall

stack [stäkk] 1 s. stack; hög; skorsten 2 v. stapla

stadium [stej'djəm] stadion; stadium

staff [sta:f] stav; stab, personal

stag [stägg] hjorthane; man[sperson]

stage [stejdʒ] 1 s. stadium, etapp; scen 2 v. uppföra

stagecoach [stej'dʒkəotʃ] [post]diligens

stage fright [stej'dʒfrajt] rampfeber

stage manager [stej'dʒ männ'idʒə] inspicient

stagger [stägg'ə] vingla, ragla

staggering [stägg'əring] förbluffande

staging [stej'dʒing] iscensättning

stagnate [stägg'nejt] stagnera

stagnation [stägnej'ʃən] stagnation

stag-night [stägg' najt] svensexa

stag-party [stägg' pa:ti] svensexa

staid [stejd] stadgad, lugn

stain [stejn] 1 v. fläcka ner; betsa 2 s. bets, fläck

stainless [stej'nlis] rostfri; fläckfri

stain remover [stejn rimo:'və] fläckborttagningsmedel

stair [stä:'ə] trappsteg; *stairs* (pl) trappa, trappuppgång

staircase [stä:'əkejs] trappuppgång

stake [stejk] 1 v. satsa (*i spel*); *stake out* utstaka 2 s. insats; stake, stör; *be at stake* stå på spel

staking [stej'king] satsning (*i spel*)

stale [stejl] gammal (*om bröd o.d.*); avslagen

stalemate [stej'lmejt] dödläge; (*i schack*) pattställning

stalk [stå:k] 1 *s.* stjälk, skaft 2 *v.* smyga sig på

stall [stå:l] 1 *s.* stånd, salubod; spilta; *stalls* (*pl*) parkett (*på teater*) 2 *v.* tjuvstanna; försena

stallion [ställ'jən] hingst

stalwart [stå:'lwət] stor och stark, robust; trofast

stamen [stej'men] *bot.* ståndare

stamina [stämm'inə] livskraft, uthållighet

stammer [stämm'ə] 1 *v.* stamma 2 *s.* stamning

stamp [stämp] 1 *s.* stämpel; prägel; frimärke 2 *v.* stämpla; prägla; frankera; stampa

stamp collector [stämm'pkəlektə] frimärkssamlare

stamp duty [stämm'p djo:'ti] stämpelavgift

stampede [stämpi:'d] vild flykt av boskap; panikflykt

stand [ständ] 1 *v.* ställa [upp]; stå, stiga upp; ligga; tåla, stå ut med; *stand by* vara beredd, ställa upp för; *stand out* avteckna sig, framstå 2 *s.* läktare; stativ; ställ; salustånd; *make a stand* hålla stånd; *take a stand* ta ställning

standard [ständ'dəd] 1 *s.* standard, norm; klass; standar; *standard of living* levnadsstandard 2 *adj.* standard-, normal

standardize [ständ'dədajz] standardisera

stand-in [ständ'dinn'] vikarie, ersättare

standing [ständ'ding] 1 *adj.* stående; *standing room* ståplats 2 *s.* ställning, anseende

standstill [ständ'dstil] stillestånd

stand-up comedian [ständ'dap kəmi:'djən] ståuppkomiker

stank [stängk] *imperf. av stink*

stanza [ständ'zə] strof

staple [stej'pl] 1 *s.* märla, häftklammer; stapelvara 2 *v.* häfta ihop

stapler [stej'plə] häftapparat

star [sta:] stjärna

starboard [sta:'bəd] styrbord

starch [sta:tʃ] 1 *s.* stärkelse 2 *v.* stärka

stare [stä:'ə] stirra, glo (*at* på)

starfish [sta:'fiʃ] sjöstjärna

stark [sta:k] 1 *adj.* naken; ohöljd; total 2 *adv.* fullständigt; *stark naked* spritt naken

starlet [sta:'lit] liten stjärna; ung filmstjärna

starling [sta:ling] stare

starlit [sta:'lit] stjärnklar

start [sta:t] 1 *v.* börja; starta; avgå; spritta [till]; *start going* sätta i gång; *start out from* utgå från 2 *s.* början; start; ansats; försprång; sprittning; *get a start* ta fart; rycka till; *give s.b. a start* hjälpa ngn på traven

starting motor [sta:'ting məo'tə] startmotor

starting point [sta:'tingpåjnt] utgångsläge, utgångspunkt

startle [sta:'tl] överraska, skrämma

startled [sta:'tld] uppskrämd

starvation [sta:vej'ʃən] svält

starve [sta:v] svälta

starved [sta:vd] utsvulten

state [stejt] 1 *s.* stat, välde; tillstånd; *state of emergency* undantagstillstånd 2 *adj.* statlig; stats-; *state authority* statsmakt; *state department* (*Am.*) utrikesdepartement; *state expenditure* statsutgifter; *state property* statsegendom; *state subsidized* statsunderstödd 3 *v.* förklara, uppge; *state ... as a condition* uppställa ... som villkor

stately [stej'tli] ståtlig, imponerande

statement [stej'tmənt] påstående, uttalande, yttrande

stateroom [stej'tro:m] praktgemak; lyxhytt

statesman [stej'tsmən] statsman

static [stätt'ik] statisk

station [stej'ʃən] 1 *s.* station; ställning, rang 2 *v.* förlägga

stationary [stej'ʃnəri] stillastående; fast

stationer's [shop] [stej'ʃənəz (ʃåp)]

pappershandel

stationery [stej'ʃənri] brevpapper; kontorsartiklar

station wagon [stej'ʃənwägg'ən] *Am.* kombi[bil], herrgårdsvagn

statistic [stətiss'tik] statistisk

statistics [stətiss'tiks] statistik

statuary [stätt'joəri] bildhuggarkonst; skulptur[er]

statue [stätt'jo:] staty

stature [stätt'ʃə] kroppsstorlek

status [stej'təs] civilstånd; status

status symbol [stej'təs simm'bəl] statussymbol

statute [stätt'jo:t] lag; statut

statute-barred [stätt'jo:tba:d] preskriberad

statutory [stätt'jutåri] lagstadgad; stadgeenlig

staunch [stå:ntʃ] pålitlig, trofast

stave [stejv] **1** *s.* tunnstav; *mus.* notlinjer **2** *v., stave off* avvärja, förhala

stay [stej] **1** *v.* stanna (kvar); vistas; hindra; uppehålla sig; förbli; *stay the night* övernatta **2** *s.* vistelse, uppehåll (*with* hos); stag; *stays* (*pl*) korsett

staying power [stej'ing pao'ə] uthållighet

stead [stedd] ställe

steadfast [stedd'fəst] ståndaktig

steady [stedd'i] stadig

steak [stejk] biffstek, stekt köttskiva

steal [sti:l] stjäla; smyga sig

stealthily [stell'θili] i smyg

steam [sti:m] **1** *s.* ånga, imma; *let off steam* avreagera sig **2** *v.* ånga

steam boiler [sti:m båj'lə] ångpanna

steamer [sti:'mə] ångare

steam iron [sti:m'ajən] ångstrykjärn

steel [sti:l] stål

steep [sti:p] **1** *adj.* brant, tvär **2** *v.* doppa

steeple [sti:'pl] spetsigt torn, tornspira

steeplechase [sti:'pltʃejs] hinderlöpning, terrängritt

steer [sti:'ə] **1** *v.* styra **2** *s.* ungtjur

steerage [sti:'ridʒ] styrning

steering wheel [sti:'əringwi:l] [bil]-ratt

steering-wheel lock [sti:'əringwi:l låkk] rattlås

stellar [stell'ə] stjärn-

stem [stemm] **1** *s.* stam, stjälk; för- [stäv] **2** *v.* dämma upp, hejda

stench [stentʃ] stank

stencil [stenn'sl] stencil, schablon

step [stepp] **1** *v.* stiga; *step aside* gå åt sidan; *step on it* sätta full fart **2** *s.* steg, trappsteg; *steps* (*pl*) yttertrappa

stepdaughter [stepp'då:tə] styvdotter

stepfather [stepp'fa:ðə] styvfar

stepladder [stepp'lädə] trappstege

stepmother [stepp'maðə] styvmor

steppe [stepp] stäpp

stepping stone [stepp'ingstəon] språngbräda

stepson [stepp'san] styvson

stereo equipment [sti:'əriəo ikwipp'-mənt] stereoanläggning

stereotyped [sti:'əriətajpt] stereotyp, schablonmässig

sterile [sterr'ajl] steril

sterilize [sterr'ilajz] sterilisera

sterling [stə:'ling] **1** *adj.* fullödig; äkta, gedigen **2** *s.* sterling (*brittisk myntenhet*); sterlingsilver

stern [stə:n] **1** *s.* akter **2** *adj.* sträng, barsk

stevedore [sti:'vədå:] stuvare

stew [stjo:] **1** *s.* [kött]stuvning **2** *v.* sjuda; stuva; *vard.* vara utom sig

steward [stjo:'əd] förvaltare; uppassare (*på båt*)

stick [stikk] **1** *s.* käpp, pinne, stång **2** *v.* sitta fast; klistra [fast]; sticka

stickleback [stikk'lbäk] spigg

sticky [stikk'i] kladdig, klibbig; besvärlig

stiff [stiff] **1** *adj.* stel, styv, stram; *get stiff* stelna; *as a poker* styv som en pinne **2** *s., sl.* lik

stiffen [stiff'n] styvna

stifle [staj'fl] kväva; kvävas

stile [stajl] vändkors

stiletto [stilett'əo] stilett

still [still] **1** *adj.* stilla; orörlig; inte

kolsyrad 2 *adv.* fortfarande, ännu; stilla 3 *konj.* dock; likväl 4 *s.* stillhet; stillbild; destilleringsapparat, bränneri 5 *v.* stilla; lugna

stillborn [still'bå:n] dödfödd

still life [still' laj'f] stilleben

stilt [stilt] stylta

stilted [still'tid] uppstyltad

stimulate [stimm'jolejt] stimulera; pigga upp

stimulation [stimjolej'∫ən] stimulans

sting [sting] 1 *v.* sticka (*om insekt*); brännas; svida 2 *s.* stick, sting; gadd; skärpa; *take the sting out of* (*bildl.*) bryta udden av

stinging nettle [sting'ing nett'l] brännnässla

stingy [stinn'dʒi] snål

stink [stingk] 1 *v.* stinka 2 *s.* stank

stint [stint] 1 *v.* snåla med 2 *s.* inskränkning

stipend [staj'pend] [präst]lön

stipple [stipp'l] stöppla

stipulate [stipp'jolejt] stipulera

stipulation [stipjolej'∫ən] bestämmelse (*i kontrakt*)

stir [stə:] 1 *v.* röra (på), röra om [i]; röra på sig; väcka; ruska upp; *stir up* uppvigla 2 *s.* omrörning; rörelse; uppståndelse; *sl.* kåk (*fängelse*)

stirring [stə:'ring] spännande; uppseendeväckande

stirrup [stirr'əp] stigbygel

stitch [stit∫] 1 *s.* stygn, maska; håll (*i sidan*) 2 *v.* sy ihop

stock [ståkk] [varu]lager; aktie[r]; kreatursbestånd; *have in stock* ha på lager; *take stock* inventera

stockade [ståkkej'd] palissad

stockbroker [ståkk'brəokə] börsmäklare

stock exchange [ståkk'ikst∫ej'ndʒ] fondbörs

stockholder [ståkk'həoldə] aktieägare

stocking [ståkk'ing] strumpa

stock raising [ståkk'rejzing] kreaturssskötsel

stockyard [ståkk'ja:d] boskapsinhägnad

stodgy [stådʒ'i] mastig, kraftig

stoic[al] [stəo'ik(əl)] stoisk

stoke [stəok] elda

stokehold [stəo'khəold] pannrum

stole [stəol] 1 *s.* stola 2 *imperf. av* **steal**

stolen [stəo'lən] *perf. part. av* **steal**; *stolen goods* stöldgods

stolid [ståll'id] trög, slö

stomach [stamm'ək] mage; *on an empty stomach* på fastande mage; *pains in the stomach* magknip

stomach-ache [stamm'əkejk] *have stomach-ache* ha ont i magen

stone [stəon] sten; kärna; stone (*vikt = 14 pounds*); *the Stone Age* stenåldern

stone-dead [stəo'ndedd'] stendöd

stonemasonry [stəo'nmejsnri] stenhuggeri

stone pine [stəo'n paj'n] pinje

stony [stəon'i] stenig

stood [stodd] *imperf. och perf. part. av* **stand**

stool [sto:l] pall

stoop [sto:p] böja sig [ner], luta sig; nedlåta sig

stooping [sto:'ping] framåtlutad, böjd

stop [ståpp] 1 *v.* stanna, stoppa; hejda; *stop a cheque* spärra en check; *stop dead* tvärstanna; *stop up* täta, täppa för (till) 2 *s.* stopp, avbrott, uppehåll; hållplats; punkt

stopgap [ståpp'gäp] tillfällig ersättare

stoppage [ståpp'idʒ] stockning; *stoppage of game* avblåsning

stopper [ståpp'ə] propp

stopping [ståpp'ing] fyllning

stopwatch [ståpp'wåt∫] tidtagarur, stoppur

storage [stå:'ridʒ] magasinering; lagringskostnader

store [stå:] 1 *v.* lagra, magasinera 2 *s.* förråd, upplag; *Am.* butik; *stores* (*pl*) varuhus, [militära] förråd

storehouse [stå:'haos] magasin, förråd

storey [stå:'ri] etage, våning

storing [stå:'ring] lagring

stork [stå:k] stork

storm [stå:m] 1 s. oväder, storm 2 v. storma

stormy [stå:'mi] stormig

story [stå:'ri] historia, berättelse; *short story* novell

story book [stå:'ri bokk] sagobok

stout [staot] 1 adj. tjock; ståndaktig 2 s. porter

stove [stəov] spis, kamin

stove-enamel [stəo'vinämm'əl] ugnslackera

stow [stəo] stuva, lasta in

stowaway [stəo'əwej] fripassagerare

straddle [strädd'l] stå bredbent; sitta grensle [på]

straggle [strägg'l] sacka efter; ströva

straggler [strägg'lə] eftersläntrare

straight [strejt] 1 adj. rak, rät; öppenhjärtig; ärlig; oblandad; sl. drogfri; sl. heterosexuell; *keep straight* sköta sig; *get straight* ordna upp 2 adv. rakt; direkt; riktigt; *straight away* genast; *straight on* rakt fram; *straight out* utan omsvep 3 s. raksträcka

straighten [strej'tn] räta; *straighten out* räta ut, reda upp

straightforward [strejtfå:'wəd] rättfram

strain [strejn] 1 v. spänna, anstränga [sig]; överdriva; sila 2 s. påfrestning; drag; ton

strainer [strej'nə] sil

straiten [strej'tn] *straitened circumstances* knappa omständigheter

straitjacket [strejt'dʒäk'kit] tvångströja

straits [strejts] trångmål; sund

strand [stränd] 1 s. repsträng; hårslinga 2 v. stranda; *be stranded* vara strandsatt, vara övergiven

strange [strejndʒ] underlig, konstig; främmande; *strange but true* otroligt men sant

strangeness [strej'ndʒnis] egendomlighet

stranger [strej'ndʒə] främling

strangle [sträng'gl] strypa

strap [sträpp] 1 s. rem, stropp, slejf

2 v. spänna fast; prygla

strapping [sträpp'ing] stor och stark, stöddig

stratagem [strätt'idʒəm] krigslist

strategic [strəti:'dʒik] strategisk

strategy [strätt'idʒi] strategi

stratosphere [strätt'əosfi:ə] stratosfär

stratum [stra:'təm] (pl strata [stra:'-tə]) skikt, lager

straw [strå:] halm, strå; sugrör

strawberry [strå:'bəri] jordgubbe; *wild strawberry* smultron

stray [strej] 1 v. gå vilse 2 adj. vilsekommen

streak [stri:k] strimma

streaked [stri:kt] strimmig

stream [stri:m] 1 s. ström 2 v. strömma

streamer [stri:'mə] vimpel

streamlined [stri:'mlajnd] strömlinjeformad

street [stri:t] gata; *in the street* på gatan

streetcar [stri:'tka:] Am. spårvagn

street lamp [stri:'t lämp] gatlykta

strength [strengθ] styrka, kraft

strengthen [streng'θən] stärka, styrka, förstärka

strenuous [strenn'joəs] ansträngande

stress [stress] 1 s. tonvikt, betoning; eftertryck; stress; *under stress* stressad 2 v. betona; belasta; stressa

stretch [stretʃ] 1 v. tänja, töja; sträcka 2 s. spänning; töjning; töjbarhet; avsnitt; tidrymd; *at a stretch* i (ett) sträck, med viss ansträngning

stretchable [stretʃ'əbl] tänjbar

stretcher [stretʃ'ə] [sjuk]bår

stretch tights [stretʃ' taj'ts] strumpbyxor

strew [stro:] [be]strö, översålla

strewn [stro:n] *perf. part. av* strew

stricken [strikk'n] slagen, drabbad

strict [strikt] strikt; noggrann; sträng

strictly [strikk'tli] strängt; strikt; noggrant; *strictly speaking* strängt taget

stridden [stridd'n] *perf. part. av* stride

stride [strajd] 1 v. kliva 2 s. kliv

strident [straj'dnt] skrikig; gäll

strife [strajf] tvist

strike [strajk] **1** v. slå [till]; anslå (i musik); tända; stryka, avlägsna; strejka **2** s. strejk; slag; mil. anfall; strike (bowling)

strike-breaker [straj'kbrejkə] strejkbrytare

strike notice [straj'k nəo'tis] strejkvarsel

striking [straj'king] iögon[en]fallande, markant, effektfull

string [string] **1** s. sträng, snöre, snodd **2** v. stränga; trä upp

stringbag [string'bäg] kasse

stringent [strinn'dʒnt] bindande; strikt

string orchestra [string' å:'kistrə] stråkorkester

stringy [strinn'dʒi] (om kött) senig

strip [stripp] **1** v. dra av; klä av [sig]; strip of beröva **2** s. remsa; flyg. start- och landningsbana; comic strip tecknad serie

stripe [strajp] **1** s. strimma; band **2** v. göra randig

striped [strajpt] randig, strimmig

striptease [stripp'ti:z] striptease

strive [strajv] sträva, kämpa

striven [strivv'n] perf. part. av strive

strode [strəod] imperf. av stride

stroke [strəok] **1** v. stryka; smeka; slå **2** s. smekning; slag; [sim]tag; streck; hjärnblödning; stroke of lightning blixtnedslag; stroke of luck lyckträff

stroll [strəol] ströva

strong [strång] stark

stronghold [strång'həold] bildl. fäste

strongroom [strång'ro:m] kassavalv

strong-willed [strång'will'd] viljestark

strove [strəov] imperf. av strive

struck [strakk] imperf. och perf. part. av strike

structure [strakk'tʃə] struktur

struggle [stragg'l] **1** s. kamp, strid **2** v. kämpa, strida (for om)

struma [stro'mə] med. struma

strung [strang] imperf. och perf. part. av string

strut [stratt] stoltsera, strutta; stötta

stub [stabb] stump; stubbe; talong

stubble [stabb'l] stubb, skäggstubb

stubborn [stabb'ən] envis, tjurskallig

stubby [stabb'i] stubbig; kort och tjock

stuck [stakk] imperf. och perf. part. av stick

stuck-up [stakk'app'] uppblåst, högfärdig

stud [stadd] stuteri; dubb; knapp

studded tyre [stadd'id tajə] dubbdäck

student [stjo:'dənt] studerande, student; law student juris studerande; medical student medicine studerande; student of economics ekonomie studerande

student-like [stjo:'dəntlajk] studentikos

students' hostel [stjo:'dənts håss'təl] studenthem

students' union [stjo:'dənts jo:'njən] studentkår

stud farm [stadd'fa:m] stuteri

studied [stadd'id] utstuderad

studio [stjo:'diəo] studio, ateljé

studious [stjo:'djəs] flitig

study [stadd'i] **1** v. studera; undersöka **2** s. studium; studie (of över); arbetsrum

study circle [stadd'i sə:kl] studiecirkel

study loan [stadd'i ləon] studielån

study tour [stadd'i to:'ə] studiebesök

study trip [stadd'i trip] studieresa

stuff [staff] **1** s. stoff, material; sak[er]; skräp **2** v. stoppa [upp]

stuffed [staft] **1** adj. uppstoppad; kokk. färserad, fylld; stuffed shirt gammal stofil **2** get stuffed! dra åt helvete!

stuffy [staff'i] instängd, unken; inskränkt

stumble [stamm'bl] snava, snubbla; stumble along stappla sig fram

stumbling block [stamm'blingblåkk'] stötesten

stump [stamp] stump; stubbe

stun [stann] bedöva; göra perplex

stung [stang] imperf. och perf. part.

av sting

stunk [stangk] *imperf. och perf. part. av* stink

stunning [stann'ing] överväldigande; jätte-, fantastisk

stunt [stant] **1** *s.* konststycke; reklamtrick **2** *v.* hämma

stupefy [stjo:'pifaj] bedöva; förbluffa

stupendous [stjopenn'dəs] förbluffande

stupid [stjo:'pid] dum

stupidity [stjopidd'iti] dumhet

stupor [stjo:'pə] dvala; apati

sturdy [stə:'di] kraftig; orubblig

sturgeon [stə:'dʒən] stör (*fisk*)

stutter [statt'ə] **1** *v.* stamma **2** *s.* stamning

sty [staj] stia; vagel

style [stajl] **1** *s.* stil; manér; utförande **2** *v.* titulera; forma

stylish [staj'liʃ] flott, elegant, stilig

stylistic [stajliss'tik] stilistisk

stylize [staj'lajz] stilisera

suave [swa:v] ljuvlig; älskvärd

subaltern [sabb'ltən] underordnad [officer, tjänsteman]

subconscious [sabkånn'ʃəs] undermedveten

subcontractor [sabb'kənträkk'tə] underleverantör

subdivision [sabdiviʃ'ən] underavdelning

subdue [sabdjo:'] [under]kuva

subject 1 *s.* [sabb'dʒikt] ämne, föremål; subjekt; undersåte; *subject for rejoicing* glädjeämne **2** *adj.* [sabb'dʒikt] underkuvad; *subject to* som lyder under **3** *adv.* [sabb'dʒikt] *subject to* under förutsättning; *subject to prescription* receptbelagd; *subject to a charge* avgiftsbelagd **4** *v.* [sabdʒekk't] underkuva; *subject to* utsätta för

subjective [sabb'dʒekk'tiv] subjektiv

subjugate [sabb'dʒogejt] underkuva

subjunctive [səbdʒang'ktiv] konjunktiv

sublet [sablett'] hyra ut i andra hand

submarine [sabb'məri:n] ubåt

submerge [səbmə:'dʒ] sätta under

vatten; doppa ner; dyka ner

submission [səbmiʃ'ən] underkastelse; ödmjukhet; [framlagt] förslag

submissive [səbmiss'iv] undergiven

submit [səbmitt'] lämna in; underkasta sig; framlägga; framhålla; *submit to* underställa

subordinate 1 *s.* [səbå:'dnit] underordnad **2** *v.* [səbå:'dinejt] underordna [sig]

subpoena [səbpi:'nə] **1** *s.* stämning **2** *v.* kalla inför rätta

subscribe [səbskraj'b] abonnera, prenumerera (*for* på)

subscriber [səbskraj'bə] abonnent

subscription [səbskripp'ʃən] abonnemang, prenumeration

subsequent [sabb'sikwənt] [på]följande

subservient [səbsə:'vjənt] tjänlig; servil

subside [səbsaj'd] sjunka [undan]

subsidiary [səbsidd'jəri] **1** *adj.* hjälp-, bi-; underordnad **2** *s., subsidiary company* dotterbolag

subsidize [sabb'sidajz] subventionera

subsistence [səbsiss'təns] uppehälle

substance [sabb'stəns] substans; förmögenhet

sub-standard film [sabb'stänn'dəd film] smalfilm

substantial [səbstänn'ʃəl] kraftig, rejäl; verklig

substantiate [səbstänn'ʃiejt] bevisa; bekräfta

substitute [sabb'stitjo:t] **1** *s.* ersättare; vikarie; surrogat **2** *v.* ersätta

subterfuge [sabb'təfjo:dʒ] undanflykt

subterranean [sabtərej'njən] underjordisk

subtle [satt'l] hårfin, subtil; skarp[sinnig]

subtract [səbträkk't] subtrahera

subtraction [səbträkk'ʃən] subtraktion

suburb [sabb'ə:b] förort, förstad

subvention [sabvenn'ʃən] subvention

subversive [sabvə:'siv] omstörtande

subway [sabb'wej] gångtunnel; *Am.* tunnelbana

succeed [saksi:'d] efterträda, följa; lyckas

success [saksess'] framgång, succé; *be a success* göra succé

successful [saksess'fol] lyckad; framgångsrik

succession [sakseʃ'ən] följd, räcka

successive [saksess'iv] på varandra följande; successiv

successor [saksess'ə] efterträdare, ersättare; *successor to the throne* tronföljare

succinct [saksing'kt] kortfattad

succour [sakk'ə] **1** *v.* bistå **2** *s.* bistånd

succumb [sakamm'] duka under; ge efter

such [satʃ] sådan; *such a thing* ngt sådant; *such as* sådan[a] som, den (de) som

suck [sakk] suga; dia

sucker [sakk'ə] sugapparat; *vard.* lättlurad person

suction [sakk'ʃən] sugning; insugning

Sudan [so:da:'n] *the Sudan* Sudan

sudden [sadd'n] **1** *adj.* plötslig, tvär; *sudden change* omsvängning **2** *s. [all] of a sudden* plötsligt

suddenly [sadd'nli] plötsligt

suds [sadz] (*pl*) såpvatten, såplödder

sue [sjo:] stämma; bönfalla

suede [swejd] mocka

suet [sjo:'it] talg

suffer [saff'ə] lida; tåla, utstå

suffering [saff'əring] lidande

suffice [səfaj's] förslå, räcka till

sufficient [səfiʃ'ənt] tillräcklig

suffocate [saff'əkejt] kväva; kvävas

suffocating [saff'əkejting] kvalmig, kvävande

suffocation [safəkej'ʃən] kvävning

suffrage [saff'ridʒ] rösträtt; *universal suffrage* allmän rösträtt

suffuse [səfjo:'z] övergjuta

sugar [ʃogg'ə] socker

sugar basin [ʃogg'ə bejsn] sockerskål

sugar beet [ʃogg'əbi:t] sockerbeta

sugar cane [ʃogg'əkejn] sockerrör

sugar free [sjogg'əfri:] sockerfri

suggest [sədʒess't] föreslå; antyda; suggerera

suggestion [sədʒess'tjən] förslag; antydan; suggestion

suicide [sjo:'isajd] självmord; självmördare

suit [sjo:t] **1** *s.* kostym; färg (*i kortspel*) **2** *v.* passa, klä

suitable [sjo:'təbl] lagom, passande, lämplig, *be suitable* duga (*for* till)

suitcase [sjo:'tkejs] resväska, kappsäck

suite [swi:t] följe; svit

suited [sjo:'tid] ägnad

suitor [sjo:'tə] friare; part i mål

sulk [salk] tjura

sulky [sall'ki] tjurig

sullen [sall'n] sur, trumpen

sully [sall'i] fläcka; smutsa ner

sulphur [sall'fə] svavel

sulphuric acid [salfjo:'ərik äss'id] svavelsyra

sultry [sall'tri] kvav; *bildl.* het, sensuell

sum [samm] **1** *s.* summa; tal **2** *v.* summera; *sum up* sammanfatta, summera

summary [samm'əri] **1** *s.* sammanfattning, sammandrag **2** *adj.* kortfattad

summer [samm'ə] sommar; *last summer* i somras; *late summer* sensommar

summer school [samm'ə sko:l] ferieskola

summer's day [samm'ə(z) dej] sommardag

summertime [samm'ətaj'm] (*perioden*) sommartid

summer time [samm'ətaj'm] (*förändring gentemot normaltid*) sommartid

summer vacation [samm'ə vəkej'-ʃən] sommarlov

summing-up [samm'ingapp'] sammanfattning

summit [samm'it] topp, höjdpunkt

summon [samm'ən] inkalla, tillkalla, sammankalla; *summon to appear* instämma (till rättegång)

summons [samm'ənz] kallelse; stämning

sumptuous [səmm'tjoəs] praktfull; överdådig

sun [sann] 1 s. sol 2 v. sola sig

sun-bath [sann'ba:θ] solbad

sunbathe [sann'bejð] sola, solbada

sunbeam [sann'bi:m] solstråle

sunblind [sann'blajnd] markis

sunburn [sann'bə:n] solbränna

sunburnt [sann'bə:nt] solbränd

sundae [sann'dej] fruktglass (*i skål*)

Sunday [sann'di] 1 s. söndag 2 adj., *Sunday school* söndagsskola

sundial [sann'dajəl] solur

sundry [sann'dri] diverse, olika

sunflower [sann'flaoə] solros

sun-helmet [sann'helmit] tropikhjälm

sung [sang] perf. part. av sing

sunglasses [sann'gla:siz] solglasögon

sunk [sangk] perf. part. av sink

sunlit [sann'lit] solbelyst

sunny [sann'i] solig

sunrash [sann'rəʃ] soleksem

sunrise [sann'rajz] soluppgång

sunset [sann'set] solnedgång

sunshade [sann'fejd] parasoll; markis

sunshine [sann'fajn] solsken

sunspot [sann'spåt] solfläck

sunstroke [sann'strøok] solsting

sunsuit [sann sjo:t] soldräkt (*för småbarn*)

suntan oil [sann'tän åjl] sololja

superb [sjoə:'b] storartad, förträfflig

supercilious [sjo:pəsill'jəs] högdragen, överlägsen

supercool [sjo:pəko:'l] underkyla

superficial [sjo:pəfiʃ'əl] ytlig

superfluous [sjo:pə:'floəs] överflödig

superhuman [sjo:pəhjo:'mən] övermänsklig

superintend [sjo:'printənd'd] övervaka

superintendent [sjo:'printenn'dənt] kommissarie

superior [sjo:pi:'əriə] 1 s. överordnad; överman 2 adj. överlägsen; över-, högre; *superior force* övermakt

superiority [sjopiəriårr'iti] förträfflighet; överlägsenhet (*to* framför)

superlative [sjo:pə:'lətiv] superlativ

supermarket [sjo:'pəma:kit] stormarknad

supernatural [sjo:pənätt'ʃrəl] övernaturlig

supersede [sjo:pəsi:'d] ersätta

supersonic [sjo:pəsånn'ik] överljuds-

superstition [sjo:pəstiʃ'ən] övertro, vidskepelse

superstitious [sjo:pəstiʃ'əs] vidskeplig

supervise [sjo:'pəvajz] övervaka, ha tillsyn över

supervision [sjo:pəvi:ʒ'ən] överinseende, uppsikt, övervakning

supervisor [sjo:'pəvajzə] övervakare; verkmästare

supine [sjo:'pajn] liggande på rygg, utsträckt

supper [sapp'ə] kvällsmat, supé

supplant [səpla:'nt] undantränga

supple [sapp'l] smidig; medgörlig; inställsam

supplement [sapp'liment] tillägg, bilaga

supplementary [saplimenn'təri] tilläggs-; *supplementary express ticket* snälltågsbiljett; *supplementary pension* tilläggspension

supplication [saplikej'ʃən] ödmjuk bön

supplier [səplaj'ə] leverantör

supply [səplaj'] 1 v. leverera, tillhandahålla; förse 2 s. tillgång; förråd; *supply and demand* tillgång och efterfrågan

support [səpå:'t] 1 s. stöd; understöd 2 v. stödja; understödja; försörja; tillstyrka

supporter [səpå:'tə] anhängare, supporter

suppose [səpəo'z] förmoda, antaga, förutsätta

supposition [sapəzi:ʃ'ən] förmodan, antagande

suppository [səpåss'itəri] stolpiller

suppress [səpress'] undertrycka

suppression [səpreʃ'ən] undertryckande; *suppression of free opinion* åsiktsförtryck

suppuration [sapjərej'ʃən] varbildning

supremacy [səpremm'əsi] överhöghet; överlägsenhet

supreme [səpri:'m] högst; suverän, överlägsen

surcharge [sə:'tʃa:dʒ] extra avgift

sure [ʃo:'ə] 1 *adj.* säker, viss; *make sure* förvissa sig (*of* om); *to be sure* minsann 2 *adv.* säkert; *sure enough* mycket riktigt, *Am.* [jo]visst!

surety [ʃo:'əriti] säkerhet, borgen; *go* (*stand*) *surety for* gå i borgen för

surf [sə:f] bränning

surface [sə:'fis] 1 *s.* yta; ytbeläggning; *surface of water* vattenyta 2 *adj.* yttre; ytlig; yt-; *surface treatment* ytbehandling 3 *v.* dyka upp; stiga upp till ytan

surfing [sə:'fing] surfing

surge [sə:dʒ] 1 *s.* svallvåg; *elektr.* spänningsökning 2 *v.* svalla

surgeon [sə:'dʒən] kirurg; *assistant surgeon* underläkare

surly [sə:'li] butter, vresig

surmise [sə:maj'z] gissa; förmoda

surmount [sə:mao'nt] ta sig över; övervinna

surname [sə:'nejm] efternamn

surpass [səpa:'s] överträffa, övergå

surplus [sə:'pləs] överskott

surprise [səpraj'z] 1 *v.* överraska; förvåna 2 *s.* överraskning; förvåning

surprising [səpraj'zing] förvånansvärd

surrender [sərenn'də] kapitulera, ge sig

surreptitious [sarəptiʃ'əs] hemlig, smyg

surround [sərao'nd] omge, omringa

surroundings [sərao'ndingz] (*pl*) omgivning[ar]

surtax [sə:'täks] extraskatt

survey 1 *v.* [sə:vej'] överblicka; granska 2 *s.* [sə:'vej] överblick, översikt, undersökning

survival [səvaj'vəl] överlevande; kvarleva

survive [səvaj'v] överleva

survivor [səvaj'və] efterlevande; överlevande [person]

susceptible [səsepp'təbl] känslig, lättpåverkad; *susceptible to* mottaglig för

suspect 1 *v.* [səspekk't] misstänka (*of* för) 2 *s.* [sass'pekt] misstänkt [person]

suspend [səspenn'd] hänga upp; uppskjuta; inställa (*betalningar*)

suspenders [səspenn'dəz] *Am.* hängslen

suspense [səspenn's] ovisshet; spänning

suspicion [səspiʃ'ən] misstanke

suspicious [səspiʃ'əs] misstänksam

sustain [səstej'n] hålla uppe; understödja; utstå

sustenance [sass'tinəns] näring; livsuppehälle

swab [swåbb] 1 *s.* svabb 2 *v.* skura

swaddle [swådd'l] linda in, linda om

swagger [swägg'ə] 1 *v.* stoltsera; skrävla 2 *s.* skryt

swallow [swåll'əo] 1 *v.* svälja 2 *s.* svala

swam [swämm] *imperf. av swim*

swamp [swåmp] 1 *s.* kärr, sumpmark 2 *v.* översvämma, dränka

swampy [swåmm'pi] sank

swan [swånn] svan

swap [swåpp] byta

swarm [swå:m] 1 *s.* svärm 2 *v.* svärma, vimla

swarthy [swå:'ði] mörkhyad; svartmuskig

swastika [swåss'tika] hakkors

swathe [swejð] svepa [in], linda in

sway [swej] 1 *s.* svaja; påverka 2 *s.* inflytande, makt

sway-backed [swej'bäkt] svankryggig

swear [swä:'ə] svära; gå ed på; *swear black is white* göra svart till vitt

sweat [swett] 1 *s.* svett 2 *v.* svettas

sweater [swett'ə] [ylle]tröja

Swede [swi:d] svensk

swede [swi:d] kålrot

Sweden [swi:'dn] Sverige

sympathetic

Swedish [swi:'diʃ] **1** *adj.* svensk; *Swedish punch* punsch; *Swedish turnip* kålrot **2** *s.* svenska (*språk*)

Swedish-American [swi:'diʃəmerr'i-kən] **1** *s.* svensk-amerikan **2** *adj.* svensk-amerikansk

Swedish-speaking [swi:'diʃspi:'king] svenskspråkig, svensktalande

sweep [swi:p] **1** *v.* sopa; svepa; sota **2** *s.* svep, drag; sotare

sweeping [swi:'ping] **1** *adj.* svepande; allmän[t hållen]; väldig **2** *s.* sopning; sotning

sweepstake [swi:'pstejk] totalisator-, totospel

sweet [swi:t] **1** *adj.* söt, ljuv[lig]; färsk, frisk; efterrätt; *sweet pea* luktärt; *sweet smell* vällukt **2** *s.* efterrätt; karamell; *sweets* (*pl*) godis, sötsaker; nöjen

sweeten [swi:'tn] söta, sockra

sweetener [swi:'tnə] sötningsmedel

sweetening [swi:'tning] sötningsmedel

sweetheart [swi:'tha:t] älskling; käraste

sweetmeat [swi:'tmi:t] karamell, sötsak

swell [swell] **1** *v.* svälla; pösa; svullna **2** *s.* uppsvällning; dyning; *vard.* snobb **3** *adj.*, *vard.* flott; toppen

swelling [swell'ing] svullnad

swelter [swell'tə] **1** *v.* försmäkta av värme **2** *s.* tryckande hetta

swept [swept] *imperf. och perf. part. av* sweep

swerve [swə:v] **1** *v.* vika av; svänga åt sidan **2** *s.* avvikelse

swift [swift] **1** *adj.* snabb; rask; strid (*om flod e.d.*) **2** *s.* tornsvala

swim [swimm] **1** *v.* simma; *my head is swimming* det svindlar för ögonen **2** *s.* simtur; bad; *take a swim* bada (*utomhus*)

swimmer [swimm'ə] simmare

swimming [swimm'ing] simning

swimming pool [swimm'ingpo:l] swimmingpool, simbassäng

swimming trunks [swimm'ing trangks] badbyxor

swindle [swinn'dl] **1** *v.* skoja; bedra **2** *s.* svindel, uppskörtning

swindler [swinn'dlə] svindlare, bedragare

swine [swajn] svin

swing [swing] **1** *v.* svänga, svinga **2** *s.* svängning; gunga; sving (*i boxning*)

swinish [swaj'niʃ] svinaktig

swirl [swə:l] **1** *v.* virvla [runt] **2** *s.* virvel

swish [swiʃ] **1** *v.* susa; vina **2** *s.* sus; vinande

Swiss [swiss] **1** *s.* schweizare **2** *adj.* schweizisk

switch [switʃ] **1** *s.* ändring; strömbrytare, kontakt; spö; käpp **2** *v.* ändra; ställa om; *switch off* (*on*) koppla av (på)

switchback [switʃ'bäk] berg- och dalbana; serpentinväg

Switzerland [switt'sələnd] Schweiz

swivel [swivv'l] svängtapp

swivel chair [swivv'ltʃä:ə] svärdstol

swollen [swəo'lən] **1** *adj.* svullen, uppsvälld **2** *perf. part. av* swell

swoon [swo:n] **1** *s.* svimning; svimningsanfall; *in a swoon* avsvimmad **2** *v.* svimma

swoop [swo:p] **1** *v.* slå ner **2** *s.* angrepp

swop [swåpp] byta

sword [så:d] svärd, värja

swordfish [så:'dfiʃ] svärdfisk

swore [swå:] *imperf. av* swear

sworn [swå:n] *perf. part. av* swear

swot [swått] **1** *v.* plugga, läsa **2** *s.* plugghäst

swum [swamm] *perf. part. av* swim

swung [swang] *imperf. och perf. part. av* swing

syllable [sill'əbl] stavelse

syllabus [sill'əbəs] sammanfattning; kursplan

symbol [simm'bəl] symbol

symbolic [simbåll'ik] symbolisk

symbolize [sim'mbəlajz] symbolisera

symmetric [simett'rik] symmetrisk

sympathetic [simpəθett'ik] full av

medkänsla, förstående

sympathize [simm'pəθajz] sympatisera

sympathy [simm'pəθi] medkänsla, sympati

symphony [simm'fəni] symfoni

symptom [simm'ptəm] symtom

synagogue [sinn'əgåg] synagoga

synchromesh gearbox [sing'krɔəmeʃ gi:'əbåks] synkroniserad växellåda

synchronize [sing'krənajz] synkronisera

syncope [sing'kəpi] synkop

synonymous [sinånn'iməs] synonym med, liktydig

synopsis [sinnåpp'sis] sammanfattning, synops

synthesis [sinn'θisis] syntes

synthetic [sinθett'ik] syntetisk

syphilis [siff'ilis] syfilis

Syria [sirr'iə] Syrien

Syrian [sirr'iən] 1 s. syrier 2 adj. syrisk

syringe [sirr'indʒ] injektionsspruta

syrup [sirr'əp] sirap; sockerlag

system [siss'tim] system

systematic [sistimätt'ik] systematisk

systematics [sistimätt'iks] systematik

systematize [siss'timətajz] systematisera

t

T, t [ti:] (bokstav) T, t

tab [täbb] lapp; etikett

tabby [täbb'i] 1 s. spräcklig katt 2 adj. spräcklig

table [tej'bl] bord; tabell; förteckning; clear the table duka av; lay the table duka

tablecloth [tej'bl klåθ] bordduk

table lamp [tej'bl lämp] bordslampa

table land [tej'bl länd] högslätt

table spoon [tej'bl spo:'n] matsked

tablet [täbb'lit] tablett; minnestavla

table tennis [tej'bltenn'is] bordtennis

table top [tej'bltåp] bordsskiva

tabloid [täbb'låjd] tidning i litet format

taboo [təbo:'] tabu

tacit [täss'it] stillatigande, tyst

tack [täkk] 1 v. nubba; tråckla 2 s. nubb; sjö. kurs, slag (vid segling); vard. käk

tackle [täkk'l] 1 s. redskap; tackel, talja 2 v. angripa, hugga in på; tackla

tacky [täkk'i] klibbig; vard. usel, smaklös

tact [täkt] takt, finkänslighet

tactful [täkk'tfol] taktfull

tactical [täkk'tikl] taktisk

tactics [täkk'tiks] taktik

tactless [täkk'tlis] taktlös

tadpole [tädd'pəol] grodyngel

tag [tägg] adresslapp, prislapp; märkning; spets; refräng

tail [tejl] 1 s. svans, stjärt; skört; heads or tails? krona eller klave? 2 v. skugga, följa efter

tailcoat [tej'kəot] frack

tailor [tej'lə] skräddare

tailor's shop [tej'laz ʃåpp] skrädderi

tailwind [tej'lwind] medvind

taint [tejnt] 1 s. (skam)fläck 2 v. vanära; besmitta

tainted [tej'ntid] skämd (om kött); bildl. befläckad

take [tejk] 1 v. ta; ta med sig; anta[ga], intaga; äta, dricka; take after brås på; take away ta bort, föra bort; take back återta[ga]; take care akta sig; take care of vårda, ta vara på, sköta; be taken in låta lura sig; take off ta av sig; take on ta på sig take out ta fram; take over tillträda, ta över; take place försiggå, äga rum, bli av 2 s. fångst; film. tagning

taken [tej'kn] perf. part. av take

take-off [tej'kåff] start; startplats

takings [tej'kingz] intäkter

talc[um] [täll'k(am)] talk

tale [tejl] berättelse; tell tales skvallra

talent [täll'ənt] anlag, talang, begåvning

talented [täll'əntid] talangfull

talk [tå:k] 1 v. tala, prata, samtala;

talk around övertala; *talk shop* prata
jobb 2 *s.* prat; *talks* (*pl*) förhand-
lingar

talkative [tå:'kətiv] pratsam

talker [tå:'kə] pratmakare

tall [tå:l] lång (*om pers.*); hög; fan-
tastisk; *it's a tall order* (*vard.*) det
blir svårt

tallow [täll'əo] talg

tally [täll'i] 1 *s.* kontrollräkning 2 *v.*
stämma; pricka av

talon [täll'ən] [grip]klo; talong

tame [tejm] 1 *v.* tämja 2 *s.* tam; matt

tamper [tämm'pə] fingra på; *tamper
with* manipulera med

tampon [tämm'pån] tampong

tan [tänn] 1 *v.* bli solbränd; göra sol-
bränd; garva (*hud*) 2 *s.* solbränna;
gulbrun

tang [täng] stark smak (lukt); anstryk-
ning

tangent [tänn'dʒənt] *geom.* tangent

tangible [tänn'dʒəbl] påtaglig, gripbar

tangle [täng'gl] 1 *s.* trassel, oreda
2 *v.* trassla till

tangled [täng'gld] trasslig

tango [täng'gəo] tango

tank [tängk] stridsvagn; tank; cistern

tankard [täng'kəd] sejdel, krus

tanker [täng'kə] tankfartyg

tanner [tänn'ə] garvare

tantalize [tänn'təlajz] reta, fresta,
locka

tantamount [tänn'təmaont] likvärdig,
liktydig

tantrum [tänn'trəm] raserianfall

tap [täpp] 1 *v.* klappa, knacka; tappa,
slå upp 2 *s.* tapp, kran; klapp,
knackning

tap-dance [täpp'da:ns] steppa

tape [tejp] band; *red tape* byråkrati

tape-measure [tejp'meʒə] måttband

taper [tej'pə] 1 *s.* smalt ljus 2 *v.*
smalna av

tape recorder [tejp'rikå:'də] band-
spelare

tape recording [tejp rikå:'ding] band-
inspelning

tapestry [täpp'istri] gobeläng

tar [ta:] tjära; sjöman

tardy [ta:'di] senfärdig

target [ta:'git] mål, skottavla, mål-
tavla

tariff [tärr'if] tariff

tarmac [ta:'mäk] asfalt[beläggning];
startbana

tarn [ta:n] tjärn

tarnish [ta:'niʃ] 1 *v.* göra matt 2 *s.*
glanslöshet

tarpaulin [ta:på:'lin] presenning

tarry 1 *v.* [tärr'i] söla, dröja 2 *adj.*
[ta:'ri] tjärig

tart [ta:t] 1 *s.* fruktkaka; fnask 2 *adj.*
syrlig, besk (*äv. bildl.*)

tartan [ta:'tn] skotskrutigt tyg

task [ta:sk] uppgift, åliggande

tassel [täss'l] tofs

taste [tejst] 1 *s.* smak 2 *v.* smaka

tasteful [tej'stfol] smakfull

tasteless [tej'stlis] smaklös

tatters [tätt'əz] (*pl*) trasor, paltor; *in
tatters* (*bildl.*) i spillror

tattoo [tətə:'] 1 *v.* tatuera 2 *s.* tatue-
ring; tapto

tattooing [tətə:'ing] tatuering

taught [tå:t] *imperf. och perf. part.
av* teach

taunt [tå:nt] 1 *v.* håna 2 *s.* hån

taut [tå:t] spänd

tawny [tå:'ni] läderfärgad, gulbrun

tax [täks] 1 *v.* värdera; beskatta; an-
stränga 2 *s.* skatt (*till staten*); *pay
taxes* skatta, betala skatt

taxable [täkk'səbl] beskattningsbar

tax evasion [täks ivej'ʃən] skatte-
fusk

tax-free [täksfri:'] skattefri

tax-free goods [täkk'sfri: godz] tax-
freevara

tax-free sales [täkk'sfri: sejls] taxfree-
försäljning

taxi[cab] [täkk'si(käbb)] taxi

taxi driver [täkk'sidrajvə] taxichaufför

taxpayer [täkk'spejə] skattebetalare

tea [ti:] te; *high tea* kvällsmåltid med
te, tesupé

tea bag [ti:'bäg] tepåse

tea caddy [ti:'kädd'i] teburk

teach [tiːtʃ] lära (*andra*), undervisa

teacher [tiːtʃə] lärare, lärarinna; *teacher's desk* kateder

teach-in [tiːtʃin] teach-in (*informell debatt med frågemöjligheter*)

teaching [tiːtʃiŋ] undervisning

tea cosy [tiːkɔːzi] tehuva

teacup [tiːkap] tekopp

tea kettle [tiːketl] tekittel

team [tiːm] lag; spann

team competition [tiːm kåmpətiʃən] lagtävling

teamster [tiːmstə] kusk; *Am.* transportarbetare

teamwork [tiːmwɔːk] samspel; lagarbete

teapot [tiːpåt] tekanna

tear 1 *v.* [täːə] riva sönder **2** *s.* [täːə] reva **3** *s.* [tiːə] tår; *burst into tears* brista i gråt

tear gas [tiːəgäs] tårgas

tease [tiːz] **1** *s.* retsticka **2** *v.* reta, retas [med]

teaspoon [tiːspoːn] tesked

teaspoonful [tiːspoːnfəl] *a level teaspoonful* en struken tesked

teat [tiːt] (*di-*) napp; bröstvårta; spene

technical [teknikəl] teknisk

technical term [teknikəl təːm] fackterm

technician [tekniʃən] tekniker

technology [teknålləʤi] teknik, teknologi

teddy bear [teddibäːə] teddybjörn

tedious [tiːdjəs] trist, långtråkig, tjatig

teem [tiːm] vimla, myllra

teenager [tiːnejʤə] tonåring

teeth [tiːθ] *pl av* tooth

teething *be teething* [biː tiːðiŋ] få tänder; *teething troubles* (*bildl.*) barnsjukdom

teetotaller [tiːtəʊtlə] absolutist, nykterist

telegram [telligräm] telegram

telegraphic [teligräffik] telegrafisk

telepathic [telipäθik] telepatisk

telephone [tellifəʊn] telefon; *you're wanted on the telephone* det är telefon till dig; *talk on the telephone* tala i telefon

telephone booth [tellifəʊn boːθ] telefonkiosk

telephone conversation [tellifəʊn kånvəsejʃən] telefonsamtal

telephone directory [tellifəʊn direkktəri] telefonkatalog

telephone number [tellifəʊn namməbə] telefonnummer

telephoto lens [tellifəʊtəʊ lens] teleobjektiv

televiewer [tellivjuːə] TV-tittare

television [telliviʃən] television

tell [tell] tala om, berätta; säga till, be; [ur]skilja; *I can tell you!* må du tro!; *I can't tell them apart* jag kan inte skilja dem från varandra; *tell fortunes* spå

telling [telliŋ] imponerande, kraftfull

tell-tale [telltejl] skvallerbytta

telly [telli] *vard.* TV-apparat

temerity [timerriti] dumdristighet

temper [temmpə] **1** *v.* temperera; mildra; härda **2** *s.* humör

temperament [temmpərəmənt] temperament, lynne

temperance [temmpərəns] måttlighet; nykterhet

temperate [temmprit] tempererad; måttlig

temperature [temmpritʃə] temperatur; *have a temperature* ha feber

tempest [temmpist] storm

temple [temmpl] tinning; tempel

tempo [temmpəʊ] tempo

temporal [temmpərəl] timlig, världslig

temporary [temmpərəri] tillfällig, temporär; *temporary post* vikariat; *temporary solution* nödlösning

temporize [temmpərajz] söka vinna tid

tempt [tempt] fresta, locka

temptation [temptejʃən] frestelse

ten [tenn] **1** *räkn.* tio **2** *s.* tiotal; tia

tenacious [tinejʃəs] orubblig; fast

tenant [tennənt] arrendator; hyresgäst

tend [tend] sköta, ansa; tendera

tendency [tenn'dənsi] tendens; dragning, benägenhet

tender [tenn'də] 1 *adj.* öm; späd; mör 2 *s.* anbud; betalningsmedel 3 *v.* erbjuda; inlämna

tenderness [tenn'dənis] ömhet

tendon [tenn'dn] sena

tenement [tenn'imənt] arrendegård, hyrd fastighet

Tenerife [tenəri:'f] Teneriffa

tenet [ti:'net] grundsats

tenfold [tenn'fəold] tiodubbel

tennis [tenn'is] tennis

tennis court [tenn'is kå:t] tennisbana

tennis racket [tenn'is räkk'it] tennisracket

tenor [tenn'ə] tenor; förlopp; [ande]-mening

tense [tens] 1 *adj.* spänd 2 *s., språk.* tempus 3 *v.* spänna

tension [tenn'ʃən] spänning

tent [tent] 1 *s.* tält 2 *v.* tälta

tentative [tenn'tətiv] försöks-; trevande

tenterhooks [tenn'təhokks] *on tenterhooks* på helspänn

tenth [tenθ] 1 *räkn.* tionde 2 *s.* tiondel

tenure [tenn'juə] besittningsrätt; period; ämbete; ämbetstid

tepid [tepp'id] ljum

term [tə:m] term; termin; *terms (pl)* ordalag, villkor; *bring s.b. to terms* få ngn att ta reson; *terms of employment* anställningsvillkor; *terms of payment* betalningsvillkor; *terms of sale* försäljningsvillkor

terminal [tə:'minl] 1 *s.* terminal; slutstation 2 *adj.* avslutande; slut-; *terminal patient* obotligt sjuk patient

terminate [tə:'minejt] avsluta

terminus [tə:'minəs] slutstation

tern [tə:n] tärna (*fågel*)

terrace [terr'əs] terrass; husrad; *terrace house* radhus

terrain [terr'ejn] terräng

terrestrial [tiress'triəl] jordisk

terrible [terr'əbl] fruktansvärd, ryslig, gräslig

terrier [terr'iə] terrier

terrific [teriff'ik] förfärlig, oerhörd; *vard.* fantastisk

terrified [terr'ifajd] livrädd

terrify [terr'ifaj] skrämma

territory [terr'itəri] territorium

terror [terr'ə] skräck (*of* för); terror

terrorism [terr'ərizəm] terrorism; skräckvälde

terrorist [terr'ərist] terrorist

terrorize [terr'ərajz] terrorisera

terry cloth [terr'i klåθ] frotté

terse [tə:s] koncis, knapphändig

terylene [terr'ili:n] terylene

test [test] 1 *v.* prova, pröva, testa 2 *s.* prov, test; prövning

Testament [tess'təmənt] *the Old (New) Testament* Gamla (Nya) testamentet

testicle [tess'tikl] testikel

testify [tess'tifaj] vittna; intyga

testimonial [testiməo'njəl] vitsord, vittnesbörd; tjänstgöringsbetyg

testimony [tess'timəni] vittnesbörd

test tube [tess'ttjo:b] provrör

tetanus [tett'ənəs] stelkramp

tether [teð'ə] 1 *v.* tjudra 2 *s.* tjuder; *I'm at the end of my tether* jag förmår inte mer

Teuton [tjo:'tn] german

Teutonic [tjotånn'ik] germansk

text [tekst] text

text book [tekk'st bokk] lärobok

textile mill [tekk'stajl mill] textilfabrik

textiles [tekk'stajlz] textilier

texture [tekk'stʃə] vävnad; struktur

Thames [temm'z] *the Thames* Themsen

than [ðänn] än

thank [θängk] 1 *v.* tacka; *thank you!* tack!; *thank goodness!* gudskelov! 2 *s., thanks!* tack!; *many thanks!* tack så mycket; *thanks to* tack vare

thankful [θäng'kfol] tacksam

Thanksgiving Day [θäng'ksgiving dej'] tacksägelsedagen

that [öätt] **1** *pron.* den (det) där; som; *above that* därutöver; *at that* därvid; *of that* därav; *to that* därtill; *in that case* i så fall; *like that* sådan där; *just like that* utan vidare; *that is* nämligen, det vill säga **2** *konj.* att; så att; för att; som

thatch [tätʃ] **1** *s.* takhalm; halmtak **2** *v.* halmtäcka

thaw [θå:] **1** *v.* tina, töa **2** *s.* tö[väder]

the [ðə, ði] **1** *pron.* den, det, de **2** *adv.*, *the sooner the better* ju förr desto bättre **3** *best. art.*, *the apple* (*apples*) äpplet (äpplena); *the new car* (*cars*) den nya bilen (de nya bilarna)

theatre [θi:'ətə] teater; operationssal; *go to the theatre* gå på teatern

theft [θeft] stöld

their [ðä:'ə] *poss. pron.* (*förenat*) deras, sin

theirs [ðä:'əz] *poss. pron.* (*självst.*) deras, sin

them [ðemm] dem

theme [θi:m] tema; *the main theme* den röda tråden

themselves [ðəmsell'vz] de (dem, sig) själva; sig

then [ðenn] **1** *adv.* då, sedan, därpå; *before* (*till*) *then* innan (till) dess; *how then?* hur så?; *since then* sedan dess **2** *adj.* dåvarande

theology [θiåll'ədʒi] teologi

theorem [θi:'ərəm] *mat.* sats

theoretic[al] [θiərett'ik(əl)] teoretisk

theory [θi:'əri] teori; *theory of evolution* utvecklingslära; *theory of probabilities* sannolikhetslära

therapist [θerr'əpist] terapeut

therapy [θerr'əpi] terapi; *occupational therapy* arbetsterapi

there [ðä:'ə] **1** *adv.* där, dit; fram[me]; *from there* därifrån; *over there* där borta; *there and back* fram och tillbaka; *there are a lot of people here* det är mycket folk här **2** *there!* så där!; *there, now!* så där ja!

thereabout[s] [ðä:'ərəbaot(s)] däromkring

thereby [ðä:əbaj'] därigenom

therefore [ðä:'əfå:] därför

thermometer [θəmåmm'itə] termometer

thermos [θə:'mås] termosflaska

these [ði:z] dessa, de här

thesis [θi:'sis] tes

they [ðej] de; *they say* man säger; *they themselves* de själva

thick [θikk] **1** *adj.* tjock; tät **2** *s.*, *in the thick of* mitt [uppe] i

thicken [θikk'ən] tätna, bli tätare; reda (*soppa*)

thicket [θikk'it] snår

thickness [θikk'nis] grovlek; tjocklek

thief [θi:f] (*pl thieves* [θi:vz]) tjuv

thieve [θi:v] tillgripa, stjäla

thievish [θi:'viʃ] tjuvaktig

thigh [θajj] lår

thimble [θimm'bl] fingerborg

thin [θinn] **1** *adj.* tunn, smal; gles; *get thinner* magra **2** *adv.* tunt **3** *v.* gallra (*skog*); *thin out* gallra (*plantor*)

thing [θing] sak, ting; *things* grejor, tillhörigheter; *how are things with...?* hur förhåller det sig med...?

think [θingk] tänka (*of* på); anse, mena, tycka, tro; *don't you think?* eller hur?, inte sant?

third [θə:d] **1** *räkn. o. adv.* tredje **2** *s.* tredjedel

thirst [θə:st] **1** *s.* törst **2** *v.* törsta

thirsty [θə:'sti] törstig

thirteen [θə:'ti:'n] tretton

thirteenth [θə:'ti:'nθ] trettonde

thirtieth [θə:'tie θ] trettionde

thirty [θə:'ti] **1** *räkn.* trettio **2** *s.*, *some thirty* ett trettiotal; *in the thirties* på trettiotalet

this [ðiss] denne, denna, detta; den (det) här; *like this* så här; *to this* härtill; *this autumn* i höst; *this morning* i dag på morgonen; *this way* hitåt, den här vägen

thistle [θiss'l] tistel

thong [θång] läderrem; pisksnärt

thorax [θå:'räks] bröstkorg

thorn [θå:n] törne, tagg

thornbush [θå:'nbuʃ] törnbuske

thorough [θʌrr'ə] grundlig, ingående; *thorough knowledge* solida kunskaper

thoroughbred [θʌrr'əbred] rasren; fullblod

thoroughfare [θʌrr'əfɑ:ə] genomfartsled, huvudgata

thoroughly [θʌrr'əli] ingående; *thoroughly rested* utvilad

those [ðəoz] de, de där; *those taking part* de deltagande

though [ðəo] fast[än]; *as though* som om

thought [θå:t] 1 *s.* tanke (*of* på); *thoughts* (*pl*) funderingar, tankar; *on second thoughts* vid närmare eftertanke 2 *imperf. och perf. part. av* think

thoughtful [θå:'tfol] tankfull, fundersam

thoughtless [θå:'tlis] tanklös, obetänksam

thought-reader [θå:'tri:də] tankeläsare

thousand [θɑo'zənd] tusen; *thousands* [*of*] tusentals

thousandth [θɑo'zəntθ] 1 *räkn.* tusende 2 *s.* tusendel

thrall [θrå:l] träl[dom]

thrash [θräʃ] slå, klå upp; tröska

thrashing [θräʃ'ing] [kok] stryk

thread [θredd] 1 *s.* tråd; *lose the thread* (*bildl.*) tappa tråden 2 *v.* trä [på]

threadbare [θredd'bä:ə] luggsliten; uttjatad

threat [θrett] hot, hotelse

threaten [θrett'n] hota

three [θri:] 1 *räkn.* tre 2 *s.* trea

three-figure [θri:'figg'ə] tresiffrig

three-star [θri:'stɑ:'] trestjärnig

three-wheeler [θri:'wi:'lə] trehjuling

thresh [θreʃ] tröska

thresher [θreʃ'ə] tröskverk

threshold [θreʃ'həold] tröskel

threw [θru:] *imperf. av* throw

thrift [θrift] sparsamhet

thrill [θrill] 1 *v.* rysa; gripa 2 *s.* rysning

thriller [θrill'ə] rysare; thriller (*spännande berättelse el. film*)

thrilling [θrill'ing] spännande

thrive [θrajv] frodas, trivas

thriven [θrivv'n] *perf. part. av* thrive

thriving [θraj'ving] frodig, blomstrande

throat [θrəot] hals; strupe, svalg

throb [θråbb] dunka

throes [θrəoz] (*pl*) häftiga smärtor; våndor; *in the throes of* mitt uppe i

throne [θrəon] tron

throng [θrång] 1 *s.* trängsel; mängd 2 *v.* trängas

throttle [θrått'l] 1 *s.* spjäll; gaspedal 2 *v.* strypa, kväva

through [θro:] 1 *adj.* genomgående; *through traffic* genomfartstrafik 2 *prep.* genom; igenom; på grund av 3 *adv.* igenom; *right through* tvärs igenom; *through and through* alltigenom

through draught [θro:'drɑ:'ft] korsdrag

throughout [θrəao't] 1 *prep.* överallt i; genom (över) hela 2 *adv.* alltigenom

throve [θrəov] *imperf. av* thrive

throw [θrəo] 1 *s.* kast 2 *v.* kasta

thrown [θrəon] *perf. part. av* throw

throw-outs [θrəo'aots] (*pl*) utskottsvaror; skräp

thrush [θraʃ] trast

thrust [θrast] 1 *v.* stöta 2 *s.* stöt, anfall

thud [θadd] 1 *s.* duns 2 *v.* dunsa

thug [θagg] bandit

thumb [θamm] tumme; *twiddle one's thumbs* rulla tummarna

thumbscrew [θamm'skro:] tumskruv

thumbtack [θamm'täk] *Am.* häftstift

thump [θamp] bulta, dunka

thunder [θann'də] 1 *s.* dån, dunder, åska 2 *v.* dåna, dundra, åska

thunderbolt [θann'dəbɔolt] blixt

thunderclap [θann'dəkläp] åskknall

thundercloud [θann'dəklɑod] åskmoln

thunderstorm [θann'dəstå:m] åskväder

Thursday [θə:'zdi] torsdag

thus [ðass] sålunda, alltså

thwart [θwå:t] hindra

thyme [tajm] timjan

thyroid gland [θaj'råjd glänn'd] sköldkörtel

Tibet [tibett'] Tibet

tick [tikk] **1** v. ticka; bocka för **2** s. fästing; bock (markering); tickande

ticket [tikk'it] biljett; lottsedel

ticket collector [tikk'itkəlekk'tə] konduktör

ticket vending machine [tikk'it venn'ding məʃi:'n] biljettautomat

tickle [tikk'l] kittla

ticklish [tikk'liʃ] kittlig; kinkig

tide [tajd] **1** s. tidvatten; low tide ebb; high tide flod **2** v., tide over [hjälpa att] komma över

tidings [taj'dingz] pl, åld. nyheter

tidy [taj'di] **1** adj. snygg; ordentlig **2** v. tidy up snygga upp

tie [taj] **1** v. knyta, binda **2** s. knut; band; slips; oavgjord match

tier [ti:'ə] bänkrad; lager

tiff [tiff] dispyt, gnabb

tiger [taj'gə] tiger

tight [tajt] spänd; tät; snäv (om plagg); påstruken

tighten [taj'tn] strama [åt]; täta

tight-fitting [tajt'fitt'ing] åtsittande

tights [taj'ts] (pl) strumpbyxor; trikåer

tile [tajl] **1** s. kakel[platta]; tegel-[panna] **2** v. sätta kakel; lägga plattor

till [till] **1** konj. o. prep. till[s]; not till icke förrän **2** v. plöja; odla, bruka **3** s. kassalåda

tiller [till'ə] jordbrukare; rorkult; [rot]skott

tilt [tilt] vippa, luta [på]

timber [timm'bə] timmer, trä; timber industry träindustri

timberline [timm'bəlajn] trädgräns

time [tajm] **1** s. tid[punkt]; gång; takt; any time när som helst; time and again gång på gång; time of waiting väntetid; what time is it? hur mycket är klockan?; have time hinna, ha (få) tid; have a good time ha roligt; time off ledighet (från arbete); it's about time we det är på tiden att vi; one at a time en i taget; at what time? hur dags?; for all time för all framtid; be in time hinna (komma) i tid; the ... of that time dåvarande; out of time i otakt **2** v. välja tidpunkt för; ta tid på

time-consuming [taj'mkəns'jo:'-ming] tidsödande

time limit [taj'm limm'it] tidsbegränsning

timely [taj'mli] i rätt tid; läglig

time-server [taj'msə:və] opportunist; ögontjänare

timeshare flat [tajm'ʃä:ə flätt'] andelslägenhet

timetable [taj'mtejbl] turlista, tidtabell; schema

timid [timm'id] blyg

timorous [timm'ərəs] ängslig

timothy [timm'əθi] timotej

tin [tinn] **1** s. tenn; plåt; konservburk **2** v. konservera

tincture [ting'ktʃə] tinktur

tinder [tinn'də] fnöske

tinfoil [tinfåj'l] stanniol

tinge [tindʒ] **1** s. skiftning, nyans; anstrykning **2** v. lätt färga; be tinged with green skifta i grönt

tingle [ting'gl] sticka, svida; pirra

tinker [ting'kə] **1** s. kittelflickare; klåpare **2** v. knåpa, pyssla

tinkle [tingkl] pingla

tin loaf [tinn' ləof] formbröd

tinned [tind] konserverad; förtennad; tinned fruit fruktkonserver; tinned goods konserver

tin-opener [tinn'əopnə] konservöppnare, burköppnare

tint [tint] **1** s. färgton **2** v. färga

tiny [taj'ni] mycket liten; tiny bit gnutta

tip [tipp] **1** s. spets, tipp, topp; tips, vink; dricks **2** v. tippa, luta på; ge dricks

tipple [tipp'l] **1** v. dricka, pimpla **2** s. drink

tipsy [tipp'si] berusad

tire [taj'ə] **1** v. trötta **2** s., Am. gum-

toothbrush

midäck
tired [taj'əd] trött
tired out [taj'əd aot] uttröttad
tiredness [taj'ədnis] trötthet
tiresome [taj'əsəm] tröttsam
tiring [taj'əring] tröttsam
tissue [tiss'jo:] vävnad; flor
tissue paper [tiss'jo:pejpə] silkes-
papper
tit [titt] mes
titanic [tajtänn'ik] jättelik
titbit [titt'bit] godbit, läckerbit
tithe [tajð] tionde
title [taj'tl] 1 s. titel 2 v. benämna
titmouse [titt'maos] mes
tittle-tattle [titt'lätl] tissel och tassel
to [to:] 1 prep. för; till, åt 2 adv. till,
igen; to and fro fram och tillbaka, av
och an 3 infinitivmärke att; för att
toad [təod] padda
toadstool [təo'dsto:l] flugsvamp
toast [təost] 1 s. rostat bröd 2 v. rosta
[bröd]; skåla
toaster [təo'stə] brödrost
toastmaster [təo'stma:stə] ceremoni-
mästare
tobacco [təbäkk'əo] tobak
tobacconist's [təbäkk'ənists] tobaks-
affär
toboggan [təbågg'ən] 1 s. kälke 2 v.
åka kälke
today [tədej] 1 adv. i dag 2 s., today's
news dagsnyheter
toddle [tådd'l] tulta; toddle off (vard.)
pallra sig i väg, knalla i väg
toddler [tådd'lə] liten parvel
toe [təo] 1 s. tå 2 v., toe the line ställa
upp sig, hålla sig till partiets linje
toffee [tåff'i] knäck; kola
together [təgeð'ə] tillsammans, ihop;
being together samvaro; go together
följas åt
toil [tåjl] 1 v. slita, släpa, knoga; toil
and moil slita och släpa 2 s. slit, knog
toilet [tåj'let] toalett, wc; toilet paper
toalettpapper; toilet requisites toalett-
artiklar
token [təok'ən] pollett; tecken; bevis
told [təold] imperf. och perf. part. av

tell
tolerable [tåll'ərəbl] uthärdlig; gans-
ka bra
tolerably [tåll'ərəbli] tämligen
tolerance [tåll'ərəns] tolerans, för-
dragsamhet
tolerant [tåll'ərənt] tolerant
tolerate [tåll'ərejt] tolerera
toll [təol] 1 v. klämta 2 s. klämtning;
tull; avgift
tomato [təma:'təo, Am. təmej'təo]
tomat
tomato ketchup [təma:'təo kett'ʃəp]
tomatketchup
tomb [to:m] grav (murad e.d.)
tomboy [tåmm'båj] pojkflicka, yr-
hätta
tomcat [tåmm'kätt'] hankatt
tome [təom] volym
Tommy [tåmm'i] engelsk soldat
tomorrow [təmårr'əo] i morgon; the
day after tomorrow i övermorgon;
tomorrow morning i morgon bitti
ton [tann] ton; long ton (Br.) ton (=
1 016 kg); metric ton ton (=1 000 kg)
tone [təon] ton; röst; give the tone
(bildl.) ange tonen
tongs [tångz] (pl) a pair of tongs en
tång
tongue [tang] tunga; tungmål; plös;
spont
tonic [tånn'ik] 1 adj. stärkande
[medel]; mus. ton- 2 s. grundton;
tonic
tonight [tənaj't] 1 adv. i kväll, i natt
2 s. denna kväll
tonnage [tann'idʒ] tonnage
tonsil [tånn'sl] tonsill
tonsillitis [tånsilaj'tis] med. halsfluss
too [to:] [allt]för; också, även; too
bad! det var verkligen tråkigt!; not
too bad inte så illa
took [tokk] imperf. av take
tool [to:l] verktyg, redskap
toolbox [to:'båks] verktygslåda
toot [to:t] tuta
tooth [to:θ] (pl teeth [ti:θ]) tand
toothache [to:'θejk] tandvärk
toothbrush [to:'θbraʃ] tandborste

toothpaste [to:'θpejst] tandkräm

toothpick [to:'θpikk] tandpetare

tootle [to:'tl] tuta

top [tåpp] **1** s. topp, överdel; [leksaks]snurra; *at the top* upptill **2** v. sätta överdel på; överträffa **3** adj. översta; över-; ledande

topic [tåpp'ik] [samtals]ämne

topical [tåpp'ikl] aktuell

topicality [tåpikäll'iti] aktualitet

top-level politics [tåpp'levl påll'itiks] storpolitik

topographical [tåpəgräff'ikəl] topografisk

top performance [tåpp' pəfå:'məns] toppprestation

topple [tåpp'l] stjälpa

top sheet [tåpp' ʃi:t] överlakan

topsy-turvy [tåpp'sitə:'vi] huller om buller, upp och ner

torch [tå:tʃ] fackla, bloss, marschall; ficklampa

tore [tå:] *imperf. av tear 1*

torment 1 v. [tå:menn't] pina, plåga **2** s. [tå:'ment] plåga, kval

torn [tå:n] *perf. part. av tear 1*

tornado [tå:nej'dəo] tromb

torpedo [tå:pi:'dəo] **1** s. torped **2** v. torpedera

torpid [tå:'pid] domnad; slö

torpor [tå:'pə] dvala; slöhet

torrent [tårr'nt] ström; störtflod

torrid [tårr'id] förbränd, förtorkad; passionerad, het

tortoise [tå:'təs] [land]sköldpadda

tortous [tå:'tjoəs] slingrande

torture [tå:'tʃə] **1** v. tortera **2** s. tortyr

Tory [tå:'ri] konservativ

toss [tåss] **1** v. slänga, singla; *toss for* singla slant om **2** s. kast; lottning, slantsingling; *take a toss* bli avkastad

toss-up [tåss'əp] slantsingling; *it's a toss-up* det är rena slumpen

tot [tått] parvel; litet glas

total [təo'tl] **1** adj. total, fullständig, sammanlagd; *total abstainer* helnykterist; *total loss* totalhaveri **2** s. [slut]summa **3** v. uppgå till; addera

totalitarian [təotälitä:'əriən] totalitär

totalizator [təo'təlajzejtə] totalisator

totter [tått'ə] stappla, vackla

touch [tatʃ] **1** v. röra; beröra; *touch up* bättra på; *touch upon* tangera **2** s. känsel; beröring; anstrykning; släng; anslag (*i musik*); *get into touch with* få kontakt med; *out of touch with realities* verklighetsfrämmande

touching [tatʃ'ing] rörande

touchy [tatʃ'i] snarstucken

tough [taff] seg, hård; *vard.* tuff; *Am.* skurkaktig

tour [to:'ə] **1** s. tur, [rund]resa; turné **2** v. göra en rundresa, besöka; turnera

tourism [to:'ərizəm] turism

tourist [to:'ərist] turist

tourist attraction [to:'ərist əträkk'-ʃən] turistattraktion

tournament [to:'ənəmənt] turnering; tornerspel

tousle [tao'zl] rycka och slita i; rufsa till

tout [taot] **1** v. värva röster (kunder *e.d.*); spionera på **2** s. [kund]värvare

tow [təo] **1** v. bogsera **2** s., *take in tow* ta på släp

towards [təwå:'dz] mot; inemot; bortåt; *towards (the) north* norrut

towel [tao'əl] handduk

tower [tao'ə] **1** s. torn **2** v. höja sig

towering [tao'əring] upphöjd; jättehög

towing [təo'ing] bogsering

town [taon] stad

town council [tao'n kao'nsl] stadsfullmäktige

town dweller [tao'ndwell'ə] stadsbo

town hall [tao'n hå:l] stadshus, rådhus

town plan [tao'nplän] stadsplan

town planning [tao'n plänn'ing] stadsplanering

toxic [tåkk'sik] giftig, toxisk

toxin [tåkk'sin] gift, toxin

toy [tåj] **1** s. leksak **2** v. leka

trace [trejs] **1** s. spår; aning; *not a trace of* inte en tillstymmelse till **2** v. spåra [upp]; rita upp

track [träkk] **1** s. spår; bana; *the beaten track* allfarvägen **2** v. följa;

spåra; *track down* spåra upp

tracksuit [träck'sjo:t] träningsoverall

tract [träkt] område; broschyr

tractable [träkk'təbl] lätthanterlig, medgörlig

traction [träkk'ʃən] dragande; sammandragande; [väg]grepp; dragningskraft

tractor [träkk'tə] traktor

trade [trejd] 1 *s.* handel; yrke, bransch 2 *v.* handla [med]

trade-in value [trejd'in väll'jo:] andrahandsvärde

trade mark [trej'd ma:k] firmamärke, varumärke

trader [trej'də] affärsman; handelsfartyg

tradesman [trej'dzmən] handlande, köpman

trade union [trej'd jo:'njən] fackförening; *trade union branch* verkstadsklubb

trade wind [trej'dwind] passad[vind]

tradition [trədiʃ'ən] tradition

traditional [trədiʃ'ənl] traditionell

traffic [träff'ik] 1 *s.* trafik; handel; *crowded with traffic* livligt trafikerad 2 *v.* handla; bedriva olaglig handel

traffic accident [träff'ik äkk'sidənt] trafikolycka

traffic jam [träff'ikd3äm] trafikstockning

traffic light[s] [träff'iklajt(s)] trafikljus

traffic warden [träff'ikwå:dən] lapplisa

tragedy [träd3'idi] tragedi

tragic[al] [träd3'ik(əl)] tragisk

trail [trejl] 1 *s.* svans; släp, rad; spår 2 *v.* släpa, släpa sig [fram]; släpa efter

trailer [trej'lə] släp[vagn]

train [trejn] 1 *s.* tåg; träng; släp (*på plagg*) 2 *v.* träna, öva; utbilda; dressera

trained [trejnd] utbildad, skolad

trainee [trejni:] praktikant

trainer [trej'nə] tränare

training [trej'ning] träning, övning; utbildning; dressyr

training college [trej'ningkåll'id3] lärarseminarium

train-oil [trej'nåjl] tran

trait [trej] [karaktärs]drag

traitor [trej'tə] förrädare

tram [trämm] spårvagn

tramp [trämp] 1 *v.* trampa, klampa 2 *s.* luffare; trampfartyg

trample [trämm'pl] trampa [ner]

tranquil [träng'kwil] lugn

tranquillizer [träng'kwilajzə] [nerv]lugnande medel

transaction [tränzäkk'ʃən] transaktion

transcend [tränsenn'd] överstiga; överträffa

transept [tränn'sept] tvärskepp (*i kyrka*)

transfer 1 *v.* [tränsfə:'] överföra, överlåta; girera 2 *s.* [tränn'sfə] överföring; förflyttning

transfer ticket [tränn'sfə: tikk'it] övergångsbiljett

transfigure [tränsfigg'ə] omgestalta; förhärliga

transfix [tränsfikk's] genomborra

transform [tränsfå:'m] omvandla, ombilda, förvandla

transformation [tränsfəmejʃən] omvandling, förvandling

transformer [tränsfå:'mə] transformator

transfusion [transfjo:'ʃən] transfusion

transgress [tränsgress'] överträda

transgression [tränsgreʃ'ən] överträdelse

transistor radio [tränziss'tə rej'dieə] transistorradio

transit [tränn'sit] genomresa; *in transit* på vägen

transition [tränziʃ'ən] övergång[speriod]

transitory [tränn'sitri] övergående

translate [tränslej'tʃ] översätta

translation [tränslej'ʃən] översättning (*into* till)

translator [tränslej'tə] översättare

translucent [tränslo:'snt] genomskinlig

transmigration [tränzmajgrej'ʃən] själavandring

transmission [tränzmiʃ'ən] radioutsändning

transmit [tränzmitt'] sända (*i radio*)

transmitter [tränzmitt'ə] [radio]sändare

transparency [tränspä:'ərənsi] diapositiv

transparent [tränspä:'ərent] genomskinlig

transpire [tränspaj'ə] utdunsta, svettas; *bildl.* sippra ut

transplant [tränspla:'nt] transplantera

transport 1 *v.* [tränspå:'t] transportera, frakta 2 *s.* [tränspå:'t] transport

trans-shipment [tränsʃipp'mənt] omlastning

trap [träpp] 1 *v.* locka (*i en fälla*); snara 2 *s.* fälla; snara; *set a trap* gillra en fälla

trapdoor [träpp'då:] fallucka

trapeze [trəpi:'z] trapets

trapper [träpp'ə] pälsjägare, trapper

trappings [träpp'ingz] (*pl*) grannlåt, utstyrsel

trash [träʃ] skräp, smörja

travel [trävv'l] resa; färdas; *travel by car* bila

travel agency [trävv'lejdʒənsi] resebyrå, turistbyrå

travel book [trävv'l bokk] reseskildring

travel folder [trävv'l fəo'ldə] turistbroschyr

travelled [trävv'ld] berest

traveller [trävv'lə] resenär; representant, resande

traveller's cheque [trävv'ləz tʃekk] resecheck

travelling expenses account [trävv'ling ikspenn'siz əkao'nt] reseräkning

travel-sickness [trävv'l sikk'nəs] åksjuka

travel-weary [trävv'lwi:əri] restrött

traverse [trävv'əs] 1 *v.* färdas (gå) genom 2 *s.* travers; tvärstycke

trawl [trå:l] 1 *s.* trål 2 *v.* tråla

trawler [trå:'lə] trålare

tray [trej] bricka

treacherous [trett'ʃərəs] förrädisk, svekfull

treachery [trett'ʃəri] förräderi, svek

treacle [tri:'kl] sirap

tread [tredd] 1 *v.* trampa, stiga 2 *s.* steg; däckmönster

treason [tri:'zn] förräderi

treasure [treʒ'ə] 1 *s.* skatt, klenod 2 *v.* skatta, värdera

treasurer [treʒ'ərə] skattmästare

treasury [treʒ'əri] skattkammare

treat [tri:t] 1 *v.* behandla; handskas med, bemöta; traktera; *treat to* bjuda på, undfägna med 2 *s.* kalas; bjudning

treatise [tri:'tiz] avhandling

treatment [tri:'tmənt] behandling, kur

treaty [tri:'ti] fördrag, traktat

treble [trebb'l] 1 *adj.* tredubbel 2 *s.* sopran; diskant

tree [tri:] träd; skoblock

tree sparrow [tri:' sparr'əo] pilfink

tree trunk [tri:'trangk] trädstam

trek [trekk] 1 *s.* mödosam färd 2 *v.* färdas (*med vagn*)

trellis [trell'is] spaljé, gallerverk

tremble [tremm'bl] darra

tremendous [trimenn'dəs] oerhörd, ofantlig

tremor [tremm'ə] skälvning

trench [trentʃ] dike; skyttegrav

trencher [trenn'tʃə] skärbräde

trend [trend] tendens, trend

trendy [trenn'di] trendig

trespass [tress'pəs] inkräkta; bryta (*against* mot); *no trespassing* tillträde förbjudet

trespasser [tress'pasə] inkräktare

tress [tress] åtl. hårlock; fläta

triad [traj'əd] tretal; *mus.* treklang

trial [traj'əl] försök, prov; rannsakning; prövning

triangle [traj'änggl] triangel

triangular [trajäng'gjolə] trekantig.

tribe [trajb] [folk]stam

tribulation [tribjolej'ʃən] vedermöda, prövning

tribunal [trajbjo:'nl] tribunal, domstol

tributary [tribb'jotəri] biflöd

tribute [tribb'jo:t] skatt, tribut; hyllning

trichina [trikaj'nə] trikin

trick [trikk] 1 s. knep, trick, spratt; stick (i kortspel) 2 v. lura

trickle [trikk'l] sippra

tricot [trikk'əo] trikå

tried [trajd] [be]prövad

trifle [traj'fl] 1 s. småsak, bagatell; struntsumma; frukttårta 2 v. leka; slarva (away bort)

trifling [traj'fling] lättsinnig; obetydlig

trigger [trigg'ə] avtryckare

trigger-happy [trigg'əhäpp'i] skjutgalen

trigonometry [trigənåmm'itri] trigonometri

trill [trill] 1 v. drilla 2 s. drill

trillion [trill'jən] biljon (en miljon miljoner)

trim [trimm] 1 adj. snygg, välskött 2 v. putsa, trimma; garnera 3 s. skick, trim

trinity [trinn'iti] treenighet

trinket [tring'kit] prydnadssak

trio [tri:'əo] trio

trip [tripp] 1 s. tripp, resa 2 v. trippa, snava; sätta krokben för

tripe [trajp] oxmage, komage; smörja

triple [tripp'l] 1 adj. trefaldig 2 v. tredubbla

triplet [tripp'lit] trilling

tripod [traj'påd] stativ, trefot

tripper [tripp'ə] person på utflykt

trite [trajt] sliten, banal

triumph [traj'əmf] 1 s. triumf 2 v. triumfera

triumphant [trajəmm'fənt] triumferande; triumfartad

trivial [trivv'iəl] obetydlig; trivial

trod [trådd] imperf. av tread

trodden [trådd'n] perf. part. av tread

troll [trəol] troll

trolley [trålľi] kärra; tralla

trombone [tråmbəo'n] basun, trombon

troop [tro:p] 1 s. trupp, skara; troops (pl, äv.) soldater 2 v. marschera; troop the colours göra parad för fanan

trophy [trəo'fi] trofé

tropic [tråpp'ik] vändkrets; the Tropics (pl) tropikerna

tropical [tråpp'ikəl] tropisk

trot [trått] (om häst) 1 v. trava 2 s. trav

trotter [trått'ə] travhäst; (pig's) trotters (kokk.) grisfötter

trotting race [trått'ing rejs] travtävling

troubadour [tro:'bədo:ə] trubadur

trouble [trabb'l] 1 s. besvär, trassel; bekymmer 2 v. besvära, bekymra

troublesome [trabb'lsəm] besvärlig, krånglig

trough [tråff] tråg

trousers [trao'zəz] byxor

trouser suit [trao'zə sjo:t] byxdress

trousseau [tro:'səo] brudutstyrsel

trout [traot] forell

trowel [trao'əl] murslev; planteringsspade

truant [tro:'ənt] skolkare; play truant skolka

truce [tro:s] stilleståndsavtal

truck [trakk] truck

truculent [trakk'jolənt] stridslysten

trudge [tradʒ] traska

true [tro:] sann; trofast

true-hearted [tro:ha:'tid] troskyldig

truffle [traff'l] tryffel

truly [tro:'li] sant; riktigt; Yours truly (i brev) Högaktningsfullt

trump [tramp] trumf, trumfkort; no trumps sang

trumpet [tramm'pit] 1 s. trumpet 2 v. trumpeta, utbasunera

truncheon [trann'tʃən] batong

trundle [trann'dl] rulla, snurra

trunk [trangk] bål; trädstam; koffert; snabel; Am. bagageutrymme

trust [trast] 1 v. lita på; anförtro; trust in s.b. förlita sig på ngn 2 s. förtroende; trust

trusted [trass'tid] betrodd

trustee [trasti:'] förtroendeman, förmyndare

trustworthy [trass'twə:ði] pålitlig, tillförlitlig

truth [tro:θ] sanning; home truths

bittra sanningar
truthful [tro:'θfoll] sanningsenlig
try [traj] **1** v. försöka, pröva; rannsaka; *try one's hand at* försöka sig på; *try hard* bemöda sig; *try on* pröva *(kläder)*; *try to find* leta reda på **2** s. försök
trying [traj'ing] påfrestande, besvärlig
tsar [za:] tsar
T-shirt [ti:'ʃə:t] T-shirt
tub [tabb] balja; [bad]kar
tuba [tjo:'bə] tuba
tube [tjo:b] tub; rör; slang; *vard.* tunnelbana; *Am.* radiorör
tuberculosis [tjo:bə:kjoləo'sis] tuberkulos
tuck [takk] **1** v. stoppa [in]; vecka **2** s. veck; *vard.* käk, godis
Tuesday [tju:'zdi] tisdag
tuft [taft] tuva; tofs
tug [tagg] **1** s. bogserbåt **2** v. bogsera, släpa
tug-of-war [tagg'əvwå:'] dragkamp
tuition [tjoiʃ'ən] undervisning; skolavgift
tulip [tjo:'lip] tulpan
tulle [tall] tyll
tumble [tamm'bl] **1** v. tumla; ramla **2** s. tumlande; villervalla
tumbledown [tamm'bldaon] fallfärdig
tumble-dryer [tamm'bldrajə] torktumlare
tumbler [tamm'blə] dricksglas, bägare
tumour [tjo:'mə] tumör, svulst
tumult [tjo:'malt] tumult
tuna fish [tjo:'nəfiʃ] tonfisk
tundra [tann'drə] tundra
tune [tjo:n] **1** s. melodi **2** v. stämma *(instrument)*, ställa in *(radio)*
tunic [tjo:'nik] tunika
tuning fork [tjo:'ningfå:k] stämgaffel
Tunisia [tjo:nizz'iə] Tunisien
tunnel [tann'l] tunnel
tunny fish [tann'ifiʃ] tonfisk
turban [tə:'bən] turban
turbid [tə:'bid] grumlig; rörig
turbine [tə:'bajn] turbin
turbot [tə:'bət] piggvar
turbulent [tə:'bjolənt] orolig; bråkig

turf [tə:f] torva; *the turf* kapplöpningsbanan, hästsporten
Turk [tə:k] turk
Turkey [tə:'ki] Turkiet
turkey [tə:'ki] kalkon
Turkish [tə:'kiʃ] **1** adj. turkisk; *Turkish towel* frottéhandduk; *Turkish delight* marmeladkonfekt **2** s. turkiska *(språk)*
turmoil [tə:'måjl] röra, bråk, tumult
turn [tə:n] **1** v. vända [på], vända sig, vrida, svänga; förvandlas *(into* till*)*, bli; svarva; *turn out* avlöpa, utfalla; *turn out [to be]* visa sig vara; *turn s.b. out of the room* köra ut ngn; *turn over* kantra; *turn over the leaves* bläddra; *turn pale* blekna; *turn the edge of (bildl.)* bryta udden av; *turn to* vända sig till, ty sig till; *not turn up* utebli; *turn of the century* sekelskifte; *turn of the year* årsskifte; *turn of the scales* utslag *(på våg)* **2** s. vändning; varv; krök, sväng; tur, följd; *in turn* i tur och ordning; *it's your turn* det är din tur
turner [tə:'nə] svarvare
turning [tə:'ning] vändning; avtagsväg, gathörn
turning lathe [tə:'ninglejð] svarv
turning point [tə:'ningpåjnt] vändpunkt
turnip [tə:'nipp] rova; *Swedish turnip* kålrot
turnover [tə:'nəovə] omsättning
turnpike [tə:'npajk] vägbom, tullbom; avgiftsbelagd väg
turnstile [tə:'nstajl] vändkors
turntable [tə:'ntejbl] vändskiva; skivtallrik
turquoise [tə:'kwåj:z] turkos
turret [tarr'it] litet torn
turtle [tə:'tl] [vatten]sköldpadda
turtle-dove [tə:'tldəv] turturduva
turtleneck sweater [tə:'tlnek swett'ə] polotröja
tusk [task] bete
tussle [tass'l] **1** s. slagsmål **2** v. slåss
tutor [tjo:'tə] privatlärare, studiehandledare

tuxedo [taksi:'dəo] *Am.* smoking

TV [ti:vi:] TV; *TV program[me]* TV-program; *TV set* TV[-apparat]

twain [twejn] *åld.* tvenne, två

twang [twäng] **1** *s.* anstrykning; klang, dallrande ton **2** *v.* knäppa [på]; vibrera

tweezers [twi:'zəz] (*pl*) pincett; *a pair of tweezers* en pincett

twelfth [twelfθ] **1** *räkn.* tolfte; *Twelfth Day* trettondagen; *Twelfth Night* trettondagsafton **2** *s.* tolftedel

twelve [twelv] tolv

twentieth [twenn'tiiθ] **1** *räkn.* tjugonde **2** *s.* tjugondel

twenty [twenn'ti] **1** *räkn.* tjugo **2** *s.*, *in the twenties* på tjugotalet

twenty-one [twenn'tiwann'] tjugoen

twice [twajs] två gånger; *twice as large as* dubbelt så stor som

twig [twigg] kvist; *twigs* (*pl*) ris, kvistar

twilight [twaj'lajt] skymning

twin [twinn] tvilling

twine [twajn] **1** *v.* tvinna **2** *s.* snöre

twinge [twindʒ] **1** *s.* smärta; sting **2** *v.* göra ont

twinkle [twing'kl] tindra

twinkling [twing'kling] blink

twist [twist] **1** *v.* sno, vrida, skruva **2** *s.* krok, sväng

twitch [twitʃ] **1** *v.* rycka [i] **2** *s.* ryck

twitter [witt'ə] **1** *v.* kvittra **2** *s.* kvitter

two [to:] **1** *räkn.* två; *in two* itu **2** *s.* tvåa; *the two* båda

two-storeyed house [to:'stå:'rid haos] tvåvåningshus

two-stroke engine [to:'strəo'k enn'-dʒin] tvåtaktsmotor

two-year-old [to:'jəːr əo'ld] tvåårig

tycoon [tajko:'n] pamp, magnat

type [tajp] **1** *s.* typ; stilsort **2** *v.* skriva på maskin; *type out* renskriva (*på maskin*)

typeface [taj'pfejs] typsnitt

typesetter [taj'psettə] sättare

typesetting machine [taj'psetting məʃi:'n] sättmaskin

typewriter [taj'prajtə] skrivmaskin;

typewriter ribbon färgband

typhoon [tajfo:'n] tyfon

typhus [taj'fəs] tyfus

typical [tipp'ikəl] typisk

typing [taj'ping] maskinskrivning

typographer [tajpågg'rəfə] typograf

tyranny [tirr'əni] tyranni

tyrant [taj'ərənt] tyrann

tyre [taj'ə] ring, däck

tyro [taj'ərəo] nybörjare, novis

U

U, u [jo:] (*bokstav*) U, u

ubiquitous [jobikk'witəs] allestädes närvarande

udder [add'ə] juver

ugly [agg'li] ful

Ukraine [jo:krej'n] *the Ukraine* Ukraina

ulcer [all'sə] [varigt] sår; skamfläck; *gastric (stomach) ulcer* magsår

ulcerous [all'sərəs] sårig

ulster [all'stə] ulster

ulterior [alti:'əriə] bortre; framtida; fördold

ultimate [all'timət] yttersta, slut-

ultimatum [altimej'təm] ultimatum; *present an ultimatum* ställa ultimatum

ultramarine [altrəməri:'n] ultramarin

ultra short wave [all'trəʃå:'t wejv] ultrakortvåg

ultrasonic sound [all'trəsånn'ik saond] ultraljud

ultraviolet [all'trəvaj'əlit] ultraviolett

umbrella [ambrell'ə] paraply

umpire [amm'pajə] **1** *s.* domare (*i tennis o.d.*) **2** *v.* döma (*i tennis o.d.*)

unable [anej'bl] oförmögen, ur stånd

unacceptable [ann'əksepp'təbl] oacceptabel

unaccustomed [ann'əkəss'təmd] ovan; obekant

unaffected [ann'əfekk'tid] oberörd, opåverkad; okonstlad

unaided [annej'did] utan hjälp

unanimous [jonänn'iməs] enhällig

unappetizing [ann'äpp'itajzing] oap-titlig

unarmed [ann'a:'md] obeväpnad

unassailable [ann'əsej'ləbl] oantastlig

unassuming [ann'əsjo:'ming] blyg-sam, anspråkslös

unattainable [ann'ətej'nəbl] ouppnåelig

unattractive [ann'əträkk'tiv] oattraktiv

unavailable [ann'əvej'ləbl] oanträffbar, inte tillgänglig

unavoidable [ann'əvåj'dəbl] oundviklig

unawares [ann'əwä:'əz] oförmodat; obemärkt; överraskande

unbalanced [anbäll'ənst] obalanserad

unbearable [anbä:'ərəbl] outhärdlig, odräglig

unbecoming [ann'bikamm'ing] missklädsam; *be unbecoming to* missklä

unbiased [anbaj'əst] opartisk

unbleached [anbli:'tʃd] oblekt

unblushing [anblaʃ'ing] oblyg

unboiled [anbåj'ld] okokt

unbound [anbao'nd] obunden

unbridled [anbraj'dld] otyglad

unbroken [anbrəo'kən] obruten

unbutton [anbatt'n] knäppa upp

uncalled-for [ankå:'ldfå:] omotiverad

uncanny [ankänn'i] kuslig; häpnadsväckande

unceasingly [ansi:'singli] i ett kör, oupphörligen

uncertain [ansə:'tn] osäker, oviss, tveksam

uncertainty [ansə:'tnti] osäkerhet

unchanged [antʃej'ndʒd] oförändrad

unchecked [antʃekk't] ohämmad

uncle [ang'kl] farbror, morbror, onkel

unclean [ankli:'n] oren

uncomfortable [ankamm'fətəbl] obekväm; obehaglig; orolig

uncommon [ankamm'ən] ovanlig

uncompromising [ankamm'prəmajzing] orubblig

unconcerned [ankənsə:'nd] obekymrad

unconditional [ankəndiʃ'ənl] förbe-

hållslös, obetingad

unconfirmed [ankənfə:'md] obekräftad

unconquered [ankång'kəd] obesegrad

unconscious [ankånn'ʃəs] medvetslös; omedveten

unconsciousness [ankånn'ʃəsnis] medvetslöshet

uncontested [ankəntess'tid] obestridd

uncontrolled [ankəntrəo'ld] obehärskad

uncork [ankå:'k] korka upp

uncouth [anko:'θ] klumpig; ohyfsad

uncover [ankavv'ə] avtäcka

unction [ang'kʃən] smörjelse; salvelse; salva

uncultivated [ankall'tivejtid] okultiverad

undecided [andisaj'did] oavgjord

undefeatable [andifi:'təbl] oslagbar

undeliverable [andilivv'ərəbl] obeställbar

undeniably [andinaj'əbli] onekligen

under [ann'də] **1** *prep.* under; mindre än; *under the circumstances* under dessa omständigheter **2** *adj.* under-; lägre; för liten; *under age* omyndig **3** *adv.* nere; inunder; nedanför

underbite [ann'dəbaj't] underbett

underbrush [ann'dəbraʃ] undervegetation

undercut [ann'dəkatt'] sälja till lägre pris [än]

underdeveloped [ann'dədivell'əpt] underutvecklad

underdog [ann'dədåg] strykpojke; svagare part

underdrainage [ənn'dədrej'nidʒ] täckdikning

underestimate [ann'deress'timejt] undervärdera

underexpose [ann'dərikspəo'z] underexponera

underfed [andəfedd'] undernärd

undergo [andəgəo'] undergå

undergraduate [andəgrädd'joit] universitetsstuderande

underground [ann'dəgraond] **1** *adj.* underjordisk **2** *s.* tunnelbana

undergrowth [ann'dəgrəoθ] under-vegetation, snårskog

underhand [andəˈhänn'd] **1** adj. hemlig **2** adv. i hemlighet

underline [andəlaj'n] understryka

underling [ann'dəling] underhuggare

undermine [andəmaj'n] underminera, undergräva

underneath [andəni:'θ] **1** prep. under, nedanför **2** adv. under; nedtill **3** adj. undre; under-; neder- **4** s. undersida

underpants [ann'dəpänts] (pl) kalsonger

underpay [andəpej'] underbetala

underrate [andərej't] underskatta

underseal [ann'dəsi:l] underredsbehandling

underside [ann'dəsajd] undersida

undersigned [andəsaj'nd] **1** adj. undertecknad **2** s., the undersigned undertecknad

underskirt [ann'dəskə:t] underkjol

understand [andəstänn'd] förstå [sig på], begripa; hard to understand svårbegriplig

understandable [andəstänn'dəbl] förståelig

understanding [andəstänn'ding] förståelse; samförstånd; förstånd

understatement [andəstej'tmənt] undervärdering, försiktig uppgift

understudy [ann'dəstadi] ersättare (i roll)

undertake [andətej'k] åtaga sig, företaga [sig]

undertaker [ann'dətejkə] begravningsentreprenör

undertaking [andətej'king] åtagande

underwear [ann'dəwä:ə] underkläder

undeserved [ann'dizə:'vd] oförtjänt

undesirable [ann'dizaj'ərəbl] icke önskvärd

undignified [andigg'nifajd] ovärdig; opassande

undiluted [ann'dajljo:'tid] outspädd

undiscovered [ann'diskavv'əd] oupptäckt

undisputed [ann'dispjo:'tid] obestridd

undisturbed [ann'distə:'bd] ostörd

undo [ando:'] lösa (knut o.d.); riva upp

undone [andann'] ogjord

undoubtedly [andəo'tidli] otvivelaktigt

undress [andress'] klä av [sig]

undue [andjo'] otillbörlig

undulate [ann'djolejt] bölja

unearth [an'ə:'θ] gräva upp

uneasy [ani:'zi] orolig; olustig

uneatable [ann'i:'təbl] oätbar

uneconomic [ann'i:kənåmm'ik] oekonomisk

unemployed [ann'implåj'd] arbetslös; oanvänd

unemployment [ann'implåj'mənt] arbetslöshet

unenterprising [ann'enn'təprajzing] oföretagsam

unerring [ann'ə:'ring] osviklig

unessential [ann'isenn'ʃəl] oväsentlig

uneven [ann'i:'vən] ojämn

unevenness [ann'i:'vənis] ojämnhet

unexpected [ann'ikspekk'tid] oväntad, oförmodad

unexplored [ann'iksplå:'d] outforskad

unfair [ann'fä:'ə] ojust

unfaithful [ann'fej'θfol] otrogen

unfamiliar [ann'fəmill'jə] obekant

unfavourable [ann'fej'vərəbl] ogynnsam

unfeeling [anfi:'ling] känslolös, hjärtlös

unfinished [anfinn'iʃt] ofullbordad

unfit [ann'fitt'] otjänlig

unfold [anfəo'ld] veckla ut [sig], utbreda [sig]; avslöja

unforeseen [ann'få:si:'n] oförutsedd

unforgettable [ann'fəgett'əbl] oförglömlig

unforgivable [ann'fəgivv'əbl] oförlåtlig

unfortunately [anfä:'tʃnitli] olyckligtvis, tyvärr

unfounded [ann'fao'ndid] ogrundad

unfurnished [ann'fə:'niʃt] omöblerad

ungainly [angej'nli] otymplig

ungentle [ann'dʒenn'tl] omild

ungrateful [angrej'tfol] otacksam

unground [ann'grao'nd] oslipad

unhappy [anhäpp'i] olycklig

unhealthy [anhell'θi] ohälsosam, osund

unhook [ann'hokk'] haka av

unhurt [ann'hə:'t] oskadad

unhygienic [annhajdʒi:'nik] ohygienisk

unification [jo:nifikej'ʃən] sammanslagning; enande

uniform [jo:'nifå:m] **1** *s.* uniform **2** *adj.* enhetlig

unify [jo:'nifaj] förena

unilateral [jo:'nilätt'rəl] ensidig

unimaginative [ann'imädʒ'inətiv] fantasilös

unimportant [ann'impå:'tənt] oviktig

uninhabited [ann'inhäbb'itid] obebodd

unintentional [ann'intenn'ʃənl] oavsiktlig, ofrivillig

uninterested [ann'inn'tristid] ointresserad

uninteresting [ann'inn'tristing] ointressant

union [jo:'njən] union; förbund; förening; [*trade*] *union* fackförening

unique [jo:ni:'k] enastående, unik

unison [jo:'nizn] unison; samklang

unit [jo:'nit] enhet; aggregat; *mil.* förband

unite [jo:naj't] ena, förena [sig], sluta sig samman

united [jo:naj'tid] enig, [för]enad

United Nations [jo:naj'tid nej'ʃəns] Förenta Nationerna

United States of America [jo:naj'tid stej'ts əv əmerr'ikə] Förenta Staterna

unity [jo:'niti] enhet, enighet, sammanhållning

universal [jo:nivə:'səl] universell; allmän; *universal current* allström; *universal joint* kardanknut

universe [jo:'nivə:s] universum

university [jo:nivə:'siti] universitet, högskola

university degree [jo:nivə:'siti digri:'] universitetsexamen

university graduate [jo:nivə:'siti grädd'joit] akademiker

university student [jo:nivə:'siti stjo:'dənt] universitetsstuderande

unjust [ann'dʒass't] orättvis, orättfärdig

unjustified [ann'dʒass'tifajd] oberättigad, obefogad

unkempt [ann'kemm'pt] okammad; ovårdad

unkind [ankaj'nd] ovänlig

unknowing [ann'nəo'ing] ovetande

unknown [ann'nəo'n] okänd, obekant

unlace [ann'lej's] snöra upp

unlawful [ann'lå:'foll] orättmätig, olaglig; *unlawful interference* egenmäktigt förfarande

unleaded [anledd'id] *unleaded petrol* blyfri bensin

unless [anless'] om (såvida) inte

unlet [ann'lett'] outhyrd

unlike [ann'laj'k] olik

unlikely [anlaj'kli] osannolik

unlimited [anlimm'itid] obegränsad

unload [ann'ləo'd] lossa, lasta ur

unloading [ann'ləo'ding] avlastning, lossning

unlock [ann'låkk'] låsa upp

unlocked [ann'låkk't] olåst

unlucky [anlakk'i] olycklig; olycks-; *be unlucky* ha otur

unmachined [ann'məʃi:'nd] obearbetad (*i maskin*)

unmanned [ann'männ'd] obemannad

unmarried [ann'märr'id] ogift

unmask [ann'ma:'sk] demaskera [sig]

unmerciful [anmə:'sifol] obarmhärtig

unmistakable [ann'misstej'kəbl] omisskännlig, otvetydig

unmusical [ann'mjo:'zikəl] omusikalisk

unnatural [anätt'frəl] onaturlig

unnecessarily [aness'isərili] i onödan

unnecessary [aness'isəri] onödig; obehövlig

unnerve [ann'nə:'v] enervera; göra matt och viljelös

unnoticed [ann'nəo'tist] obeaktad

unobserved [ann'əbzə:'vd] obemärkt

unoccupied [ann'åkk'jopajd] ledig (*om sittplats o.d.*)

unofficial [ann'əfiʃ'əl] inofficiell

unpack [ann'päkk'] packa upp

unpacking [ann'päkk'ing] uppackning

unpaid [ann'pej'd] obetald

unpainted [ann'pej'ntid] osminkad; omålad

unpleasant [anplezz'nt] olustig; otrevlig

unpolished [ann'påll'iʃt] oputsad

unpolitical [ann'pəlitt'ikəl] opolitisk

unpopular [ann'påpp'jolə] impopulär

unpractical [ann'präkk'tikəl] opraktisk

unpredictable [ann'pridikk'təbl] oberäknelig

unprejudiced [anpredʒ'odist] fördomsfri

unprepared [ann'pripä:'əd] oförberedd

unpretentious [ann'pritenn'ʃəs] opretentiös, anspråkslös

unprofitable [anpråff'itəbl] olönsam

unprotected [ann'prətekk'tid] oskyddad

unqualified [ann'kwåll'ifajd] okvalificerad

unravel [anrävv'l] reda upp (ut)

unreal [ann'ri:'əl] overklig

unrealistic [ann'ri:əliss'tik] orealistisk

unreasonable [anri:'znəbl] oresonlig, oskälig; oförnuftig

unrecognizable [ann'rekk'əgnajzəbl] oigenkännlig

unrejectable [anridʒekk'təbl] oavvislig

unreliable [ann'rilaj'əbl] ovederhäftig, opålitlig, otillförlitlig

unreserved [ann'rizə:'vd] oförbehållsam, oreserverad

unrest [ann'ress't] oro

unripe [ann'raj'p] omogen; *unripe fruit* kart

unroll [ann'rəo'l] rulla av

unruly [anro:'li] oregerlig

unsaid [ann'sedd'] osagd

unsatisfactory [ann'sätisfäkk'təri] otillfredsställande

unsatisfied [ann'sätt'isfajd] otillfredsställd

unscientific [ann'sajəntiff'ik] ovetenskaplig

unscrupulous [anskro:'pjoləs] samvetslös

unseasoned [ann'si:'znd] okryddad

unseemly [ansi:'mli] opassande; ful

unselfish [ann'sell'fiʃ] osjälvisk

unshaved [anʃej'vd] orakad

unshrinkable [ann'ʃring'kəbl] krympfri

unsightly [ansaj'tli] ful

unskilled worker [ann'skill'd wə:'kə] grovarbetare

unsolved [ann'såll'vd] olöst (*om problem o.d.*)

unspeakable [anspi:'kəbl] outsäglig

unsteady [ann'stedd'i] ostadig

unstressed [ann'stress't] obetonad

unsuccessful [ann'səksess'foll] misslyckad

unsuitable [ann'sjo:'təbl] olämplig

unsurmountable [ann'sə:mao'ntəbl] oöverstiglig

unsurpassed [ann'sə:pa:'st] oöverträffad

unsympathetic [ann'simpəθett'ik] oförstående

untalented [ann'täll'entid] talanglös, obegåvad

untenable [ann'tenn'əbl] ohållbar (*om åsikt*)

untenanted [ann'tenn'əntid] obebodd (*om hus*)

untether [anteð'ə] lösa (*tjudrat djur*)

untidy [antaj'di] ostädad, skräpig

untie [antaj'] knyta upp (loss)

until [antill'] tills; *not until* icke förrän; *not until now* först nu

untimely [antaj'mli] oläglig; förtidigt inträffad

untold [antəo'ld] oräknad, oräknelig

untrained [antrej'nd] otränad

untrue [ann'tro:'] osann

untruth [ann'tro:'θ] osanning

untruthful [ann'tro:'θfoll] lögnaktig

unusable [anjo:'zəbl] oanvändbar

unused [anjo'zd] outnyttjad

unusual [anjo:'ʃoəl] ovanlig

unveil [anvej'l] avtäcka (*staty*)

unverified [anverr'ifajd] obestyrkt

unwell [anwell'] illamående, krasslig

unwieldy [anwi:'ldi] åbäkig, ohanterlig

unwilling [anwill'ing] ovillig

unwillingly [anwill'ingli] ogärna

unwise [anwaj'z] oklok

unwittingly [anwitt'ingli] omedvetet, oavsiktligt

unworthy [anwə:'ði] ovärdig

up [app] **1** *pred. adj., adv.* upp, fram; uppe, framme; slut; *what's up?* hur är läget?; *what's up now?* vad nu då?; *be hard up* ha ont om pengar; *up till now* tills nu; *up to* i stånd till, i form för; *right up to* ända [fram] till; *it's up to you* det får du bestämma; *up to town* in till stan; *he is not up to much* det är inte mycket bevänt med honom **2** *prep.* uppåt; uppför; längs med; *up and down* av och an; *up the street* uppför gatan, längre upp på gatan; *up yours!* (*vulg.*) dra åt helvete!

upbringing [app'bringing] uppfostran

upheaval [apphi:'vl] omvälvning

uphill [app'hill'] uppför

uphold [aphəo'ld] hålla uppe, stödja; försvara

upholster [aphəo'lstə] stoppa (*möbler*)

upkeep [app'ki:p] underhåll

upon [əpånn'] på; *jfr on*

upper [app'ə] övre; *the upper classes* överklassen; *upper floor* övervåning; *upper jaw* överkäke *upper lip* överläpp

uppermost [app'əmɔost] överst

upright [app'rajt] **1** *adj.* upprätt [stående], rak; hederlig **2** *adv.* rakt upp, lodrätt **3** *s.* stolpe, påle

uprising [apraj'zing] resning, uppror

uproar [app'rå'] tumult, oväsen

upset [apsett'] stjälpa, välta; göra upprörd

upshot [app'ſåt] resultat

upside down [app'sajd dao'n] upp- ochnedvänd

upstairs [apstä:'əz] en trappa upp, uppför trappan

upstart [app'sta:t] uppkomling

upswing [app'swing] uppsving

uptake [app'tejk] *be quick on the uptake* ha lätt för att fatta

up to date [app'tədej't] *adj.* tidsenlig, modern

upward[s] [app'wad(z)] uppåt

Urals [jo'ərəlz] *the Urals* Uralbergen

uranium [joərej'njəm] uran

urban [ə:'bən] stads-

urbane [ə:bej'n] belevad

urchin [ə:'tſin] rackarunge; sjöborre

urge [ə:dʒ] **1** *v.* driva på; enträget be **2** *s.* drift, stark längtan

urgent [ə'dʒənt] brådskande, angelägen

urinal [jo:'ərinl] pissoar

urine [jo:'ərin] urin

urn [ə:n] urna

U.S. [jo:'ess'] *the U.S.* USA

us [ass] oss

usage [jo:'zidʒ] språkbruk; sed; användning

use 1 *v.* [jo:z] använda, bruka, begagna; *used to* brukade; *be* (*get*) *used to* vara (bli) van vid; *be used up* gå åt, ta slut **2** *s.* [jo:s] bruk, vana; användning; nytta; *it's no use* det lönar sig inte, det är ingen idé; *it's not much use* det är inte mycket bevänt med det; *make use of* begagna sig av, använda

used 1 [jo:zd] begagnad, använd **2** [jo:st] *used to* van vid

useful [jo:'sfol] nyttig, användbar

useless [jo:'slis] lönlös, meningslös; onyttig

usher [aſ'ə] *s.* dörrvaktmästare; platsanvisare **2** *v.* föra (visa) in

usherette [aſərett'] platsanviserska (*på bio etc.*)

usual [jo:'ʒoəl] vanlig (*with* hos)

usually [jo:'ʒoəli] vanligen, vanligtvis; *I usually have lunch at twelve o'clock* jag brukar äta lunch kl. 12

usurer [jo:'ʒərə] ockrare

usurp [jo:zə:'p] tillskansa sig; inkräkta [på]

usurper [jo:zə:'pə] [tron]inkräktare

usury [jo:'ʒori] ocker
utensil [jotenn'sl] redskap, verktyg
uterus [jo:'tərəs] *anat.* livmoder
utility [jotill'iti] **1** *s.* nytta, nyttighet;
[*public*] *utility* samhällsservice
2 *adj.* nytto-; ändamålsenlig
utilize [jo:'tilajz] utnyttja
utmost [att'məost] ytterst; *do one's
utmost* göra sitt yttersta
utopia [jo:təo'pjə] utopi
utopian [jo:təo'pjən] utopisk
utter [att'ə] **1** *v.* yttra; *utter a sound*
knysta **2** *adj.* ytterlig
utterance [att'ərəns] yttrande
utterly [att'əli] ytterst

V

V, v [vi:] (*bokstav*) V, v
vacancy [vej'kənsi] tomrum; ledig
plats; fritid
vacant [vej'kənt] uttryckslös, intetsä-
gande; ledig, vakant (*om tjänst o.d.*)
vacate [vəkej't] utrymma
vacation [vəkej'ʃən] ferier; *Am.* se-
mester
vaccinate [väkk'sinejt] vaccinera
vaccination [väksinej'ʃən] vaccina-
tion
vaccine [väkk'si:n] vaccin
vacillate [väss'ilejt] vackla; tveka
vacuum [väkk'joəm] vakuum
vacuum cleaner [väkk'joəm kli:'nə]
dammsugare
vacuum-packed [väkk'joəmpäkt]
vakuumförpackad
vagina [vədʒaj'nə] slida, vagina
vagrant [vej'grənt] **1** *adj.* kringvand-
rande **2** *s.* luffare
vague [vejg] vag, obestämd
vain [vejn] fåfäng; vanmäktig; *in vain*
förgäves
vale [vejl] dal
valet [väll'it] **1** *s.* betjänt **2** *v.* passa
upp
valiant [väll'jənt] tapper
valid [väll'id] giltig, gällande

validity [vəlidd'iti] giltighet; *period
of validity* giltighetstid
valise [voli:'z] liten resväska
valley [väll'i] dal
valour [väll'ə] tapperhet
valuable [väll'joəbl] värdefull; *valu-
able document* värdepapper
valuation [väljoej'ʃən] värdering
value [väll'jo:] **1** *v.* värdera **2** *s.* värde;
valör; *value of money* penningvärde;
get good value for få valuta för
value added tax [väll'jo:ädd'id täks]
mervärdesskatt, moms
valve [väll'v] ventil; [radio]rör
valve rubber [väll'v rabb'ə] ventil-
gummi
vampire [vämm'pajə] vampyr; blod-
sugare
van [vänn] skåpbil; förtrupp
vandalize [vänn'dəlajz] vandalisera
vanguard [vänn'ga:d] förtrupp
vanilla [vənill'ə] vanilj; *vanilla ice*
vaniljglass; *vanilla sauce* vaniljsås
vanish [vänn'iʃ] försvinna
vanity [vänn'iti] fåfänga
vanquish [väng'kwiʃ] övervinna,
besegra
vantage [va:'ntidʒ] fördel (*i tennis*);
vantage point gynnsam position
vapour [vej'pə] ånga; dimma; imma
variant [vä:'əriənt] variant
variation [vä:əriej'ʃən] omväxling,
variation
varicose vein [värr'ikəos vejn] åder-
bråck
varied [vä:'ərid] skiftande; brokig
variegated [vä:'ərigejtid] brokig;
omväxlande
variety [vəraj'əti] omväxling; mång-
fald; sort; varieté
variety show [vəraj'əti ʃəo] varieté
various [vä:'əriəs] diverse, olika;
omväxlande
varnish [va:'niʃ] **1** *s.* fernissa, lack
2 *v.* fernissa, lackera
varsity [va:'siti] *vard.* universitet
vary [vä:'əri] variera
varying [vä:'əriing] omväxlande
vase [va:z] vas

Vaseline [väsəli:'n] vaselin (*varumärke*)

vast [va:st] vidsträckt, stor

VAT [vi:ejti:'] *förk för value added tax*

vat [vätt] kar

Vatican [vätt'ikən] *the Vatican* Vatikanen

vaudeville [vəo'dəvil] musiklustspel; *Am.* varieté

vault [vå:lt] **1** *s.* valv; hopp, språng **2** *v.* välva sig

VCR [vi:si:a:'] *förk. för video cassette recorder*

veal [vi:l] kalv[kött]

veal chop [vi:'l tʃåpp] kalvkotlett

veer [vi:'ə] vända, gira; ändra åsikt

vegetable [vedʒ'itəbl] **1** *s.* köksväxt, grönsak **2** *adj.* vegetabilisk

vegetarian [vedʒitä:'əriən] **1** *s.* vegetarian **2** *adj.* vegetarisk

vegetation [vedʒitej'ʃən] växtlighet, vegetation

vehement [vi:'imənt] häftig

vehicle [vi:'ikl] fordon, åkdon

veil [vejl] **1** *s.* slöja **2** *v.* beslöja

vein [vejn] åder, ven; ådra; lynne

velocity [vilåss'iti] hastighet

velvet [vell'vit] sammet

vender, vendor [venn'də] säljare, gatuförsäljare; automat

veneer [vini:'ə] faner; polityr

venerable [venn'rəbl] vördnadsvärd

venerate [venn'ərejt] vörda

venereal disease [vini:'əriəl dizi:'z] könssjukdom, venerisk sjukdom

Venetian [vini:'ʃən] venetiansk; *Venetian blind* persienn

vengeance [venn'dʒəns] hämnd; *with a vengeance* i överkant

Venice [venn'is] Venedig

venison [venn'zn] hjortkött, rådjurskött

venom [venn'əm] [orm]gift

vent [vent] utlopp; sprund

ventilation [ventilej'ʃən] ventilation

ventilator [venn'tilejtə] ventil; fläkt

ventriloquist [ventrill'əkwist] buktalare

venture [venn'tʃə] **1** *s.* vågstycke;

försök, tilltag **2** *v.* våga [sig på]; *I venture to say that* jag vågar påstå att; *boldly ventured is half won* friskt vågat är hälften vunnet

veracious [vərej'ʃəs] sannfärdig, sanningsenlig

veranda [vərænn'də] veranda

verb [və:b] verb

verbal [və:'bəl] muntlig; ordagrann

verbose [və:bəo's] mångordig

verdant [və:'dənt] grönskande, grön

verdict [və:'dikt] dom, utslag

verdigris [və:'digris] ärg

verdure [və:'dʒə] grönska

verge [və:dʒ] **1** *s.* rand, kant (*äv. bildl.*); vägkant; *on the verge of tears* nära till gråt **2** *v.*, *verge on* närma sig

verger [və:'dʒə] kyrkvaktmästare

verification [verifikej'ʃən] verifikation

verify [verr'ifaj] verifiera; bevisa, bekräfta

verily [verr'ili] sannerligen

verity [verr'iti] sanning

vermin [və:'min] ohyra

vernacular [vənækk'jolə] **1** *adj.* inhemsk; lokal- **2** *s.* modersmål; dialekt

vernal equinox [və:'nl i:'kwinåks] vårdagjämning

versatile [və:'sətajl] mångsidig; rörlig (*om intellekt*)

verse [və:s] vers

versed [və:st] skicklig, kunnig

version [və:'ʃən] version

versus [və:'səs] mot, kontra

vertebra [və:'tibrə] kota

vertebrate [və:'tibrit] ryggradsdjur

vertical [və:'tikəl] vertikal

very [verr'i] **1** *adv.* mycket; allra; *at the very latest* allra senast; *not very good* inget vidare bra; *very lately* helt nyligen **2** *adj.*, *from the very beginning* från första början; *the very thought* blotta tanken; *this very day* redan i dag

vessel [vess'l] kärl; farkost

vest [vest] **1** *s.* undertröja, linne **2** *v.* ikläda; förläna

vestige [vess'tidʒ] spår

vestry [vess'tri] sakristia

vet [vett] *vard.* veterinär

veteran [vett'ərən] veteran

veterinarian [vetrinä:'əriən] veterinär

veto [vi:'təo] veto; *put one's veto on* inlägga sitt veto mot

vex [veks] reta, förarga

vexation [veksej'ʃən] förargelse

via [vaj'ə] via

viaduct [vaj'ədakt] viadukt

vibrate [vajbrej't] vibrera

vibration [vajbrej'ʃən] vibration, svängning

vicar [vikk'ə] pastor; *assistant vicar* komminister

vicarage [vikk'əridʒ] prästgård; pastorat

vice [vajs] **1** *s.* skruvstäd; last; synd **2** *adj.* vice[-]

viceroy [vaj'sråj] vicekung

vicinity [visinn'iti] grannskap

vicious [viʃ'əs] lastbar; ond

vicissitude [visiss'itjo:d] växling

victim [vikk'tim] offer

victimize [vikk'timajz] plåga; offra

victor [vikk'tə] segrare

victorious [vikktå:'riəs] segrande, segerrik

victory [vikk'təri] seger

video [vidd'eəo] video

video camera [vidd'eəokämm'ərə] videokamera

video cassette recorder [vidd'eəo kə-sett' rikå:'də] *Am.* videobandspelare

videotape [vidd'eəotejp] videoband

videotape recorder [vidd'eəotejp rikå:'də] videobandspelare

vie [vaj] tävla (*for* om)

Vienna [vienn'ə] Wien

view [vjo:] **1** *s.* [å]syn, synhåll; anblick; utsikt; åsikt; *in view of* med hänsyn till, i betraktande av; *point of view* ståndpunkt; *view of life* livsåskådning; *with a view to* i syfte (avsikt) att **2** *v.* beskåda; syna, granska

viewer [vjo:'ə] [TV-]tittare

viewfinder [vjo:'fajndə] sökare (*i kamera*)

viewpoint [vjo:'påjnt] synpunkt; utsiktspunkt

vigil [vidʒ'il] vaka, nattvak

vigilance [vidʒ'iləns] vaksamhet

vigorous [vigg'ərəs] spänstig, kraftig

vigour [vigg'ə] vigör, kraft, styrka

Viking [vaj'king] viking; *the Viking Age* vikingatiden; *Viking raid* vikingatåg; *Viking ship* vikingaskepp

vile [vajl] usel; avskyvärd; värdelös

villa [vill'ə] villa

village [vill'idʒ] by

villain [vill'in] bov, skurk

villainous [vill'ənəs] skurkaktig

vim [vimm] energi, kraft

vindicate [vinn'dikejt] rättfärdiga; försvara; hävda

vindictive [vindikk'tiv] hämndlysten

vine [vajn] vinranka

vinegar [vinn'igə] ättika; *wine vinegar* vinäger

vineyard [vinn'jəd] vingård

vin ordinaire [vä:ng ə:dinä:'ə] lantvin

vintage [vinn'tidʒ] årgång (*av vin*)

viola [viəo'lə] viola

violate [vaj'əlejt] kränka, bryta mot; våldta; göra våld på

violation [vajəlej'ʃən] kränkning, överträdelse; våldtäkt

violence [vaj'ələns] våld

violent [vaj'ələnt] våldsam; häftig

violet [vaj'əlit] **1** *s.* viol **2** *adj.* violett

violin [vajəlinn'] violin, fiol

violinist [vaj'əlinist] violinist

violoncello [vajələntʃell'əo] cello, violoncell

V.I.P. [vi:ajpi:'] (*förk. för* very important person) VIP, mycket betydande person

viper [vaj'pə] huggorm

virgin [və:'dʒin] **1** *s.* oskuld; jungfru **2** *adj.* jungfrulig

Virginia creeper [və:dʒinn'iə kri:'pə] vildvin

virile [virr'ajl] viril, manlig

virtual [və:'tjoəl] faktisk, egentlig

virtual reality [və:'toəl ri:äll'iti] *data.* virtuell verklighet

virtually [və:'tjoəli] praktiskt taget

virtue [və:'tjo:] dygd; fördel; *by virtue of* i kraft av, tack vare

virtuoso [və:tjoəo'zəo] virtuos

virtuous [və:'tjoəs] dygdig

virulent [virr'olənt] giftig; häftig

virus [vaj'ərəs] virus; *virus disease* virussjukdom

visa [vi:'zə] 1 *s.* visum 2 *v.* visera

viscount [vaj'kaont] viscount (*brittisk adelstitel mellan baron och earl*)

visibility [vizibill'iti] sikt

visible [vizz'əbl] synlig

vision [viʃ'ən] vision; syn; *with defective vision* synskadad

visit [vizz'it] 1 *v.* besöka; gästa 2 *s.* besök (*to* hos, i); *frequent visits* täta besök; *pay s.b. a visit* avlägga visit

visitation [vizitej'ʃən] besök; hemsökelse

visiting hours [vizz'iting ao'əz] besökstid

visitor [vizz'itə] besökare, gäst; turist; *visitors* (*pl*) främmande

visor [vaj'zə] mösskärm; hjälmvisir

vista [viss'tə] utsikt, perspektiv; glänta

visual [vizz'joəl] syn-; synlig-; visuell

vital [vaj'tl] vital; livsviktig; *vital force* livskraft

vitamin [vitt'əmin] vitamin

vitamin deficiency [vitt'əmin difiʃ'ənsi] vitaminbrist

vivacious [vivej'ʃəs] livlig, pigg

vivid [vivv'id] livlig, livfull; skarp (*om färg e.d.*)

vixen [vikk'sn] ragata; rävhona

viz. [vidi:'liset] (*utläses vanl. namely* [nejm'li]) nämligen

vocabulary [vəkäbb'joləri] ordförråd, vokabulär

vocal [vəo'kl] stäm-, röst-; muntlig, uttalad; högröstad; *vocal cord* stämband

vocation [vəokej'ʃən] yrke, kall

vocational guidance [vəokej'ʃənl gaj'dəns] yrkesorientering

vociferous [vəosiff'ərəs] högljudd

vodka [vådd'kə] vodka

vogue [vəog] mod[e]; sed; popularitet

voice [våjs] röst, stämma

voiced [våjst] tonande

void [våjd] 1 *adj.* renons, tom; ogiltig 2 *s.* tomrum; *disappear into the void* försvinna i tomma intet

volatile [våll'ətajl] flyktig

volcano [vålkej'nəo] vulkan

vole [vəol] sork

volition [vəoliʃ'ən] vilja

volley [våll'i] salva, skur; *sport.* volley

volt [vəolt] *elektr.* volt

voltage [vəo'ltidʒ] *elektr.* spänning

voluble [våll'jobl] munvig, talför

volume [våll'jom] band; volym; årgång (*av tidskrift e.d.*); ljudstyrka

voluntary [våll'əntəri] frivillig

volunteer [vålənti:'ə] 1 *s.* frivillig, volontär 2 *v.* frivilligt åta[ga] sig

voluptuous [vəlapp'tjoəs] vällustig; sensuell; yppig (*kvinna*)

vomit [våmm'it] kräkas

voracious [vərej'ʃəs] glupsk

vote [vəot] 1 *v.* rösta, votera; *vote for* (*against*) rösta ja (nej); *right to vote* rösträtt 2 *s.* röst; omröstning, votering; rösträtt

voter [vəo'tə] väljare, röstande

voting [vəo'ting] [om]röstning

voting paper [vəo'tingpejpə] röstsedel

vouch [vaotʃ] garantera; bekräfta

voucher [vao'tʃə] kupong

vouchsafe [vaotʃsej'f] värdigas; bevärdiga med

vowel [vaoəl] vokal

voyage [våj'idʒ] [sjö]resa

vulcanize [vall'kənajz] vulkanisera

vulgar [vall'gə] vulgär, rå

vulnerable [vall'nərəbl] sårbar

vulture [vall'tʃə] *zool.* gam

W

W, w [dabb'ljo:] (*bokstav*) W, w

wad [wådd] vadd; tuss, sudd; sedelbunt

wadding [wådd'ing] bomullsvadd; stoppning

waddle [wådd'l] **1** v. stulta, vagga **2** s. vaggande gång

wade [wejd] vada

wader [wej'də] vadare

wafer [wej'fə] oblat; rån

waffle [wåff'l] våffla

waft [wa:ft] pust, fläkt

wag [wägg] **1** v. vifta [på]; vagga **2** s. skämtare

wage [wejdʒ] wage war föra krig

wage earner [wej'dʒə:nə] löntagare, arbetare

wage-earning [wej'dʒə:ning] förvärvsarbete

wager [wej'dʒə] **1** s. vad **2** v. slå vad

wages [wej'dʒiz] (pl) (arbetares) lön

wagon [wägg'ən] vagn

wagtail [wägg'tejl] sädesärla

waif [wejf] hittegods; hittebarn; herrelös hund

wail [wejl] jämra sig

wainscot [wej'nskət] panel

waist [wejst] midja; waist measurement midjemått

waistcoat [wej'skəot] väst

wait [wejt] **1** v. vänta (for på); passa upp; have to wait få vänta; keep s.b. waiting låta ngn vänta; wait upon uppvakta, passa upp; while waiting i väntan på **2** s. väntan; lie in wait ligga på lur

waiter [wej'tə] kypare, servitör, uppassare

waiting list [wej'ting list] väntelista

waiting room [wej'tingro:m] väntrum, väntsal

waitress [wej'tris] servitris

waive [wejv] avstå från; ge upp

wake [wejk] **1** v. vakna; väcka; vaka; wake up vakna, väcka **2** s. vaka, likvaka; kölvatten

waken [wej'kn] vakna; väcka

walk [wå:k] **1** v. gå, promenera **2** s. gång; promenad; go for a walk gå ut och gå

wall [wå:l] mur; vägg

wall bars [wå:l'lba:z] ribbstol

wallet [wåll'it] plånbok

wallflower [wå:'lflaoə] panelhöna

wallow [wåll'əo] **1** v. vältra sig **2** s. göl

wallpaper [wå:'lpejpə] tapet

wall socket [wå:'lsåkk'it] väggkontakt

walnut [wå:'lnat] valnöt

Walpurgis night [välpo:'əgis najt] valborgsmässoafton

walrus [wå:'lros] valross

waltz [wå:ls] **1** s. vals **2** v. dansa vals

wan [wånn] urblekt; glåmig

wand [wånd] trollspö

wander [wånn'də] vandra; irra; fantisera

wanderer [wånn'dərə] vandrare

wandering [wånn'dəring] vandring

wane [wejn] avta

wangle [wäng'gl] lura [sig till]; fuska ihop

want [wånt] **1** v. önska, vilja [ha]; do as s.b. wants göra ngn till viljes; what do you want me to do? vad vill du att jag skall göra? **2** s. behov; brist; be in want of vara i behov av, lida brist på

wanting [wånn'ting] bristfällig; be wanting saknas

wanton [wånn'tən] yster; meningslös; lättsinnig

war [wå:'] **1** s. krig; make war kriga; war of liberation befrielsekrig **2** v. föra krig

warble [wå:'bl] **1** v. kvittra **2** s. kvitter

warbler [wå:'blə] sångfågel

ward [wå:d] **1** s. skyddsling; [sjukhus]avdelning, sal **2** v., ward off avvärja

warden [wå:'dn] föreståndare

warder [wå:'də] fångvaktare

wardrobe [wå:'drəob] garderob, klädskåp

warehouse [wä:'əhaoz] lager, magasin

wares [wä:'əz] (pl) gods, varor

warfare [wå:'fä:ə] krigföring

warlike [wå:'lajk] krigisk

warm [wå:m] **1** adj. varm **2** v. värma

warm front [wå:'mfrånt] varmfront

warmonger [wå:'manggə] krigshetsare

warmth [wå:mθ] värme

warm-up [wå:'map] *sport.* uppvärmning

warn [wå:n] varna (*of* för), förmana; varsko; *I warned her not to do it* jag varnade henne för att göra det

warning [wå:'ning] varning

warp [wå:p] **1** *s.* varp; *warp and weft* varp och inslag **2** *v.* snedvrida; bågna, slå sig

warped [wå:pt] skev, vind; partisk

warrant [wårr'ənt] **1** *v.* garantera; bemyndiga **2** *s.* garanti; fullmakt; *warrant of arrest* häktningsorder

warrior [wårr'iə] krigare

Warsaw [wå:'så'] Warszawa

warship [wå:'ʃip] krigsfartyg, örlogsfartyg

wart [wå:t] vårta

wary [wä:'əri] försiktig, på sin vakt

was [wåzz] *imperf.* (*I o. 3 pers.*) *av be*

wash [wåʃ] **1** *v.* tvätta [sig]; diska; spola; *wash away* spola bort; *wash the dishes* (*Am.*) diska; *wash up* diska **2** *s.* tvätt[ning]; svallvåg; kölvatten; tunt lager (*av färg e.d.*)

washboard [wåʃ'bå:d] tvättbräde

washbowl [wåʃ'baol] *Am.* handfat

washer [wåʃ'ə] tvättare; tvättmaskin; packning

washing [wåʃ'ing] tvättning

washing detergent [wåʃ'ing ditə:'dʒent] tvättmedel

washing machine [wåʃ'ingməʃi:n] tvättmaskin

washing-up [wåʃ'ing app'] disk[ning]

wash-out [wåʃ'aot] ursköljning; fiasko; misslyckad individ

wash proof [wåʃ'pro:f] tvättäkta

washstand [wåʃ'ständ] tvättställ

wasn't [wåznt] =*was not*

wasp [wåsp] geting

wastage [wej'stidʒ] spill

waste [wejst] **1** *v.* slösa, öda, ödsla bort; *be wasted* förfaras **2** *s.* slöseri; avfall; svinn; ödemark **3** *adj.* öde[lagd]; spill-, avfalls-

wastebasket [wej'stba:skit] *Am.* papperskorg

wasted [wej'stid] tillspillogiven

wasteful [wej'stfoll] slösaktig

waste-paper basket [wej'stpejpə ba:'skit] papperskorg

waste pipe [wej'stpajp] avloppsrör

watch [wåtʃ] **1** *v.* iaktta, titta på; ge akt på; vakta; vaka **2** *s.* vakt; vaka; armbandsur, fickur

watchdog [wåtʃ'dåg] vakthund

watchful [wåtʃ'fol] vaksam

watchmaker [wåtʃ'mejkə] urmakare

watchman [wåtʃ'mən] nattvakt

watchword [wåtʃ'wə:d] lösen[ord]

water [wå'tə] **1** *s.* vatten; *waters* (*pl*) farvatten **2** *v.* vattna

water closet [wå:'təklåzit] vattenkloset

watercolour [wå:'təkall'ə] vattenfärg; akvarell

watercourse [wå:'təkå:s] vattendrag

waterfall [wå:'tofå:l] vattenfall

waterfront [wå:'tofrant] sjösida (*i stad*)

watering can [wå:'təring känn] vattenkanna

water lily [wå:'təlili] näckros

water main [wå:'tə mejn] vattenledning

water pollution [wå:'tə pəlo:'ʃən] vattenförorening

water-power [wå:'tə pao'ə] vattenkraft

waterproof [wå:'təpro:f] vattentät, vattenfast

water scooter [wå:'təsko:'tə] vattenskoter

water-ski [wå:'tə ski] **1** *s.* vattenskida **2** *v.* åka vattenskidor

water-sprite [wå:'təsprajt] näck

water tap [wå:'tətäp] vattenkran

watertight [wå:'tətajt] vattentät; tillförlitlig

water turbine [wå:'tə tə:'bajn] vattenturbin

wave [wejv] **1** *v.* vinka [med], vifta [med]; vaja; ondulera **2** *s.* våg; ondulering

waver [wej'və] vackla; fladdra

wavy [wej'vi] vågig

wax [wäks] **1** s. vax **2** v. vaxa, bona; tillta, växa

wax bean [wäkk'sbi:n] bot. vaxböna

way [wej] väg; sätt, vis; by way of via; såsom, till; by the way för övrigt, i förbigående; the other way åt andra hållet; get one's own way få sin vilja igenom; in a bad way illa däran; well under way i full gång; give way ge vika; make way välja; make one's way slå sig fram; way of life livsföring; they went their separate ways de gick åt var sitt håll; the wrong way round bakvänt; all the way there ända fram; way through genomfart; way up uppgång

waylay [wejlej'] ligga i försåt för

wayward [wej'wəd] egensinnig; nyckfull

we [wi:] vi; we ourselves vi själva

weak [wi:k] svag, matt, vek; grow weak försvagas; weak in health sjuklig

weaken [wi:'kən] försvaga; matta; försvagas; mattas

weakening [wi:'kning] försvagning

weakling [wi:'kling] vekling

weakness [wi:'knis] svaghet

weal [wi:l] åld. väl; the public weal det allmänna bästa

wealth [welθ] rikedom, förmögenhet, välstånd

wealthy [well'θi] förmögen, rik

wean [wi:n] avvänja

weapon [wepp'ən] vapen, tillhygge

wear [wä:ə] **1** v. bära (kläder), ha på sig; slita, nöta; hålla [bra]; wear out slita ut **2** s. slitage, nötning

weariness [wi:'ərinis] trötthet; leda

weary [wi:'əri] **1** adj. trött; modlös **2** v. trötta [ut]; tröttna

weasel [wi:'zl] vessla

weather [weθ'ə] **1** s. väder, väderlek **2** v. utsätta för väder och vind; tåla väder och vind; stå sig; klara sig igenom

weathercock [weθ'əkåk] vindflöjel

weather forecast [weθ'ə få:'ka:st] väderleksrapport; telephone weather forecast Fröken Väder

weatherstrip [weθ'əstrip] tätningslist

weave [wi:v] väva

weaving [wi:'ving] vävning

weaving mill [wi:'ving mill] väveri

web [webb] väv, varp; spindelväv; simhud

webbed [webd] [försedd] med simhud

wed [wedd] gifta sig med; gifta bort; viga

wedding [wedd'ing] bröllop; wedding dress brudklänning; wedding ring vigselring

wedge [wedʒ] **1** s. kil **2** v. kila

wedlock [wedd'låk] äktenskap

Wednesday [wenn'zdi] onsdag

wee [wi:] **1** s. liten, en smula (i sht i Skottland); vard. kiss **2** v., vard. kissa

weed [wi:d] **1** s. ogräs; vard. marijuana **2** v. rensa; weed out gallra ut

weed control [wi:'d kəntrəo'l] ogräsbekämpning

weedkiller [wi:'dkillə] ogräsmedel

week [wi:k] vecka; today week i dag om en vecka

weekday [wi:'kdej] vardag

weekend [wi:'kenn'd] veckohelg, veckoslut; weekend cottage sommarställe, sportstuga

weekly [wi:'kli] **1** s. veckotidning **2** adj. vecko- **3** adv. varje vecka

weekly press [wi:'kli press] veckopress

weep [wi:p] gråta

wee-wee [wi:'wi:'] vard. **1** s. kiss **2** v. kissa

weft [weft] inslag (i väv)

weigh [wej] väga; tynga; weigh anchor lätta ankar

weighing [wej'ing] vägning

weight [wejt] **1** s. vikt; tyngd; put the weight stöta kula; put on weight lägga på hullet **2** v. tynga [ner]

weightlifter [wej'tliftə] tyngdlyftare

weird [wi:'əd] kuslig, hemsk; vard. konstig, underlig

welcome [well'kam] **1** adj. välkommen; he is very welcome to it det är

honom väl unt; *make s.b. welcome*
få någon att känna sig välkommen
2 *v.* välkomna **3** *s.* välkomnande, mottagande **4** *welcome!* välkommen!
weld [weld] svetsa
welding [well'ding] svetsning
welding set [well'ding set] svetsaggregat
welfare [well'fä:ə] välfärd; välgång; *social welfare* socialvård
welfare officer [well'fä:ə åff'isə]
(*social-*) kurator
welfare state [well'fä:ə stejt] välfärdssamhälle
well [well] **1** *s.* brunn; väl; *wish s.b.
well* vilja någon väl **2** *v.* välla fram;
tears welled up in his eyes hans ögon
fylldes med tårar **3** *adj.* frisk, bra; väl;
klokt, lämpligt; *I don't feel at all well*
jag mår inte alls bra **4** *adv.* bra; ordentligt; med rätta; *as well as* så väl
som; *well done!* bravo!; *well known*
välkänd **5** *well!* nå!, tja!; *get well!*
krya på dig!; *oh well!* nåja; *well, well!*
jo jo!, vad nu då!
well-arranged [well'ərej'ndʒd] välordnad
well-being [well'bi:'ing] trivsel, välbefinnande
well-bred [well'bredd'] väluppfostrad, belevad
well-deserved [well'dizə:'vd] välförtjänt
well-dressed [well'dress't] välklädd
well-fitting [well'fitt'ing] välsittande
well-groomed [well'gro:'md] vårdad
(*om klädsel*)
well-informed [well'infå:'md] allmänbildad; välinformerad
well-known [well'nəo'n] välkänd,
bekant
well-made [well'mej'd] välgjord
well-managed [well'männ'idʒd] välskött
well-meening [well'mi:'ning] välmenande
well-nigh [well'naj] nära nog
well-off [well'åff'] välsituerad
well-read [well'redd'] beläst

well-spoken [well'spəo'kn] vältalig;
belevad
well-stocked [well'ståkk't] välförsedd
well-to-do [well'tədo:'] välbärgad
well-trained [well'trej'nd] vältränad
well-tried [well'traj'd] beprövad
Welsh [welʃ] **1** *adj.* walesisk **2** *s.* walesiska (*språk*)
Welshman [welʃ'mən] walesare
welter [well'tə] **1** *v.* vältra sig, rulla
sig **2** *s.* kaos, röra
wend [wend] *wend one's way* bege sig
went [went] *imperf. av go*
wept [wept] *imperf. och perf. part.
av weep*
were [wə:] vore, var, blev
we're [wiə] *=we are*
weren't [wə:nt] *=were not*
werewolf [wä:'əwolf] varulv
west [west] **1** *adj.* västlig, västra; *the
West Indies (pl)* Västindien **2** *adv.*
västerut **3** *s.* väst[er]; *the West* västerlandet; *the Wild West* Vilda Västern; *the wind is in the west* vinden
är västlig
westerly [wess'təli] västlig
western [wess'tən] **1** *adj.* västlig,
västra, västerländsk; *Western Europe*
Västeuropa; *the Western Powers*
västmakterna **2** *s.* västern (*bok, film
e.d. om vilda västern*)
wet [wett] **1** *adj.* våt, blöt; *wet through*
genomvåt; *get o.s. all wet* blöta ner
sig **2** *v.* väta, blöta ner **3** *s.* väta, fukt;
vard. mes, tönt
wet wipe [wett'wajp] våtservett
we've [wi:v] *=we have*
whack [wäkk] **1** *s.* smäll **2** *v.* smälla
till
whale [wejl] val
whaler [wej'lə] valfångare
wharf [wå:f] lastkaj
what [wått] vad, vilken; *what a
beautiful hat!* en sådan vacker hatt!;
I don't know what to do jag vet inte
vad jag skall göra
whatever [wåtevv'ə] vad ... än; *no
risk whatever* ingen som helst risk
whatnot [wått'nått'] prydnadshylla;

vard. allt möjligt

wheat [wi:t] vete

wheat flour [wi:'tflaoə] vetemjöl

wheel [wi:l] hjul; ratt, trissa; *turn wheels* hjula

wheelbarrow [wi:'lbärr'əo] skottkärra

wheelchair [wi:'ltʃä:ə] rullstol

wheeze [wi:z] väsa, flåsa

when [wenn] när, då; *when necessary* vid behov

whence [wens] varifrån; varav

whenever [wenevv'ə] när … än

where [wä:'ə] var, vart; där, dit; *where … from* varifrån

whereabouts 1 *s.* [wä:'ərəbaots] vistelseort 2 *adv.* [wä:ərəbao'ts] var någonstans

whereas [wä:əräzz'] då däremot

whereby [wä:'əbaj] varigenom

whereever [wä:ərevv'ə] var … än

whereupon [wä:ərəpånn'] varpå

whet [wett] vässa, slipa; stimulera

whether [weθ'ə] huruvida; *whether … or* vare sig … eller

whey [wej] vassla

which [witʃ] som; vilken; *at which* varvid; *to (for) which* vartill

whichever [witʃevv'ə] vilken … än

whiff [wiff] 1 *s.* pust, fläkt; doft; bloss 2 *v.* fläkta; dofta; blossa

while [wajl] 1 *s.* stund; *once in a while* då och då; *quite a while* ganska länge; *worth while* värt besväret, lönt 2 *konj.* medan; medan däremot; samtidigt som 3 *v., while away the time* fördriva tiden

whilst [wajlst] medan

whim [wimm] nyck, infall

whimper [wimm'pə] smågnälla

whimsical [wimm'zikl] nyckfull

whine [wajn] 1 *s.* gnäll 2 *v.* gnälla, jämra sig; vina

whinny [winn'i] 1 *v.* gnägga 2 *s.* gnäggning

whip [wipp] 1 *s.* piska; piskrapp 2 *v.* piska; vispa; *whipped cream* vispgrädde

whippet [wipp'it] *(ett slags)* vinthund

whirl [wə:l] 1 *s.* virvel 2 *v.* virvla, yra

whirlpool [wə:'lpo:l] strömvirvel

whirlpool bath [wə:'lpo:l ba:θ] bubbelpool

whirr [wə:] 1 *v.* surra; *(om motor)* spinna 2 *s.* surr

whisk [wisk] 1 *s.* visp; dammvippa; tofs; knyck 2 *v.* vifta [till] med; rusa

whiskers [wiss'kəz] *(pl)* morrhår; polisonger

whiskey [wiss'ki] *Irl. o. Am.* whisky

whisky [wiss'ki] whisky; *whisky and soda* grogg

whisper [wiss'pə] 1 *v.* viska 2 *s.* viskning

whistle [wiss'l] 1 *v.* vissla 2 *s.* vissling; visselpipa

white [wajt] 1 *adj.* vit; *white lie* nödlögn *white pepper* vitpeppar 2 *s.* vitt, vita

white-collar worker [wajt'kåll'ə wə:'kə] tjänsteman

whitefish [waj'tfiʃ] sik

white-tailed eagle [wajt' tej'ld i:'gl] havsörn

whitewash [waj'twåʃ] 1 *v.* vitkalka; rentvå 2 *s.* vitkalkning, rappning

whitewashing [waj'twåʃ'ing] vittvätt

whiting [waj'ting] vitling

Whit Monday [witt'mann'di] annandag pingst

Whit Sunday [witt'sann'di] pingstdagen

Whitsun [witt'sn] pingst

Whitsun Eve [witt'sn i:'v] pingstafton

Whitsuntide [witt'sntajd] pingst

who [ho:] som, vilken, vilka; vem

whoa [wəo] ptro!

whoever [ho:evv'ə] vem … än

whole [həol] 1 *adj.* hel; välbehållen; *with one's whole heart* av hela sitt hjärta 2 *s.* helhet; *as a whole* i sin helhet; *on the whole* på det hela taget, över huvud taget

wholemeal bread [həol'mi:l bredd] fullkornsbröd

wholesale [həo'lsejl] grosshandels-,

parti-; *wholesale dealer* grosshandlare, grossist; *wholesale price* partipris; *wholesale trade* grosshandel

wholesome [həo'lsəm] hälsosam, nyttig

wholly [həo'li] helt, fullständigt

whom [ho:m] (*efter prep.*) vem

whooping cough [ho:'pingkåff'] kikhosta

whopper [wåpp'ə] jättelögn; baddare

whore [hå:] *vard.* hora

whose [ho:z] vars, vilkens, vilkas; vems

why [waj] **1** *adv.* varför; därför; *that's why* det är därför; *the reason why* skälet till att; *why?* hur så?, varför det?; *why is that?* hur kommer det sig? **2** *why, yes!* ja, visst!, o ja!; *why, no!* nej då!, visst inte! **3** *s.* (*vanl. pl*) skäl, orsak

wick [wikk] veke

wicked [wikk'id] elak

wicker [wikk'ə] korg-; flätad

wickerwork [wikk'əwə:k] flätverk

wicket [wikk'it] kricketgrind; krocketbåge

wide [wajd] vid, bred; *far and wide* vitt och brett; *wide awake* klarvaken; *wide of* långt från; *wide open* vidöppen

wide-angle lens [waj'däng'gl lens] vidvinkelobjektiv

widely [waj'dli] vitt omkring, vida

widen [waj'dn] vidga

widow [widd'əo] änka

widower [widd'əoə] änkling

width [widθ] bredd, vidd

wield [wi:ld] hantera; utöva (*inflytande*)

wife [wajf] hustru, fru, maka; *wedded wife* äkta maka

wig [wigg] peruk

wiggle [wigg'l] vicka med

wigwam [wigg'wäm] indianhydda

wild [wajld] vild; *wild beast* vilddjur; *wild boar* vildsvin; *wild duck* and; *wild strawberry* smultron; *wild wine* vildvin

wildcat [waj'ldkät] vildkatt

wildcat strike [waj'ldkät strajk] vild strejk

wilderness [will'dənis] vildmark, obygd

wildfire [waj'ldfajə] löpeld

wile [wajl] **1** *s.* list (*ofta pl*) **2** *v.* förleda

wilful [will'fol] uppsåtlig

will [will] **1** *hjälpv.* vill; skall; kommer att; torde; *he will be 25 tomorrow* han fyller 25 år i morgon; *I will have my way* jag ska ha min vilja igenom; *will you help me?* vill du hjälpa mig?; *you will please observe* ni torde observera **2** *v.* vilja; påverka; testamentera; *God willing* om Gud vill **3** *s.* vilja; testamente; *at will* efter behag; *good will* välvilja; *ill will* illvilja; *make one's will* upprätta sitt testamente; *my last will and testament* mitt testamente

willing [will'ing] villig

willingly [will'ingli] gärna

willow [will'əo] vide, pil

will-power [will'paoə] viljestyrka

willy [will'i] *vard.* snopp

wilt [wilt] vissna

wily [waj'li] listig

win [winn] **1** *v.* vinna, segra; *win back* återvinna **2** *s.* vinst, seger

wince [winn] rygga tillbaka

winch [wintʃ] vinsch

wind 1 *s.* [wind] vind, blåst; munväder; väder; blåsinstrument **2** *v.* [wind] göra andfådd; vädra, få korn på **3** *v.* [wajnd] vrida [på], veva, linda; slingra [sig]; *wind up* avveckla, dra upp

windfall [winn'dfå:l] fallfrukt; skänk från ovan

winding up [waj'nding app] avveckling

wind instrument [winn'd inn'strəmənt] blåsinstrument

windmill [winn'mil] väderkvarn

window [winn'dəo] fönster

window dressing [winn'dəodressing] fönsterskyltning

window-pane [winn'dəopejn] fönsterruta

windowsill [winn'dəosil] fönster-
bräde

windpipe [winn'dpajp] luftrör

wind power [winn'dpaoə] vindkraft

windscreen [winn'dskri:n] vindruta;
windscreen washer vindrutespolare;
windscreen wiper vindrutetorkare

windshield [winn'dʃi:ld] *Am.* vindru-
ta; *windshield washer* vindrutespo-
lare; *windshield wiper* vindrutetor-
kare

windsurfing [winn'dsə:fing] bräd-
segling, vindsurfing

windward [winn'dwəd] i lovart, mot
vinden

windy [winn'di] blåsig

wine [wajn] vin

wine list [waj'nlist] vinlista

wine vinegar [waj'nvinn'igə] vinäger

wing [wing] vinge; flygel; flottilj;
wings (*pl*) kulisser

wing commander [wing'kəma:ndə]
flottiljchef (*i flyget*)

wing nut [wing' natt] vingmutter

wink [wingk] **1** *v.* blinka [med]; *wink
at* blinka åt, blunda för **2** *s.* blinkning;
blund; *not get a wink of sleep* inte få
en blund i ögonen

winner [winn'ə] vinnare, segrare

winnow [winn'əo] sålla

winsom [winn'sam] charmerande,
vinnande

winter [winn'tə] **1** *s.* vinter; *this win-
ter* i vinter; *last winter* i vintras **2** *v.*
övervintra **3** *adj.* vinter-; *winter coat*
vinterkappa, vinterrock; *winter half*
vinterhalvår; *winter['s] day* vinter-
dag; *winter sports* vintersport

wipe [wajp] **1** *v.* torka [av]; *wipe off*
torka bort; *wipe out* stryka ut, tillin-
tetgöra **2** *s.* torkning, avtorkning

wiper blade [wajp'əblejd] torkarblad

wire [waj'ə] **1** *s.* [metall]tråd, ledning;
vajer; telegram; *barbed wire* tagg-
tråd **2** *v.* förse med ledningar; fästa
med tråd; linda; telegrafera

wire-tapping [waj'ətäpping] avlyss-
ning

wiring [waj'əring] ledningsnät

wiry [waj'əri] trådig; senig, seg

wisdom [wizz'dəm] visdom

wisdom tooth [wizz'dəmtʊ:θ] vis-
domstand

wise [wajz] klok, vis, förståndig

wiseacre [waj'zejkə] besservisser,
snusförnuftig person

wisecrack [waj'zkräkk'] **1** *s.* kvickhet
2 *v.* säga kvickheter

wish [wiʃ] **1** *s.* önskan, önskemål;
good wishes välgångsönskningar;
make a wish önska sig ngt **2** *v.* önska;
wish for önska sig, längta efter; *wish
s.b. well* vilja ngn väl

wisp [wisp] hötapp; hårtott

wistful [wiss'tfʊl] trånande; grubb-
lande

wit [witt] kvickhet; kvickhuvud; för-
stånd; *wits* (*pl*) själsförmögenheter

witch [witʃ] häxa

witchcraft [witʃ'kra:ft] trolldom

with [wið] med; hos; av; *with this*
härmed

withdraw [wiðdrå:'] avlägsna; ta ut,
dra [sig] tillbaka

withdrawal [wiðdrå:'əl] uttag (*av
pengar*); utträde

withdrawal symptoms [wiðdrå:'əl
simm'ptəms] (*pl*) abstinensbesvär

wither [wið'ə] vissna, förtorka

withhold [wiðhəo'ld] undanhålla

within [wiðinn'] **1** *prep.* inom, inuti
2 *adv.* inne; *from within* infrån

without [wiðaot'] **1** *prep.* utan; *with-
out nuances* onyanserad **2** *adv., do
without* undvara, klara sig utan

withstand [wiðstänn'd] motstå

witless [witt'lis] vettlös, dum

witness [witt'nis] **1** *s.* vittne; vittnes-
börd **2** *v.* bevittna, vara vittne till;
vittna

witticism [witt'isizəm] kvickhet

wittingly [witt'ingli] avsiktligt

witty [witt'i] spirituell, kvick

wives [wajvz] *pl av wife*

wizard [wizz'əd] trollkarl

wobble [wåbb'l] vagga; vackla,
vingla

woe 236

woe [wəo] ve, bedrövelse; *woe betide you!* ve dig!

wok [wåkk] **1** *s.* wok **2** *v.* woka

woke [wəok] *imperf. och perf. part. av* wake

woken [wəo'kn] *perf. part. av* wake

wolf [wolf] varg, ulv; *a wolf in sheep's clothing* en ulv i fårakläder

wolverine [woll'vəri:n] järv

woman [womm'ən] (*pl women* [wimm'in]) kvinna; *woman clergyman (minister)* kvinnlig präst

womb [wo:m] livmoder; sköte

womenswear [wimm'inz wä:ə] damkläder

won [wann] *imperf. och perf. part. av* win

wonder [wann'də] **1** *s.* under[verk]; undran; *do (work) wonders* göra underverk; *wonder of wonders!* under över alla under! **2** *v.* undra, förundras (*at* över); *I don't wonder* det undrar jag inte på

wonderful [wann'dəfol] underbar

wondrous [wann'drəs] förunderlig; underbar

woo [wo:] fria till, söka vinna

wood [wodd] skog; trä, ved, virke; *planed wood* hyvlat virke

wood anemone [wodd ənemm'əni] vitsippa

woodcock [wodd'kåk] morkulla

woodcut [wodd'kat] träsnitt

wooded [wodd'id] skogbevuxen

wooden [wodd'n] trä-, av trä; *wooden shoe* träsko

wooden spoon [wodd'n spo:n] träsked

woodman [wodd'mən] skogsarbetare

woodpecker [wodd'pekk'ə] hackspett

woodpile [wodd'pajl] vedtrave

wood pulp [wodd'palp] trämassa

woodshed [wodd'ʃed] vedbod

woodsman [wodd'zmən] skogsarbetare

woodwind instrument [wodd'wind inn'strəmənt] träblåsinstrument

woodwork [wodd'wə:k] träslöjd; *do woodwork* snickra

woody [wodd'i] trähaltig

wool [woll] ull, ylle, yllegarn

woollen [woll'ən] ylle-, av ylle; *woollen glove* [ylle]vante

wooly [woll'i] ullig

word [wə:d] **1** *s.* ord, glosa; bud; besked; *by word of mouth* muntligen; *plain words* ord och inga visor **2** *v.* avfatta, formulera

wording [wə:'ding] lydelse

word order [wə:'d å:də] ordföljd

word processor [wə:dprəo'sesə] ordbehandlare

wore [wå:] *imperf. av* wear

work [wə:k] **1** *s.* arbete, verk; jobb; *out of work* utan arbete; *work of art* konstverk **2** *v.* arbeta, jobba; fungera; bearbeta; *work against* motbeta; *work on* avtjäna; *work out* utarbeta, utforma, räkna ut; *worked up* uppriven; *work one's hardest* arbeta allt vad man orkar; *work one's will* driva sin vilja igenom

worker [wə:'kə] arbetare

working capital [wə:'king käpp'itl] rörelsekapital

working day [wə:'king dej] arbetsdag

workman [wə:'kmən] arbetare, fackman

workmanship [wə:'kmənʃip] yrkesskicklighet

workroom [wə:'kro:m] arbetsrum

works [wə:ks] fabrik; bruk; *works of a clock* urverk

workshop [wə:'kʃåp] verkstad

world [wə:ld] värld

world champion [wə:'ld tʃämm'piən] världsmästare

world championship [wə:'ld tʃämm'pjənʃip] världsmästerskap

world-famous [wə:'ldfej'məs] världsberömd

world history [wə:'ld hiss'təri] världshistoria

world record [wə:'ld rekk'å:d] världsrekord

world war [wə:'ld wå:] världskrig

worldly [wə:'ldli] världslig

worm [wə:m] mask; kräk

worn [wå:n] **1** *adj.*, *bildl.* nött, sliten;

tärd; *worn out* utnött, utsliten **2** *perf. part. av* wear

worry [worr'i] **1** *v.* bekymra, oroa [sig] (*about* om) **2** *s.* bekymmer, oro

worse [wə:s] sämre, värre; *so much the worse* så mycket värre; *grow worse* förvärras; *to make matters worse* till råga på olyckan

worship [wə:'ʃip] **1** *v.* dyrka, tillbe **2** *s.* dyrkan, tillbedjan

worst [wə:st] sämst, värst; *if the worst comes to the worst, at worst* i värsta fall

worsted [woss'tid] kamgarn

wort [wə:t] vört

worth [wə:θ] **1** *adj.* värd; *worth considering* tänkvärd; *worth mentioning* nämnvärd **2** *s.* värde

worthless [wə:'θlis] värdelös

worthwhile [wə:'θwajl] lönande, givande

worthy [wə:'ði] värdig

would [wodd] skulle; *it would be nice* det vore trevligt

would-be [wodd'bi:] förment, så kallad; blivande

would-be-wise [wodd'bi:waj'z] snusförnuftig

wound 1 *s.* [wo:nd] sår **2** *v.* [wo:nd] såra **3** [waond] *imperf. och perf. part. av* wind 3

wove [wəov] *imperf. och perf. part. av* weave

woven [wəo'vən] *perf. part. av* weave

wow [wao] **1** oj, då!; nej, men! **2** *s. Am.* braksuccé

wrangle [räng'gl] **1** *v.* gräla, bråka **2** *s.* gräl, bråk

wrap [räpp] **1** *v.* veckla, svepa, slå in; *wrap up* vira in, linda in **2** *s.* filt; sjal

wrapped up [räpp'tapp'] inslagen (*om paket*)

wrapping [räpp'ing] omslag, emballage; *wrapping paper* omslagspapper

wrath [rå:θ] vrede

wrathful [rå:'θfol] vred

wreath [ri:θ] krans

wreck [rekk] **1** *s.* vrak; skeppsbrott **2** *v.* göra till vrak; kvadda; *be*

wrecked förlisa

wreckage [rekk'idʒ] vrakgods; skeppsbrott; ödeläggelse

wrecking truck [rekk'ing trakk] *Am.* bärgningsbil

wren [renn] gärdsmyg

wrench [rentʃ] **1** *s.* ryck; skiftnyckel; vrickning **2** *v.* rycka; vricka

wrest [rest] rycka; förvrida

wrestle [ress'l] brottas

wrestler [ress'lə] brottare

wrestling [ress'ling] brottning

wretch [retʃ] stackare

wretched [retʃ'id] usel

wriggle [rigg'l] slingra sig (*out of* ifrån)

wring [ring] vrida

wrinkle [ring'kl] **1** *s.* rynka; veck, skrynkla **2** *v.* rynka; rynka sig, skrynkla; *wrinkle one's nose* rynka på näsan

wrinkled [ring'kld] rynkig

wrist [rist] handled

wristlet [riss'tlət] mudd

wristwatch [riss'twåtʃ] armbandsur

writ [ritt] skrivelse; stämning

write [rajt] skriva; *write down* skriva ner, anteckna

writer [raj'tə] skribent, författare

writhe [rajð] vrida [sig]

writing [raj'ting] skrift; skrivning

writing desk [raj'tingdesk] sekretär

writing off [raj'ting åff] avskrivning

writing paper [raj'tingpejpə] skrivpapper

written [ritt'n] **1** *adj.* skriftlig; *written language* skriftspråk **2** *perf. part. av* write

wrong [rång] **1** *adj.* fel[aktig], orätt; *be wrong* ha fel; *wrong idea* vanföreställning; *wrong side* avigsida; *the wrong way round* bak och fram **2** *s.* oförrätt, orättvisa **3** *v.* göra orätt, kränka **4** *adv.*, *go wrong* gå på tok

wrote [rəot] *imperf. av* write

wrung [rang] *imperf. och perf. part. av* wring

wry [raj] förvriden, skev; *wry face* ful grimas, sur min

xyz

X, x [eks] (*bokstav*) X, x

xenophobia [zenəfəo'bjə] främlingshat

Xmas [kriss'məs] (=*Christmas*) jul

X-ray [ekk'srej'] **1** *v.* röntga **2** *s.* röntgen **3** *adj.*, *X-ray examination* röntgenundersökning; *X-ray photography* röntgenfotografering

xylophone [zaj'ləfəon] xylofon

Y, y [waj] (*bokstav*) Y, y

yacht [jått] lustjakt

yacht racing [jått'rejsing] kappsegling

yank [jängk] rycka, slita [i]

Yank[ee] [jäng'k(i)] amerikan, jänkare

yap [jäpp] gläfsa, bjäbba

yard [ja:d] gård, gårdsplan; yard (=*0,914 m*)

yarn [ja:n] garn; skepparhistoria

yawn [jå:n] **1** *v.* gäspa **2** *s.* gäspning

yea [jej] (*åld. eller dialektalt*) ja

year [jə:] år; *Happy New Year!* Gott Nytt År!; *year of birth* födelseår; *turn of the year* årsskifte; ... *of many years* mångårig

yearling [jə:'ling] årsgammalt djur

year-long [jə:'lång] årslång

yearly [jə:'li] årlig[en], års-

yearn [jə:n] längta (*for* efter)

yeast [ji:st] jäst

yell [jell] gallskrika, skräna

yellow [jell'əo] gul

yelp [jelp] **1** *s.* gläfs **2** *v.* gläfsa

yeoman [jəo'mən] odalman; kammartjänare; *Yeoman of the Guard* medlem av kungliga livvakten

yes [jess] ja, jo; *yes certainly!* ja visst!; *oh yes!* åjo!; jo då!

yesterday [jess'tədi] i går; *yesterday morning* i går morse

yet [jett] dock, likväl, ändå; ännu

yew [ju:] idegran

yield [ji:ld] **1** *v.* inbringa, avkasta; ge sig, ge efter, vika (*to* för); lämna företräde (*i trafiken*) **2** *s.* avkastning; vinst; skörd

yogurt [jågg'ə:t] yoghurt

yoke [jəok] ok; besparing (*på plagg*)

yokel [jəo'kl] tölp

yolk [jəok] äggula

yonder [jånn'də] där borta; den (det, de) där

you [jo:] du, ni; dig, er; man

young [jang] **1** *adj.* ung; *young bird* fågelunge; *young man* yngling; *young people* ungdomar; *young rascal* slyngel **2** *s.*, *the young* de unga, ungdomen

youngster [jang'stə] grabb, pojkspoling

your [jå:] (*förenat*) din, er; *your people* de dina

yours [jå:z] (*självst.*) din, er; *Yours faithfully*, (*Am.*) *Very truly yours* högaktningsfullt

yourself [jå:sell'f] du (dig, ni, er) själv, själv

yourselves [jå:sell'vz] du (dig, ni, er) själva, själva

youth [jo:θ] ungdom

youth hostel [jo:'θ håss'təl] vandrarhem

youthful [jo:'θfol] ungdomlig

Yugoslavia [jo:'gəosla:'vjə] Jugoslavien

Yugoslavian [jo:'gəosla:'vjən] **1** *s.* jugoslav **2** *adj.* jugoslavisk

Yuletide [jo:'ltajd] jultid

yuppie [japp'i] yuppie

Z, z [zed, *Am.* zi:] (*bokstav*) Z, z

zany [zej'ni] **1** *s.* tokstolle **2** *adj.* tokrolig, befängd

zeal [zi:l] nit, iver

Zealand [zi:'lənd] Själland

zealous [zell'əs] nitisk

zebra [zi:'brə] sebra

zebra crossing [zi:'brəkråss'ing] övergångsställe (*för fotgängare*)

zenith [zenn'iθ] zenit

zero [zi:'ərəo] noll; nolla; fryspunkten

zest [zest] krydda; aptit, entusiasm

zigzag [zigg'zäg] sicksack

zinc [zingk] zink

Zionist [zaj'ənist] sionist

zip [zipp] **1** s. vinande; blixtlås **2** v. vina; stänga med blixtlås

zip code [zipp'kɔod] postnummer

zip fastener [zipp'fa:snə] blixtlås

zither [ziθ'ə] cittra

zone [zəon] zon

zoo [zo:] zoo

zoological gardens [zo:əlådʒ'ikəl ga:'dnz] djurpark, zoologisk trädgård

zoology [zəoåll'ədʒi] zoologi

SVENSK-ENGELSKA DELEN

a

à *2 biljetter à 1 pund* 2 tickets at 1 pound [to:' tikk'its ätt wann' pao'nd]; *3 à 4 dagar* 3 or 4 days [θri:' ə få:' dej'z]

AB Ltd. [limm'itid]; *Am.* Inc. [inkå:'pərejtid]

abborre perch [pə:tʃ]

abdikera abdicate [äbb'dikejt]

abnorm abnormal [äbnå:'məl]

abonnemang subscription [səbskripp'ʃən]

abonnent subscriber [səbskraj'bə]

abonnera subscribe [səbskraj'b] (*på* to:); *abonnerad buss* hired bus [haj'əd bass']

abort abortion [əbå:'ʃən]

abrupt abrupt [əbrapp't]

absolut 1 *adj.* absolute [äbb'səlo:t] **2** *adv.* absolutely [äbsəlo:'tli]

absolutist teetotaller [ti:təo'tlə]

abstinensbesvär withdrawal symptoms (*pl*) [wiðdrå:'əl simm'ptəms]

abstrakt abstract [äbb'sträkt]

absorbera absorb [əbså:'b]

absurd absurd [əbsə:'d]

acceleration acceleration [äkselərej'ʃən]

accelerera accelerate [äksell'ərejt]

accent accent [äkk'sənt]

acceptabel acceptable [əksepp'tabl]

acceptera accept [əksepp't]

accessoarer accessories [äksess'əriz]

accis excise [eksaj'z]

aceton acetone [äss'itəon]

acklimatisera sig become acclimatized [bikamm' əklaj'mətajzd]

ackompanjera accompany [əkamm'pəni]

ackord *mus.* chord [kå:d]; *arbeta på ackord* work at piece-rates [wə:k ätt pi:'srejts]

ackordsarbete piecework [pi:'swə:k]

ackumulera accumulate [əkjo:'mjolejt]

a conto on account [ånn əkao'nt]

adapter adapter [ədäpp'tə]

addera add up [ädd app']

addition addition [ədiʃ'ən]

adel nobility [nəbill'iti]

adelsman nobleman [nəo'bəlmən]

adjunkt assistant master [əsiss'tənt ma:'stə]

adjö goodbye [goddbaj']

adlig noble [nəo'bl]

administration administration [ədministrej'ʃən]

administrativ administrative [ədminn'istrətivv]

administratör administrator [ədminn'istrejtə]

administrera administrate [ədminn'istrejt]

adoptera adopt [ədåpp't]

adoption adoption [ədåpp'ʃən]

adoptivbarn adopted child [ədåpp'tid tʃajld]

adoptivföräldrar adoptive parents [ədåpp'tiv pärr'ənts]

adress address [ədress']

adressat addressee [ädresi:']

adressera address [ədress']

adressförändring change of address [tʃej'ndʒ əv ədress']

adresskalender directory [direkk'təri]

adresslapp address label [ədress' lej'bl]

advent Advent [ädd'vənt]

advokat lawyer [lå:'jə]

advokatbyrå lawyer's office [lå:'jəz åff'is]

aerobisk aerobic [äræo'bik]

aerogram aerogram [ä:'rəgräm]

affekterad affected [əfekk'tid]

affektionsvärde sentimental value

[sentimenn'tl väll'jo:]

affisch poster [pɔo'stə]

affär (*butik*) shop [ʃåpp]; *affärer* business [bizz'nis]; *en dålig affär* a bad bargain [ə bädd' ba:'gin]; *en fin affär* a bargain [ə ba:'gin]; *göra affär av* make a fuss about [mejk ə fass' əbao't]

affärsbiträde shop-assistant [ʃåpp'-əsiss'tənt]

affärsgata shopping street [ʃåpp'ing stri:'t]

affärsinnehavare shopkeeper [ʃåpp'-ki:pə]

affärsman businessman [bizz'nismən]

affärsmässig businesslike [bizz'nislajk]

affärsresa business trip [bizz'nis tripp]

affärstid business hours [bizz'nis ao'əz]

Afrika Africa [äff'rikə]

afrikan African [äff'rikən]

afrikansk African [äff'rikən]

afrikanska African [äff'rikən]

afro-asiatisk Afro-Asian [äff'roej'ʃən]

afton evening [i:'vning]

aftongudstjänst evensong [i:'vən-sång]

agave agave [əgej'vi]

aga 1 *v.* flog [flågg] **2** *s.* flogging [flågg'ing]

agent agent [ej'dʒənt]

agentur agency [ej'dʒənsi]

agera act [äkkt]

agg grudge [gradʒ]

aggregat unit [jo:'nit]

aggression aggression [əgreʃ'ən]

aggressiv aggressive [agress'iv]

aggressivitet aggressiveness [əgress'ivnis]

agitation agitation [ädʒitej'ʃən]

agitator agitator [ädʒ'itejtə]

agitera agitate [ädʒ'itejt]

agn (*på säd*) husk [hassk]; (*bete*) bait [bejt]

agronom graduate of agricultural college [grädʒ'oit əv ägrikall'tʃərəl kåll'idʒ]

aids *med.* AIDS [ejdz]

airbag (*krockkudde*) air bag [ä:ə'-bägg']

ajournera adjourn [ədʒə:'n]

akademi academy [əkädd'əmi]

akademiker university graduate [jo:nivə:'siti grädʒ'oit]

akademisk academic [äkədemm'ik]

akilleshäl Achilles heel [əkill'i:z hi:l]

akrobat acrobat [äkk'rəbät]

akt act [äkkt]; *ge akt på* pay attention to [pej ətenn'ʃən to:]; *ta sig i akt* be on one's guard [bi: ån wannz ga:'d]

akta be careful with [bi: kä:'əfoll wið]; *akta sig* take care [tejk kä:'ə]

aktad respected [rispekk'tid]

akter stern [stə:n]

akternsnurra outboard motor [ao'tbå:'d məo'tə]

aktie share [ʃä:'ə]

aktiebolag limited company [limm'itid kamm'pəni]

aktiekapital joint stock [dʒåjnt ståkk']

aktiemajoritet share majority [ʃä:'ə mədʒår'riti]

aktieägare shareholder [ʃä:'əhəoldə]

aktion action [äkk'ʃən]

aktiv active [äkk'tiv]

aktivera activate [äkk'tivejt]

aktivitet activity [äkktivv'iti]

aktning respect [rispekk'kt]

aktsam careful [kä:'əfoll]

aktualisera (*föra på tal*) bring to the fore [bring to ðə få:']; (*modernisera*) bring up to date [bring app to dej't]

aktualitet topicality [tåpikäll'iti]

aktuell of current interest [əv karr'-ənt inn'trest]

aktör actor [äkk'tə]

akupunktur acupuncture [äkk'ju-pangktʃə]

akustik acoustics [əko:'stiks]

akut acute [əkjo:'t]

akutfall emergency [imə:'dʒənsi]

akutmottagning casualty department [käʒjoəlti dipa:'tmənt]

akvarell watercolour [wå:'təkall'ə]

akvarium aquarium [əkwä:'əriəm]

akvavit aquavit [äkk'wəvit]

al alder [å:'ldə]

aladåb aspic [äss'pik]

alarm alarm [əla:'m]

alarmera alarm [əla:'m]

alban Albanian [älbej'niən]

Albanien Albania [älbej'niə]

albansk Albanian [älbej'niən]

albatross *zool.* albatross [äll'bətrås]

album album [äll'bəm]

aldrig never [nevv'ə]

alfabet alphabet [äll'fəbit]

alg alga [äll'gə] (*pl* algae [äll'dʒi:])

algebra algebra [äll'dʒibrə]

Algeriet Algeria [äldʒi:'riə]

algerisk Algerian [äldʒi:'riən]

alibi alibi [äll'ibaj]

alkohol alcohol [äll'kəhål]

alkoholfri non-alcoholic [nånn'älkəhåll'ik]; *alkoholfri dryck* soft drink [såff't dringk]

alkoholhaltig alcoholic [älkəhåll'ik]

alkoholist alcoholic [älkəhåll'ik]

all all [å:l]; (*varje*) every [evv'ri]; *för all del!* not at all! [nått ätt å:'l], don't mention it! [dəo'nt menn'ʃən it]

alla all [å:l]; (*varenda en*) everybody [evv'ribådi], everyone [evv'riwan]

alldeles quite [kwajt]

allé avenue [ävv'ənjo:]

allehanda all sorts of [å:'l så:'ts əv]

allemansrätt *ung.* right of common [rajt əv kåmm'ən]

allergi allergy [äll'ədʒi]

allergisk allergic [ələ:'dʒik]

allesammans all of them [å:'l əv ðəm], all of us [å:'l əv ass]

allhelgonaafton (*31 okt*) Halloween [hälləwi:'n]

allhelgonadag[en] (*1 nov*) All Saints' Day [å:'l sej'nts dej]

allians alliance [əlaj'əns]

alliera sig ally o.s. [əlaj' wansell'f]

allierad allied [äll'ajd]; *de allierade* the allies [ði: äll'ajz]

alligator alligator [äll'igejtə]

allmoge country people [kann'tri pi:'pl]

allmosa alms (*pl*) [a:mz]

allmän (*vanlig*) common [kåmm'ən];

(*gemensam*) general [dʒenn'ərəl]; (*offentlig*) public [pabb'lik]; (*gängse*) current [karr'ənt]

allmänbildad well-informed [well'infå:md]

allmängiltig generally applicable [dʒenn'ərəli äpp'likəbl]

allmänhet *allmänheten* the public [ðə pabb'lik]; *i allmänhet* in general [in dʒenn'ərəl], as a rule [äz ə ro:'l]

allra of all [əv å:'l]; very [verr'i]

alls at all [ätt å:'l]

allsidig all-round [å:lrao'nd]

allsmäktig almighty [ålmaj'ti]

allström universal current [jo:nivə:'səl karr'ənt]

allsång community singing [kəmju:'niti sing'ing]

allt all [å:l]; everything [evv'riθing]; *allt som allt* all told [å:'l təo'ld]; *när allt kommer omkring* after all [a:'ftər å:'l]

alleftersom as [äz]

alltför too [to:]

alltid always [å:'lwejz]; *för alltid* for ever [fər evv'ə]

alltifrån ever since [evv'ə sinn's]

alltigenom through and through [θro:' ən θro:']

allting everything [evv'riθing]

alltjämt still [still]

alltmer[a] more and more [må:'r ən må:']

alltsammans all [å:l]

alltsedan dess ever since then [evv'ə sins ðenn']

alltså so then [səo ðenn']; (*följaktligen*) accordingly [əkå:'dingli], thus [ðass]

allvar seriousness [si:'əriəsnis]; *mena allvar* be serious [bi: si:'əriəs]

allvarlig, allvarsam serious [si:'əriəs]

alm elm [elm]

almanacka almanac [å:'lmənäk]

Alperna the Alps [ði äll'ps]

alpin alpine [äll'pajn]

alpinist alpinist [äll'pinist]

alster product [prådd'əkt]

alstra produce [prədjo:'s]

alstring production [prədakk'ʃən]

alt *mus.* alto [äll'tɔo]

altan balcony [bäll'kəni]

altare altar [å:'ltə]

alternativ alternative [å:ltɔ:'nətiv]

altröst contralto [kənträll'tɔo]

aluminium aluminium [äljominn'iɔm]; *Am.* aluminum [ällo:'minəm]

amalgam amalgam [əmäll'gəm]

amanuens assistant university teacher [əsiss'tɔnt jo:nivɔ:'siti ti:'tʃɔ]

amatör amateur [ämm'ətə:]

amatörmässig amateurish [ämətə:'riʃ]

ambassad embassy [emm'bəsi]

ambassadör ambassador [ämbäss'ədə]

ambition ambition [ämbiʃ'ən]

ambitiös ambitious [ämbiʃ'əs]

ambulans ambulance [ämm'bjoləns]

Amerika America [əmerr'ikə]

amerikan American [əmerr'ikən]

amerikansk American [əmerr'ikən]

amerikanska American [əmerr'ikən]

ametist amethyst [ämm'iθist]

amfiteater amphitheatre [ämfiθi:'ətə]

amiral admiral [ädd'mərəl]

amma nurse [nɔ:s]

ammoniak ammonia [əmɔo'niə]

ammunition ammunition [ämjoniʃ'ən]

amnesti amnesty [ämm'nəsti]

amortera amortize [ämm'ɔtajz], pay off by instalments [pej åff' baj instå:'lmənts]

amortering amortization [ämɔ:tizej'ʃən], instalment [instå:'lmənt]

ampel hanging flower-basket [häng'-ing flaoʹəbə:skit]

ampull ampoule [ämm'po:l]

amputation amputation [ämpjotej'ʃən]

amputera amputate [ämm'pjotejt]

amulett amulet [ämm'jolit]

an *av och an* up and down [app' ən dao'n]

ana have a feeling [hävv' ə fi:'ling]

analfabet illiterate [ilitt'ərit]

analfabetism illiteracy [ilitt'ərəsi]

analogi analogy [ənäll'ədʒi]

analogisk analogical [änəlådʒ'ikəl]

analys analysis [ənäll'əsis]

analysera analyse [änn'əlajs]

ananas pineapple [paj'näpl]

anarki anarchy [änn'əki]

anatomi anatomy [ənätt'əmi]

anbefalla (*påbjuda*) enjoin [indʒåj'n]; (*rekommendera*) recommend [rekəmenn'd]

anbelanga *vad mig anbelangar* as far as I'm concerned [əz fa:'r əz aj'm kənsə:'nd]

anblick sight [sajt]; *vid första anblicken* at first sight [ätt fə:'st saj't]

anbringa place [plejs]

anbud (*köpanbud*) bid [bidd]; (*säljanbud*) offer [åff'ə]

and wild duck [waj'ld dakk']

anda (*andedräkt*) breath [breθ]; (*stämning*) spirit [spirr'it]

andakt devotion [divəo'ʃən]

andas breathe [bri:ð]

ande spirit [spirr'it]

andedräkt breath [breθ]

andel share [ʃä:'ə]

andelslägenhet timeshare flat [tajm'-ʃä:ə flätt']

Anderna the Andes [ði änn'di:z]

andetag breath [breθ]

andfådd out of breath [ao't əv breθ']

andhämtning breathing [bri:'ðing], respiration [respərej'ʃən]

andlig (*själslig*) spiritual [spirr'itʃoəl]; (*psykisk*) intellectual [intəlekk'tʃoəl], mental [menn'tl]

andlös breathless [breθ'lis]

andning breathing [bri:'ðing], respiration [respərej'ʃən]

andningsorgan respiratory organ [rispaj'ərətəri å:'gən]

andra second [sekk'ənd]

andrahands- second-hand [sekk'ənd-hänn'd]

andrahandsvärde trade-in value [trejd'in väll'jo:]

andraklassbiljett second-class ticket [sekk'əndkla:'s tikk'it]

andre second [sekk'ənd]

andrum breathing-space [bri:'ðing-spejs]

anekdot anecdote [änn'ikdəot]

anemi anaemia [əni:'miə]

anemon anemone [ənemm'əni]

anfall attack [ətäkk']; (*sjukdoms-, e.d.*) fit [fitt]

anfalla attack [ətäkk']

anfordran *vid anfordran* on demand [ån dima:'nd]

anföra (*leda*) lead [li:d]; (*framhålla*) state [stejt]

anförande (*yttrande*) statement [stej't- mənt]; speech [spi:tʃ]

anförare leader [li:'də]

anförtro entrust [intrass't]

anförvant relation [rilej'ʃən]

ange (*uppge*) inform [infå:'m]; (*anmäla för myndighet*) report [ripå:'t]

angelägen (*om sak*) urgent [ə:'dʒənt]; (*om person*) anxious [äng'kʃəs]

angelägenhet (*sak*) matter [mätt'ə], affair [əfä:'ə]

angenäm pleasant [plezz'nt]

angiva *se ange*

angivare informer [infå:'mə]

anglosaxisk Anglo-Saxon [äng'gləo säkk'sən]

angrepp attack [ətäkk']

angripa attack [ətäkk']

angripare assailant [əsej'lənt]

angränsande adjacent [ədʒej'sənt]

angå *det angår dig inte* it's none of your business [its nann' əv jå:'bizz'nis]

anhalt halt [hå:lt]

anhålla (*arrestera*) arrest [əress't]; (*begära*) ask [a:sk]

anhållan request [rikwess't]

anhållande arrest [əress't]

anhängare follower [fåll'əoə]

anhörig relative [rell'ətiv]

anilin aniline [änn'ili:n]

aning (*förkänsla*) presentiment [pri- zenn'timənt]; (*föreställning*) notion [nəo'ʃən]; *en aning (en smula)* a little [ə litt'l]

anka duck [dakk]

ankare anchor [äng'kə]

ankarplats anchorage [äng'kəridʒ]

ankel ankle [äng'kl]

anklaga accuse [əkjo:'z]

anklagelse accusation [äkjozej'ʃən]

anknyta attach [ətätʃ']

anknytning connection [kənekk'ʃən]

ankomma (*anlända*) arrive [əraj'v]; (*bero på*) depend on [dipenn'd ån]

ankomst arrival [əraj'vəl]

ankra anchor [äng'kə]

anlag talent [täll'ənt]

anlagsprov aptitude test [äpp'titjo:d tess't]

anledning reason [ri:'zn] (*till* for [få:], of [əv]); *med anledning av* on account of [ånn əkao'nt əv]

anlita apply to [əplaj' to:]

anlägga (*bygga*) build [bild]

anläggning (*byggnad*) building [bill'ding]

anlända arrive [əraj'v]

anmana demand [dima:'nd]

anmaning request [rikwess't]

anmoda request [rikwess't]

anmodan request [rikwess't]

anmäla (*meddela*) announce [ənao'ns]; (*rapportera*) report [ripå:'t]

anmälan report [ripå:'t]

anmälningsavgift registration fee [redʒistrej'ʃən fi:']

anmärka (*klandra*) find fault [fajnd få:'lt]

anmärkning (*yttrande*) comment [kåmm'ənt]; (*klander*) objection [əbdʒekk'ʃən]

anmärkningsvärd remarkable [rima:'kəbl]

annalkande 1 *s.* approach [əprəo'tʃ] **2** *adj.* approaching [əprəo'tʃing]

annan other [að'ə]; *en annan* another [ənað'ə], somebody else [samm'- bədi ell's]; *alla andra* all the others [å:'l ði að'əz], everybody else [evv'ri- bədi ell's]; *ingen annan* nobody else [nəo'bədi ell's]; *någon annan* some- body else [samm'bədi ell's]

annandag *annandag jul* Boxing Day [båkk'sing dej]; *annandag pingst* Whit Monday [witt' mann'di]; *annan- dag påsk* Easter Monday [i:'stə mann'di]

annanstans elsewhere [ell'swäə];

ingen annanstans nowhere else [nəo'wäa ell's]

annars otherwise [aȯ'əwajz], or [else] [å:' (ell's)]

annat (*jfr annan*); *inte annat än jag vet* as far as I know [əz fa:'r əz aj' nəo]; *hon kunde inte annat än skratta* she couldn't help laughing [ʃi kodd'nt hell'p la:'fing]

annex annex [änn'eks]

annons advertisement [ədvə:'tismənt]

annonsbyrå advertising agency [ädd'vətajzing ej'dʒənsi]

annonsera (*genom annons*) advertise [ädd'vətajz]; (*tillkännage*) announce [ənao'ns]

annonsering advertising [ädd'vətajzing]

annonskampanj advertising campaign [ädd'vətajzing kämpej'n]

annorlunda 1 *adv.* otherwise [aȯ'əwajz] 2 *adj.* different [diff'rənt]

annuitetslån annuity loan [ənjo:'iti ləon]

annullera cancel [känn'səl]

anonym anonymous [ənånn'iməs]

anonymitet anonymity [änənimm'iti]

anor ancestry [änn'sistri]

anorak anorak [änn'əräk]

anordna arrange [ərej'ndʒ]

anordning (*apparat*) apparatus [äpərej'təs]

anorexi[a] [nervosa] *med.* anorexia [nervosa] [änorek'siə (nə:vəo'sə)]

anpassa adapt [ədäpp't]

anpassning adaptation [ädäptej'ʃən]

anpassningsförmåga adaptability [ədäptəbill'iti]

anrika enrich [inritʃ']

anropa call [kå:l]

anrätta prepare [pripä:'ə]

anrättning (*rätt*) dish [diʃ]

ansa tend [tend]

ansats (*början*) start [sta:t]; (*försök*) attempt [ətemm'pt]

anse (*mena*) think [θingk]; (*betrakta*) consider [kənsidd'ə], regard [riga:'d]

ansedd (*aktad*) esteemed [isti:'md]

anseende (*gott rykte*) reputation [rep-

jotej'ʃən]; (*aktning*) esteem [isti:'m]

ansenlig considerable [kənsidd'ərəbl]

ansikte face [fejs]

ansiktsbehandling facial treatment [fej'ʃəl tri:'tmənt]

ansiktskräm face cream [fej'skri:m]

ansjovis anchovy [änn'tʃəvi]

anskaffa acquire [əkwaj'ə]

anskaffningskostnad acquisition cost [äkwiziʃ'ən kåss't]

anslag (*kungörelse*) notice [nəo'tis]; (*penningmedel*) provision [prəviʃ'ən]; (*komplott*) design [dizaj'n]; *mus.* touch [tatʃ]

anslagstavla notice-board [nəo'tisbå:d]

ansluta connect [kənekk't]; *ansluta sig till ett parti* join a party [dʒåj'n ə pa:'ti]

anslutning connection [kənekk'ʃən]

anslå (*anvisa*) assign [əsaj'n]; (*pengar*) grant [gra:nt]

anspela allude [alo:'d] (*på* to)

anspelning allusion [əlo:'ʒən]

anspråk claim [klejm]; *göra anspråk på* lay claim to [lej klej'm to]

anspråksfull pretentious [pritenn'ʃəs]

anspråkslös modest [mådd'ist]

anstalt (*institution*) institution [institjo:'ʃən]

anstrykning (*skiftning*) tinge [tindʒ]; (*tycke*) touch [tatʃ]

anstränga strain [strejn]; *anstränga sig* exert o.s. [igzə:'t wansell'f]

anstrvängande strenuous [strenn'joəs]

ansträngning effort [eff'ət]

anstå (*uppskjutas*) wait [wejt]

anstånd delay [dilej']

anställa (*i tjänst*) employ [implåj']; (*företaga*) make [mejk]

anställd employee [emplåji:']

anställning employment [implåj'mənt]

anställningstrygghet job security [dʒåbb' sikjo:'əriti]

anställningsvillkor terms of employment [tə:'mz əv implåj'mənt]

anständig respectable [rispekk'təbl]

anstöt offence [əfenn's]

ansvar responsibility [rispånsəbill'iti]

ansvarig responsible [rispånn'səbl]

ansvarighetsförsäkring liability insurance [lajəbill'iti infʃo'ərəns]

ansvarsfull responsible [rispånn'səbl]

ansvarskänsla sense of responsibility [senn's əv rispånsəbill'iti]

ansvarslös irresponsible [irispånn'-səbl]

ansätta press [press]

ansöka om apply for [əplaj' få:]

ansökan application [äplikej'ʃən]

ansökningshandlingar application documents [äplikej'ʃən dåkk'jo:-mənts]

anta[ga] (*mottaga*) take [tejk], accept [əksepp't]; (*förmoda*) assume [əsjo:'m], suppose [səpəo's]

antagande (*förmodan*) assumption [əsamm'pʃən]

antagonist antagonist [äntägg'ənist]

antagligen probably [pråbb'əbli]

antal number [namm'bə]

Antarktis the Antarctic [ði:' änta:'ktik]

antasta molest [məless't]

anteckna note [nəot]

anteckning note [nəot]

anteckningsbok notebook [nəo'tbok]

antenn (*radioantenn*) aerial [ä:'əriəl]; *zool.* antenna [änntenn'ə]

antibiotika antibiotics [änn'ti-bajått'iks]

antik 1 *adj.* antique [änti:'k] **2** *s.* *antiken* classical antiquity [kläss'ikəl äntikk'witi]

antiklimax anticlimax [änn'ti-klaj'mäks]

antikropp antibody [änn'tibådi]

antikvariat second-hand bookshop [sekk'əndhänd bokk'ʃåp]

antikvitet antiquity [äntikk'witi]

antikvitetsaffär antique shop [änti:'k ʃåp]

antikvitetshandlare antique dealer [änti:'k di:'lə]

antilop antelope [änn'tiləop]

antingen ... eller (*ettdera*) either or [aj'ðə å:']; (*vare sig*) whether ... or [weð'ə å:']

antisemitism anti-Semitism [änn'ti-semm'itizm]

antiseptisk antiseptic [änn'tisepp'tik]

antologi anthology [änthåll'ədʒi]

anträffa find [fajnd]

antyda suggest [sədʒess't]

antydan (*vink*) insinuation [insinjo-ej'ʃən]; (*ansats*) suggestion [sədʒess'tʃən]

anvisa (*visa*) show [ʃəo]

anvisning direction [direkk'ʃən], instruction [instrøkk'ʃən]

använda use [jo:z]

användbar useful [jo:'sfol]

användning use [jo:s]

apa 1 *s.* monkey [mang'ki] **2** *v.*, *apa efter* ape [ejp]

apartheid apartheid [əpa:'tejd]

apatisk apathetic [apəθett'ik]

apelsin orange [årr'indʒ]

apelsinjuice orange juice [årr'indʒ dʒo:'s]

apelsinmarmelad orange marmalade [årr'indʒ ma:'məlejd]

apelsinsaft orange squash [årr'indʒ skwåʃ]

Apenninerna the Apennines [ði äpp'inajnz]

apostel apostle [əpåss'l]

apotek pharmacy [fa:'məsi]

apparat[ur] apparatus [äpərej'təs]

applicera apply [əplaj']

applåd applause [əplå:'z]

applådera applaud [əplå:'d]

appretur finishing [finn'iʃing]

aprikos apricot [ej'prikåt]

april April [ej'prəl]

apropå talking of ... [tå:'king əv]; *helt apropå* incidentally [insidenn'tli]

aptit appetite [äpp'itajt]

aptitretande appetizing [äpp'itajzing]

arab Arab [ärr'əb]

Arabien Arabia [ərej'biə]

arabisk Arabian [ərej'biən]

arbeta work [wə:k]

arbetare worker [wə:'kə]

arbetarparti Labour Party [lej'bə pa:'ti]

arbetarrörelse labour movement

[lej'bə mo:'vmənt]

arbete work [wə:'k]

arbetsam laborious [ləbå:'riəs]

arbetsdag working day [wə:'king dej']

arbetsför fit for work [fitt' fə wə:'k]

arbetsförmedling employment exchange [implåj'mənt ikstʃej'ndʒ]

arbetsgivare employer [implåj'ə]

arbetsgrupp team [ti:m]

arbetskraft labour [lej'bə]

arbetsledare foreman [få:'mən]

arbetslös unemployed [ann'implåj'd]

arbetslöshet unemployment [ann'implåj'mənt]

arbetsmarknad labour market [lej'bə ma:'kit]

arbetsmarknadspolitik labour market policy [lej'bə ma:'kit påll'isi]

arbetsplats place of work [plej:s əv wə:'k]

arbetsrum workroom [wə:'kro:m]

arbetstagare employee [emplåj:']

arbetsterapeut occupational therapist [åkjopej'ʃənl θerr'əpist]

arbetstid working hours [wə:'king ao'əz]

arbetstillstånd work permit [wə:'k pə:'mit]

arbetsuppgift task [ta:sk]

areal (*jordegendoms*) acreage [ej'kəridʒ]

arg angry [äng'gri]

Argentina the Argentine [ði a:'dʒən-tajn]

argumentera argue [a:'gjo:]

aristokrat aristocrat [əriss'təkrät]

aristokrati aristocracy [əriståkk'rəsi]

aristokratisk aristocratic [əristə-krätt'ik]

ark sheet [ʃi:t]

arkad arcade [a:kej'd]

arkebusera shoot [ʃo:t]

arkeolog archaeologist [a:kiåll'ədʒist]

arkeologi archaeology [a:kiåll'ədʒi]

arkeologisk archaeological [a:kiå-lådʒ'ikəl]

arkipelag archipelago [a:kipell'igəo]

arkitekt architect [a:'kitekt]

arkitektur architecture [a:'kitektʃə]

arkiv archives [a:'kajvz]

arkivera file [fajl]

arktisk Arctic [a:'ktik]

arm arm [a:m]

armband bracelet [brej'slit]

armbandsur wrist-watch [riss'twåtʃ]

armbåge elbow [ell'bəo]

armé army [a:'mi]

armera (*förstärka*) reinforce [ri:in-få:'s]

armstöd (*på stol*) arm [a:m]

armsvett underarm perspiration [ann'dəra:'m pə:spərej'ʃən]

arrangemang arrangement [ərej'ndʒmənt]

arrangera arrange [ərej'ndʒ]

arrangör arranger [ərej'ndʒə]

arrendator tenant [tenn'ənt]

arrende lease [li:s]

arrendera lease [li:s]

arrest custody [kass'tədi]

arrestera arrest [əress't]

arrogant arrogant [ärr'əgənt], haughty [hå:'ti]

art (*sort*) kind [kajnd]; *biol.* species [spi:'ʃi:z]

arta sig shape [ʃejp]

artificiell artificial [a:tifiʃ'əl]

artig polite [pəlaj't]

artighet politeness [pəlaj'tnis]

artikel article [a:'tikl]

artilleri artillery [a:till'əri]

artist artist [a:'tist]

arton eighteen [ej'ti:'n]

artonde eighteenth [ej'ti:'nθ]

artonhundratalet the nineteenth century [ðə naj'nti:nθ senn'tʃəri]

arv inheritance [inherr'itəns]

arvlös disinherited [diss'inherr'itid]

arvode fee [fi:]

arvsanlag gene [dʒi:n]

arvsskatt death duty [deθ'djo:ti]

as carcass [ka:'kəs]

asbest asbestos [äsbəss'tås]

asfalt asphalt [äss'fällt]

asfaltera asphalt [äss'fällt]

asiatisk Asiatic [ejʃiätt'ik]

Asien Asia [ej'ʃə]

ask (*träd*) ash [äʃ]; (*låda*) box [båks]

aska ashes (*pl*) [äʃ'iz]

asketisk ascetic [əsett'ik]

askfat ashtray [äʃ'trej]

asp asp [äsp]

aspekt aspect [äss'pekt]

aspirin aspirin [äss'pərin]

assiett small plate [små:'l plej't]

assimilera assimilate [əsimm'ilejt]

assistent assistant [əsiss'tənt]

assistera assist [əsiss't]

association association [əsəosiej'ʃən]

associera associate [əsəo'siejt]

astigmatisk *med.* astigmatic [ästig-mätt'ik]

astma asthma [äss'mə]

astrologi astrology [əstråll'ədʒi]

astronaut astronaut [äss'trɔnå:t]

astronom astronomer [əstrånn'əmə]

astronomi astronomy [əstrånn'əmi]

astronomisk astronomical [əstrə-nåmm'ikl]

asyl place of refuge [plejs əv reff'jo:dʒ], asylum [əsaj'ləm]

asylsökande person seeking asylum [pə:'sən si:'king əsaj'ləm]

asymmetrisk asymmetrical [äsimett'rikəl]

ateist atheist [ej'θiist]

ateljé studio [stjo:'djəo]

Atlanten the Atlantic [ði: ətlänn'tik]

atlas atlas [ätt'ləs]

atmosfär atmosphere [ätt'məsfiə]

atmosfärisk atmospheric [ätməs-ferr'ik]

atom atom [ätt'əm]

atombomb atom bomb [ätt'əm båmm']

atomenergi nuclear energy [njo:'kliə enn'ədʒi]

att 1 *infinitivmärke* to [to:] **2** *konj.* that [öätt]

attack attack [ətäkk']

attackera attack [ətäkk']

attentat attempt [ətemm'(p)t] (*mot någon* on a person's life [ånn ə pə:'sənz laj'f])

attestera attest [ətess't]

attityd attitude [ätt'itjo:d]

attrahera attract [əträkk't]

attraktion attraction [əträkk'ʃən]

attraktiv attractive [əträkk'tiv]

audiens audience [å:'diəns]

augusti August [å:'gəst]

auktion auction [å:'kʃən]

auktionsförrättare auctioneer [å:kʃəni:'ə]

auktorisera authorize [å:'θərajz]

auktoritet authority [å:θårr'iti]

auktoritär authoritarian [å:θäri-tä:'riən]

Australien Australia [åstrej'liə]

australisk Australian [åstrej'liən]

autentisk authentic [å:θenn'tik]

autograf autograph [å:'təgra:f]

automat automatic machine [å:təmätt'ik məʃi:'n]

automatisera automate [å:'təmejt]

automatisk automatic [å:təmätt'ik]

av 1 *prep.* of [əv]; (*betecknande medlet*) by [baj]; (*betecknande orsak*) for [få:], out of [aot əv] **2** *adv.* (*bort, i väg*) off [äff]

avancera advance [ədva:'ns]

avancerad advanced [ədva:'nst]

avbeställa cancel [känn'səl]

avbetalning instalment [instå:'lmənt]; *köpa på avbetalning* hire purchase [haj'ə pə:'tʃəs], buy on the instalment plan [baj' ånn ði instå:'l-mənt plänn']

avbilda reproduce [ri:prədjo:'s]

avbildning reproduction [ri:prə-dakk'ʃən]

avblåsning stoppage of game [ståpp'idʒ əv gej'm]

avbrott (*uppehåll*) break [brejk]; (*upphörande*) stop [ståpp]

avbryta interrupt [intərapp't]

avbytare replacement [riplej'smənt]; (*vid motortävling*) co-driver [kəo'-draj'və]

avböja decline [diklaj'n]

avdelning (*del*) part [pa:t]; (*av företag*) division [divi'ʃ'ən]; (*sjukhusavdelning*) ward [wå:d]

avdelningschef departmental manager [di:pa:tmenn'tl männ'idʒə]

avdrag deduction [didakk'ʃən]; allowance [əlao'əns]

avdragsgill deductible [didakk'təbl]

avdunsta evaporate [iväpp'ərejt]

avdunstning evaporation [iväpə-rej'ʃən]

avel breeding [bri:'ding]

avelsdjur breeder [bri:'də]

aveny avenue [ävv'ənjo:]

aversion aversion [əvə:'ʃən]

avfall (avskräde) waste [wejst]; (köks-avfall) garbage [ga:'bidʒ]

avfart exit [ekk'sit]

avfatta word [wə:d]; (avtal) draw up [drå:' app']

avfolkning depopulation [di:påpjo-lej'ʃən]

avfrosta defrost [di:fråss't]

avfyra fire [faj'ə]

avfärd departure [dipa:'tʃə]

avfärda dismiss [dismiss']

avföring evacuation [iväkjoej'ʃən]

avföringsmedel purgative [pə:'gətiv]

avgas exhaust [igzå:'st]

avgasrening exhaust emission control [igzå:'st imiʃ'ən kån'trəol]

avgasrör exhaust pipe [igzå:'st paj'p]

avge (ge ifrån sig) emit [imitt']; (avlägga) give [givv]

avgift charge [tʃa:dʒ]; (medlemsav-gift e.d.) fee [fi:]

avgiftsbelagd subject to a charge [sabb'dʒikt to ə tʃa:dʒ]

avgiftsfri free of charge [fri:' əv tʃa:'dʒ]

avgjord decided [disaj'did]

avgrund abyss [əbiss']

avgränsa demarcate [di:'ma:kejt]

avguda idolize [aj'dəlajz]

avgå leave [li:v], start [sta:t]; resign [rəsaj'n]

avgång departure [dipa:'tʃə]

avgöra decide [disaj'd]

avgörande decision [disiʃ'ən]

avhandling treatise [tri:'tiz]; (aka-demisk) thesis [θi:'sis]

avhjälpa remedy [remm'idi]

avhålla prevent [privenn't]; avhålla sig från refrain from [rifrej'n fråm],

keep away from [ki:'p əwej' fråm]

avhämtning collection [kəlekk'ʃən]

avi advice [ədvaj's]

avig inside out [inn'sajd ao't]

avigsida wrong side [rång' saj'd]

avisera advice [ədvaj's]

avkall ge avkall på renounce [rinao'ns]

avkastning proceeds (pl) [prəo'si:dz]

avkomma offspring [åff'spring]

avkoppling (avspänning) relaxation [ri:läksej'ʃən]

avkrok out-of-the-way spot [ao'təv-ðəwej' spått']

avkunna pronounce [prənao'ns]

avkylning cooling [ko:'ling]

avlastning unloading [ann'ləo'ding]

avleda divert [dajvə:'t]; (vatten) drain [drejn]

avlida expire [ikspaj'ə]

avliden deceased [disi:'st]

avliva put ... to death [pott' tə deθ']

avlopp sewer [sjo:'ə], drain [drejn]

avloppsrör drainpipe [drej'npajp], waste pipe [wej'stpajp]

avlossa fire [faj'ə]

avlyssna listen to [liss'n to:]

avlyssning wire-tapping [waj'ə-täpping]

avlång oblong [åbb'lång]

avlägga avlägga rapport report [ripå:'t]; avlägga visit pay s.b. a visit [pej samm'bədi ə vizz'it]

avlägsen distant [diss'tənt]

avlägsna remove [rimo:'v]; avlägsna sig go away [gəo əwej'], leave [li:v]

avlämna deliver [dilivv'ə]

avläsa read [ri:d]

avlöning pay [pej]

avlöningsdag pay day [pej'dej]

avlöpa (utfalla) turn out [tə:'n ao't]

avlösa relieve [rili:'v]

avlösning relieving [rili:'ving]

avmattas grow weak [grəo' wi:'k]

avmattning flagging [flägg'ing]

avokado avocado [ävə(o)ka:'də(o)]

avpassa fit [fitt]

avpressa extract s.th. from s.b [igz-träkk't samm'θing fråm samm'bədi]

avreagera *avreagera sig* let off steam [lett' åff sti:'m]

avregistrera deregistrera [diredʒ'istə]

avresa 1 *s.* departure [dipa:'tʃə] 2 *v.* depart [dipa:'t]

avresedag day of departure [dej' əv dipa:'tʃə]

avringning ring-off [ring'åff]

avrunda round [raond]

avråda *avråda ngn från ngt* advise s.b. against s.th. [ədvajz's samm'bədi əgenn'st samm'θing]

avräkning deduction [didakk'ʃən]

avrätta execute [ekk'sikjo:t]

avrättning execution [eksikjo:'ʃən]

avsaknad *vara i avsaknad av* lack [läkk]

avse mean [mi:n], intend [intenn'd]

avseende (*hänseende*) respect [rispekk't]; *med avseende på* with regard to [wið riga:'d to:]

avsevärd considerable [kənsidd'ərəbl]

avsides aside [əsaj'd]

avsikt intention [intenn'ʃən], purpose [pə:'pəs]; *ha för avsikt* intend [intenn'd]; *i avsikt att* for the purpose of [fəðə pə:'pəs əv]; *med avsikt på* purpose [ån pə:'pəs]

avsiktlig intentional [intenn'ʃənl]

avskaffa abolish [əbåll'iʃ]

avsked dismissal [dismiss'əl]; *ta avsked från* resign [rizaj'n]; *ta avsked av* say farewell to [sej' fäəwell' to:]

avskeda dismiss [dismiss']

avskedsansökan resignation [rezignej'ʃən]

avskild secluded [siklo:'did]

avskildhet retirement [ritaj'əmənt]

avskilja separate [sepp'ərejt]

avskjuta fire [faj'ə]

avskrift copy [kåpp'i]

avskrivning writing off [raj'ting åff]

avskräcka frighten [fraj'tn]; discourage [diskarr'idʒ]

avskräde refuse [reff'jo:s]

avsky 1 *v.* detest [ditess't] 2 *s.* disgust [disgass't]

avskyvärd abominable [əbåmm'inəbl]

avslag refusal [rifjo:'zəl]

avslagen (*om dryck*) stale [stejl]

avslappnad relaxed [riläkk'st]

avslappning relaxation [riläksej'ʃən]

avsluta finish [finn'iʃ]

avslutning end [end]; (*avslutande del*) conclusion [kənklo:'ʃən]

avslöja disclose [diskləo'z]

avslöjande disclosure [diskləo'ʒə]

avsmak dislike [dislaj'k]

avsmalnande narrowing [närr'əoing]

avsnitt sector [sekk'tə]

avspark kick-off [kikk'åff]

avspegla sig be reflected [bi:' riflekk'tid]

avspänd relaxed [riläkk'st]

avspärra bar [ba:]

avstanna stop [ståpp]

avstavning division into syllables [diviʃ'ən inn'tə sill'əblz], hyphenation [hajfənej'ʃən]

avstyrka disapprove [diss'əpro:'v], reject [ridʒekk't]

avstå [från] give up [givv' app']

avstånd (*på avstånd*) at a distance [ätt ə diss'təns]; (*i fjärran*) in the distance [in ðə diss'təns]

avståndsmätare rangefinder [rej'ndʒfajndə]

avsvimmad fainted [fejn'təd], in a swoon [in ə swo:'n]

avsvärja [sig] abjure [əbdʒo'ə]

avsäga [sig] renounce [rinao'ns]

avsända send [send]

avsändare sender [senn'də]

avsätta dismiss [dismiss']; (*varor*) sell [sell]

avsättning dismissal [dismiss'əl]; (*varors*) sale [sejl]

avtaga (*minska*) decrease [di:kri:'s]

avtagbar removable [rimo:'vəbl]

avtagsväg turn [tə:n], turning [tə:'ning]

avtal agreement [əgri:'mənt]

avtala (*överenskomma om*) agree upon [əgri:' əpånn']; (*tid*) make an appointment [mejk ən əpåj'ntmənt], fix [fiks]

avteckna sig stand out [stänn'd ao't]

avtjäna work off [wə:'k åff']

b

avtorka wipe [wajp]

avtryck imprint [imm'print]

avtryckare (*på gevär*) trigger [trigg'ə]; (*på kamera*) shutter release [ʃatt'ə rili:'s]

avträda give up [givv' app']

avträde privy [privv'i]

avtvinga *avtvinga ngn ngt* extort s.th from s.b. [ikstå:'t samm'θing fråm samm'bådi]

avtåga march off [ma:'tʃ åff]

avtäcka uncover [ankavv'ə]; (*staty*) unveil [anvej'l]

avund envy [enn'vi]

avundas envy [enn'vi]

avundsjuk envious [enn'viəs]

avundsjuka envy [enn'vi]

avvakta await [əwej't]

avvaktan *i avvaktan på* while waiting for [waj'l wej'ting få:']

avvara spare [spä:'ə]

avveckla wind up [waj'nd app']

avveckling winding up [waj'nding app]; liquidation [likwidej'ʃən]

avverka (*hugga*) fell [fell]; (*slutföra*) accomplish [əkåmm'pliʃ]

avverkning felling [fell'ing]

avvika (*från ämne*) digress [dajgress']; (*rymma*) abscond [əbskånn'd]

avvikande divergent [dajvə:'dʒənt]

avvikelse digression [dajgreʃ'ən]

avvisa send away [senn'd əwej']; (*förslag*) reject [ridʒekk't]

avväg *komma på avvägar* go astray [gəo' əstrej']

avväga balance [bäll'əns]

avväpna disarm [disa:'m]

avvärja ward off [wå:'d åff']

ax (*på växt*) spike [spajk]; (*sädesax*) ear [iə]; (*nyckelax*) bit [bitt]

axel (*hjulaxel*) axle [äkk'sl]; (*skuldra*) shoulder [ʃəo'ldə]

axelband shoulder strap [ʃəo'ldə-sträpp]

axelväska satchel [sätt'ʃəl]

babian baboon [babo:'n]

babord port [på:t]; *om babord* to port [to på:'t]

baby baby [bej'bi]

babysitter (*gungstol för spädbarn*) babysitter [bej'bisitt'ə]

bacill bacillus [bəsill'əs]

back (*ölback*) crate [krejt]; *sport.* back [bäkk]

backa reverse [rivə:'s]

backe hill [hill]; *sakta i backarna!* easy does it! [i:'zi dazz'it]

backhoppning ski-jumping [ski:'-dʒamping]

backlykta reversing light [rivə:'sing lajt]

backspegel driving mirror [draj'ving mirr'ə]

bacon bacon [bej'kən]

bad bath [ba:θ]; (*utomhus*) bathe [bejð]

bada take a bath [tejk a ba:'θ]; (*utomhus*) bathe [bejð], take a swim [tejk a swimm']

badbyxor swimming trunks [swimm'ing trangks]

badda bathe [bejð]

baddräkt bathing suit [bej'ðing sjo:t]

badhanddduk bath towel [ba:'θ tao'əl]

badkappa bath-robe [ba:'θrəob]

badkar bath [ba:θ]

badlakan bath towel [ba:'θ tao'əl]

badmössa bathing-cap [bej'ðingkäpp]

badort seaside resort [si:'sajd rizå:'t]

badrock bathrobe [ba:'θrəob]

badrum bathroom [ba:'ro:m]

badrumsvåg bathroom scales [ba:'θ-ro:m skejls]

badstrand beach [bi:tʃ]

badvatten bath-water [ba:'θwå:tə]

bag bag [bägg]

bagage luggage [lagg'idʒ]

bagageutrymme boot [bo:t]; *Am.* trunk [trangk]

bagare baker [bej'kə]

bankkontor

bagatell trifle [trajfl]

bageri baker's [shop] [bejˈkəz (ˈʃåpp)]

bagge ram [rämm]

bak at the back [ät ðə bäkk']; *bak och fram* the wrong way round [ðə rång' wej' rao'nd]

baka bake [bejk]

bakben hind leg [haj'nd legg]

bakelse pastry [pej'stri]

bakfull hung over [hangəo'və]

bakgata backstreet [bäkk'stri:t]

bakgrund background [bäkk'graond]

bakhjul rear wheel [ri:'ə wi:'l]

bakhåll ambush [ämm'boʃ]

bakifrån from behind [fråm bihaj'nd]

baklucka boot cover [bo:'tkavə]; *Am.* trunk cover [trangk'kavə]

baklykta rear light [ri:'ə lajt]

baklås *dörren har gått i baklås* the lock of the door has jammed [ðə låkk' əv ðə då: häss dʒämm'd]

baklänges backwards [bäkk'wədz]

bakläxa have to do s.th. over again [häv tə do: samm'θing əovərəgenn']

bakning baking [bej'king]

bakom behind [bihaj'nd]

bakpå 1 *adv.* behind [bihaj'nd] 2 *prep.* at the back of [ätt ðə bäkk' əv]

bakre back [bäkk]

baksida back [bäkk]

bakslag (*reaktion*) reverse [rivə:'s]

baksmälla hangover [häng'əovə]

baksäte back seat [bäkk' si:'t]

baktala slander [sla:'ndə]

baktanke secret motive [si:'krit məo'tiv]

bakterie bacterium [bäkti:'əriəm]

baktill behind [bihaj'nd]

bakväg back way [bäkk' wej]

bakvänd the wrong way round [ðə rång' wej' rao'nd]; (*befängd*) absurd [əbsə:'d]

bakåt backward[s] [bäkk'wəd(z)]

bal ball [bå:l]

balans balance [bäll'əns]

balansera balance [bäll'əns]

balett ballet [bäll'ej]

balettdansös ballet dancer [bäll'ejda:'nsə]

balja tub [tabb]

balk beam [bi:m]

Balkanhalvön the Balkan Peninsula [ðə båll'kən pininn'sjo:lə]

balkong balcony [bäll'kəni]

ballong balloon [bəlo:'n]

balsam (*hår-*) conditioner [kəndiʃ'ənə]

balsamera embalm [imba:'m]

balt Balt [bå:'lt]

baltisk Baltic [bå:'ltik]

balustrad balustrade [bäləstrej'd]

bambu bamboo [bämbo:']

bana path [pa:θ]; *astron.* orbit [å:'bit]; (*levnads-*) career [kəri:'ə]; *sport.* track [träkk]

banal banal [bəna:'l]

banan banana [bəna:'nə]

banbrytande pioneering [pajəni'əring]

band band [bä:nd]; (*prydnads-*) ribbon [ribb'ən]; (*bok-*) binding [baj'nding]; (*volym*) volume [våll'jom]; (*ngt som sammanbinder*) tie [taj], bond [bånnd]; *lägga band på sig* restrain oneself [ristrej'n wann-sell'f]

bandage bandage [bänn'didʒ]

bandinspelning tape recording [tejp rikå:'ding]

bandit bandit [bänn'dit]

bandspelare tape recorder [tej'p rikå:'də]

bang (*överljudsknall*) sonic bang [sånn'ik bäng']

banjo banjo [bänn'dʒ(ə)o]

bank bank [bängk]; *sätta in på banken* deposit at the bank [dipåzz'it ätt ðə bäng'k]

bankbok pass book [pa:'s bokk]

bankett banquet [bäng'kwit]

bankfack safe-deposit box [sej'fdipåzz'it bäkk's]

bankir banker [bäng'kə]

bankkonto bank account [bäng'k əkao'nt]

bankkontor bank office [bäng'k åff'is]

bankomat [automatic] cash dispensing machine [(å:təmätt'ik) käʃ dispenn'sing məʃi:'n]

banta slim [slimm]

banvakt lineman [laj'nmən]

banvall embankment [imbäng'kmənt]

bar 1 s.*(utskänkningsställe)* bar [ba:] 2 *adj.* *(naken)* bare [bä:'ə], naked [nej'kid]

bara only [əo'nli]

barack barracks [bärr'əks]

barbar barbarian [ba:bä:'əriən]

barbarisk barbaric [ba:bä'rik]

barberare barber [ba:'bə]

barfota bare-foot [bä:'əfot]

barhuvad bare-headed [bä:'əhedd'id]

bark bark [ba:k]

barkbåt bark boat [ba:'k bəot]

barmhärtig merciful [me:'sifoll]

barmhärtighet mercy [mə:'si]

barn child [tʃajld] (*pl.* children [tʃill'drən])

barnadödlighet infant mortality rate [inn'fənt må:täll'iti rejt]

barnavård child welfare [tʃaj'ld well'fä:ə]

barnavårdsnämnd child welfare committee [tʃaj'ld well'fä:ə kåmitt'i]

barnbarn grandchild [gränn'tʃajld]

barnbegränsning birth control [bə:'θkəntrəo'l]

barnbidrag child allowance [tʃajld əlao'əns]

barnbiljett child's ticket [tʃaj'ldz tikk'ət]

barnbok children's book [tʃill'drənz bokk]

barndom childhood [tʃaj'ldhod]

barndomsvän friend of one's childhood [frend əv wanz tʃaj'ldhod]

barnfamilj family with children [fämm'ili wið tʃill'drən]

barnflicka nursemaid [nə:'smejd]

barnförbjuden for adults only [fə(r) ädd'əlts əo'nli]

barnkammare nursery [nə:'sri]

barnkläder children's clothes [tʃill'drənz kləoðz]

barnläkare children's specialist [tʃill'drəns speʃ'əlist]

barnmat baby food [bej'bifo:d]

barnmorska midwife [midd'wajf]

barnportion children's serving [tʃill'drənz sə:'ving]

barnsits *(cykelstol för barn)* child's seat on a bicycle [tʃaj'ldz si:t ånn ə baj'sikl]

barnsjukdom children's disease [tʃill'drəns dizi:'z]; *bildl.* teething troubles [ti:'ðing trabb'ls]

barnsköterska nurse [nə:s]

barnslig childish [tʃaj'ldiʃ]

barnstol high chair [haj'tʃä:'ə]

barnsäker childproof [tʃaj'ldpro:f]

barnuppfostran child-rearing [tʃaj'ldri:ə'ring]; bringing up of children [bring'ing app' əv tʃill'drən]

barnvagn pram [prämm], perambulator [pərämm'bjolejtə]

barnvakt babysitter [bej'bisitt'ə]

baron baron [bärr'ən]; *(eng. titel)* Lord [lå:d]

barr needle [ni:'dl]

barra shed its needles [ʃedd' its ni:'dlz]

barrskog coniferous forest [kəoniff'ərəs får'ist]

barrträd conifer [kəo'nifə]

barsk harsh [ha:ʃ]

bartender bartender [ba:'tendə]

bas *mus.* bass [bejs]; *(arbetsförman)* foreman [få:'man]; boss [båss]; *(matematik o. kemi)* base [bejs]

basera [bej's], *basera sig på* be based upon [bi bej'st əpånn']

basfiol double-bass [dabb'lbej's]

basis basis [bej'sis]

baskisk Basque [bä:sk]

bassäng basin [bejsn]; *(badbassäng)* swimming-pool [swimm'ingpo:l]

bast bast [bäst]

bastu sauna [så:'nə]; *bada bastu* take a sauna [tejk ə så:'nə]

bastuba bass tuba [bej's tjo:'bə]

basun trombone [tråmbəo'n]

batik batik [bätt'ik]

batong truncheon [trann'tʃən]

batteri battery [bätt'əri]

batteridriven battery operated [bätt'əri åpp'ərejtid]

batteriradio battery receiver [bätt'əri risi:'və]

BB maternity hospital [mətə:'niti håss'pitl], maternity ward [mətə:'niti wå:d]

be (*anhålla*) ask [ask] (*om* for [få:]); (*förrätta bön*) pray [prej]

beakta pay attention to [pej ətenn'ʃən to:]; observe [əbzə:'v]

bearbeta work [wə:k]; (*jord*) cultivate [kall'tivejt]; (*bok*) revise [rivaj'z]

bebo inhabit [inhäbb'it]

beboelig inhabitable [inhäbb'itəbl]

bebygga build on [bill'd ånn]

bebyggelse buildings (*pl*) [bill'dingz]

beckasin snipe [snajp]

bedja se **be**

bedraga deceive [disi:'v]

bedragare impostor [impåss'tə]

bedrift exploit [bok'splåjt]

bedriva carry on [kärr'i ånn']

bedrägeri fraud [frå:d]

bedröva distress [distress']

bedrövlig deplorable [diplå:'rəbl]

bedöma judge [dʒadʒ]

bedömande judging [dʒadʒ'ing]

bedöva make unconscious [mejk ankånn'ʃəs]; *med.* anaesthetise [äni:'sθitajz]

bedövning (*medvetslöshet*) unconsciousness [ankånn'ʃəsnis]; (*narkos*) anaesthesia [änəsθi:'ziə]

bedövningsmedel anaesthetic [änis-θett'ik]

befalla order [å:'də]

befallning order [å:'də]

befara fear [fi:'ə]

befatta sig med concern [kənsə:'n]

befattning post [pəost]; (*anställning*) appointment [əpåj'ntmənt]

befinna sig (*vara*) be [bi:]; (*känna sig*) feel [fi:l]

befintligt existing [igziss'ting]

befogad justifiable [dʒass'tifajəbl]

befogenhet authority [å:θårr'iti]

befolkning population [påpolej'ʃən]

befordra (*sända*) forward [få:'wəd], send [send]; (*främja*) promote [prəməo't]

befordran promotion [prəməo'ʃən]

befria set free [set fri:'], liberate [libb'ərejt], (*från löfte o.d.*) release [rili:'s]

befrielse (*frigörelse*) liberation [libə-rej'ʃən]; (*frikallande*) exemption [ig-zemm'pʃən]; (*lättnad*) relief [rili:'f]

befrielsekrig war of liberation [wå:'r əv libərej'ʃən]

befrukta fertilize [fə:'tilajz]

befruktning fertilization [fə:tilaj-zej'ʃən]

befrämja promote [prəməo't]

befäl command [kəma:'nd]; *befälet* the officers [ði åff'isəz]

befälhavare commander [kəma:'ndə]

befästa fortify [få:'tifaj]; *bildl.* consolidate [kənsåll'idejt]

begagna use [jo:z]; *begagna sig av* (*använda*) make use of [mejk jo:'s əv], (*dra fördel av*) profit by [pråff'it baj]

begagnad used [jo:zd]; (*om vara*) second-hand [sekk'əndhänn'd]

bege sig go [gəo]

begeistrad enthusiastic [inθjo:zi-äss'tik]

begrava bury [berr'i]

begravning funeral [fjo:'nərəl]; (*jordfästning*) burial [berr'iəl]

begravningsbyrå firm of undertakers [fə:m əv ann'dətejkəz]

begrepp conception [kənsepp'ʃən], idea [ajdi:'ə]

begripa understand [andəstänn'd]

begriplig intelligible [intell'idʒəbl]

begrunda ponder [pånn'də]

begränsa bound [baond]; (*inskränka*) limit [limm'it]

begränsning limitation [limitej'ʃən]

begå commit [kəmitt']

begåvad gifted [giff'tid], clever [klevv'ə]

begåvning talent [täll'ənt], gift [gifft]

begär desire [dizaj'ə]

begära ask [a:sk]

begäran request [rikwess't]

begärlig in demand [in dima:'nd]

behag pleasure [pleʒ'ə]; charm [tʃa:m]; *efter behag* at pleasure [ätt pleʒ'ə]

behaga (*tilltala*) please [pli:z]; (*verka tilldragande*) attract [əträkk't]

behaglig pleasant [plezz'nt]; (*tilltalande*) attractive [əträkk'tiv]

behandla treat [tri:t]; (*handskas med*) deal with [di:'l wið]; (*hantera*) handle [hänn'dl]

behandling treatment [tri:'tmənt]

behov want [wånt], need [ni:d]

behovsprövning means test [mi:'nz test]

behå bra [bra:]

behålla keep [ki:p]

behållare container [kəntej'nə]

behållning remainder [rimej'ndə]

behändig handy [hänn'di]

behärska control [kəntrəo'l]; (*dominera*) command [kəma:'nd]; *behärska sig* control o.s. [kəntrəo'l wansell'f]

behärskning control [kəntrəo'l]

behörig qualified [kwåll'ifajd]

behöva need [ni:d]

behövande needy [ni:'di]

behövas be needed [bi: ni:'did], be necessary [bi: ness'isəri]

beige beige [bejʒ]

bekant 1 *adj.* (*känd*) known [nəon]; (*allmänt känd*) well-known [well'nəo'n]; (*personligen bekant*) acquainted [əkwej'ntid] **2** *s. en bekant* an acquaintance [ən əkwej'ntəns], a friend [ə frenn'd]

bekantskap acquaintance [əkwej'ntəns]; *göra bekantskap med* become acquainted with [bikamm' əkwej'ntid wið]

bekantskapskrets acquaintances [əkwej'ntənsi:z]

beklaga be sorry for [bi:'sårr'i få:]; pity [pitt'i]; *beklaga sig* complain [kəmplej'n] (*över of* [åv]; *för* to [to:])

beklaglig regrettable [rigrett'əbl]

bekosta pay for [pej' få:]

bekostnad expense [ikspenn's]; *på bekostnad av* at the expense of [ätt ði:'ikspenn's əv]

bekräfta confirm [kənfə:'m]

bekräftelse confirmation [kånfəmej'-ʃən]

bekväm comfortable [kamm'fətəbl]

bekvämlighet convenience [kənvi:'n-iəns]

bekvämlighetsflagg flag of convenience [flägg əv kənvi:'niəns]

bekymmer anxiety [ängzaj'əti], worry [warr'i]

bekymmersam anxious [äng'kʃəs]

bekymmerslös light-hearted [lajt'ha:'tid]

bekymra trouble [trabb'l], worry [warr'i]

bekämpa fight against [fajt' əgenn'st]

bekämpningsmedel means of control [mi:nz əv kəntrəo'l]; (*för skadeinsekter*) insecticide [insekk'tisajd]; (*för ogräs*) weedkiller [wi:'dkillə]

bekänna confess [kənfess']

bekännelse confession [kənfeʃ'ən]

belasta load [ləod]

belevad well-bred [well'bredd']

belgare Belgian [bell'dʒən]

Belgien Belgium [bell'dʒəm]

belgisk Belgian [bell'dʒən]

belopp amount [əmao'nt]

belysa illuminate [iljo:'minejt]

belysning lighting [lajting]

belåten (*om person*) content [kəntenn't]; (*om min e.d.*) satisfied [sätt'isfajd]

belåtenhet contentment [kəntenn't-mənt]; satisfaction [sätisfäkk'ʃən]

belägen situated [sitt'joejtid]

beläggning coat [kəot]

belägra besiege [bisi:'dʒ]

belägring siege [si:dʒ]

beläst well-read [well'redd']

belöna reward [riwå:'d]

belöning reward [riwå:'d]

belöpa *belöpa sig till* amount to [əmao'nt to:]

bemyndiga authorize [å:'θərajz]

bemärkelse sense [sens]

bemästra master [ma:'stə]

bemöda sig try hard [traj' ha:'d]

bemöta (*behandla*) treat [tri:t]; (*besvara*) answer [a:'nsə]

ben (*i kroppen*) bone [bəon]; (*lem*) leg [legg]

bena 1 *s.* parting [pa:'ting] **2** *v.* (*fisk*) bone [bəon]

benbrott fracture [fräkk't∫ə]

bensin petrol [pett'rəl], *Am.* gas [gä:s]

bensinpump petrol pump [pett'rəl pamp]

bensinstation filling station [fill'ing stej'∫ən]

bensintank petrol tank [pett'rəl tängk]

benåda pardon [pa:'dn]

benägen inclined [inklaj'nd]

benägenhet inclination [inklinej'∫ən], tendency [tenn'dənsi]

benämning name [nejm] (*på* for [få:])

beordra order [å:'də]

beprövad well-tried [well'traj'd]

bereda (*tillreda*) prepare [pripä:'ə]; (*förorsaka*) cause [kå:z]; *beredd på* prepared for [pripä:'əd få:]; *bereda sig* prepare o s [pripä:'ə wansell'f] (*på* for [få:])

beredskap military preparedness [mill'itəri pripä:'ədnis]; *i beredskap* in readiness [in redd'inis], ready [redd'i]; *ha ngt i beredskap* have s.th. up one's sleeve [hävv' samm'θing app wannz sli:'v]

berest travelled [trävv'ld]; *vara mycket berest* have travelled a great deal [hävv trävv'ld ə grej't di:'l]

berg mountain [mao'ntin]

berggrund bedrock [bedd'råkk']

bergig mountainous [mao'ntinəs]; rocky [råkk'i]

bergkristall crystal [kriss'tl]

berg- och dalbana roller coaster [rəo'ləkəo'stə]

bergsbestigare climber [klaj'mə]

bergsbestigning mountaineering [maontini:'əring]

bergskedja mountain chain [mao'ntin t∫ejn]

bergsskreva crevice [krevv'is]

bergssluttning mountain slope [mao'ntin sləop]

berguv eagle owl [i:'gl aol]

berika enrich [inrit∫']

berlock charm [t∫a:m]

bero *bero på* be due to [bi: djo:' to:]; (*komma an på*) depend on [dipenn'd ånn]

beroende 1 *s.* dependence [dipenn'dəns] **2** *adj.* dependent [dipenn'dənt]

berusa intoxicate [intåkk'sikejt]

berusad drunk [drangk], intoxicated [intåkk'sikejtid]

beryktad notorious [nəotå:'riəs] (*för* for [få:])

beräkna calculate [käll'kjolejt]

beräkning calculation [kälkjolej'∫ən]; *ta med i beräkningen* take ... into consideration [tej'k intə kənsidərej'∫ən]

berätta tell [tell]

berättelse tale [tejl]; narrative [närr'ətiv]

berättiga entitle [intaj'tl]

berättigande justification [dʒastifikej'∫ən]

beröm praise [prejz]

berömd famous [fej'məs]

berömma praise [prejz]

beröra touch [tat∫]; *illa berörd* unpleasantly affected [anplezz'ntli əfekk'tid]

beröring contact [kånn'täkt]

beröva deprive [dipraj'v]

bese see [si:]

besegra conquer [kång'kə]

besiktiga inspect [inspekk't]

besiktning inspection [inspekk'∫ən]

besiktningsinstrument registration certificate [redʒistrej'∫ən sətiff'ikit]

besinningslös rash [rä∫]

besitta possess [pəzess']

besittning *ta i besittning* take possession of [tejk pəze∫'ən əv]

besk bitter [bitt'ə]

beskaffad constituted [kånn'stitjo:tid]

beskatta tax [täks]

beskattningsbar taxable [täkk'səbl]

besked answer [a:'nsə]; *ge besked*

give an answer [giv ən a:'nsə]; *veta besked om* know about [nəʊ' əbəʊ't]
beskickning embassy [emm'bəsi]
beskriva describe [diskraj'b]
beskrivning description [diskripp'ʃən]
beskydd protection [prətekk'ʃən]
beskydda protect [prətekk't]
beskylla accuse [əkjʊ:'z] (*för o.d.* åvv)
beslag (*metall- o.d.*) fittings [fitt'ingz]; (*kvarstad*) seizure [si:'ʒə]
beslagta confiscate [kånn'fiskejt]
beslut decision [disiʃ'ən]
besluta decide [disaj'd]; *besluta sig* decide [disaj'd] (*för* upon [əpånn']), make up one's mind [mejk app' wannz maj'nd]
beslutsam resolute [rezz'əlo:t]
besläktad related [rilej'tid]
besparing saving [sej'ving]; (*på plagg*) yoke [jəʊk]
bespetsa *bespetsa sig på* look forward to [lʊkk få:'wəd to:]
bespruta spray [sprej]
bestick (*mat-*) cutlery [katt'ləri]
bestiga (*berg*) climb [klajm]; (*tron*) ascend [əsenn'd]; (*talarstol*) mount [maont]
bestraffa punish [pann'iʃ]
bestrida contest [kəntess't]
bestråla irradiate [irrej'diejt]
bestrålning radiation [rejdiej'ʃən]
beströ strew [stro:]
bestseller best seller [best'sell'ə]
bestyrka confirm [kənfə:'m]; (*intyga*) attest [atess't]
bestå (*vara*) last [la:st]; (*utgöras*) consist [kənsiss't] (*av of* [əv])
beståndsdel constituent [kənstitt'-joənt]
beställa order [å:'də]; (*plats, biljett*) book [bokk]; *beställa tid hos* make an appointment with [mejk ən əpåj'ntmənt wið]
beställning order [å:'də]
bestämd determined [ditə:'mind]; (*om tid*) fixed [fikst], appointed [əpåj'ntid]
bestämdhet determination [ditə:mi-nej'ʃən]; *veta med bestämdhet* know for certain [nəʊ' fə sə:'tn]

bestämma determine [ditə:'min]; (*fastställa*) fix [fiks]; *bestämma sig* decide [disaj'd] (*för* on [ån], upon [əpånn'])
bestämmelse (*stadga*) regulation [regjolej'ʃən]; (*i kontrakt*) stipulation [stipjolej'ʃən]
bestämt definitely [deff'initli]; *veta bestämt* know for certain [nəʊ' fə sə:tn]
besvara answer [a:'nsə]
besvikelse disappointment [disəpåj'nt-mənt]
besviken disappointed [disəpåj'ntid] (*på in* [in]; *över* at [ät])
besvär trouble [trabb'l]
besvära trouble [trabb'l], bother [båð'ə]
besvärande (*irriterande*) annoying [ənåj'ing], (*generande*) embarrassing [imbärr'əsing]
besvärlig troublesome [trabb'lsəm]; (*ansträngande*) trying [traj'ing]
besynnerlig peculiar [pikjo:'liə]; strange [strejndʒ]
besätta *mil.* occupy [åkk'jopaj]
besättning (*fartygs-, flyg-*) crew [kro:]
besättningsman one of the crew [wann' əv ðə kro:']
besök visit [vizz'it] (*hos, i* to [to:]); (*vistelse*) stay [stej] (*hos* with [wið])
besöka visit [vizz'it]
besökare visitor [vizz'itə]
besökstid visiting-hours [vizz'iting-aʊ'əz]
beta 1 *v.* (*om djur*) graze [grejz] **2** *s.* (*rotfrukt*) beet [bi:t]
betacka sig decline [diklaj'n]
betal-TV pay-TV [pej'ti:vi:']
betala pay [pej]; (*vara, arbete*) pay for [pej' få:]
betalning payment [pej'mənt]
betalningsvillkor terms of payment [tə:mz əv pej'mənt]
bete (*tand*) tusk [tassk]; (*för djur*) pasture [pa:'stʃə]; (*agn*) bait [bejt]
bete sig behave [bihej'v]
beteckna represent [reprizenn't];

designate [dezz'ignejt]

beteckning designation [dezignej'ʃən]

beteende behaviour [bihej'vjə]

betesmark pasture [pa:'stʃə]

betingelse condition [kəndi'ʃən]

betjäna serve [sə:v]

betjäning service [sə:'vis]

betjänt footman [fott'mən]

betona emphasize [emm'fəsajz]

betong concrete [kånn'kri:t]

betoning emphasis [emm'fəsis], stress [stress]

betrakta look at [lokk' ätt']; *betrakta ... som* regard ... as [riga:'d äz]

betrodd trusted [trass'tid]

betryggande reassuring [ri:əʃo:'əring]

beträffa *vad mig beträffar* as far as I'm concerned [əs fa:'r əs aj'm kənsə:'nd]

beträffande concerning [kənsə:'ning]

bets (*trä*) stain [stejn]

betsa (*trä*) stain [stejn]

betsel bridle [braj'dl]

bett (*hugg*) bite [bajt]

betungande burdensome [bə:'dnsəm]

betvivla doubt [da'ot]

betyda mean [mi:n]

betydande important [impå:'tənt]; (*ansenlig*) considerable [kən-sidd'ərəbl]

betydelse (*innebörd*) meaning [mi:'n-ing]; (*vikt*) importance [impå:'təns]; *det har ingen betydelse* it doesn't matter [it dazz'nt mätt'ə]

betydlig considerable [kənsidd'ərəbl]

betyg certificate [sətiff'ikət]; (*termins-*) report [ripå:'t]; (*vitsord*) mark [ma:k]

betäcka (*göra dräktig*) cover [kavv'ə]

betänka consider [kənsidd'ə]

betänkande (*tvekan*) hesitation [hezi-tej'ʃən]; (*övervägande*) reflection [riflekk'ʃən]; *utan betänkande* without hesitation [wiðao't hezitej'ʃən]

betänketid time for consideration [taj'm få kənsidərej'ʃən]

betänksam deliberate [dilibb'ərit]

beundra admire [ədmaj'ə]

beundran admiration [ädmərej'ʃən]

beundransvärd admirable [ädd'mərəbl]

beundrare admirer [ədmaj'rə]

bevaka guard [ga:d]

bevakning guard [ga:d]

bevara (*bibehålla*) preserve [prizə:'v]; (*förvara*) keep [ki:p]

beveka (*röra*) move [mo:v]

bevilja grant [gra:nt]

bevis proof [pro:f]

bevisa prove [pro:v]

bevista attend [ətenn'd]

bevittna witness [witt'nis]

bevåg *på eget bevåg* on one's own responsibility [ån wanz əon rispåns-əbill'iti]

bevänt *det är inte mycket bevänt med det* it's not much use [its nått matʃ' jo:s]; *det är inte mycket bevänt med honom* he is not up to much [hi: iz nått app' to matʃ']

beväpna arm [a:m]

bi bee [bi:]

bibehålla keep [ki:p]; (*upprätthålla*) maintain [mejntej'n]

bibel bible [baj'bl]

bibliotek library [laj'brəri]

bibliotekarie librarian [lajbrä:'əriən]

bidé bidet [bi:'dej]

bidrag contribution [kåntribjo:'ʃən]; (*penning-*) allowance [əlao'əns]

bidraga contribute [kəntribb'jot]; *bidraga till* aid [ejd], promote [prə-mao't]

bidragande contributory [kən-tribb'jotəri]

bidragsgivare contributor [kən-tribb'jotə]

bifall (*samtycke*) assent [əsenn't]; (*applåder*) applause [əplå:'z]

bifalla approve [əpro:'v], (*bevilja*) grant [gra:nt]

bifallsrop shout of approval [ʃao't əv əpro:'vəl]

biff, biffstek [beef]steak [(bi:f) stej'k]

biflod tributary [tribb'jotəri]

bifoga enclose [inkləo'z]

bihåleinflammation sinusitis [sajnə-sajt'is]

bikta

bikta *bikta sig* confess [kənfess']

bikupa beehive [bi:'hajv]

bil car [ka:]

bila travel by car [trävv'l baj ka:']

bilaga (*i brev*) enclosure [inkləo'ʒə]; (*i tidning*) supplement [sapp'limənt]

bilbarnstol car safety-seat [ka:' sejfti-si:t]

bilbälte seat belt [si:t belt]

bild picture [pikk'tʃə]

bilda (*åstadkomma*) form [få:m]

bildad cultivated [kall'tivejtid]; educated [edd'jokejtid]

bilderbok picture-book [pikk'tʃəbokk]

bildhuggare sculptor [skall'ptə]

bildning formation [få:me'jʃən]; (*odling*) culture [kəll'tʃə]; (*skol-*) education [edjokej'ʃən]

bildskärm screen [skri:n]

bilfabrik motor works [məo'tə wə:ks]

bilfirma car dealer [ka:'di:lə]

bilfärd car drive [ka:'drajv]

bilfärja car ferry [ka:'ferri]

bilförare driver [draj'və]

bilism motorism [məo'tərizm]

bilist motorist [məo'tərist]

biljard billiards (*pl*) [bill'jədz]

biljett ticket [tikk'it]

biljettautomat ticket vending machine [tikk'it venn'ding məʃi:'n]

biljettkontor booking-office [bokk'ing åff'is], (*på teater*) box-office [båkk's åff'is]

biljon (*en miljon miljoner*) trillion [trill'jən]

bilkarta road map [rəo'd mäpp]

bilkö line of cars [lajn əv ka:'z]

billig cheap [tʃi:p]; inexpensive [inekspenn'siv]

bilolycka motor accident [məo'tər äkk'sidənt]

bilsjuk carsick [ka:'sikk]

bilstöld car theft [ka:'θeft]

biltävling car race [ka:'rejs]

biluthyrningsfirma car rental agency [ka:' rennt'l ejdʒənsi]

bilverkstad garage [gärr'a:dʒ]

binda 1 *v.* bind [bajnd]; (*knyta*) tie [taj] **2** *s.* roller [rəo'lə]; (*elastisk binda*) elastic bandage [iläss'tik bänn'didʒ]; (*mensskydd*) sanitary napkin [sänn'itəri näp'kin], *Am.* sanitary towel [sänn'itəri tao'əl]

bindestreck hyphen [haj'fən]

biodynamisk biodynamic [bajədaj-nämm'ik]

biograf cinema [sinn'imə]; *Am.* movies (*pl*) [mo:'viz]; *gå på bio* go to the cinema [gəo tə ðə sinn'imə]

biografi biography [bajågg'rəfi]

biologi biology [bajåll'ədʒi]

biologisk biological [bajəoládʒ'ikəl]; *biologiskt nedbrytbar* biodegradable [bajəodi:grejd'əbl]

bisak matter of secondary importance [mätt'ər əv sekk'əndəri impå:'təns]

biskop bishop [biʃ'əp]

bismak (*extraneous*) flavour [(ekstrej'niəs) flej'və]

bister grim [grimm]

bisting bee-sting [bi:'sting]

bistå assist [əsiss't]

bistånd assistance [əsiss'təns]

bit piece [pi:s]

bita bite [bajt]

bitas bite [bajt]

biträdande assistant [əsiss'tənt]

biträde (*medhjälpare*) assistant [əsiss'tənt]

bitsocker lump sugar [lamm'p ʃogg'ə]

bitter bitter [bitt'ə]

bitterhet bitterness [bitt'ənis]

bittermandel bitter almond [bitt'ər a:'mənd]

bitti *i morgon bitti* [early] tomorrow morning [(ə:'li) təmårr'əo må:'ning]

bitvis bit by bit [bitt' baj bitt']

biverkningar *pl* secondary effects [sekk'ndəri ifekk'ts]

bjuda (*befalla, ge bud på auktion*) bid [bidd]; (*erbjuda*) offer [åff'ə]; (*undfägna med*) treat to [tri:'t to:]; (*inbjuda*) invite [invaj't]; *bjuda ngn på lunch* invite s.b. to lunch [invaj't samm'bədi tə lann'tʃ]; *bjuda ngn på middag på restaurang* invite s.b. out for dinner [invaj't samm'bədi aot fə dinn'ə]; *bjuda till* try [traj]

blotta

bjudning (*kalas*) party [pa:'ti]

bjälke beam [bi:m]

bjällra bell [bell]

björk birch [bə:tʃ]

björn bear [bä:'ə]

björnbär blackberry [bläkk'bəri]

blad leaf [li:f]; (*pappersark*) sheet [ʃi:t]; (*knivblad, årblad o.d.*) blade [blejd]

bland among[st] [əmang'(st)]; *bland andra* among others [əmang að'əz]; *bland annat* among other things [əmang að'ə θing'z]

blanda mix [miks]; *blanda sig i meddle* in [medd'l in]; *blanda till* mix [miks]

blandning mixture [mikk'stʃə]

blank shiny [ʃaj'ni]

blankett form [få:m]; *fylla i en blankett* fill in a form [fill' in ə få:'m]

blanksliten shiny [ʃaj'ni]

blazer jacket [dʒäkk'it]

blek pale [pejl]

bleka bleach [bli:tʃ]

blekna turn pale [tə:'n pejl']

bli *hjälpv.* be [bi:]; *vard.* get [gett]; *huvudv.* be [bi:]; become [bikamm']; (*förbli*) remain [rimej'n]; *bli av* take place [tej'k plej's]; *bli av med* get rid of [gett ridd' əv]; *bli efter* drop behind [dråpp bihaj'nd]; *bli kvar* remain [rimej'n]; *bli över* be left [bi:' leff't]; *låt bli!* don't! [dəont]

blick look [lokk]; (*hastig*) glance [gla:ns]; *kasta en blick på* look at [lokk' ätt]

blid mild [majld]

blidka appease [əpi:'z]

blind blind [blajnd]; (*för* to [to:])

blindbock blindman's buff [blaj'nd-mänzbaff']

blindskrift braille [brejl]

blindtarm appendix [əpenn'diks]

blindtarmsinflammation appendicitis [əpendisaj'tis]

blink twinkling [twing'kling]

blinka blink [blingk]

bliva se *bli*

blivande future [fjo:'tʃə]

blixt lightning [laj'tning]; *foto.* flash [fläʃ]

blixtlås zip [fastener] [zipp' (fa:'snə)]

blixtnedslag stroke of lightning [strəo'k əv laj'tning]

blixtra *det blixtrar* there is [a flash of] lightning [ðäar iz (ə flaʃ əv) laj'tning]; *bildl.* flash [fläʃ]

blixtsnabb swift as lightning [swiff't əz laj'tning]

block block [blåkk]; (*skrivblock*) pad [pädd]

blockera blockade [blåkej'd]

blockflöjt recorder [rikå:'də]

blod blood [bladd]

bloda ner stain with blood [stej'n wið bladd']

blodbrist anaemia [əni:'miə]

blodförgiftning bloodpoisoning [bladd'påjzning]

blodgrupp blood group [bladd' gro:p]

blodig bloody [bladd'i]

blodkärl blood vessel [bladd'vess'l]

blodpropp blood clot [bladd'klåt]

blodprov blood test [bladd' test]

blodpudding black pudding [bläkk' podd'ing]

blodtransfusion blood transfusion [bladd' tränsfju:'ʒən]

blodtryck blood pressure [bladd' preʃ'ə]

blom blossom [blåss'əm]; *stå i blom* be in bloom [bi: in blo:'m]

blomkruka flowerpot [flao'əpåt]

blomkål cauliflower [kåll'iflaoə]

blomma 1 *s.* flower [flao'ə] **2** *v.* flower [flao'ə]

blommig flowery [flao'əri]

blomsterhandel florist's [flårr'ists]

blomstra blossom [blåss'əm]

blond blond [blånd]

blondin blonde [blånd]

bloss (*fackla*) torch [tå:tʃ]; (*på cigarr o.d.*) puff [paff]

blossa blaze [blejz]

blott 1 *adv.* only [əo'nli] **2** *adj.* mere [mi:'ə]

blotta lay ... bare [lej bä:'ə]; (*röja*) disclose [diskləo'z]

bluff bluff [blaff]

bluffa bluff [blaff]

blund *inte* få en blund i ögonen not get a wink of sleep [nått gett ə wing'k əv sli:'p]

blunda shut one's eyes [ʃatt wanz aj'z]

blus blouse [blaoz]

bly lead [ledd]

blyerts lead [ledd]

blyertspenna [lead-]pencil [(ledd')- penn'sl]

blyfri *blyfri bensin* unleaded [an- ledd'id]

blyg shy [ʃaj]

blygsam modest [mådd'ist]

blå blue [blo:]

blåbär bilberry [bill'bəri], *Am.* blue- berry [blo:'bəri]

blåklocka harebell [hä:'əbel]

blåmärke bruise [bro:z]

blåsa 1 *s.* (*hud-*) blister [bliss'tə]; (*luft-*) bubble [babb'l] **2** *v.* blow [bləo]

blåsig windy [winn'di]

blåsinstrument wind instrument [winn'd inn'strəmənt]

blåsippa hepatica [hipətt'ikə]

blåskatarr inflammation of the bladder [infləmej'ʃən əv ðə blädd'ə]

blåsorkester (*mässingsorkester*) brass band [bra:'sbänd]

blåögd blue-eyed [blo:'aj'd]

bläck ink [ingk]

bläckfisk cuttle-fish [katt'lfiʃ]

bläckpenna pen [penn]

bläddra turn over the pages [tə:'n əo'və ðə pej'dʒəz]

blända blind [blajnd]

bländare (*kamera-*) diaphragm [daj'ə- främ]

blänka shine [ʃajn]

blöda bleed [bli:d]

blödning bleeding [bli:'ding]; *med.* haemorrhage [hemm'əridʒ]

blöja nappy [näpp'i]; *Am.* diaper [daj'əpə]

blöjbyxor baby pants [bej'bi pänts]

blöt wet [wett]

blöta *blöta ner sig* get o.s. all wet

[gett wansell'f å:l wett]; *blöta upp* soak [səok]

bo 1 *v.* live [livv] **2** *s.* (*fågel-*) nest [nest]; *sätta bo* settle [sett'l]

bock he-goat [hi:'gəo't]

bocka (*buga*) bow [bao]; *bocka sig för* bow to [bao' to:]; *bocka för* (*markera*) tick [tikk]

bod (*butik*) shop [ʃåpp]; (*skjul*) shed [ʃedd]

bofast resident [rezz'idənt]

bofink chaffinch [tʃäff'intʃ]

bog (*på djur*) shoulder [ʃəo'ldə]; (*på fartyg*) bow [bao]

bogsera tow [təo]

bogserbåt tug [tagg]

bogsering towing [təo'ing]

bohag household goods (*pl*) [haos'- həold go:ddz]

bohem bohemian [bəohi:'miən]

boj buoy [båj]

bojkott boycott [båj'kət]

bojkotta boycott [båj'kət]

bok book [bokk]; (*träd*) beech [bi:tʃ]

boka book [bokk]

bokföra book [bokk]

bokföring bookkeeping [bokk'ki:ping]

bokförlag publishing company [pabb'liʃing kamm'pəni]

bokförläggare publisher [pabb'liʃə]

bokhandel bookshop [bokk'ʃåp]

bokhandlare bookseller [bokk'sell'ə]

bokhylla bookcase [bokk'kejs]

bokklubb book club [bokk' klabb']

bokmärke bookmark [bokk'ma:k]

bokslut *göra bokslut* balance the books [bäll'əns ðə bokk's]

bokstav letter [lett'ə]

bokstavera spell [spell]

bokstavligen literally [litt'ərəli]

bolag company [kamm'pəni]; *Am.* corporation [kå:pərej'ʃən]

bolagsstämma annual meeting of shareholders [änn'joal mi:'ting əv ʃä:'əhəoldəz]

boll ball [bå:l]

bolla play ball [plej bå:'l]

bom (*stång*) bar [ba:]; (*felskott*) miss [miss]

bomb bomb [båmm]

bomba bomb [båmm]

bombanfall bombing attack [båmm'ing ətåkk']

bombardera bombard [båmba:'d]

bomma miss [miss]

bomull cotton [kått'n]; (*förbands-*) cotton wool [kått'n woll']

bomullsklänning cotton dress [kått'n dress]

bomullstyg cotton fabric [kått'n fäbb'rik]

bona wax [wäkks]

bonde farmer [fa:'mə]; (*schack-*) pawn [på:n]

bondgård farm [fa:m]

bord table [tej'bl]; *sjö.* board [bå:d]

bordduk tablecloth [tej'bl klåθ]

borde *se böra*

bordell brothel [bråθ'əl]

bordlägga postpone [pəostpəo'n]

bordslampa table lamp [tej'bl lämp]

bordsskiva table top [tej'bltåp]

bordtennis table tennis [tej'bl tenn'is]

borg castle [ka:'sl]

borgare citizen [sitt'izn]

borgen security [sikjo'əriti]; *gå i borgen för* stand surety for [ständ ʃɔə'riti få:]

borgensförbindelse personal guarantee [pə:'snl gärənti:']

borgensman guarantor [gärəntå:']

borgenär creditor [kredd'itə]

borgerlig civil [sivv'l]; *de borgerliga partierna* the Liberals and Conservatives [ðə libb'ərəlz änd kənsə:'vətivz]

borgmästare mayor [mä:'ə]

borr borer [bå:'rə]; (*drill-*) drill [drill]

borra bore [bå:]; drill [drill]

borrmaskin drilling machine [drill'ing məʃi:'n]

borst bristle [briss'l]

borsta brush [braʃ]

borste brush [braʃ]

borsyra boric acid [bå:'rik äss'id]

bort away [əwej']; *gå bort* go out [gəo' ao't], (*dö*) pass away [pa:s əwej']

borta away [əwej']; (*försvunnen*) gone [gånn]; (*ej tillfinnandes*) missing [miss'ing]; *där borta* over there [əo'və ðä:'ə]

bortbjuden invited out [invaj'tid ao't]

bortförklara explain away [iksplej'n əwej']

bortförklaring prevarication [privvärikej'ʃən]

bortglömd forgotten [fəgått'n]

bortkastad thrown away [θrəo'n əwej']

bortkommen lost [låst]

bortom beyond [bijånn'd]

bortre further [fə:'ðə]

bortrest *han är bortrest* he is away [hi: iz əwej']

bortse från disregard [diss'riga:'d]

bortskämd spoilt [spåjlt]

bortåt 1 *prep.* towards [təwå:'dz] 2 *adv.* (*nästan*) nearly [ni:'əli]

bosatt resident [rezz'idənt]

boskap cattle [kätt'l]

boskapsskötsel cattle-breeding [kätt'lbri:ding]

Bosnien Bosnia [båss'niə]

bosnier Bosnian [båss'niən]

bosnisk Bosnian [båss'niən]

bostad dwelling [dwell'ing]; (*våning*) flat [flätt]; *fast bostad* permanent address [pə:'mənənt ədress']

bostadsbrist housing shortage [hao'zing ʃå:'tidʒ]

bostadskö housing queue [hao'zing kjo:]

bosätta sig settle [sett'l]

bot remedy [remm'idi]; *råda bot för* remedy [remm'idi]

bota cure [kjo:']

botanik botany [bått'əni]

botanisk botanical [bətänn'ikəl]

botemedel remedy [remm'idi]

botten bottom [bått'əm]; *gå till botten med ngt* get to the bottom of s.th. [gett' tə ðə bått'əm əv samm'θing]; *i grund och botten* at heart [ätt ha:'t]; *på nedre botten* on the ground floor [ånn ðə grao'nd flå:']

bottenfärg ground [graond]

bottenvåning ground floor

[grao'ndflå:']

bottna reach the bottom [ri:'tʃ ðə båttʼəm]; *det bottnar i* it originates in [it əri'dʒinejts in]

bouppteckning estate inventory [istej't inn'ventåri]; *förrätta bouppteckning* make an estate inventory [mejk ən istej't inn'ventåri]

bourbon (*Am. whisky*) bourbon [bə:'bən]

bov crook [krokk]

boxare boxer [båkk'sə]

boxas box [båkks]

boxning boxing [båkk'sing]

bra good [godd]; (*frisk*) well [well]; *jag mår inte bra* I'm not feeling well [aj'm nått fi:'ling well']; *se bra ut* be good-looking [bi: godd'lokk'ing]; *tycka bra om* like very much [laj'k verr'i matʃ']

bragd exploit [ekk'splåjt]

brak crash [kräʃ]

brand fire [faj'ə]

brandförsäkring fire insurance [faj'ər inʃo:'ərəns]

brandgul orange [årr'indʒ]

brandkår fire brigade [faj'əbrigejd]

brandlarm fire alarm [faj'ərala:m]

brandsegel jumping sheet [dʒamm'ping ʃi:t]

brandsoldat fireman [faj'əmən]

brandstege fire ladder [faj'əlädd'ə]

bransch line [lajn]

brant 1 *s.* precipice [press'ipis] **2** *adj.* steep [sti:p]

brasa fire [faj'ə]

bravo bravo! [bra:'vəo']

bred broad [brå:d], wide [wajd]

breda spread [spredd]

bredd breadth [bredθ], width [widθ]

bredda broaden [brå:'dn], make wider [mejk waj'də]

breddgrad latitude [lätt'itjo:d]

bredvid beside [bisaj'd], by [baj]; *här bredvid* close by here [kləo'z baj hi:'ə]

brev letter [lett'ə]

brevbärare postman [pəo'stmən]

brevkort postcard [pəo'stka:d]

brevlåda letter box [lett'əbåks]

brevpapper notepaper [nəo'tpejpə]

brevporto postage [pəo'stidʒ]

brevväxla correspond [kårispånn'd]

bricka tray [trej]

briljant brilliant [brill'jənt]

briljera show off [ʃəo' åff']

bringa 1 *s.* (*av kött*) brisket [briss'kit] **2** *v.* bring [bring]

brinna burn [bə:n]

bris breeze [bri:z]

brist lack [läkk], shortage [ʃå:'tidʒ]; *lida brist på* be short of [bi:' ʃå:'t əv]

brista (*sprängas*) burst [bə:st]; (*gå sönder*) break [brejk]; *brista i gråt* burst into tears [bə:'st inn'tə ti:'əz]

bristfällig defective [difekk'tiv]

brits bunk [bangk]

britterna the British [ðə britt'iʃ]

brittisk British [britt'iʃ]

bro bridge [bridʒ]

broccoli broccoli [bråkk'åli]

brock hernia [hə:'niə]

broder brother [braðʼə]

brodera embroider [imbråj'də]

brokig motley [mått'li]

broms brake [brejk]

bromsa brake [brejk]

bromsband brake lining [brej'k laj'ning]

brons bronze [brånz]

bror brother [braðʼə]

brorson nephew [neff'jo]

brosch brooch [brəotʃ]

broschyr booklet [bokk'lit]

brosk cartilage [ka:'tilidʒ]

brott (*brytning*) break [brejk]; (*förbrytelse*) crime [krajm]

brottare wrestler [ress'lə]

brottas wrestle [ress'l]

brottning wrestling [ress'ling]

brottslig criminal [krimm'inl]

brottslighet criminality [kriminäll'iti]

brottsling criminal [krimm'inl]

brud bride [brajd]

brudgum bridegroom [braj'dgro:m]

brudklänning wedding-dress [wedd'ingdres]

brudpar bridal couple [braj'dl kappl]

bruk (*användning*) use [jo:s]; (*sed*) custom [kass'təm]

bruka (*begagna*) use [jo:z]; (*ha för vana*) be in the habit of [bi:' in ðə häbb'it əv]; *jag brukar äta lunch kl 12* I usually have lunch at twelve o'clock [aj jo:'ʒʊəli häv lantʃ' ätt twell'v əklåkk']; *brukade* used to [jo:'st to:]

bruklig customary [kass'təməri]

bruksanvisning directions for use (*pl*) [direkk'ʃənz fə jo:'z]

brun brown [brao'n]

brunn well [well]

brusa roar [rå:]; *brusa upp* flare up [flä:'ər app']

brutal brutal [bro'tl]

bruten broken [brəo'kən]

brutto gross [grəo's]

bruttonationalprodukt gross national product (GNP) [grəo's näʃ'ənl prådd'əkt]

bruttovinst gross profit [grəo's pråff'it]

bry sig om (*bekymra sig*) mind [majnd], (*tycka om*) care [kä:'ə]; *det är inget att bry sig om* that's nothing to worry about [ðätt's naθ'ing tə warr'i əbao't]

brygga 1 *s.* bridge [bridʒ] **2** *v.* brew [bro:]; (*kaffe*) percolate [pə:'kəlejt]

bryggeri brewery [bro:'əri]

bryna brown [braon]

Bryssel Brussels [brass'ls]

brysselkål Brussels sprouts [brass'lsprao'ts]

bryta break [brejk]; *bryta av* break [brejk]; *bryta på tyska* speak with a German accent [spi:'k wið ə dʒə:'mən äkk'sənt]

brytarspets contact-breaker point [kånn'täkt brej'kə påjnt]

brytböna French bean [frenn'tʃ bi:n]

brytning (*i uttal*) accent [äkk'sənt]

brådska hurry [harr'i]

brådskande urgent [ə:'dʒənt]

bråk *mat.* fraction; [fräkk'ʃən]; (*buller*) noise [nåjz]

bråka (*stoja*) be noisy [bi: nåj'zi];

(*krångla*) make difficulties [mejk diff'ikəltiz]

bråkdel fraction [fräkk'ʃən]

bråkig (*bullersam*) noisy [nåj'zi]; (*om barn*) fidgety [fi'dʒiti]

brås på take after [tej'k a:'ftə]

bråttom *ha bråttom* be in a hurry [bi:' in ə harr'i]

bräcka break [brejk]; (*övertrumfa*) crush [kraʃ]; (*steka*) fry [fraj]

bräcklig fragile [frädʒ'ajl]

bräde board [bå:d]; *slå ur bräde* cut out [katt aot']; *sätta allt på ett bräde* put all one's eggs in one basket [pott å:'l wanz egg'z in wann ba:'skit]

brädsegling windsurfing [winn'dsə:'fing]

bräka bleat [bli:t]

bränna burn [bə:n]; *bränna vid* burn [bə:n]

brännas burn [bə:n]; (*om nässla*) sting [sting]

brännbar combustible [kəmbass'təbl]; *bildl.* controversial [kåntrəvə:'ʃəl]

brännblåsa blister [bliss'tə]

brännhet burning hot [bə:'ning hått']

bränning (*i sjön*) breaker [brej'kə]

brännmärka brand [bränd]

brännpunkt focal point [fəo'kəl påjnt]

brännskada burn [bə:n]

brännsår burn [bə:n]

brännvidd focal length [fəo'kəl lengθ]

brännvin aquavit [äkk'wəvit], schnapps [ʃnapp's]

brännässla stinging nettle [sting'ing nett'l]

bränsle fuel [fjo:'əl]

brätte brim [brimm]

bröd bread [bredd]; *rostat bröd* toast [təost]

brödrost toaster [təo'stə]

brödskiva slice of bread [slaj's əv bredd]

bröllop wedding [wedd'ing]

bröllopsresa honeymoon [hann'imo:n]

bröst breast [brest]; (*-korg*) chest [tʃest]

bröstcancer cancer of the breast [känn'sə åv ðə brest], mammary

cancer [mämm'əri känn'sə]
bröstkorg chest [tʃest]
bröstsim breast-stroke [bress'tstrəo'k]
bubbelpool whirlpool bath [wə:'lpo:l ba:θ]
bubbla bubble [babb'l]
buckla 1 s. (*upphöjning*) boss [båss]; (*inbuktning*) dent [dent] 2 v. buckle [bakk'l]
bud (*an-*) offer [åff'ə]; (*auktions-*) bid [bidd]; (*underrättelse*) message [mess'idʒ]; (*-bärare*) messenger [mess'indʒə]; *skicka bud efter* send for [senn'd få:]
budbil courier's van [kori:'əs vänn']
budget budget [badʒ'it]
budskap message [mess'idʒ]
buffel buffalo [baff'ələo]
buga bow [bao] (*för ta* [to:])
buk belly [bell'i]
bukett bouquet [bo:k'ej]
bukspottkörtel anat. pancreas [pänn'kriəs]
bukt (*böjning*) bend [bend]; (*vik*) bay [bej], (*liten*) cove [kəov]; *få bukt med* manage [männ'idʒ]
bukta sig bend [bend]
buktalare ventriloquist [ventrill'ə-kwist]
buktig bulging [ball'dʒing]
bula bump [bamp]
bulgar Bulgarian [ballgä:'riən]
bulgarisk Bulgarian [ballgä:'riən]
buljong clear soup [kli:'ə so:'p], meat broth [mi:'t bråθ]
buljongtärning beef cube [bi:'f kjo:'b]
bulldogg bulldog [boll'dåg]
bulle bun [bann]
buller noise [nåjz]
bullra make a noise [mejk ə nåj'z]
bullrig noisy [nåj'zi]
bult bolt [bəolt]
bulta (*knacka*) knock [nåkk]; (*dunka*) thump [θamp]
bulvan decoy [di:'kåj]; *köp genom bulvan* acquisition via ostensible buyer [äkwizif'ən vaj'ə åstenn'səbl baj'ə]

bunden bound [baond]
bundsförvant ally [äll'aj]
bungy jump bungy jump [bang'gi-dʒamp]
bunke bowl [bəol]
bunt packet [päkk'it]; bundle [bann'dl]
bunta *bunta* (*ihop*) make ... up into packets [mejk app' intə päkk'its]
bur cage [kejdʒ]
burdus abrupt [əbrapp't]
burfågel cage bird [kej'dʒbə:d]
burk pot [pått]; (*sylt-*) jar [dʒa:]
burköppnare tin-opener [tinn'-əopənə]; *Am.* can-opener [känn'-əopənə]
busig rowdy [rao'di]
buske bush [boʃ]; (*liten*) shrub [ʃrabb]
buss bus [bass]; (*turist-*) coach [kəotʃ]
busschaufför bus driver [bass' drajvə]
busshållplats bus stop [bass' ståpp']
butelj bottle [bått'l]
butik shop [ʃåpp]; *Am.* store [stå:]
by village [vill'idʒ]
bygd district [diss'trikt]
bygel bow [bəo]
bygga build [bild]
bygge building [bill'ding]
byggmästare building contractor [bill'ding kənträkk'tə]
byggnad (*hus*) building [bill'ding]; (*konstruktion*) construction [kən-strakk'ʃən]
byggnadsställning scaffold [skäff'əld]
byrå (*möbel*) chest of drawers [tʃess't əv drå:'z], *Am.* bureau [bjoərəo']; (*ämbetsverk, etc.*) office [åff'is]
byråkrati bureaucracy [bjoråkk'rəsi], *vard.* red tape [redd tej'p]
byrålåda drawer [drå:ə]
bysthållare *se* **behå**
byta change [tʃejndʒ]
byte exchange [ikstʃej'ndʒ]; (*rov*) booty [bo:'ti]; (*rovdjurs o. bildl.*) prey [prej]
byxdress trouser suit [trao'zə sjo:t]
byxor trousers [trao'zəz], pants [pänts]; (*damunder-*) panties [pänn'tiz]

båda both [bəɔθ]; (*obetonat*) the two [ðə to:']

både both [bəɔθ]

båge (*vapen*) bow [bəɔ]; (*i matematik*) arc [a:k]; (*valv o.d.*) arch [a:tʃ]; (*glasögon*) frame [frejm]

bågna sag [sägg]

bågskytte archery [a:'tʃəri]

bål (*kropp*) trunk [trangk]; (*brasa*) bonfire [bånn'fajə]

bår (*lik-*) bier [bi:'ə]; (*sjuk-*) stretcher [strett'ʃə]

bård border [bå:'də]

båt boat [bəɔt]

bäck brook [brokk]; *Am.* creek [kri:k]

bäcken (*kroppsdel*) pelvis [pell'vis]; (*säng-*) bedpan [bedd'pänn]

bädd bed [bedd]

bädda make a bed [mejk ə bedd']

bägare cup [kapp]

bägge both [bəɔθ]

bälte belt [belt]

bältros *med.* shingles [ʃing'gls]

bända prize [prajz] (*upp* open [əɔ'pən])

bänk seat [si:t]; (*väggfast*) bench [bentʃ]; (*skol-*) desk [desk]

bär berry [berr'i]

bära carry [kärr'i]; (*kläder*) wear [wä:'ə]; *bär hit böckerna!* bring me the books! [bring' mi ðə bokk's]; *bär ut det!* take it out! [tejk it aʊ't]; *bära sig åt* behave [bihej'v]

bärare bearer [bä:'ərə]; (*stadsbud*) porter [på:'tə]

bärga save [sejv]; (*fartyg o.d.*) salve [sälv]; (*skörda*) harvest [ha:'vist]

bärgningsbil breakdown lorry [brej'kdaon lårr'i]; *Am.* wrecking truck [rekk'ing trakk']

bärnsten amber [ämm'bə]

bärsele baby carrier [bej'bikärr'iə]

bäst best [best]; *i bästa fall* at [ätt best]; *det är bäst vi går* we had better go [wi hädd bett'ə gəɔ]; *förste bäste* the first that comes [ðə fə:'st ðätt kamm'z]; *göra sitt bästa* do one's best [do:' wannz bess't]

bättra *bättra på* touch up [tatʃ' app'];

bättra sig mend [mend]

bättre better [bett'ə]

bäver beaver [bi:'və]

böckling smoked Baltic herring [sməɔ'kt bå:'ltik herr'ing]

bög *vard.* gay [gej]

böja bend [bend]; (*huvudet*) bow [baɔ]

böjd bent [bent]

böjelse inclination [inklinej'ʃən]

böjlig flexible [flekk'sibl]

böld boil [båjl]

bölja 1 *s.* billow [bill'əɔ] **2** *v.* undulate [ann'djolejt]

bön (*anhållan*) request [rikwess't] (*om for* [få:]); (*religiöst*) prayer [prä:'ə]

böna bean [bi:n]

bönfalla plead [pli:d] (*om for* [få:])

böra ought to [å:'t to:], should [ʃodd]

börda burden [bə:'dn]

bördig fertile [fə:'tajl]

börja begin [biginn']; start [sta:t]; *till att börja med* to begin with [tə biginn' wið]

början beginning [biginn'ing]; start [sta:t]; *från första början* from the very beginning [fråm ðə verr'i biginn'ing]

börs (*portmonnä*) purse [pə:s]; (*fond-*) exchange [ikstʃej'ndʒ]

bössa gun [gann]

böta pay a fine [pej' ə faj'n]

böter fine [fajn]

bötfälla fine [fajn]

C

cabriolet drophead coupé [dråpp'hed ko:pej']; *Am.* convertible [kənvə:'tibl]

cafeteria cafeteria [kafəte:'riə]

campa camp [kämp]

camping camping [kämm'ping]

campingplats camping ground [kämm'ping graond]

cancer cancer [känn'sə]

cancerframkallande carcinogenic [ka:sinodgjenn'ik]

CD-läsare *data.* CD-ROM drive

CD-ROM 270

[si:di:råmm' drajv]
CD-ROM *data.* CD-ROM [si:di:råmm']
CD-skiva CD record [si:di: rekk'å:d]
CD-spelare CD player [si:di: plej'ə]
cell cell [sell]
cellkärna nucleus [njo:'kliəs]
cello *mus.* cello [tʃell'åo]
cellstoff cellulose wadding
  [sell'joləos wådd'ing]
cellulosa cellulose [sell'joləos]
cembalo *mus.* harpsichord [ha:p'si-
  kå:d]
cement cement [simenn't]
censur censorship [senn'səʃip]
center centre [senn'tə]; *Am.* center
  [sentr]
centerbord *sjö.* centreboard [senn'tə-
  bå:d]
centiliter centilitre [senn'tili:tə]
centimeter centimetre [senn'timi:tə]
central central [senn'trəl]
centralisera centralize [senn'trəlajz]
centralstation central station
  [senn'trəl stej'ʃən]
centralvärme central heating
  [senn'trəl hi:'ting]
centrifugera centrifuge [senn'tri-
  fjo:dʒ]; *(tvätt)* spin-dry [spinn'draj']
centrum centre [senn'tə]; *Am.* center
  [sentr]
cerat cerat [si:'ərit]
ceremoni ceremony [serr'iməni]
certifikat certificate [sətiff'ikət]
champagne champagne [ʃämpej'n]
champinjon mushroom [maʃ'ro:m]
chans chance [tʃa:ns]
charkuteri butcher's [bott'ʃəz]
charm charm [tʃa:m]
charterflyg charter flight [tʃa:'tə flajt]
charterresa charter trip [tʃa:'tə tripp]
chartra charter [tʃa:'tə]
chaufför driver [draj'və]
check cheque [tʃekk] *(på* for [få:])
checkhäfte chequebook [tʃekk'bok]
chef manager [männ'ədʒə] *(för* of
  [əvv]); *vard.* boss [båss]
chefredaktör editor-in-chief [edd'itə
  in tʃi:'f]
chip *data.* chip [tʃipp]

chips *kokk.* crisps [kriss'ps]; *Am.*
  chips [tʃipps]
chock shock [ʃåkk]
chockera shock [ʃåkk]
choklad chocolate [tʃåkk'lit]
chokladkaka bar of chocolate [ba:'r
  əv tʃåkk'lit]
cigarett cigarette [sigərett']
cigarettpaket packet of cigarettes
  [päkk'it əv sigərett's]
cigarettändare lighter [laj'tə]
cigarr cigar [siga:']
cirka about [əbao't]
cirkel circle [sə:'kl]
cirkulera circulate [sə:'kjolejt]
cirkus circus [sə:'kəs]
cistern tank [tängk]
citat quotation [kwəotej'ʃən]
citera quote [kwəot]
citron lemon [lemm'ən]
city [city] centre [(sitt'i) senn'tə]; *Am.*
  downtown [dao'ntaon]
civil civil [sivv'l]
civilekonom Bachelor of Economic
  Science [bätt'ʃələ əv i:kənåmm'ik
  saj'əns]; *Am.* Master of Business
  Administration [ma:'stər əv bizz'nis
  ädministrej'ʃən]
civilingenjör Master of Engineering
  [ma:'ster əv endʒini:'əring]
civilisation civilization [sivilajzej'ʃən]
civiliserad civilized [sivv'ilajzd]
civilperson civilian [sivill'jən]
civilstånd civil status [sivv'l stej'təs]
cuban Cuban [kjo:bən]
cubansk Cuban [kjo:bən]
curry curry powder [karr'ipaodə]
cykel bicycle [baj'sikl]; *vard.* bike
  [bajk]
cykelhjälm bike helmet [baj'khälmit]
cykeluthyrning bike rental [baj'k-
  rentəl]
cykelväska carrier bag [kärr'iə bäg]
cykla cycle [saj'kl]; *vard.* ride a bike
  [raj'd ə baj'k]
cyklist cyclist [saj'klist]
cyklopöga skin diver's mask
  [skinn'dajvəz ma:sk]
cylinder cylinder [sill'ində]

cynisk cynical [sinn'ikəl]

cypress *bot.* cypress [saj'pris]

d

dadel date [dejt]

dag day [dej]; *endera dagen* one of these days [wann' əv ði:'z dej'z]; *dag för dag* day by day [dej' baj dej']; *var fjortonde dag* every fortnight [evv'ri få:'tnajt]; *de närmaste dagarna* the next few days [ðə nekk'st fjo:' dej'z]; *i dag* today [tədej']; *i våra dagar* in our days [in ao'ə dej'z]; *på dagarna* in the daytime [in ðə dej'tajm]; *mitt på ljusa dagen* in broad daylight [in brå:'d dej'lajt]

dagbok diary [daj'əri]

dager daylight [dej'lajt]

dagg dew [dju:]

daggmask earthworm [ə:'θwə:m]

daghem day nursery [dej' nə:'sri]

daglig daily [dej'li]; *dagligt tal* everyday speech [evv'ridej spi:'tʃ]

dagligen daily [dej'li]

dagmamma childminder [tʃaj'ld-majndə]

dagordning agenda [ədʒenn'də]

dags *hur dags?* at what time? [ätt wått' taj'm]

dagsnyheter today's news [tədej'z njo:'z]

dagstidning daily paper [dej'li pej'pə]

dagtraktamente daily allowance [dej'li əlao'əns]

dal valley [väll'i]

dalgång glen [glenn]

dam lady [lej'di]; *(i kortspel)* queen [kwi:n]

dambinda sanitary towel [sänn'itəri tao'əl]; *Am.* sanitary napkin [sänn'i-təri näpp'kin]

damcykel lady's bicycle [lej'diz baj'sikl]

damfrisering ladies' hairdresser's [lej'diz hä:'ədresəz]

damkläder womenswear [wimm'inz

wä:ə]

damm *(vattensamling)* pond [pånd]; *(fördämning)* dam [dämm]; *(stoft)* dust [dast]

damma dust [dast]; *(avge damm)* raise a dust [rej'z ə dass't]

dammig dusty [dass'ti]

dammsugare vacuum cleaner [väkk'joəm kli:'nə]

dammtrasa duster [dass'tə]

damtoalett ladies' cloakroom [lej'diz kləo'kro:m]

Danmark Denmark [denn'ma:k]

dans dance [da:ns]

dansa dance [da:ns]

dansk 1 *adj.* Danish [dej'niʃ] 2 *s.* Dane [dejn]

danska *(kvinna)* Danish woman [dej'niʃ womm'ən]; Danish *(språk)* [dej'niʃ]

dansmusik dance-music [da:'ns-mjo:zik]

dansör dancer [da:'nsə]

dansös dancer [da:'nsə]

darra tremble [tremm'bl]

data data [daj'ta]

databehandling data processing [dej'taprəo'sesing]

dataregister computer file [kəm-pjo:'tə fajl]

dataspel computer game [kəmpjo:'tə gejm]

dataterminal computer terminal [kəmpjo:'tə tə:'minal]

datera date [dejt]

dator computer [kəmpjo:'tə]

datoriserad computerized [kəm-pjo:'tərajzed]

datorstödd computer aided [kəm-pjo:'tər ej'did]

datum date [dejt]

de 1 *best. art.* the [ðə, ði] 2 *pron.* they [ðej]; *de själva* they themselves [ðej' ðəmsell'vz]; *de där* those [ðəoz]; *de här* these [ði:z]

debatt debate [dibej't]

debattera debate [dibej't]

debet debit [debb'it]

debitera debit [debb'it]

debutera make one's début [mej'k wanz dej'bo:]

december December [disemm'bə]

decennium decade [dekk'ejd]

decentralisera decentralize [di:senn'tralajz]

decimalkomma decimal point [dess'iməl påj'nt]

defekt defect [di:'fekt]

definiera define [difaj'n]

definition definition [definiʃ'ən]

definitiv definite [deff'init]

deformera deform [difå:'m]

deg dough [dəo]

degenererad degenerate [didʒenə'arit]

degradera degrade [digrej'd]

deklamera recite [risaj't]

deklaration declaration [deklə-rej'ʃən]

deklarera declare [diklä:'ə]

dekoration decoration [dekərej'ʃən]

dekorativ decorative [dekk'ərətiv]

dekorera decorate [dekk'ərejt]

del part [pa:t]; *en hel del* böcker a great many books [ə grej't menn'i bokk's]; *en hel del fel* quite a lot of mistakes [kwaj't ə lått' əv mistej'ks]; *en hel del besvär* a good deal of trouble [ə godd' di:'l əv trabb'l]; *i en del fall* in some cases [in samm kej'siz]; *större delen* most of [məo'st əv]; *till stor del* largely [la:'dʒli]; *ta del av* acquaint o.s. with [əkwej'nt wansell'f wið]; *för all del!* don't mention it! [dəo'nt menn'ʃən it]

dela (*i delar*) divide [divaj'd]; (*sinsemellan*) share [ʃä:'ə]; *dela lika* go shares [gəo ʃä:'əz]; *dela ut* distribute [distribb'jo:t], (*post*) deliver [di-livv'ə], (*order*) issue [iss'jo:]; *dela sig* divide [divaj'd], (*gå isär*) part [pa:t]

delaktighet participation [pa:tisi-pej'ʃən]

delegat delegate [dell'igit]

delegation delegation [deləgej'ʃən]

delfin *zool.* dolphin [dåll'fin]

delge inform [infå:'m] (*ngn ngt* s.b.

of s.th. [samm'bədi əv samm'θing])

delikat delicate [dell'ikit]

delikatess delicacy [dell'ikəsi]

delning division [diviʒ'ən], partition [pa:tiʃ'ən]

dels partly [pa:'tli]

deltaga take part [tejk pa:'t], participate [pa:tiss'ipejt]

deltagande participation [pa:tisi-pej'ʃən]; (*medkänsla*) sympathy [simm'pəθi]; *de deltagande* those taking part [ðəo'z tej'king pa:'t], (*i tävling o.d.*) the competitors [ðə kəmpett'itəz]

deltagare participant [pa:tiss'ipant]

deltid part-time [pa:'t'tajm]

delvis partly [pa:'tli]

delägare partner [pa:'tnə]

dem them [ðemm]; *dem själva* themselves [ðəmsell'vz]

dementera deny [dinaj']

demokrat democrat [dämm'əkrät]

demokrati democracy [dimåkk'rəsi]

demokratisk democratic [demə-krätt'ik]

demonstrant demonstrator [demm'ən-strejtə]

demonstration demonstration [demənstrej'ʃən]

demonstrera demonstrate [demm'ən-strejt]

den 1 *best. art.* the [ðə, ði] **2** *pron.* it [it]; *den där* that [ðätt]; *den här* this [ðiss]; *den som* anyone who [enn'i-wan ho:']

denne this [ðiss]

densamme the same [ðə sej'm]

deodorant deodorant [di:əo'dərənt]

departement department [dipa:'t'mənt]

deponera deposit [dipåzz'it]

depression depression [dipreʃ'ən]

deprimera depress [dipress']

deras (*fören.*) their [ðä:'ə]; (*självst.*) theirs [ðä:'əz]

desamma the same [ðə sej'm]

desillusionerad disillusioned [disilo:'ʃənd]

desperat desperate [dess'pərit]

dess its [its]; *innan (till) dess* before (till) then [bifå:' (till) ðenn']

dessa (*de här*) these [ði:z]; (*de där*) those [ðəoz]

dessert sweet [swi:t]

dessförinnan before then [bifå: ðenn']

dessutom besides [bisaj'dz]

desto *desto bättre* all the better [å:'l ðə bett'ə]; *icke desto mindre* nevertheless [nevəðəless']; *ju förr desto bättre* the sooner the better [ðə so:'nə ðə bett'ə]

det 1 *best. art.* the [ðə, ði] **2** *pers. pron.* it [itt]; *det är mycket folk här* there are a lot of people here [ðär a:'r ə lått' əv pi:'pl hi:'ə]; *jag tror det* I think so [aj θing'k səo]

detalj detail [di:'tejl]; *närmare detaljer* further details [fə:'ðə di:'tejlz]

detaljerad detailed [di:'tejld]

detektiv detective [ditekk'tiv]

detektivroman detective story [ditekk'tiv stå:'ri]

detsamma the same [ðə sej'm]; *det gör detsamma* it doesn't matter [it dazz'nt mätt'ə]; *tack, detsamma!* thanks, and the same to you! [θing'ks änd ðə sej'm tə jo:']

detta this [ðiss]; *före detta* former [få:'mə]

devalvera devalue [di:väll'jo]

diabetiker diabetic [dajəbett'ik]

diafilm slide film [slajd'film]

diagnos diagnosis [dajəgnəo'sis]

dialekt dialect [daj'əlekt]

dialog dialogue [daj'əlåg]

diamant diamond [daj'əmənd]

diameter diameter [dajämm'itə]

diapositiv transparency [tränspä:'ərənsi]

diarré diarrhoea [dajəri:'ə]

dieselmotor diesel engine [di:'zl enn'dʒin]

diet diet [daj'ət]; *hålla diet* be on a diet [bi: ån ə daj'ət]

differentiera differentiate [difərenn'-ʃiejt]

dig you [jo:]; yourself [jå:sell'f]

digna sink down [sing'k dao'n]

dike ditch [ditʃ]

dikt poem [pəo'im]

diktamen dictation [diktej'ʃən]

diktare poet [pəo'it]

diktator dictator [diktej'tə]

diktatur dictatorship [diktej'təʃip]

diktera dictate [diktej't]

dikteringsmaskin dictaphone [dikk'-təfəon]

diktning writing [raj'ting]

dilemma dilemma [dilemm'ə]

dill dill [dill]

dimension dimension [dimenn'ʃn]

dimma mist [misst]; (*tjocka*) fog [fågg]

din (*fören.*) your [jå:]; (*självst.*) yours [jå:z]; *de dina* your people [jå:' pi:'pl]

diplomatisk diplomatic [dipləmätt'ik]

direkt 1 *adj.* direct [direkk't] **2** *adv.* directly [direkk'tli]

direktion (*riktning*) direction [direkk'ʃən]; (*styrelse*) management [männ'idʒmənt]

direktiv directions (*pl*) [direkk'ʃəns]

direktör director [direkk'tə]; (*affärschef*) manager [männ'idʒə], *Am.* vice president [vaj's prezz'idənt]

dirigent conductor [kəndakk'tə]

dirigera direct [direkk't]; *mus.* conduct [kəndakk't]

dis haze [hejz]

disciplin discipline [diss'iplin]

disig hazy [hej'zi]

disk (*butiks-*) counter [kao'ntə]; (*bar*) bar [ba:]; (*diskning*) washing-up [wåʃ'ing app'], (*föremål*) dishes [diʃ'iz]

diska wash up [wåʃ' app']; *Am.* wash the dishes [wåʃ' ðə diʃ'iz]

diskant treble [trebl]

diskbrock slipped disc [slipp't diss'k]

diskbänk sink [singk]

diskett diskette [diskett'], floppy disk [flåpp'i disk]

diskettenhet *data.* disk drive [diss'kdrajv]

diskotek (*danslokal*) disco [diss'kəo], discotheque [diss'kəotek]

diskret discreet [diskri:'t]
diskriminera discriminate [dis-krimm'inejt]
disktrasa dish-cloth [diʃ'klåθ]
diskus disc[us] [diss'k(əs)]
diskussion discussion [diskaʃ'ən]
diskutera discuss [diskass']
diskvalificera disqualify [diskwåll'i-faj]
dispens exemption [igzemm'pʃən]
disponera *disponera* (*över*) have at one's disposal [hävv' ät wanz dispəo'zəl]
disponerad disposed [dispəo'zd]
disposition disposition [dispəziʃ'ən]; *stå till ngns disposition* be at a p.'s disposal [bi:' ät ə pə:'snz dispəo'zəl]
dispyt dispute [dispjo:'t]
distans distance [diss'tans]
distrahera distract [disträkk't]; *distraherad* distraught [distrå:'t]
distribuera distribute [distribb'jo:t]
distribution distribution [distri-bjo:'ʃən]
distrikt district [diss'trikt]
dit there [ðä:'ə]
ditt *se* din
dittills till then [till ðenn']
ditåt in that direction [in ðätt' direkk'-ʃən]; *någonting ditåt* something like that [samm'θing lajk ðätt']
diverse various [vä:'əriəs]
dividera divide [divaj'd] (*med* by [baj])
djungel jungle [dʒang'gl]
djup 1 *s.* depth [depθ] 2 *adj.* deep [di:p]
djupfrysa deep-freeze [di:'pfri:'z]
djupsinnig deep [di:p]; profound [prəfao'nd]
djur animal [änn'iməl]
djurpark zoological gardens [zəoə-lådʒ'ikəl ga:'dnz]
djurplågeri cruelty to animals [kro:'əlti tə änn'iməls]
djärv bold [bəold]; intrepid [intrepp'id]
djärvhet boldness [bəo'ldnis]; intrepidity [intripidd'iti]
djävlig devilish [devv'liʃ]

djävul devil [devv'l]
docent senior lecturer [si:'njə lekk'tʃərə]; *Am.* assistant professor [əsiss'tənt prəfess'ə]
dock yet [jett]
docka (*leksak*) doll [dåll]; (*för fartyg*) dock [dåkk]
dockskåp doll's house [dåll'z haos]
dockteater puppet-show [papp'it ʃəo]
doft scent [sent]
dofta smell [smell]
doktor doctor [dåkk'tə]
doktorsavhandling doctor's dissertation [dokk'təz disətej'ʃən]
dokument document [dåkk'jomənt]
dokumentärfilm documentary [film] [dåkjomenn'təri (film)]
dold hidden [hidd'n]
dolk dagger [dägg'ə]
dom judgement [dʒadʒ'mənt]; (*utslag*) verdict [və:'dikt]; (*kyrka*) cathedral [kəθi:'drəl]
domare judge [dʒadʒ]; (*i sporttävling*) umpire [amm'pajə]; (*i fotboll*) referee [refəri:']
domherre bullfinch [boll'fintʃ]
dominans domination [dåminej'ʃən]
dominera dominate [dåmm'inejt]
domkraft jack [dʒäkk]
domkyrka cathedral [kəθi:'drəl]
domstol court [kå:t]; tribunal [traj-bjo:'nl]
donation donation [dəonej'ʃən]
donera donate [dəonej't]
dop baptism [bäpp'tizm]; (*barn-, fartygs-*) christening [kriss'ning]
dop[n]ing doping [dəo'ping]
dopa dope [dəop]
dopfunt baptismal font [bäptizz'məl fånt]
dopp dip [dipp]
doppa dip [dipp]; *doppa sig* have a dip [hävv' ə dipp']
dopping *zool.* grebe [gri:b]
dos dose [dəos]
dosa box [båks]
dosera dose [dəos]
dotter daughter [då:'tə]
dotterbolag subsidiary company

dröjsmål

[səbsidd'jəri kamm'pəni]

dotterdotter granddaughter [gränn'då:tə]

dotterson grandson [gränn'san]

dov dull [dall]

dra draw [drå:]; pull [poll]; *dra sig för ngt* be afraid of s.th. [bi:'afrejd əv samm'θing]; *dra sig tillbaka* retire [ritaj'ə]; *dra till sig (attrahera)* attract [əträkk't]; *dra upp klockan* wind up the clock [wajnd app' ðə klåkk']

drabba hit [hitt]; *(hända ngn)* happen to [häpp'ən to:]; *drabbas av en olycka* meet with misfortune [mi:'t wið misfå:'tʃən]

drag (-ande) pull [poll]; *(i spel o. bildl.)* move [mo:v]; *(luft-)* draught [dra:ft], *Am.* draft [dra:ft]; *(anlets-)* feature [fi:tʃə]; *(karaktärs-)* trait [trej]

draga *se dra*

dragga drag [drägg]

dragning draw [drå:]; *(böjelse)* tendency [tenn'dənsi]

dragningskraft attraction [əträkk'ʃən]; *(tyngdkraft)* force of gravity [få:'s əv grävv'iti]

dragningslista lottery prize-list [lått'əri praj'zlist]

dragspel accordion [əkå:'djən]

drake dragon [drägg'ən]; *(leksak)* kite [kajt]

drakflygning *(med förare)* hang-gliding [häng'glajding]; *(med lina)* kite-flying [kaj'tflajing]

drama drama [dra:'mə]

dramatik drama [dra:'mə]

dramatisera dramatize [drämm'ətajz]

dramatisk dramatic [drəmätt'ik]

draperi drapery [drej'pəri]

dras med *(utstå)* put up with [pott app' wið]

dregla dribble [dribb'l]

dressera train [trejn] *(till* for [få:])

dressyr training [trej'ning]

dribbla dribble [dribb'l]

dricka drink [dringk]; *(intaga)* have [hävv], take [tejk]; *dricka ur* finish [finn'iʃ]

dricks tip [tipp]; *ge dricks* tip [tipp]

dricksvatten drinking water [dring'king wå:'tə]

drift *(gång)* running [rann'ing], operation [åpərej'ʃən]; *(instinkt)* instinct [inn'stingkt]

drink drink [dringk]

driva 1 *s.* drift [drift] **2** *v.* drive [drajv]; *(om fartyg)* drift [drift]; *driva med* poke fun at [pəo'k fann ätt]; *driva igenom* force through [få:'s θro:']; *driva på* urge ... on [ə:'dʒ ånn']

drivkraft motive power [məo'tiv pao'ə]

drog drug [dragg]

droppa *(falla i droppar)* drip [dripp]; *(hälla droppvis)* drop [dråpp]

droppe drop [dråpp]

droppvis drop by drop [dråpp' baj dråpp']

droska cab [käbb]

drottning queen [kwi:n]

drucken drunk [drangk]

drunkna drown [drao'n]

druva grape [grejp]

druvsocker grape-sugar [grej'pʃogg'ə]

dryck drink [dringk]; *mat och dryck* meat and drink [mi:'t ən dring'k]

dryg *(som räcker länge)* lasting [la:'sting]; *(rågad)* heaped [hi:pt]; *(högfärdig)* stuck-up [stakapp']

dryga *dryga ut* med vatten add water to the wine [ädd wå:'tə to: ðə wajn]

drypa *(hälla droppvis)* drop [dråpp]; *(ge ifrån sig vätska)* drip [dripp]

dråp manslaughter [männ'slå:tə]

dräkt dress [dress]; *(jacka o. kjol)* suit [sjo:'t], costume [kåss'tjo:m]

dränera drain [drejn]

dränka drown [drao'n]

dräpa slay [slej]

dröja *(låta vänta på sig)* be late [bi:lej't]; *(vara sen)* be long [bi: lån'g]; *(vänta med)* wait [wejt]; *(stanna kvar)* stop [ståpp]; *det dröjer länge innan* it will be a long time before [it will bi:'ə lång taj'm bifå:']

dröjsmål delay [dilej']

dröm
276

dröm dream [dri:m]
drömma dream [dri:m]
drönare *zool. o. bildl.* drone [drəon]
du you [jo:]
dubbdäck studded tyre [stadd'id tajə]
dubbel double [dabb'l]
dubbelrum double room [dabb'l ro:m]
dubbelsäng double bed [dabb'l bedd]
dubblett (*kopia*) duplicate [djo:'pli-kit]
duett duet [djoett']
duga do [do:]; be suitable [bi:'sjo:'tabl] (*till för* [få:]); *det duger* that will do [ðätt' will do:']
dugg *inte ett dugg* not a bit [nått ə bitt']
duggregn drizzle [drizz'l]
duglig able [ej'bl]; capable [kej'pəbl]
duk cloth [klåθ]
duka lay the table [lej' ðə tej'bl]; *duka av* clear the table [kli:'ə ðə tej'bl]; *duka fram* put ... on the table [pott' ån ðə tej'bl]; *duka under* succumb [səkamm']
duktig able [ej'bl]; capable [kej'pəbl]
dum stupid [stjo:'pid]; (*obetänksam*) silly [sill'i]
dumbom blockhead [blåkk'hed]
dumhet stupidity [stjopidd'iti]; foolishness [fo:'liʃnis]
dun down [daon]
dunder thunder [θann'də]
dundra thunder [θann'də]
dunk (*behållare*) can [kä:n]
dunka throb [θråbb]
dunkel 1 *adj.* dusky [dass'ki] 2 *s.* dusk [dask]
duns bump [bamp]
dusch shower [ʃao'ə]
duscha have a shower [hävv' ə ʃao'ə]
dussin dozen [dazz'n]
duva pigeon [pidʒ'in], dove [davv]
duvhök *zool.* goshawk [gåss'hå:k]
dvärg dwarf [dwä:f]
dygd virtue [və:'tjo:]
dygn day and night [dej' ən naj't]
dyka dive [dajv]; *dyka upp* emerge [imə:'dʒ], *bildl.* crop up [kråpp' app']
dykare diver [daj'və]

dykning dive [dajv]
dylik of that kind [əv ðätt kaj'nd], similar [simm'ilə]; *eller dylikt* or the like [å: ðə laj'k]
dyna cushion [koʃ'ən]
dynamisk dynamic [dajnämm'ik]
dynamit dynamite [daj'nəmajt]
dyr dear [di:'ə]; (*kostsam*) expensive [ikspenn'siv]
dyrbar expensive [ikspenn'siv]; (*värdefull*) precious [preʃ'əs]
dyrka (*tillbedja*) worship [wə:'ʃip]
dyrkan worship [wə:'ʃip]
dyster gloomy [glo:'mi]; (*till sinnes*) melancholy [mell'ənkɒli]
dyvåt soaking wet [səo'king wett']
då 1 *konj.* when [wenn] 2 *adv.* then [ðenn]; *då och då* now and then [nao' ən ðenn']
dåförtiden at that time [ätt ðätt taj'm]
dålig bad [bä:d]; (*sjuk*) ill [ill]
dån roar [rå:]; thunder [θann'də]
dåna roar [rå:]; thunder [θann'də]
dåraktig foolish [fo:'liʃ]
dåre fool [fo:l]
dårskap folly [fåll'i]
dåsig drowsy [drao'zi]
dåvarande the ... of that time [ðə əv ðätt taj'm], then [ðenn]
däck (*fartygs-*) deck [dekk]; (*bil-*) tyre [taj'ə]
däggdjur mammal [mämm'əl]
dämma dam [dä:m]
dämpa moderate [mådd'ərejt]; (*ljud*) muffle [maff'l]
där *rel. adv.* where [wä:'ə]; *demonstr. adv.* there [ðä:'ə]; *så där* like that [lajk ðätt']; *där borta* over there [əo'və ðä:'ə]
därav of that [əv ðätt']
därefter after that [a:'ftə ðätt']
däremot on the other hand [ån ði að'ə hänn']; (*tvärtom*) on the contrary [ån ðə kånn'trəri]; *då däremot* whereas [wä:əräzz']
därför therefore [ðä:'əfå:]; *därför att* because [bikå:z']; *det var därför som* that is why [ðätt iz waj']
däribland among them [əmång ðemm']

därifrån from there [fråm ðä:'ə]

därigenom thereby [ðä:'əbaj']

därjämte besides [bisaj'dz]

därmed by that [baj' ðätt']; *i samband*
därmed in this connection [in ðiss
kənekk'ʃən]; *därmed är inte sagt att*
that is not to say that [ðätt iz nått' tə
sej ðätt']

därpå after that [ə:'ftə ðätt']; then
[ðenn]

därtill to that [to ðätt']

därutöver above that [əbavv' ðätt']

därvid at that [ätt ðätt']

dö die [daj]

död 1 *s.* death [deθ] **2** *adj.* dead
[dedd]; *den döde* the dead man [ðə
dedd männ']

döda kill [kill]

dödlig deadly [dedd'li], mortal
[må:'tl]

dödsannons obituary notice [əbitt'-
joəri nəo'tis]

dödsbo estate of a deceased person
[istej't əv ə disi:'st pə:'sn]

dödsbädd deathbed [deθ'bed]

dödsdom death sentence [deθ senn'-
təns]

dödsfall death [deθ]

dödsoffer victim [vikk'tim]; casualty
[kä3'joəlti]

dödsolycka fatal accident [fej'tl
äkk'sidənt]

dödsstraff capital punishment
[käpp'itəl pann'iʃmənt]

dölja hide [hajd]

döma (*be-*) judge [d3ad3]; (*avkunna
dom över*) sentence [senn'təns]; (*i
fotboll*) referee [refəri:']; (*i tennis*)
umpire [amm'pajə]

döpa baptize [bäptaj'z]; (*barn,
fartyg*) christen [kriss'n]

dörr door [då:]

dörrhandtag door handle [då:'händl]

dörrnyckel door-key [då:'ki']

dörröppning doorway [då:'wej]

döv deaf [deff]

dövstum deaf and dumb [deff' ən
damm']

e

ebb ebb [ebb] *det är ebb* it's low tide
[itz ləo' taj'd]

ed oath [əoθ]; *gå ed på* take an oath
upon [tej'k ən əo'θ əpånn']

effekt effect [ifekk't]

effektfull striking [straj'king]

effektförvaring left-luggage office
[leff'tlagg'id3 åff'is]

effektiv effective [ifekk'tiv], (*om
person*) efficient [ifiʃ'ənt]

effektivitet efficiency [ifiʃ'ənsi]

efter *prep. o. adv.* after [a:'ftə]
(*bakom äv.*) behind [bihaj'nd]

efterbilda imitate [imm'itejt]

efterforska search for [sə:'tʃ få:']

efterfrågan demand [dima:'nd] (*på
for* [få'])

efterföljare follower [fåll'əoə]

eftergift concession [kənseʃ'ən]

eftergivenhet indulgence [indall'd3-
əns]

efterhängsen persistent [pəsiss'tənt]

efterkommande descendants
[disenn'dənts]

efterlevande survivor [səvaj'və]

efterlikna imitate [imm'itejt]

efterlämna leave [li:v]

efterlängtad longed for [lång'd få:]

eftermiddag afternoon [a:'ftənə:'n]

efternamn surname [sə:'nejm]

efterrätt sweet [swi:t]

eftersom as [äz], since [sins]

eftersträva aim at [ej'm ätt]

eftersända (*skicka vidare*) forward
[få:'wəd]

eftersökt in great demand [in grej't
dima:'nd]

eftertanke reflection [riflekk'ʃən];
vid närmare eftertanke on second
thoughts [ån sekk'ənd θå:'ts]

eftertryck (*kraft*) energy [enn'əd3i];
(*betoning*) stress [stress]

efterträda succeed [səksi:'d]

efterträdare successor [səksess'ə]

efteråt afterwards [a:'ftəwədz]

egen

egen own [əon]
egendom property [prảpp'əti]; *fast (lös) egendom* real (personal) estate [ri:'əl (pə:'snl) istej't]
egendomlig peculiar [pikjo:'ljə], strange [strejndʒ]
egendomlighet peculiarity [pikjo:'liärr'iti], strangeness [strej'ndʒnis]
egenkär conceited [kənsi:'tid]
egenmäktig arbitrary [a:'bitrəri]; *egenmäktigt förfarande* unlawful interference [ann'lå:'fol intafi:'ərəns]
egennamn proper name [prảpp'ə nejm]
egenskap (*beskaffenhet*) quality [kwảll'itd]
egentlig real [ri:'əl]
egentligen really [ri:'əli]
egg edge [edʒ]
egga incite [insaj't]
egoistisk egoistical [egəoiss'tikəl]
Egypten Egypt [i:'dʒipt]
egyptisk Egyptian [i:'dʒipp'ʃən]
ej *se inte*; *ej heller* nor [nå:']
ejder *zool.* eider [aj'də]
ek oak [əok]
eka 1 *s.* skiff [skiff] 2 *v.* echo [ekk'əo]
eker spoke [spəok]
ekipage carriage [kärr'idʒ]
ekipera equip [ikwipp']
eko echo [ekk'əo]
ekollon acorn [ej'kå:n]
ekolod echo sounder [ekk'əosaondə]
ekologi ecology [ikảll'ədʒi]
ekologisk ecological [ikảlådʒ'ikəl]
ekonom economist [ikånn'əmist]
ekonomi economy [ikånn'əmi]; (*affärsställning*) financial position [fajnänn'ʃəl pəziʃ'ən]
ekonomisk economic [i:kənåmm'ik]; (*penning-*) financial [fajnänn'ʃəl]
ekorre squirrel [skwirr'əl]
eksem eczema [ekk'simə]
ekvation equation [ikwej'ʃən]
ekvator equator [ikwej'tə]
elak evil [i:'vl], wicked [wikk'id]; (*stygg*) naughty [nå:'ti]
elastisk elastic [iläss'tik]; *elastisk binda* elastic bandage [iläss'tik

bänn'didʒ]
elavbrott power failure [pao'ə fej'ljə]
eld fire [faj'ə]; *fatta eld* catch fire [kätʃ' faj'ə]
elda (*göra upp eld*) light a fire [laj't ə faj'ə]; (*uppvärma*) heat [hi:t]; (*egga*) rouse [raoz]
eldfara danger of fire [dej'ndʒə əv faj'ə]
eldfarlig inflammable [inflämm'əbl]
eldfast fireproof [faj'əpro:f]
eldig fiery [faj'əri]
eldröd red as fire [redd äz faj'ə]
eldsläckare fire extinguisher [faj'əriksting'gwiʃə]
eldstad fireplace [faj'əplejs]
eldsvåda fire [faj'ə]; *vid eldsvåda* in case of fire [in kej's əv faj'ə]
elefant elephant [ell'ifənt]
elegant elegant [ell'igənt]; stylish [staj'liʃ]
elektricitet electricity [ilektriss'iti]
elektriker electrician [ilektriʃ'ən]
elektrisk electric [ilekk'trik]
elektronik electronics [ilektrånn'iks]
element element [ell'imənt]; (*värme-*) radiator [rej'diejtə]
elementär elementary [elimenn'təri]
elev pupil [pjo:'pl]
elfenben ivory [aj'vəri]
elfte eleventh [ilevv'nθ]
elgitarr electric guitar [ilekk'trik gita:']
eliminera eliminate [ilimm'inejt]
elit elite [ejli:'t]
eller or [å:']; *antingen eller* either or [aj'ðə å:'] *eller dylikt* or something like that [å:' samm'θing lajk ðätt']; *eller också* or [å:']; *varken eller* neither nor [naj'ðə nå:']
eluttag socket [såkk'it]
elva eleven [ilevv'n]
elverk electricity board [ilektriss'iti bå:d]
elände misery [mizz'əri]
eländig miserable [mizz'ərəbl]
emalj enamel [inämm'əl]
emaljera enamel [inämm'əl]
emballage packing [päkk'ing],

ensamstående

wrapping [räpp'ing]

emballera pack [päkk]

emedan (därför att) because [bikå:'z];
(eftersom) as [äz], since [sins]

emellan 1 prep. (om två) between
[bitwi:'n]; (om flera) among [əmång']
2 adv. between [bitwi:'n]

emellanåt occasionally [əkej'ʒnəli]

emellertid however [haoevv'ə]

emigrant emigrant [emm'igrənt]

emigrera emigrate [emm'igrejt]

emot 1 prep., se mot **2** adv., mitt
emot opposite [åpp'əzit]; inte mig
emot I have no objection [aj' hävv
nəo' åbdʒekk'ʃən]

emotse look forward to [lokk få:'wəd
to:]

emottaga receive [risi:'v]

en 1 s. (buske) juniper [dʒo:'nipə]
2 räkn. one [wann]; en gång once
[wans]; ens egen one's own [wanz
əo'n] **3** obest. art. a [ə], an [ən]
4 pron. one [wann]; den ene den
andre (the) one the other [(ðə) wann'
ði ad'ə]

ena unite [jonaj't]

enas agree [əgri:'] (om on [ån])

enastående unique [joni:'k]

enbart merely [mi:'əli]

enda only [əo'nli]; inte en enda
blomma not a single flower [nått ə
sing'gl flao'ə]

endast only [əo'nli]

endera one [wann]; endera dagen
one of these days [wann' əv ði:'z
dej'z]

endiv (sallad) chicory [tʃikk'əri]

energi energy [enn'ədʒi]

energisk energetic [enədʒett'ik]

enervera enervate [en'əvejt]; enervera
ngn get on a p.'s nerves [gett ån ə
pə:'snz nə:'vz]

enfaldig silly [sill'i]

enfamiljshus self-contained house
[sell'fkəntej'nd haos]

enformig monotonous [mənått'nəs]

enfärgad one-coloured [wann'kall'əd]

engagemang engagement [ingej'dʒ-
mənt]

engagera engage [ingej'dʒ]

engelsk English [ing'gliʃ]

engelsk-svensk Anglo-Swedish
[ang'gləoswi:'diʃ]

engelska (språk) English [ing'gliʃ];
(kvinna) Englishwoman [ing'gliʃ-
womm'ən]

engelsman Englishman [ing'gliʃmən];
engelsmännen (nationen) the English
[ði:' ing'gliʃ], (några engelsmän)
the Englishmen [ði:' ing'gliʃmən]

engångsförpackning expendable
package [ikspenn'dəbl päkk'idʒ]

engångsglas non-returnable bottle
[nånn'ritə:'nəbl bått'l]

engångskostnad once-for-all cost
[wanns færə:'l kåss't]

enhet unity [jo:'niti]; unit [jo:'nit]

enhetlig uniform [jo:'nifå:m]

enhällig unanimous [jonänn'iməs]

enig (enad) united [jo:naj'tid]; (ense)
of one opinion [əv wann əpinn'jən]

enighet unity [jo:'niti]

enkel (mots. dubbel) single [sing'l];
(mots. tillkrånglad) simple [simm'pl];
helt enkelt simply [simm'pli]

enkelhet simplicity [simpliss'iti]

enkom purposely [pə:'pəsli]

enkrona en enkrona a one-krona [ə
wann krəo'nə]

enlighet i enlighet med in accordance
with [in əkå:'dəns wið]

enligt according to [əkå:'ding to']

enorm enormous [inå:'məs]

enrumslägenhet bedsitter [bedd'-
sitt'ə]

ens inte ens not even [nått i:'vən]; med
ens all at once [å:'l ätt wanns]

ensak det är min ensak it's my affair
[itz maj' əfä:'ə]

ensam (allena) alone [ələo'n]; lonely
[ləo'nli]

ensamhet loneliness [ləo'nlinəs];
solitude [såll'itjo:d]

ensamstående solitary [såll'itəri];
(fristående) detached [ditätʃ't];
(civilstånd) single [sing'gl]; ensam-
stående förälder single parent
[sing'gl pä:'ərənt]

ense *bli ense om* agree upon [əgri:'əpånn']

ensidig one-sided [wann saj'did]

enskild (*privat*) private [praj'vit]; (*enstaka*) individual [individd'joəl]; (*särskild*) specific [spisiff'ik]

enslig solitary [såll'itəri]

enstaka separate [sepp'rit]; (*sporadisk*) occasional [əkej'3ənl]; *någon enstaka gång* once in a while [wanns' in ə waj'l]

entonig monotonous [mənått'nəs]

entré entrance [enn'trəns]

entréavgift admission fee [ədmiʃ'ən fi:]

entusiasm enthusiasm [inθjo:'ziäzəm]

entusiastisk enthusiastic [inθjo:ziäss'tik]

envis stubborn [stabb'ən]

envisas be obstinate [bi: åbb'stinit]

epidemi epidemic [epidemm'ik]

epidemisk epidemic [epidemm'ik]

epileptiker epileptic [epilepp'tik]

episod episode [epp'isəod]

epok epoch [i:'påk]

e-post e-mail [i:'mejl]; electronic mail [ilektrånn'ik mejl]

er 1 *pers. pron.* you [jo:]; *er (själv)* yourself [jå:sell'f]; *er (själva)* yourselves [jå:sell'vz] **2** *poss. pron.* (*förenat*) your [jå'], (*självst.*) yours [jå:z]

erbjuda offer [åff'ə]; (*förete*) present [prizenn't]; *erbjuda sig* offer [åff'ə]

erbjudande offer [åff'ə]

erfara (*få veta*) learn [lə:n]; (*röna*) experience [ikspi:'əriəns]

erfaren experienced [ikspi:'eriənst]; (*kunnig*) skilled [skild]

erfarenhet experience [ikkpi:'əriəns]

erforderlig requisite [rekk'wizit]

erfordra require [rikwaj'ə]; *om så erfordras* if necessary [if ness'isəri]

erhålla receive [risi:'v], get [gett]

erinra remind [rimaj'nd]; *erinra sig* remember [rimemm'bə]

erkänna acknowledge [əknåll'id3]

erkännande acknowledgement [əknåll'id3mənt]

erlägga pay [pej]

erotisk erotic [irått'ik]

ersätta (*gottgöra*) compensate [kåmm'pensejt]; (*byta ut*) replace [riplej's]

ersättare substitute [sabb'stitjo:t]; (*efterträdare*) successor [səksess'ə]

ersättning compensation [kåmpensej'ʃən]; (*betalning*) remuneration [rimjo:'nərej'ʃən]

ertappa catch [kätʃ]

erövra conquer [kång'kə]

erövring conquest [kång'kwest]

eskimå Eskimo [ess'kiməo]

eskort escort [ess'kå:t]

eskortera escort [iskå:'t]

espresso espresso [ispress'əo]

essä essay [ess'ej]

estetisk aesthetic [i:sθett'ik]

est Estonian, Esthonian [estəo'niən]

estnisk Estonian, Esthonian [estəo'niən]

estrad platform [plätt'få:m]

etablera establish [istäbb'liʃ]

etablissemang establishment [istäbb'-liʃmənt]

etage storey [stå:'ri]; *Am.* floor [flå:]

etapp stage [stejd3]; (*vägsträcka*) day's march [dej'z ma:'tʃ]

etikett label [lej'bl]; (*umgängesformer*) etiquette [etikett']

etisk ethical [eθ'ikəl]

etsa etch [etʃ]

etsning etching [etʃ'ing]

ett *se en*

etta one [wann]

etui case [kejs]

EU the E.U. [ðə i:'jo:']

Europa Europe [jo:'ərəp]

europaväg European highway [joərəpi:'ən haj'wej]

europé European [joərəpi:'ən]

europeisk European [joərəpi:'ən]

Europeiska unionen the European Union [ðə joərəpi:'ən jo:'njən]

evakuera evacuate [iväkk'joejt]

evangelium gospel [gåss'pəl]

evenemang event [ivenn't]

eventuell [if] any [(if) enn'i], possible [påss'əbl]

eventuellt possibly [påss'əbli], perhaps [pəhäpp's]
evig eternal [itə:'nl]
evighet eternity [itə:'niti]; *i evighet* for ever [fårevv'ə]
evigt *för evigt* for ever [fårevv'ə]
exakt exact [igzäkk't]
exakthet exactness [igzäkk'tnis]
examen examination [igzäminej'ʃən]; *(akademisk)* degree [digri:']
exekution execution [eksikjo:'ʃən]
exempel example [igza:'mpl]; *(inträffatfall)* for instance [inn'stəns]; *till exempel* for instance [frinn'stəns]
exemplar copy [kåpp'i]; *(djur, växt)* specimen [spess'imin]
exercis drill [drill]
exil exile [ekk'sajl]
existens existence [igziss'təns]
existera exist [igziss't]
exklusiv exclusive [iksklo:'siv]
exklusive excluding [iksklo:'ding]
expandera expand [ikspänn'd]
expansion expansion [ikspänn'ʃən]
expediera *(sända)* dispatch [dispätʃ']; *(betjäna)* attend to [ətenn'd to:]
expedit shop assistant [ʃåpp'əsiss'tənt]
expedition *(lokal)* office [åff'is]; *(forsknings- o mil.)* expedition [ekspidiʃ'ən]
experiment experiment [iksperr'imənt]
experimentera experiment [iksperr'imənt]
expert expert [ekk'spə:t]
exploatera exploit [iksplåj't]
explodera explode [ikspləo'd]
explosion explosion [ikspləo'ʃən]
exponera *(utställa)* exhibit [igzibb'it]; *(foto)* expose [ikspəo'z]
exponering exposure [ikspəo'ʒə]
export export [ekk'spå:t]
exportera export [ekspå:'t]
expressbrev express letter [ikspress'lett'ə]; *Am.* special delivery letter [speʃ'əl dilivv'əri lett'ə]
extas ecstasy [ekk'stəsi]
exteriör exterior [eksti:'əriə]

extra extra [ekk'strə]
extraknäcka moonlight [mo:'nlajt]
extrakt extract [ekk'sträkt]
extranummer *(tidning)* special issue [speʃ'əl iss'jo:]; *(utöver programmet)* extra item [ekk'strə aj'tem]
extratåg special train [speʃ'əl trejn]
extrem extreme [ikstri:'m]

f

fabricera manufacture [mänjofäkk'tʃə]
fabrik factory [fäkk'təri]; works [wə:ks]; *Am.* plant [pla:nt]
fabrikat *(vara)* manufacture [mänjofäkk'tʃə], *(tillverkning)* make
fabrikation manufacture [mänjofäkk'tʃə]
fabrikör factory owner [fäkk'təri əo'nə]
fack *(förvaringsrum)* partition [pa:tiʃ'ən]; *(gren)* line [lajn]
fackförbund federation of trade unions [fedərej'ʃən əv trej'd jo:'njənz]
fackförening trade union [tre'jd jo:'njən]; *Am.* labor union [lej'bə jo:'njən]
fackla torch [tå:tʃ]
facklig *(fackförenings-)* trade-union [trej'd jo:'njən]
facklitteratur non-fiction [nånfikk'ʃən]
fackman professional [pråfeʃ'ənl], specialist [speʃ'əlist]
fackterm technical term [tekk'nikəl tə:m]
facktidskrift professional journal [prəfeʃ'ənl dʃə:'nl]
fadd flat [flätt]
fader father [fa:'ðə]
faggorna *vara i faggorna* be imminent [bi:' imm'inənt]
fagott *mus.* bassoon [bəso:'n]
faktisk real [ri:'əl]
faktiskt really [ri:'əli]

faktor factor [fäkk'tə]

faktum fact [fäkt]

faktura invoice [inn'vÅjs] (*på ett belopp* for an amount [få: ən əmao'nt])

fakturera invoice [inn'vÅjs]

fakultet faculty [fäkk'əlti]

falk falcon [få:'lkən]

fall (*av falla*) fall [få:l]; (*händelse*) case [kejs]; *i alla fall* in any case [in enn'i kej's]; *i annat fall* otherwise [aÐ'əwajz]; *i bästa fall* at best [ätt best]; *i så fall* in that case [in Ðätt kej's]; *i värsta fall* if the worst comes to the worst [if Ðə wə:'st kamm'z tə Ðə wə:'st]

falla fall [få:l]; *falla till föga* yield [ji:ld]; *falla ur minnet* escape one's memory [iskej'p wanz memm'əri]; *falla ihop* collapse [kəläpp's]; *det föll mig aldrig in* it never occurred to me [it nevv'ər əkə:'d to mi:]; *det föll sig så att* it so happened that [it səo' häpp'ənd Ðätt']

fallenhet gift [gift]

fallfärdig tumbledown [tamm'bldaon]

fallskärm parachute [pärr'əʃo:t]

fallskärmsavtal golden parachute [gåo'ldən pärr'əʃo:t]

falsk false [få:ls]

falskhet falseness [få:'lsnis]

familj family [fämm'ili]

famla grope [grəop] (*efter* for [få:])

famn arms (*pl*) [a:mz]; (*fång*) armful [a:'mfol]; (*mått*) fathom [fäÐ'əm]

fan (*entusiast*) fan [fän]; (*djävulen*) the devil [Ðə devv'l]; *fy fan!* hell! [hell], damn! [dämm]

fana banner [bänn'ə]

fanatisk fanatic [fənätt'ik]

fantasi imagination [imädʒinej'ʃən]

fantasifull imaginative [imädʒ'inativ]

fantasilös unimaginative [ann'imädʒ'inativ]

fantastisk fantastic [fäntäss'tik]

fantisera fantasize [fänn'təsajz]; indulge in day-dreams [indall'dʒ in dej'dri:mz]

far father [fa:'Ðə]

fara 1 *s.* danger [dej'ndʒə] **2** *v.* go

[gəo]; (*färdas*) travel [trävv'l]; *fara illa* be badly treated [bi: bädd'li tri:'tid]

farbror (*paternal*) uncle [(pətə:'nl) ang'kl]

farfar (*paternal*) grandfather [(pətə:'nl) gränn'dfa:Ðə]

farfarsfar (*paternal*) great grandfather [(pətə:'nl) grej'tgränn'dfa:Ðə]

farhåga apprehension [äprihenn'ʃən]

farkost vessel [vess'l]

farled channel [tʃänn'l]

farlig dangerous [dej'ndʒrəs]

farmaceut dispenser [dispenn'sə]

farmor (*paternal*) grandmother [(pətə:'nl) gränn'maÐə]

farmorsmor (*paternal*) great grandmother [(pətə:'nl) grej'tgränn'maÐə]

fars farce [fa:s]

fart speed [spi:d]; *ta fart* get a start [gett' ə sta:'t]

fartbegränsning speed limit [spi:'d limm'it]

farthållare *tekn.* cruise control [kro:'skåntrəol]

fartyg ship [ʃipp]

farvatten waters (*pl*) [wå:'təz]

farväl farewell [fä:əwell']

fas phase [fejz]

fasa 1 *s.* horror [hårr'ə] **2** *v.* shudder [ʃadd'ə] (*för* at [ätt])

fasad façade [fəsa:'d]

fasan pheasant [fezz'nt]

fascinera fascinate [fäss'inejt]

fascinerande fascinating [fäss'inej-ting]

fascism Fascism [fäʃ'izəm]

fasett facet [fäss'it]

fason (*form*) shape [ʃejp]; (*sätt*) way [wej]

fast 1 *konj.* though [Ðəo] **2** *adj.* (*mots. lös*) firm [fə:m]; (*-gjord*) fixed [fikst]; (*mots. flyttbar*) stationary [stej'ʃnəri]; (*mots. flytande*) solid [såll'id]; *fast bostad* permanent address [pə:'mənənt ədress']; *bli fast* get caught [gett' kå:'t]

fasta 1 *s., fastan* Lent [lent]; *ta fasta på* bear ... in mind [bä:'ə in maj'nd]

2 v. fast [faːst] **3** adj., på fastande *mage* on an empty stomach [ån ən emm'pti ståmm'ək]

faster (paternal) aunt [(pətəːˈnl) aːnt]

fastighet (hus) house [haos]; (jordagods) landed property [länn'did pråpp'əti]

fastighetsmäklare estate agent [istej't ej'dʒənt]

fastland (i mots. t. öar) mainland [mej'nlənd]

fastna get caught [gett' kåː't]; (i ngt klibbigt o. om pers.) get stuck [gett' stakk']; **fastna för** decide on [disaj'd ån]

fastsatt fixed [fikst] (vid to [toː])

fastslå (fastställa) establish [istäbb'liʃ]

fastställa (bestämma) fix [fiks]; (konstatera) establish [istäbb'liʃ]

fastän although [ållðoo']

fat dish [diʃ]; (te-) saucer [såː'sə]; (bunke) basin [bej'sn]

fatal fatal [fej'tl]

fatt hur är det fatt? what's the matter? [wått's ðə mätt'ə]; få fatt i get hold of [gett haoˈld ɔvv]

fatta (ta tag i) grasp [graːsp], seize [siːz]; (begripa) understand [andəstänn'd]; (börja hysa) conceive [kənsiːˈv]; fatta ett beslut make a decision [mej'k ə disiːˈʃən]; fatta sig kort be brief [biː briːf]

fattas (föreligga brist på) be wanting [biː wånn'ting]; (saknas) be missing [biː miss'ing]; vad fattas dig? what's the matter? [wåttz ðə mätt'ə]

fattig poor [poːˈə]

fattigdom poverty [påvv'əti]

fattning (grepp) hold [haold], grip [gripp]; (besinning) self-possession [sell'fpɔzəʃ'ən]; (lugn) composure [kəmpoo'ʒə]; förlora fattningen lose one's head [loːˈz wans hedd']

fatöl draught beer [draː'ft biːˈə]

fauna fauna [fåːˈnə]

favorisera favour [fej'və]

favorit favourite [fej'vərit]

favoriträtt favourite dish [fej'vərit diʃ]

fax tele. fax [fäks], facsimile [fäksimm'ili]

faxa tele. fax [fäks]

feber fever [fiːˈvə]; ha feber have a temperature [hävv ə temm'pritʃə]

feberfri vara feberfri have no temperature [hävv nəo temm'pritʃə]

febernedsättande antipyretic [äntipajrätt'ik]

febrig feverish [fiːˈvəriʃ]

februari February [febb'roəri]

feghet cowardice [kao'ədis]

fegt cowardly [kao'ədli]

fel 1 s. fault [fåːlt]; (misstag) mistake [mistej'k]; göra ett fel make a mistake [mej'k ə mistej'k]; ha fel be wrong [biː rång'] **2** adj. wrong [rång] **3** adv., ta fel make a mistake [mej'k ə mistej'k]

felaktig wrong [rång]; faulty [fåːˈlti]

felfri faultless [fåːˈltlis]

felparkering parking offence [paː'king əfenn's]

felräkning miscalculation [miskälkjolej'ʃən]

felsteg false step [fåːls stepp']

felsägning slip of the tongue [slipp' əv ðə tang']

fem five [fajv]

femma five [fajv]

feminist feminist [femm'inist]

femte fifth [fiffθ]

femtedel fifth [fiffθ]

femtio fifty [fiff'ti]

femtionde fiftieth [fiff'tiiθ]

femton fifteen [fiff'tiː'n]

femtonde fifteenth [fiff'tiː'nθ]

fena fin [finn]

fenomen phenomenon [finåmm'inən]

fenomenal phenomenal [finåmm'inl]

ferier holidays [håll'ədiz]

ferieskola summer school [samm'ə skoːl]

fernissa varnish [vaːˈniʃ]

fest festival [fess'təvəl]; (bjudning) party [paː'ti]

festa feast [fiːst]

festival festival [fess'təvəl]

festlig festive [fess'tiv]

fet fat [fätt]; (*om kött*) fatty [fätt'i]

fetma fatness [fätt'nis]

fett fat [fätt]; (*smörj-*) grease [gri:s]

fettbildande fattening [fätt'ning]

fetvadd unrefined cotton wool [ann'ri-faj'nd kått'n woll]

fiasko fiasco [fiäss'kəo]; *göra fiasko* be a fiasco [bi:'ə fiäss'kəo]

fiber fibre [faj'bə]

ficka pocket [påkk'it]

fickkniv pocket-knife [påkk'itnajf]

ficklampa torch [tå:tʃ]; *Am.* flash-light [fläʃ'lajt]

ficktjuv pickpocket [pikk'påkk'it]

fiende enemy [enn'imi] (*till* of [əv])

fiendskap enmity [enn'miti]; hostility [håstill'iti]

fientlig hostile [håss'tajl]

fiffla cheat [tʃi:t]

figur figure [figg'ə]

figurera (*förekomma*) figure [figg'ə]

fikon fig [figg]

fil (*rad*) row [rəo]; (*kör-*) lane [lejn]; (*verktyg o. data*) file [fajl]

fila file [fajl]

filé fillet [fill'it]

filial branch [bra:ntʃ]

film film [film]; (*spel-*) [motion] picture [(məo'ʃən) pikk'tʃə]; *Am. äv.* movie [mo:'vi]

filma [take a] film [(tejk ə) film]; (*uppträda i film*) act in a film [äkk't in ə film]

filmjölk *ung.* processed sour milk [pråo'sesd sao'ə milk]

filmkamera film camera [fill'm kämm'ərə]

filmrulle (*för stillbilder*) roll [of film] [rəol (əv film)]; (*bio- eller smalfilm*) reel [ri:l]

filmstjärna film star [fill'm sta:]

filosof philosopher [filåss'əfə]

filosofera philosophize [filåss'əfajz]

filosofi philosophy [filåss'əfi]

filt (*material*) felt [felt]; (*säng-*) blanket [bläng'kit]; (*res-*) rug [ragg]

filter filter [fill'tə]

fin fine [fajn]; *en fin affär* a bargain [ə ba:'gin]

final *mus.* finale [fina:'li]; *sport.* final [faj'nl]; *gå till finalen* enter the finals [enn'tə ðə faj'nlz]

finanser finances [fajnänn'siz]

finansiera finance [fajnänn's]

finansman financier [fajnänn'siə]

finansminister minister of finance [minn'istə əv fajnänn's]; *Br.* chancellor of the Exchequer [tʃa:'nsələ åv ði ekstʃekk'ə]; *Am.* secretary of the treasury [sekk'rətri åv ðə treʒ'əri]

finess finesse [finess']

finesser refinements [rifaj'nmənts]

finfördela grind [grajnd]

finger finger [fing'gə]

fingeravtryck fingerprint [fing'gə-print]

fingerborg thimble [θimm'bl]

fingra *fingra på* finger [fing'gə]

finklädd dressed up [dress't app']

finkänslig delicate [dell'ikit]

finkänslighet delicacy [dell'ikəsi]

Finland Finland [finn'lənd]

finländare Finn [finn]

finländsk Finnish [finn'iʃ]

finna find [fajnd]; *finna sig i* put up with [pott app wið]

finnas be [bi:]; *finnas kvar (återstå)* be left [bi:'leff't]; (*finnas på samma plats*) be still there [bi: still ðä:'ə]; *finnas till* exist [igziss't]

finne Finn [finn]; (*blemma*) pimple [pimm'pl]

finsk Finnish [finn'iʃ]

finska (*språk*) Finnish [finn'iʃ]; (*kvinna*) Finnish woman [finn'iʃ womm'ən]

fiol violin [vajəlinn']

fira celebrate [sell'ibrejt]

firma firm [fə:m]

firmamärke trade mark [trej'd ma:k]

fisk fish [fiʃ]

fiska fish [fiʃ]

fiskaffär fishmonger's [fiʃ'månggəz]

fiskare fisherman [fiʃ'əmən]

fiske fishing [fiʃ'ing]

fiskebåt fishing-boat [fiʃ'ingbəot]

fiskekort fishing licence [fi'ʃing-lajsens]

fiskmås common gull [kåmm'ən gall']

fitta *vulg.* cunt [kant]

fixera fix [fiks]

fjol *i fjol* last year [la:'st jə:']

fjorton fourteen [få:'ti:'n]; *fjorton dagar* a fortnight [ə få:'tnajt]

fjortonde fourteenth [få:'ti:'nθ]

fjäder (*på fågel*) feather [feð'ə]; (*spärr-*) spring [spring]

fjädring (*på fordon*) suspension [səspenn'∫ən]

fjäll (*berg*) mountain [mao'ntin]; (*på fisk*) scale [skejl]

fjälla (*fisk*) scale [skejl]; (*flagna av*) peel [pi:l]

fjärd bay [bej]

fjärde fourth [få:θ]

fjärdedel fourth [få:θ]

fjäril butterfly [batt'əflaj]

fjärilshåv butterfly-net [batt'əflaj nett]

fjärilsim butterfly stroke [batt'əflaj strəok]

fjärran *Fjärran östern* the Far East [ðə fa:ri:'st]; *i fjärran* in the distance [in ðə diss'təns]

fjärrkontroll remote control [rimåo't kəntråo'l]

fjäska make a fuss [mejk ə fass'] (*för* of [əvv])

fladdermus bat [bätt]

fladdra flutter [flatt'ə]; (*om fågel*) flit [flitt]; (*om låga*) flicker [flikk'ə]

flaga 1 *s.* flake [flejk] 2 *v.* shed flakes [∫edd flej'ks]

flagga 1 *s.* flag [flägg] 2 *v.* fly [the flag] [flaj (ðə flägg')]

flaggstång flag-pole [flägg'pəol]

flagna flake [flejk]

flak (*last-*) platform [plätt'få:m]

flamma flame [flejm]

flanell flannel [flänn'l]

flanera stroll about [strəo'l əbao't]

flankera flank [flängk]

flaska bottle [bått'l]

flat flat [flätt]

flaxa flutter [flatt'ə]

flera (*mera*) more [må:]; (*åtskilliga*) many [menn'i], several [sevv'rəl]

flerdubbel multiple [mall'tipl]

flerstädes in several places [in sevv'rəl plej'siz]

flertal majority [mədʒårr'iti]; *ett flertal* several [sevv'rəl]

flexibel flexible [flekk'sibl]

flicka girl [gə:l]

flickvän girlfriend [gə:'lfrend]

flik flap [fläpp]

flimra quiver [kwivv'ə]

flinga flake [flejk]

flinta flint [flint]

flintskallig bald [bå:ld]

flisa splinter [splinn'tə]

flit diligence [dill'idʒəns]; (*arbetsiver*) industry [inn'dəstri]; *med flit* on purpose [ån pə:'pəs]

flitig diligent [dill'idʒənt]; (*idog*) industrious [indass'triəs]

flock (*av fåglar, får o.d.*) flock [flåkk]; (*av vargar*) pack [päkk]

flocka [sig] *v.* flock [flåkk]

flod river [rivv'ə]; (*högvatten o. bildl.*) flood [fladd]

flodhäst hippopotamus [hipəpått'ə-məs]

flora flora [flå:'rə]

flott 1 *adj.* (*elegant*) stylish [staj'li∫]; (*frikostig*) generous [dʒenn'ərəs] 2 *s.* grease [gri:s]; (*stek-*) dripping [dripp'ing]

flotta navy [nej'vi]

flotte raft [ra:ft]

flottfläck grease spot [gri:'s spått]

flottig greasy [gri:'zi]

fluga fly [flaj]

flugsvamp *röd flugsvamp* fly agaric [flaj əgärr'ik]

flundra flounder [flao'ndə]

fly fly [flaj]

flyg *med flyg* by air [baj ä:'ə]

flyga fly [flaj]

flygare flyer [flaj'ə]; (*förare*) pilot [paj'lət]

flygbiljett air ticket [ä:'ətikk'it]

flygbolag airline [company] [ä:'əlajn (kamm'pəni)]

flygel wing [wing]; *mus.* grand piano [grann'd pjänn'əo]

flygning flying [flaj'ing]; (*flygtur*) flight [flajt]

flygolycka air[craft] crash [ä:'ə(kra:ft) kräf]

flygplan aircraft [ä:'əkra:ft]; aeroplane [ä:'ərəplejn]

flygplats airport [ä:'əpå't]

flygpost airmail [ä:'əmejl]

flygtur flight [flajt]

flygvapen air force [ä:'ə få:s]

flygvärdinna air hostess [ä:'ə həo'stis]

flykt flight [flajt]; (*rymning*) escape [iskej'p]

flykting refugee [refjodʒi:']

flyktingläger refugee camp [refjodʒi:' kämp]

flyta (*mots. sjunka*) float [fləot]; (*rinna o.d.*) flow [fləo]; (*om tårar*) run [rann]

flytande (*i vätskeform*) fluid [flo:'id]; *tala engelska flytande* speak English fluently [spi:'k ing'gliʃ flo:'əntli]

flytning *med.* discharge [diss'tʃa:dʒ]

flytta move [mo:v] (*äv. flytta på, flytta sig*)

flyttfågel migratory bird [maj'grətəri bə:'d]

flyttlass vanload of furniture [vänn'-ləod əv fə:'nitʃə]

flyttning moving [mo:'ving], removal [rimo:'vəl]

flytväst life jacket [lajf dʒäkk'it]

fläck spot [spått]; *fläcka ner* stain [stejn]

fläckborttagningsmedel stain removal [stein rimo:'vəl]

fläckfri stainless [stej'nlis]

fläckig spotted [spått'id]

fläckurtagningsmedel stain remover [stej'n rimo:'və]

fläkt (*vindpust*) breath [breθ]; (*apparat*) fan [fänn]

fläkta fan [fänn]

fläktrem fan belt [fänn'belt]

flämta pant [pänt]

fläsk pork [på:k]

fläskfilé fillet of pork [fill'it əv på:'k]

fläskkarré loin of pork [låjn əv på:'k]

fläskkotlett pork chop [på:'k tʃåpp]

fläta plait [plätt]

flöda flow [fləo]

flöjt flute [flo:t]

flörta flirt [flə:t]

flöte float [fləot]

FM (*fork. för frekvensmodulering*) FM [efemm']

fnittra giggle [gigg'l]

fnysa snort [snå:t]

foder (*kreatursföda*) feed[ing stuff] [fi:'d(ing staff)]; (*i kläder o.d.*) lining [laj'ning]

fodra (*ge foder*) feed [fi:d]; (*sätta i foder*) line [lajn]

fodral case [kejs]

fog (*skäl*) reason [ri:'zn]; (*skarv*) joint [dʒåjnt]

foga *foga ihop* join [dʒåjn]; *foga sig* give in [givv' inn']; *foga sig i* resign o.s. to [rizaj'n wansell'f to:]

foglig amenable [ami:'nəbl]

fokus focus [fəo'kəs]

folie foil [fåjl]

folk (*-slag*) people [pi:'pl]; (*människor*) people (*pl*)

folkdans folk dance [fəo'kda:ns]

folkhögskola residential college for adult education [rezidenn'ʃəl kåll'idʒ få: ädd'əlt edjokej'ʃən]

folklig popular [påpp'jolə]

folkmassa crowd of people [krao'd əv pi:'pl]

folkmusik folk music [fəokmjo:'zik]

folkmängd population [påpjolej'ʃən]

folkomröstning referendum [refə-renn'dəm]

folkpension national old-age pension [näʃ'ənl əo'ldejdʒ penn'ʃən]

folksång folk song [fəo'ksång]

folkvandring migration [majgrej'ʃən]

folkvisa folk song [fəo'ksång]

fond (*bakgrund*) background [bäkk'-graond]; (*kapital*) fund [fand]

fontän fountain [fao'ntin]

forcera speed up [spi:'d app']

fordom formerly [få:'məli]

fordon vehicle [vi:'ikl]

fordra demand [dima:'nd]; (*er-*) require [rikwaj'ə]

fordran demand (*ngt av ngn s.th of*

s.o.) [dima:'nd (samm'θing åv samm'-wan)]; (penning-) claim [klejm]

fordrande exacting [igzäkk'ting]

fordras be required [bi:'rikwaj'əd]

fordringsägare creditor [kredd'itə]

forell trout [traot]

form form [få:m]

forma form [få:m]; shape [ʃejp]

formalitet formality [få:mäll'iti]

format size [sajz]

formbröd tin loaf [tinn' ləof]

formel formula [få:'mjolə]

formell formal [få:'məl]

formgivare designer [dizaj'nə]

formsak matter of form [mätt'ərəv få:'m]

formulera formulate [få:'mjolejt]

formulering formulation [få:mjo-lej'ʃən]

formulär form [få:m]

fornminne ancient monument [ej'nʃənt månn'jomənt]

forntida prehistoric age [pri:histårr'ik ejdʒ]

forntida ancient [ej'nʃənt]

forntiden antiquity [äntikk'witi]

fors rapids (pl) [räpp'idz]

forsa rush [raʃ]

forska search [sə:tʃ] (efter for [få:])

forskare scientist [saj'əntist]

forskning research [risə:'tʃ]

forskningsresande explorer [iksplå:'rə]

forsla transport [tränspå:'t]

forsränning rafting [ra:'fting]

fort (snabbt) fast [fa:st]

fortfarande still [still]

fortkörning speeding [offence [spi:'ding (åfenn's)]

fortplanta propagate [pråpp'əgejt], reproduce [reprədjo:'s]

fortplantning propagation [pråpə-gej'ʃən]

fortsätta continue [kəntinn'jo]; go on [gəo ånn']

fortsättning continuation [kəntin-joej'ʃən]; i fortsättningen from now on [fråmm nao' ånn]

foster foetus [fi:'təs]

fosterbarn foster child [fåss'tə tʃajld]

fosterland native country [nej'tiv kann'tri]

fosterskada foetal damage [fi:'təl dämm'id3]

fostervattensprov amniosentesis [ämm'niəosenn'təsis]

fostra bring up [bring app']

fostran bringing up [bring'ing app']

fot foot [fot]; fötter feet [fi:t]; stå på god fot med be on a friendly footing with [bi: ån ə frenn'dli fott'ing wið]; på stående fot instantly [inn'stantli]; gå till fots go on foot [gəo' ån fott'], walk [wå:k]

fotboll football [fott'bå:l]; Am. soccer [såkk'ə]

fotbollsspelare football player [fott'-bå:l plej'ə]

fotbroms brake [brejk]

fotfäste foothold [fott'həold]

fotgängare pedestrian [pidess'triən]

fotknöl ankle [äng'kl]

foto photo [fəo'təo]

fotogen paraffin [pärr'əfin]; Am. kerosene [kerr'əsi:n]

fotograf photographer [fətågg'rəfə]

fotografera photograph [fəo'təgra:f]

fotografi photograph [fəo'təgra:f]

fotokopia photocopy [fəo'təkåpp'i]

fotsteg [foot]step [(fott')stepp]

foxterrier fox terrier [fåkk'sterr'iə]

fragment fragment [frägg'mənt]

frakt freight [frejt]; (skeppslast) cargo [ka:'gəo]

frakta transport [tränspå:'t]

fraktgods goods (pl) [goddz]; Am. freight [frejt]

fram (framåt, vidare) on [ån], along [əlång']; (i dagen) out [aot]; (fram till) up [to] [app (to:)]; (till målet) there [öä:'ə]; fram och tillbaka there and back [öä:'ə ən bäkk'], (av o. an) to and fro [to:' ən frəo']; rakt fram straight on [strej't ånn]; ända fram all the way there [å:'l öə wej' öä:'ə]; fram på dagen later in the day [lej'tərin öə dej']

frambringa bring forth [bring' få:'θ]

framfusig pushing [poʃ'ing]

framför before [bifå:'], in front of [in frann's ɔvv]; *framför allt* above all [əbavv' å:'l]

framföra (*uppföra*) present [prizenn't]; (*överbringa*) convey [kənvej']

framförande (*av föredrag o.d.*) delivery [dilivv'əri]; (*av musik*) performance [pəfå:'məns]

framgå be clear [bi: kli:'ə]

framgång success [səksess']

framgångsrik successful [səksess'foll]

framhjul front wheel [frann't wi:l]

framhjulsdrift front-wheel drive [frann't wi:'l drajv]

framhjulsinställning front-wheel alignment [frann't wi:l əlaj'nmənt]

framhålla (*framhäva*) give prominence to [givv' prämm'inəns to:]; (*påpeka*) point out [påj'nt ao't]

framhäva emphasize [emm'fəsajz]

framifrån from the front [fråm ðə frann't]

framkalla (*film*) develop [divell'əp]; (*förorsaka*) cause [kå:z]

framkallning (*av film*) developing [divell'əping]

framkomlig passable [pa:'səbl]

framkomma come out [kamm ao't]

framkomst arrival [ərajv'əl]

framlykta headlight [hedd'lajt]

framlägga (*planer o.d.*) put forward [pott få:'wəd]

framlänges forwards [få:'wədz]

framme (*vid målet*) there [ðä:'ə]; (*framlagd o.d.*) out [aot]; *hålla sig framme* push o.s. forward [poʃ' wansell'f få:'wəd]

framsida front [frant]

framsteg progress [prəo'gres]; *göra framsteg* make progress [mej'k prəo'gres]

framstå stand out [stänn'd ao't]

framstående prominent [prämm'inənt]

framställa (*återge*) represent [reprizenn't]; (*skildra*) describe [diskraj'b]; (*tillverka*) produce [prədjo:'s]

framställning (*i bild*) representation

[reprizentej'ʃən]; (*skildring*) description [diskripp'ʃən]; (*tillverkning*) production [prədakk'ʃən]

framtand front tooth [frann't to:θ]

framtid future [fjo:'tʃə]; *för all framtid* for all time [frå:'l taj'm]; *för framtiden* in (for the) future [in (få: ðə) fjo:'tʃə]

framtill in front [in frann't]

framträda appear [əpi:'ə]

framträdande 1 *s.* appearance [əpi:'ərəns] **2** *adj.* prominent [prämm'inənt]

framåt ahead [əhedd']; on [ån], onwards [ånn'wədz]

framåtskridande progress [prəo'gres]

franc franc [frängk]

frankera stamp [stämp]

Frankrike France [fra:ns]

frans fringe [frindʒ]

fransig frayed [frejd]

fransk French [frentʃ]

franska (*språk*) French [frentʃ]; (*småfranska*) French roll [frenn'tʃ rəol]

fransman Frenchman [frenn'tʃmən]; *fransmännen* the French [ðə frentʃ]

fransyska Frenchwoman [frenn'tʃ-wommən]

fras phrase [frejz]

frasig crisp [krisp]

fred peace [pi:s]; *hålla fred* keep the peace [ki:'p ðə pi:'s]; *lämna ngn i fred* leave s.b. alone [li:'v samm'-bədi əlao'n]

fredag Friday [fraj'di]

fredlig peaceful [pi:'sfol]

fredsförhandlingar peace negotiations [pi:s nigåoʃiej'ʃən]

freestyle (*varumärke*) freestyle [fri:'-stajl]

frekvens frequency [fri:'kwənsi]

fresk fresco [fress'kəo]

fresta tempt [tempt]

frestelse temptation [temptej'ʃən]

fri free [fri:]; *det står dig fritt att* you are free to [jo:' a:' fri:' to:]

fria propose [prəpəo'z]

friare suitor [sjo:'tə]

fribiljett free ticket [fri: tikk'it]

frid peace [pi:s]

fridfull peaceful [pi:'sfol]

frieri proposal [prəpəo'zəl]

frige release [rili:'s]

frigivning release [rili:'s]

frigjord emancipated [imänn'sipejtid]

frigöra liberate [libb'ərejt]; *frigöra sig* free o.s. [fri:' wansell'f]

frihamn free port [fri:'på:t]

frihandelsområde free-trade area [fri:' trejd ä:'əriə]

frihet freedom [fri:'dəm]; liberty [libb'əti]

friidrott athletics [əθlett'iks]

frikadell forcemeat ball [få:'smi:t bå:'l]

frikassé fricassee [frikəsi:']

frikoppling slipping clutch [slipp'ing klatʃ']

frikostig generous [dʒenn'ərəs]

friktion friction [frikk'ʃən]

frikänna acquit [əkwitt']

frilans freelance [fri:'la:ns]

frilansa freelance [fri:'la:ns]

friluftsliv outdoor life [ao'tdå: laj'f]

frimodig frank [frängk]

frimärke stamp [stämp]

frimärkssamlare stamp-collector [stämm'pkələkk'tə]

frisk (*ej sjuk*) well [well]; (*ej sjuklig*) healthy [hell'θi]; (*sund*) sound [saond]; *frisk och kry* hale and hearty [hej'l and ha:'ti]; *frisk luft* fresh air [freʃ ä:'ə]

friska upp refresh [rifreʃ']

frisksportare *vard.* fitness freak [fitt'nəs fri:k]

frispark free kick [fri:' kikk']

frispråkig outspoken [aotspəo'kən]

frist respite [ress'pajt]

fristående detached [ditätt'ʃt]

frisyr hairstyle [hä:'ə stajl]

frisör hairdresser [hä:'ədress'ə]

fritid spare time [spä:'ə tajm]

fritidskläder casual clothes [käʒ'joəl kläoðz]

frivillig voluntary [våll'əntəri]

frivolt somersault [samm'əså:lt]

frodas thrive [θrajv]

from pious [paj'əs]

front front [frant]

frontalkrock head-on collision [hedd'-ånn' kəliʃ'ən]

frossa 1 *s.*, *ha frossa* have the shivers [hävv' ðə ʃivv'əz] 2 *v.* gorge [gå:dʒ]

frost frost [fråst]

frotté terry cloth [terr'i klåθ]

frottéhandduk Turkish towel [tə:'kiʃ tao'əl]

frottera rub [rabb]

fru (*gift kvinna*) married woman [märr'id womm'ən]; (*hustru*) wife [wajf]; (*titel*) Mrs [miss'iz]

frukost breakfast [brekk'fəst]; *äta frukost* have breakfast [hävv brekk'fəst]

frukt fruit [fro:t]

frukta fear [fi:'ə]

fruktaffär fruit-shop [fro:'tʃåp]

fruktan fear [fi:'ə]

fruktansvärd terrible [terr'əbl]

fruktbar fertile [fə:'tajl]

fruktkonserver tinned fruit [tinn'd fro:'t]; *Am.* canned fruit [känn'd fro:'t]

fruktlös fruitless [fro:'tlis]

frukträdgård orchard [å:'tʃəd]

frusen frozen [frəo'zn]; (*kall*) cold [kəold]

frysa (*till is*) freeze [fri:z]; (*känna kyla*) be cold [bi: kəo'ld]

frysbox deep-freeze [di:'pfri:z]

fråga 1 *s.* question [kwess'tʃən]; *i fråga om* as to [äz to:], regarding [riga:'ding] 2 *v.* ask [a:sk] (*om* about [abao't]); *fråga efter ngn* ask for s.b. [a:'sk fə samm'bədi]

frågetecken question mark [kwess'tʃənma:k]

från from [främm]

frångå (*ändra*) relinquish [riling'kwiʃ]

frånsett *frånsett detta* (*att*) apart from that (the fact that) [əpa:'t främm ðätt' (ðə fäkk't ðätt')]

frånskild (*om makar*) divorced [divå:'st]

frånsäga *frånsäga sig* decline [diklaj'n]

fråntaga 290

frånta[ga] deprive [dipraj'v]

frånvarande absent [äbb'sənt]

frånvaro absence [äbb'səns]

fräck impudent [imm'pjodənt]; *vard.* cheeky [tʃi:'ki]

fräknig freckled [frekk'ld]

frälsning salvation [sälvej'ʃən]

frälsningsarmén the Salvation Army [ðə sälvej'ʃən a:'mi]

främja further [fə:'ðə]; promote [prə-məo't]

främling stranger [strej'ndʒə]; (*utlänning*) foreigner [fårr'inə]

främmande 1 *s.* guests (*pl*) [gests] **2** *adj.* (*utländsk*) foreign [fårr'in]; (*okänd*) strange [strejndʒ]

främre fore [få:]; front [frant]

främst foremost [få:'məost]; (*om ordning*) first [fə:st]; (*framför allt o.d.*) principally [prinn'səpli]

främsta foremost [få:'məost] (*om ordning*) first [fə:st]

frän rank [rängk]

fräsa hiss [hiss]; (*om katt*) spit [spitt]; (*i stekpanna*) sizzle [sizz'l]; (*snyta sig*) blow one's nose [bləo' wanz nəo'z]

fräsch fresh [freʃ]

fräscha upp freshen up [freʃ'n app]

fräta corrode [kərəo'd]; *bildl.* fret [frett]

frö seed [si:d]

fröa sig go to seed [gəo' to si:'d]

fröjd joy [dʒåj]

fröken unmarried woman [ann'-märr'id womm'ən]; (*titel*) Miss [miss]; *Fröken Ur* speaking clock [spi:'king klåkk']; *Fröken Väder* telephone weather forecast [tell'i-fəon weð'ə få:'ka:st]

fukt damp [dämp]

fuktig damp [dämp]

ful ugly [agg'li]

full full [foll]; (*drucken*) drunk [drangk]; *till fullo* fully [foll'i]

fullblod thoroughbred [θårr'əbred]

fullbokad fully booked [foll'i bokt]

fullborda complete [kəmpli:'t]

fullfölja (*slutföra*) complete

[kəmpli:'t]; (*fortsätta*) continue [kəntinn'jo:]

fullgöra (*utföra*) carry out [kärr'i ao't]; (*plikt*) perform [pəfå:'m]

fullkomlig perfect [pə:'fikt]

fullkornsbröd wholemeal bread [håol'mi:l bredd]

fullmakt authorization [å:θåraj-zej'ʃən]; (*dokument*) letter of attorney [lett'ə əv əta:'ni]; (*vid röstning*) proxy [pråkk'si]

fullmåne full moon [foll' mo:'n]

fullsatt (*om lokal o.d.*) full [foll]

fullständig complete [kəmpli:'t]; total [təotl]

fullträff direct hit [direkk't hitt']

fullvuxen full-grown [foll grəo'n]; *en fullvuxen* a grown-up [ə grəo'napp]

fulländning perfection [pəfekk'ʃən]

fundamentalism fundamentalism [fandəmenn'tlizm]

fundera ponder [pånn'də]

funderingar thoughts [θå:ts], reflections [riflekk'ʃns]

fundersam thoughtful [θå:'tfoll]

fungera work [wə:k], function [fang'kʃən]

funktion function [fang'kʃən]; *i* (*ur*) *funktion* in (out of) operation [in (ao't əvv) åpərej'ʃən]

funktionell functional [fang'kʃənl]

funktionär official [əfiʃ'əl]

fura pine [pajn]

furste prince [prins]

furstendöme principality [prinsi-päll'iti]

furstinna princess [prinsess']

furstlig princely [prinn'sli]

fuska cheat [tʃi:t]

fylla fill [fill]; *fylla i* fill up [fill app]; *han fyller 25 år i morgon* he will be 25 tomorrow [hi: will bi: twenn'ti-faj'v təmårr'əo]

fylleri drunkenness [drang'kənnis]

fyllerist drunkard [drang'kəd]

fyllig (*om pers.*) plump [plamp]

fynd find [fajnd]

fyr lighthouse [laj'thaos]

fyra four [få:]

fyrdubbel fourfold [få:'faold]

fyrkant square [skwä:'ə]

fyrkantig square [skwä:'ə]

fyrklöver four-leaf clover [få:'li:'f kləo'və]

fyrtaktsmotor four-stroke engine [få:'strəo'k enn'dʒin]

fyrtio forty [få:'ti]

fyrtionde fortieth [få:'tiiθ]

fyrverkeri fireworks (*pl*) [faj'əwə:ks]

fysik (*vetenskap*) physics [fizz'iks]; (*kroppsbeskaffenhet*) physique [fizi:'k]

fysiker physicist [fizz'isist]

fysisk physical [fizz'ikəl]

få 1 *pron.* few [fjo:]; *några få* a few [ə fjo:'] 2 *v.* receive [risi:'v], get [gett]; *få betalt* be paid [bi:'pej'd]; *få ngn att göra ngt* get s.b. to do s.th [gett samm'bədi tə do:' samm'θing]; *jag får inte glömma* I must not forget [aj mass't natt fəgett']; *får jag tala med* can I speak to [känn aj spi:'k to']; *vi får väl se* we'll see [wi:'ll si:]

fåfäng vain [vejn]

fåfänga vanity [vänn'iti]

fågel bird [bə:d]

fågelbo bird's nest [bə:'dz nest]

fågelbur birdcage [bə:'dkejdʒ]

fågelholk nesting-box [ness'tingbåks]

fågelunge young bird [jang' bə:'d]

fågelvägen as the crow flies [äz ðə krəo' flaj'z]

fåll hem [hemm]

fålla hem [hemm]

fånga catch [kätʃ]; *ta till fånga* capture [käpp'tʃə]

fånge prisoner [prizz'nə]

fångenskap captivity [käptivv'iti]

fångst (*byte*) catch [kätʃ]; (*fiskares*) draught [dra:ft]

fånig idiotic [idiått'ik]

får sheep [ʃi:p]

fåra furrow [farr'əo]

fårkött mutton [matt'n]

fårstek leg of mutton [legg əv matt'n]

fåtal *ett fåtal* a few [ə fjo:']

fåtalig few [fjo:]

fåtölj armchair [a:'mtʃä:'ə]

fäkta fence [fens]

fäktning fencing [fenn'sing]

fälg rim [rimm]

fäll fell [fell]

fälla 1 *s.* trap [trapp] 2 *v.* fell [fell], (*slå omkull*) knock down [nåkk dao'n]; (*sänka*) lower [ləo'ə]; (*tårar*) shed [ʃedd]; *fälla ihop* fold up [fao'ld app']; *fälla ner* let down [lett' dao'n]

fällkniv clasp-knife [kla:'spnaj'f]

fällstol deck chair [dekk'-tʃä:'ə]

fält field [fi:ld]

fälttåg campaign [kämpej'n]

fängelse (*byggnad*) prison [prizz'n], jail [dʒejl]; (*straff*) imprisonment [imprizz'nmənt]

fängelsestraff imprisonment [imprizz'nmənt]

fängsla (*fjättra*) fetter [fett'ə]; (*sätta i fängelse*) imprison [imprizz'n]; *bildl.* fascinate [fäss'inejt]

färd journey [dʒə:'ni]; (*till sjöss*) voyage [våj'idʒ]; *vara i färd med att göra ngt* be busy doing s.th. [bi:' bizz'i do:'ing samm'θing]

färdas travel [trävv'l]

färdig finished [finn'iʃt]; (*klar*) ready [redd'i]; *få ... färdig* get done [gett dann']; *göra färdig* get ready [gett redd'i]

färdiglagad ready-to-eat [redd'i tə i:t] (*mat* food [fo:d])

färdledare guide [gajd]

färdväg route [ro:t]

färg colour [kall'ə]; (*målar-*) paint [pejnt]

färga colour [kall'ə]; (*textil o.d.*) dye [daj]; *färga av sig* lose its colour [lo:'z its kall'ə]

färgband typewriter ribbon [taj'prajtə ribb'ən]

färgblind colour-blind [kall'əblajnd]

färgfilm colour film [kall'əfilm]

färgglad gay [gej]

färja ferry [ferr i]

färjeförbindelse ferry service [ferr'i sə:'vis]

färsk (*ej gammal*) new [njo:]; (*ej*

skämd, ej konserverad) fresh [freʃ]; (*ej torkad*) green [gri:n]

färskvaror perishable goods [perr'iʃəbl godz]

fästa fasten [fa:'sn], fix [fiks]; *fästa sig vid ngn* become attached to s.b. [bikamm' ətäʃ't to:'samm'bədi]

fäste hold [həold]; *bildl.* stronghold [strång'həold]

fästing tick [tikk]

fästman fiancé [fia:'nsej]

fästmö fiancée [fia:'nsej]

fästning fort [få:t]

föda 1 *s.* food [fo:d] 2 *v.* give birth to [givv' bə:'θ to:]; (*ge näring åt*) feed [fi:d]; *födas* be born [bi: bå:'n]

född born [bå:n]; *han är född den 1 maj* he was born on the 1st of May [hi wåz bå:'n ån ðə fə:'st åv mej]

födelse birth [bə:θ]

födelsedag birthday [bə:'θdej]

födelsekontroll birth control [bə:'θ kəntrəo'l]

födelseort place of birth [plej's əv bə:'θ]

födelseår year of birth [jə:'rəv bə:'θ]

födoämne food [fo:d]

föga little [litt'l]

föl foal [fəol]

följa (*följa efter*) follow [fåll'əo]; (*ledsaga*) accompany [əkamm'pəni]

följaktligen accordingly [əkå:'dingli]

följande following [fåll'əoing]; *på varandra följande* successive [səksess'iv]

följas åt go together [gəo' təgeð'ə]

följd consequence [kånn'sikwəns]; (*räcka*) succession [səkseʃ'ən]; *i följd* running [rann'ing]

följdsjukdom complication [kåmplikej'ʃən]

följe suite [swi:t]

följesedel delivery note [dilivv'əri nəot]

följeslagare companion [kəmpänn'jən]

följetong serial [si:'əriəl]

fönster window [winn'dəo]

fönsterbräde windowsill [winn'dəosil]

fönsterlucka shutter [ʃatt'ə]

fönsterruta window-pane [winn'dəopejn]

för 1 *s.* stem [stemm] 2 *adv.* (*alltför*) too [to:]; *för och emot* for and against [få:' rand əgenn'st] 3 *prep.* for [få:]; (*framför*) before [bifå:']; *för alltid* for ever [fərevv'ə]; *för ett år sedan* one year ago [wann jə:'r əgəo']; *för länge sedan* long ago [lång əgəo'] 4 *konj.* for [få:]; *för att* (*före bisats*) so that [səo ðätt'], (*före infinitiv*) to [to:]; *för att inte tala om* not to mention [nått tə menn'ʃən]; *för så vitt* provided [prəvaj'did]

föra (*ta med sig*) (*hit*) bring [bring], (*dit*) take [tejk]; (*bära*) carry [kärr'i]; (*leda*) lead [li:d]

förakt contempt [kəntemm'pt]

förakta despise [dispaj'z]; (*försmå*) disdain [disdej'n]

föraktfull contemptuous [kəntemm'ptjoəs]

föranleda give rise to [givv' raj'z to:], lead to [li:'d to:]; *känna sig föranledd att* feel impelled to [fi:l impell'd to:]

förare (*bil- etc.*) driver [draj'və]; (*flyg-*) pilot [paj'lət]; (*vägvisare*) guide [gajd]

förarga annoy [ənåj']; *bli förargad* be annoyed [bi:' ənåj'd] (*över at* [ätt])

förarglig annoying [ənåj'ing]

förarhytt cockpit [kåkk'pit]

förarsäte driver's seat [draj'vəz si:t]

förband (*bandage*) bandage [bänn'didʒ]; (*militärt*) unit [jo:'nit]; *första förband* first aid bandage [fə:'stejd bänn'didʒ]

förbandslåda first-aid kit [fə:'stejd kit]

förbanna curse [kə:s]; *bli förbannad på ngn* get furious with s.b. [gett fjo:'əriəs wið samm'bədi]

förbannelse curse [kə:s]

förbaskad confounded [kənfao'ndid]

förbehåll reserve [rizə:'v]

förbehålla *förbehålla sig* (*betinga*) reserve for (to) o.s. [rizə:'v få: (to:)]

föregå

wansell'f]; (*kräva*) demand [dima:'nd]

förbehållslös unconditional [ənkəndiʃ'ənl]

förbereda prepare [pripä:'ə]

förberedande preliminary [prilimm'inəri]

förberedelse preparation [prepərej'ʃən]

förbi past [pa:st]

förbifart *i förbifarten* in passing [in pa:'sing]

förbigå pass over [pa:'s əo'və]

förbigående *i förbigående* by the way [baj' ðə wej']

förbinda (*sår*) bandage [bänn'didʒ]; (*förena*) join [dʒåjn]

förbindelse connection [kənekk'ʃən]; (*samfärdsel*) communication [kəmjo:nikej'ʃən]; (*förpliktelse*) obligation [åbligej'ʃən]

förbise overlook [əovəlokk']

förbiseende oversight [əo'vəsajt]

förbittrad bitter [bitt'ə]

förbjuda forbid [fåbidd']; (*om myndighet o.d.*) prohibit [prəhibb'it]

förbli remain [rimej'n]

förbluffande amazing [əmej'zing]

förblöda bleed to death [bli:'d tə deθ]

förbruka consume [kənsjo:'m]; (*pengar*) spend [spend]

förbrukning consumption [kənsamm'pʃən]

förbrylla confuse [kənfjo:'z]

förbrytare criminal [krimm'inl]

förbrytelse crime [krajm]

förbränning combustion [kəmbass'tʃən]

förbränningsmotor internal-combustion engine [intə:'nl kəmbass'tʃən enn'dʒin]

förbud prohibition [prəoibiʃ'ən]

förbund alliance [əlaj'əns], union [jo:'njən]; (*förening*) federation [fedərej'ʃən], association [əsəosiej'ʃən]

förbunden (*förenad*) connected [kənekk'tid]; (*förpliktad*) bound [baond]; *vara ngn mycket förbunden* be very much obliged to s.b. [bi: verr'i matʃ əblaj'dʒd tə samm'bədi]

förbundskansler Federal Chancellor [fedd'ərəl tʃa:'nslə]

förbytas change [tʃejndʒ] (*i* into [inn'to])

förbättra improve [impro:'v]

förbättring improvement [impro:'vmənt]; (*av hälsan*) recovery [rikavv'əri]

fördel advantage [ədva:'ntidʒ]; *dra fördel av* benefit by [benn'ifit baj]

fördela distribute [distribb'jo:t]

fördelaktig advantageous [ädvəntej'dʒəs]

fördelning distribution [distribjo:'ʃən]

fördjupa deepen [di:'pən]; *fördjupa sig i* enter deeply [into] [enn'tə di:'pli (inn'to)]

fördjupning depression [dipreʃ'ən]

fördom prejudice [predʒ'odis]

fördomsfri unprejudiced [ənpredʒ'odist]

fördrag treaty [tri:'ti]

fördraga bear [bä:'ə]

fördragsamhet tolerance [tåll'ərəns]

fördriva drive away [draj'v əwej']; *fördriva tiden* while away the time [waj'l əwej' ðə taj'm]

fördröja delay [dilej']

fördubbla double [dabb'l]

fördunkla darken [da:'kən]

fördärv ruin [ro:'in]

fördärva ruin [ro:'in]

fördöma condemn [kəndemm']

före before [bifå:']

förebild model [mådd'l]

förebrå reproach [riprəo'tʃ]

förebråelse reproach [riprəo'tʃ]

förebygga prevent [privenn't]

föredra prefer [prifə:'] (*framför* to [to:])

föredrag discourse [diskå:'s]; (*föreläsning*) lecture [lekk'tʃə]

föredragningslista agenda [ədʒenn'də]

föredragshållare lecturer [lekk'tʃərə]

föredöme example [igza:'mpl]

föredömlig model [mådd'l]

förefalla (*tyckas*) seem [si:m]

föregå (*inträffa tidigare*) precede

[pri:si:'d]; *föregå med gott exempel* set an example [sett' ən igza:'mpl]

föregående preceding [pri:si:'ding], previous [pri:'vjəs]

föregångare precursor [prikə:'sə]; (*företrädare*) predecessor [pri:'disesə]

föregångsman pioneer [pajəni:'ə]

förekomma (*föregripa*) anticipate [äntiss'ipejt]; (*hända*) occur [əkə:']

förekommande occuring [əkə:'ring]; *ofta förekommande* frequent [fri:'kwənt]

förekomst occurrence [əkarr'əns]

föreligga exist [igziss't], be [bi:]

föreläsa lecture [lekk'tʃə]

föreläsning lecture [lekk'tʃə]

föremål object [åbb'dʒikt]; (*ämne*) subject [sabb'dʒikt] (*för* of [åv])

förena unite [jo:naj't]; (*förbinda*) join [dʒåjn]; *förena sig* unite [jo:naj't]

förening union [jo:'njən]; association [əsəosiej'ʃən]; *i förening med* in combination with [in kåmbinej'ʃən wið]

förenkla simplify [simm'plifaj]

förenkling simplification [simplifikej'ʃən]

Förenta Nationerna the United Nations [ði jo:naj'tid nej'ʃəns]

Förenta Staterna the United States of America [ði jo:naj'tid stej'ts əv əmerr'ikə]

föresats purpose [pə:'pəs]

föreskrift direction [direkk'ʃən]

föreslå propose [prəpəo'z], suggest [sədʒess't]

förestå be head of [bi: hedd' əvv]; (*affär e.d.*) manage [männ'idʒ]; (*stunda*) be near [bi: ni:'ə]

föreståndare manager [männ'idʒə]

föreställa represent [reprizenn't]; *föreställa sig* imagine [imädʒ'in]

föreställning representation [reprizentej'ʃən]; (*teater- o.d.*) performance [pəfå:'məns]; *göra sig en föreställning om* form a conception of [få:'m ə kənsepp'ʃən əv]

föresätta sig set one's mind on [sett' wanz maj'nd ån]

företag enterprise [enn'təprajz]; (*affärs-*) company [kamm'pəni]

företa[ga] undertake [andətej'k]

företagare businessman [bizz'nismən]

företagsamhet enterprise [enn'təprajz]

företagsekonomi business economics [bizz'nis i:kənåmm'iks]

företagsledare executive [igzekk'-jotiv]

företal preface [preff'is]

förete (*uppvisa*) show [ʃəo]; (*erbjuda*) present [prizenn't]

företeelse phenomenon [finåmm'inən]

företräda (*gå före*) precede [pri:si:'d]; (*representera*) represent [reprizenn't]

företrädare predecessor [pri:'disesə]

företräde preference [preff'ərəns]; (*överlägsenhet*) superiority [sjopəriårr'iti] (*framför* to [to:])

företrädesvis preferably [preff'ərəbli]

förevändning pretext [pri:'tekst]

förfall decay [dikej']

förfalla decay [dikej']; (*om byggnad o d.*) go to ruin [gəo tə ro:'in]; (*om patent, fordran o d.*) lapse [läps]

förfallodag due date [dju:'deit]

förfalska falsify [få:'lsifaj]

förfalskning falsification [få:'lsifikej'ʃən]; (*sak*) imitation [imitej'ʃən], fake [fejk]

förfara proceed [prəsi:'d]

förfaras be wasted [bi: wej'stid]

förfaringssätt procedure [prəsi:'dʒə]

författa write [rajt]

författare writer [rajt'ə], author [å:'θə]

författarinna authoress [å:'θəris]

författning constitution [kånstitjo:'ʃən]

förfela miss [miss]

förfluten past [pa:st]; *det förflutna* the past [ðə pa:'st]

förflyta pass [pa:s]

förflytta move [mo:v], *förflytta sig* move [mo:v]

förfoga *förfoga över* have at one's disposal [häv ät wanz dispəo'zəl]

förfogande disposal [dispəo'zəl]

förlova

förfriskning refreshment [rifreʃ'mənt]

förfrysa (*händer etc.*) get frost-bitten [gett fråss'tbitt'n]

förfrågan inquiry [inkwaj'əri]

förfäder ancestors [änn'sistəz]

förfäran terror [terr'ə]

förfärlig terrible [terr'əbl]; *vard.* (*oerhörd*) terrific [təriff'ik]

förfölja pursue [pəsjo:']

förföljelse pursuit [pəsjo:'t]

förföra seduce [sidjo:'s]

förgifta poison [påj'zn]

förgiftning poisoning [påj'zning]

förgylla gild [gild]

förgå pass [pa:s]; *förgå sig* forget o.s. [fəgett' wansell'f]

förgätmigej *bot.* forget-me-not [fəgett'minått']

förgäves in vain [in vej'n]

förgöra destroy [distråj']

förhand *på förhand* beforehand [bifå:'händ], in advance [in ədva:'ns]

förhandla negotiate [nigəo'ʃiejt]

förhandling negotiation [nigəoʃi-ej'ʃən]

förhinder *få förhinder* be prevented from going (coming) [bi: privenn'tid fråm gəo'ing (kamm'ing)]

förhindra prevent [privenn't]

förhoppning expectation [ekspek-tej'ʃən]

förhoppningsfull hopeful [həo'pfol]

förhålla sig (*förbli*) keep [ki:p]; *hur förhåller det sig med?* how are things with? [hao a: θingz wið]

förhållande conditions (*pl*) [kən-diʃ'ənz]; (*inbördes ställning*) relationship [rilej'ʃənʃip]; (*proportion*) proportion [prəpå:'ʃən]

förhållandevis proportionately [prə-på:'ʃnitli], (*jämförelsevis*) relatively [rell'ətivli]

förhårdnad induration [indjurej'ʃən]

förhärskande predominant [pri-dåmm'inənt]

förhör examination [igzäminej'ʃən]; (*utfrågning*) interrogation [interə-gej'ʃən]; (*rättsligt*) inquest [inn'kwest]

förhöra examine [igzämm'in]; (*fråga ut*) interrogate [interr'əgejt]

förinta annihilate [ənaj'əlejt]

förkasta reject [ridʒekk't]

förklara explain [iksplej'n]; (*tillkännage*) declare [diklä:'ə]; (*uppge*) state [stejt]

förklaring explanation [eksplənej'-ʃən]; (*tillkännagivande*) declaration [deklärej'ʃən]

förkläda disguise [disgaj'z] (*till as* [äz])

förkläde apron [ej'prən]

förknippa associate [əsəo'siejt]

förkorta shorten [ʃå:'tn]; (*ord e.d.*) abbreviate [əbri:'viejt]

förkortning (*ord e.d.*) abbreviation [əbri:viej'ʃən]

förkunna announce [ənao'ns]

förkunskaper previous knowledge [pri:'vjəs nåll'idʒ]

förkyla sig catch a cold [kätʃ' ə kəo'ld]

förkyld *bli förkyld* catch a cold [kätʃ' ə kəo'ld]; *vara förkyld* have a cold [häv ə kəo'ld]

förkylning cold [kəo'ld]

förkärlek predilection [pri:dilekk'ʃən]

förköp advance booking [ədva:'ns bokk'ing]; *Am.* reservation [reza-vej'ʃən]

förkörsrätt right of way [rajt'əv wej']

förlag publishing house [pabb'liʃing haos]

förlama paralyse [pärr'əlajz]

förlamning paralysis [pəräll'isis]

förleda entice [intaj's] (*till into* [intəo])

förlika sig become reconciled [bikamm' rekk'ənsajld]

förlisa be wrecked [bi: rekk't]

förlita *förlita sig på ngn* trust in s.b. [trass'in samm'bədi], *förlita sig på ngt* rely on s.th. [rilaj' ån samm'θing]

förlopp lapse [läps]; (*utveckling*) course [kå:s]

förlora lose [lo:z]

förlossning delivery [dilivv'əri]

förlova *förlova sig* become engaged [bikamm' ingej'dʒd] (*med* to [to:])

förlovad engaged [ingej'dʒd]

förlovning engagement [ingej'dʒ-mənt]

förlust loss [låss]

förlåta forgive [fågivv']; (*ursäkta*) excuse [ekskjo:'z]; *förlåt!* [I'm] sorry! [(aj'm) sårr'i]

förlåtelse forgiveness [få:givv'nis]

förlägen embarrassed [imbärr'əst]

förlägenhet embarrassment [imbärr'əsmənt]

förlägga (*slarva bort*) mislay [mislej']; (*placera*) locate [ləkej't]

förläggare publisher [pabb'liʃə]

förläggning camp [kämp]

förlänga lengthen [leng'θən]

förlängningssladd extension flex [ikstenn'ʃən fleks]; *Am.* extension cord [ikstenn'ʃən kå:d]

förman foreman [få:'mən]

förmana (*råda o. varna*) warn [wå:n]; (*tillrättavisa*) admonish [ədmånn'iʃ]

förmedla mediate [mi:'diejt]

förmiddag morning [må:'ning]; *på förmiddagen* in the morning [in ðə må:'ning]

förmildrande *förmildrande omständigheter* extenuating circumstances [ekstenn'joejting sə:'kəmstənsəs]

förminska diminish [diminn'iʃ]

förminskning reduction [ridəkk'ʃən]

förmoda suppose [səpəo'z]

förmodan supposition [səpəziʃ'ən]

förmodligen presumably [prizjo:'məbli]

förmyndare guardian [ga:'djən]

förmå (*kunna orka*) be able to [bi: ej'bl to:]; *förmå ngn att* induce s.b. to [indjo:'s samm'bədi to:]

förmåga (*kraft*) power [pao'ə]; (*prestations-*) capacity [kəpäss'iti]; (*fallenhet*) faculty [fäkk'əlti]; (*duglighet*) ability [əbill'iti]

förmån advantage [ədva:'ntidʒ]

förmånlig advantageous [ädvən-tej'dʒəs]

förmögen (*rik*) wealthy [well'θi]

förmögenhet fortune [få:'tʃən]

förmörka darken [da:'kən]

förnamn Christian name [kriss'tjən nej'm]

förnedring humiliation [hjo:mili-ej'ʃən]

förneka deny [dinaj']

förnimma perceive [pəsi:'v]

förnuft reason [ri:'zn]; *sunt förnuft* common sense [kåmm'ən senn's]

förnuftig reasonable [ri:'znəbl]

förnya renew [rinjo:']

förnäm noble [nəo'bl]; (*högdragen*) lofty [låff'ti]

förnämlig distinguished [disting'-gwiʃt]

förnärma offend [əfenn'd]

förnödenheter necessities [nisess'itiz]

förolyckas meet with an accident [mi:'t wið ən äkk'sidənt]

förolämpa insult [insall't]

förolämpning insult [inn'salt]

förord preface [preff'is]

förordning ordinance [å:'dinəns]

förorena contaminate [kəntämm'i-nejt]

förorening pollution [pəlo:'ʃən]

förorsaka cause [kå:z]

förort suburb [sabb'ə:b]

förpackning package [päkk'idʒ]

förplikta *förplikta sig* bind o.s [baj'nd wansell'f]

förpliktelse (*plikt*) duty [djo:'ti]; (*förbindelse*) engagement [ingej'dʒmənt]

förplägning entertainment [entətej'n-mənt]

förr (*förut*) before [bifå:']; (*fordom*) formerly [få:'məli]; (*tidigare*) sooner [so:'nə], earlier [ə:'liə]; (*hellre*) rather [ra:'ðə]

förre the former [ðə få:'mə]; (*senaste*) [the] last [(ðə) la:st]

förresten besides [bisaj'dz]

förrgår the day before yesterday [ðə dej' bifå:' jess'tədi]

förråd store [stå:]

förråda betray [bitrej']

förrädare traitor [trej'tə]

förräderi treachery [trett'ʃəri]

förrädisk treacherous [trett'ʃərəs]

förrän before [bifå:']; *icke förrän* not

until [till] [nått' antill' (till')]

förrätt first course [fə:'st kå:'s]

försaka go without [gəo wiðao't]

församling (*personer*) assembly [əsemm'bli]; (*möte*) meeting [mi:'ting]; (*socken*) parish [pärr'iʃ]; (*menighet*) congregation [kånggrigej'ʃən]

förse furnish [fə:'niʃ]

förseelse offence [əfenn's]

försegla seal [si:l]

försena delay [dilej']; *vara försenad* be late [bi:'lej't]

försiggå take place [tejk plejs']

försiktig cautious [kå:'ʃəs]; (*aktsam*) careful [kä:'əfol]

försiktighet caution [kå:'ʃən]; (*aktsamhet*) care [kä:']

försiktighetsåtgärd precaution [prikå:'ʃən]

försilvra silver [sill'və]

förskingra embezzle [imbezz'l]

förskola nursery school [nə:'sri sko:l]

förskollärare nursery-school teacher [nə:'srisko:'l ti:'tʃə]

förskott advance payment [ədva:'ns pej'mənt]

förskräckelse fright [frajt]

förskräcklig dreadful [dredd'fol], frightful [fraj'tfol]

förskärare carving-knife [ka:'vingnajf]

försköna embellish [imbell'iʃ]

förslag proposal [prəpəo'zəl]; *Am.* proposition [pråpəziʃ'ən]

förslå suffice [səfaj's]

försmak foretaste [få:'tejst]

försmå disdain [disdej'n]

försommar early summer [ə:'li samm'ə]

försona (*förlika*) reconcile [rekk'ənsajl]

försorg *dra forsorg om* provide for [prəvaj'd få:]; *genom ngns försorg* through s.b. [θro:'samm'bədi]

försova sig oversleep [əo'vəsli:'p]

förspel prelude [prell'jo:d]

försprång start [sta:t]

först first [fə:st]; (*inte förrän*) not until (till) [nått' antill' (till)]; *först och*

främst first of all [fə:'st əv å:'l]; *först nu* not until now [nått antill' nao']

första first [fə:st]; *för det första* in the first place [in ðə fə:'st plej's]; (*vid uppräkning*) firstly [fə:'stli], *från första början* from the very beginning [fråm ðə verr'i biginn'ing]; *första bästa* the first that comes along [ðə fə:'st ðätt kamm'z əlång']

förstad suburb [sabb'ə:b]

förstaklassbiljett first-class ticket [fə:stkla:s tikk'it]

förstatliga nationalize [näʃ'nəlajz]

förstavelse prefix [pri:'fiks]

förstklassig first-class [fə:'stkla:'s]

förstnämnda the first-mentioned [ðə fə:'stmenn'ʃənd]

förstoppning constipation [kånstipej'ʃən]

förstora enlarge [inla:'dʒ]

förströelse diversion [dajvə:'ʃən]

förstulen furtive [fə:'tiv]

förstå understand [andəstänn'd]; *det förstås!* that is clear [ðätt iz kli:'ə]; *förstå sig på* understand [andəstänn'd]

förståelig understandable [andəstänn'dəbl]

förståelse understanding [andəstänn'ding]

förstånd (*tankeförmåga*) intellect [inn'tilekt]; (*sunt förnuft*) [common] sense [(kåmm'ən) senn's]; *det övergår mitt förstånd* it's beyond me [itz bijänn'd mi:']; *efter bästa förstånd* to the best of one's ability [to: ðə bess't əv wanz əbill'iti]

förståndig (*klok*) wise [wajz]; (*förnuftig*) sensible [senn'səbl]

förstås (*naturligtvis*) of course [əv kå:'s]

förstärka strengthen [streng'θən]; amplify [ämm'plifaj]

förstärkare *elektr.* amplifier [ämm'plifajə]; *tekn.* magnifier [mägg'nifajə]

förstärkning strengthening [streng'θəning]; *elektr.* amplification [ämplifikej'ʃən]

förstöra destroy [distråj']

förstörelse destruction [distrakk'ʃən]

försumma neglect [niglekk't]

försummelse neglect [niglekk't]

försvaga weaken [wi:'kən]

försvagas grow weak [grəo' wi:'k]

försvagning weakening [wi:'kning]

försvar defence [difenn's]

försvara defend [difenn'd]

försvarsadvokat counsel for the defence [kaon'səl få: ðə difenn's]

försvinna disappear [disəpi:'ə]; (*plötsligt*) vanish [vänn'iʃ]

försvåra make ... difficult [mej'k diff'ikəlt]

försynt considerate [kənsidd'ərit]

försåga sig let the cat out of the bag [lett ðə kätt' ao't əv ðə bägg']

försäkra (*betyga*) assure [əʃo:'ə]; (*assurera*) insure [inʃo:'ə]; *försäkra sig* (*förvissa sig*) make sure [mej'k ʃo:'ə] (*om ngt* of s.th. [əv samm'θing])

försäkran assurance [əʃo:'ərəns]

försäkring (*brand-, liv-*) insurance [inʃo:'ərəns]

försäkringsbolag insurance company [inʃo:'ərəns kamm'pəni]

försäljare salesman [sej'lzmən]; (*kvinna*) saleswoman [sej'lzwomən]

försäljning sale [sejl]

försäljningsvillkor terms of sale [tə:'mz əv sej'l]

försämra deteriorate [diti:'əriərejt]

försämras deteriorate [diti:'əriərejt]

försämring deterioration [diti:'əriə- rej'ʃən]

försök (*ansats*) attempt [ətemm'pt]; (*ansträngning*) effort [eff'ət]

försöka try [traj]; *försöka sig på* try one's hand at [traj wanz hänn'd ätt]

försörja support [səpå:'t]

förta[ga] (*hindra*) take away [tej'k əwej']; (*dämpa*) deaden [dedd'n]; *förta sig* overwork o.s. [əo'vəwə:'k wansell'f]

förtal slander [sla:'ndə]

förteckning list [list]

förtid *i förtid* prematurely [premə- tjo:'əli]

förtjusande charming [tʃa:'ming]

förtjusning enchantment [intʃa:'nt- mənt]

förtjust (*intagen*) charmed [tʃa:md] (*i* with [wið]); (*mycket glad*) delighted [dilaj'tid] (*över* with [wið])

förtjäna (*tjäna*) earn [ə:n]; (*vara värd*) deserve [dizə:'v]

förtjänst (*inkomst*) earnings (*pl*) [ə:'ningz]; (*vinst*) profit [pråff'it]; (*merit*) merit [merr'it]

förtroende confidence [kånn'fidəns] (*för* in [in])

förtrogen familiar [fəmill'jə]

förtrolig intimate [inn'timit]; (*konfidentiell*) confidential [kånfidenn'ʃəl]

förtrolla enchant [intʃa:'nt]

förtrollning enchantment [intʃa:'nt- mənt]

förtryck oppression [əpreʃ'ən]

förträfflig excellent [ekk'sələnt]

förtulla declare [diklä:'ə]

förtvivlad in despair [in dispä:'ə]; (*desperat*) desperate [dess'pərit]

förtvivlan despair [dispä:'ə] (*över* at [ätt])

förtydliga make ... clear[er] [mej'k kli:'ə(rə)]

förtära eat [i:t]; consume [kənsjo:'m]

förtäring consumption [kən- səmm'pʃən]

förtöja moor [mo:'ə]

förundras wonder [wann'də]

förut before [bifå:']; (*förr*) formerly [få:'məli]

förutom besides [bisaj'dz]

förutsatt att provided [prəvaj'did]

förutse foresee [få:si:']

förutseende foresight [få:'sajt]

förutsäga predict [pridikk't]

förutsägelse prediction [pridikk'ʃən]

förutsätta assume [asjo:'m], presume [prizjo:'m]

förutsättning assumption [əsamm'p- ʃən], presumption [prizamm'pʃən]; (*villkor*) condition [kəndiʃ'ən]; (*erforderlig egenskap*) qualification [kwålifikej'ʃən]; *under förutsätt- ning att* on condition that [ån kən- diʃ'ən öätt']

förutvarande (*förra*) former [få:'mǝ]; (*föregående*) previous [pri:'vjǝs]

förvalta administer [ǝdmınn'ista]

förvaltare administrator [ǝdmın'i-strejtǝ]; (*av lantgods*) steward [stjo:'ǝd]

förvaltning administration [ǝdmini-strej'ʃǝn], management [männ'idʒ-mǝnt]

förvandla transform [tränsfå:'m]

förvandlas turn [tǝ:n] (*till into* [inn'tǝ])

förvandling transformation [tränsfå-mej'ʃǝn]

förvar custody [kass'tǝdi]

förvara keep [ki:p]

förvarning notice [nǝo'tis]

förverkliga realize [ri:'ǝlajz]

förverkligande realization [riǝlaj-zej'ʃǝn]

förvirra confuse [kǝnfjo:'z]; (*för-brylla*) bewilder [biwill'dǝ]

förvirring confusion [kǝnfjo:'ʃǝn]

förvisa banish [bänn'iʃ]

förvissa sig make sure [mej'k ʃo:'ǝ]

förvissning assurance [ǝʃo:'ǝrǝns]; *i förvissning om* in the assurance of [in ði ǝʃo:'ǝrǝns ǝv]

förvisso (*visserligen*) certainly [sǝ:'tnli]; (*utan tvivel*) for certain [få sǝ:'tn]

förvåna surprise [sǝpraj'z]; *förvåna sig över* be surprised at [bi: sǝpraj'zd ätt]

förvånansvärd surprising [sǝpraj'-zing]

förvåning surprise [sǝpraj'z]

förväg *i förväg* in advance [in ǝdva:'ns]

förväntan expectation [ekspektej'-ʃǝn]; *över förväntan bra* better than expected [bett'ǝ ðänn ikspekk'tid]

förväntning expectation [ekspektej'-ʃǝn]; *motsvara ngns förväntningar* come up to a p.'s expectations [kamm app' to: ǝ pa:'sonz ekspektej'ʃǝns]

förvärra make worse [mej'k wǝ:'s]

förvärras grow worse [grǝo wǝ:'s]

förvärva acquire [ǝkwaj'ǝ]

förvärvsarbetande wage-earning [wej'dʒǝ:ning]

förväxla confuse [kǝnfjo:'z]

förväxling confusion [kǝnfjo:'ʃǝn]

föråldrad out-of-date [ao'tǝvdej't]

förädla (*djur- växt-*) improve [im-pro:'v]; (*råvara*) refine [rifaj'n]

förälder parent [pä:'ǝrǝnt]

föräldralös orphan [å:'fǝn]

förälska sig fall in love [få:'l in lavv] (*i* with [wið])

förälskad in love [in lavv'] (*i* with [wið])

förändra change [tʃejndʒ]; alter [å:'ltǝ]

förändras change [tʃejndʒ]; alter [å:'ltǝ]

förändring change [tʃejndʒ]; alter-ation [å:ltǝrej'ʃǝn]

föräta sig overeat [ǝo'vǝri:'t]

förödmjuka humiliate [hjomill'iejt]

föröka (*utöka*) increase [inkri:'s]; *föröka sig* multiply [mall'tiplǝj]

föröva commit [kǝmitt']

fötter *se fot*

g

gadd sting [sting]

gaffel fork [få:k]

gala crow [krǝo]; (*om gök*) call [kå:l]

galen mad [mädd]; *vard.* crazy [krej'zi]

galge (*klädhängare*) hanger [häng'ǝ]; (*för avrättning*) gallows [gäll'ǝoz]

galla gall [gå:l]

galler grating [grej'ting]

galleri gallery [gäll'ǝri]

gallra (*plantor*) thin out [θinn ao't]; (*skog*) thin [θinn]

gallskrika yell [jell]

gallsten gallstone [gå:'lstǝon]

gallstensanfall biliary colic [bill'jari kå:l'ik]

galning lunatic [lo:'nǝtik]

galon plastic-coated fabric [pläss'tik

kəo'tid fäbb'rik]

galopp gallop [gäll'əp]

galoppera gallop [gäll'əp]

galosch galosh [gəlåʃ']

galt zool. boar [bå:']

gam zool. vulture [vall'tʃə]

gammal old [əold]; (ej färsk, om bröd o.d.) stale [stejl]

gammaldags old-fashioned [əo'ld-fäʃ'ənd]

gammalmodig old-fashioned [əo'ld-fäʃ'ənd]

ganska (mycket) very [verr'i]; (tämligen) fairly [fä:'əli]; ganska mycket (som adj.) a great deal of [ə grejt di:'l əv], (som adv.) very much [verr'i matʃ], a great deal [ə grejt di:'l]

gap mouth [maoθ]; (djurs) jaws (pl) [dʒå:z]

gapa open one's mouth [əo'pən wanz mao'θ]

gapskratt roar of laughter [rå:' əv la:'ftə]

gapskratta roar with laughter [rå:' wið la:'ftə]

garage garage [gärr'a:dʒ]

garantera guarantee [gärənti:'], warrant [wårr'ənt]

garanti guarantee [gärənti:']

gardera safeguard [sej'fga:d]; cover [kavv'ə]

garderob wardrobe [wå:'drəob]

gardin curtain [kə:'tn]

garn yarn [ja:n]

garnera (kläder) trim [trimm]; (mat) garnish [ga:'niʃ]

gas gas [gäss]

gasa gas [gäss]

gasbinda gauze bandage [gå:'z bänn'did3]

gasell zool. gazelle [gəzell']

gasol liquefied petroleum gas [likk'wifajd petrəo'lium gäss] (förk. LPG)

gaspedal accelerator [əksell'ərejtə]

gassa be blazing [bi:'blej'zing]

gasspis gas-cooker [gäss'kokkə]

gata street [stri:t]; på gatan in the street [in ðə stri:'t]

gatlykta street lamp [stri:'tlämp]

gatukorsning crossing [kråss'ing]

gavel gable [gej'bl]

ge give [givv]; kortsp. deal [di:l]; ge bort give away [givv əwej']; ge efter yield [ji:ld] (för to [to:]); ge ut (pengar) spend [spend], (publicera) publish [pabb'liʃ], (utfärda) issue [iss'jo:]; ge sig give o.s. [givv' wansell'f] (tid time [tajm]), (erkänna sig besegrad) yield [ji:ld], surrender [sərenn'də]; ge sig av set out [sett ao't], (bege sig i väg) be off [bi:' åff]; ge sig ut för att vara pretend to be [pritenn'd tə bi:']

gedigen solid [såll'id]

gehör ear [i:'ə]; efter gehör by ear [baj i:'ə]; vinna gehör meet with sympathy [mi:'t wið simm'pəθi]

gelé jelly [dʒell'i]

gem (pappersklämma) paper clip [pej'pəklip]

gemen (nedrig) low [ləo], mean [mi:n]

gemensam common [kåmm'ən] (för to [to:]); (för två el. flera) joint [dʒåjnt]

gemensamhet community [kəmjo:'niti]

gemensamt in common [in kåmm'ən]

gemenskap community [kəmjo:'niti]

gemytlig good-natured [godd'nejtʃəd]

genant embarrassing [imbärr'əsing]

genast at once [ätt wann's]

genera (besvära) bother [båð'ə], trouble [trabb'l]; (göra förlägen) be embarrassing to [bi:' imbärr'əsing to:']

generad embarrassed [imbärr'əst]

general general [dʒenn'ərəl]

generalisera generalize [dʒenn'ə-rəlajz]

generalrepetition dress rehearsal [dress' rihə:'səl]

generation generation [dʒenərej'ʃən]

generator generator [dʒenn'ərejtə]

generell general [dʒenn'ərəl]

generös generous [dʒenn'ərəs]

genetik genetics [dʒenett'iks]

genetisk genetic [dʒenett'ik]

gengäld i gengäld in return [in ritə:'n]

geni genius [dʒi:'njəs]

genial brilliant [brill'jənt]

genljuda reverberate [rivə:'bərejt]

genom through [θro:]

genomblöt soaking wet [səo'king wett]

genombrott break through [brej'kθro:]

genomdriva force through [få:'s θro:]

genomfart passage [päss'idʒ]

genomföra carry through [kärr'i θro:]

genomgå go through [gəo' θro:]

genomgång going-through [gəo'ing θro:]; (*väg o.d.*) passage [päss'idʒ]

genomresa journey through [dʒə:'ni θro:]

genomskinlig transparent [tränspä:'ərənt]

genomskåda see through [si:' θro:]

genomskärning (*tvärsnitt*) cross section [kråss' sekk'ʃən]

genomsnitt (*medeltal*) average [ävv'əridʒ]; *i genomsnitt* on average [ån ävv'əridʒ]

genomsnittlig average [ävv'əridʒ]

genomtränga penetrate [penn'itrejt]

genomträngande (*om blåst, blick*) piercing [pi:'əsing]; (*om lukt, rost*) penetrating [penn'itrejting]

genomtänkt well thought-out [well' θå:'taot]

genomvåt wet through [wett θro:]

genre genre [ʃa:'ngrə]

gensvar response [rispånn's]

gentemot against [əgenn'st]

gentjänst service in return [sə:'vis in ritə:'n]

genuin genuine [dʒenn'join]

genväg short cut [ʃå:'t katt]

geografi geography [dʒiåg g'rəfi]

geografisk geographical [dʒiəgräff'ikəl]

geologi geology [dʒiåll'ədʒi]

geometri geometry [dʒiåmm'itri]

gerilla guerrilla [gərill'ə]

gest gesture [dʒess'tʃə]

gestalt figure [figg'ə]; (*form*) shape [ʃejp]

get goat [gəot]

geting wasp [wåsp]

gevär rifle [raj'fl]; gun [gann]

giffel croissant [kroasa:'ng]

gift 1 *s.* poison [påj'zn] **2** *adj.* married [märr'id] (*med to* [to:])

gifta *gifta bort* give away in marriage [givv' əwej in märr'idʒ]; *gifta sig* marry [märr'i]

giftermål marriage [märr'idʒ]

giftig poisonous [påj'znəs]

gikt *med.* gout [gaot]

gilla (*godkänna*) approve of [əpro:'v əv], (*tycka om*) like [lajk]

gillande approval [əpro:'vəl]

gillra *gillra en fälla* set a trap [sett ə träpp]

giltig valid [väll'id]

giltighetstid period of validity [pi:'əriəd əv vəlidd'iti]

gin gin [dʒinn]

gips plaster [pla:'stə]

gipsa put in plaster [pott in pla:'stə]

gir sheer [ʃi:'ə]; (*friare*) turn [tə:n]

gira sheer [ʃi:'ə]; (*friare*) turn [tə:n]

giraff giraffe [dʒira:'f]

girera transfer [tränsfə:']

girig avaricious [ävəriʃ'əs]

gissa guess [gess], *gissa sig till* guess [gess]

gisslan hostage [håss'tidʒ]

gissning guess [gess]

gitarr guitar [gita:']

giv deal [di:l]

giva *se ge*

givande profitable [pråff'itəbl]

givare giver [givv'ə]

given given [givv'n]; (*avgjord*) clear [kli:'ə]; *ta för givet* take it for granted [tej'k it fə gra:'ntid]

givetvis of course [əv kå:'s]

givmild generous [dʒenn'ərəs]

gjuta cast [ka:st]

gjutjärn cast iron [ka:'st aj'ən]

glaciär glacier [gläss'jə]

glad (*gladlynt*) cheerful [tʃi:'əfol]; (*upprymd*) merry [merr'i], happy [häpp'i]

glans lustre [lass'tə]; (*prakt*) magnificence [mägniff'isns]

glansig lustrous [lass'trəs]
glappa be loose [bi: lo:'s]
glas glass [gla:s]
glasbruk glassworks [gla:'swə:ks]
glass ice-cream [aj'skri:'m]
glasyr glazing [glej'zing]; (*på porslin*) glaze [glejz]; (*på bakverk e.d.*) frosting [fråss'ting]
glasögon glasses [gla:'siz], spectacles [spekk'taklz]
glasögonorm *zool.* cobra [kəo'brə]
glatt smooth [smo:ð]; (*hal*) slippery [slipp'əri]
gles (*ej tät*) thin [θinn]
glesbygd thinly populated area [θinn'li påpp'jolejtid ä:'əriə]
glida glide [glajd]; (*över ngt hårt*) slide [slajd]; *glida undan* slip away [slipp əwej']
glidflygplan glider [glaj'də]
glimma gleam [gli:m]
glimt gleam [gli:m]; (*skymt*) glimpse [glimm'ps]
glittra glitter [glitt'ə]
glo stare [stä:'ə] (*på at* [ätt])
glob globe [gləob]
glosa word [wə:d]
glugg hole [həol]
glupsk greedy [gri:'di]
gluten gluten [glo:'tən]
glutenfri gluten free [glo:'tən fri:]
glykol *kem.* ethanediol [i:θəj'ndaj'ål]
glädja make happy [mej'k häpp'i]; *det gläder mig* I'm so glad [aj'm sәo' glädd']; *glädja sig åt* be glad at [bi: glädd ätt], (*se fram emot*) look forward to [lokk' få:'wəd to:]
glädjande pleasant [plezz'nt]
glädje joy [dʒåj] (*över at* [ätt]), pleasure [ple'ʒə]; delight [dilaj't]
glädjeämne subject for rejoicing [sabb'dʒikt få: ridʒåj'sing]
glänsa shine [ʃajn]
glänt *stå på glänt* stand ajar [stänn'd ədʒa:']
glänta 1 *s.* (*skogsglänta*) glade [glejd] 2 *v. glänta på* open slightly [əopn slajt'li]
glöd embers [emm'bəz]

glöda glow [gləo]
glödande (*sken o. bildl.*) glow [gləo]; (*hetta*) heat [hi:t]
glödlampa bulb [balb]
glögg *ung.* mulled and spiced wine [mall'd ənd spaj'sd wajn]
glömma forget [fəgett']
glömsk forgetful [fəgett'fol]
glömska oblivion [əblivv'iən]
gnaga gnaw [nå:]
gnida rub [rabb]
gnissel screech [skri:tʃ]; (*om gångjärn e.d.*) creak [kri:k]; (*om hjul e.d.*) squeak [skwi:k]
gnissla screech [skri:tʃ]; (*om gångjärn e.d.*) creak [kri:k]; (*om hjul e.d.*) squeak [skwi:k]
gnista spark [spa:k]
gnistra emit sparks [imitt' spa:'ks]; (*blixtra*) sparkle [spa:'kl]
gnola hum [hamm]
gnugga rub [rabb]
gnutta tiny bit [taj'ni bitt']
gnägga neigh [nej]
gnäll whine [wajn]
gnälla whine [wajn]
gobeläng tapestry [täpp'istri]
god good [godd]; *god dag!* good morning (afternoon, evening)! [gədmå:'ning (a:'ftəno:'n, i:'vning)], (*vid första mötet med ngn*) how do you do! [hao' djodo:']; *var så god!* (*när man ger ngt*) here you are! [hi:'ə jo a:'], (*ta för er*) help yourself, please! [hell'p jå:sell'f pli:z]; *var så god och ...* please [pli:z]
godhet goodness [godd'nis]
godkänd approved [əpro:'vd]
godkänna approve [əpro:'v]; (*i examen*) pass [pa:s]
godkännande approval [əpro:'vəl]
godo *i godo* amicably [əmm'ikəbli]; *hålla till godo med* put up with [pott app' wið]
gods (*varor*) goods [godz]; (*jorda-*) estate [istej't]
godståg goods train [godd'ztrejn]
godsägare estate owner [istej't əo'nə]
godta accept [əksepp't]

groda

godtrogen credulous [kredd'joləs]

godtycke discretion [diskreʃ'ən]

godtycklig arbitrary [a:'bitrəri]

golf golf [gålf]

golfbana golf course [gålf kå:s]

golv floor [flå:]

golvväxel floor gearshift [flå: gi:'ə-ʃift]

gom palate [päll'it]

gondol gondola [gånn'dələ]

gonorré *med.* gonorrhoea [gånåri:'ə]

gorilla gorilla [gərill'ə]

gosse boy [båj]

gott (*jfr god*); *gott om* plenty of [plenn'ti əv]; *lukta gott* smell nice [smell' naj's]; *sova gott* sleep well [sli:'p well']; *kort och gott* briefly [bri:'fli]; *göra så gott man kan* do one's best [do:' wanz best't]; *så gott som* practically [präkk'tikli]

gottgöra make good [mejk godd']

gottgörelse compensation [kåmpen-sejʃ'ən]; (*betalning*) remuneration [rimjo:nərejʃ'ən]

grabb boy [båj]

graciös graceful [grej'sfol]

grad degree [digri:']; (*rang*) rank [rängk]; *i hög grad* to a great extent [to ə grej't ikstent't]

gradera graduate [grädd'joejt]

gradering graduation [grädjoejʃ'ən]

gradvis gradually [grädd'joəli]

grafik (*grafiska blad*) prints (*pl*) [prints]

gram gram[me] [grämm]

grammatik grammar [grämm'ə]

grammofon gramophone [grämm'ə-fəon]; *Am.* phonograph [fəo'nəgra:f]

grammofonskiva record [rekk'å:d]

gran fir [fə:], spruce [spro:s]

granat (*ädelsten*) garnet [ga:'nit]; *mil.* shell [ʃell]

granit granite [gränn'it]

grann (*brokig*) gaudy [gå:'di]; (*ståtlig*) fine-looking [faj'nlokk'ing]

granne neighbour [nej'bə]

grannland neighbouring country [nej'bəring kann'tri]

grannskap neighbourhood [nej'bəhod]

granska examine [iggzämm'in]

granskning examination [igzämi-nejʃ'ən]

gratinera bake in a gratindish [bej'k in ə grätt'ängdiʃ]

gratis free [fri:]

grattis congratulations! [kəngrätjo-lej'ʃənz]

gratulation congratulation [kəngrätjo-lej'ʃən]

gratulera congratulate [kəngrätt'-jolejt]

gratäng gratin [grätt'äng]

grav grave [grejv]; (*murad e.d.*) tomb [to:m]

gravera engrave [ingrej'v]

gravid pregnant [pregg'nənt]

graviditet pregnancy [pregg'nənsi]

graviditetstest pregnancy test [pregg'nənsi test]

gravlax gravlax [grävv'läks]; dry--cured spiced salmon [draj'kjå:d spaj'st sämm'ən]

grejor things [θingz]

grek Greek [gri:k]

grekisk Greek [gri:k]

grekiska (*grekinna*) Greek woman [gri:k womm'ən]; (*språk*) Greek [gri:k]

Grekland Greece [gri:s]

gren branch [bra:ntʃ]

grena sig branch [bra:ntʃ]

grepp grasp [gra:sp]

greve count [kaont]

grevinna countess [kao'ntis]

grevskap county [kao'nti]

grill grill [grill]

grilla grill [grill]

grillbar rotisserie [rəotiss'əri:]

grimas grimace [grimej's]

grimasera pull faces [poll' fej'siz]

grina (*gråta*) whine [wajn]

grind gate [gejt]

gripa seize [si:z]; (*tjuv e.d.*) catch [kätʃ]; *gripa sig an med* set about [sett' əbao't]

gris pig [pigg]

gro germinate [dʒə:'minejt]

groda frog [frågg]

grodman frogman [frågg'mən]

grogg whisky and soda [wiss'ki ən səo'də]

grop pit [pitt]

grotesk grotesque [grəotess'k]

grotta cave [kejv]; (*större*) cavern [kävv'ən]

grov coarse [kå:s]; (*om yta o. bildl.*) rough [raff]; *i grova drag* in rough outline [in raff ao'tlajn]

grovarbetare unskilled worker [anskill'd wə:'kə]

grovlek thickness [θikk'nis]

grubbla brood [bro:d]

grumlig muddy [madd'i]

grund *s.* (*botten*) ground [graond]; (*underlag*) foundation [faondej'∫ən]; (*sand- o.d.*) bank [bängk], (*klipp-*) sunk rock [sang'k råkk']; (*orsak*) cause [kå:z]; *på grund av* on account of [ån əkao'nt əv]; *gå på grund* run aground [rann əgrao'nd] **2** *adj.* shallow [∫all'əo]

grunda found [faond]; establish [istäbb'li∫]; (*stödja*) base [bejs]; *konst.* prime [prajm]; *grunda ett påstående på* base a statement on [bejs ə stejt'mənt ån]

grundare founder [fao'ndə]

grundavgift basic charge [bej'sik t∫a:'dʒ]

grundforskning basic research [bej'sik risə:'t∫]

grundlag constitution [kånstitjo:'∫ən]

grundlig thorough [θarr'ə]

grundlägga found [faond]

grundläggande fundamental [fandə-menn'tl]

grundsats principle [prinn'səpl]

grundskola *ung.* comprehensive school [kåmprihenn'siv sko:'l], *Am.* elementary school [elemenn'təri sko:'l]

grundval foundation [faondej'∫ən]; (*bildl. äv.*) basis [bej'sis]

grundämne element [ell'imənt]

grupp group [gro:p]

gruppera group [gro:p]

grus gravel [grävv'əl]

gruva mine [majn]

gruvarbetare miner [maj'nə]

gry dawn [då:n]

grym cruel [kro:'əl]

grymhet cruelty [kro:'əlti]

grymta grunt [grant]

gryn grain [grejn]

gryning dawn [då:n]

gryta pot [pått]

grytlapp saucepan holder [så:'spən həo'ldə]

grå grey [grej]; (*i sht Am.*) gray [grej]

gråhårig grey-haired [grej'hä:'əd]

gråsparv sparrow [spärr'əo]

gråsäl grey seal [grej' si:'l]

gråta cry [kraj]; weep [wi:p] (*av for* [få:])

grädda bake [bejk]

grädde cream [kri:m]

gräl quarrel [kwärr'əl]

gräla quarrel [kwärr'əl]; *gräla på ngn* scold s.b. [skəo'ld samm'bədi]

gräma sig grieve [gri:v]

gränd alley [äll'i]

gräns *geogr.* boundary [bao'ndəri]; *polit.* frontier [frånn'tjə]; (*friare*) borderline [bå:'dəlajn]; (*yttersta*) limit [limm'it]

gränsa till border on [bå:'dərən]

gränslös boundless [bao'ndlis]; (*ofantlig*) tremendous [trimenn'dəs]

gränsområde border district [bå:'də diss'trikt]

gräs grass [gra:s]

gräsbevuxen grass-grown [gra:'s-grəo'n]

gräshoppa grasshopper [gra:'s-håpp'ə]

gräsklippare lawnmower [lå:'nməoə]

gräslig horrid [hårr'id], terrible [terr'əbl]

gräslök chive [t∫ajv]

gräsmatta lawn [lå:n]

gräsänka grass widow [gra:'s-widd'åw]

gräsänkling grass widower [gra:'s-widd'åwə]

gräva dig [digg]

grävling *zool.* badger [bädʒ'ə]

grävskopa bucket [bakk'it]

grön green [gri:n]

grönkål *bot.* kale [kejl]

Grönland Greenland [gri:'nland]

grönsaker vegetables [ved3'itəblz]

grönsaksaffär greengrocer's [gri:'n-grəosəz]

grönska **1** *s.* verdure [və:'d3ə] **2** *v.* be green [bi: gri:'n]

gröt porridge [pårr'id3]

gubbe old man [əo'ld männ']

gud god [gådd]; *för Guds skull!* for goodness' sake! [få godd'nis sej'k]

gudfruktig devout [divao't]

gudinna goddess [gådd'is]

gudomlig divine [divaj'n]

gudskelov thank goodness [θäng'k godd'nis]

gudstjänst service [sə:'vis]

guida guide [gajd]

guide guide [gajd]

gul yellow [jell'əo]

gula yolk [jəok]

guld gold [gəold]

guldfisk goldfish [gəo'ldfiʃ]

guldgrävare gold-digger [gəo'ld-digg'ə]

guldsmedsaffär jeweller's shop [d3o:'ələz ʃåpp]

gullregn laburnum [ləbə:'nəm]

gullviva cowslip [kao'slip]

gulsot jaundice [d3å:'ndis]

gumma old woman [əo'ld womm'ən]

gummi rubber [rabb'ə]

gummiband rubber band [rabb'ə bänn'd]

gummistövlar rubber boots [rabb'ə-bo:ts]

gunga swing [swing]

gungbräde see-saw [si:'så:]

gungstol rocking chair [råkk'ing-tʃä:ə]

gunst favour [fej'və]

gunstling favourite [fej'vərit]

guppa jolt [d3əolt]

gurgla sig gargle [ga:'gl]

gurka cucumber [kjo:'kəmbə]

guvernör governor [gåvv'ənə]

gylf fly [flaj]

gyllene golden [gəo'ldən]

gymnasium upper secondary school [app'ə sekk'əndəri sko:'l]; *Am.* senior high school [si:'njə haj' sko:'l]

gymnastik gymnastics [d3im-näss'tiks]

gymnastisera do gymnastics [do: d3imnäss'tiks]

gynekolog gynaecologist [gajni-kåll'əd3ist]

gynna favour [fej'və]

gynnsam favourable [fej'varəbl]

gyttja mud [madd]

gyttjig muddy [madd'i]

gå (*mots. åka*) walk [wå:k]; (*mots. stanna, stå*) go [gəo]; (*av-*) start [sta:t], leave [li:v]; *gå ur vägen för ngn* get out of a p.'s way [gett ao't əv ə pə:'snz wej']; *gå an* be all right [bi: å:'l rajt']; *gå av (stiga av)* get out [gett aot], (*brista*) break [brejk], (*om skott*) go off [gəo åff]; *gå bort (gå ut)* go out (*på middag* to dinner) [gəo aot], (*dö*) pass away [pa:s əwej']; *gå efter* walk behind [wå:'k bihaj'nd], (*om klocka*) be slow [bi: sləo'], (*hämta*) go and fetch [gəo' ən fetʃ']; *gå ifrån* leave [li:v]; *gå isär* come apart [kamm' apa:'t]; *gå om ngn* overtake s.b. [əovətej'k samm'-bədi]; *gå omkull (om företag)* go bankrupt [gəo bäng'krəpt], (*om maskin o.d.*) break down [brej'k dao'n]; *gå sönder* be broken [bi: brəo'kən], (*om maskin o.d.*) break down [brej'k dao'n]; *gå till (hända)* happen [häpp'ən]; *gå upp* go up [gəo app'], (*stiga upp*) rise [rajz]; *gå upp mot* come up to [kamm app' to:]; *gå ut och gå* go for a walk [gəo' får ə wå:'k]; *gå åt (ta slut)* be used up [bi: jo:'zd app']; (*behövas*) be needed [bi: ni:'did]

gång (*sätt att gå*) walk [wå:k]; (*motors o.d.*) running [rann'ing]; (*väg*) path [pa:θ]; (*korridor*) passage [päss'id3]; (*tillfälle*) time [tajm]; *i full gång* well under way [well ann'də wej']; *få ... i gång get* ... going [gett gəo'ing]; *hålla i gång* keep going [ki:'p gəo'ing]; *komma i gång* get

started [gett sta:'tid]; *sätta igång*
start going [sta:'t gəo'ing]; *vara i
gång* be running [bi: rann'ing]; *en
gång* once [wanns]; *en gång till* once
more [wann's må:']; *för en gångs
skull* for once [få:' wann's]; *på en
gång (samtidigt)* at the same time [ätt
ðə sej'm taj'm], *(plötsligt)* suddenly
[sadd'nli]; *gång på gång* time and
again [taj'm and agenn']; *ngn gång*
some time [samm taj'm]; *två gånger*
twice [twajs]; *tre gånger* three times
[θri:' taj'mz]

gångbana pavement [pej'vmənt]

gångjärn hinge [hindʒ]

går *i går* yesterday [jess'tədi]; *i går
morse* yesterday morning [jess'tədi
må:'ning]

gård *(kringbyggd)* yard [ja:d]; *(bak-)*
backyard [bäkk'ja:'d]; *(bond-)* farm
[fa:m]

gårdagen yesterday [jess'tədi]

gårdsplan courtyard [kå:'tja:'d]

gås goose [go:s], *gäss* geese [gi:s]

gåta riddle [ridd'l]

gåtfull mysterious [misti:'əriəs]

gåva gift [gift]

gädda pike [pajk]

gäl gill [gill]

gäll shrill [ʃrill]

gälla *(vara giltig)* be valid [bi: väll'id],
(anses) pass [pa:s]; *vad gäller saken?*
what's it about? [wåtz it əbao't]; *nu
gäller det att* now we've got to [nao
wi:v gått to:]

gällande valid [väll'id]; *göra gällan-
de (påstå)* assert [əsə:'t]; *göra sig
gällande* assert o.s. [əsə:'t wansell'f]

gäng gang [gäng]

gängse current [karr'ənt]

gärdsgård fence [fens]

gärna gladly [glädd'li]; willingly
[will'ingli]; *ja, gärna [för mig]!* by
all means! [baj å:'l mi:'ns]; *tack,
gärna!* yes, please! [jess pli:'z]

gärning *(handling)* act [äkt], *(syssla)*
work [wə:k]

gärningsman culprit [kall'prit]

gäspa yawn [jå:n]

gäspning yawning [jå:'ning]; *en
gäspning* a yawn [ə jå:'n]

gäst guest [gest]

gästa visit [vizz'it]

gästfri hospitable [håss'pitəbl]

gästfrihet hospitality [håspitäll'iti]

gästrum spare room [spä:'ə ro:m]

gästspel special performance
[speʃ'əl pəfå:'məns]

göda *(djur)* fatten [fatt'n]; *(jord,
växter)* fertilize [fə:'tilajz]

gödning fertilizing [fə:'tilajzing]

gödsel manure [mənjo:'ə], dung
[dang]

gödselstack dunghill [dang'hil]

gödsla manure [mənjo:'ə], fertilize
[fə:'tilajz]

gök cuckoo [kokk'o:]

gömma [sig] hide [hajd]

gömställe hiding place [haj'ding
plejs]

göra do [do:]; make [mejk]; *göra sitt
bästa* do one's best [do: wanz bess't];
det gör ingenting! it doesn't matter!
[it dazz'nt mätt'ə]; *göra om (på nytt)*
do over again [do: əo'vər əgenn'],
(upprepa) repeat [ripi:'t], *(ändra)*
alter [å:'ltə]; *göra upp (förslag)*
draw up [drå: app']; *göra sig av med*
get rid of [gett ridd' əv]; *göra sig till*
be affected [bi: əfekk'tid]

görningen *ngt är i görningen* s.th. is
brewing [samm'θing iz bro'ing]

göromål work [wə:k]

gös pikeperch [paj'kpə:tʃ]

h

ha have [hävv]; *(mera vard.)* have got
[hävv' gått']; *ha rätt* be right [bi:
raj't]; *ha ledigt* be free [bi: fri:']; *ha
roligt* have a good time [hävv' ə godd
taj'm]; *vad vill ni ha?* what do you
want? [wåt' do jo wånn't]; *ha bort
(förlägga)* mislay [mislej']; *vad gör
du för dig?* what are you doing? [wått
a: jo: do:'ing]; *ha för sig (inbilla sig)*

handikappad

imagine [imädʒ'in]; *ha på sig* have on [hävv' ånn'] *ha sönder* break [brejk]
hack notch [nåtʃ]
hacka 1 *s.* pick [pikk] **2** *v.* hoe [hao]; (*kött o.d.*) chop [tʃåpp]
hackspett woodpecker [wodd'pekk'ə]
hagel (*iskorn, koll.*) hail [hejl]; (*blykula*) shot [ʃått]
hagla hail [hejl]
hagtorn hawthorn [hå:'θå:n]
haj shark [ʃa:k]
haka 1 *v.* hook [hokk]; *haka av* unhook [ann'hokk'] **2** *s.* chin [tʃin]
hake hook [hokk]
hakkors swastika [swåss'tika]
haklapp bib [bibb]
hal slippery [slipp'əri]
hala haul [hå:l]
halka 1 *s.* slipperiness [slipp'ərinis] **2** *v.* slip [slipp], slide [slajd]
hall hall [hå:l]
hallon raspberry [ra:'zbəri]
hallå hallo! [hələo']
halm straw [strå:]
hals neck [nekk]; (*strupe*) throat [θrəot]; *hals över huvud* head over heels [hedd' əovə hi:'lz]; *ha ont i halsen* have a sore throat [hävv' ə så:' θrəo't]
halsband necklace [nekk'lis]
halsbränna heartburn [ha:'tbə:n]
halsduk scarf [ska:f]
halsfluss *med.* tonsillitis [tånsilaj'tis]
halster gridiron [gridd'ajən], grill [grill]
halstra grill [grill]
halt 1 *s.* (*kvantitet*) content [kånn'tent]; (*uppehåll*) halt [hå:lt] **2** *adj.* lame [lejm]
halta limp [limp]
halv half [ha:f]; *klockan är halv ett* it's half past twelve [itz ha:'f pa:'st twell'v]
halva half [ha:f]
halvback *sport.* half-back [ha:'fbäkk']
halvera halve [ha:v]
halvljus dipped headlights (*pl*) [dipp't hedd'lajts]
halvtid *sport.* half-time [ha:'ftajm]

halvtimme half-hour [ha:'fao'ə]; *en halvtimme* half an hour [ha:'f ən ao'ə]
halvvägs half way [ha:'f wej']
halvår six months (*pl*) [sikk's mann'θs]
halvö peninsula [pininn'sjolə]
hamburgare *kokk.* hamburger [hämm'bə:gə]
hammare hammer [hämm'ə]
hamn harbour [ha:'bə]; (*-stad, mål för resa*) port [på:t]
hamna land [länd]
hamnstad port [på:t]
hamra hammer [hämm'ə]
han he [hi:]
hand hand [händ]; *ha hand om* be in charge of [bi: in tʃa:'dʒ əv]; *ta hand om* take charge of [tejk tʃa:'dʒ əv]; *efter hand* gradually [grädd'joəli]; *efter hand som* as [äz]; *för hand* by hand [baj hänn'd]; *i första hand* in the first place [in ðə fə:'st plejs]; *till hands* at hand [ätt hänn'd]
handarbete needlework [ni:'dlwə:k]
handbagage hand luggage [hänn'd-lagg'id3]
handbojor handcuffs [hänn'dkəfs]
handbok handbook [hänn'dbok]
handboll *sport.* handball [hänn'dbål]
handbroms handbrake [hänn'dbrejk]
handduk towel [tao'əl]
handel trade [trejd]; (*i sht internationell*) commerce [kåmm'ə:s]
handelsfartyg merchant vessel [mə:'tʃənt vess'l]
handelsflotta merchant navy [mə:'tʃənt nej'vi]
handelskorrespondens commercial correspondence [kəmə:'ʃəl kåri-spånn'dəns]
handfat basin [bej'sn]; *Am.* washbowl [wåʃ'bəol]
handflata palm [pa:m]
handgjord handmade [hänn'dmej'd]
handha have charge of [hävv' tʃa:'dʒ əv]
handikapp handicap [hänn'dikäp], disability [disəbill'iti]
handikappad (*rörelsehindrad*)

disabled [dissej'bld]
handikapptoalett toilet for the disabled [tåj'let få: ðə disej'bld]
handikappvänlig designed (suited) for disabled persons [desaj'nd (sjo:təd) få: disej'bld pe:'səns]
handla (*göra uppköp*) shop [ʃåpp]; (*göra affärer*) trade [trejd], deal [di:l] (*med* in [in]); (*bete sig*) act [äkt]; **handla om** (*ha till innehåll*) deal with [di:'l wið], (*vara fråga om*) be a question of [bi:'ə kwess'tʃən əv]
handlag *ha gott handlag med* have a good hand with [hävv' ə godd' hänn'd wið]
handlande shopkeeper [ʃåpp'ki:pə]; (*köpman*) tradesman [trej'dzmən]
handled wrist [rist]
handling (*gärning*) action [äkk'ʃən]; (*dokument*) document [dåkk'jomənt]
handlägga handle [hänn'dl]
handpenning down payment [dao'n-pejmənt]
handskas med (*hantera*) handle [hänn'dl]; (*behandla*) treat [tri:t]
handske glove [glavv]
handskrift (*manuskript*) manuscript [männ'joskript]
handskriven handwritten [hänn'd-ritt'n]
handstil handwriting [hänn'drajting]
handtag handle [hänn'dl]
handväska handbag [hänn'dbäg]
hane male [mejl]
hangar hangar [häng'ə]
hanka *hanka sig fram* manage to get along somehow [männ'idʒ tə get alånn'g samm'hao]
hans his [hizz]
hantera handle [hänn'dl]
hantverk handicraft [hänn'dikra:ft]; (*yrke*) trade [trejd]
hantverkare craftsman [kra:'ftsmən]
hare hare [hä:'ə]
haricots verts haricot beans [härr'ikəo bi:nz]
harmoni harmony [ha:'məni]
harmonisk harmonious [ha:məo'njəs]
harpa harp [ha:p]

harpun harpoon [ha:'po:'n]
hasard chance [tʃa:ns]
hasch hashish [häʃ'iʃ]
hasselnöt hazelnut [hej'zlnat]
hast haste [hejst]; *i hast* in a hurry [in ə harr'i]
hastig rapid [räpp'id]
hastighet speed [spi:d]; *med en hastighet av* at a rate of [ätt ə rej't əv]
hastighetsbegränsning speed limit [spi:'d limm'it]
hastighetsmätare speedometer [spi-dåmm'itə]
hat hatred [hej'trid]
hata hate [hejt]
hatt hat [hätt]
hav sea [si:]; *till havs* (*riktning*) to sea [to: si:'], (*befintlighet*) at sea [ätt si:']
hava se *ha*
havandeskap pregnancy [pregg'nənsi]
haveri (*förlisning*) shipwreck [ʃipp'rek]
havre oats [əots]
havregryn hulled oats [hall'd əo'ts]
havskräfta *zool.* Norway lobster [nå:'wej låbb'stə]
havstulpan sea acorn [si:'ejkå:n]
havsörn white tailed eagle [waj't-tej'ld i:'gl]
hebreisk Hebrew [hi:'bro:]
hebreiska (*språk*) Hebrew [hi:'bro:]
hed moor [mo:'ə]
heder honour [ånn'ə]
hederlig honourable [ånn'ərəbl]; (*ärlig*) honest [ånn'ist]
hedersgäst guest of honour [gess't əv ånn'ə]
hedersord word of honour [wə:'d əv ånn'ə]
hedning heathen [hi:'ðən]
hednisk heathen [hi:'ðən]
hedra honour [ånn'ə]
hej hallo! [hələo']; (*adjö*) cheerio! [tʃi:'əriəo']; *hej* [*då*]! bye-bye! [bajbaj']
hejarklack claque [kläkk]
hejda stop [ståpp]
hekto hectogram [hekk'təogräm]
hel whole [həol]; entire [intaj'ə]; *hela*

dagen all day [å:'l dej']; *en hel del* a great deal [ə grej't di:'l], quite a lot [kwaj't ə lått']; *på det hela taget* on the whole [ån ðə hao'l]

helautomatisk fully automatic [foll'i å:təmätt'ik]

helförsäkring (*för motorfordon*) comprehensive motor car insurance [kåmprihenn'siv måo'təka: info:'ərəns]

helg festival [fess'təvəl]

helgdag holy-day [hao'lidej']; (*ledighetsdag*) holiday [håll'ədi]

helgeflundra halibut [häll'ibət]

helgon saint [sejnt]

helhet entirety [intaj'əti]; *i sin helhet* as a whole [az ə hao'l]

helhetsintryck general impression [dʒenn'ərəl impref'ən]

helig holy [hao'li]

helikopter helicopter [hell'ikåptə]

heller either [aj'ðə]; *ej heller* nor [nå:]

helljus (*på bil*) headlight [hedd'lajt]

hellre rather [ra:'ðə]; sooner [so:'nə]

helnykterist total abstainer [təo'tl abstej'nə]

helpension full board and lodging [foll' bå:'d ən låd3'ing]

helsiden pure silk [pjo:'ə sill'k]

helspänn *på helspänn* on tenterhooks [ån tenn'təhoks]

helst preferably [preff'ərəbli]; *allra helst* most of all [məo'st əv å:'l]; *hur som helst* anyhow [enn'ihao]; *ingen som helst risk* no risk whatever [nəo riss'k wåtevv'ə]; *i vilket fall som helst* anyhow [enn'ihao]; *när som helst* [at] any time [(ätt) enn'i taj'm]; *vad som helst* anything [enn'iθing]; *vem som helst* anybody [enn'ibådi], anyone [enn'iwan]

helt entirely [intaj'əli]; *helt och hållet* altogether [å:ltəgeð'ə], completely [kəmpli:'tli]; *helt enkelt* simply [simm'pli]

heltäckande matta fitted carpet [fitt'id ka:'pit]

helvete hell [hell]

helylle all wool [å:'l woll']

hem home [həom]

hemarbete homework [həo'mwə:k]

hembiträde domestic servant [dəmess'tik sə:'vənt]

hembygd native place [nej'tiv plej's]

hemdator home computer [həom-kəmpjo:'tə]

hemfärd journey home [dʒə:'ni hao'm]

hemgjord home-made [hao'mmej'd]

hemifrån from home [fråmm hao'm]

hemkomst return home [ritə:'n hao'm]

hemland native country [nej'tiv kann'tri]

hemlig secret [si:'krit]

hemlighet secret [si:'krit]; *i hemlighet* in secret [in si:'krit]

hemlighetsfull mysterious [misti:'əriəs]

hemlighålla keep ... secret [ki:'p si:'krit]

hemligstämpla classify [as top secret] [kläss'ifaj (äss tåpp si:'krit)]

hemlängtan homesickness [həo'm-siknis]

hemma at home [ätt hao'm]

hemmafru housewife [hao'swajf]

hemmahörande i native of [nej'tiv əv]

hemmaplan home ground [həo'm graond]

hemorrojder haemorrhoids [hemm'ə-råjdz]

hemort legal domicile [li:'gal dåmm'isajl]

hemresa journey home [dʒə:'ni hao'm]

hemsk ghastly [ga:'stli]; *vard. (väldig)* awful [å:'fol]

hemslöjd hand[i]craft [hänn'd(i)-kra:ft]

hemtrevlig nice and comfortable [naj's ən kamm'fətəbl]

hemväg way home [wej hao'm]

hemåt homewards [həo'mwədz]

henne her [hə:]

hennes *fören.* her [hə:]; *självst.* hers [hə:z]

herde shepherd [fepp'əd]

hermelin ermine [ə:'min]

herr (*framför namn*) Mr. [miss'tə]

herre gentleman [dʒenn'tlmən]; *bli herre över* gain the mastery of [gej'n ðə ma:'stəri əv]; *Herren* the Lord [ðə lå:'d]

herrfrisering barber's [ba:'bəz]

herrgård manor house [männ'əhaos]

herrkläder menswear [menn'zwä:'ə]

herrskap (*herre o. fru*) master and mistress [ma:'stə (r)ən miss'tris]; *mitt herrskap!* ladies and gentlemen! [lej'diz ən dʒenn'tlmən]

herrtoalett men's lavatory [menn'z lävv'ətəri]; *Am.* men's room [menn'z ro:'m]

hertig duke [djo:k]

hertiginna duchess [datt'ʃis]

hes hoarse [hå:s]

het hot [hått]

heta be called [bi: kå:'ld]; *jag heter Kate* my name is Kate [maj' nejm iz kej't]; *vad heter det på tyska?* what is the German for it? [wått' iz ðə dʒə:'mən få:' it]

hetsa bait [bejt]; (*uppegga*) incite [insaj't]

hetsig hot [hått], fiery [faj'əri]; (*jäktig*) bustling [bass'ling]

hetta heat [hi:t]

hicka 1 *s.* hiccup [hikk'ap] **2** *v.* hiccup [hikk'ap]; *ha hicka* have the hiccups (*pl*) [hävv' ðə hikk'aps]

hieroglyf hieroglyph [haj'ərəglyf]

himlakropp heavenly body [hevv'enli bådd'i]

himmel sky [skaj]

hinder obstacle [åbb'stəkl] (*för, mot* to [to:])

hindra (*för-*) prevent [privenn't]; (*hejda*) stop [ståpp]

hindu Hindu [hinn'do:]

hinduisk Hindu [hinn'do:]

hingst stallion [ställ'jən]

hink bucket [bakk'it]

hinna 1 *s.*, *biol.* membrane [memm'-brejn]; (*mycket tunn*) film [film] **2** *v.* (*komma i tid*) be in time [bi: in taj'm]; (*ha el. få tid*) have time [hävv' taj'm]; *hinna fatt* catch up with [kätʃ app' wið]; *hinna fram* arrive [əraj'v]; *hinna med* (*tåget etc.*) catch [kätʃ]

hiss lift [lift]; *Am.* elevator [ell'ivejtə]

hissa hoist [håjst]

hissna feel dizzy [fi:'l dizz'i]

historia history [hiss'tori]; (*berättelse*) story [stå:'ri]

historisk historical [histårr'ikəl]

hit here [hi:'ə]

hitta (*finna*) find [fajnd]; (*hitta vägen*) find the way [faj'nd ðə wej']; *hitta på* (*dikta*) make up [mej'k app'], (*uppfinna*) invent [invenn't]

hittegodsmagasin lost property office [låss't pråpp'əti åff'is]

hittelön reward [riwå:'d]

hittills till now [till nao']; so far [səo' fa:]

hitåt this way [ðiss' wej']

hiv-virus HIV virus [ejdʒajvi: vaj'rəs]

hivpositiv, hivsmittad HIV positive [ejdʒajvi: påss'itiv]

hjord herd [hə:d]

hjort (*kron-*) red deer [redd' di:'ə]; (*dov-*) fallow deer [fäll'əodi:ə]

hjortron cloudberry [klao'dberi]

hjul wheel [wi:l]

hjälm helmet [hell'mit]

hjälp help [help]; *med hjälp av* with the help of [wið ðə hell'p əv]

hjälpa help [help]; *hjälpa till med att göra ngt* help to do s.th. [help tə do:' sam'θing]

hjälpas *det kan inte hjälpas* it can't be helped [it ka:'nt bi: hell'pt]; *hjälpas åt* help each other [hell'p i:'tʃ að'ə]

hjälplös helpless [hell'plis]

hjälpmedel aid [ejd]

hjälpsam helpful [hell'pfol]

hjälte hero [hi:'ərəo]

hjältinna heroine [herr'əoin]

hjärna brain [brejn]; *bry sin hjärna* rack one's brains [räkk' wanz brej'nz]

hjärnblödning *med.* cerebral haemorrhage [serr'ibrəl hemm'əridʒ]

hjärnskada brain injury [brej'n inn'dʒəri]

hjärnskakning concussion

[kənkaʃ'ən]
hjärntumör brain tumour [brejn tjo:'mə]
hjärta heart [ha:t]
hjärtattack heart attack [ha:'t ətäkk']
hjärter hearts (*pl*) [ha:ts]
hjärtfel heart disease [ha:'t dizi:'z]
hjärtinfarkt *med.* myocardial infarction [majəka:'dial infa:'kʃən]
hjärtklappning *med.* palpitation [päll'piej'ʃən]
hjärtlig hearty [ha:'ti]; *hjärtliga hälsningar* kind regards [kaj'nd riga:'dz]; *hjärtliga lyckönskningar* sincere congratulations [sinsi:'ə kəngrätjolej'ʃanz]; *hjärtligt tack* hearty thanks [ha:'ti ðang'ks]
hjärtlös heartless [ha:'tlis]
hjässa crown [kraon]
hobby hobby [håbb'i]
holländare Dutchman [datʃ'mən]
holländsk Dutch [datʃ]
holme islet [aj'lit]
homosexuell homosexual [həo'məosekk'sjoal]
hon she [ʃi:]
hona female [fi:'mejl]
honom him [himm]
honorar fee [fi:]; (*författares äv.*) royalty [råj'əlti]
honung honey [hann'i]
hop heap [hi:p] (*med* of [åvv]); (*av människor*) crowd [kraod]
hopa heap up [hi:'p app]; *hopa sig* (*om saker*) accumulate [əkjo:'mjolejt]
hopfällbar folding [fəo'lding], collapsible [kəläpp'səbl]
hopp (*förhoppning*) hope [həop] (*om* of [åv]); (*språng*) jump [dʒamp]
hoppa jump [dʒamp]; *hoppa över* jump over [dʒamp əo'və], *bildl.* skip [skipp]
hoppas hope [həop] (*på* for [få:]); *jag hoppas det* I hope so [aj həo'p səo]
hoppfull hopeful [həo'pfol]
hopplös hopeless [həläpp'lis]
hopprep skipping rope [skipp'ingrəop]
hora *vard.* whore [hå:]

horisont horizon [həraj'zn]
horisontell horizontal [hårizånn'tl]
hormon hormone [hå:'məon]
horn horn [hå:n]
hornhinna cornea [kå:'ni:ə]
horoskop horoscope [hårr'əskəop]
hortensia hydrangea [hajdrej'ndʒə]
hos with [wið]; (*i ngns hus o.d.*) at [ätt]; (*bredvid*) by [baj]
hosta 1 *s.* cough [kåff] **2** *v.* cough [kåff]
hostmedicin cough medicine [kåff'medd'sin]
hot threat [θrett]
hota threaten [θrett'n]
hotell hotel [həotell']
hotellrum hotel room [həotell' ro:m]; *beställa hotellrum* make a reservation at a hotel [mej'k ə rezəvej'ʃən ätt ə həotell']
hotelse threat [θrett]
hov (*på djur*) hoof [ho:f]; (*furstes*) court [kå:t]; *vid hovet* at court [ätt kå:'t]
hovmästare head waiter [hedd'wejtə]
hovrätt court of appeal [kå:'t əv əpi:'l]
hovtång large pincers (*pl*) [la:'dʒ pinn'səz]
hud skin [skinn]; (*av större djur*) hide [hajd]
hudcancer *med.* skin cancer [skinn' känn'sə]
hudkräm skin-cream [skinn'kri:m]
hugg cut [katt]; (*med spetsen av ngt*) stab [stäbb]
hugga (*med vapen el. verktyg*) cut [katt]; (*med spetsen av ngt*) stab [stäbb]; (*om djur*) bite [bajt]
huggorm viper [vaj'pə]
huj *i ett huj* in a flash [in ə fläʃ']
huk *sitta på huk* squat [skwått]
hull *lägga på hullet* put on weight [pott' ån wej't]; *med hull och hår* completely [kəmpli:'tli]
huller om buller pell-mell [pell'mell']
hum *ha litet hum om* have some idea of [hävv' samm' ajdi:'ə əv]
human humane [hjo:mej'n]

humanitet humanity [hjo:männ'iti]

humanitär humanitarian [hjo:mäni-tä:'riən]

humla bumble-bee [bamm'blbi:]

humle hop [håpp]

hummer lobster [låbb'stə]

humor humour [hjo:'mə]

humoristisk humorous [hjo:'mərəs]

humör temper [temm'pə]; mood [mo:d]; *på gott (dåligt) humör* in a good (bad) temper [in ə godd (bädd) temm'pə]

hund dog [dågg]; *röda hund* German measles [dʒə:'mən mi:'zlz]

hundkapplöpning greyhound racing [grej'haond rej'sing]

hundra hundred [hann'drəd]

hundratal *ett hundratal* about a hundred [əbao't ə hann'drəd]

hundratals hundreds [hann'drədz]

hundvalp puppy [papp'i]

hunger hunger [hang'gə]

hungersnöd famine [fämm'in]

hungra be hungry [bi: hang'gri]; (*bildl.*) hunger [hang'gə] (*efter* for [få:]); *hungra ihjäl* starve to death [sta:'v tə deθ']

hungrig hungry [hang'gri]

hur how [hao]; *hur sa?* what did you say? [wått' didd jo sej']; *hur så?* why? [waj]; *eller hur?* isn't that so? [izz'nt öätt səo'], don't you think? [dəo'nt jo θing'k]

hurra hurrah! [hora:']

hurrarop cheer [tʃi:'ə]

huruvida whether [weð'ə]

hus house [haos]

husbil dormobile [då:'məbi:l]

husbonde master [ma:'stə]

husdjur domestic animal [dəmess'tik änn'iməl]

husgeråd household utensils [hao's-həold jotenn'slz]

hushåll (*arbetet i ett hem*) housekeeping [hao'ski:ping]; (*familj*) household [hao'shəold]

hushålla keep house [ki:'p hao's]; (*vara sparsam*) economize [i:kånn'ə-majz]

hushållerska housekeeper [hao'ski:pə]

hushållsarbete housework [hao's-wə:k]

hushållspapper kitchen roll [kitt'ʃin rəol]

huslig domesticated [dəmess'tikejtid]

husmor housewife [hao'swajf]

hustru wife [wajf]

husvagn caravan [kärəvänn']

huttra shiver [ʃivv'ə]

huv hood [hodd]; (*skrivmaskins- etc.*) cover [kavv'ə]; (*motor-*) bonnet [bånn'it], *Am.* hood [hodd]

huva hood [hodd]

huvud head [hedd]

huvudbonad headgear [hedd'gi:ə]

huvudbyggnad main building [mej'n bill'ding]

huvudgata main street [mej'n stri:t]

huvudkontor head office [hedd åff'is]

huvudkudde pillow [pill'əo]

huvudled major road [mej'dʒə rəod]

huvudperson principal figure [prinn'səpl figg'ə]; (*i roman o.d.*) principal character [prinn'səpl kärr'iktə]

huvudroll leading part [li:'ding pa:t]

huvudsak *huvudsaken* the main thing [ðə mej'n θing']

huvudsaklig principal [prinn'səpl], chief [tʃi:f]

huvudstad capital [kapp'itl]

huvudvärk headache [hedd'ejk]

hy complexion [kəmplekk'ʃən]

hyacint hyacinth [haj'əsinθ]

hycklare hypocrite [hipp'əkrit]

hyckleri hypocrisy [hipåkk'rəsi]

hydda hut [hatt]

hygglig decent [di:'snt]

hygien hygiene [haj'dʒi:n]

hygienisk hygienic [hajdʒi:'nik]

hylla 1 *s.* shelf [ʃell'f]; (*bagage-, sko-o.d.*) rack [räkk] **2** *v.* (*upp-vakta*) pay homage to [pej håmm'idʒ to:]

hyllning congratulation [kəngrätjo-lej'ʃən]; tribute [tribb'jo:t]

hylsa case [kejs]

hymn hymn [himm]

hypnos hypnosis [hipnəo'sis]

hypnotisera hypnotize [hipp'nətajz]
hypotes hypothesis [hajpåθ'isis]
hyra rent [rent]; (*för bil, båt e.d.*) hire [haj'ə]
hyresgäst tenant [tenn'ənt]; (*inneboende*) lodger [lådʒ'ə]
hyreshus block of flats [blåkk əv flätt's]; *Am.* apartment house [əpa:'tmənt haos]
hyresvärd landlord [länn'lå:d]
hysa house [haos]; (*nära, bära*) entertain [entətej'n]
hyska eye [aj]
hysterisk hysteric [histerr'ik]
hytt cabin [käbb'in]
hyttplats berth [bə:θ]
hyvel plane [plejn]
hyvla plane [plejn]
hål hole [həol]
håla cave [kejv]; (*djurs o. bildl.*) den [denn]
hålfotsinlägg arch support [a:'tʃ səpå:'t]
håll (*avstånd*) distance [diss'tans]; (*riktning*) direction [direkk'ʃən]; (*häftig smärta*) stitch [stitʃ]; *på nära håll* close at hand [kləo's ätt hänn'd]; *på annat håll* elsewhere [ell'swä:ə]; *åt andra hållet* the other way [ði að'ə wej]
hålla hold [həold]; (*bibehålla*) keep [ki:p]; (*ej gå sönder*) hold [həold]; (*om kläder*) wear [wä:'ə]; *hålla av* be fond of [bi fånn'd əv]; *hålla ihop* hold (keep) together [həo'ld (ki:'p) tageð'ə]; *hålla med ngn* agree with s.b. [əgri:' wið samm'bədi]; *hålla på med* be busy with [bi bizz'i wið]; *hålla på att kvävas* be on the point of choking [bi: ån ðə påj'nt əv tʃəo'king]; *hålla sig vaken* keep awake [ki:'p əwej'k]; *jag kunde inte hålla mig för skratt* I couldn't help laughing [aj kodd'nt hell'p la:'fing]
hållare holder [həo'ldə]
hållbar (*varaktig*) durable [djo:'ərəbl]
hållning (*kropps-*) carriage [kärr'idʒ]; (*beteende*) attitude [att'itjo:d]
hållplats stop [ståpp]

hån scorn [skå:n]
håna put to scorn [pott tə skå:'n]
hånfull scornful [skå:'nfol]
hångla *vard.* neck [nekk]
hånle smile scornfully [smaj'l skå:'nfoli]
hånleende scornful smile [skå:'nfol smaj'l]
hånskratt scornful laughter [skå:n'fol la:'ftə]
hår hair [hä:'ə]
hårband hair ribbon [hä:'əribb'ən]
hårborste hairbrush [hä:'əbraʃ]
hård hard [ha:d]; (*om ljud*) harsh [ha:ʃ]; (*påfrestande*) tough [taff]; *hård i magen* constipated [kånn'stipejtid]
hårddisk hard disk [ha:d disk]
hårdhänt rough [raff]
hårdkokt hard-boiled [ha:'dbåj'ld]
hårdna harden [ha:'dn]
hårdsmält difficult to digest [diff'ikəlt tə dajdʒess't]
hårdvaluta hard currency [ha:d karr'ənsi]
hårdvara *se* maskinvara
hårfrisörska ladies' hairdresser [lej'diz hä:'ədress'ə]
hårgelé hair gel [hä:'ədʒel]
hårnål hairpin [hä:'əpin]
hårspänne hairslide [hä:'əslajd]
hårstrå [strand of] hair [(stränn'd əv) hä:'ə]
hårvatten hair tonic [hä:'ə tånn'ik]
håv landing-net [länn'dingnet]
häck hedge [hedʒ]; *sport.* hurdle [hə:dl]
häcka breed [bri:d]
hädanefter from now on [främm nao ånn']
hädelse blasphemy [bläss'fimi]
häftapparat stapler [stej'plə]
häfte booklet [bokk'lit]
häftig (*våldsam*) violent [vaj'ələnt]; (*obehärskad*) vehement [vi:'imənt]; (*om smärta*) sharp [ʃa:'p]
häftplåster adhesive plaster [ədhi:'siv pla:'stə]
häftstift drawing pin [drå:'ingpin];

Am. thumbtack [θamm'täk]

hägg bird cherry [bɔ:'d tʃerr'i]

häkta arrest [əress't]

häkte custody [kass'tədi]

häktning arrest [əress't]

häl heel [hi:l]

hälare receiver of stolen goods [risi:'vər əv stəolen godz]; *vard.* fence [fens]

hälft half [ha:f]

hälla pour [pɔ:]

hälleflundra halibut [häll'ibət]

hällristning rock carving [råkk ka:'ving]

hälsa 1 *s.* health [helθ] 2 *v.* greet [gri:t]; *hälsa hem!* remember me to your family! [rimemm'bə mi: tə jå: fämm'ili]; *hälsa henne!* give her my regards [givv hə: maj riga:'dz]; *hälsa på (besöka)* go and see [gəo ən si:']

hälsning greeting [gri:'ting]; *hjärtliga hälsningar* kind regards [kaj'nd riga:'dz]

hälsokostbutik health food store [hell'θfo:d stå:]

hälsosam wholesome [həo'lsəm]

hälsovårdsnämnd public health committee [pabb'lik hell'θ kəmitt'i]

hämma (*hejda*) check [tʃekk]

hämmad inhibited [inhibb'itid]

hämnas avenge [əvenn'dʒ]

hämnd revenge [rivenn'dʒ]

hämning *psykol.* inhibition [inhibiʃ'ən]

hämta fetch [fetʃ]; *hämta sig* recover [rikavv'ə]

hända happen [häpp'ən]; *det kan no hända* that may be [so] [ðätt' mej' bi: (səo')]

händelse occurrence [əkarr'əns]; (*betydelsefull*) event [ivenn't]; (*episod*) incident [inn'sidənt]; (*tillfällighet*) coincidence [kəoinn'sidəns]; *av en ren händelse* quite by chance [kwaj't baj tʃa:'ns]; *i alla händelser* at all events [ätt å:'l ivenn'ts]

händelserik eventful [ivenn'tful]

händelsevis by chance [baj tʃa:'ns]

händig handy [hänn'di]

hänföra (*föra till*) assign [asaj'n]; (*tjusa*) carry away [kärr'i əwej]; *hänföra sig till* have reference to [hävv reff'rəns to:]

hänförelse rapture [räpp'tʃə]

hänga hang [häng]; (*bero*) depend [dipenn'd] (*på* on [ån])

hängare (*krok*) hook [hokk]; (*i kläder*) hanger [häng'ə]

hängiven devoted [divəo'tid]

hänglås padlock [pädd'låk]

hängmatta hammock [hämm'åk]

hängsle brace [brejs], *ett par hängslen* a pair of braces [ə pär åv brej'siz]; (*Am.* suspenders [səspenn'dəz])

hänseende *i vissa hänseenden* in certain respects [in sə:'tn risspekk'ts]

hänsyn consideration [kənsidərej'ʃən]; regard [riga:'d]; *ta hänsyn till* take into consideration [tej'k inn'to kənsidərej'ʃən]; *med hänsyn till* with regard to [wið riga:'d to:], (*i betraktande av*) in view of [in vjo:'əv]; *utan hänsyn till* regardless of [riga:'dlis əv]

hänsynsfull considerate [kənsidd'ərit]

hänsynslös inconsiderate [inn'kənsidd'ərit]

hänvisa refer [rifə:']

hänvisning reference [reff'rəns]

häpen amazed [əmej'zd]

häpenhet amazement [əmej'zmənt]

häpnadsväckande amazing [əmej'z-ing]

här 1 *s.* army [a:'mi] 2 *adv.* here [hi:'ə]

härav from this [fråmm ðiss']

härbärgera lodge [lådʒ]

härda temper [temm'pə]; (*göra motståndskraftigare*) harden [ha:'dn]

härefter after this [a:'ftə ðiss']

härifrån from here [fråmm hi:'ə]

härigenom through here [θro: hi:'ə]; *bildl.* owing to this [əo'ing to:'ðiss']

härja ravage [rävv'idʒ]

härleda derive [diraj'v]

härlig glorious [glå:'riəs]; splendid [splenn'did]

härma imitate [imm'itejt]

härmed with this [wið ðiss']

häromdagen the other day [ði að'ə dej']

härröra *härröra från* come from [kamm' främm]

härska rule [ro:l]

härskare ruler [ro:'lə]

härsken rancid [ränn'sid]

härstamma från be descended from [bi: disenn'did fråmm]

härstamning descent [disenn't]; *(ursprung)* origin [årr'idʒin]

härtill to this [to: ðiss']

härvidlag in this respect [in ðiss rispekk't]

häst horse [hå:s]; *sitta till häst* be on horseback [bi: ån hå:'sbäk]

hästkapplöpning horse racing [hå:'srejsing]

hästkraft horsepower [hå:'spaoə]

häva heave [hi:v]

hävda *(påstå)* maintain [mejntej'n]; *hävda sig* hold one's own [həo'ld wanz əo'n]

hävstång lever [li:'və]

häxa witch [witʃ]

hö hay [hej]

höft hip [hipp]; *på en höft* at random [ätt ränn'dəm]

hög 1 *s.* heap [hi:p] **2** *adj.* high [haj]

högaktningsfullt *(i brev)* Yours faithfully [jå:z fejθ'foli], *Am.* Very truly yours [verr'i tro:'li jå:'z]

höger right [rajt]

högerparti right-wing party [rajt'wing' pa:ti], conservative party [kənsə:'vətiv pa:'ti]

högfärdig conceited [kənsi:'tid]

höghus multi-storey building [mall'ti-stå:'ri bill'ding]

högkonjunktur boom [bo:m]

högkvarter headquarters *(pl)* [hedd'-kwå:'təz]

högljudd loud [laod]; noisy [nåj'zi]

högmodig haughty [hå:'ti]

högmässa morning service [må:'ning sə:'vis]; *(katolsk)* high mass [haj mäss']

högskola university [jo:nivə:'siti], college [kåll'idʒ]

högslätt table land [tej'blländ]

högst highest [haj'ist]; *i högsta grad* in the highest degree [in ðə haj'ist digri:']

högsäsong peak season [pi:'k si:'zn]

högt high [haj]; highly [haj'li]

högtalare loudspeaker [lao'dspi:kə]

högtid festival [fess'təvəl]

högtidlig solemn [såll'əm]

högtidlighet solemnity [sələmm'niti]

höja raise [rejz]

höjd height [hajt]; *på sin höjd* at the most [ätt ðə məo'st]; *det är väl höjden!* that's the limit! [ðätt's ðə limm'it]

höjdhopp high jump [haj'dʒamp]

höjdpunkt climax [klaj'mäks]; peak [pi:k]

höjning raising [rej'zing]

hök hawk [hå:k]

höna hen [henn]; *(hönor)* hens [henz]

höns fowls [faolz]

höra *(räknas)* belong [bilång'] *(till* to [to:]); *(uppfatta ljud)* hear [hi:'ə]; *(få höra)* hear [hi:'ə]; *höra på* listen [liss'n]

hörapparat hearing aid [hi:'əringejd]

hörbar audible [å:'dəbl]

hörn corner [kå:'nə]

hörsel hearing [hi:'əring]

hösnuva hay fever [hejfi:'və]

höst autumn [å:'təm], *Am.* fall [få:l]; *i höst* this autumn [ðiss å:'təm], *(nästkommande)* next autumn [nekk'st å:'təm]; *i höstas* last autumn [la:'st å:'təm]

hövding chief [tʃi:'f]

hövlig civil [sivv'l], polite [pəlaj't]

i

i in [in], *(framför namn på mindre orter)* at [ätt]; *(tidslängd)* for [få:]

iaktta observe [əbzə:'v]

iakttagare observer [əbzə:'və]

iakttagelse observation [åbzə:vej'ʃən]

ibland 1 *adv.* sometimes [samm'-

tajmz] **2** *prep., mitt ibland* amid[st]
[amidd'(st)]; *se äv. bland*

icke not [nått]; *icke desto mindre*
nevertheless [nevəðəless']

idag today [tədej']

idé idea [ajdi:'ə]

ideal ideal [ajdi:'əl]

idealisera idealize [ajdi:'əlajz]

idealisk ideal [ajdi:'əl]

ideell idealistic [ajdiəliss'tik]

ideligen perpetually [pəpett'joəli]

identifiera identify [ajdenn'tifaj]

identisk identical [ajdenn'tikəl]

identitet identity [ajdenn'titi]

identitetskort identity card
[ajdenn'titi ka:d]

ideologi ideology [ajdiåll'ədʒi]

idiot idiot [idd'iət]

idiotisk idiotic [idiått'ik]

idka carry on [kärr'i ånn]

idol idol [aj'dl]

idrott sports (*pl*) [spå:ts]

idrotta go in for sport [gəo in få
spå:'t]

idrottsman athlete [äθ'li:t]

idrottsplats sports ground [spå:ts
graond]

idrottstävling sports meeting [spå:'ts
mi:ting]

idyll idyll [idd'il]

idyllisk idyllic [ajdill'ik]

ifall if [iff]

ifrågasätta question [kwess'tʃən]

ifrån *se från, komma ifrån (bli fri el.
ledig)* get off [gett åff]

igelkott hedgehog [hedʒ'håg]

igen again [əgenn']

igenkännande recognition [rekəg-
niʃ'ən]

igenom through [θro:]

ignorera ignore [ignå:']

igång *se gång 1*

igår yesterday [jess'tədi]

ihjäl to death [tə deθ']; *slå ihjäl* kill
[kill]

ihop together [təgeð'ə]; *fälla ihop*
shut up [ʃatt' app']

ihåg *komma ihåg* remember

[rimemm'bə]

ihålig hollow [håll'əo]

ihållande prolonged [prəlång'd]

ikapp *springa ikapp med ngn* run a
race with s.b. [rann' ə rejs wið
samm'bədi]; *hinna ikapp ngn* catch
s.b. up [kätʃ' samm'bədi app']

ikläda dress [dress]

ilasta load [ləod]

ilgods express goods [ikspress' godz]

illa badly [bädd'li]; *låta illa* sound
bad [sao'nd bädd']; *göra sig illa*
hurt oneself [hə:'t wansell'f]; *lukta
(smaka) illa* have a nasty smell (taste)
[hävv' ə na:'sti smell' (tej'st)]; *må
illa* feel poorly [fi:'l po:'əli], *(vilja
kräkas)* feel sick [fi:'l sikk']; *ta illa
upp* take it amiss [tej'k it əmiss']

illamående *adj.* poorly [po:'əli];
*känna sig illamående (ha kväljning-
ar)* feel sick [fi:'l sikk']

illegal illegal [ili:'gəl]

illojal disloyal [diss'låj'əl]

illuminera illuminate [ilju:'minejt]

illusion illusion [ilo:'ʃən]

illustration illustration [iləstrej'ʃən]

illustrera illustrate [ill'əstrejt]

ilska anger [äng'gə]; rage [rejdʒ]

ilsken angry [äng'gri]

imitation imitation [imitej'ʃən]

imitera imitate [imm'itejt]

imma *(ånga)* steam [mist]; *(beläggning)*
steam [sti:m]

immigrera immigrate [imm'igrejt]

immun immune [imjo:'n]

imperialism imperialism [impi:'əriə-
lizəm]

imperium empire [emm'pajə]

imponera make an impression [mej'k
ən impreʃ'ən]

imponerande impressive [impress'iv]

impopulär unpopular [ann'påpp'jolə]

import import [imm'på:t]

importera import [impå:'t]

impregnera impregnate [imm'preg-
nejt]

improvisera improvise [imm'prəvajz]

impuls impulse [imm'pals]

impulsiv impulsive [impall'siv]

in in [in]; *in i* into [inn'to]

inackordera board and lodge [bå:'d ən lådʒ']; *vara inackorderad* board and lodge [bå:'d ən lådʒ']

inackordering board and lodging [bå:'d ən lådʒ'ing]; (*person*) boarder [bå:'də]

inandas inhale [inhej'l]

inbegripa comprise [kəmpraj'z]

inberäkna include [inklo:'d]

inbetalning payment [pej'mənt]

inbilla *inbilla ngn ngt* make s.b. believe s.th. [mej'k samm'bədi bili:'v samm'ðing]; *inbillad* imagined [imädʒ'ind]; *inbilla sig* imagine [imädʒ'in]

inbillning imagination [imädʒinej'ʃən]

inbjuda invite [invaj't]

inbjudan invitation [invitej'ʃən]

inblandning interference [intəfi:'ərəns]

inblick insight [inn'sajt]

inbringa yield [ji:ld]

inbrott (*under dagen*) housebreaking [hao'sbrejking]; (*under natten*) burglary [bə:'gləri]; *göra inbrott hos ngn* break into a p.'s house [brej'k inn'to ə pə:'snz hao's]

inbrottsförsäkring burglary insurance [bə:'gləri inʃo:'ərəns]

inbunden (*om bok*) bound [baond]

inbördes mutual [mjo:'tjoəl]

inbördeskrig civil war [sivv'l wå:']

incest incest [inn'sest]

incheckning checking-in [tʃekk'ingin]

indela divide [divaj'd]

index index [inn'deks]

indian American Indian [əmerr'ikən inn'djən]

indiansk Indian [inn'djən]

indicium circumstantial evidence [sə:kəmstänn'ʃl evv'idəns]

Indien India [inn'djə]

indier Indian [inn'djən]

indignation indignation [indignej'ʃən]

indignerad indignant [indig'nənt]

indirekt indirect [indirekk't]

indisk Indian [inn'djən]

individ individual [inn'dividd'joəl]

individuell individual [inn'dividd'joəl]

indoktrinering indoctrination [indåktrinej'ʃən]

industri industry [inn'dəstri]

industrialisering industrialization [indəstriəlizej'ʃən]

industriarbetare industrial worker [indass'triəl wə:'kə]

industriell industrial [indass'triəl]

ineffektiv ineffective [inifekk'tiv; (*om person*) inefficient [inifiʃ'ənt]

inemot (*om tid*) towards [təwå:'dz]; (*om antal o. d.*) nearly [ni:'əli]

infall (*påhitt*) idea [ajdi:'ə]; (*nyck*) whim [wimm]

infart approach [əprəo'tʃ]

infektion infection [infekk'ʃən]

infinna sig appear [əpi:'ə]

inflammation inflammation [infləmej'ʃən]

inflation inflation [inflej'ʃən]

influensa influenza [infloenn'zə]; *vard.* flu [flo:]

inflytande influence [inn'floəns]; (*på ngn* with s.b. [wið samm'bədi])

inflytelserik influential [infloenn'ʃəl]

information information [infəmej'ʃən]

informell informal [infå:'məl]

informera inform [infå:'m]

infria redeem [ridi:'m]

infödd native [nej'tiv]

inföding native [nej'tiv]

inför before [bifå:']

införa introduce [intrədjo:'s]

införliva incorporate [inkå:'pərejt]

inga *fören.* no [nəo], *självst.* none [nann]

ingalunda by no means [baj nəo mi:'nz]

ingefära ginger [dʒinn'dʒə]

ingen *fören.* no [nəo], *självst.* nobody [nəo'bədi], no one [nəo'wann']

ingendera neither [naj'ðə]

ingenjör engineer [endʒini:'ə]

ingenstans nowhere [nəo'wä:ə]

ingenting nothing [naθ'ing]

ingrediens

ingrediens ingredient [ingri:'djənt]

ingrepp *bildl.* interference [intə-fi:'ərəns]; (*operation*) operation [åpərej'ʃən]

ingripa intervene [intə:vi:'n]

ingripande intervention [intə-venn'ʃən]

ingå i be part of [bi: pa:'t əv]

ingående (*grundlig*) thorough [θarr'ə]

ingång entrance [enn'trəns]

inhemsk domestic [dəmess'tik]

inhägna enclose [inkləo'z]

inhägnad enclosure [inkləo'ʒə]

inifrån 1 *adv.* from within [frɒmm wiðinn'] **2** *prep.* from the interior of [frɒmm ðə inti:'əriə əv]

initial initial [iniʃ'əl]

initiativ initiative [iniʃ'iətiv]

injektion injection [indʒekk'ʃən]

injektionsspruta [hypodermic] syringe [(hajpədə:'mik) sirr'indʒ]

inkalla call in [kå:'l inn']; (*möte e.d.*) summon [samm'ən]; *mil.* call up [kå:'l app']

inkassera collect [kəlekk't]

inkludera include [inklo:'d]

inklusive included [inklo:'did]

inkompetent incompetent [inkåmm'pitənt]

inkomst income [inn'kam]

inkomster income [inn'kam]

inkomstskatt income tax [inn'kəm-täks]

inkonsekvent inconsistent [inkən-siss'tənt]

inkräkta trespass [tress'pəs]

inkräktare trespasser [tress'pəsə]

inkubationstid incubation period [inkjobej'ʃən pi:'əriəd]

inkvartera *mil.* billet [bill'it]; (*friare*) accommodate [əkåmm'ədejt]

inköp purchase [pə:'tʃəs]

inköpspris cost price [kåss't prajs]

inlaga (*skrift*) petition [pitiʃ'ən]

inleda open [əo'pən]

inledande *adj.* introductory [intrə-dakk'təri]

inledning introduction [intrə-dakk'ʃən]

inlevelse feeling [fi:'ling]; insight [inn'sajt]

inlopp entrance [enn'trans]

inlåta *inlåta sig i* (*på*) enter into [enn'tə inn'to]

inlägg (*i diskussion*) contribution [kåntribjo:'ʃən]

inlösa (*check e.d.*) cash [käʃ]

innan before [bifå:']

innanför inside [inn'saj'd]

innanlår thick flank [θikk fläng'k]

innantill *läsa innantill* read from the book (*etc.*) [ri:d frɒmm ðə bokk]

inne inside [inn'sajd]; (*inomhus*) indoors [inn'då:'z]

inneboende lodger [lådʒ'ə]

innebära imply [implaj'], mean [mi:n]

innebörd signification [signifikej'ʃən]

innehavare possessor [pəzess'ə]

innehåll contents (*pl*) [kånn'tents]

innehålla contain [kəntej'n]

innerst *inne farthest in* [fa:'ðist inn']; *bildl.* at heart [ätt ha:'t]

innersta innermost [inn'əməost]

innerstad city centre [sitt'i senn'tə]

innesluta enclose [inkləo'z]

inofficiell unofficial [ann'əfiʃ'əl]

inom within [wiðinn']; *inom kort* shortly [ʃå:'tli]

inomhus indoors [inn'då:'z]

inrama frame [frejm]

inre 1 *adj.* inner [inn'ə] **2** *s.* inside [inn'sajd]

inreda fit up [fitt' app']

inregistrera register [redʒ'istə]

inresetillstånd entry permit [enn'tri pə:'mit]

inrikes 1 *adv.* in the country [in ðə kann'tri] **2** *adj.* inland [inn'land]; domestic [dəmess'tik]

inrikesflyg domestic aviation [dəmess'tik ejviej'ʃən]

inrikespolitik domestic policy [dəmess'tik påll'isi]

inrikta *bildl.* direct [direkk't]

inrådan *på min inrådan* on my advice [ån maj' ədvaj's]

inrätta (*anlägga*) establish [istäbb'liʃ]; (*ordna*) arrange [ərej'ndʒ]

inrättning (*anstalt*) establishment [istäbb'liʃmənt]

insamling collection [kəlekk'ʃən]

insats (*i spel, företag o.d.*) stake [stejk]; (*prestation*) achievement [ətʃi:'vmənt]

insatslägenhet freehold flat [fri:'-həold flätt]

inse see [si:]; realize [ri:'əlajz]

insekt insect [inn'sekt]

insektsmedel insecticide [insekk'ti-sajd]

insida inside [inn'saj'd]

insikt knowledge [nåll'idʒ]

insinuera insinuate [insinn'joejt]

insistera insist [insiss't]

insjö lake [lejk]

inskjuta put in [pott' inn']; (*införa*) insert [insə:'t]

inskrift inscription [inskripp'ʃən]

inskription inscription [inskripp'ʃən]

inskränka (*begränsa*) restrict [ri-strikk't]; (*minska*) reduce [ridjo:'s]

inskränkning (*begränsning*) restriction [ristrikk'ʃən]; (*minskning*) reduction [ridakk'ʃən]

inslag *bildl.* element [ell'imənt]

inslagen (*om paket*) wrapped-up [rapp'tapp']

inspektera inspect [inspekk't]

inspektör inspector [inspekk'tə]

inspelning recording [rikå:'ding]; (*film-*) production [prədakk'ʃən]

inspiration inspiration [inspərej'ʃən]

inspirera inspire [inspaj'ə]

inspärra shut up [ʃatt app']

installera install [instå:'l]

insteg *vinna insteg* gain a footing [gej'n ə fott'ing]

instinkt instinct [inn'stingkt]

institut institute [inn'stitjo:t]

institution institution [institjo:'ʃən]

instruktion instruction [instrakk'ʃən]

instruktör instructor [instrakk'tə]

instrument instrument [inn'strəmənt]

instrumentbräda instrument panel [inn'strəmənt pänn'l]

inställa (*avpassa*) adjust [ədʒass't]; (*upphöra med*) cancel [känn'səl];

(*betalningar*) suspend [səspenn'd]

inställning adjustment [ədʒass'tment]; *bildl.* attitude [ätt'itjo:d]

inställsam ingratiating [ingrej'ʃiej-ting]

instämma *jur.* summon to appear [samm'ən to: əpi:'ə]; (*samtycka*) agree [əgri:']

instängd shut up [ʃatt app']; (*unken*) stuffy [staff'i]

insulin insulin [inn'sjolin]

insändare letter to the editor [lett'ə to öi edd'itə]

insätta put in [pott' inn']; (*i bank*) deposit [dipázz'it]

inta[ga] take in [tej'k inn']; (*inmundiga*) take [tejk]; (*måltid*) eat [i:t], have [hävv]; (*ta i besittning*) take [tejk]

intagande attractive [əträkk'tiv]

inte not [nått]; *inte sant?* don't you think so? [dəo'nt jo θing'k səo']

inteckning mortgage [må:'gidʒ]

intellektuell intellectual [intilekk't-joəl]

intelligens intelligence [intell'idʒəns]

intelligent intelligent [intell'idʒənt]

intendent (*föreståndare*) manager [männ'idʒə]; (*vid museum*) keeper [ki:'pə]

intensifiera intensify [intenn'sifaj]

intensitet intensity [intenn'siti]

intensiv intense [intenn's]

interiör interior [inti:'əriə]

intermezzo interlude [inn'tələo:d]; *bildl.* incident [inn'sidənt]

intern 1 *adj.* internal [intə:'nl] **2** *s.* (*i fängelse*) inmate [inn'mejt]

internationell international [intə:-näʃ'ənl]

internatskola boardingschool [bå:'d-ingsko:l]; (*i England*) public school [pabb'lik sko:l]

intervention intervention [intə-venn'ʃən]

intervju interview [inn'təvjo:]

intervjua interview [inn'təvjo:]

intet 1 *pron.*, *se* **ingen 2** *s.* nothing [naθ'ing]; (*intighet*) nothingness [naθ'ingnis]; *gå om intet* come to nothing [kamm' tə naθ'ing]

intetsägande (*uttryckslös*) vacant [vej'kənt]; (*obetydlig*) insignificant [insigniff'ikənt]

intill next to [nekk'st to:]; (*emot*) against [əgenn'st]; *nära intill* close to [klɔə's to:]

intim intimate [inn'timit]

intolerant intolerant [intåll'ərənt]

intressant interesting [inn'tristing]

intresse interest [inn'trist]

intressent interested party [inn'tristəd pa:'ti]

intressera interest [inn'trist]; *intresserad av (för)* interested in [inn'tristid in]

intrig intrigue [intri:'g]

introducera introduce [intrədjo:'s]

introduktion introduction [intrə-dakk'ʃən]

intryck *bildl.* impression [impreʃ'ən]; (*märke*) impress [imm'pres]

inträde entrance [enn'trəns]; (*i skt bildl.*) entry [enn'tri]

inträdesbiljett admission ticket [ädmiʃ'ən tikk'it]

inträdesprov entrance examination [enn'trans igzäminej'ʃən]

inträffa (*hända*) happen [häpp'ən]; (*infalla*) occur [əkə:']

intuition intuition [intjoi'ʃən]

intyg certificate [sətiff'ikit]

intyga (*skriftligen*) certify [sə:'tifaj]; (*bekräfta*) affirm [əfə:'m]

intäkt income [inn'kam]

inuti inside [inn'saj'd]

invadera invade [invej'd]

inval election [ilekk'ʃən]

invalid disabled person [disej'bld pə:'sn]

invaliditet disability [disabill'iti]

invandrare immigrant [imm'igrant]

invandring immigration [imigrej'ʃən]

invasion invasion [invej'ʃən]

inveckla involve [invåll'v]

invecklad involved [invåll'vd]; (*svårlöst*) complicated [kåmm'plikejtid]

inventarier effects [ifekk'ts]

inventering inventory [inn'ventåri]

inverka have an effect [hävv ən ifekk't]

inverkan influence [inn'floəns]

investera invest [invess't]

investering investment [invess'tmənt]

invid by [baj]

inviga (*t.ex. kyrka*) consecrate [kånn'sikrejt]; (*skola*) inaugurate [inå:'gjorejt]

invigning (*av kyrka e.d.*) consecration [kånsikrej'ʃən]; (*av skola e.d.*) inauguration [inå:gjorej'ʃən]

invitera invite [invaj't]

invånare inhabitant [inhäbb'itant]

invända object [əbdʒekk't]

invändig internal [intə:'nl]

invändning objection [əbdʒekk'ʃən]

invärtes internal [intə:'nl]

inåt 1 *prep.* towards the interior of [təwå:'dz ði inti:'əriə əvv] **2** *adv.* inwards [inn'wådz]

inälvor bowels [bao'əlz]

irakier Iraqi [ira:'ki]

irakisk Iraqi [ira:'ki]

iranier Iranian [irej'niən]

iransk Iranian [irej'niən]

Irland Ireland [aj'ələnd]

irländare Irishman [aj'əriʃmən]

irländsk Irish [aj'əriʃ]

irländska (*språk*) Irish [aj'əriʃ]; (*kvinna*) Irishwoman [aj'əriʃ-womm'ən]

ironi irony [aj'ərəni]

ironisk ironic [ajrånn'ik]

irra wander [wånn'də]

irritera irritate [irr'itejt]

is ice [ajs]

isberg iceberg [aj'sbə:g]

isbjörn polar bear [pəo'lə bä:'ə]

isbrytare ice-breaker [aj'sbrejkə]

iscensättning staging [stej'dʒing]

ischias sciatica [sajätt'ikə]

ishockey ice hockey [aj's håkk'i]

isig icy [aj'si]

iskall ice-cold [aj'skəo'ld]

Island Iceland [aj'slənd]

isländsk Icelandic [ajs'länn'dik]

isolera isolate [aj'səlejt]

Israel Israel [izz'rejəl]

israeli Israeli [izrej'li]

israelisk Israeli [izrej'li]

istapp icicle [aj'sikl]

ister lard [la:d]

isär apart [əpa:'t]

Italien Italy [itt'əli]

italienare Italian [itäll'jən]

italiensk Italian [itäll'jən]

italienska (språk) Italian [itäll'jən]; (kvinna) Italian woman [itäll'jən womm'ən]

itu in two [in to:']; *ta itu med* set about [sett əbao't]

iver eagerness [i:'gənis]; (nit) ardour [a:'də]

ivrig eager [i:'gə]; (angelägen) anxious [äng'kʃəs]

iögon[en]fallande striking [straj'king]

j

ja yes [jess]; *ja visst!* (yes) certainly! [(jess') sə:'tnli]

jacka jacket [dʒäkk'it]

jacketkrona jacket crown [dʒäkk'it kraon]

jag I [aj]; *det är jag* it's me [itz mi:']

jaga hunt [hant]; (förfölja) chase [tʃejs]

jaguar zool. jaguar [dʒägg'jua:]

jakt hunting [hann'ting]; (med gevär) shooting [ʃo:'ting]; (förföljande) pursuit [pəsjo:'t]; (letande) hunt [hant]

jakthund hunting dog [hann'ting dågg]

jaktplan fighter plane [faj'tə plejn]

jama mew [mjo:]

januari January [dʒänn'joari]

Japan Japan [dʒəpänn']

japan Japanese [dʒäpəni:'z]

japansk Japanese [dʒäpəni:'z]

japanska (språk) Japanese [dʒäpəni:'z]; (kvinna) Japanese woman [dʒäpəni:'z womm'ən]

jaså oh! [əo], indeed! [indi:'d]

jazz jazz [dʒäz]

jeans jeans (pl) [dʒi:nz]

jeep jeep [dʒi:p]

jetplan jet plane [dʒett' plejn]

jetset jet set [dʒett'sett]

jo yes [jess]

jobb work [wə:k], job [dʒåbb]

jobba work [wə:k]

jod iodine [aj'ədi:n]

jogga jog [dʒågg]

jolle dinghy [ding'gi]

jollra babble [babb'l]

jonglera juggle [dʒagg'l]

jord earth [ə:θ]; (mark) ground [graond]

jordbruk agriculture [ägg'rikəltʃə]

jordbrukare farmer [fa:'mə]

jordbävning earthquake [ə:θkwejk]

jordfästning burial service [berr'iəl sə:'vis]

jordglob [terrestrial] globe [(tiress'trial) gləob]

jordgubbe strawberry [strå:'bəri]

jordisk earthly [ə:θli]

jordmån soil [såjl]

jordnöt peanut [pi:'nat]

jordärtskocka Jerusalem artichoke [dʒəro:'sələm a:'titʃəok]

jourhavande läkare doctor on duty [dåkk'tə ən djo:'ti]

journal journal [dʒə:'nl]; (sjukhus-) case record [kej's rekk'å:d]

journalfilm newsreel [no:'zri:l]

journalist journalist [dʒə:'nəlist]

ju why [waj]; (som du vet) you know [jo nəo']; *ju förr desto bättre* the sooner the better [ðə so:'nə ðə bett'ə]

jubel rejoicing [ridʒəj'sing]

jubileum jubilee [dʒo:'bili:]

jubla shout for joy [ʃao't få dʒåj']

jude Jew [dʒo:]

judinna Jewess [dʒo:'es]

judisk Jewish [dʒo:'iʃ]

jugoslav Yugoslavian [jo:'gəosla:'vjən]

Jugoslavien Yugoslavia [jo:'gəosla:'vjə]

jugoslavisk Yugoslavian [jo:'gəosla:'vjən]

jul Christmas [kriss'məs]; *god jul!* [A] Merry Christmas! [(ə) merr'i kriss'məs]

julafton Christmas Eve [kriss'məs i:'v]

julgran Christmas tree [kriss'məs tri:']

juli July [dʒo:laj']

julklapp Christmas present [kriss'məs prezz'nt]

jullov Christmas holidays (*pl*) [kriss'məs håll'ədiz]

julsång Christmas carol [kriss'məs kärr'əl]

jultomten Santa Claus [sänn'tə klå:z], Father Christmas [fa:'ðə kriss'məs]

jumper jumper [dʒamm'pə]

jungfru virgin [və:'dʒin]

jungfruresa maiden voyage [mej'dn våj'idʒ]

juni June [dʒo:n]

juridik law [lå:]

juridisk juridical [dʒoəridd'ikəl]

jurist lawyer [lå:'jə]

jury jury [dʒo:'əri]

just 1 *adv.* just [dʒast]; exactly [ig-zäkk'tli]; *just det!* that's exactly it! [ðätt's igzäkk'tli itt'] **2** *adj.* fair [fä:'ə]

justera adjust [ədʒass't]

justering adjustment [ədʒass'tment]

juvel jewel [dʒo:'əl]

juvelerare jeweller [dʒo:'ələ]

juver udder [add'ə]

jägare hunter [hann'tə]

jäklar damn! [dämm]

jäkt hurry [harr'i]

jäkta be in a hurry [bi: in ə harr'i]

jäktad hurried [harr'id]

jäktig hectic [hekk'tik]

jämföra compare [kəmpä:'ə]

jämförelse comparison [kəmpärr'isn]

jämförelsevis comparatively [kəmpärr'ətivli]

jämlike equal [i:'kwəl]

jämlikhet equality [i:kwåll'iti]

jämn (*om yta*) even [i:'vən]; (*slät*) smooth [smo:ð]; (*oavbruten*) continuous [kəntinn'joas]; (*mots. udda*) even [i:'vən]

jämna level [levv'l], even out [i:'vən ao't]

jämnhöjd *i jämnhöjd med* on a level with [ån ə levv'l wið]

jämnmod equanimity [i:kwənimm'iti]

jämnårig of the same age [əv ðə sej'm ej'dʒ] (*med as* [äzz])

jämra sig wail [wejl]

jäms *jäms med* at the level of [ätt ðə levv'l əv]

jämsides side by side [saj'd baj saj'd]

jämt always [å:'lwejz]

jämvikt (*äv. bildl.*) balance [bäll'əns]

järn iron [aj'ən]

järnek holly [håll'i]

järnhandel ironmonger's [aj'ən-mȧnggəz]; *Am.* hardware store

järnväg railway [rej'lwej]; *Am.* railroad [rej'lrəod]

järnvägsknut railway junction [rej'l-wej dʒang'kʃən]

järnvägsspår railway track [rej'lwej träkk]

järnvägsstation railway station [rej'l-wej stej'ʃən]

järv wolverine [woll'vəri:n]

jäsa ferment [fə:menn't]

jäsning fermentation [fə:mentej'ʃən]

jäst yeast [ji:st]

jätte giant [dʒaj'ənt]

jättelik gigantic [dʒajgänn'tik]

jökel glacier [gläss'jə]

jösses good heavens! [godd' hevv'nz]

k

kabaré cabaret [kabb'arej]

kabel cable [kej'bl]

kabel-TV cable television [kejbl tell'i-viʃən]

kackerlacka cockroach [kåkk'råotʃ]

kafé café [kaff'ej]

kaffe coffee [kåff'i]; *koka kaffe* make coffee [mej'k kåff'i]

kaffebryggare coffee-maker [kåff'i-mejkə]

kaffekopp coffee-cup [kåff'ikap]

kaj quay [ki:]

kaja jackdaw [dʒäkk'då:]

kajuta cabin [käbb'in]

kaka cake [kejk]; (*små-*) biscuit [biss'kit], *Am.* cookie [kokk'i]

kakao cacao [kəka:'əo]; (*dryck*) cocoa [kəo'kəo]

kakel tile [tajl]

kakelugn tiled stove [taj'ld stəo'v]

kaktus cactus [käkk'təs]

kal bare [bä:'ə]

kalas party [pa:'ti]

kalender calendar [käll'ində]

kalk lime [lajm]

kalkon turkey [tə:'ki]

kalksten limestone [laj'mstəon]

kalkyl calculation [kälkjolej'ʃən]

kalkylator calculator [käll'kjolejtə]

kalkylera calculate [käll'kjolejt]

kall cold [kəold]

kalla call [kå:l]; *så kallad* so-called [səo'kå:'ld]

kallbrand *med.* gangrene [gäŋ'gri:n]

kallelse summons [samm'ənz]

kallna cool [ko:l]; (*om mat e.d.*) get cold [gett kəo'ld]

kalori calorie [käll'əri]

kalsonger underpants [ann'dəpänts]

kalv calf [ka:f] (*pl* calves [ka:vz]); *kokk.* veal [vi:'l]

kalvkotlett veal chop [vi:'l tʃåpp]

kalvskinn calfskin [ka:'fskin]

kam comb [kəom]

kamaxel camshaft [kämm'ʃa:ft]

kamel camel [kämm'əl]

kamera camera [kämm'ərə]

kamin stove [stəov]

kamma comb [kəom]

kammare room [ro:m]; (*i Storbrit. polit.*) house [haos]

kammarmusik chamber music [tʃej'mbə mjo:'zikk]

kamning combing [kəo'miŋ]

kamomill wild camomile [waj'ld kämm'əmajl]

kamouflage camouflage [kämm'ofla:ʒ]

kamouflera camouflage [kämm'ofla:ʒ]

kamp struggle [stragg'l]

kampanj campaign [kämpej'n]

kampare se *compare*

kamrat fellow [fell'əo]

kamratlig friendly [frenn'dli]

kamratskap companionship [kəm-pänn'jənʃip]

kamrer accountant [əkao'ntənt]

kan can [känn], may [mej]; *kan inte* cannot [känn'ät], may not [mej nått]

kana slide [slajd]; *åka kana* slide [slajd]

Kanada Canada [känn'ədə]

kanadensare Canadian [kənej'djən]

kanadensisk Canadian [kənej'djən]

kanal (*naturlig*) channel [tʃänn'l]; (*grävd*) canal [kənäll']

kanariefågel canary [kənä:'əri]

Kanarieöarna the Canary Islands [ðə kənä:'əri aj'ləndz]

kandidat candidate [känn'didit]

kanel cinnamon [sinn'əmən]

kanhända perhaps [pəhäpp's]

kanin rabbit [räbb'it]

kanna (*kaffe- etc.*) pot [pått]; (*grädd-*) jug [dʒagg]

kannibal cannibal [känn'ibəl]

kannring piston ring [piss'tən riŋ]

kanon gun [gann]

kanonskott gunshot [gann'ʃåt]

kanot canoe [kəno:']

kanske perhaps [pəhäpp's]

kansler chancellor [tʃa:'nsələ]

kansli secretariat[e] [sekrətä:'əriət]

kant edge [edʒ]

kanta edge [edʒ]

kantarell chanterelle [tʃäntərell']

kantra turn over [tə:'n əo'və]

kantstött chipped [tʃipt]

kaos chaos [kej'ås]

kapa (*fartyg*) capture [kapp'tʃə]; (*flygplan*) hijack [haj'dʒäk]; *kapa av* cut off [katt åff']

kapacitet capacity [kəpäss'iti]

kapell (*orkester*) orchestra [å:'kistrə], band [bännd]; (*överdrag*) cover [kavv'ə]; (*kyrkobyggnad*) chapel [tʃäpp'əl]

kapital capital [käpp'itl]

kapitalism capitalism [käpp'itəlizəm]

kapitalplacering investment [invess't-mənt]

kapitel chapter [tʃäpp'tə]

kapitulation capitulation [kəpitjo-lej'ʃən]

kapitulera capitulate [kəpitt'jolejt]; surrender [sərenn'də]

kappa coat [kəot]

kapplöpning racing [rej'sing]; *en kapplöpning* a race [ə rejs]

kapplöpningsbana (*häst-*) race-course [rej'skå:s], *Am.* racetrack [rej's träkk]

kapplöpningshäst racehorse [rej's-hå:s]

kapprodd boat racing [bəo'trejsing]

kapprum cloakroom [kləo'kro:m]

kappsegling yachtracing [jått'rejsing]

kappseglingsbåt racing boat [rej'sing-bəot]

kappsäck suitcase [sjo:'tkejs]

kaprifol honeysuckle [hann'isakl]

kapris (*krydda*) capers (*pl*) [kej'pəz]

kapsejsa capsize [käpsaj'z]

kapsel capsule [käpp'sjo:l]

kapsyl cap [käpp]

kapten captain [käpp'tin]

kapuschong hood [hodd]

kar vat (*vätt*); (*bad-*) bathtub [ba:'θtabb]

karaff decanter [dikänn'tə]

karakterisera characterize [kärr'iktə-rajz]

karakteristisk characteristic [käriktə-riss'tik] (*för af* [əv])

karaktär character [kärr'iktə]

karamell sweet [swi:t]

karantän quarantine [kwårr'ənti:n]

karbon[papper] carbon [paper] [ka:'bən (pej'pə)]

kardanknut universal joint [jo:ni-və:'səl dʒåj'nt]

kardemumma cardamom [ka:'də-məm]

kardinal cardinal [ka:'dinl]

karg barren [bärr'ən]

karies caries [kä:'ərii:z]

karikatyr caricature [kärr'ikətjo:ə]

karikera caricature [kärr'ikətjo:ə]

karismatisk charismatic [kärismätt'ik]

karl man [männ]

karljohanssvamp *bot.* cep [sepp]

karmstol armchair [ə:'mtʃä:'ə]

karneval carnival [ka:'nivəl]

karosseri [car] body [(ka:') bådd'i]

karott deep dish [di:'p diʃ]

karriär career [kəri:'ə]

kart unripe fruit [ann'rajp fro:t]

karta map [mäpp] (*över af* [åv])

kartell cartel [ka:tell']

kartlägga map [mäpp]; *bildl.* map out [mäpp' ao't]

kartong (*styvt papper*) cardboard [ka:'dbå:d]; (*pappask*) cardboard box [ka:'dbå:d båks]

kartotek card index [ka:'d inn'deks]

karusell merry-go-round [merr'igəo-raond]

kasern barracks (*pl*) [bärr'əks]

kasino casino [kəsi:'nəo]

kasperteater Punch and Judy show [pann'tʃəndʒo:'di ʃəo]

kassa (*penningförråd*) cash [käʃ]; (*-låda*) cash box [käʃ'båks]; (*i butik*) cash desk [käʃ desk]; (*i bank*) cashier [käʃi:'ə]

kassaapparat cash register [käʃ redʒ'istə]

kassarabatt cash discount [käʃ' diss'kaont]

kassaskåp safe [sejf]

kasse (*nät-*) string-bag [string'bäg]; (*pappers- el. plast-*) carrier bag [kärr'iəbäg]

kassera reject [ridʒekk't]; (*kasta bort*) discard [diska:'d]

kassettbandspelare cassette tape recorder [kəsett' tej'prikå:də]

kassettdäck cassette deck [kəsett'-dekk']

kassettradio cassette radio [kəsett' rej'diəo]

kassör cashier [käʃi:'ə]

kast throw [θrəo]

kasta throw [θrəo]

kastanje chestnut [tʃess'nat]

kastanjett castanet [kästənett']

kastrull saucepan [så:'spən]
kastspö casting rod [ka:'stingråd]
katalog catalogue [kätt'əlåg]
katapultstol ejection seat [i:dʒekk'ʃən si:'t]
katarr catarrh [kəta:']
katastrof catastrophe [kətäss'trəfi]
katastrofal catastrophic [kätəstråff'ik]
kateder teacher's desk [ti:'tʃəz desk]
katedral cathedral [kəθi:'drəl]
kategori category [kätt'igəri]
katolik Catholic [kəθ'əlik]
katolsk Catholic [kəθ'əlik]
katt cat [kätt]
kattunge kitten [kitt'n]
kautschuk (*radergummi*) (india)-rubber [(inn'djə)rabb'ə], *Am.* eraser [irej'zə]
kavaj jacket [dʒäkk'it]
kavajkostym lounge suit [lao'ndʒ sjo:t]
kavaljer cavalier [kävəli:ə]; (*bords-)partner [pa:'tnə]
kavalkad cavalcade [kävəlkej'd]
kavalleri cavalry [kävv'əlri]
kavat plucky [plakk'i]
kavel rolling-pin [rəo'lingpin]
kaviar caviar[e] [kävv'ia:]
kavla roll [rəol]
kedja chain [tʃejn]; *sport.* forward line [få:'wəd lajn]
kejsardöme empire [emm'pajə]
kejsare emperor [emm'pərə]
kejsarinna empress [emm'pris]
kejserlig imperial [impi:'əriəl]
kela pet [pett]
kelt Celt [kelt]
kemi chemistry [kemm'istri]
kemikalier chemicals [kemm'ikəlz]
kemisk chemical [kemm'ikəl]
kemist chemist [kemm'ist]
kemtvätt (*process*) dry-cleaning [draj kli:'ning]; (*lokal*) dry-cleaner's [draj kli:'nəz]
keramik ceramics [sirämm'iks]
kex biscuit [biss'kit]
kidnappa kidnap [kidd'näp]
kika peep [pi:p]
kikare binoculars (*pl*) [binäkk'joləz]

kikhosta whooping cough [ho:'ping-kåff']
kil wedge [wedʒ]
kila *nu kilar jag!* I'll be off now! [aj'l bi: åff nao]
kilo kilo [ki:'ləo]
kilometer kilometre [kill'əmi:tə]
Kina China [tʃaj'nə]
kind cheek [tʃi:k]
kindtand molar [məo'lə]
kines Chinese [tʃaj'ni:'z]
kinesisk Chinese [tʃaj'ni:'z]
kinesiska (*språk*) Chinese [tʃaj'ni:'z]; (*kvinna*) Chinese woman [tʃaj'ni:'z womm'ən]
kinkig petulant [pett'jolənt]; (*fordrande*) particular [pətikk'jolə]
kiosk kiosk [ki:'åsk]
kirurg surgeon [sə:'dʒən]
kisa screw up one's eyes [skro:' app' wanz aj'z]
kiselsten pebble [pebb'l]
kissa wee [wi:']
kissekatt pussy [cat] [poss'i(kätt)]
kista chest [tʃest]; (*lik-*) coffin [kåff'in]
kitt cement [simenn't]
kittla tickle [tikk'l]
kittlig ticklish [tikk'liʃ]
kivas contend [kəntenn'd]
kjol skirt [skə:t]
klack heel [hi:l]
klacka heel [hi:l]
kladd rough copy [raff kåpp'i]
kladdig sticky [stikk'i]
klaff flap [fläpp]
klaga complain [kəmplej'n]; (*jämra*) lament [ləmenn't]
klagan complaint [kəmplej'nt], (*jämmer*) lament [ləmenn't]
klagomål complaint [kəmplej'nt]; (*reklamation*) claim [klejm]
klampa tramp [trämp]
klamra sig cling [kling]
klander blame [blejm]
klandra blame [blejm]
klang ring [ring]
klapp tap [täpp]; (*smeksam*) pat [pätt]
klappa (*ge en klapp*) tap [täpp], pat

[pätt]; (*om hjärtat*) beat [bi:t]; *klappa händerna* clap one's hands [kläpp wanz hänn'dz]

klar clear [kli:'ə]; (*om färg*) bright [brajt]; (*färdig*) ready [redd'i]; *få klart för sig* get a clear idea of [gett'ə kli:'ə ajdi:'ə əv]

klara (*reda upp*) settle [sett'l]; (*strupen*) clear [kli:'ə]; *klara sig* get off [gett' åff], (*reda sig*) manage [männ'id3]

klargöra clarify [klärr'ifaj]

klarhet clearness [kli:'ənis]

klarinett clarinet [klärinett']

klarna (*om vädret*) clear up [kli:'ə app']; *bildl.* become clear[er] [bikamm kli:'ə(rə)]; (*ljusna*) brighten [braj'tn]

klarvaken wide awake [waj'd əwej'k]

klase bunch [bantʃ]

klass class [kla:s]

klassiker classic [kläss'ik]

klassisk classical [kläss'ikəl]

klasskamrat classmate [kla:'smejt]

klassrum classroom [kla:'sro:m]

klaviatur keyboard [ki:'bå:d]

klen feeble [fi:'bl]

kletig messy [mess'i]

klia itch [itʃ]; *klia sig* scratch o.s. [skrätʃ' wansell'f]

klibbig sticky [stikk'i]

klick pat [pätt]

klicka (*vapen*) misfire [misfaj'ə]; *data.* click [klikk]

klient client [klaj'ənt]

klimakterium menopause [menn'əopå:z]

klimat climate [klaj'mit]

klimax climax [klaj'mäks]

klimp lump [lamp]

klimpa sig get lumpy [gett' lamm'pi]

klinga 1 *s.* blade [blejd] 2 *v.* ring [ring]

klinik clinic [klinn'ik]

klipp (*tidningsklipp*) clipping [klipp'ing], cutting [katt'ing]; *göra ett klipp* (*bra affär*) make a killing [mejk ə kill'ing]

klippa 1 *v.* cut [katt]; (*gräs o.d.*) mow [məo]; (*biljett*) punch [pantʃ] 2 *s.*

rock [råkk]

klippig rocky [råkk'i]

klippklättring rock climbing [råkk' klaj'ming]

klippning cutting [katt'ing]

klister paste [pejst]

klistra paste [pejst]

klo claw [klå:]

kloak sewer [sjo:'ə]

klocka (*ring-*) bell [bell]; (*vägg- o.d.*) clock [klåkk]; (*armbands-*) watch [wåtʃ]; *hur mycket är klockan?* what time is it? [wått tajm iz it]; *klockan är fem* it's five [itz faj'v]

klockstapel detached bell tower [ditätʃ't bell'taoə]

klok wise [wajz]; (*vid sina sinnen*) sane [sejn]

klosett closet [klåzz'it]

kloss block [blåkk]

kloster (*nunne-*) convent [kånn'vənt]; (*munk-*) monastery [månn'əstri]

klot ball [bå:l]

klottra scrawl [skrå:l]

klubb club [klabb]

klubba club [klabb]; (*slickepinne*) lollipop [låll'ipåp]

klubbjacka blazer [blej'zə]

klucka cluck [klakk]

kludda daub [då:b]

klump lump [lamp]

klumpig clumsy [klamm'zi]

klunga cluster [klass'tə]

klunk draught [dra:ft]

kluven split [splitt]

klyfta (*bergs-*) gorge [gå:dʒ]; (*apelsin-*) segment [segg'mənt]

klyva split [splitt]

klåda itch [itʃ]

klåpare bungler [bang'lə]

klä[da] clothe [kləoð]; dress [dress]; (*passa*) suit [sjo:t]; *klä sig* dress [dress]; *klä av sig* undress [ann'-dress']; *klä om sig* change [tʃejndʒ]; *klä på sig* dress [dress]

kläcka hatch [hätʃ]

kläder clothes [kləoðz]

klädhängare clotheshanger

koka

[kləo'ôzhängə]; coat hanger [kəot'-hängə]

klädnypa clothes-peg [kləo'ôzpeg]

klädsam becoming [bikamm'ing]

klädsel dress [dress]

klädskåp wardrobe [wå:'drəob]

klädstreck clothes line [kləo'ôzlajn]

klämma 1 s. (knipa) pinch [pintʃ]; (hår-, pappers- e.d.) clip [klipp] **2** v. squeeze [skwi:z]

klämta toll [təoll]

klängväxt climbing plant [klaj'ming pla:'nt]

klänning dress [dress]

klättra climb [klajm]

klösa scratch [skrätʃ]

klöver (ört) clover [kləo'və]; (i kortspel) club[s] [klabb(z)]

knacka tap [täpp]; (på dörr) knock [nåkk]

knackning knock [nåkk]

knagglig bumpy [bamm'pi]

knaka crack [kräkk]

knall report [ripå:'t]; (åsk-) peal [pi:l]

knallpulver detonating-powder [dett'əonejting pao'də]

knapp 1 s. button [batt'n]; (på lock e.d.) knob [nåbb] **2** adj. scanty [skänn'ti]

knappast scarcely [skä:'əsli], hardly [ha:'dli]

knapphål buttonhole [batt'nhəol]

knappnål pin [pinn]

knappt scantily [skänn'tili]; (nätt o. jämnt) barely [bä:'əli]; knappt ... förrän scarcely ... before [skä:'əsli bifå:']

knaprig crisp [krissp]

knark drugs [pl] [dragz], dope [dəop]

knarkare drug addict [dragg äddˈikt]

knarra creak [kri:k]

knastra crackle [kräkk'l]

knekt (i kortspel) jack [dʒäkk]

knep trick [trikk]

knippa bunch [bantʃ]

kniv knife [najf]

knoga labour [lej'bə] (med at [ätt])

knoge knuckle [nakk'l]

knop knot [nått]

knopp (blom-) bud [badd]; (knapp) knob [nåbb]

knoppas bud [badd]

knota grumble [gramm'bl] (över at [ätt])

knott gnat [nätt]

knubbig plump [plamp]

knuff push [poʃ]

knuffa push [poʃ]

knuffas push [poʃ]

knulla vulg. fuck [fakk]

knusslig niggardly [nigg'ədli]

knut knot [nått]

knutpunkt junction [dʒang'kʃən]

knycka (rycka) jerk [dʒə:k]; (stjäla) pinch [pintʃ]

knysta utter a sound [att'ər ə sao'nd]

knyta tie [taj]

knyte bundle [bann'dl]

knytkalas ung. Dutch treat [datʃ' tri:t]

knytnäve fist [fist]

knåda knead [ni:d]

knä knee [ni:]

knäböja kneel [ni:l]

knäck toffee [tåff'i]

knäckebröd crispbread [kriss'pbredd']

knäpp click [klikk]

knäppa button [batt'n]; (spänne, händerna) clasp [kla:sp]; knäppa igen button [up] [batt'n (app')]; knäppa på (elektr.) switch on [switʃ' ånn']; knäppa upp unbutton [anbatt'n]

knäppning buttoning [batt'ning]

knäskål kneecap [ni:'käp]

knöl bump [bamp]; (drummel) swine [swajn]

ko cow [kao]

koagulera coagulate [kəoägg'jolejt]

kobbe islet [aj'lit]

kock cook [kokk]

kod code [kəod]

koda code [kəod]

koffert trunk [trangk]

kofta cardigan [ka:'digan]

kofångare bumper [bam'pə]

koj (häng-) hammock [hämm'ək]

koja cabin [käbb'in]

koka boil [båjl]; (tillreda mat) cook [kokk]; (gröt, kaffe e.d.) make [mejk]

kokbok cookery book [kokk'əribokk']

kokerska cook [kokk]

kokhet boiling hot [båj'ling hått']

kokosnöt coconut [kəʊ'kənat]

kokplatta hotplate [hått'plejt]

koks coke [kəʊk]

koksalt salt [så:lt]

kokt boiled [båjld]

kol carbon [ka:'bən]; (*bränsle*) coal [kəʊl]

kola caramel [kärr'əmel], toffee [tåff'i]

kolgruva coal mine [kəʊ'lmajn]

kolhydrat carbohydrate [ka:'bəʊhaj'drejt]

kolibri *zool.* hummingbird [hamm'ingbə:d]

kolik colic [kåll'ik]

kolja haddock [hädd'ək]

kollega colleague [kåll'i:g]

kollektiv collective [kəlekk'tiv]

kolli package [päkk'idʒ]

kollidera collide [kəlaj'd]

kollision collision [kəliʃ'ən]

kolmörk pitch dark [pitʃ' da:'k]

koloni colony [kåll'əni]

kolonisera colonize [kåll'ənajz]

kolonn column [kåll'əm]

kolossal colossal [kəlåss'l]

koloxid carbon monoxide [ka'bən månåkk'sajd]

kolsvart coal-black [kəʊ'lblakk']

kolsyra carbonic acid [ka:bånn'ik äss'id]

kolsyrad (*dryck*) carbonated [drink] [ka:'bånejtid (dringk)]

koltablett charcoal tablet [tʃa:'kəʊl täbb'lit]

koltrast blackbird [bläkk'bə:d]

kolumn column [kåll'əm]

kolv butt [batt]; (*glas-*) retort [ritå:'t]

kombi[bil] estate car [istej'tka:]; *Am.* station wagon [stej'ʃən wägg'ən]

kombination combination [kåmbinej'ʃən]

kombinera combine [kåmbaj'n]

komedi comedy [kåmm'idi]

komet comet [kåmm'it]

komfortabel comfortable [kåmm'fåtəbl]

komiker comedian [kåmi:'djan]

komisk comic [kåmm'ik]

komma 1 *s.* comma [kåmm'ə] **2** *v.* come [kamm]; *komma att* shall [ʃäll], will [will]; *det kommer sig av att* it's due to the fact that [itz djo: tə ðə fäkk't öätt']; *hur kommer det sig att* how is it that [hao iz it öätt']; *komma bort* (*gå förlorad*) get lost [gett läss't]; *komma sig för med att* bring o.s. to [bring wansell'f to]

kommando command [kəma:'nd]

kommandobrygga bridge [bridʒ]

kommendera command [kəma:'nd]

kommentar commentary [kåmm'əntəri]; *kommentarer* comments [kåmm'ents]

kommentera comment on [kåmm'ent ån]

kommersiell commercial [kəmə:'ʃəl]

komminister assistant vicar [əsiss'tənt vikk'ə]

kommissarie superintendent [sjo:prin tenn'dənt]

kommission commission [kəmiʃ'ən]

kommitte committee [kəmitt'i]

kommun municipality [mjo:nisipäll'iti]

kommunal municipal [mjo:niss'ipəl]

kommunalskatt local taxes [ləʊ'kəl täkk'siz]

kommunikationsmedel means of communication [mi:'nz əv kəmjo:nikej'ʃən]

kommuniké communiqué [kəmjo:'nikej]

kommunist Communist [kåmm'jonist]

kompakt compact [kəmpäkk't]

kompani company [kamm'pəni]

kompanjon partner [pa:'tnə]

kompass compass [kamm'pəs]

kompatibel compatible [kəmpätt'əbl]

kompatibilitet compatibility [kəmpätibill'iti]

kompensation compensation [kåmpennsej'ʃən]

kompensera compensate [kåmm'pensejt]

kompetent competent [kåmm'pitənt]

komplett complete [kəmpli:'t]

komplettera complete [kəmpli:'t]

komplex (av hus o.d.) block [blåkk]; psykol. complex [kåmm'pleks]

komplicera complicate [kåmm'plikejt]

komplimang compliment [kåmm'plimənt]

komplott plot [plått]

komponera compose [kəmpəo'z]

komposition composition [kåmpəzi'ʃən]

kompositör composer [kəmpəo'zə]

kompress compress [kåmm'pres]

komprimera compress [kåmpress']

kompromettera compromise [kåmm'prəmajz]

kompromiss compromise [kåmm'prəmajz]

kompromissa compromise [kåmm'prəmajz]

koncentration concentration [kånsentrej'ʃən]

koncentrationsläger concentration camp [kånsentrej'ʃən kämp]

koncentrera [sig] concentrate [kånn'sentrejt]

koncept draft [dra:ft]

koncern concern [kənsə:'n]

kondensator condenser [kəndenn'sə]

kondition condition [kəndiʃ'ən]

konditori confectioner's [kənfekk'ʃənəz]

kondom condom [kånn'dəm], sheath [ʃi:θ]; vard. rubber [rabb'ə]

konduktör ticket collector [tikk'itkəlekk'tə]; (tåg-) guard [ga:d]

konfekt assorted sweets and chocolates [əså:'tid swi:'ts ən tʃåkk'əlits]

konfektion ready-made clothing [redd'imejd kləo'ðing]

konferencié compère [kåmm'pä:ə]

konferens conference [kånn'fərəns]

konferera confer [kənfə:']

konfidentiell confidential [kånfidenn'ʃəl]

konfirmation confirmation [kånfəmej'ʃən]

konflikt conflict [kånn'flikt]

konfrontera confront [kənfrann't]

kongress congress [kång'gres]

konjak brandy [bränn'di]

konjunkturer business conditions [bizz'nis kəndiʃ'ənz]

konkret concrete [kånn'kri:t]

konkurrens competition [kåmpitiʃ'ən] (om for [få:])

konkurrenskraftig competitive [kəmpett'itiv]

konkurrent competitor [kəmpett'itə]

konkurrera compete [kəmpi:'t]

konkurs bankruptcy [bäng'krəpsi]

konsekvens consequence [kånn'sikwəns]

konsekvent consistent [kənsiss'tənt]

konsert concert [kånn'sət]

konserthus concert hall [kånn'sət hå:'l]

konservativ conservative [kənsə:'vətiv]

konservburk tin [tinn], Am. can [känn]

konserver tinned goods [tinn'd godd'z] Am. canned goods [känn'd godd'z]

konservera preserve [prizə:'v]; (i burk) can [känn]

konservöppnare tin-opener [tinn'əopnə] Am. can-opener [känn'əopnə]

konsistens consistency [kənsiss'tənsi]

konspiration conspiracy [kənspirr'əsi]

konst art [a:t]

konstant constant [kånn'stənt]

konstapel constable [kånn'stəbl]

konstatera (fastställa) establish [istäbb'liʃ]

konstbevattning artificial irrigation [a:tifiʃ'əl irigej'ʃən]

konstgjord artificial [a:tifiʃ'əl]

konsthandel art-dealer's [a:'tdi:laz]

konsthantverk handicraft [hänn'dikra:ft]; (varor) art wares [a:t wä:əz]

konsthistoria history of art [hiss'təri əv a:'t]

konstig strange [strejndʒ]

konstmuseum art museum [a:'t mjo:zi:'əm]

konstnär artist [a:'tist]

konstnärlig artistic [a:tiss'tik]

konstruera construct [kənstrakk't]

konstruktion construction [kənstrakk'∫ən]

konstsiden artificial silk [a:tifi∫'əl silk]

konstutställning art exhibition [a:'t eksibi'∫ən]

konstverk work of art [wə:'k əv a:'t]

konståkning figure skating [figg'ə-skejting]

konsul consul [kånn'səl]

konsulat consulate [kånn'sjolit]

konsult consultant [kənsall'tənt]

konsultera consult [kənsall't]

konsultfirma firm of consultants [fə:m əv kənsall'tənts]

konsumbutik cooperative shop [kəoåpp'ərətiv ∫åpp]

konsument consumer [kənsjo:'mə]

konsumtion consumption [kənsamm'p∫ən]

kontakt (strömbrytare) switch [swit∫]; få kontakt med get in touch with [gett in tat∫' wið]

kontakta contact [kånn'täkt]

kontaktlins contact lens [kånn'täkt lenz]

kontant cash [käʃ]

kontanter cash (sg) [käʃ]

kontinent continent [kånn'tinənt]

kontinental continental [kåntinenn'tl]

kontinuerlig continuous [kəntinn'-joəs]

konto account [əkao'nt]

kontokort credit card [kredd'it ka:d]

kontor office [åff'is]

kontorist clerk [kla:k]

kontrakt contract [kånn'träkt]

kontrast contrast [kånn'tra:st]

kontroll control [kəntrəo'l]

kontrollant controller [kəntrəo'lə]

kontrollera check [t∫ekk]; control [kəntrəo'l]

kontroversiell controversial [kåntrəvə:'∫əl]

kontur contour [kånn'to:ə]

konung se kung

konvalescent convalescent [kånvə-less'nt]

konventionell conventional [kənvenn'∫ən]

konversation conversation [kånvə-sej'∫ən]

konversera converse [kənvə:'s]

konvoj convoy [kånn'våj]

kooperativ cooperative [kəoåpp'ə-rativ]

kopia copy [kåpp'i]; foto. print [print]

kopiator copier [kåpp'iə]

kopiera foto. print [print]

kopp cup [kapp] (kaffe of coffee [əvv kåff'i])

koppar copper [kåpp'ə]

kopparstick copperplate [kåpp'əplejt]

koppel (hund-) leash [li:d], leash [li:∫]

koppla tekn. couple up [kapp'l app']; elektr. connect [kənekk't]; tel. connect up [kənekk't app']; koppla av (radio) switch off [swit∫' åff], (vila) relax [rilåkk's]

koppling (i bil) clutch [klat∫]

kor choir [kwaj'ə]

korall coral [kårr'əl]

Koranen the Koran [ðə ko:ränn']

koreografi choreography [kåri-ågg'rəfi]

korg basket [ba:'skit]

korgboll basketball [ba:'skitbå:l]

korint currant [karr'ənt]

kork cork [kå:k]

korkmatta linoleum [linəo'ljəm]

korkskruv corkscrew [kå:'kskro:]

korn (frö) grain [grejn]; (säd) barley [ba:'li]

kornig granular [gränn'jolə]

kornighet foto. graininess [grej'ninis]

korp raven [rej'vn]

korrekt correct [kərekk't]

korrektur proof [pro:f]

korrespondens correspondence [kåri-spånn'dəns]

korrespondent correspondent [kåri-spånn'dənt]

korrespondera correspond [kåri-spånn'd]

korridor corridor [kårr'idå:]

korruption corruption [kərapp'∫ən]

kors cross [kråss]
korsa cross [kråss]
korsdrag [cross] draught [(kråss') dra:'ft]
korsett corset [kå:'sit]
Korsika Corsica [kå:'sikə]
korsikan Corsican [kå:'sikən]
korsning crossing [kråss'ing]
korsord crossword [kråss'wɔ:d]
korsstygn cross stitch [kråss'stitʃ]
korståg crusade [kro:sej'd]
kort 1 s. card [ka:d]; *spela kort* play cards [plej ka:'dz] 2 *adj.* short [ʃå:t] 3 *adv.* shortly [ʃå:'tli]
kortbrev letter-card [lett'əka:d]
kortbyxor shorts [ʃå:ts]
kortfattad brief [bri:f]
kortfilm short film [ʃå:'t fill'm]
kortlek pack of cards [päkk əv ka:'dz]
kortslutning short-circuit [ʃå:'tsə:'kit]
kortsynt short-sighted [ʃå:'tsaj'tid]
kortvarig short [ʃå:'t]
korv sausage [såss'idʒ]
kosmetisk cosmetic [kåzmett'ik]
kost food [fo:d]
kosta cost [kåst]; *vad kostar det?* how much is it? [hao' matʃ' iz it]
kostnad cost [kåst]
kostym suit [sjo:t]
kota vertebra [və:'tibrə]
kotlett cutlet [katt'lit]
kotte cone [kɔɔn]
krabba crab [kräbb]
krafsa scratch [skrätʃ]
kraft force [få:s]; (*styrka*) strength [strengð]; *elektr.* power [pao'ə]; *träda i kraft* come into force [kamm' into få:'s]
kraftansträngning exertion [igzə:'ʃən]
kraftfull powerful [pao'əfol]
kraftig powerful [pao'əfol]; (*om basant mat*) substantial [səbstänn'ʃəl]
kraftlös powerless [pao'əlis]
kraftverk power station [pao'ə stej'ʃən]
kraftåtgärd drastic measure [dräss'tik meʃə]

krage collar [kåll'ə]
krama (*pressa*) squeeze [skwi:z]; (*omfamna*) embrace [imbrej's]
kramp cramp [krämp]
kramplösande antispasmodic [änn'tispäsmådd'ik]
kran tap [täpp], *Am.* faucet [få:'sit]
krans wreath [ri:θ]
kransartär coronary artery [kårr'ənəri a:'təri]
kras *gå i kras* go to pieces [gəo' tə pi:'siz]
krasch crash [kräʃ]
krasse nasturtium [nəstə:'ʃəm]
krater crater [krej'tə]
kratta rake [rejk]
krav demand [dima:'nd]; claim [klejm]
kravla crawl [krå:l]
kraxa croak [krəok]
kreatur [farm] animal [(fa:m) änn'iməl]
kreatursskötsel stockraising [ståkk'-rejzing]
kredit credit [kredd'it]
kreditera credit [kredd'it]
kreditkort credit card [kredd'it ka:d]
Kreta Crete [kri:t]
krets circle [sə:'kl]
kretsa circle [sə:'kl]
kretskort circuit card [sə:'kit ka:d]
krevad explosion [ikspləo'ʃən]
krig war [wå:]
kriga make war [mej'k wå:']
krigförande belligerent [bilidʒ'ərənt]
krigföring warfare [wå:'fä:ə]
krigsfånge prisoner of war [prizz'nə əv wå:']
krigslist stratagem [strätt'idʒəm]
krigsmakt military power [mill'itäri pao'ə]
krigsutbrott outbreak of war [ao't-brejk əv wå:']
kriminalitet criminality [kriminäll'iti]
kriminalroman detective novel [ditekk'tiv nåvv'əl]
kriminell criminal [krimm'inl]

kring [a]round [(ə)rao'nd]

kringgå *bildl.* get round [gett' rao'nd]

kringla *ung.* figure-of-eight biscuit [figg'ərəvej't biss'kit]

kris crisis [kraj'sis]

kristall crystal [kriss'tl]

kristen Christian [kriss'tjən]

kristendomen Christianity [kristi-änn'iti]

Kristi himmelsfärdsdag Ascension Day [əsenn'ʃən dej]

kristlig Christian [kriss'tjən]

Kristus Christ [krajst]

krita chalk [tʃå:k]; *när det kommer till kritan* when it comes down to it [wenn it kamm'z dao'n to it]

kritik criticism [kritt'isizəm]

kritiker critic [kritt'ik]

kritisera criticize [kritt'isajz]

kritisk critical [kritt'ikəl]

krock collision [kəlliʃ'ən]

krocka collide [kəllaj'd]

krocket croquet [krəo'kej]

krockkudde air bag [ä:ə' bägg']

krog restaurant [ress'tərånt]

krok hook [hokk]

krokben *sätta krokben för ngn* trip s.b. up [tripp' samm'bədi app']

krokig crooked [krokk'id]; *(böjd)* bent [bent]

krokodil crocodile [kråkk'ədajl]

krokus crocus [krəo'kəs]

kromosom chromosome [krəo'mə-səom]

krona crown [kraon]; *krona eller klave?* heads or tails? [hedd'z ə tej'lz]

kronisk chronic [krånn'ik]

kronologisk chronological [krånə-låðʒ'ikl]

kronprins crown prince [krao'n prinn's]

kronärtskocka artichoke [a:'titʃəok]

kropp body [bådd'i]

kroppsarbete manual labour [männ'-joal lej'bə]

kroppsbyggnad *(fysik)* physique [fizi:'k]

kroppslig bodily [bådd'ili]

kroppsvisitera search [sə:tʃ]

krossa crush [kraʃ]; *(slå sönder)* smash [smäʃ]

krucifix crucifix [kro:'sifiks]

kruka pot [pått]

krukväxt pot plant [pått'pla:nt]

krus jar [dʒa:]

krusa crisp [krisp]

krusbär gooseberry [go:'zbəri]

krut [gun]powder [(gann')pao'də]

kry well [well]

krya *krya på dig!* get well [gett well']; *krya på sig* get better [gett bett'ə]

krycka crutch [kratʃ]

krydda 1 *s.* spice [spajs] 2 *v.* season [si:'zn]

kryddpeppar Jamaica pepper [dʒə-mej'kə pepp'ə]

kryddväxt herb [hə:b]

krympa shrink [ʃringk]

krympfri unshrinkable [ann'ʃring'k-əbl]

krypa crawl [krå:l]

kryssa *sjö.* beat [bi:t]; *(segla fram o. tillbaka)* cruise [kro:z]

kryssning cruise [kro:z]

kråka crow [krəo]

kråma sig prance [prä:ns]

krångel bother [båð'ə], trouble [trabb'l]

krångla make a bother [mej'k ə båð'ə]; *(ej fungera)* be troublesome [bi: trabb'lsəm]

krånglig troublesome [trabb'lsəm]

kräfta crayfish [krej'fiʃ], *Am.* crawfish [krå:'fiʃ]; *(sjukdom)* cancer [känn'sə]

kräkas be sick [bi: sikk'], vomit [våmm'it]

kräla crawl [krå:l]

kräldjur reptile [repp'tajl]

kräm cream [kri:m]

kränka *(lag e.d.)* violate [vaj'əlejt]; *(förolämpa)* insult [insall't]

kränkning violation [vajəlej'ʃən]; insult [inn'salt]

kräsen fastidious [fästidd'iəs]

kräva 1 *s.* craw [krå:] 2 *v.* *(fordra)* demand [dima:'nd]; *(behöva)* require [rikwaj'ə]; *kräva ngn på* *pengar* press s.b. for money [press samm'bədi fə mann'i], request s.b. to pay [rikwess't samm'bədi tə pej']

krök bend [bend]

kröka bend [bend]

krön crest [krest]

kröna crown [kraon]

krönika chronicle [krånn'ikl]

kröning coronation [kårənej'ʃən]

kub cube [kjo:b]

kuban Cuban [kjo:bən]

kubansk Cuban [kjo:bən]

kubikmeter cubic metre [kjo:'bik mi:'tə]

kudde cushion [koʃ'ən]; (*säng-*) pillow [pill'əo]

kugga reject [ridʒekk't]

kugge cog [kågg]

kugghjul cog wheel [kågg wi:l]

kuk *vulg.* cock [kåkk]

kul funny [fann'i]

kula ball [bå:l]; (*gevärs-*) bullet [boll'it]; (*leksak*) marble [ma:'bl]; *stöta kula* put the shot [pott ðə ʃått]

kuliss wing [wing]

kull (*av däggdjur*) litter [litt'ə]; (*av fåglar*) hatch [hätʃ]

kullager ball bearing [bå:'l bä:'əring]

kulle hill [hill]

kullerbytta somersault [samm'əså:lt]

kulmen culmination [kalminej'ʃən]

kulminera culminate [kall'minejt]

kulspetspenna ballpoint pen [bå:'l-påjnt penn']

kulspruta machine-gun [məʃi:'ngən]

kultiverad cultivated [kall'tivejtid]

kultur (*civilisation*) civilization [sivilajzej'ʃən]; (*bildning*) culture [kall'tʃə]

kulturell cultural [kall'tʃərəl]

kulört coloured [kall'əd]

kummin caraway [kärr'əwej]

kund customer [kass'təmə]

kung king [king]

kungadöme kingdom [king'dəm]

kungarike kingdom [king'dəm]

kunglig royal [råj'əl]

kunglighet royalty [råj'əlti]

kungöra announce [ənao'ns]

kungörelse announcement [ənao'nsmənt]

kunna (*veta, känna till*) know [nəo]; (*vara i stånd att*) be able to [bi: ej'bl to:]

kunnig skilful [skill'fol]

kunskap knowledge [nåll'idʒ]

kupa 1 *s.* (*bikupa*) hive [hajv]; (*glas-kupa*) bell jar [bell'ja:]; (*lampkupa*) shade [ʃejd] **2** *v.*, *kupa händerna* cup one's hands [kapp wanz hänn'dz]

kupé compartment [kəmpa:'tmənt]

kupol cupola [kjo:'pələ]

kupong coupon [ko:'påŋ]; (*mat- äv.*) voucher [vao'tʃə]

kupp coup [ko:]

kur (*skjul*) shed [ʃedd]; (*behandling*) treatment [tri:'tmənt]; *göra ngn sin kur* court s.b. [kå:t samm'bədi]

kurator (*social-*) welfare officer [well'fä:ə åff'isə]; (*sjukhus-*) almoner [a:'mənə]

kurera cure [kjo:'ə]

kuriositet curiosity [kjoəriåss'iti]

kurort spa [spa:]

kurs (*läro- o sjö.*) course [kå:s]; (*valuta-*) rate [rejt]

kurtisera *kurtisera ngn* carry on a flirtation with s.b. [karr'i ån ə flə:tej'ʃən wið samm'bədi]

kurva curve [kə:v]

kusin cousin [kazz'n]

kuslig dismal [dizz'məl]

kust coast [kəost]

kuttra coo [ko:]

kuva subdue [səbdjo:']

kuvert envelope [enn'viləop]; (*bords-*) cover [kavv'ə]

kvadrat square [skwä:'ə]

kvadratmeter square metre [skwä:'ə mi:'tə]

kval pain [pejn]; (*ångest*) anguish [äng'gwiʃ]

kvalificera qualify [kwåll'ifaj]

kvalifikation qualification [kwålifikej'ʃən]

kvalitet quality [kwåll'iti]

kvalmig suffocating [saff'əkejting]

kvantitet quantity [kwånn'titi]

kvar (*i behåll, kvarlämnad*) left [left]; (*efter de andra o.d.*) behind [bihaj'nd]

kvarleva remnant [remm'nənt]

kvarlåtenskap property left by s.b. [pråpp'əti left baj samm'bådi]

kvarlämnad left behind [left bihaj'nd]

kvarn mill [mill]

kvarstå remain [rimej'n]

kvart quarter of an hour [kwå:'tə əv ən ao'ə]; *en kvart i* (*över*) a quarter to (past) [ə kwå:'tə to: (pa:st)]

kvartal quarter [of a year] [kwå:'tə (əv ə jä:')]

kvarter block [blåkk]; (*distrikt*) district [diss'trikt]

kvartett quartet [kwå:tett']

kvartsfinal quarter-final [kwå:'tə-fajnl]

kvartsur quartz watch [kwå:tz wåtʃ]

kvarvarande remaining [rimej'niŋ]

kvast broom [bro:m]

kvav close [kləos]; (*instängd*) stuffy [staff'i]

kvick quick [kwikk]; (*spirituell*) witty [witt'i]

kvicka på hurry up [harr'i app']

kvickhet (*kvickt yttrande*) witticism [witt'isizəm], joke [dʒəok]

kvickna till (*efter svimning*) come round [kamm rao'nd]

kvicksilver mercury [mə:'kjori], quicksilver [kwikk'silvə]

kvinna woman [womm'ən] (*pl* women [wimm'in])

kvinnlig female [fi:'mejl]; (*som karakteriserar kvinnor*) feminine [femm'inin]

kvinnopräst woman clergyman (minister) [womm'ən klə:'dʒimən (minn'istə)]

kvinnorörelse feminist movement [femm'inist mo:'vmənt]

kvintett mus. quintet [kwinn'tət]

kvissla pimple [pimm'pl]

kvist twig [twigg]; (*i sht avskuren*) spray [sprej]; (*i trä*) knot [nått]

kvitt *bli kvitt ngn* get rid of s.b. [gett ridd' əv samm'bådi]; *vara kvitt* be quits [bi:' kwitt's]; *kvitt eller dubbelt*

double or quits [dabb'l å: kwitt's]

kvittera receipt [risi:'t]; (*t.ex. belopp*) acknowledge [əknåll'idʒ]

kvitto receipt [risi:'t]

kvittra chirp [tʃə:p]

kväka croak [krəok]

kvälja *det kväljer mig* I feel sick [aj fi:'l sikk']

kväljning *få kväljningar* be sick [bi: sikk']

kväll evening [i:'vniŋ]; night [najt]

kvällsmat supper [sapp'ə]

kväva choke [tʃəok], suffocate [saff'əkejt]

kväve nitrogen [naj'trədʒen]

kvävning suffocation [safəkej'ʃən], choking [tʃəo'kiŋ]

kyckling chicken [tʃikk'in]

kyla 1 *s.* cold [kəold] **2** *v.* chill [tʃill]

kylare cooler [ko:'lə]; (*på bil*) radiator [rej'diejtə]

kylarhuv (*på bil*) bonnet [bånn'it], *Am.* hood [hodd]

kylarvätska anti-freeze [änn'tifri:'z]

kylig chilly [tʃill'i]

kylskåp refrigerator [rifridʒ'ərejtə]

kypare waiter [wej'tə]

kyrka church [tʃə:tʃ]; *gå i kyrkan* go to church [gəo' tə tʃə:'tʃ]

kyrkklocka church bell [tʃə:'tʃ bell]

kyrkogård cemetery [semm'itri]; (*kring kyrka äv.*) churchyard [tʃə:'tʃ-ja:'d]

kyrkoherde rector [rekk'tə]

kyss kiss [kiss]

kyssa kiss [kiss]

kåda resin [rezz'in]

kål cabbage [käbb'idʒ]

kålhuvud head of cabbage [hedd əv käbb'idʒ]

kålrot Swedish turnip [swi:'diʃ tə:'nip]

kår (*sammanslutning*) body [bådd'i]; (*mil. o diplomatisk*) corps [kå:]

kåseri (*tidnings-*) chatty article [tʃätt'i a:'tikl]

kåsör (*tidnings-*) columnist [kåll'əm-nist]

kåt *vard.* horny [hå:'ni]

käck (*oförfärad*) bold [bəold]; (*hurtig*) spirited [spirr'itid]

käft *håll käften!* shut up! [ʃatt'app']

kägla *spela käglor* play ninepins [plej naj'npinz]

käke jaw [dʒå:]

kälke sledge [sledʒ], toboggan [təbågg'ən]; *åka kälke* sledge [sledʒ], toboggan [təbågg'ən]

källa spring [spring]; *bildl.* source [så:s]

källare cellar [sell'ə]

källarmästare restaurant-keeper [ress'tərənt ki:'pə]

kämpa (*strida*) struggle [stragg'l] (*om* for [få:]); (*slåss*) fight [fajt]

kämpe fighter [fajt'ə]; (*stridande*) combatant [kåmm'bətənt]

känd (*bekant*) known [nəon]; (*som man är förtrogen med*) familiar [famill'jə]

kändis celebrity [silebb'riti]

känga boot [bo:t]

känguru kangaroo [känggəro:']

känn *ha på känn att* have a feeling that [hävv ə fi:'ling ðätt]

känna feel [fi:l]; *känna av* (*efter*) feel [fi:l]; *känna igen* recognize [rekk'əgnajz]; *känna på sig* have a feeling [hävv ə fi:'ling]; *känna till* know [nəo]; *känna sig* feel [fi:l]

kännare connoisseur [kånisə:']; (*sakkunnig*) expert [ekk'spə:t]

kännas feel [fi:l]; *hur känns det?* how do you feel? [hao do jo fi:'l]; *kännas vid* acknowledge [äknåll'idʒ]

kännbar (*förnimbar*) perceptible [pəsepp'təbl]; (*svår*) severe [sivi'ə]

kännedom knowledge [nåll'idʒ]; *få kännedom om* get to know [gett' tə nəo']

kännetecken mark [ma:k]; (*egenskap*) characteristic [käriktəriss'tik]

känneteckna characterize [kärr'iktərajz]

känsel feeling [fi:'ling]

känsla feeling [fi:'ling]; (*kroppslig*) sensation [sensej'ʃən]

känslig sensitive [senn'sitiv] (*för* to

[to:]); (*känslofull*) full of feeling [foll' əv fi:'ling]

känslolös (*kroppsligt*) insensitive [insenn'sitiv]; (*själsligt*) unfeeling [anfi:'ling]

käpp stick [stikk]

kär (*förälskad*) in love [in lavv']; (*avhållen*) dear [di:'ə]

kärl vessel [vess'l]; (*förvarings-*) receptacle [risepp'təkl], container [kåntej'nə]

kärlek love [lavv] (*till ngn* for s.b. [få: samm'bədi])

kärleksbrev love letter [lavv'lett'ə]

kärleksfull loving [lavv'ing]

kärlekshistoria love story [lavv'stå:ri]

kärleksroman love story [lavv'stå:ri]

kärna (*i frukt*) pip [pipp]; (*i stenfrukt*) stone [stəon]; (*i nöt o bildl.*) kernel [kə:'nl]

kärnfysik nuclear physics [njo:'kliə fizz'iks]

kärnhus core [kå:]

kärnkraft nuclear power [njo:'kliə pao'ə]

kärnkraftverk nuclear power station [njo:'kliə pao'əstejʃən]

kärnpunkt the principal point [ðə prinn'səpəl påj'nt]

kärnreaktion nuclear reaction [njo:'kliə ri:äkk'ʃən]

kärnvapen nuclear weapon [njo:'kliə wepp'ən]

kärr marsh [ma:ʃ]; (*sumpmark*) swamp [swåmp]

kärra cart [ka:t]

kärve sheaf [ʃi:f]

kätting chain [tʃejn]

kö queue [kjo:], *Am.* line up [laj'n app']; *bilda kö* form a queue [få:'m ə kjo:']; *ställa sig i kö* queue up [kjo:' app'], *Am.* line up [laj'n app']

köa queue [up] [kjo: (app)'], *Am.* line up [laj'n app']

kök kitchen [kitt'ʃən]

köksmästare chef [ʃeff]

köksträdgård kitchen garden [kitt'ʃin ga:dn]

köksväxt vegetable [vedʒ'itəbl]
köl keel [ki:l]
köld cold [kəɔld]
Köln Cologne [kələo'n]
kölvatten wake [wejk]
kön sex [seks]
könsorgan sexual organ [sekk'sjoəl å:'gən]
könsroll *könsrollerna* the roles of the sexes [ðə rəo'lz əvv ðə sekk'siz]
könssjukdom venereal disease [vini:'əriəl dizi:'z]
köp purchase [pə:'tʃəs]; *ett gott köp* a bargain [ə ba:'gin]; *på köpet* into the bargain [inn'to ðə ba:'gin]; *till på köpet* in addition [in ədiʃ'ən]
köpa buy [baj]
köpare buyer [baj'ə]
Köpenhamn Copenhagen [kəopn-hej'gən]
köpkort credit card [kredd'it ka:d]
köpman merchant [mə:'tʃənt]
köpslå bargain [ba:'gin]
kör *pers.* choir [kwaj'ə]; *(sång)* chorus [kå:'rəs]; *i ett kör* unceasingly [ansi:'singli]
köra drive [drajv]; *(motor e.d.)* run [rann]; *köra om* overtake [əovətej'k]; *köra på* run into [rann inn'to]; *köra ut ngn* turn s.b. out of the room [tə:'n samm'bədi aot əv ðə ro:'m]; *köra över (bro e.d.)* cross [kråss], *(ngn)* run over [rann' əo'və]
körbana roadway [rəo'dwej]
körkort driving licence [draj'ving laj'səns]
körsbär cherry [tʃerr'i]
körsnär furrier [farr'iə]
körtel gland [gländ]
kött flesh [fleʃ]; *(som födoämne)* meat [mi:t]
köttaffär butcher's [bott'ʃəz]
köttbulle meatball [mi:t'bå:l]
köttfärs minced meat [minn'st mi:t], *Am.* ground meat [grao'nd mi:t]

lab *vard.* lab [läbb]
laboratorium laboratory [ləbårr'ətri]
laborera work with [wə:'k wið]
labyrint labyrinth [läbb'ərinθ]
lack *(sigill-)* sealing wax [si:'ling-wäks]; *(fernissa)* varnish [va:'niʃ]
lacka *(försegla)* seal [si:l]
lackera lacquer [läkk'ə], varnish [va:'niʃ]
lada barn [ba:n]
ladda load [ləod]
laddning charge [tʃa:dʒ]
ladugård cowshed [kao'ʃed], *Am. äv.* barn [ba:n]
lag *(förordning)* law [lå:]; *(avkok)* decoction [dikåkk'ʃən]; *(arbets-, sportlag)* team [ti:m]; *göra ngn till lags* please s.b. [pli:'z samm'bədi]
laga *(till-)* prepare [pripä:'ə]; *(reparera)* mend [mend]; *(ombesörja)* arrange [ərej'ndʒ]
lager *(förråd)* stock [ståkk]; *(magasin)* warehouse [wä:'əhaoz]; *(varv)* layer [lej'ə]; *(färg-)* coat [kəot]; *tekn.* bearing [bä:'əring]; *bot.* laurel [lårr'əl]; *ha på lager* have in stock [hävv in ståkk']
lagerblad bay leaf [bej' li:f]
lagfart entry into the land register [enn'tri into ðə länn'd redʒ'istə]
laglig lawful [lå:'fol]; *(rättmätig)* legitimate [lidʒitt'imit]; *(lagenlig)* legal [li:'gəl]
lagning repairing [ripä:'əring]
lagom just right [dʒass't raj't]; *(passande)* suitable [sjo:'təbl]
lagra store [stå:]
lagring storing [stå:'ring]
lagstiftning legislation [ledʒislej'ʃən]
lagtävling team competition [ti:'m kåmpitiʃ'ən]
lagun lagoon [ləgo:'n]
lakan sheet [ʃi:t]
lake burbot [bə:'bət]
lakrits liquorice [likk'əris]

lam paralysed [pärr'əlajzd]; *bildl.* lame [lejm]

lamell lamella [lamell'ə]

lamellkoppling disc-clutch [diss'kklatʃ]

lamm lamb [lämm]

lammkotlett lamb chop [lämm'tʃåpp']

lammstek roast lamb [rəo'st lämm']

lammull lambswool [lämm'zwol]

lampa lamp [lämp]; (*glöd-*) bulb [balb]

lampskärm lampshade [lämm'pʃejd]

land country [kann'tri]; (*motsats till sjö e.d.*) land [länd]; *gå i land* go ashore [gəo' əʃå:']; *gå iland med* (*bildl.*) manage [männ'idʒ]

landa land [länd]

landgång gangway [gäng'wej]

landning landing [länn'ding]

landsbygd country[side] [kann'tri (saj'd)]

landsflykt exile [ekk'sajl]

landsförvisa exile [ekk'sajl]

landskamp international match [intanäʃ'ənl mätʃ']

landskap (*landsdel*) province [pråvv'ins]; (*ur natursynpunkt*) landscape [länn'skejp]

landslag national team [näʃ'ənl ti:m]

landsman fellow countryman [fell'əo kann'trimən]

landsort *i landsorten* in the provinces [in ðə pråvv'insiz]

landstiga land [länd]

landstigning landing [länn'ding]

landsväg highway [haj'wej]

langa (*skicka*) pass [pa:s]; *langa sprit* bootleg [bo:'tleg]

langare bootlegger [bo:'tlegg'ə]; (*narkotika-*) [drug] dealer [(dragg') di:'lə], dope pedlar [dəo'p pedd'lə]

langust spiny lobster [spaj'ni låbb'stə]

lansera launch [lå:ntʃ]

lantarbetare farm worker [fa:'mwə:kə]

lantbruk agriculture [ägg'rikəltʃə]

lantbrukare farmer [fa:'mə]

lanterna lantern [länn'tən]

lantgård farm [fa:m]

lantlig rural [ro:'ərəl]

lantvin vin ordinaire [vä:ŋ å:'dinä:]

lapa lap [läpp]

lapp (*tyg-*) piece [pi:s]; (*påsydd*) patch [pätʃ]; (*pappers-*) slip [slipp]

lappa patch [pätʃ]

lapplisa traffic warden [träff'ikwå:dən]; *vard.* meter maid [mi:'təmejd]

larm din [dinn]; (*alarm*) alarm [əla:'m]; *slå larm* sound the alarm [sao'nd ði ala:'m]

larma (*alarmera*) alarm [ala:'m]; (*bullra*) make a noise [mej'k ə nåj'z]

larv caterpillar [kätt'əpilə]

lasarett hospital [håss'pitl]

lass load [ləod]

lasso lasso [läss'əo]

last cargo [ka:'gəo]; (*belastning*) load [ləod]

lasta load [ləod]

lastbil lorry [lårr'i]

lastbåt cargoship [ka:'gəoʃip]

lastning loading [ləo'ding]

lastrum hold [həold]

lat lazy [lej'zi]

lata sig be lazy [bi: lej'zi]

latent latent [lej'tənt]

latin Latin [lätt'in]

lav lichen [laj'kən]

lava lava [la:'və]

lavemang enema [enn'imə]

lavendel lavender [lavv'ində]

lavin avalanche [ävv'əla:nʃ]

lax salmon [sämm'ən]

laxativ purgative [pə:'gətiv]

le smile [smajl]; (*åt at* [ätt])

leasa lease [li:s]

led (*väg o.d.*) way [wej]; (*far-*) passage [päss'idʒ]; (*fog*) joint [dʒåjnt]; (*länk*) link [liŋk]; (*släktled*) generation [dʒenərej'ʃən]; *mil.* rank [räŋk]; *gå ur led* get dislocated [gett' diss'ləkejtid]

leda (*föra*) lead [li:d]; (*väg-*) guide [gajd]; (*elström o.d.*) conduct [kəndakk't]; (*anföra*) conduct [kəndakk't]

ledamot member [memm'bə]

ledande leading [li:'ding]

ledare leader [li:'də]; (*väg-*) guide [gajd]; (*företags-*) manager [männ'-idʒə]; (*tidningsartikel*) leader [li:'də]

ledgångsreumatism rheumatoid arthritis [ro:'mətəkd a:θraj'tis]

ledig (*lätt o. ledig*) easy [i:'zi], free [fri:]; (*om sittplats o.d.*) unoccupied [ann'åkk'jopajd]; (*om tjänst o.d.*) vacant [vej'kənt]

ledighet (*från arbete*) time off [taj'm åff]; (*semester*) holiday [håll'ədi]

ledning (*väg-*) guidance [gaj'dəns]; (*skötsel*) management [männ'idʒ-mənt]; *elektr.* wire [waj'ə]; (*rör-*) pipe [pajp]

ledsaga accompany [əkamm'pəni]

ledsam (*tråkig*) boring [bå:'ring]; (*sorglig*) sad [sä:d]

ledsen sorry [sårr'i]; (*sorgsen*) sad [sä:d] (*över* about [əbaot])

ledstång handrail [hänn'drejl]

ledtråd clue [klo:]

leende smile [smajl]

legation legation [ligej'ʃən]

legend legend [ledʒ'ənd]

legendarisk legendary [ledʒ'ondəri]

legitim legitimate [lidʒitt'imit]

legitimation[skort] identity card [ajdenn'titi ka:d]

legitimera legitimate [lidʒitt'imejt]; *legitimera sig* prove one's identity [pro:'v wanz ajdenn'titi]

lejon lion [laj'ən]

lek game [gejm]; (*-ande*) play [plej]

leka play [plej]

lekkamrat playmate [plej'mejt]

lekman layman [lej'man]

leksak toy [tåj]

lekskola nursery school [nə:'sri sko:l]

lektion lesson [less'n]

lektor senior master [si:'njə ma:'stə]

lektyr reading [ri:'ding]

lem (*mjuk*) soft [såfft], (*slät*) smooth [smo:ð]

lena soothe [so:ð]

leopard leopard [lepp'əd]

lera clay [klej]; (*dy*) mud [madd]

lerig clayey [klej'i]; (*om väg e.d.*) muddy [madd'i]

lesbisk lesbian [lezz'biən]

leta search [sə:tʃ] (*efter* for [få:]); *leta reda på* try to find [traj' tə faj'nd]

lett Latvian [lätt'viən]

lettisk Latvian [lätt'viən]

Lettland Latvia [lätt'viə]

leukemi *med.* leukaemia [ljo:ki:'mjə]

leva live [livv]

levande living [livv'ing]; (*i livet*) alive [əlaj'v]

leve cheer [tʃi:'ə]

levebröd living [livv'ing]

lever liver [livv'ə]

leverans delivery [dilivv'əri]

leverantör supplier [səplaj'ə]

leverera (*tillhandahålla*) supply [sə-plaj']; (*avlämna*) deliver [dilivv'ə]

leverpastej liver paste [livv'ə pejst]

levnad life [lajf]

levnadskostnader cost of living [kåss't əv livv'ing]

levnadsstandard standard of living [stänn'dəd əv livv'ing]

levra sig coagulate [kəoägg'jolejt]

lexikon dictionary [dikk'ʃənri]

lian liana [li:änn'ə]

libanes Lebanese [lebb'əni:z]

libanesisk Lebanese [lebb'əni:z]

Libanon Lebanon [lebb'ənån]

liberal liberal [libb'ərəl]

liberalisera liberalize [libb'ərəlajz]

liberalism liberalism [libb'ərəlizəm]

libretto libretto [librett'əo]

licens licence [laj'səns]

lida suffer [saff'ə]; (*uthärda*) endure [indjo:'ə]

lidande suffering [saff'əring]

lidelse passion [päʃ'ən]

lidelsefull passionate [päʃ'ənit]

lie scythe [sajð]

liera sig ally o.s. [əlaj' wansell'f]

lift lift [lift]; *jag fick lift med honom* he gave me a lift [hi: gej'v mi: ə lift]

lifta hitch-hike [hitʃ'hajk]

liftare hitch-hiker [hitʃ'hajkə]

liftkort ski lift card [ski:'lift ka:d]

liga (*förbrytarband*) gang [gäng]; *sport.* league [li:g]

ligga lie [laj]

liggunderlag sleeping mat (pad) [sli:'ping mätt (pädd)]

ligist hooligan [ho:'ligən]

lik 1 *s.* corpse [kå:ps] **2** *adj.* like [lajk]; (*om två el flera*) alike [əlaj'k]; *han är sig inte alls lik* he is not at all himself [hi: nåt ätt å:'l himsell'f]

lika (*i storlek e.d.*) equal [i:'kwəl] (*med* to [to:]); (*likvärdig*) equivalent [ikwivv'ələnt]; *de är lika stora* they are the same size [ðej a: ðə sej'm saj'z]

likadan of the same sort [əv ðə sej'm så:'t]

likaså also [å:'lsoo]

like equal [i:'kwəl]

likgiltig indifferent [indiff'rənt]

likgiltighet indifference [indiff'rəns]

likhet resemblance [rizemm'bləns] (*med* to [to:]); *i likhet med* in conformity with [in kənfå:'miti wið]

likkista coffin [kåff'in]

likna resemble [rizemm'bl]

liknande similar [simm'ilə]; *eller liknande* or the like [å: ðə laj'k]

liksom 1 *konj.* like [lajk] **2** *adv.* as if [äz iff']

likström direct current [direkk't karr'ənt]

likställd equal [i:'kwəl]

likställdhet equality [i:kwåll'iti]

liktorn corn [kå:n]

likvidera liquidate [likk'widejt]

likviditet liquidity [likwidd'iti]

likväl nevertheless [nevədeless']

likvärdig equivalent [ikwivv'əlant]

likör liqueur [likjo:'ə]

lila lilac [laj'lək]

lilja lily [lill'i]

liljekonvalje lily of the valley [lill'i əv ðə väll'i]

lilla small [små:l]; little [litt'l]

lillasyster [*min*] *lillasyster* my little sister [(maj) litt'l siss'tə]

lillfinger little finger [litt'l fing'gə]

lim glue [glo:]

limma glue [glo:]

limpa loaf [loof]

lin flax [fläks]

lina rope [roop]; (*smalare*) cord [kå:d]; *visa sig på styva linan* (*bildl.*) show off [ʃoo' åff']

linbana ropeway [roo'pwej]; (*för skidåkare*) ski lift [ski:'lift]

lind lime [lajm]

linda wire [waj'ə]; *linda in* wrap up [räpp app']

lindra (*mildra*) mitigate [mitt'igejt]; (*lugna*) soothe [so:ð]

lindrig (*obetydlig*) slight [slajt]; (*mild*) mild [majld]

lindring relief [rili:'f]

lingon cowberry [kao'bəri]

linjal ruler [ro:'lə]

linje line [lajn]

linjera rule [ro:l]

linka limp [limp]

linne (*plagg*) vest [vest]; (*tyg*) linen [linn'in]

linoleum linoleum [linəo'ljəm]

lins lens [lens]

Lissabon Lisbon [lizz'bən]

list (*-ighet*) cunning [kann'ing]; (*bård*) border [bå:'də]; (*remsa*) strip [stripp]

lista list [list] (*över of* [əv])

listig cunning [kann'ing]

lita på trust [trass't (in)]

Litauen Lithuania [liθjoej'niə]

litauer Lithuanian [liθjoej'niən]

liten small [små:l], little [litt'l]

liter litre [li:'tə]

litet little [litt'l]

litteratur literature [litt'ərit∫ə]

litteraturhistoria history of literature [hiss'təri əv litt'ərit∫ə]

litterär literary [litt'ərəri]

liv life [lajf]; (*oväsen*) commotion [kəməo'∫ən]

livbåt lifeboat [laj'fbəot]

livbälte lifebelt [laj'fbelt]

livförsäkring life insurance [laj'f in∫o:'ərəns]

livlig lively [laj'vli]; (*t. temperamentet*) vivacious [vivej'∫əs]

livlös lifeless [laj'flis]

livmoder womb [wo:m]; *anat.* uterus [jo:'tərəs]

livré livery [livv'əri]

livrem belt [belt]

livrädd terrified [terr'ifajd]

livräddning life-saving [laj'fsejving]

livsfara deadly peril [dedd'li perr'il]

livsfarlig perilous [perr'iləs]

livsföring way of life [wej' əv laj'f]

livskraft vital force [vaj'tl få:s]

livsmedel provisions [prəvi∫'ənz]

livsmedelsbutik food shop [fo:'d ∫åp]

livstid lifetime [laj'ftajm]

livsåskådning view of life [vjo:' əv laj'f]

ljud sound [saond]

ljuda sound [saond]

ljuddämpare [exhaust] silencer [(igzå:'st) saj'lənsə]

ljudlig loud [laod]

ljudlös noiseless [nåj'zlis]

ljudvall sound barrier [sao'nd bärr'iə]

ljuga lie [laj]-(*för* to [to:])

ljum lukewarm [lo:'kwå:m]

ljumske groin [gråjn]

ljung heather [he∂'ə]

ljus 1 *s.* light [lajt]; (*stearin- etc.*) candle [känn'dl] 2 *adj.* light [lajt]; (*lysande*) bright [brajt]; (*om hy, hår*) fair [fä:'ə]

ljusblå light blue [laj't blo:']

ljushårig fair [fä:ə]

ljusna get light [gett lajt]; *bildl.* brighten [braj'tn]

ljusreklam illuminated sign [iljo:'minejtid saj'n]

ljussken shining light [∫aj'ning lajt]

ljusstake candlestick [känn'dlstik]

ljusstump candle-end [känn'dlend]

ljuv sweet [swi:t]

ljuvlig sweet [swi:t]

lock (*hår-*) lock [låkk]; (*på kärl o.d.*) lid [lidd]

locka (*göra lockig*) curl [kə:l]; (*förleda*) entice [intaj's]; (*fresta*) tempt [tempt]

lockbete lure [ljo:'ə]

lockig curly [kə:'li]

lodjur lynx [lingks]

lodrät perpendicular [pə:pəndikk'jolə]

loge barn [ba:n]; (*teater-*) box [båks]

logi accommodation [əkåmədej'∫ən]; *kost och logi* board and lodging [bå:'d ən lådʒ'ing]

logik logic [lådʒ'ik]

logisk logical [lådʒ'ik]

lojal loyal [låj'əl]

lokal 1 *s.* place [plejs] 2 *adj.* local [ləo'kəl]

lokalisera locate [ləokej't]

lokalsinne *ha lokalsinne* have a good sense of direction [hävv ə godd senn's əv direkk'∫ən]

lokförare engine driver [enn'dʒin draj'və]; (*på ellok*) motorman [məo'təmən]

lokomotiv engine [enn'dʒin]

London London [lann'dən]

londonbo Londoner [lann'dənə]

lopp run [rann]; (*tävling*) race [rejs]; *inom loppet av* within (*the course of*) [wiðinn' (ðə kå:'s əv)]

loppa flea [fli:]

loss loose [lo:s]

lossa (*lösa upp*) loose [lo:s]; (*urlasta*) unload [ann'ləo'd]

lossna come loose [kamm lo:'s]

lots pilot [paj'lət]

lott (*-sedel, öde, jord-*) lot [lått]; *dra lott om* draw lots for [drå:' lått's få:]

lotteri lottery [lått'əri]

lottsedel lottery ticket [lått'əri tikk'it]

lov (*tillåtelse*) permission [pəmi∫'ən]; (*ferier*) holiday [håll'ədi]

lova promise [pråmm'is]

lucka (*ugns- o.d.*) door [då:]; (*fönster-*) shutter [∫att'ə]; (*källar-*) flap [fläpp]; (*öppning*) hole [həol]; (*i minnet*) blank [blängk]

ludd fluff [flaff]

luden hairy [hä:'əri]

luffare tramp [trämp]

luft air [ä:'ə]

luftförorening air pollution [ä:'ə pəlo:'∫ən]

luftgevär airgun [ä:'əgan]

luftig airy [ä:'əri]

luftkonditionering air-conditioning [ä:'əkɔndiʃəniŋ]

luftmadrass air bed [ä:'ə bedd']

luftombyte change of air [tʃej'ndʒ əv ä:'ə]

luftrör windpipe [winn'dpajp]

luftrörskatarr bronchitis [bråŋkaj'tis]

lugg (*ludd*) nap [näpp]; (*på sammet*) pile [pajl]; (*pann-*) fringe [frindʒ]

lugn 1 *s.* calm [ka:m]; (*stillhet*) quiet [kwaj'ət]; *i lugn och ro* in peace and quiet [in pi:'s ən kwaj'ət] 2 *adj.* calm [ka:m]; (*stilla*) quiet [kwaj'ət]

lugna calm [ka:m]; *lugna sig* calm [down] [ka:'m (dao'n)]

lukt smell [smell]; odour [əo'də]

lukta smell [smell]; *lukta gott* smell nice [smell naj's]

luktsinne sense of smell [senn's əv smell']

luktärt sweet pea [swi:'t pi:']

lummig thickly foliaged [θikk'li fəo'liədʒd]

lump rags (*pl*) [rägz]

lunch lunch [lantʃ]

luncha have lunch [hävv lantʃ]

lunga lung [laŋ]

lunginflammation pneumonia [njo:-məo'njə]

lupp pocket lens [påkk'it lens]

lur (*instrument*) horn [hå:n]; (*slummer*) nap [näpp]; *ligga på lur* lie in wait [laj' in wej't]

lura (*bedra*) cheat [tʃi:t]; (*dupera*) dupe [djo:p]; *låta lura sig* be taken in [bi: tej'kən inn']

lurvig rough [raff]

lus louse [laos] (*pl lice* [lajs])

lust inclination [inklinej'ʃən]; *ha lust att* feel like [fi:'l lajk]

lustig funny [fann'i]

lustjakt yacht [jått]

lustspel comedy [kåmm'idi]

luta 1 *v.* lean [li:n]; (*slutta*) slope [sləop] 2 *s.* lute [lo:t]

lutad leaning [li:'niŋ]

lutning inclination [inklinej'ʃən]; (*sluttning*) slope [sləop]

lya lair [lä:'ə]

lycka happiness [häpp'inis]; *lycka till!* good luck! [godd' lakk']

lyckad successful [səksess'fol]

lyckas succeed [səksi:'d]; *lyckas hitta* manage to find [männ'idʒ tə faj'nd]

lycklig happy [häpp'i]; (*gynnad av lycka*) fortunate [få:'tʃnit]; *lycklig resa!* a pleasant journey! [ə plezz'nt dʒə:'ni]

lyckligtvis fortunately [få:'tʃnitli]

lyckträff stroke of luck [strəo'k əv lakk']

lyckönska congratulate [kəŋgrätt'jolejt]

lyckönskan congratulation [kəŋgrätjolej'ʃən]

lyda obey [əbej']; (*ha viss lydelse*) run [rann]

lydelse wording [wə:'diŋ]

lydig obedient [əbi:'djənt]

lydnad obedience [əbi:'djəns]

lyfta lift [lift]; (*höja*) raise [rejz]

lyftkran crane [krejn]

lykta lantern [länn'tən]; (*gat-, bil-o.d.*) lamp [lämp]

lyktstolpe lamp-post [lämm'p pəost]

lymfkörtel lymph gland [limm'f-gländ]

lynne temperament [temm'pərəmənt]

lynnig capricious [kəpriʃ'əs]

lyra lyre [laj'ə]

lyrik lyrics (*pl*) [lirr'iks]

lyriker lyric poet [lirr'ik pəo'it]

lysa shine [ʃajn]

lysande shining [ʃaj'niŋ]; *bildl.* brilliant [brill'jənt]

lyse light [lajt]

lysrör fluorescent tube [flo:əress'nt tjo:'b]

lyssna listen [liss'n] (*på* to [to:])

lyssnare listener [liss'nə]

lyte defect [di:'fekt]

lyx luxury [lakk'ʃəri]

lyxig luxurious [lagzjo:'əriəs]

låda box [båks]; (*byrå- o.d.*) drawer [drå:'ə]

låg low [ləo]

låga flame [flejm]

lågtryck depression [dipreʃ'ən]

lån loan [ləʊn]

låna (*ut-*) lend [lend] (*åt* to [to:]); (*få t. låns*) borrow [bårr'əʊ] (*av* from [fråmm])

lång long [lång]; (*om pers.*) tall [tå:l]

långbyxor [long] trousers [(lång') traʊ'zəz]

långfinger middle finger [midd'l fing'gə]

långfranska French loaf [frenn'tʃ ləʊ'f]

långfredag Good Friday [godd fraj'di]

långgrund (*om strand*) shelving [ʃell'ving]

långsam slow [sləʊ]

långt (*rumsbetydelse*) far [fa:]; (*tidsbetydelse*) long [lång]

långtradare transport lorry [tränn'-spå:t lårr'i]; *Am.* freight truck [frej't trakk']

långtråkig tedious [ti:'djəs]

långvarig of long duration [əv lång djəʊrej'ʃən]

långvård *ung.* long-term treatment [lång'tə:m tri:t'mənt]

lår (*låda*) crate [krejt]; (*del av ben*) thigh [θaj]

lås lock [låkk]; (*knäppe*) clasp [kla:sp]

låsa lock [låkk]; *låsa in* lock up [låkk app']; *låsa upp* unlock [ann'låkk']; *låsa sig ute* lock o.s. out [låkk' wansell'f aʊ't]

låssmed locksmith [låkk'smiθ]

låta 1 *v.* (*ljuda*) sound [saʊnd]; *det låter som om* it sounds as if [it saʊ'ndz äz if] **2** *hjälpv.* let [lett]; (*laga att*) have [hävv], get [gett]; (*forma*) make [mejk]; *låta bli ngt* leave s.th. alone [li:'v samm'θing ələʊ'n]; *låta ngn vänta* keep s.b. waiting [ki:'p samm'bədi wej'ting]

låtsas pretend [pritenn'd]

lä lee [li:]; *i lä* to leeward [tə li:'wəd]

läcka leak [li:k]

läcker delicious [diliʃ'əs]

läckerhet delicacy [dell'ikəsi]

läder leather [leð'ə]

läge situation [sitjoej'ʃən];

(*belägenhet*) site [sajt]; *i rätt läge* in place [in plej's]

lägenhet flat [flätt], *Am.* apartment [əpa:'tmənt]

läger (*tält- o.d.*) camp [kämp]; *slå läger* encamp [inkämm'p]

lägereld campfire [kämm'pfajə]

lägga put [pott]; (*i vågrät ställning*) lay [lej]; *lägga an på* aim at [ej'm ätt]; *lägga fram* put out [pott' aʊ't]; *lägga ifrån sig* put down [pott' daʊ'n]; *lägga till* (*tillfoga*) add [ädd]; *lägga upp* put up [pott app'], (*klänning*) shorten [ʃå:'tn], (*hår*) set [sett]; *lägga ut* lay out [lej aʊ't]; *lägga sig* lie down [laj daʊ'n], (*gå t. sängs*) go to bed [gəʊ tə bedd']; *lägga sig i* interfere [intəfi:'ə]

läglig suitable [sjo:'təbl]

lägre lower [ləʊ'ə]; (*i värde o.d.*) inferior [infi:'əriə]

lägst lowest [ləʊ'ist]

läka heal [hi:l]

läkare doctor [dåkk'tə]

läkarintyg doctor's certificate [dåkk'təz sətiff'ikit]

läkarvård medical care [medd'ikəl kä:'ə]

läkas heal [hi:l]

läkemedel medicine [medd'sin]

läktare gallery [gäll'əri]; (*utomhus*) stand [ständ]

läktarväld *ung.* football hooliganism [fott'bå:l ho:'liganizm]

lämna leave [li:v]; (*in-*) hand in [hänn'd inn']; *lämna ifrån sig* hand over [hänn'd əʊ'və]; *lämna igen* return [ritə:'n]; *lämna kvar* leave behind [li:'v bihaj'nd]

lämplig suitable [sjo:'təbl]

län county [kaʊ'nti]

länga row [rəʊ]

längd length [lengθ]; (*människas*) height [hajt]; *i längden* in the end [in ði enn'd]

längdhopp long jump [lång' dʒamm'p]

länge long [lång]; *för länge sedan* long ago [lång' əgəʊ']; *än så länge* for the present [få: ðə prezz'nt]

längre *adj.* longer [lång'gə]; (*högre*) taller [tå:'lə] **2** *adv.* further [fə:'ðə], farther [fa:'ðə]; *längre bort* farther away [fa:'ðə əwej']; *längre fram* further on [fə:'ðə ånn'], (*senare*) later on [lej'tərən']

längsefter along [əlång']

längsmed along [əlång']

längst 1 *adj.* longest [lång'gist]; *i det längsta* as long as possible [äz lång' äz påss'əbl] **2** *adv.* farthest [fa:'ðist], furthest [fə:'ðist]

längta long [lång] (*efter* for [få:])

längtan longing [lång'ing] (*efter* for [få:])

länk link [lingk]

länstol armchair [a:'mtfä:'ə]

läpp lip [lipp]

läppstift lipstick [lipp'stik]

lär (*torde*) *han lär nog* he is likely to [hi: iz laj'kli to:]; (*påstås*) *han lär vara* he is said to [hi: iz sedd' to:]

lära 1 *s.* doctrine [dåkk'trin] **2** *v.* (*lära andra*) teach [ti:tf]; (*lära sig*) learn [lə:n]

lärare teacher [ti:'tfə]

lärarinna teacher [ti:'tfə]

lärd learned [lə:'nid]

lärdom learning [lə:'ning]

lärjunge pupil [pjo:'pl]

lärka lark [la:k]

lärkträd *bot.* larch [la:tf]

lärling apprentice [əprenn'tis]

lärobok text book [tekk'st bokk']

lärorik instructive [instrakk'tiv]

läsa read [ri:d]

läsare reader [ri:'də]

läsebok reader [ri:'də]

läsekrets readers (*pl*) [ri:'dəz]

läska *läska sig* refresh o.s. [rifreʃ' wansell'f]

läskedryck soft drink [såff't dringk]

läslig legible [ledʒ'əbl]

läsning reading [ri:'ding]

läspa lisp [lisp]

läsår school year [sko:'ljä:ə]

läte sound [saond]; (*djurs*) call [kå:l]

lätt (*mots. tung*) light [lajt]; (*mots.*

---

svår) easy [i:'zi]

lätta (*göra lättare*) lighten [laj'tn]; (*ge lättnad*) be a relief [bi: ə rili:'f]; (*om dimma o.d.*) lift [lift]

lättad relieved [rili:'vd]

lätthet lightness [laj'tnis]; easiness [i:'zinis]

lättja laziness [lej'zinis]

lättläst easy to read [i:'zi tə ri:'d]

lättnad relief [rili:'f]

lättsmält easily digested [i:'zili didʒess'tid]

lättöl light lager beer [lajt la:'gə bi:'ə]

läxa lesson [less'n]; (*hemläxa*) home-work [həo'mwə:k]

löda solder [səol'də]; (*hårdlöda*) braze [brejz]

lödder lather [la:'ðə]

löddra lather [la:'ðə]

löfte promise [pråmm'is]

lögn lie [laj]

lögnaktig untruthful [antro:'θfol]

lögnare liar [laj'ə]

löjlig ridiculous [ridikk'joləs]

löjtnant lieutenant [leftenn'ənt], *Am.* [lo:tenn'ənt]

lök (*blom-*) bulb [balb]; (*ätlig*) onion [ann'jən]

lömsk insidious [insidd'iəs]

lön (*arbetares*) wages (*pl*) [wej'dʒiz]; (*tjänstemans o.d.*) salary [säll'əri]

löna *lön* pay [pej]; *det lönar sig inte* it's no use [itz nəo' jo:'s]

lönande profitable [pråff'itəbl]

lönlös useless [jo:'slis]

lönn maple [mej'pl]

lönsam profitable [pråff'itəbl]

löntagare (*arbetare*) wage earner [wej'dʒə:nə]; (*tjänsteman*) salary earner [säll'ərɪə:nə]

löpa run [rann]; (*om tik*) be on heat [bi: ån hi:'t]

löpare runner [rann'ə]

löpning running [rann'ing]; (*kapp-*) race [rejs]

löpsedel placard [pläkk'a:d]

lördag Saturday [sätt'ədi]

lös loose [lo:s]; (*ej hårt spänd*) slack [släkk]

lösa (*lossa på*) loose[n] [lo:'s(n)];
(*knut o.d.*) undo [ann'do:']; (*gåta o.d.*)
solve [sålv]; (*tjudrat djur*) untether
[ann'teð'ə]

lösen (*för brev*) surcharge [sə:'tʃa:dʒ];
(*igenkänningsord*) password [pa:ss'-
wə:d]

lösgöra detach [ditätʃ']

löskokt lightly boiled [laj'tli båj'ld]

lösning solution [səlo:'ʃən]

löv leaf [li:f]

lövträd deciduous tree [disidd'joəs
tri:]

m

madrass mattress [mätt'ris]

magasin (*förrådshus*) storehouse
[stå:'haos]; (*på vapen; tidskrift*)
magazine [mägəzi:'n]

magasinera store [stå:']

mage stomach [stamm'ək]; (*buk*)
belly [bell'i]; *ha ont i magen* have
stomach ache [hävv stamm'əkejk];
vara hård i magen be constipated
[bi: kånn'stipejtid]

mager lean [li:n]; *bildl.* meagre
[mi:'gə]

magi magic [mädʒ'ik]

maginfluensa gastric flu [gäss'trik
flo:]

magisk magic [mädʒ'ik]

magister schoolmaster [sko:'lma:stə]

magkatarr catarrh of the stomach
[kəta:' əv ðə stamm'ək]

magknip pains in the stomach [pejns
in ðə stamm'ək]

magnet magnet [mägg'nit]

magnetisk magnetic [mägnett'ik]

magra (*get*) thinner [(gett) θinn'ə]

maj May [mej]; *första maj* May Day
[mej' dej']

majestät majesty [mädʒ'isti]

majestätisk majestic [mədʒess'tik]

majonnäs mayonnaise [mejənej'z]

major major [mej'dʒə]

majoritet majority [mədʒårr'iti]

majs maize [mejz]

majskolv corn cob [kå:'n kåbb]

majstång maypole [mej'pəol]

maka 1 *v.* move [mo:v] **2** *s.* wife [wajf]

makalös matchless [mätʃ'lis]

makaroner macaroni [mäkərəo'ni]

make (*äkta make*) husband [hazz'-
bənd]; (*en av ett par*) fellow [fell'əo],
pair [pär]; (*like*) match [mätʃ]

makeup make-up [mej'kap]

makrill *zool.* mackerel [mäkk'rəl]

makt power [pao'ə]; *ha makten* be in
power [bi: in pao'ə]

maktlös powerless [pao'əlis]

makulera (*göra ogiltig*) cancel [känn'-
səl]; (*kassera*) destroy [distråj']

mal (*insekt*) moth [måθ]

mala grind [grajnd]

mallig cocky [kåkk'i]

malm ore [å:]

malör mishap [miss'häp]

mamma mother [moð'ə]; *vard.*
mummy [mamm'i]

man 1 *s.* man [män]; (*äkta man*) hus-
band [hazz'bənd]; (*häst- o.d.*) mane
[mejn] **2** *pron.* one [wann], you [jo:];
(*folk*) people [pi:'pl]

mandat (*som riksdagsman*) seat [si:t]

mandel almond [a:'mənd]

mandolin mandoline [mändəli:'n]

maner manner [männ'ə]

manet jellyfish [dʒell'ifiʃ]

mangel mangle [mäng'gl]

mangla mangle [mäng'gl]

mani mania [mej'njə], *vard.* craze
[krejz]

manick gadget [gädʒ'it]

manifest manifest [männ'ifest]

manifestera manifest [männ'ifest]

maning appeal [əpi:']

manlig (*av mankön*) male [mejl]; (*som
anstår en man*) manly [männ'li]

mannekäng [fashion] model [(fäʃ'ən)
mådd'l]

mannekänguppvisning fashion show
[fäʃ'ən ʃəo]

manschauvinism male chauvinism
[mejl ʃəo'vinizm]

manschett cuff [kaff]

matsmältning

manschettknapp cuff link [kaff'lingk]

mantel mantle [männ'tl]

manufakturaffär draper's shop [drej'pəʒ ʃåpp]

manuskript manuscript [männ'jo-skript]

manöver manoeuvre [məno:'və]

manövrera manoeuvre [məno:'və]

mapp file [fajl]

mardröm nightmare [naj'tmä:ə]

margarin margarine [ma:dʒəri:'n]

marginal margin [ma:'dʒin]

Marie bebådelsedag Lady Day [lej'di dej]

marin navy [nej'vi]

marinad marinade [märinej'd]

marionett puppet [papp'it]

mark ground [graond]; **på svensk mark** on Swedish soil [ån swi:'diʃ såjl]

markant striking [straj'king]

markatta guenon [gənånn']

markera mark [ma:k]

marketenteri canteen [känti:'n]

markis (solskydd) sun blind [sann'-blajnd]; (adelstitel) marquess [ma:'kwis]

markisinna marchioness [ma:'ʃənis]

marknad market [ma:'kit]

marknadsföra market [ma:'kit]

marmelad marmalade [ma:'məlejd]

marmor marble [ma:'bl]

marockansk Moroccan [məråkk'ən]

Marocko Morocco [məråkk'ɔo]

mars March [ma:tʃ]

marsch march [ma:tʃ]

marschall torch [tå:tʃ]

marschera march [ma:tʃ]

marsipan marzipan [ma:zipänn']

marskalk marshal [ma:'ʃəl]

marsvin guinea pig [ginn'ipig]

martyr martyr [ma:'tə]

marxistisk Marxist [ma:'ksist]

maräng meringue [məräng']

mask worm [wə:m]; (ansikts- o.d.) mask [ma:sk]

maska stitch [stitʃ]; (på strumpa) ladder [lädd'ə]

maskera mask [ma:sk]

maskerad masquerade [mäskərej'd]

maskin machine [məʃi:'n]

maskinell mechanical [mikänn'ikəl]

maskineri machinery [məʃi:'nəri]

maskinvara data. [computer] hardware [(kåmpjo:'tə) ha:'dwä:ə]

maskopi **vara i maskopi med** be in collusion with [bi: in kəlo:'ʃən wið]

maskot mascot [mäss'kət]

maskros dandelion [dänn'dilajən]

massa mass [mäss]; **en massa** lots of [lått's əv]

massage massage [mäss'a:ʒ]

massaker massacre [mäss'əkə]

massakrera massacre [mäss'əkə]

massera massage [mäss'a:ʒ]

massiv solid [såll'id]

massmedia mass media (pl) [mäss mi:'djə]

massproduktion mass production [mäss' prədakk'ʃən]

massvis in large numbers [in la:'dʒ namm'bəz]

mast mast [ma:st]

matador matador [mätt'ədå:]

matbord dining table [daj'ningtejbl]

match match [mätʃ]

matematik mathematics [mäθi-mätt'iks]

matematisk mathematical [mäθi-mätt'ikəl]

materia matter [mätt'ə]

material material [məti:'əriəl]

materiel materials (pl) [məti:'əriəlz]

matfett cooking fat [kokk'ing fätt]

matförgiftning food poisoning [fo:'d påj'zning]

matiné matinée [mätt'inej]

matlagning cooking [kokk'ing]

matlust appetite [äpp'itajt]

matros able seaman [ej'bl si:'mən]

matsal dining room [daj'ningro:m]

matsedel menu [menn'jo:]

matservis dinner service [dinn'ə sə:'vis]

matsilver table silver [tej'bl sill'və]

matsmältning digestion

[didʒess'tʃən]

matstrupe oesophagus [i:sɒff'əgəs]

matsäck packed lunch [päkk't lann'tʃ]

matt (*svag*) weak [wi:k]; (*glanslös*) dull [dall]

matta carpet [ka:'pit]; (*mindre*) rug [ragg]; (*dörr- o.d.*) mat [mätt]

mattas get weak [gett wi:'k]; (*om sken*) get dim [gett' dimm']; (*om färg*) fade [fejd]

matte mistress [miss'tris]

matvaror provisions [prəviʃ'ənz]

maximal maximum [mäkk'siməm]

maximum maximum [mäkk'siməm]

med with [wið]; (*vid kommunikationsmedel*) by [baj]

medalj medal [medd'l]

medaljong medallion [medäll'jən]

medan while [wajl]

medarbetare collaborator [kəläbb'ə-rejtə]

medborgare citizen [sitt'izn]

medborgarskap citizenship [sitt'izn-ʃip]

medborgerlig civil [sivv'l]

medbrottsling accomplice [əkåmm'p-lis]

meddela (*omtala*) inform [infå:'m]; (*kungöra e.d.*) announce [ənao'ns]; *meddela sig* communicate [kəm-jo:'nikejt]

meddelande (*budskap*) message [mess'idʒ]; (*officiellt*) announcement [ənao'nsmənt]; (*anslag*) notice [nəo'tis]

medel means [mi:nz]

medel- medium [mi:'djəm]

Medelhavet the Mediterranean [ðə meditərej'njən]

medelklassen the middle classes [ðə midd'l kla:'siz]

medelmåttig medium [mi:'djəm]; *neds.* mediocre [mi:diəo'kə]

medelpunkt centre [senn'tə]

medelst by [baj]

medelstor of medium size [əv mi:'djəm saj'z]

medeltal average [ävv'əridʒ]; *mat.* mean [mi:n]

medeltemperatur mean temperature [mi:'n temm'pritʃə]

medeltida medieval [medii:'vəl]

medeltiden the Middle Ages [ðə midd'l ej'dʒiz]

medelålders middle-aged [midd'l-ej'dʒd]

medfödd inborn [inn'bå:'n]

medföra bring [bring]; (*förorsaka*) cause [kå:z]

medge admit [ädmitt']

medgivande (*tillåtelse*) permission [pəmiʃ'ən]; (*erkännande*) admission [ədmiʃ'ən]; (*eftergift*) concession [kənseʃ'ən]

medgång prosperity [prɒsperr'iti]

medgörlig accommodating [əkåmm'ə-dejting]

medhjälpare assistant [əsiss'tənt]

medicin medicine [medd'sin]

medicinsk medical [medd'ikəl]

meditera meditate [medd'itejt]

medkänsla sympathy [simm'pəθi]

medla mediate [mi:'diejt]

medlare mediator [mi:'diejtə]

medlem member [memm'bə]; (*av lärt sällskap äv.*) fellow [fell'əo]

medlemsavgift membership fee [memm'bəʃip fi:']

medlemskap membership [memm'bə-ʃip]

medlemskort membership card [memm'bəʃip ka:'d]

medlidande compassion [kəmpäʃ'ən]

medlidsam compassionate [kəm-päʃ'ənit]

medling mediation [mi:diej'ʃən]

medmänniska fellow creature [fell'əokri:'tʃə]

medpassagerare fellow-passenger [fell'əopäss'indʒə]

medryckande exciting [iksaj'ting]

medspelare fellow-actor [fell'əo-äkk'tə]

medtagen tired out [taj'əd ao't]

medtävlare competitor [kəmpett'itə]

medurs clockwise [klåkk'wajz]

medverka (*samverka*) cooperate [kəoåpp'ərejt]; (*deltaga*) participate [pa:tiss'ipejt]; (*bidraga*) contribute [kəntribb'jo:t]

medverkan (*samverkan*) cooperation [kooåpərej'ʃən]; (*deltagande*) participation [pa:tisipej'ʃən]

medvetande consciousness [kånn'ʃəsnis]

medveten conscious [kånn'ʃəs]

medvetslös unconscious [ankånn'ʃəs]

medvind tailwind [tej'lwind]

mejeri dairy [dä:'əri]

mejram *bot.* marjoram [ma:'dʒərəm]

mejsel (*hugg-*) chisel [tʃizz'l]; (*skruv-*) screwdriver [skro:'drajvə]

mekaniker mechanic [mikänn'ik]

mekanisk mechanical [mikänn'ikəl]

mekanism mechanism [mekk'ənizəm]

melankolisk melancholy [mell'ənkəli]

melanom *med.* melanoma [mell'ənəomə]

mellan (*vanl. om två*) between [bitwi:'n]; (*om flera*) among [əmåŋ']

mellanakt interval [inn'təvəl]

mellangärde diaphragm [daj'əfräm]

mellanlanda make an intermediate landing [mejk ən intəmi:'djət länn'ding]

mellanmål snack [snäkk]

mellanrum interval [inn'təvəl]

mellanskillnad difference [diff'rəns]

mellanstorlek medium size [mi:'djəm sajz]

mellersta middle [midd'l]

melodi melody [mell'ədi]

melon melon [mell'ən]

memoarer memoirs [memm'wa:z]

men 1 *konj.* but [batt] **2** *s.* (*lyte*) disability [disəbill'iti]

mena mean [mi:n]

mened perjury [pə:'dʒəri]

menig private [praj'vit]

mening (*uppfattning*) opinion [əpinn'jən]; (*innebörd*) meaning [mi:'ning]; (*avsikt*) intention [intenn'ʃən]; (*sats*) sentence [senn'təns]

meningslös senseless [senn'slis], useless [jo:'slis]

mensskydd sanitary protection [sänn'itəri prətekk'ʃən]

menstruation menstruation [menstroej'ʃən]

mental mental [menn'tl]

mentalsjukhus mental hospital [menn'tl håss'pitl]

mer more [må:]

merarbete extra work [ekk'strə wə:k]

merit (*kvalifikation*) qualification [kwålifikej'ʃən]

mervärde added value [ädd'id väll'jo:]

mervärdesskatt value added tax [väll'jo: ädd'id täkk's]

mes (*fågel*) titmouse [titt'maos]; (*ynkrygg*) coward [kao'əd]

mest most [məost]

meta angle [aŋ'gl]

metall metal [mett'l]

meteorolog meteorologist [mi:tiərål'ådʒist]

meter metre [mi:'tə]

metersystem metric system [mett'rik siss'tim]

metkrok fish-hook [fiʃ'hok]

metod method [meθ'əd]

metodism Methodism [meθ'ədizəm]

metodist Methodist [meθ'ədist]

metrev fishing line [fiʃ'inglajn]

metspö fishing rod [fiʃ'ingråd]

mexikan Mexican [mekk'sikən]

mexikansk Mexican [mekk'sikən]

Mexiko Mexico [mekk'sikəo]

middag (*mitt på dagen*) noon [no:n]; (*måltid*) dinner [dinn'ə]; *god middag!* good afternoon! [godd ə:ftəno:'n]; *äta middag* have dinner [hävv dinn'ə]; *bjuda ngn på middag* invite s.b. to dinner [invaj't samm'bədi tə dinn'ə]

midja waist [wejst]

midjemått waist-measurement [wej'stmeʃ'əmənt]

midnatt midnight [midd'najt]

midnattssol midnight sun [midd'najt sann]

midsommar midsummer [midd'samə]

midsommarafton Midsummer Eve [midd'samə i:'v]

midsommardag Midsummer Day [midd'samə dej']

mig me [mi:]; myself [majsell'f]

migrän migraine [mi:'grejn]

mikrodator microcomputer [maj'krə kåmpjo:'tə]

mikrofon microphone [maj'krəfəon]

mikroprocessor microprocessor [maj'krə prảo'sesə]

mikroskop microscope [maj'krəskəop]

mikrovågsugn microwave oven [maj'krəwejv avv'ən]

mil ten kilometres [tenn kill'əmi:təz], *(engelsk motsv.)* about six miles [əbao't sikk's majl'z]; *engelsk mil* (= *1 609 m*) mile [majl]

mild mild [majld]

mildra mitigate [mitt'igejt]

militär military [mill'itəri]

militärisk military [mill'itəri]; *(soldatmässig)* soldierly [səol'dʒəli]

militärtjänst military service [mill'itəri sə:'vis]

miljard billion [bill'jən]

miljon million [mill'jən]

miljonär millionaire [miljənä:'ə]

miljö environment [invaj'ərənmənt]

miljöförstörelse pollution [pəlo:'ʃən]

miljöförstöring pollution [pəlo:'ʃən]

miljöminister secretary of state for the environment [sekk'rətri əv stejt fả: ði invaj'ərənmənt]

miljövård control of the environment [kəntrảo'l əv ði invaj'ərənmənt]

min 1 *pron. (förenat)* my [maj]; *(självständigt)* mine [majn] **2** *s. (ansiktsuttryck)* expression [ikspreʃ'ən]

mina mine [majn]

mindervärdeskomplex inferiority complex [infiəriảrr'iti kåmm'pleks]

mindervärdig inferior [inn'fi:'əriə]

Mindre Asien Asia Minor [ej'ʃə maj'nə]

mindre smaller [små:'lə]; less [less]

mineral mineral [minn'ərəl]

minimal minimum [minn'iməm]

minimum minimum [minn'iməm]

miniräknare pocket calculator [påkk'it käll'kjolejtə]

minister minister [minn'istə]; *(i Storbr. äv.)* secretary of state [sekk'-

rətri əv stejt't]; *svenske ministern i London* the Swedish ambassador in London [ðə swi:'diʃ ämbäss'ədə in lann'dən]

mink mink [mingk]

minkpäls mink coat [ming'k kəot]

minnas remember [rimemm'bə]

minne memory [memm'əri]; *hålla i minnet* keep in mind [ki:'p in maj'nd]

minnesmärke memorial [mimå:'riəl]

minoritet minority [majnårr'iti]

minsann to be sure [təbi ʃo:'ə]

minska reduce [ridjo:'s]

minskning reduction [ridakk'ʃən]

minst 1 *adj.* smallest [små:'list] **2** *adv.* at least [ätt li:'st]

minus minus [maj'nəs]; *minus 10 grader* 10 degrees (Centigrade) below zero [tenn' digri:'z (senn'tigrejd) bilảo' zi:'ərəo]

minut minute [minn'it]; *fem minuter över tre* five minutes past three [faj'v minn'its pa:'st θri:']

mirakel miracle [mirr'əkl]

miss miss [miss]

missa miss [miss]

missakta disdain [disdej'n]

missanpassad maladjusted [mäll'-ədʒass'tid]

missbelåten displeased [displi:'zd]

missbelåtenhet dissatisfaction [diss'-sätisfäkk'ʃən]

missbildning defect [di:'fekt]

missbruk abuse [əbjo:'s]

missbruka abuse [əbjo:'z]

missdådare malefactor [mäll'ifäktə]

missfall miscarriage [miskärr'idʒ]

missförhållande incongruity [inkånggro:'iti]; anomaly [änåmm'əli]

missförstå misunderstand [miss'andəstänn'd]

missförstånd misunderstanding [miss'andəstänn'ding]

misshandla maltreat [mälltri:'t]

mission *(beskickning)* mission [miʃ'ən]; *relig.* missions [miʃ'ənz]

missionär missionary [miʃ'nəri]

missklä[da] be unbecoming to [bi: ann'bikamm'ing to:]

missklädsam unbecoming [ann'bi-kamm'ing]

missköta neglect [niglekk't]

misslyckad unsuccessful [ann'sak-sess'fol]

misslyckande failure [fej'ljə]

misslyckas fail [fejl]

misslynt ill-humoured [ill'hjo:'məd]

missmodig downhearted [dao'n-ha:'tid]

missnöjd dissatisfied [diss'sätt'isfajd]

missnöje dissatisfaction [diss'sätis-fäkk'ʃən]

missräkna miscalculate [miss'käll'-kjolejt]

misstag mistake [mistej'k]

misstaga *misstaga sig* make a mistake [mej'k ə mistej'k]

misstanke suspicion [səspiʃ'ən]

misstro distrust [distrass't]

misströsta despair [dispä:'ə]

misstänka suspect [səspekk't] (*för* of [əv])

misstänksam suspicious [səspiʃ'əs]

missunna grudge [gradʒ]

missuppfatta misunderstand [miss'-andəstänn'd]

missuppfattning misunderstanding [miss'andəstänn'ding]

missvisande misleading [misli:'ding]

missöde mishap [miss'häp]

mista lose [lo:z]

miste *ta miste på* miss [miss]

mistel mistletoe [miss'ltəo]

mitt middle [midd'l]; *mitt emellan* midway between [midd'wej bitwi:'n]; *mitt i* in the middle of [in ðə midd'l əv]

mixer mixer [mikk'sə]

mjuk soft [sɒft]

mjukvara *se* program[vara]

mjäll dandruff [dänn'drəf]

mjältbrand anthrax [ann'θräks]

mjälte spleen [spli:n]

mjöl flour [flao'ə]

mjölig floury [flao'əri]

mjölk milk [milk]

mjölka milk [milk]

mjölkstockning caked breasts (*pl*)

[kej'kd bress'ts]

mjölktand milk tooth [mill'kto:θ]

mobba mob [måbb]

mobil mobile [məo'bajl]

mobilisera mobilize [məo'bilajz]

mobiltelefon mobile [tele]phone [məo'bajl (tell'i)fåon]

mocka suède [swejd]

mod (*modighet*) courage [karr'idʒ]

mode fashion [fäʃ'ən]

modell model [mådd'l]

moder mother [mað'ə]

moderat moderate [mådd'ərit]

modern modern [mådd'ən]

modernisera modernize [mådd'ənajz]

modifiera modify [mådd'ifaj]

modig brave [brejv]

mogen ripe [rajp]; *bildl.* mature [mətjo:'ə]

mogna ripen [raj'pən]

molekyl molecule [måll'ikjo:l]

moll minor [maj'nə]

moln cloud [klaod]

molnig cloudy [klao'di]

moment moment [məo'mənt]

moms VAT [vi:ejti:'], value added tax [väll'jo: ädd'id täkk's]

monark monarch [månn'ək]

monarki monarchy [månn'əki]

mongolisk Mongolian [månggəo'ljən]

monopol monopoly [mənåpp'əli]

monoton monotonous [mənått'nəs]

monster monster [månn'stə]

monsun monsoon [mənso:'n]

monter showcase [ʃəo'kejs]

montera (*sätta upp*) mount [maont]; (*sätta ihop*) assemble [əsemm'bl]

montör fitter [fitt'ə]

monument monument [månn'jomənt]

moped moped [məo'ped]

mopp mop [måpp]

mor mother [mað'ə]

moral morals (*pl*) [mårr'əlz]; morality [məräll'iti]

moralisk moral [mårr'əl]

morbror [maternal] uncle [(mətə:'nl) ang'kl]

mord murder [mə:'də]

mordbrand arson [a:'sn]

mordisk murderous [mɔ:'dərəs]

morfar [maternal] grandfather [(mətə:'nl) gränn'dfa:ðə]

morfin morphine [må:'fi:n]

morgon morning [må:'ning]; *god morgon!* good morning! [godmå:'ning]; *i dag på morgonen* this morning [ðiss' må:'ning]; *i morgon* tomorrow [təmårr'əo]

morgonrock dressing gown [dress'inggaon]

morgontidning morning paper [må:'ning pej'pə]

mormor [maternal] grandmother [(mətə:'nl) gränn'maðə]

morot carrot [kärr'ət]

morra growl [graol]

morse *i morse* this morning [ðiss må:'ning]; *i går morse* yesterday morning [jess'tədi må:'ning]

mortel mortar [må:'tə]

mos pulp [palp], mash [mäʃ]

mosa reduce to pulp [ridjo:'s tə palp]; (*potatis o.d.*) mash [mäʃ]

mosaik mosaic [məzej'ik]

moské mosque [måsk]

moskit mosquito [məski:'təo]

mossa moss [måss]

moster [maternal] aunt [(mətə:'nl) a:nt]

mot against [əgenn'st]; (*riktning*) towards [təwå:'dz]

motarbeta work against [wə:'k əgenn'st]

motell motel [məotell']

motfordran counter-claim [kao'ntəklejm]

motgift antidote [änn'tidəot]

motgång setback [sett'bäk]

motion (*kroppsrörelse*) exercise [ekk'səsajz]; (*förslag*) motion [məo'ʃən]

motionera (*träna*) exercise [ekk'səsajz]; (*väcka förslag*) move [mo:v]

motiv motive [məo'tiv]

motivera account for [əkao'nt få:]

motor motor [məo'tə]; engine [enn'dʒin]

motorbåt motor boat [məo'tə bəot]

motorcykel motorcycle [məo'təsajkl]

motorhuv bonnet [bånn'it]; *Am.* hood [hodd]

motorstopp engine failure [enn'dʒin fej'ljə]

motorsåg chainsaw [tʃej'nså:]

motorväg motorway [məo'təwej]; *Am. äv.* motor highway [məo'tə haj'wej], freeway [fri:'wej]

motsats contrast [kånn'tra:st]; opposite [åpp'əzit]; *i motsats till* contrary to [kånn'trəri to:]; *de är varandras motsatser* they are absolute opposites [ðej' a: äbb'səlo:t åpp'əzits]

motsatt opposite [åpp'əzit]

motstå resist [riziss't]

motstånd resistance [riziss'təns]

motståndare adversary [ädd'vəsəri]

motsvara correspond to [kårispånn'd to:]; *motsvara ngns förväntningar* come up to a p.'s expectations [kamm app' to: ə pə:'snz ekspektej'ʃənz]

motsvarande corresponding [kårispånn'ding]

motsvarighet correspondence [kårispånn'dəns]

motsäga contradict [kåntrədikk't]

motsätta sig oppose [əpəo'z]

mottaga receive [risi:'v]

mottagare receiver [risi:'və]

mottaglig susceptible [səsepp'təbl]; (*känslig för*) sensitive to [senn'sitiv tə]; *mottaglig för nya idéer* open to new ideas [əopen tə nju: ajdi:'əz]

mottagning reception [risepp'ʃən]

motverka counteract [kaontəräkk't]

motvikt counterbalance [kao'ntəbäll'əns]

motvilja dislike [dislaj'k]

motvind headwind [hedd'wind]

mountain bike mountain bike [mao'ntənbajk]

mudd wristlet [riss'tlət]

mugg mug [magg]; jug [dʒagg]

mula mule [mjo:l]

mulatt mulatto [mjo:lätt'əo]

mulen overcast [əo'vəka:st]

multoa earth closet [ə:θ'klåzz'it]

mullvad mole [məol]

multiplicera multiply [mall'tiplaj]
(*med* by [baj])

multiplikation multiplication [malti-plikej'ʃən]

multna moulder [måo'ldə]

mulåsna mule [mjo:l]

mumla mumble [mamm'bl]

mun mot mun-metoden the mouth-to-mouth method [ðə mao'θ tə mao'θ meθ'əd]

mun mouth [maoθ]

munk monk [mangk]

munskydd mask [ma:sk]

munspel harmonica [ha:månn'ika]

munstycke mouthpiece [mao'θpi:s]; *tekn.* nozzle [nåzz'l], jet [dʒett]

munter merry [merr'i]

muntlig oral [å:'rəl]; (*om meddelande*) verbal [və:'bəl]

muntra upp cheer up [tʃi:'ə app']

mur wall [wå:l]

mura build of brick [bild əv brikk]

murare bricklayer [brikk'lejə]

murbruk mortar [må:'tə]

murgröna ivy [aj'vi]

murken decayed [dikej'd]

mus mouse [maos] (*pl* mice [majs])

museum museum [mjo:zi:'əm]

musik music [mjo:'zik]

musikalisk musical [mjo:'zikəl]

musiker musician [mjo:ziʃ'ən]

musikinstrument musical instrument [mjo:'zikəl inn'strəmənt]

musikstycke piece of music [pi:'s əv mjo:'zik]

muskel muscle [mass'l]

muskot nutmeg [natt'meg]

muslim Muslim [mazz'lim]

muslin muslin [mazz'lin]

mussla mussel [mass'l]; clam [klämm]

must must [mast]

mustasch moustache [məsta:'ʃ]

mustig rich [ritʃ]

muta 1 *s.* bribe [brajb] 2 *v.* bribe [brajb]

mutter *tekn.* [screw] nut [(skro:') natt]

mycket much [matʃ], a great deal of [ə grejt di:'l əv]; (*gott om*) plenty of [plenn't əv]; (*många*) many [menn'i]

mygga midge [midʒ]; mosquito [məski:'təo]

myggbett mosquito bite [məski:'təo bajt]

myggmedel anti-mosquito preparation [ann'timəski:'təo prepərej'ʃən]

mylla mould [məold]

München Munich [mjo:'nik]

myndig of age [əv ej'dʒ]

myndighet authority [å:θårr'iti]; (*myndig ålder*) majority [mədʒ'årr'iti]

mynna (*om flod*) fall [få:l]; (*om gata*) lead [li:d]; *bildl.* end [end]

mynt coin [kåjn]

myr bog [bågg]

myra ant [ant]; *flitig som en myra* as busy as a bee [äz bizz'i äz ə bi:']

myrstack ant hill [ant'hil]

myrten myrtle [mə:tl]

mysterium mystery [miss'təri]

mystisk mystic [miss'tik]; (*gåtfull*) mysterious [misti:'əriəs]

myt myth [miθ]

myteri mutiny [mjo:'tini]

mytologi mythology [miθåll'ədʒi]

må 1 *v.* (*känna sig*) feel [fi:l]; *hur mår du?* how are you? [hao' a:' jo:]; *jag mår mycket bra* I'm very well [aj'm verr'i well'] **2** *hjälpv.* may [mej]

måfå *på måfå* at random [ätt ränn'dəm]

måg son-in-law [sann'inlå:']

mål goal [gəol] (*äv. sport.*); (*syfte*) aim [ejm]; (*mat*) meal [mi:l]; (*rätte-gång*) case [kejs]

måla paint [pejnt]

målare painter [pej'ntə]

målarfärg paint [pejnt]

målbrott *han är i målbrottet* his voice is just breaking [hiz våj's iz dʒass't brej'king]

måleri painting [pej'nting]

mållös (*stum*) speechless [spi:'tʃləs]

målmedveten purposeful [pə:'pəsfol]

målning painting [pej'nting]; (*tavla äv.*) picture [pikk'tʃə]

målsman parent [pä:'ərənt]

måltavla target [ta:'git]

måltid meal [mi:l]

målvakt 352

målvakt goalkeeper [gəo'lki:'pə]

mån 1 *s., i viss mån* to some extent [to samm ikstenn't]; *i görligaste mån* as far as possible [äz fa:' äz påss'əbl] 2 *adj.* (*aktsam*) careful [kä:'əfoll]

månad month [manθ]

måndag Monday [mann'di]

måne moon [mo:n]

många many [menn'i]

mångsidig many sided [menn'isaj'-did]; (*om pers.*) allround [ålrao'nd]

mångårig of many years [əv menn'i jä:'əz]

månlandning moon landing [mo:'n-länding]

månsken moonlight [mo:'nlajt]

mård marten [ma:'tin]

mås gull [gall]

måste must [mast]

mått measure [meʒ'ə]

måtta 1 *s.* moderation [mådərej'ʃən] 2 *v.* aim [ejm]

måttband tape-measure [tej'pmeʒə]

måtte *det måtte väl inte ha hänt henne något* I hope nothing has happened to her [aj həo'p naθ'ing häz häpp'ənd to hə]

måttlig moderate [mådd'ərit]

måtto *i så motto* in so far as [in səo fa:'räz]

mäklare broker [brəo'kə]

mäktig powerful [pao'əfol]

mängd quantity [kwånn'titi]; *en hel mängd* a good deal of [ə godd' di:'l əv]

människa man [männ]; (*mänsklig varelse*) human being [hjo'mən bi:'ing]; *människor* (*folk*) people [pi:pl]

människosläktet mankind [män-kaj'nd]

mänsklig human [hjo:'mən]

mänskligheten mankind [mänkaj'nd]

märg marrow [märr'əo]

märka (*lägga märke till*) notice [nəo'tis]; (*sätta märke på*) mark [ma:k]

märke mark [ma:k]; (*klubb o.d.*) badge [bädʒ]

märklig remarkable [rima:'kəbl]

märkvärdig remarkable [rima:'kəbl]

mässa (*gudstjänst*) mass [mäss]; (*utställning*) fair [fä:'ə]

mässing brass [bra:s]

mässling [the] measles (*pl*) [(ðə) mi:'zlz]

mästare master [ma:'stə]

mästerskap *sport.* championship [tʃämm'pjənʃip]

mästerverk masterpiece [ma:'stəpi:s]

mäta measure [meʒ'ə]

mätare (*gas- etc.*) meter [mi:'tə]; (*instrument*) gauge [gejdʒ]

mätt satisfied [sätt'isfajd]

möbel piece of furniture [pi:'s əv fə:'nitʃə]; *möbler* furniture [fə:'nitʃə]

möbelaffär furniture shop [fə:'nitʃə ʃåpp]

möblera furnish [fə:'niʃ]

möda labour [lej'bə]; (*besvär*) trouble [trabb'l]

mödosam laborious [ləbå:'riəs]

mödravårdscentral maternity clinic [mətə:'niti klinn'ik]

mögel mould [məold]

mögla get mouldy [gett məo'ldi]

möglig mouldy [məo'ldi]

möjlig possible [påss'əbl]; *allt möjligt* all kinds of things [å:'l kaj'ndz əv θing'z]

möjligen possibly [påss'əbli]; (*kanske*) perhaps [pəhäpp's]; *har du möjligen?* do you happen to have? [do: jo: häpp'en tə hävv]

möjlighet possibility [påsəbill'iti]

mönster pattern [pätt'ən]; design [dizaj'n]

mönstergill model [mådd'l]; ideal [ajdi:'ə]

mönstra (*granska*) examine [igzämm'in]; (*som värnpliktig*) enlist [inliss't]

mör crisp [krisp]; (*om kött*) tender [tenn'də]

mörda murder [mə:'də]

mördare murderer [mə:'dərə]

mörk dark [da:k]

mörkblå dark blue [da:'k blo:']

mörker darkness [da:'knis]

mörkrum darkroom [da:'kro:m]
mörkrädd afraid of the dark [afrej'd əv ðə da:'k]
mört roach [rəotʃ]
mössa cap [käpp]
möta meet [mi:t]
mötas meet [mi:t]
möte meeting [mi:'ting]; *(avtalat)* appointment [əpåj'ntmənt]
mötesplats meeting place [mi:'tingplejs]
mötesplats meeting place [mi:'tingplejs]

n

nackdel disadvantage [disədva:'ntidʒ]
nacke back of the head [bäkk əv ðə hedd']
nagel nail [nejl]
nagelfil nail file [nej'l fajl]
nagellack nail varnish [nej'lva:niʃ]
nagelsax nail scissors (*pl*) [nej'lsizəz]
naiv naive [na:i:'v]
naken naked [nej'kid]
nakendans nude dancing [njo:'d da:nsing]
namn name [nejm]
namnsdag name-day [nej'mdej]
namnteckning signature [sigg'nitʃə]
napp *(dinapp)* teat [ti:t]; *(tröstnapp)* comforter [kamm'fətə], *Am.* pacifier [päss'ifajə]; *(vid fiske)* bite [bajt]
nappflaska feeding bottle [fi:'dingbått'l]
narkoman drug addict [dragg' ädd'ikt]
narkos narcosis [na:kəo'sis]
narkotika narcotics [na:kått'iks], drugs [drags]
nation nation [nej'ʃən]
nationalekonomi economics [i:kənåmm'iks]
nationalinkomst national income [näʃ'ənl inn'kəm]
nationalitet nationality [näʃənäll'iti]
nationalpark national park [näʃ'ənl

pa:k]
nationalsång national anthem [näʃ'ənl änn'θəm]
nationell national [näʃ'ənl]
nativitet birth rate [bə:'θrejt]
natrium sodium [səo'djəm]
natt night [najt]; *god natt!* good night! [godd' naj't]
nattklubb nightclub [naj't klabb]
nattskjorta nightshirt [naj'tʃə:t]
nattvakt night watchman [najtwåtʃ'mən]
natur nature [nej'tʃə]
naturlag law of nature [lå:' əv nej'tʃə]
naturlig natural [nätt'ʃrəl]
naturligtvis of course [əv kå:'s]
naturtillgångar natural resources [nätt'ʃrəl riså:'siz]
naturvetenskap [natural] science [(nätt'ʃrəl) saj'əns]
nav hub [habb]
navel navel [nej'vəl]
navigation navigation [nävigej'ʃən]
navigera navigate [nävv'igejt]
navkapsel hub cap [habb käpp]
nazist Nazi [na:'tsi]
Neapel Naples [nej'plz]
necessär dressing case [dress'ingkejs]
ned down [daon]
nedanför below [biləo']
nederbörd precipitation [prisipi-tej'ʃən]
nederlag defeat [difi:'t]; *lida nederlag* be defeated [bi: difi:'tid]
Nederländerna the Netherlands [ðə neð'ələndz]
nederst at the bottom [ätt ðə bått'əm]
nedför 1 *prep.* down [daon] **2** *adv.* downwards [dao'nwədz]
nedförsbacke downhill slope [dao'n-hill sləop]
nedifrån from below [fråm biləo']
nedlagd *(om fabrik)* closed [kləozd]
nedlåtande condescending [kåndi-senn'ding]
nedre lower [ləo'ə]
nedrustning disarmament [disa:'məmənt]
nedsatt reduced [ridjo:'st]

nedskärning 354

nedskärning reduction [ridakk'ʃən]
nedslagen downhearted [dao'nha:'tid]
nedslående depressing [dipress'ing]
nedsmutsning pollution [pəlo:'ʃən]
nedstämd depressed [dipress't]
nedsättande derogatory [dirägg'ə-təri]
nedtill at the bottom [ətt ðə bått'əm]
nedtrappning de-escalation [di:'eskə-lej'ʃən]
nedväg *på nedvägen* on the way down [ån ðə wej dao'n]
nedvärdera depreciate [dipri:'ʃiejt]
nedåt 1 *adv.* downward[s] [dao'n-wəd(z)] 2 *prep.* down [daon]
nedåtgående (*om tendens*) falling [få:'ling]
nedärvd hereditary [hiredd'itəri]
negativ negative [negg'ətiv]
nej no [nəo]; *nej, nu måste jag gå!* well, I must go now! [well aj' mast gəo' nao']; *nej, vad säger du?* you don't say so? [jo: dəont sej səo'];
svara nej answer in the negative [a:'nsə in ðə negg'ətivv]; *rösta nej* vote against [vəo't əgenn'st]
nejlika carnation [ka:nej'ʃən]
neka (*vägra*) refuse [rifjo:'z], (*förneka*) deny [dinaj']
nekande 1 *adj.* negative [negg'ətiv] 2 *s.* (*vägran*) refusal [rifjo:'zəl] 3 *adj., svara nekande* answer in the negative [a:'nsə in ðə negg'ətiv]
neonrör neon tube [ni:'ən tjo:b]
ner *se* ned
nere down [daon]
nerts mink [mingk]
nerv nerve [nə:v]
nervlugnande medel tranquillizer [träng'kwilajzə]
nervpåfrestande nerve-racking [nə:'vräk'king]
nervsjukdom nervous disorder [nə:'vəs diså:'də]
nervös nervous [nə:'vəs]
nestor doyen [dåj'ən]
netto net [nett]
nettovikt net weight [nett' wejt]
neuros neurosis [njoərəo'sis]

neutral neutral [njo:'trəl]
neutralisera neutralize [njo:'trəlajz]
neutralitet neutrality [njo:träll'iti]
neutron neutron [njo:'trån]
ni you [jo:]; *ni själv* [you] yourself [(jo:) jå:sell'f]
nick nod [nådd]
nicka nod [nådd]
nickel nickel [nikk'l]
nidingsdåd act of vandalism [äkk't əv vänn'dəlizəm]
niga curtsy [kə:'tsi]
nikotin nicotine [nikk'əti:n]
Nilen the Nile [ðə naj'l]
nio nine [najn]
nionde ninth [najnθ]
nisch niche [ni:ʃ]
nit (*iver*) zeal [zi:l]; *tekn.* rivet [rivv'it]
nita rivet [rivv'it]
nitisk zealous [zell'əs]
nitlott blank [blängk]
nitrat nitrate [naj'trejt]
nittio ninety [najn'ti]
nittionde ninetieth [naj'ntiiθ]
nitton nineteen [naj'nti:'n]
nittonde nineteenth [naj'nti:'nθ]
nittonhundratal *på nittonhundratalet* in the twentieth century [in ðə twenn'tiiθ senn'tʃori]
nivellering levelling [levv'ling]
nivå level [levv'l]
Nizza Nice [ni:s]
njugg parsimonious [pa:siməo'njəs]
njure kidney [kidd'ni]
njursten stone in the kidney[s] [stəo'n in ðə kidd'ni(z)]
njuta enjoy [indʒåj']
njutning enjoyment [indʒåj'mənt]
nobel noble [nəo'bl]
nobelpris Nobel Prize [nəobell' prajz]
nobelpristagare Nobel prize winner [nəobell' prajz winn'ə]
nog (*tillräckligt*) enough [inaff']; (*sannolikt*) probably [pråbb'əbli]
noga 1 *adj.* (*noggrann*) careful [ka:'ə-fol] 2 *adv.* (*exakt*) exactly [igzäkk'tli]
noggrann accurate [äkk'jorit]
noll nought [nå:t]; zero [zi:'ərəo]; *mitt telefonnummer är två noll nio*

noll åtta my telephone number is two o[h] nine o[h] eight [maj tell'ifəon nəmm'bə iz to:' əo' naj'n əo' ej't]
nolla nought [nå:t]
nomad nomad [nəomm'əd]
nominell nominal [nåmm'inl]
nonchalant nonchalant [nånn'ʃələnt]
nonchalera neglect [niglekk't]
nonsens nonsense [nånn'səns]
nord north [nå:θ]
Nordafrika North[ern] Africa [nå:'θ (nå:'ðən) äff'rikə]
Nordamerika North America [nå:'θ əmerr'ikə]
nordbo northerner [nå:'ðənə]
Norden the Nordic (Scandinavian) countries [ðə nå:'dik (skändinej'vjən) kann'triz]
Nordeuropa Northern Europe [nå:'ðən jo:'ərəp]
nordisk northern [nå:'ðən]
nordlig northern [nå:'ðən]
nordost north-east [nå:'θi:'st]
nordostlig north-eastern [nå:'θi:'stən]
nordpol *nordpolen* the North Pole [ðə nå:'θ pəo'l]
Nordsjön the North Sea [ðə nå:'θ si:']
nordväst north-west [nå:'θwess't]
nordvästlig north-western [nå:'θ-wess'tən]
nordvästra north-western [nå:'θ-wess'tən]
nordöst north-east [nå:'θi:'st]
nordöstra north-eastern [nå:'θi:'stən]
Norge Norway [nå:'wej]
norm standard [stänn'dəd]
normal normal [nå:'məl]
normgivande normative [nå:'mətiv]
norr north [nå:θ]; *mot norr* to the north [to: ðə nå:'θ]
norra the north[ern] [ðə nå:'θ (nå:'ðən)]
norrifrån from the north [fråmm ðə nå:'θ]
norrman Norwegian [nå:wi:'dʒən]
norrsken aurora borealis [å:rå:'rə bå:riej'lis]
norrut towards [the] north [təwå:'dz (ðə) nå:'θ]

norsk Norwegian [nå:wi:'dʒən]
norska *(språk)* Norwegian [nå:wi:'-dʒən]; *(kvinna)* Norwegian woman [nå:wi:'dʒən womm'ən]
nos nose [nəoz]
nosa smell [smell]
noshörning rhinoceros [rajnåss'ərəs]
not note [nəot]
nota *(räkning)* bill [bill], *Am. äv.* check [tʃekk]
notarie [recording] clerk [(rikå:'ding) kla:k]
notera make a note of [mejk ə nəo't əv]
nothäfte sheets (*pl*) of music [ʃi:'ts əv mjo:'zik]
notis *(tidnings-)* news item [njo:'z-ajtem]
notpapper music paper [mjo:'zik-pejpə]
novell short story [ʃå:'t stå:'ri]
november November [nəovemm'bə]
nu now [nao], *tills nu* up till now [app' till nao']; *vad nu då?* what's up now? [wått's app' nao']
nubba tack [täkk]
nubbe dram [drämm]
nudda brush [braʃ]
nudist nudist [njo:'dist]
nuförtiden nowadays [nao'ədejz]
numer[a] now[adays] [nao'(ədejz)]
nummer number [namm'bə]; *(tid-nings- o. d.)* issue [iss'jo:]; *(storlek)* size [sajz]
nummerbyrå directory enquiries [direkk'təri inkwaj'əriz]
nummerlapp queue ticket [kjo:'tikk'it]
nummerordning numerical order [njo:merr'ikəl å:'də]
numrera number [namm'bə]
nunna nun [nann]
nutida present-day [prezz'ntdej']
nuvarande present [prezz'nt]
ny new [njo:]; *nya tiden* the modern age [ðə mådd'ən ej'dʒ]
nyans shade [ʃejd]
nyanställd new employee [njo: emplåji:']
nyare newer [njo:'ə]

nyast newest [njo:'ist]

Nya Zeeland New Zealand [njo: zi:'lənd]

nybildad newly formed [njo:'li få:md]

nybyggare settler [sett'lə]

nybyggd newly built [njo:'li bilt]

nybörjare beginner [biginn'ə]

nyck whim [wimm]

nyckel key [ki:]

nyckelben collarbone [kåll'əbəon]

nyckelhål keyhole [ki:'həol]

nyckelpiga ladybird [lej'dibə:d]

nyckfull capricious [kəpri'ʃəs]

nyexaminerad newly qualified [njo:'li kwåll'ifajd]

nyfiken curious [kjo:'əriəs]

nyfikenhet curiosity [kjo:'əriåss'iti]

nyfödd newborn [njo:'bå:n]

nygift newly married [njo:'li märr'id]

nyhet (underrättelse) news [njo:z]; (nymodighet) novelty [nåvv'əlti]; en nyhet a piece of news [ə pi:'s əv njo:'z]

nyhetsbyrå news agency [njo:'z ej'dʒənsi]

nyhetsutsändning news broadcast [njo:'z brå:'dka:st]

nykomling newcomer [njo:'kamm'ə]

nykter sober [səo'bə]

nykterist total abstainer [təo'tl əbstej'nə], teetotaller [ti:təo'tlə]

nyktra till become sober [bikamm' səo'bə]

nyligen recently [ri:'sntli]

nylon nylon [naj'lən]

nylonskjorta nylon shirt [naj'lən ʃə:t]

nylonstrumpor nylon stockings [naj'lən ståkk'ingz]

nymålad freshly painted [freʃ'li pej'ntid]; nymålat! wet paint! [wett pej'nt]

nymåne new moon [njo: mo:'n]

nynna hum [hamm]

nyordning reorganization [ri:'å:gənajzej'ʃən]

nypa 1 v. pinch [pintʃ] 2 s. pinch of [pintʃ əv]

nypon rose-hip [rəo'zhip]

nypremiär revival [rivaj'vəl]

nypressad newly-pressed [njo:'liprest]

nysa sneeze [sni:z]

nysilver silver plated ware [sill'vəplej'tid wä:'ə]

nyskapare innovator [inn'əovejtə]

nyss just [dʒast]

nysta wind [wajnd]

nystan ball [bå:l]

nystartad (om företag) newly established [njo:'li istäbb'liʃt]

nytt någonting nytt something new [samm'θing njo:']

nytta 1 s. use [jo:s] 2 v. use [jo:z]

nyttig useful [jo:'sfol]; (hälsosam) wholesome [həo'ləsm]

nytvättad just washed [dʒast wåʃt]

nyår new year [jä:'ə]

nyårsafton New Year's Eve [njo:' jə:'z i:'v]

nyårsdag New Year's Day [njo:'z dej']

nå 1 nå! well! [well] 2 v. (komma fram till) reach [ri:tʃ]

nåd grace [grejs]

någon (en viss) some [samm], someone [samm'wan]; a[n] [ə(n)]; (någon alls, någon som helst) any [enn'i], anyone [enn'iwən], a[n] [ə(n)]; har du någon bror? have you a brother? [hävv jo:' ə brað'ə]; har du några pengar (på dig) have you any money? [hävv jo: enn'i mann'i]; har du några pengar (att låna mig) have you got some money? [hävv jo: gått' samm mann'i]

någonsin ever [evv'ə]

någonstans somewhere [samm'wä:ə]; anywhere [enn'iwä:ə]

någonting something [samm'θing]; anything [enn'iθing]

någorlunda fairly [fä:'əli]

något 1 pron. something [samm'θing]; anything [enn'iθing] some [samm], any [enn'i]; (något litet) a little [ə litt'l] 2 adv. somewhat [samm'wåt]

nåja oh well [əo well']

nål needle [ni:'dl]; (hår-, knapp-) pin [pinn]

nålsöga eye of a needle [aj əv ə ni:'dl]

näbb bill [bill]

näbbdjur duck-billed platypus [dakk'bild plätt'ipos]

näck water-sprite [wå:'təsprajt]

näckros water lily [wå:'təlili]

näktergal nightingale [naj'tinggejl]

nämligen (*framför uppräkning*) namely [nej'mli]; (*det vill säga*) that is [ðått iz]; (*emedan*) for [få:], because [bikå:'z]

nämna mention [menn'ʃən]

nämnare *mat.* denominator [dinåmm'inejtə]

nämnvärd worth mentioning [wə:'θ menn'ʃning]

näpen engaging [ingej'dʒing]

när when [wenn]

nära near [ni:'ə]

närande nourishing [narr'iʃing]

närbild closeup [kləo'zap]

närgången impertinent [impə:'tinənt]

närhet (*grannskap*) neighbourhood [nej'bəhod]; *i närheten av* near [ni:'ə]

näring (*föda*) nourishment [narr'iʃmənt]; (*näringsfång*) industry [inn'dəstri]

näringsgren [branch of] business [(bra:'ntʃ əv) bizz'nis]

näringsliv [trade and] industry [(trej'd ənd) inn'dəstri]

näringsrik nutritious [njo:triʃ'əs]

närkamp (*i sport*) infighting [inn'fajting]

närma bring near [bring' ni:'ə]; *närma sig* approach [əprəo'tʃ]

närmande advance [ədva:'ns]

närmare nearer [ni:'ərə]

närmast nearest [ni:'ərist]

närsynt short-sighted [ʃå:'tsaj'tid]

närvarande present [prezz'nt]

närvaro presence [prezz'ns]

näs point [påjnt]

näsa nose [nəoz]

näsblod nosebleed [nəo'zbli:d]

näsborre nostril [nåss'tril]

näsdroppar nose drops [nəo'zdråps]

näsduk handkerchief [häng'kətʃif]

nässelutslag nettle-rash [nett'lräʃ]

nässla *bot.* nettle [nett'l]

nässprej nasal spray [nej'zəlsprej]

näst next [nekst]; *den näst bästa* the second best [ðə sekk'ənd bess't]

nästa next [nekst]

nästan almost [å:'lməost]; nearly [ni:'əli]; *nästan aldrig* hardly ever [ha:'dli evv'ə]

näsvis impertinent [impə:'tinənt]

nät net [nett]

nätansluten connected to the main system [kənekk'tid tə ðə mej'n siss'tim]

näthinna retina [rett'inə]

nätt pretty [pritt'i]

näve fist [fist]

nöd distress [distress']; *lida nöd* be in need [bi: in ni:'d]

nödfall *i nödfall* in case of need [in kej's əv ni:'d], in an emergency [in ən imə:'dʒənsi]

nödlandning emergency landing [imə:'dʒənsi länn'ding]

nödlögn white lie [waj't laj']

nödlösning temporary solution [temm'pərəri səlo:'ʃən]

nödsakad *bli nödsakad att* be obliged to [bi: əblaj'dʒd to:]

nödsignal distress signal [distress' signl]

nödtorftig scanty [skänn'ti]

nödutgång emergency exit [imə:'dʒənsi ekk'sit]

nödvändig necessary [ness'isəri]

nödvändighet necessity [nisess'iti]

nöja *nöja sig med* be satisfied with [bi: sätt'isfajd wið]

nöjd satisfied [sätt'isfajd]

nöje pleasure [ple'ʒə]; (*förströelse*) amusement [əmjo:'zmənt]; *det skall bli mig ett sant nöje att* I shall be delighted to [aj ʃall bi: dilaj'tid to:]; *mycket nöje!* have a good time! [hävv'ə godd' taj'm]

nöjesfält fairground [fä:'əgraond]

nöt nut [natt]

nöta wear [wä:'ə]

nötkreatur cattle [kätt'l]

nötkött beef [bi:f]

nötning wear [wä:'ə]

nötskal nutshell [natt'ʃel] (*äv. bildl.*)

nött worn [wå:n]

O

oansenlig insignificant [insigniff'i-kənt]

oanständig indecent [indi:'snt]

oansvarig irresponsible [irispånn's-əbl]

oantagbar unacceptable [ann'ək-sepp'təbl]

oantastlig unassailable [anəsej'ləbl]

oanträffbar unavailable [anəvej'ləbl]

oanvändbar unusable [anjo:'zəbl]

oaptitlig unappetizing [ann'äpp'i-tajzing]

oartig impolite [impəlaj't]

oas oasis [əoej'sis]

oavbruten (*oupphörlig*) incessant [insess'nt]

oavgjord undecided [ann'disaj'did]; (*i spel*) drawn [drå:n]

oavsiktlig unintentional [ann'intenn'-ʃənl]

oavvislig unrejectable [anridʒekk't-əbl]

obalanserad unbalanced [ann'bäll'-ənst]

obarmhärtig unmerciful [anmə:'si-fol]

obduktion post-mortem [pəo'st-må:'tem]

obeaktad unnoticed [ann'nəo'tist]

obearbetad raw [rå:]; (*i maskin*) unmachined [ann'məʃi:'nd]

obebodd uninhabited [ann'inhäbb'i-tid]; (*om hus*) untenanted [ann'tenn'-əntid]

obefintlig non-existent [nånn'ig-ziss'tənt]

obefogad unjustified [andʒass'tifajd]

obegriplig incomprehensible [inkåm-prihenn'səbl]

obegränsad unlimited [anlimm'itid]

obegåvad untalented [antäll'əntid]

obehag discomfort [diskåmm'fət]

obehaglig disagreeable [disəgri:'əbl]

obehärskad uncontrolled [ann'kən-trəo'ld]

obehövlig unnecessary [əness'isəri]

obekant unknown [ann'nəo'n]

obekräftad unconfirmed [ann'kən-fə:'md]

obekväm uncomfortable [ankåmm'-fətəbl]

obekymrad unconcerned [ann'kən-sə:'nd]

obemannad unmanned [ann'männ'd]

obemärkt unobserved [ann'əbzə:'vd]

obenägen disinclined [diss'inklaj'nd]

oberoende independence [indipenn'-dəns]

oberäknelig unpredictable [ann'pri-dikk'təbl]; (*nyckfull*) capricious [kəpriʃ'əs]

oberättigad unjustified [andʒass'ti-fajd]

oberörd unaffected [ann'əfekk'tid]

obesegrad unconquered [ann'kång'-kəd]

obeskrivlig indescribable [indi-skraj'bəbl]

obeslutsam irresolute [irrezz'əlo:t]

obestridd uncontested [ann'kən-tess'tid]

obestridlig indisputable [indispjo:'t-əbl]

obestyrkt unverified [ann'verr'ifajd]

obeställbar undeliverable [ann'di-livv'ərəbl]

obestämd indefinite [indeff'init]; (*vag*) vague [vejg]

obetald unpaid [ann'pej'd]

obetingat unconditionally [ann'kən-diʃ'nəli]

obetonad unstressed [ann'stress't]

obetydlig insignificant [insigniff'i-kənt]

obetydligt slightly [slaj'tli]

obetänksam thoughtless [θå:'tlis]

obeveklig implacable [impläkk'əbl]

obeväpnad unarmed [ann'a:'md]

objekt object [åbb'dʒikt]

objektiv objective [åbdʒekk'tiv]; (*i kamera*) lens [lens]

oförmåga

oblekt unbleached [anbli:'tʃd]

obligation bond [bånd]

obligatorisk compulsory [kəmpall'-səri]

oblyg unblushing [annblaʃ'ing]; (fräck) barefaced [bä:'əfejst]

oboe oboe [əo'bəo]

obotlig incurable [inkjo:'ərəbl]

obruten unbroken [ann'brəo'kən]

observation observation [åbb'zə:-vej'ʃən]

observatorium observatory [əbzə:'v-ətri]

observera observe [əbzə:'v]

obunden unbound [ann'bəo'nd]

obygd wilderness [will'dənis]

obönhörlig implacable [impläkk'əbl]

ocean ocean [əo'ʃən]

Oceanien Oceania [əoʃiej'njə]

och and [ænd]

ocker usury [jo:'ʒori]

ockra practise usury [präkk'tis jo:'ʒori]

ockrare usurer [jo:'ʒərə]

också also [å:'lsəo]; too [to:]

ockupation occupation [åkkopej'ʃən]

ockupera occupy [åkk'jopaj]

odds odds [ådz]

odjur monster [månn'stə]

odla cultivate [kall'tivejt]

odling cultivation [kaltivej'ʃən]

odräglig unbearable [anbä:'ərəbl]

oduglig incompetent [inkåmm'pitənt]

odåga good-for-nothing [godd'fə-naθing]

ödödlig immortal [imå:'tl]

oeftergivlig irremissible [irimiss'əbl]

oefterhärmlig inimitable [inimm'it-əbl]

oegennyttig altruistic [ältroiss'tik]

oegentligheter irregularities [iregjo-lärr'itiz]

oekonomisk uneconomic [ann'i:kə-nåmm'ik]

oemotståndlig irresistible [iriziss't-əbl]

oenig disunited [disjo:naj'tid]

oerfaren inexperienced [iniks pi:'ori-ənst]

oerhörd tremendous [trimenn'dəs]

oersättlig irreplaceable [iriplej'səbl]

ofantlig enormous [inå:'məs]

ofarlig harmless [ha:'mlis]

ofelbar infallible [infäll'əbl]

offensiv offensive [əfenn'siv]

offentlig public [pabb'lik]

offer sacrifice [säkk'rifajs]

offert offer [åff'ə]

officer officer [åff'isə]

officiell official [əfiʃ'əl]

offra sacrifice [säkk'rifajs]

offsettryck offset print [åff'set print]

ofin indelicate [indell'ikit]

oframkomlig impassable [impa:'səbl]

ofrivillig unintentional [ann'in-tenn'ʃənl]

ofruktbar barren [bärrən]

ofrånkomlig inevitable [inevv'itəbl]

ofta often [å:'fn]

ofullbordad unfinished [an'finn'iʃt]

ofullkomlig imperfect [impə:'fikt]

ofullständig incomplete [inkəmpli:'t]

ofärd calamity [kəlämm'iti]

oförarglig harmless [ha:'mlis]

oförbehållsam unreserved [ann'ri-zə:'vd]

oförberedd unprepared [ann'pri-pä:'əd]

ofördelaktig disadvantageous [disäd-vəntej'dʒəs]

ofördröjligen without delay [wiðao't dilej']

oförenlig incompatible [inkəmpätt'-əbl]

oföretagsam unenterprising [ann'-enn'təprajzing]

oförfalskad genuine [dʒenn'join]

oförglömlig unforgettable [ann'fə-gett'əbl]

oförhindrad at liberty [ätt libb'əti]

oförklarlig inexplicable [inekk's-plikəbl]

oförliknelig incomparable [inkåmm'p-ərəbl]

oförlåtlig unforgivable [anfəgivv'əbl]

oförmodad unexpected [ann'ikspekk'-tid]

oförmåga inability [inəbill'iti]

oförmögen incapable [inkej'pəbl]
oförrätt wrong [rång]
oförrättat *med oförrättat ärende (tomhänt)* empty-handed [emm'ptihänn'did]
oförsiktig imprudent [impro:'dənt]
oförskämd insolent [inn'sələnt]
oförskämdhet impertinence [impə:'tinəns]
oförsonlig implacable [impläkk'əbl]
oförstående unsympathetic [ann'simpəðett'ik]
oförstånd lack of judgment [läkk' əv dʒadʒ'mənt]
oförståndig (*oklok*) imprudent [impro:'dənt]
oförtjänt undeserved [ann'dizə:'vd]
oförtullad duty unpaid [djo:'ti ann'pej'd]
oförutsedd unforeseen [ann'fɔ:si:'n]
oförvägen daring [dä:'əring]
oförändrad unchanged [ann'tʃej'ndʒd]
ogenomförbar infeasible [infi:'zəbl]
ogenomskinlig opaque [əopej'k]
ogenomtränglig impenetrable [impenn'itrəbl]
ogift unmarried [ann'märr'id]
ogilla disapprove of [diss'əpro:'v əv]
ogiltig invalid [invåll'id]
ogin disobliging [diss'əblaj'dʒing]
ogjord undone [andann']
ogrundad unfounded [ann'fao'ndid]
ogräs weed [wi:d]
ogräsbekämpning weed control [wi:'d kəntrəo'l]
ogynnsam unfavourable [ann'fej'vərəbl]
ogärna unwillingly [anwill'ingli]; *det gör jag högst ogärna* I'm very much against doing it [aj'm verr'i matʃ' əgenn'st do:'ing it]
ohanterlig unwieldy [anwi:'ldi]
ohederlig dishonest [disånn'ist]
ohm ohm [əom]
ohyfsad ill-mannered [ill'männ'əd]
ohygglig horrible [hårr'əbl]
ohygienisk unhygienic [anhajdʒi:'nik]
ohyra vermin [və:'min]

ohållbar (*åsikt*) untenable [ann'tenn'əbl]; (*situation*) precarious [prikä:'əriəs]
ohälsosam unhealthy [anhell'θi]
ohämmad unchecked [ann'tʃekk't]
ohövlig impolite [impəlaj't]
oigenkännlig unrecognizable [anrekk'əgnajzəbl]
ointressant uninteresting [ann'inn'tristing]
ointresserad uninterested [ann'inn'tristid] (*av in* [in])
ojust unfair [ann'fä:'ə]
ojämförligt incomparably [inkåmm'pərəbli]
ojämn (*till antal, i kvalitet*) uneven [ann'i:'vən]; (*skrovlig*) rough [raff]
ok yoke [jəok]
okej okay [əokej']
oklanderlig irreproachable [iriprəo'tʃəbl]
oklar obscure [əbskjo:'ə]
oklarhet obscurity [əbskjo:'əriti]
oklok unwise [ann'waj'z]
okokt unboiled [anbåjl'd]
okonstlad unaffected [anəfekk'tid]
okryddad unseasoned [ann'si:'znd]
oktanvärde octane rating [åkk'tejn rej'ting]
oktav octave [åkk'tiv]
oktober October [åktəo'bə]
okultiverad uncultivated [ann'kall'tivejtid]
okunnig ignorant [igg'nərənt]
okvalificerad unqualified [ann'kwåll'ifajd]
okväda abuse [əbjo:'z]
okänd unknown [ann'nəo'n]
okänslig insensible [insenn'səbl]
olag *i olag* out of order [ao't əv å:'də]
olaglig illegal [illi:'gəl]
olidlig insufferable [insaff'ərəbl]
olik unlike [ann'laj'k]
olika different [diff'rənt]
olikhet difference [diff'rəns]
oliv olive [åll'iv]
olja oil [åjl]
oljeblandad mixed with oil [mikk'st wið åj'l]

oljeborrplattform oil rig [åj'lrig]

oljeeldning oil heating [åj'lhi:ting]

oljefärg oil paint [åj'lpej'nt]

oljemålning oil painting [åj'lpej'nting]

oljud noise [nåjz]

ollon *bot.* acorn [ej'kå:n]

ollonborre cockchafer [kåkk'tʃejfə]

ologisk illogical [ilådʒ'ikəl]

olovlig forbidden [fəbidd'n]

olust discomfort [diskʌmm'fət]

olustig unpleasant [anplezz'nt]

olycka (*ofärd*) misfortune [misfå:'-tʃən]; (*olyckshändelse*) accident [äkk'sidənt]; *till råga på olyckan* to make matters worse [tə mej'k mätt'əz wə:'s]; *det är ingen olycka skedd* there's no harm done [ðä:'əz nəo ha:'m dann']

olycklig unhappy [anhäpp'i]

olyckligtvis unfortunately [anfå:'-tʃnitli]

olycksbådande ominous [åmm'inəs]

olycksfall accident [äkk'sidənt]

olycksfallsförsäkring accident insurance [äkk'sidənt inʃo:'ərəns]

olyckshändelse accident [äkk'sidənt]

olydig disobedient [disəbi:'dʒənt]

olympiad Olympic Games [əlimm'-pik gej'mz]

olåst unlocked [ann'låkk't]

olägenhet inconvenience [inkənvi:'n-jəns]

olämplig unsuitable [ann'sjo:'tabl]

oländig rough [raff]

oläslig illegible [iledʒ'əbl]

olönsam unprofitable [anpråff'itəbl]

olöslig insoluble [insåll'jobl]

olöst (*problem*) unsolved [ann'sållv'd]

om 1 *konj.* (*frågande*) if [if]; *som om* as if [äz iff'] **2** *prep.* (*omkring*) [a]round [(ə)rao'nd], about [əbao't]; (*angående*) about [əbao't] of [åv]; (*vid begäran, tävlan*) for [få:]; *vara kall om fötterna* have cold feet [hävv kəo'ld fi:'t]; *söder om* to the south of [to: ðə sao'θ əv]; *om dagen* in the daytime [in ðə dej'tajm] **3** *adv., om igen* over again [əo'və əgenn']

omarbeta revise [rivaj'z]

omarbetning revision [riviʒ'ən]

ombedd requested [rikwess'tid]

ombilda transform [tränsfå:'m] (*till* into [into:])

ombord on board [ån bå:'d]

ombud representative [reprizenn'tətiv]

ombudsman representative [reprizenn'tətiv]; (*för organisation äv.*) ombudsman [åmm'bodzman]

ombyggnad rebuilding [ri:'bill'ding]

ombyte change [tʃejndʒ]

omdebatterad much discussed [matʃ' diskass't]

omdöme judgement [dʒadʒ'mənt]

omedelbart immediately [imi:'djətli]

omedveten unconscious [ankånn'ʃəs]

omelett omelette [åmm'lit]

omfamna embrace [embrej's]

omfatta comprise [kəmpraj'z]

omfattande extensive [ikstenn'siv]

omfattning extent [ikstenn't]

omfång extent [ikstenn't]

omfångsrik extensive [ikstenn'siv]

omgift remarried [ri:'märr'id]

omgiva surround [sərao'nd]

omgivande surrounding [sərao'nding]

omgivning surroundings (*pl*) [sərao'ndingz]

omgående immediately [imi:'djətli]

omgång (*varv*) round [raond]; (*uppsättning*) set [sett]

omhänderta take charge of [tejk tʃa:'dʒ əv]

omild harsh [ha:ʃ]

omintetgöra frustrate [frastrej't]

misskännlig unmistakable [ann'mistej'kəbl]

omistlig indispensable [indispenn's-əbl]

omklädningsrum changing room [tʃej'ndʒingro:m]

omkomma die [daj]

omkostnader costs [kåss'ts]

omkrets circumference [səkamm'-fərəns]

omkring round [raond]; (*ungefär*) about [əbao't]

omkull down [daon]

omkörning overtaking [əovətej'king]

omlastning reloading [ri:'ləo'ding]

omlopp circulation [sə:kjolej'ʃən]

omläggning rearrangement [ri:'ə-rej'ndʒmənt]

omnämna mention [menn'ʃən]

omodern old-fashioned [əo'ldfäʃ'ənd]

omogen *bot.* unripe [ann'raj'p]; (*om pers.*) immature [imətjo:'ə]

omoralisk immoral [imårr'əl]

omorganisera reorganize [ri:'å:'gə-najz]

omotiverad uncalled-for [ankå':ldfå:]

omplacera rearrange [ri:'ərej'ndʒ]; (*ämbetsman*) transfer [tränsfə:']

ompröva reconsider [ri:'kənsidd'ə]

omringa surround [sərao'nd]

område (*trakt*) district [diss'trikt]; (*gebit*) field [fi:ld]

omröstning voting [vəo'ting]

omsider at last [ätt la:'st]

omskola re-educate [ri:'edd'jo:kejt]

omskolning re-education [ri:edjo-kej'ʃən]

omskära circumcise [sə:'kəmsajz]

omslag (*emballage*) wrapping [räpp'ing]; (*förändring*) change [tʃej'ndʒ]

omslagspapper wrapping paper [rapp'ingpejpə]

omsorg care [kä:'ə]

omsorgsfull careful [kä:'əfol]

omstridd contested [kəntess'tid]

omställning adjustment [ədjass'tment]

omständighet circumstance [sə:'kəm-stəns]

omständlig circumstantial [sə:kəm-stann'ʃəl]

omstörtande subversive [sabvə:'siv]

omsvep circumlocution [sə:kəmlə-kjo:'ʃən]; *utan omsvep* straight out [strej't ao't]

omsvängning sudden change [sadd'n tʃej'ndʒ]

omsätta (*växel*) renew [rinjo:']; *omsätta i praktiken* put into practice [pott' into präkk'tis]

omsättning (*av växel*) renewal [rinjo:'al]; (*försäljning*) turnover [tə:'nəovə]

omsättningsskatt purchase tax

[pə:'tʃəs täks]

omtala mention [menn'ʃən]

omtanke consideration [kənsidə-rej'ʃən]

omtvistad disputed [dispjo:'tid]

omtyckt liked [lajkt], popular [påpp'jolə]

omtänksam considerate [kənsidd'ərit]

omtöcknad dazed [dejzd]

omusikalisk unmusical [ann'mjo:'-zikəl]

omutlig incorruptible [inkərapp'təbl]

omval re-election [ri:'ilekk'ʃən]

omvandla transform [tränsfå:'m]

omvårdnad care [kä:'ə]

omväg roundabout way [rao'ndəbaot wej]

omvälvning revolution [revəlo:'ʃən]

omvänd reversed [rivə:'st]; (*motsatt*) reverse [rivə:'s]; *relig.* convert [kånn'və:t]

omvända *relig.* convert [kənvə:'t]

omvärdera revalue [ri:'väll'jo:]

omväxlande varying [vä:'əriing]

omväxling variation [vä:əriej'ʃən]

omyndig under age [ann'də ej'dʒ]

omåttlig immoderate [imådd'ərit]

omänsklig inhuman [inhjo:'mən]

omärklig imperceptible [impə-sepp'təbl]

omätlig immeasurable [imme'ʒərəbl]

omöblerad unfurnished [ann'fə:'niʃt]

omöjlig impossible [impåss'əbl]

omöjliggöra make impossible [mejk impåss'ibl]

onanera masturbate [mäss'təbejt]

onani masturbation [mästəbej'ʃən]

onaturlig unnatural [ann'nätt'ʃrəl]

ond evil [i:'vl]; (*arg*) angry [ang'gri]; *ond aning* misgiving [misgivv'ing]

ondskefull malignant [məligg'nənt]

onekligen undeniably [andinaj'əbli]

onkel uncle [ang'kl]

onormal abnormal [abnå:'məl]

onsdag Wednesday [wenn'zdi]

ont evil [i:'vl]; (*smärtor*) pain [pejn], *ett nödvändigt ont* a necessary evil [ə ness'isəri i:'vl]; *det är inte ngt ont i honom* there's no harm in him [öä:'əz nɔ ha:'m in him]; *göra ont* give pain [givv pej'n]; *jag har ont i ryggen* I have a pain in my back [aj hävv' ə pej'n in maj bäkk']; *ha ont om* be short of [bi ʃå:'t əv]; *ha ont om pengar* be hard up [bi: ha:'d app']; *ha ont om tid* be pressed for time [bi: press't få taj'm]

onyanserad without nuances [wiðao't njo:'a:nsiz]

onykter drunk [drangk]

onyttig useless [jo:'slis]

onåd disgrace [disgrej's]

onödan *i onödan* unnecessarily [anness'isərili]

onödig unnecessary [anness'isəri]

oordentlig (*om pers.*) careless [kä:'ə- lis]; (*om sak*) disorderly [diså:'dəli]

oordnad disordered [diså:'dəd]

oordning disorder [diså:'də]

oorganisk inorganic [inå:gänn'ik]

opartisk impartial [impa:'ʃəl]

opassande improper [impräpp'ə]

opera opera [åpp'ərə]; (*-hus*) opera house [åpp'ərəhaos]

operasångare opera singer [åpp'ərə- singə]

operation operation [åpərej'ʃən]

operera operate [åpp'ərejt] (*ngn on* s.b. [ån samm'bədi]); *bli opererad* be operated on [bi: åpp'ərejtid ån]; *operera bort* remove [rimo:'v]

operett musical comedy [mjo:'zikal kåmm'idi]

opersonlig impersonal [impə:'snl]

opinion opinion [əpinn'jən]; *den allmänna opinionen* public opinion [pabb'lik əpinn'jən]

opinionsbildning moulding of public opinion [məo'lding əv pabb'lik əpinn'jən]

opinionsundersökning opinion poll [əpinn'jən pəol]

opium opium [əo'pjəm]

opolitisk unpolitical [ann'pəlitt'ikəl]

opponera *opponera sig mot* object to [əbʒekk't to:]

opportunist opportunist [åpp'ə- tjo:nist]

opposition opposition [åpəziʃ'ən]

opraktisk unpractical [ann'präkk'- tikəl]

opretentiös unpretentious [ann'pri- tenn'ʃəs]

optiker optician [åppti'ʃən]

optimist optimist [åpp'timist]

optimistisk optimistic [åptimiss'tik]

optisk optical [åpp'tikal]

outsad unpolished [ann'påll'iʃt]

opålitlig unreliable [ann'rilaj'əbl]

opåverkad unaffected [ann'əfekk'tid]

orakad unshaved [ann'ʃej'vd]

orange orange [årr'indʒ]

orangutang orang-utan [åräng'go:tän]

ord word [wə:d]; *ord och inga visor* plain speaking [plej'n spi:'king]; *begära ordet* request permission to speak [rikwess't pəmiʃ'ən tə spi:'k]; *ta ngn på orden* take s.b. at his word [tej'k samm'bədi ätt hiz wə:'d]

ordagrann literal [litt'ərəl]

ordalag terms [tə:mz]

ordbehandlare word processor [wə:d- prəo'sesə]

ordblind *med.* dyslexic [dislekk'sik]

ordbok dictionary [dikk'ʃənri]

orden order [å:'də]

ordentlig careful [kä:'əfol]; (*ordning- sam*) orderly [å:'dəli]

ordentligt properly [pråpp'əli]

order order [å:də] (*om, på* for [få:])

ordföljd word order [wə:'d å:də]

ordförande (*i förening*) president [prezz'idənt]; (*vid möte*) chairman [tʃä:'əmən]

ordförråd vocabulary [vəkäbb'joləri]

ordinarie (*vanlig*) ordinary [å:'dnri]; (*om tjänst*) permanent [pə:'mənənt]

ordinera prescribe [priskraj'b]

ordinär ordinary [å:'dnri]

ordlista glossary [glåss'əri]

ordna arrange [ərej'ndʒ]; (*reda ut*) get into order [gett' inn'to å:'də]; *ordna upp* settle [sett'l]

ordning order [å:'də]; *göra i ordning* get ready [gett' redd'i]

ordspråk proverb [pråvv'ə:b]

ordstäv saying [sej'ing]

orealistisk

orealistisk unrealistic [ann'ri:əliss'tik]

oreda disorder [diså:'də]

oredig confused [kənfjo:'zd]

oregelbunden irregular [irregg'jolə]

oren unclean [ann'kli:'n]

oreserverad unreserved [ann'rizə:'vd]

oresonlig unreasonable [annri:'znəbl]

organ organ [å:'gən]

organisation organization [å:gənajzej'∫ən]

organisationsförmåga organizing ability [å:'gənajzing əbill'iti]

organisera organize [å:'gənajz]

organisk organic [å:gänn'ik]

organism organism [å:'gənizəm]

orgasm orgasm [å:'gäzəm]

orgel organ [å:'gən]

orgie orgy [å:'dʒi]

orientalisk oriental [å:rienn'tl]

Orienten the Orient [ði å:'riənt]

orientera (*inrikta*) orient [å:'rient]; (*underrätta*) inform [infå:'m]; *sport.* run cross-country [rann kråss'kann'tri]

orientering (*inriktning*) orientation [å:rientej'∫ən]; (*översikt*) survey [sə:'vej]; *sport.* orienteering [å:rienti:'əring]

original original [əridʒ'ənl]; (*pers.*) eccentric [iksenn'trik]

originell original [əridʒ'ənl]; (*säregen*) eccentric [iksenn'trik]

oriktig incorrect [inkərekk't]

orimlig absurd [əbsə:'d]

orka have the strength for (to do) [hävv' ðə streng'θ få: (tə do:)]; *arbeta allt vad man orkar* work one's hardest [wə:'k wanz ha:'dist]

orkan hurricane [harr'ikən]

orkeslös infirm [infə:'m]

orkester orchestra [å:'kistrə]

orkidé orchid [å:'kid]

orm snake [snejk]

ormbett snakebite [snej'k bajt]

ormbunke fern [fə:n]

ormserum antivenin [ann'tivenn'in]

ormtjusare snake-charmer [snej'k-tʃa:mə]

ormvråk buzzard [bazz'əd]

ornament ornament [å:'nəmənt]

oro agitation [ädʒitej'∫ən]; (*farhåga*) anxiety [ängzaj'əti]

oroa (*störa*) disturb [distə:'b], trouble [trabl]; *oroa sig för* worry about [wå'rri əbao't]

oroande disturbing [distə:'bing]

orolig (*rastlös*) restless [ress'tləs]; (*ängslig*) anxious [äng'k∫əs]; (*bekymrad*) concerned [kənsə:'nd]; *du behöver inte vara orolig!* you needn't worry! [jo: ni:'dnt warr'i]

oroväckande alarming [əla:'ming]

orre black grouse [bläkk' graos]

orsak cause [kå:z]; *orsak och verkan* cause and effect [kå:'z ən ifekk't]; *av den orsaken* for that reason [få: ðätt' ri:'zn]

orsaka cause [kå:z]

ort place [plejs]

ortnamn place name [plej'snejm]

orts- local [ləo'kəl]

orubblig immovable [imo:'vəbl]

oråd *ana oråd* take alarm [tej'k əla:'m]

orädd fearless [fi:'əlis]

oräknelig innumerable [injo:'marəbl]

orätt wrong [rång]; *med rätt eller orätt* rightly or wrongly [raj'tli å: rång'li]; *göra ngn orätt* wrong s.b. [rång' samm'bədi]; *ha orätt* be in the wrong [bi: in ðə rång']

orättfärdig unjust [ann'dʒass't]

orättmätig unlawful [ann'lå:'fll]

orättvis unjust [ann'dʒass't]

orättvisa injustice [indʒass'tis]

orörlig immovable [imo:'vəbl]

os smell [smell]

o.s.a. R.S.V.P. [a:'ess vi:'pi:']

osa smell [smell]

osagd unsaid [ann'sedd']

osaklig irrelevant [irell'ivənt]

osammanhängande disconnected [diss'kənekk'tid]

osams *bli osams med* quarrel with [kwårr'əl wið]

osann untrue [ann'tro']

osanning untruth [ann'tro:'θ]

osannolik unlikely [anlaj'kli]

osjälvisk unselfish [ann'sell'fiʃ]

osjälvständig dependent on others [dipenn'dənt ån að'əz]

oskadd unhurt [ann'hə:'t]

oskadlig harmless [ha:'mlis]

oskadliggöra render harmless [renn'də ha:'mlis]

oskiljaktig inseparable [insepp'ərəbl]

oskuld innocence [inn'əsns]; (*orörd flicka*) virgin [və:'dʒin]; *oskuld från landet* country cousin [kɔnn'tri kəzz'n]

oskuldsfull innocent [inn'əsnt]

oskyddad unprotected [ann'prə-tekk'tid]

oskyldig innocent [inn'əsnt]

oskälig unreasonable [anri:'znəbl]

oskön ugly [agg'li]

oslagbar undefeatable [andifi:'təbl]

oslipad (*verktyg*) unground [ann'-grao'nd]; (*ädelsten*) rough [raff]

osmaklig distasteful [distej'stfol]

osminkad unpainted [ann'pej'ntid]; *osminkad sanning* plain truth [plej'n tro:'θ]

osolidarisk disloyal [diss'låj'əl]

oss us [ass]; *oss själva* ourselves [aoəsell'vz]

ost cheese [tʃi:z]; (*väderstreck*) east [i:st]; *få betalt för gammal ost* get paid out [gett pej'd əo't]; *en lyckans ost* a lucky beggar [ə lakk'i begg'ə]

ostadig unsteady [ann'stedd'i]

osthyvel cheese slicer [tʃi:'z slaj'sə]

ostindisk East Indian [i:'st inn'djən]

ostkaka curd cake [kə:'d kejk]

ostlig easterly [i:'stəli]

ostron oyster [åj'stə]

ostädad untidy [əntaj'di]

ostörd undisturbed [ann'disstə:'bd]

osund unhealthy [anhell'θi]

osv. and so on [ænd səo' ånn]

osviklig unerring [anˈəːˈriŋ]

osymmetrisk asymmetrical [äsimett'-rikəl]

osympatisk disagreeable [disəgri'əbl]

osynlig invisible [invizz'əbl]

osäker uncertain [ansə:'tn]

osäkerhet uncertainty [ansə:'tnti]

otack ingratitude [ingrätt'itjo:d]

otacksam ungrateful [angrej'tfoll]

otakt *i otakt* out of time [əo't əv taj'm]

otaliga innumerable [injo:'mərəbl]

otalt *ha ngt otalt med ngn* have a bone to pick with s.b. [hävv ə bəo'n tə pikk' wið samm'bədi]

otid *i otid* at the wrong moment [ätt ðə råŋg məo'mənt]; *i tid och otid* all the time [å:'l ðə taj'm]

otillbörlig undue [ənn'djo:']

otillfredsställande unsatisfactory [ann'satisfäkk'təri]

otillfredsställd unsatisfied [ann'-sätt'isfajd]

otillförlitlig unreliable [ann'rilaj'əbl]

otillgänglig inaccessible [inaksess'əbl]

otillräcklig insufficient [insəfiʃ'ənt]

otillräknelig not responsible for one's actions [nått rispånn'səbl få: wanz äkk'ʃɔnz]

otillåten forbidden [fəbidd'n]

otjänlig unfit [ann'fitt']

otrevlig disagreeable [disəgri:'əbl]

otrivsam cheerless [tʃi:'əlis]

otrogen unfaithful [ann'fej'θfol]

otrohet infidelity [infidell'iti]

otrolig incredible [inkredd'əbl]; *otroligt men sant* strange but true [strej'ndʒ batt tro:']

otrygg insecure [insikjo:'ə]

otränad untrained [ann'trej'nd]

otröstlig inconsolable [inkənsəo'ləbl]

otukt fornication [få:nikej'ʃɔn]

otur bad luck [bädd' lakk']

otvetydig unmistakable [ann'mis-tej'kəbl]

otvivelaktigt undoubtedly [andao't-idli]

otvungen free and easy [fri:' ən i'zi]

otydlig indistinct [indisting'kt]

otyglad unbridled [anbraj'dld]

otymplig ungainly [angej'nli]

otålig impatient [impej'ʃənt]

otäck nasty [na:'sti]

otänkbar inconceivable [inkən-si:'vəbl]

otät leaky [li:'ki]

oumbärlig indispensable [indispenn'səbl]

oundviklig inevitable [inevv'itəbl]

uppfostrad ill-bred [ill'bredd']

oupphörligen incessantly [insess'ntli]

ouppmärksam inattentive [inətenn'tiv]

ouppnåelig unattainable [ann'ətej'nəbl]

upptäckt undiscovered [ann'diskavv'əd]

oursäktlig inexcusable [inikskjo:'zəbl]

outforskad unexplored [ann'iksplå:'d]

outförbar impracticable [impräkk'-tikəbl]

outhyrd unlet [ann'lett']

outhärdlig unbearable [anbä:'ərəbl]

outnyttjad unused [ann'jo:'zd]

outplånlig ineffaceable [inifej'səbl]

outrotlig ineradicable [inirädd'ikəbl]

outsinlig inexhaustible [inigzå:'stəbl]

outspädd undiluted [ann'dajljo:'tid]

outsäglig unspeakable [anspi:'kəbl]

outtröttlig indefatigable [indifätt'igəbl]

oval oval [əo'vəl]

ovan 1 *adv. o prep.* above [əbavv']
2 *adj.* unaccustomed [ann'əkass'təmd]

ovandel upper part [app'ə pa:t]

ovanför above [əbavv']

ovanlig unusual [annjo:'ʒoəl]

ovanpå on top of [ån tåpp' əv]

ovanstående the above [ði əbavv']

ovarsam heedless [hi:'dlis]

ovederhäftig unreliable [ann'rilaj'əbl]

overall overalls (*pl*) [əo'vərå:lz]

overheadprojektor overhead projector [åo'vəhedd prədʒekk'tə]

overklig unreal [ann'ri:'əl]

overksam inactive [inäkk'tiv]

ovetande unknowing [ann'nəo'ing]

ovetenskaplig unscientific [ann'sajəntiff'ik]

ovett *få ovett* get scolded [gett skəo'ldid]

ovidkommande irrelevant [irell'ivənt]

ovig cumbersome [kamm'bəsəm]

oviktig unimportant [animpɔ:'tənt]

ovilja aversion [əvə:'ʃən]

ovillig unwilling [ann'will'ing]

ovillkorligen absolutely [abb'səlo:tli]

oviss uncertain [annsə:'tn]

ovårdad neglected [niglekk'tid]

oväder storm [stå:m]

ovän enemy [enn'imi]

ovänlig unkind [ankaj'nd]

oväntad unexpected [ann'ikspekk'tid]

ovärderlig invaluable [invall'joəbl]

ovärdig unworthy [anwə:'ði]

oväsen noise [nåjz]

oxe ox [åks]

oxfile fillet of beef [fill'it əv bi:'f]

oxid oxide [åkk'sajd]

oxidera oxidize [åkk'sidajz]

oxkött beef [bi:f]

ozonskikt ozone layer [əo'zəonlejə]

oåterkallelig irrevocable [irevv'əkəbl]

oåtkomlig inaccessible [inäksess'əbl]

oäkta false [få:ls]

oändlig endless [enn'dlis]; infinite [inn'finit]

oärlig dishonest [disånn'ist]

oätbar uneatable [ann'i:'təbl]

oätlig (*om svamp e.d.*) inedible [inedd'ibl]

oöm robust [rəbass't]

oöverkomlig insurmountable [insə:-mao'ntəbl]

oöverskådlig incalculable [inkäll'-kjoləbl]

oöverstiglig insurmountable [inn'sə:-mao'ntəbl]

oöverträffad unsurpassed [ann'sə:-pa:'st]

oövervinn[e]lig invincible [invinn'səbl]

p

pacifism pacifism [päss'ifizm]

packa pack [päkk]; *packa in* pack up [päkk app']; *packa upp* unpack [ann'päkk']

packe package [päkk'idʒ]

packning (*baggage*) luggage [lagg'idʒ]; *tekn.* gasket [ga:'skit]

padda toad [təod]

paddel paddle [pädd'l]

paddla paddle [pädd'l]

paj pie [pajj]

pajas clown [klaon]

paket parcel [pa:'sl]; *ett paket cigaretter* a packet of cigarettes [ə päkk'it əv sigarett's]; *skicka som paket* send by parcel post [senn'd baj pa:'sl pəo'st]

paketutlämning delivery office [dilivv'əriäff'is]

palats palace [päll'is]

Palestina Palestine [päll'istajn]

palestinier Palestinian [pälistinn'iən]

palett palette [päll'it]

pall stool [sto:l]

palm palm [pa:m]

palsternacka parsnip [pa:'snip]

pamp (*pers.*) bigwig [bigg'wig]

panel panelling [pänn'ling]; (*grupp pers.*) panel [pänn'l]

panik panic [pänn'ik]

pank broke [brəok]

panna (*kokkärl*) pan [pänn]; (*värme-*) furnace [fə:'nis]; (*på huvudet*) forehead [fårr'id]

pannbiff *ung.* hamburger [hämm'-bə:gə]

pannkaka pancake [pänn'kejk]

pansar armour [a:'mə]

pansartrupper armoured troops [a:'məd tro:ps]

pant pledge [pledʒ]; (*säkerhet*) security [sekjo:'riti]

pantbank pawnshop [på:'nʃåp]

panter panther [pänn'θə]

papegoja parrot [pärr'ət]

papiljott curler [kə:'lə]

papp board [bå:d]

pappa *vard.* dad[dy] [dädd'(i)]

papper paper [pej'pə]; *ett papper* a piece of paper [ə pi:'s əv pej'pə]

pappersbruk paper mill [pej'pə mill]

pappershandel stationer's shop [stej'ʃənəz ʃåpp]

papperskorg waste-paper basket

[wej'stpejpə ba:'skit]; *Am.* waste-basket [wej'stba:skit]

pappersnäsduk paper handkerchief [pej'pə häng'kətʃif]

papperspåse paper bag [pej'pə bägg]

pappersservett paper napkin [pej'pə näpp'kin]

papperstallrik paper plate [pej'pə plejt]

paprika paprika [päpp'rikə]

par (*sammanhängande*) pair [pä:'ə]; (*äkta m.m.*) couple [kapp'l]; *ett par skor* a pair of shoes [ə pä:'ə əv ʃo:'z]; *ett par* (*några*) a couple of [ə kapp'l əv]

para sig mate [mejt]

parabolantenn [satellite] dish (*vard.*) [(sätt'elajt) diʃ]

parad parade [pərej'd]

paradigmskifte paradigmatic shift [pärədigmätt'ik ʃift]

paradis paradise [pärr'ədajs]

paradox paradox [pärr'ədåks]

paraffin [solid] paraffin [(såll'id) pärr'əfin]

paragraf paragraph [pärr'əgra:f]

parallell parallel [pärr'ələl]

parallellkoppling parallel connection [pärr'ələl kənekk'ʃən]

paranöt Brazil nut [brəzill' natt]

paraply umbrella [ambrell'ə]

parasit parasite [pärr'əsajt]

parasoll parasol [pärr'əsål]

paratyfus paratyphoid [pärətaj'fåjd]

parentes parenthesis [pərenn'θisis]

parfym perfume [pə:'fjo:m]

parfymera scent [sent]

parfymeri perfumery [pə:fjo:'meri]

park park [pa:k]

parkera park [pa:k]

parkering parking [pa:'king]

parkeringsautomat parking meter [pa:'king mi:tə]

parkeringsförbud parking prohibited [pa:'king prəhibb'itid]

parkeringshus multi-storey garage [mall'tistä:'ri gärr'a:ʒ]

parkeringsplats parking place [pa:'king plejs]

parkett (*på teater*) stalls (*pl*) [stå:lz]; (*golvbeläggning*) parquet [pa:'kej]
parlament parliament [pa:'ləmənt]
parlör phrase book [frej'zbok]
parodi parody [pärr'ədi]
part party [pa:'ti]
parti (*del*) part [pa:t]; *polit.* party [pa:'ti]; *ta parti för* take sides for [tejk saj'dz få:]; *ett parti schack* a game of chess [ə gej'm əv tʃess']
partikel particle [pa:'tikl]
partipris wholesale price [həo'lsejl prajs]
partisk partial [pa:'ʃəl]
partitur score [skå:]
partner partner [pa:'tnə]
pass (*bergs-*) pass [pa:s]; (*legitimationshandling*) passport [pa:'spå:t]
passa (*sköta*) attend to [ətenn'd to:]; *sport.* pass [pa:s]; (*i storlek*) fit [fitt]; (*i färg, utseende*) suit [sjo:t]; *passa på tillfället* take the opportunity [tej'k ði åpətjo:'niti]; *det passar sig inte* it is not proper [it iz nått pråpp'ə]
passad[vind] trade wind [trej'dwind]
passage passage [päss'idʒ]
passagerare passenger [päss'indʒə]
passande suitable [sjo:'təbl]
passare compasses (*pl*) [kamm'pəsi:z]
passera pass [pa:s]
passfoto passport photograph [pa:'spå:t fəo'təgra:f]
passion passion [päʃ'ən]
passiv passive [päss'iv]
passkontroll *abstr.* passport inspection [pa:'spå:t inspekk'ʃən]; *konkr.* passport desk [pa:'spå:t desk]
pastej pie [paj]; paté [pätt'ej]
pastellfärg pastel colour [päss'tl kall'ə]
pastor vicar [vikk'ə]; (*frikyrklig*) minister [minn'istə]
pastörisera pasteurize [päss'tərajz]
patent patent [pej'tənt]
patentera patent [pej'tənt]
patentmedicin patent medicine [pej'tənt medd'sin]
patiens patience [pej'ʃəns]; *lägga*

patiens play [at] patience [plej (ətt) pej'ʃəns]
patient patient [pej'ʃənt]
patina patina [pätt'inə]
patriot patriot [pej'triət]
patriotisk patriotic [pejtriått'ik]
patron cartridge [ka:'tridʒ]
patrull patrol [pətrəo'l]
paus pause [på:z]
paviljong pavilion [pəvill'jən]
PC PC [pi:si:']
pedagog educationalist [edjokej'ʃənəlist]
pedagogisk pedagogic[al] [pedəgådʒ'ik(əl)]
pedal pedal [pedd'l]
pedant pedant [pedd'ənt]
peka point [påjnt] (*på* at [ätt]): *peka ut* point out [påj'nt ao't]
pekfinger forefinger [få:'fiŋgə]
pekpinne pointer [påj'ntə]
pelare pillar [pill'ə]
pelargon[ia] geranium [dʒirej'njəm]
pelikan pelican [pell'ikən]
pendel pendulum [penn'djoləm]
pendeltåg commuter train [kəmjo:'tə trejn]
pendla oscillate [åss'ilejt]; (*om förortsbo*) commute [kəmjo:'t]
pendlare commuter [kəmjo:'tə]
peng coin [kåjn]; *pengar* money (*sg*) [mann'i]; *ha gott om pengar* have plenty of money [hävv plenn'ti əv mann'i]; *ha ont om pengar* be short of money [bi: ʃå:'t əv mann'i]; *jämna pengar* even money [i:'vən mann'i]
penicillin penicillin [penisill'in]
penis penis [pi:'nis]
penna pen [penn]; (*blyerts-*) pencil [penn'sl]
penningvärde value of money [väll'jo: əv mann'i]
pennkniv penknife [penn'najf]
pennvässare pencil sharpener [penn'sl ʃa:'pənə]
pensel [paint] brush [(pej'nt)braʃ]
pension pension [penn'ʃən]
pensionat boarding house [bå:'dinghaos]

pingstdagen

pensionera grant a pension to [gra:'nt ə penn'ʃən to:]

pensionerad retired [ritaj'əd]

pensionär pensioner [penn'ʃənə]

pensla paint [pejnt]

peppar pepper [pepp'ə]

pepparkaka (*småkaka*) gingerbread biscuit [dʒinn'dʒəbred biss'kit], (*mjuk*) gingerbread cake [dʒinn'dʒəbred kejk]

pepparmint peppermint [pepp'əmint]

pepparrot horseradish [hå:'srädiʃ]

peppra pepper [pepp'ə]

per per [pə:]; *per person* per person [pə:' pə:'sn], each [i:tʃ]; *per år a year* [ə jə:]

perfekt perfect [pə:'fikt]

perforera perforate [pə:'fərejt]

pergament parchment [pa:'tʃmənt]

period period [pi:'əriəd]

permanent permanent [pə:'mənənt]

permanenta (*hår*) perm[anent-wave] [pə:'m(ənəntwejv)]

permission leave [li:v]

perrong platform [plätt'få:m]

perrongbiljett platform ticket [plätt'-få:m tikk'it]

persianpäls Persian lamb coat [pə:'ʃən lämm kəot]

persienn Venetian blind [vini:'ʃən blajnd]

persika peach [pi:tʃ]

persilja parsley [pa:'sli]

persisk Persian [pə:'ʃən]

person person [pə:'sn]

personal staff [sta:f]

personbil [passenger] car [(päss'-indʒə) ka:]

personlig personal [pə:'snl]

personlighet personality [pə:'sən-äll'iti]

persontåg (*motsats godståg*) passenger train [päss'indʒə trejn]; (*motsats snälltåg*) ordinary train [å:'dnri trejn]

perspektiv perspective [pəspekk'tiv]

peruan Peruvian [pəro:'viən]

peruansk Peruvian [pəro:'viən]

peruk wig [wigg]

pervers perverted [pəvə:'tid]

pessar diaphragm [daj'əfräm]

pessimist pessimist [pess'imist]

pessimistisk pessimistic [pesimiss'tik]

pest plague [plejg]

peta poke [pəok] (*på at* [ätt]); *peta naglarna* clean one's nails [kli:'n wanz nejʼlz]; *peta tänderna* pick one's teeth [pikk' wanz ti:'θ]

petroleum petroleum [pitrəo'ljəm]

pH-värde pH-value [pi:'ejʼtʃ väll'jo:]

pianist pianist [pjänn'ist]

piano piano [pjänn'əo]; *spela piano* play the piano [plej' ðə pjänn'əo]

picknick picnic [pikk'nik]

pickolo page-boy [pej'dʒ båj], *Am.* bellboy [bell'båj]

pietet reverence [revv'rəns]

piff *sätta piff på* (*mat*) give relish to [givv rell'iʃ to:], *bildl.* smarten up [sma:'tn app']

piffa upp smarten up [sma:'tn app]

piga maid [mejd]

pigg 1 *s.* spike [spajk] 2 *adj.*, *pigg som en mört* fit as a fiddle [fitt' äz ə fidd'l]); *pigg på* keen on [ki:'n ån]

pigga upp cheer up [tʃi:'ərapp']

piggsvin porcupine [på:'kjopajn]

piggvar turbot [tə'bət]

pik (*stickord*) gibe [dʒajb]

pil (*träd*) willow [will'əo]; (*vapen*) arrow [arrəo]; (*att kasta*) dart [da:t]

pilbåge bow [bəo]

pilfink tree sparrow [tri: spärr'əo]

pilgrim pilgrim [pill'grim]

piller pill [pill]

pilot pilot [paj'lət]

pina 1 *s.* torment [tå:'ment], pain [pejn] 2 *v.* torment [tå:'menn't]

pincett [pair of] tweezers [(pä:'ə əvv) twi:'zəz]

pingla 1 *s.* small bell [små:l bell] 2 *v.* tinkle [tingkl]

pingst Whitsun[tide] [witt'sn(tajd)]; *annandag pingst* Whit Monday [witt' mann'di]

pingstafton Whitsun Eve [witt'sn i:'v]

pingstdagen Whit Sunday [witt'sndej]

pingvin penguin [peng'gwin]

pinje stone pine [støʊ'n paj'n]

pinne stick [stikk]; (stegpinne) rung [rang]; stel som en pinne stiff as a poker [stiff'əs ə pəʊ'kə]

pinsam painful [pej'nfʊl]

pion peony [pi:'əni]

pionjär pioneer [pajəni:'ə]

pip (ljud) beep [bi:p]; (på kanna) spout [spaʊt]

pipa 1 v. squeak [skwi:k]; (jämra sig) whine [wajn] 2 s. (rök-) pipe [pajp]

piprensare pipe-cleaner [paj'pkli:nə]

piptobak pipe tobacco [paj'p təbakk'əʊ]

pir pier [pi:'ə]

pirat pirate [paj'ərit]

pirog Russian pasty [raʃ'ən pass'ti]

piska 1 s. whip [wipp] 2 v. whip [wipp], (mattor) beat [bi:t]

pissa vard. pee [pi:], piss [piss]

pissoar urinal [jʊ'ərinl]

pistill pistil [piss'til]

pistol pistol [piss'til]

pitt vard. prick [prikk], willie [will'i]

pittoresk picturesque [piktʃəress'k]

pjoska med coddle [kådd'l]

pjäs (föremål) piece [pi:s]; (teater-) play [plej]

pjäxa ski-boot [ski:'bɔ:t]

placera place [plejs]; (pengar) invest [invess't]

placering placing [plej'sing]; (investering) investment [invess'tmənt]

pladdra babble [bäbb'l]

plage beach [bi:tʃ]

plagg garment [ga:'mənt]

plagiera plagiarize [plej'dʒjərajz]

plakat placard [pläkk'a:d]

plan 1 s. plane [plejn], (projektförslag) plan [plänn] 2 adj. plane [plejn]

planera plan [plänn]

planering planning [plänn'ing]

planet planet [plänn'it]

planhushållning planned economy [plänn'd i:kånn'əmi]

plank (virke) deals (pl) [di:lz], (stängsel) wood[en] paling [wood'(n) pej'ling]

planka deal [di:l]

planlägga plan [plänn]

planläggning planning [plänn'ing]

plansch plate [plejt]; (vägg-) chart [tʃa:t]

planta plant [pla:nt]

plantera plant [pla:nt]

plaska splash [pläʃ]

plaskdamm paddling-pool [pädd'ling-po:l]

plast plastic [pläss'tik]

plastpåse plastic bag [pläss'tik bägg]

platina platinum [plätt'inəm]

plats (ställe, anställning) place [plejs]; (sitt-) seat [si:t]; (utrymme) room [ro:m]

platsansökan application for a situation [äplikej'ʃən få: ə sitjoej'ʃən]

platsbiljett seat reservation [si:'t rezəvej'ʃən]

platt flat [flätt]

platta plate [plejt]

plattform platform [plätt'få:m]

plattfotad flat-footed [flätt'fott'id]

platå plateau [plätt'əʊ]

plektron plectrum [plekk'trəm]

plikt duty [djo:'ti]

plikttrogen faithful [fej'θfʊl]

plissera pleat [pli:t]

plocka pick [pikk]

plog plough [plaʊ]

ploga (väg) clear from snow [kli:'ə fråmm snəʊ']

plomb (i tand) filling [fill'ing]

plombera (försegla) seal [si:l]; (tand) fill [fill]

plommon plum [plamm]

plugg plug [plagg]

plugga plug [plagg]; vard. (läsa) swot [swått]

plundra rob [råbb]

pluralis plural [plo:'ərəl]

plus plus [plass]; 2 plus 2 är 4 two plus two make four [to: plass to:' mejk få:']; det är 1 grad plus it's one degree above zero [itz wann digri:' əbavv' zi:'ərəʊ]

plåga 1 s. pain [pejn] 2 v. pain [pejn]

plågsam painful [pej'nfʊl]

plånbok wallet [wåll'it]

plåster plaster [pla:'stə]

plåt (*metall*) sheet-metal [ʃi:'tmetl]; (*bleck-*) tin [tin]; (*skiva*) plate [plejt]

plåtslagare plater [plej'tə]

pläd rug [ragg]

plädera plead [pli:d]

plöja plough [plao]

plös tongue [tang]

plötslig sudden [sadd'n]

plötsligt suddenly [sadd'nli]

PM memo [memm'ao]

pocketbok paperback [pej'pəbäk]

poesi poetry [pəo'itri]

poet poet [pəo'it]

poetisk poetical [pəoett'ikəl]

pojkbok book for boys [bokk' fə båj'z]

pojke boy [båj]

pojkstreck boyish prank [båj'iʃ prängk]

pojkvän boyfriend [båj'frend]

pokal goblet [gåbb'lit]

poker poker [pəo'kə]

pol pole [pəol]

polack Pole [pəol]

polcirkel polar circle [pəo'lə sə:'kl]

polemik polemics [pəlemm'iks]

Polen Poland [pəo'lənd]

polera polish [påll'iʃ]

poliklinik out-patient department [ao'tpejʃənt dipa:'tmənt]

polio polio [pəo'liəo]

polis police [pəli:'s]; (*-man*) policeman [pəli:'smən]

polisanmäla report to the police [ripå:'t to: ðə pəli:'s]

polisbil police car [pəli:'ska:]

polisonger side-whiskers [saj'd wiss'kəz], *Am.* sideburns [saj'dbə:nz]

polisstation police station [pəli:'s stej'ʃən]

politik politics [påll'itiks]; (*handlingssätt*) policy [påll'isi]

politiker politician [pålitiʃ'ən]

politisk political [pəlitt'ikəl]

polityr polish [påll'iʃ]

polka polka [påll'kə]

pollen pollen [påll'ən]

pollett token [təok'ən]

pollettera label [lej'bl]; *pollettera sitt bagage* have one's luggage labelled [hävv wanz lagg'idʒ lej'bld]

polletteringskvitto luggage ticket [lagg'idʒ tikk'it]

polotröja turtleneck sweater [tə:'tlnek swett'ə]

polsk Polish [pəo'liʃ]

polygami polygamy [påligg'əmi]

pommes frites chips [tʃips]; *Am.* French fries [frenn'tʃfrajz]

pondus authority [å:θårr'iti]

ponny pony [pəo'ni]

ponton pontoon [pånto:'n]

popartist pop musician [påpp' mjo:-ziʃ'ən]

popcorn popcorn [påpp'kå:n]

popkonsert pop concert [påpp kånn'-sət]

popmusik pop music [påpp mjo:'sik]

poppel poplar [påpp'lə]

popsångare pop singer [påpp' si'ngə]

popularitet popularity [påpjolärr'iti]

populär popular [påpp'jolə]

por pore [på:]

pormask blackhead [bläkk'hed]

pornografi pornography [på:någg'-rəfi]

porslin china [tʃaj'nə]

port (*-gång*) gateway [gej'twej]; (*dörr*) door [då:]

porter stout [staot]

portfölj briefcase [bri:'fkejs]

portier hall-porter [hå:'lpå:tə]

portion portion [på:'ʃən]

portmonnä purse [pə:s]

portnyckel latchkey [lätʃ'ki:]

porto postage [pəo'stidʒ]

porträtt portrait [på:'trit]

Portugal Portugal [på:'tjogəl]

portugis Portuguese [på:tjogi:'z]

portvakt porter [på:'tə]

portvin port [på:t]

porös porous [på:'rəs]

posera pose [pəoz]

position position [pəziʃ'ən]

positiv 1 *adj.* positive [påzz'ətiv] 2 *s.* (*instrument*) barrel organ [bärr'əl-å:gən]

post (*brev o.d.*) post [pəost], *Am.* mail [mejl]; (*bokförings-*) item [aj'tem]

posta mail [mejl]

postadress postal address [pəos'tl ədress']

postanvisning money order [mann'i å:də]

postbox post office box [pəo'ståff'is båks]

poste restante poste restante [pəost-ress'ta:nt]

postförskott cash on delivery [käʃ'ån dilivv'əri]

postgirokonto postal giro account [pəo'stəl dʒaj'rəo əkəo'nt]

postkontor post office [pəo'ståff'is]

postnummer postcode [pəo'stkəod]; *Am.* zip code [zipp'kəod]

postorder mail order [mejl'å:də]

postpaket postal parcel [pəo'stəl pa:sl]

postväxel money order [mann'i å:də]

potatis potato [pətej'təo]

potatismjöl potato flour [pətej'təo flao'ə]

potatismos mashed (creamed) potatoes [mäʃ't (kri:'md) pətej'təoz]

potatissallad potato salad [pətej'təo säll'əd]

potatisskalare potato peeler [pətej'təo pi:'lə]

potens potency [pəo'tənsi]

pott *spel.* pool [po:l]

potta chamber pot [tʃej'mbəpått']

poäng point [påjnt]

poängtera emphasize [emm'fəsajz]

p-piller contraceptive pill [kåntrə-sepp'tiv pill]; *vard.* the Pill [ðə pill]

pracka *pracka på ngn ngt* foist s.th. on s.b. [fåjst samm'θiŋ ån samm'bədi]

Prag Prague [pra:g]

prakt magnificence [mägniff'isns]

praktfull magnificent [mägniff'isnt]

praktik practice [präkk'tis]

praktikant trainee [trejni:']

praktisera (*tillämpa*) put into practice [pott' into präkk'tis]; (*lära sig ett yrke*) get experience [gett' ikspi:'əriəns]; (*som läkare e.d.*)

practise [präkk'tis]

praktisk practical [präkk'tikəl]

praktiskt *praktiskt taget* practically [präkk'tikli]

pralin chocolate [tʃåkk'lit]

prassel rustle [rasl]

prassla rustle [rasl]

prat talk [tå:k]

prata talk [tå:k]

pratmakare chatterbox [tʃätt'əbåks]

pratsam talkative [tå:'kətiv]

praxis *det är praxis* it is the practice [it iz ðə präkk'tis]

precis precisely [prisaj'sli]; *inte precis* not exactly [nått igzäkk'tli]; *precis kl 9* at 9 o'clock sharp [ätt naj'n əklåkk ʃa:p]

precision precision [prisiʒ'n]

predika preach [pri:tʃ]

predikan sermon [sə:'mən]

predikstol pulpit [poll'pit]

prejudikat precedent [press'idənt]

preliminär preliminary [prilimm'i-nəri]

premie premium [pri:'mjəm]

premieobligation premium bond [pri:'mjəm bånd]

premiär first night [fə:'st naj't]

premiärminister prime minister [praj'm minn'istə]

prenumeration subscription [səbskripp'ʃən]

prenumerera subscribe [səbskraj'b] (*på for* [få:])

preparera prepare [pripä:'ə]

presenning tarpaulin [ta:'på:'lin]

present present [prezz'nt]

presentation presentation [prezentej'ʃən]; (*föreställande*) introduction [intrədakk'ʃən]

presentera present [prizenn't]; (*föreställa*) introduce [intrədjo:'s]; *får jag presentera …?* may I introduce …? [mej aj intrədjo:'s]

presentkort gift voucher [gift vao'tʃə]

president president [prezz'idənt]

preskriberad statute-barred [stätt'jo:tba:d]

press (*tidningar o tekn.*) press [press];

(tryck) pressure [pre∫'ə]

pressa press [press]

presskonferens press conference ['press' kånn'fərəns]

prestation achievement [ətʃi:'vmənt]

prestera achieve [ətʃi:'v]

prestige prestige [presti:'ʒ]

preussisk Prussian [praʃ'ən]

preventivmedel contraceptive [kån-trəsepp'tiv]

prick dot [dått], spot [spått]

pricka *(förse med prickar)* dot [dått]

prickig spotted [spått'id]

primitiv primitive [primm'itiv]

primär primary [praj'məri]

primör early vegetable [ə:'li vedʒ'i-təbl]

princip principle [prinn'səpl]; *av (i) princip* on (in) principle [ån (in) prinn'səpl]

principiell [based] on principle [(bej'st) ån prinn'səpl]; *av principiella skäl* on grounds of principle [ån grao'ndz əv prinn'səpl]

prins prince [prins]

prinsessa princess [prinsess']

prinskorv chipolata sausage [tʃipəla:'tə såss'idʒ]

pris *(kostnad)* price [prajs]; *(belöning)* prize [prajz]; *(beröm)* praise [prejz]; *till ett pris av* at the (a) price of [ätt ðə (ə) praj's əv]; *till varje pris* at any cost [ätt enn'i kåss't]

prisgiva abandon [əbänn'dən] *(åt* to [to:])

prishöjning rise in price[s *pl*] [raj'z in praj's(iz)]

prislista price list [praj'slist]

prisläge price range [praj's rejndʒ]; *i vilket prisläge?* at about what price? [ätt əbao't wått praj's]

prisma prism [prizz'əm]

prisnedsättning price reduction [praj's ridakk'ʃən]

prisstopp price freeze [praj's fri:z]

prissänkning price reduction [praj's ridakk'ʃən]

pristagare prizewinner [praj'zwinn'ə]

pristävlan prize competition [praj'z

kåmpitiʃ'ən]

privat private [praj'vit]

privatangelägenhet personal matter [pə:'snl mätt'ə]

privatperson private person [praj'vit pə:'sn]

privilegiera privilege [privv'ilidʒ]

privilegium privilege [privv'ilidʒ]

problem problem [pråbb'ləm]

procedur procedure [prəsi:'dʒə]

procent per cent [pəsenn't]; *10 procents rabatt* 10 per cent discount [tenn pəsenn't diss'kaont]

process *(rättstvist)* lawsuit [lå:'sjo:t]; *(förlopp)* process [prəo'ses]

procession procession [prəse'ʃən]

producera produce [prədjo:'s]

produkt product [prådd'əkt]

produktion production [prədakk'ʃən]

produktiv productive [prədakk'tiv]

professionell professional [prəfeʃ'ənl]

professor professor [prəfess'ə]

profet prophet [pråff'it]

proffs pro [prəo]

profil profile [prəo'fajl]

prognos *(medicinsk)* prognosis [prågnəo'sis]; *(väder-, ekonomisk o.d.)* forecast [få:'ka:st]

program *data.* software [såff'twä:ə]

programmera *data.* program [prəo'-gräm]

programmerare programmer [pråo'-grämə]

programmering programming [prəo'-gräming]

program[vara] *se program*

progressiv progressive [prəgress'iv]

projekt project [prådʒ'ekt]

proklamera proclaim [prəklej'm]

proletär proletarian [prəoletä:'əriən]

promenad walk [wå:k]

promenera walk [wå:k]

promille per mill[e] [pə mill']

pronomen pronoun [prəo'naon]

propaganda propaganda [pråpə-gänn'də]

propeller propeller [prəpell'ə]

proportion proportion [prəpå:'ʃən]

proportionell proportional

[prɔpå:'ʃɔnl]

proposition (*lagförslag*) government bill [gavv'nmənt bill']

propp stopper [ståpp'ə]; (*elektrisk*) fuse [fjo:z]

prosa prose [prəoz]

prosit *prosit!* [God] bless you! [(gådd) bless' jo:]

prospekt prospectus [prəspekk'təs]

prost dean [di:n]

prostata prostate [pråss'tejt]

prostituerad prostitute [pråss'titjo:t]

prostitution prostitution [pråsti- tjo:'ʃən]

protein protein [prəo'ti:n]

protes artificial limb [a:tifiʃ'əl limm]

protest protest [prəo'test]

protestant Protestant [prått'istənt]

protestantisk Protestant [prått'istənt]

protestera protest [prətess't]

protokoll minutes (*pl*) [minn'its]

prov (*försök*) trial [traj'əl]; (*examens-*) examination [igzämi-nej'ʃən]; (*varu-*) sample [sa:'mpl]

prova test [test]; (*kläder*) try on [traj' ånn']

proviant provisions (*pl*) [prəvi'ʒənz]

provins province [pråvv'ins]

provision commission [kəmi'ʃən]

provisorisk provisional [prəvi'ʒənl]

provrör test tube [tess't tjo:b]

pruta bargain [ba:'gin]

prutta *vard.* fart [fa:t]

pryd prim [primm]

pryda adorn [ədå:'n]

prydlig neat [ni:t]

prydnad adornment [ədå:'nment]

prylar *vard.* odds and ends [ådz ənd endz]

prålig gaudy [gå:'di]

pråm barge [ba:dʒ]

prångla ut utter [att'e]

prägel stamp [stämp]

prägla stamp [stämp]

prärie prairie [prä:'əri]

präst clergyman [klə:'dʒimən]; (*katolsk*) priest [pri:st]

prästkrage *bot.* marguerite [ma:gə- ri:'t]

pröva try [traj]; (*testa*) test [test]; (*undersöka*) examine [igzämm'in]

prövning examination [igzämi- nej'ʃən]

psalm hymn [himm]

psykiater psychiatrist [sajkaj'ətrist]

psykiatrisk psychiatric [sajkiätt'rik]

psykisk psychic [saj'kik]

psykolog psychologist [sajkåll'ədʒist]

psykologi psychology [sajkåll'ədʒi]

psykologisk psychologic[al] [sajkə- lådʒ'ik(əl)]

psykos psychosis [sajkəo'sis]

psykoterapi psychotherapy [sajkə- θerr'apist]

ptro *ptro!* whoa! [wəo]

pubertet puberty [pjo:'bəti]

publicera publish [pabb'liʃ]

publicitet publicity [pabliss'iti]

publik (*åhörare*) audience [å:'djəns]; (*åskådare*) spectators (*pl*) [spek- tej'təz]

publikation publication [pablikej'ʃən]

publikfrieri showmanship [ʃəo'- mənʃip]

puck (*ishockey-*) puck [pakk]

puckel hump [hamp]

puckelryggig hunchbacked [hann'tʃ- bäkt]

pudding pudding [podd'ing]

pudel poodle [po:'dl]

puder powder [pao'də]

pudra powder [pao'də]

puka kettledrum [kett'ldram]

pulka reindeer sleigh [rej'ndi:ə slej]

puls pulse [palls]

pulsera pulsate [pəlsej't]

pulsåder artery [a:'teri]

pulver powder [pao'də]

pump pump [pamp]

pumpa 1 *s.*, *bot.* pumpkin [pamm'kin] 2 *v.* pump [pamp]

pund (*myntenhet*) pound [paond] (*förk. £*); engelska pund pound sterling [pao'nd stə:'ling]

pung (*börs*) purse [pə:s]; *anat.* scrotum [skrəo'təm]

pungdjur marsupial [ma:sjo:'pjəl]

punkt point [påjnt]; (*skiljetecken*)

[full] stop [(foll') ståpp'] *Am.* period [pe:'riəd] *(på dagordning e.d.)* item [aj'tem]

punktering puncture [pang'ktʃə]

punktlig punctual [pang'ktjoəl]

punktstrejk selective strike [silekk'tiv straj'k]

punsch Swedish punch [swi:'diʃ pann'tʃ]

pupill pupil [pjo:'pl]

puppa chrysalis [kriss'əlis]

puré purée [pjo:'ərej]

purjolök leek [li:k]

purpur purple [pə:'pl]

pussel puzzle [pazz'l]

pusta ut take a breather [tej'k ə bri:'ðə]

putsa clean [kli:n]; polish [påll'iʃ]

putsmedel polish [påll'iʃ]

putta shove [ʃavv']; *(golf)* putt [patt]

puttra *(koka)* simmer [simm'ə]

pyjamas pyjamas [pədʒa:'məz]

pyramid pyramid [pirr'əmid]

Pyrenéerna the Pyrenees [ðə pirə-ni:'z]

pyssla busy o.s. [bizz'i wanself]; *pyssla med* busy o.s. with [bizz'i wansell'f wið]

pyts bucket [bakk'it]

på *(ovanpå; tidpunkt)* on [ån]; *(gata m.m.)* in [in]; *(byggnader; möten m.m.)* at [ätt]; *(under, om tid)* on [ånn], during [djo:'əring]; *(tidsrymd)* for [få:]; *(inom)* in [in]; *på bordet* on the table [ån ðə tej'bl]; *på min födelsedag* on my birthday [ån maj bə:'θdej]; *på landet* in the country [in ðə kann'tri]; *på bio* at the cinema [ätt ðə sinn'imə]; *på jullovet* during the Christmas holiday [djo:'əring ðə kriss'məs håll'ədi]; *jag har inte varit hemma på tio år* I haven't been home for ten years [aj hävv'nt bi:n həo'm få: tenn jə:'z]

påbjuda order [å:'də]

påbrå inheritance [inherr'itəns]

påbud decree [dikri:']

påbörja begin [biginn']

påfallande striking [straj'king]

påflugen obtrusive [əbtro:'siv]

påfrestande trying [traj'ing]

påfrestning strain [strejn]

påfyllning filling-up [fill'ingapp']

påfågel peacock [pi:'kåkk']

pågå be going on [bi: gəo'ing ånn']

påhitt idea [ajdi:'ə]

påkalla *påkalla uppmärksamhet* attract attention [əträkk't ətenn'ʃən]

påklädd dressed [drest]

påkostad expensive [ikspenn'siv]

påkörning *(kollision)* smash [smäʃ]

påle pole [pəol]

pålitlig reliable [rilaj'əbl]

pålägg *(på smörgås)* meat (cheese *etc.*) for sandwiches [mi:'t(tʃi:'z) få: sann'widʒiz]

påminna remind [rimaj'nd] *(om of [åv])*

påminnelse reminder [rimaj'ndə]

påpasslig alert [ələ:'t]

påpeka point out [påj'nt ao't]

påse bag [bägg]

påseende *till påseende* on approval [ån əpro:'vəl]

påsk Easter [i:'stə]; *annandag påsk* Easter Monday [i:'stə mənn'di]; *glad påsk!* Happy Easter! [häpp'i i:'stə]

påskafton Easter Eve [i:'stə i:'v]

påskdag Easter Sunday [i:'stə sann'di]

påskina *låta påskina* intimate [inn'timejt]

påsklilja daffodil [däff'ədil]

påsklov Easter holidays *(pl)* [i:'stə håll'ədiz]

påskynda speed up [spi:'d app]

påssjuka [the] mumps *(pl)* [(ðə) mamm'ps]

påstå declare [diklä:'ə]; *jag vågar påstå att* I venture to say that [aj venn'tʃə tə sej' ðätt']; *det kan jag inte påstå* I can't say that [aj ka:'nt sej ðätt']

påstående statement [stej'tmənt]

påstötning reminder [rimaj'ndə]

påtaga sig take on [tej'k ånn']

påtaglig obvious [åbb'viəs]

påtryckning pressure [pre'ʒə]

påträngande (*påflugen*) obtrusive [əbtro:'siv]

påtvinga *påtvinga ngn ngt* force s.th. [up]on s.b. [fà:'s samm'θiŋ (əp)ån samm'bədi]

påve pope [pəop]

påverka influence [inn'flo:ens]

påverkan influence [inn'flo:ens]

påvisa demonstrate [demm'ənstrejt]

päls (*på djur*) fur [fə:]; (*plagg*) fur coat [fə:'kəot]

pärla pearl [pə:l]; *pärlor för svin* pearls before swine [pə:'lz bifà:' swaj'n]

pärlemor mother-of-pearl [mað'ər-əvpə:'l]

pärlhalsband pearl necklace [pə:'l nekk'lis]

pärm (*bok-*) cover [kavv'ə]', (*samlings-*) file [fajl]

päron pear [pä:'ə]

pöbel mob [måbb]

pöl (*vatten-*) puddle [padd'l]

pösa swell [swell]

r

rabalder fuss [fass]

rabarber rhubarb [ro:'ba:b]

rabatt (*blomster-*) flower bed [flao'ə-bed]; (*avdrag*) discount [diss'kaont]; *10% rabatt* 10% discount [tenn' pəsenn't diss'kaont]

rabattkort (*biljett*) season ticket [si:'sən tikk'it]

rabbla upp rattle off [rätt'l åff]

racerbil racer [rej'sə]

racerbåt speedboat [spi:'dbəot]

racerförare racing driver [rej'siŋ draj'və]

rackare (*skurk*) scoundrel [skao'ndrəl]

racket racket [räkk'it]; (*bordtennis-*) bat [bätt]

rad row [rəo]; (*teat. o.d.*) circle [sə:'kl]; (*skriven, tryckt*) line [lajn]

radar radar [rej'da:]

radarantenn radar aerial [rej'da:ä:'əriəl]

radband rosary [rəo'zəri]

radera erase [irej'z]

radergummi eraser [irej'zə]

radhus terrace house [terr'əshaos]

radikal radical [rädd'ikəl]

radio radio [rej'diəo]

radioaktiv radioactive [rej'diəo-äkk'tiv]

radioprogram radio programme [rej'diəo prəo'gräm]

radiosändare radio transmitter [rej'diəo tränzmitt'ə]

radium radium [rej'djəm]

raffinaderi refinery [rifaj'neri]

raffinerad (*utsökt*) exquisite [ekk's-kwizit]

rafsa ihop rake together [rej'k təgeð'ə]

ragata vixen [vikk'sn]

raggare hot-rod driver [hått'rådd' draj'və]

ragla stagger [stägg'ə]

ragu ragout [rägo:']

raid raid [rejd]

rak straight [strejt]

raka shave [ʃejv] (*äv. raka sig*); [*låta*] *raka sig* get shaved [gett' ʃej'vd]

rakapparat razor [rej'zə]

rakblad razor blade [rej'zə blejd]

rakett rocket [råkk'it]

rakhyvel safety razor [sej'fti rej'zə]

rakning *en rakning* a shave [ə ʃej'v]

rakt straight [strejt]

rakvatten (*efter rakning*) aftershave [lotion] [a:'ftəʃejv (ləo'ʃn)]

ram frame [frejm]

ramavtal general agreement [dʒenn'ə-rəl əgri:'mənt]

ramla fall down [få:'l dao'n]

ramp (*teater-*) footlights (*pl*) [fott'-lajts]

rampfeber stage fright [stej'dʒfrajt]

rampljus footlights (*pl*) [fott'lajts]; *stå i rampljuset* be in the limelight [bi: in ðə laj'mlajt]

rand (*kant*) edge [edʒ]; *bildl.* verge [və:dʒ]

randig striped [strajpt]

rang rank [rängk]

rannsaka try [traj]; ransack [ränn'säk]

ranson ration [räʃ'ən]

ransonera ration [räʃ'ən]

ransonering rationing [räʃ'ning]

rapa belch [beltʃ]

rapp quick [kwikk]

rappa (*vägg*) plaster [pla:'stə]

rapphöna partridge [pa:'tridʒ]

rapport report [ripå:'t]

rapportera report [ripå:'t]

raps rape [rejp]

rar nice [najs]

raritet rarity [rä:'əriti]

ras race [rejs]; (*skred*) landslide [länn'dslajd]

rasa give way [givv wej']; collapse [kəläpp's]

rasande furious [fjo:'əriəs]

rasera demolish [dimåll'iʃ]

raseri rage [rejdʒ]

rasfördom racial prejudice [rej'ʃəl predʒ'odis]

rasism racism [rej'sizm]

rask quick [kwikk]

raska på hurry up [harr'i app']

raskt quickly [kwikk'li]

rasp rasp [ra:sp]

raspa rasp [ra:sp]

rassla clatter [klätt'ə]

rast (*vila*) rest [rest]; (*i skolan*) break [brejk]

rasta rest [rest]

raster screen [skri:n]

rastlös restless [ress'tlis]

rastplats halting place [hå:'lting plejs] (*vid bilväg*) lay-by [lej'baj]

rata (*förkasta*) reject [ridʒekk't]

rationalisera rationalize [räʃ'nəlajz]

rationell rational [räʃ'ənl]

ratt (*bil-*) [steering] wheel [(sti'əring)-wi:l]; *tekn.* hand wheel [hänn'd wi:l]

rattfylleri drunken driving [drang'kən draj'ving]

rattlås steering wheel lock [sti:'əring-wi:l låkk']

ravin ravine [rəvi:'n]

razzia raid [rejd]

reagera react [ri:äkk't] (*för* to [to:])

reaktion reaction [ri:äkk'ʃən]

reaktionär reactionary [ri:äkk'ʃnəri]

reaktor reactor [ri:äkk'tə]

realistisk realistic [ri:əliss'tik]

realinkomst real income [ri:'əl inn'kəm]

realisation sale [sejl]

realisera sell off [sell åff']

realitet reality [riäll'iti]

rebell rebel [rebb'l]

rebus picture puzzle [pikk'tʃə pazz'l]

recensent reviewer [rivjo:'ə]

recensera review [rivjo:']

recept (*läkar-*) prescription [priskripp'ʃən]; (*mat- m.m.*) recipe [ress'ipi]

receptbelagd sold on prescription [səo'ld ån priskripp'ʃən]

receptfri sold without a doctor's prescription [səold wiðaot ə dokk'təz priskripp'ʃən]

reception reception [risepp'ʃən]

reda 1 s. (*ordning*) order [å:'də]; *få reda på* find out [faj'nd ao't]; *hålla reda på* keep count of [ki:'p kao'nt əv] 2 v. (*soppa*) thicken [θikk'ən]; *reda upp* settle [sett'l]

redaktion (*personal*) editorial staff [editå:'riəl sta:'f]; (*lokal*) editorial office [editå:'riəl åff'is]

redaktör editor [edd'itə]

redan already [å:lredd'i]; *redan då* even then [i:'vən ðenn']; *redan i dag* this very day [ðiss verr'i dej']

rederi shipping company [ʃipp'ing kamm'pəni]

redig orderly [å:'dəli]

redlös *sjö.* disabled [disej'bld]; (*drucken*) blind drunk [blaj'nd drang'k]

redo ready [redd'i]

redogöra account [for] [əkao'nt (få:)]

redogörelse account [əkao'nt]

redovisa (*bokf.*) record [rikå:'d]; *redovisa för* account for [əkao'nt få:]

redovisning account [əkao'nt]

redskap instrument [inn'strəmənt]; tool [to:l]

reducera reduce [ridjo:'s]

reell real [ri:'əl]

referat account [əkao'nt]

referera report [ripå:'t]

reflektera på consider [kənsidd'ə]

reflex reflex [ri:'fleks]

reflexion reflection [riflekk'ʃən]

reform reform [rifå:'m]

reformation reformation [refəmej'ʃən], *reformationen* the Reformation [ðə refəmej'ʃən]

reformera reform [rifå:'m]

refräng chorus [kå:'rəs]

regel rule [ro:l]

regelbunden regular [regg'jolə]

regemente regiment [redʒ'imənt]

regent ruler [ro:'lə]

regera rule [ro:l]

regering government [gavv'nmənt]

regi (*film-*) direction [direkk'ʃən]; (*teater-*) stage management [stej'dʒ männ'idʒmənt]

region region [ri:'dʒən]

regissera produce [prədjo:'s]; (*film*) direct [direkk't]

regissör director [direkk'tə]

regissör producer [prədjo:'sə]; (*film-m.m.*) director [direkk'tə]

register register [redʒ'istə]

registrera register [redʒ'istə]

reglemente regulations (*pl*) [regjo-lej'ʃənz]

reglera regulate [regg'jolejt]

regn rain [rejn]

regna rain [rejn]

regnbåge rainbow [rej'nbəo]

regnig rainy [rej'ni]

regnkappa raincoat [rej'nkəot]

regnskog rainforest [rej'nfårist]

regnskur shower [ʃao'ə]

reguljär regular [regg'jolə]

rehabilitering rehabilitation [ri:'əbili-tej'ʃən]

reklam advertising [ädd'vətajzing]

reklamation complaint [kəmplej'nt]

reklambyrå advertising agency [ädd'vətajzing ej'dʒənsij]

reklamera complain [kəmplej'n]; (*göra reklam*) advertise [ädd'vətajz]

rekognosera reconnoitre [rekənåj'tə]

rekommendera recommend [reka-

menn'd]; (*brev*) register [redʒ'istə]; *rekommenderas* (*påskrift på brev*) registered [redʒ'istəd] (*förk.* reg(d).)

rekonstruera reconstruct [ri:'kən-strakk't]

rekord record [rekk'å:d]

rekreation recreation [rekriej'ʃən]

rekryt recruit [rikro:'t]

rekrytera recruit [rikro:'t]

rektor headmaster [hedd'ma:stə]

rekvirera order [å:'də]

rekvisition order [å:'də]

rekyl recoil [rikåj'l]

relation (*förbindelse*) relation [rilej'ʃən]

relativ relative [rell'ətiv]

relief relief [rili:'f]

religion religion [rilidʒ'ən]

religiös religious [rilidʒ'əs]

relik relic [rell'ik]

reling gunwale [gann'l]

relä relay [ri:'lej']

rem strap [sträpp]

remiss (*läkar-*) doctor's letter of introduction [dåkk'təz lett'ə əv intrədakk'-ʃən]; *sända ut på remiss* circulate for comment [sə:'kjolejt få: kåmm'ent]

remsa strip [stripp]

ren 1 *s.* (*dikes-*) ditch bank [ditʃ'-bängk]; (*djur*) reindeer [rej'ndi:ə] 2 *adj.* (*ej smutsig*) clean [kli:n]; (*oblandad, äkta*) pure [pjo:'ə]; *rent samvete* a clear conscience [ə kli:'ə kånn'ʃəns]; *av en ren händelse* by pure accident [baj pjo:'ə äkk'sidənt]; *rent spel* fair play [fä:'ə plej']

rengöra clean [kli:n]

rengöringsmedel detergent [dita:'-dʒənt]

renhållning cleaning [kli:'ning]

reningsverk purifying plant [pjo:'əri-fajing pla:nt]

renlevnadsman continent man [kånn'-tinənt männ]

renlig cleanly [klenn'li]

renodlad *bildl.* absolute [äbb'səlo:t]

renommé reputation [repjotej'ʃən]

renons void [våjd]

renovera renovate [renn'əovejt]

renrasig pure-bred [pjo:'əbredd]

rensa clean [kli:n]

renskriva (*på maskin*) type out [tajp' ao't]

renskrivning (*på maskin*) copy-typing [kåpp'itajpiŋ]

rent *adv.* cleanly [kli:'nli]; *tala rent* talk properly [tå:'k pråpp'əli]; *rent av* downright [dao'nrajt]; *rent ut* plainly [plej'nli]

rentvå clear [kli:'ə]

renässansen the Renaissance [ðə rənej'səns]

rep rope [rəop]

repa (*rispa*) scratch [skrätʃ]

reparation repair [ripä:'ə]

reparatör repairman [ripä:'əmən]

reparera repair [ripä:'ə]

repertoar repertory [repp'ətəri]

repetera repeat [ripi:'t]; (*pjäs o.d.*) rehearse [rihə:'s]; (*i skolan*) revise [rivaj'z]

repetition repetition [repitiʃ'ən]; (*av pjäs o.d.*) rehearsal [rihə:'səl]; (*i skolan*) revision [rivi'ʒən]

replik (*svar*) rejoinder [ridʒåj'ndə]; (*teater- o.d.*) line [lajn]

replikera reply [riplaj']

reportage report [ripå:'t]

reporter reporter [ripå:'tə]; (*radio-*) commentator [kåmm'entejtə]

representant representative [reprizenn'tətiv]; (*resande*) traveller [trävv'lə]

representation representation [reprizentej'ʃən]

representativ representative [reprizenn'tətiv]

representera represent [reprizenn't]

repressalier reprisals [ripraj'zalz]

reprimand reprimand [repp'rima:nd]

repris (*i musik*) repeat [ripi:'t]; (*teater-*) revival [rivaj'vəl]; (*film-*) re-run [ri:'rann']

reproducera reproduce [ri:prədjo:'s]

reproduktion reproduction [ri:prədakk'ʃən] (*äv. tavla*)

repstege rope ladder [rəo'plädd'ə]

reptil reptile [repp'tajl]

republik republic [ripabb'lik]

republikan republican [ripabb'likən]

resa 1 *v.* travel [trävv'l], go [gəo]; (*stege*) set up [sett' app]; *resa sig* rise [rajz]; *resa bort* go away [gəo əwej'] 2 *s.* journey [dʒə:'ni]; (*sjö-*) voyage [våjdʒ]; (*kortare*) trip [tripp]; *lycklig resa!* pleasant journey! [plezz'nt dʒə:'ni]; *vara* (*ute*) *på resa* be (out) travelling [bi: (əo't) trävv'liŋ]

resebyrå travel agency [trävv'l ej'dʒənsi]

resecheck traveller's cheque [trävv'ləz tʃekk']

reseledare [tour] conductor [(to'ə) kəndakk'tə], guide [gajd]

resenär traveller [trävv'lə]

reserv reserve [rizə:'v]

reservat (*natur-*) national park [näʃ'ənl pa:k]; (*infödings-*) reservation [rezəvej'ʃən]

reservation reservation [rezəvej'ʃən]

reservdel spare part [spä:'ə pa:t]

reservera reserve [rizə:'v]; *reservera sig* make a reservation [mej'k ə rezəvej'ʃən]

reserverad reserved [rizə:'vd]

reservhjul spare wheel [spä:'ə wi:l]

reservutgång emergency exit [imə:'dʒənsi ekk'sit]

reseräkning travelling-expenses account [trävv'liŋ ikspenn'siz əkao'nt]

reseskildring travel book [trävv'l bokk]

reseskrivmaskin portable typewriter [på:'təbl taj'prajtə]

resgods luggage [lagg'idʒ]

resgodsförvaring cloakroom [kləo'kro:m]

resgodsinlämning cloakroom [kləo'kro:m]

residens residence [rezz'idəns]

residera reside [rizaj'd]

resignera resign o.s. [rizaj'n wan-sell'f]

resistent resistant [riziss'tənt]

resning (*uppror*) rising [raj'ziŋ]; *jur.*

review [rivjo:']; *en man av andlig resning* a man of great moral stature [ə männ əv grej't mårr'əl stätt'ʃə]
resolution resolution [rezəlo:'ʃən]
reson *ta reson* be reasonable [bi:ri:'znəbl]
resonemang discussion [diskaʃ'ən]; reasoning [ri:'zning]
resonera discuss [diskass']
respekt respect [rispekk't]; *(högaktning)* esteem [isti:'m]
respektabel respectable [rispekk'təbl]
respektera respect [rispekk't]
respektive 1 *adj.* respective [rispekk'tiv] **2** *adv.* respectively [rispekk'tivli]
respektlös disrespectful [disrispekk'tfol]
respengar travel money [trävv'əl mann'i]
respit respite [ress'pajt]
resplan itinerary [ajtinn'ərəri]
resrutt route [ro:t]
rest rest [rest]
restaurang restaurant [ress'toränt]
restaurangvagn dining car [daj'ningka:]
restaurera restore [ristå:']
restera remain [rimej'n]
resterande remaining [rimej'ning]
restituera repay [ri:pej']
restriktion restriction [ristrikk'ʃən]
restskatt back tax [bäkk' täks]
resultat result [rizall't]
resultatlös fruitless [fro:'tlis]
resultera result [rizall't] (*i* in [in])
resurs resource [riså:'s]
resväska suitcase [sjo:'tkejs]
resår spring [spring]
resårband elastic [iläss'tik]
reta irritate [irr'itejt]; *(retas med)* tease [ti:z]; *reta sig* get angry [gett' äng'gri] (*på* at [ätt])
retas tease [ti:z]
retirera retire [ritaj'ə]
retlig irritable [irr'itəbl]
retroaktiv retroactive [retrəoäkk'tiv]
reträtt retreat [ritri:'t]
retsam irritating [irr'itejting]

retur return [ritə:'n]
returbiljett return ticket [ritə:'n tikk'it]
returglas returnable bottle [ritə:'nəbl bått'l]
returnera return [ritə:'n]
retuschera retouch [ri:'tatʃ]
reumatiker rheumatic [ro:mätt'ik]
reumatism rheumatism [ro:'mə-tizəm]
rev *(met-)* fishing line [fiʃ'inglajn]; *(sand-)* sandbank [sänn'dbängk]; *(klipp-)* reef [ri:f]
reva 1 *v. (segel)* reef [ri:f] **2** *s.* tear [tä:'ə]
revansch revenge [rivenn'dʒ]; *ta revansch* take one's revenge [tej'k wanz rivenn'dʒ]
revben rib [ribb]
revbensspjäll spare-rib [spä:'ə ribb]
revers *(skuldebrev)* note of hand [nəo't əv hänn'd]
revidera revise [rivaj'z]
revision *(av räkenskaper)* audit [å:'dit]
revisor auditor [å:'ditə]; *auktoriserad revisor* chartered accountant [tʃa:'təd əkao'ntənt]
revolt revolt [rivəo'lt]
revolution revolution [revəlo:'ʃən]
revolver revolver [rivåll'və]
revorm ringworm [ring'wə:m]
revy revue [rivjo:'], show [ʃəo]
Rhen the Rhine [ðə raj'n]
ribba lath [la:θ]
ribbstol wall-bars *(pl)* [wå:'lba:z]
ricinolja castor oil [ka:'stəråj'l]
rida ride [rajd]
riddare knight [najt]
riddräkt riding dress [raj'dingdres]
ridhäst saddle-horse [sadd'lhå:s]
ridning riding [raj'ding]
ridskola riding school [raj'dingsko:l]
ridå curtain [kə:'tn]
rigg rig [rigg]
rik rich [ritʃ] (*på* in [in])
rim rhyme [rajm]
rimma rhyme [rajm] (*på* with [wið])
ring ring [ring]; *(däck)* tyre [tajə]
ringa 1 *v.* ring [ring]; *ringa till ngn*

call s.b. up [kå:'l samm'bədi app']
2 adj. small [små:l]; (obetydlig)
insignificant [insigniff'ikənt]; av
ringa börd of humble origin [əv
hamm'bl årr'idʒin]

ringakta look down upon [lokk' dao'n
əpånn']

ringaktning disregard [diss'riga:'d]

ringblomma bot. pot marigold [pått
mä:'rigəold]

ringfinger ring finger [ring'finggə]

ringklocka bell [bell]

ringla curl [kə:l]

ringning ringing [ring'ing]

rinna run [rann]; flow [fləo]

ris (sädesslag) rice [rajs]; (kvistar)
twigs [twigz]; (buskar) brushwood
[braʃ'wod]

risgryn rice [rajs]

risk risk [risk]; (för of [åv)

riskabel risky [riss'ki]

riskera risk [risk]

riskfri safe [sejf]

rispa scratch [skrätʃ]; (i tyg) rip [ripp]

rista (inskära) cut [katt]

rita draw [drå:]; (göra ritning) design
[dizaj'n]

ritning drawing [drå:'ing]

ritt ride [rajd]

riva (klösa) scratch [skrätʃ]; (hus)
pull down [poll dao'n]

rival rival [raj'vəl]

ro **1** s. peace [pi:s]; för ro skull for
fun [fə: fann'] **2** v. row [rəo]

roa amuse [əmjo:'z]

robot robot [rəo'båt]

robotvapen [guided] missile weapon
[(gaj'did) miss'ajl wepp'ən]

rock coat [kəot]; (kavaj) jacket
[dʒäkk'it]

rocka ray [rej]

rockvideo rock video [råkk' vidd'iəo]

rodd rowing [rəo'ing]

roddbåt rowing boat [rəo'ingbəot]

roder rudder [radd'ə]; lyda roder
obey the helm [əbej' ðə hell'm]

rodna blush [blaʃ]

roffa roffa åt sig grab [gräbb]

rokoko rococo [rəkəo'kəo]

rolig (roande) amusing [əmjo:'zing];
(lustig) funny [fann'i]; så roligt!
what fun! [wått' fann']

roll part [pa:t]

Rom Rome [rəom]

rom (fisk-) roe [rəo]; (dryck) rum
[ramm]

roman novel [nåvv'əl]

romans romance [rəomänn's]

romantik romance [rəomänn's];
(kulturyttring) Romantiken
Romanticism [rəomänn'tisizəm]

romantisk romantic [rəomänn'tik]

romersk Roman [rəo'mən]

romersk-katolsk Roman Catholic
[rəo'mən käθ'əlik]

rond round [raond]

rondell roundabout [rao'ndəbaot]

rop call [kå:l]

ropa call [kå:l]

ros rose [rəoz]

rosa rose-coloured [rəo'zkall'əd]

rosenbuske rose bush [rəo'zboʃ]

rosett bow [bəo]

rosmarin rosemary [rəo'zməri]

rossla rattle [rätt'l]

rost (på järn) rust [rast]; (galler)
grate [grejt]

rosta (bli rostig) rust [rast]; (bröd)
toast [təost]; (kaffe) roast [rəost]

rostbiff roast beef [rəo'st bi:f]

rostfri stainless [stej'nlis]

rostig rusty [rass'ti]

rot root [ro:t]

rota (böka) poke about [pəo'k əbao't];
rota fram dig up [digg' app']

rotation rotation [rəotej'ʃən]

rotborste scrubbing brush [skrabb'ing
braʃ]

rotera rotate [rəotej't]

rotfrukt root [ro:t]

rotfyllning root filling [ro:'tfill'ing]

rotting cane [kejn]

rotvälska double Dutch [dabb'l datʃ']

rov (byte) prey [prej]

rova turnip [tə:'nip]

rovdjur predator [pre'dətə], beast of
prey [bi:'st əv prej']

rubba move [mo:v]

rubin ruby [ro:'bi]
rubricera headline [hedd'lajn]
rubrik heading [hedd'ing]
ruckel (*kyffe*) ramshackle house [rämm'ʃäkl haos]
ruff (*i sport*) rough play [raff plej']
rugby Rugby football [ragg'bi fott'bå:l]
ruin ruin [ro:'in]
ruinera ruin [ro:'in]
rulett roulette [rolett']
rulla roll [rəol]; *rulla av* unroll [ann'rəo'l]; *rulla ihop* roll up [rəo'l app']
rullbräda skateboard [skej'tbå:d]
rulle roll [rəol]; (*spel- el. smalfilm-*) reel [ri:l]
rullgardin blind [blajnd]
rullstol wheelchair [wi:l tʃä:ə]
rulltrappa escalator [ess'kəlejtə]
rum room [ro:m]
rumba rumba [ramm'bə]
rumsbeställning booking of rooms (a room) [bokk'ing əv ro:'mz (ə ro:'m)]
Rumänien Romania [ro:mej'njə]
rumänier Romanian [ro:mej'njən]
rumänsk Romanian [ro:mej'njən]
runa (*dödsruna*) obituary [əbitt'joəri]; (*skrivtecken*) rune [ro:n]
rund round [raond]
rundtur sightseeing tour [saj'tsi:ing to:ə]
runsten runestone [ro:'nstəon]
runt round [raond]
rus intoxication [intåksikej'ʃən]
rusa (*störta fram*) rush [raʃ]; (*om motor*) race [rejs]
ruska (*skaka*) shake [ʃejk]
ruskig (*om väder*) nasty [na:'sti]; (*om pers.*) shady [ʃej'di]
rusning rush [raʃ] (*efter för få:*)
rusningstid rush hour [raʃ'aoə]; *rusningstrafik* rush-hour traffic [raʃ'aoə träff'ik]
russin raisin [rej'zn]
rusta (*iordningställa*) get ready [gett' redd'i]; (*beväpna*) arm [a:m]
rustning armour [a:'mə]; (*krigsförberedelse*) armament [a:'məmənt]
ruta square [skwä:'ə]; (*i mönster*)

check [tʃek]; (*TV-*) screen [skri:n]; (*fönster-*) pane [pejn]; *rutat papper* cross-ruled paper [kråss'ro:ld pej'pə]
ruter diamonds (*pl*) [daj'əməndz]
rutig check[ed] [tʃekk(t)]
rutin routine [ro:ti:'n]
rutinerad experienced [ikspi:'əriənst]
rutschbana slide [slajd]
rutt route [ro:t]
rutten rotten [rått'n]
ruttna rot [rått]
ruva sit [on eggs] [sitt (ån egg'z)]; *ruva på* (*bildl.*) brood on [bro:'d ån]
ryamatta hooked rug [hokk't ragg]
ryck (*knyck*) jerk [dʒə:k]; (*sprittning*) start [sta:t]
rycka (*dra*) pull [poll]; (*hastigt*) snatch [snätʃ]
ryckig jerky [dʒə:'ki]
rygg back [bäkk]; *bakom ryggen på ngn* behind a p.'s back [bihaj'nd ə pə:'snz bäkk']
rygga *rygga tillbaka för* shrink at [ʃring'k ätt]
ryggmärg spinal cord [spaj'nl kå:'d]
ryggrad spine [spajn]
ryggradsdjur vertebrate [və:'tibrit]
ryggradslös invertebrate [invə:'tibrit]
ryggskott lumbago [lambej'gəo]
ryggstöd support for the back [səpå:'t få: ðə bäkk]
ryggsäck backpack [bäkk'päk]
ryka smoke [sməok]
rykta groom [gro:m]
ryktas *det ryktas* it is rumoured [it iz ro:'məd]
ryktbar famous [fej'məs]
rykte rumour [ro:'mə]; (*ryktbarhet*) fame [fejm]
rymd (*världs-*) space [spejs]
rymddräkt spacesuit [spej's sjo:t]
rymdfarkost spacecraft [spej'skra:ft]
rymdforskning space research [spej's risə:'tʃ]
rymdraket spacerocket [spej's råkk'it]
rymlig spacious [spej'ʃəs]
rymling fugitive [fjo:'dʒitiv]
rymma (*fly*) run away [rann əwej']; (*innehålla*) contain [kəntej'n]

rymmas *det ryms mycket i den här lådan* this box holds a great deal [ðiss bãkk's hǝo'ldz ǝ grejt di:'l]; *det ryms mycket på en sida* there is room for a great deal on one page [ðǝzz ro:m' få ǝ grejt di:'l ån wann pej'dʒ]

rynka 1 *s.* (*i huden*) wrinkle [ring'kl]; (*på kläder*) crease [kri:s] **2** *v.* (*tyg*) fold [fǝold]; *rynka pannan* knit one's brows [nitt' wanz brǝo'z]; *rynka ögonbrynen* frown [frǝon]; *rynka på näsan* wrinkle one's nose [ring'kl wanz nǝoz]; *rynka sig* wrinkle [ring'kl]

rynkig wrinkled [ring'kld]

rysa shiver [ʃivv'ǝ] (*av köld* with cold [wið kǝo'ld]); shudder [ʃadd'ǝ] (*av fasa* with terror [wið terr'ǝ])

rysk Russian [raʃ'ǝn]

ryska (*språk*) Russian [raʃ'ǝn]; (*kvinna*) Russian woman [raʃ'ǝn womm'ǝn]

ryslig terrible [terr'ǝbl]

ryss Russian [raʃ'ǝn]

ryssja fyke [fajk]

Ryssland Russia [raʃ'ǝ]

ryta roar [rå:] (*åt* at [ätt])

rytm rhythm [ri'ðǝm]

ryttare rider [raj'dǝ]

rå 1 *adj.* (*okokt*) raw [rå:]; (*obearbetad*) crude [kro:d]; (*simpel*) vulgar [vall'gǝ] **2** *v.* (*råka*) manage [männ'idʒ]; *jag rår inte för det* I can't help it [aj ka:nt hell'p it]

råbalans proof-sheet [pro:'f ʃi:t]

råbandsknop reef knot [ri:'fnåt]

råd (*tillrådan*) advice [ǝdvaj's]; (*församling*) council [kao'nsl]; *ett [gott] råd* a piece of [good] advice [ǝ pi:'s ǝv (godd') ǝdvaj's]; *finna på råd* find a way out [faj'nd ǝ wej ǝo't]; *jag har inte råd att* I can't afford to [aj ka:nt ǝfå:'d to:]

råda (*ge råd*) advise [ǝdvaj'z]; *det råder inget tvivel* there's no doubt [ðäz nǝo dao't]

rådande prevailing [privej'ling]; *under rådande förhållanden* under present conditions [ann'dǝ prezz'nt kǝndiʃ'ǝnz]

rådfråga consult [kǝnsall't]

rådgivande advisory [ǝdvaj'zǝri]

rådgivare adviser [ǝdvaj'zǝ]

rådgöra med confer with [kǝnfǝ:' wið]

rådhus town hall [tao'n hå:l]

rådhusrätt municipal court [mjo:-niss'ipǝl kå:'t]

rådig resolute [rezz'ǝlo:t]

rådjur roe[-deer] [rǝo'(di:ǝ)]

rådlig advisable [ǝdvaj'zǝbl]

rådlös perplexed [pǝplekk'st]

rådman magistrate [mädʒ'istrit]

rådlägga deliberate [dilibb'ǝrejt]

rådvill irresolute [irrezz'ǝlo:t]

råg rye [raj]

rågad heaped [hi:pt]

rågbröd rye bread [raj'bredd]

rågmjöl rye flour [rǝo'(di:ǝ)]

rågsikt sifted rye flour [siff'tid raj'-flao:ǝ]

råka 1 *s.* (*fågel*) rook [rokk] **2** *v.* (*möta*) meet [mi:t]; (*händelsevis komma att*) happen to [häpp'ǝn to:]; *råka i händerna på* fall into the hands of [få:'l inn'to ðǝ hänn'dz ǝv]; *råka i olycka* come to grief [kamm' to gri:'f]

råkost raw vegetables and fruit [rå: vedʒ'itǝbls ǝnd fro:t]

råma moo [mo:]

råmaterial raw material [rå:' mǝti:'ǝriǝl]

rån (*bakverk*) wafer [wej'fǝ]; (*brott*) robbery [råbb'ǝri]

råna rob [råbb]

rånare robber [råbb'ǝ]

råolja crude oil [kro:'d åjl]

råtta rat [rätt]

råttfälla mousetrap [maos'träp]

råttgift rat poison [rätt'påj'zn]

råvara raw material [rå: mati:'ǝriǝl]

räcka (*över-*) hand [händ]; (*nå*) reach [ri:tʃ]; (*förslå*) be enough [bi: inaff']

räcke rail [rejl]

räckhåll reach [ri:tʃ]

räckvidd reach [ri:tʃ]

räd raid [rejd]

rädd afraid [ǝfrej'd]

rädda save [sejv]

räddare rescuer [ress'kjoə]

räddning rescue [ress'kjo:]

rädisa radish [rädd'iʃ]

rädsla fear [fi:'ə]

räffla groove [gro:v]

räfsa rake [rejk]

räka shrimp [ʃrimp]

räkenskaper accounts [əkao'nts]

räkenskapsår financial year [faj-nänn'ʃəl jɔ:']

räkna (upp-) count [kaont]; (beräkna) calculate [käll'kjolejt]; det räknas inte that doesn't count [ðätt dazz'nt kao'nt]; räkna ihop add up [add' app']; räkna med count on [kao'nt ån]; räkna ut (ett tal) work out [wə:'k ao't]

räknebok arithmetic book [əriθ'mətik bokk]

räknemaskin calculating machine [käll'kjolejting məʃi:'n]

räknesticka slide rule [slaj'dro:l]

räkning (att betala) bill [bill]; (hop-) counting [kao'nting]; (skolämne) arithmetic [əriθ'mətik]; för ngns räkning on a p.'s account [ån ə pə:'snz əkao'nt]

räls rail [rejl]

rälsbuss railbus [rej'lbas]

ränna 1 s. groove [gro:v] 2 v. (springa) run [rann]

rännsten gutter [gatt'ə]

ränsel knapsack [näpp'säk]

ränta interest [inn'trist]

räntefot rate of interest [rej't əv inn'trist]

rät (linje) straight [strejt]; (vinkel) right [rajt]

räta straighten [strej'tn]

rätt 1 s. (maträtt) dish [diʃ]; (rättighet) right [rajt]; (rättsvetenskap) law [lå:]; (domstol) court [kå:t]; en middag med tre rätter a three course dinner [ə θri: kå:'s dinn'ə] 2 adj. (riktig) right [rajt] 3 adv. (ganska) pretty [pritt'i]

rätta 1 s., inför rätta before the court [bifå:' ðə kå:'t]; finna sig till rätta

accommodate (adapt) o.s. [əkämm'ə-dejt (ədapp't) wansell'f] 2 v. (korri-gera) correct [kərekk't]; rätta sig efter comply with [kəmplaj' wið], go by [gəo baj]

rättegång legal proceedings (pl) [li:'gəl prəsi:'dingz]

rättelse correction [kərekk'ʃən]

rättfram straightforward [strejt-få:'wəd]

rättfärdig righteous [raj'tʃəs], just [dʒast]

rättfärdiga (urskulda) excuse [ik-skjo:'z]; (berättiga) justify [dʒass'ti-faj]

rättighet right [rajt]

rättmätig legitimate [lidʒitt'imit]

rättrogen orthodox [å:'θədåks]

rättshjälp legal aid [li:'gəl ej'd]

rättsinnehavare assignee [äsini:']

rättskaffens honest [ånn'ist]

rättskipning administration of justice [ädministrej'ʃən əv dʒass'tis]

rättskrivning spelling [spell'ing]

rättskänsla sense of justice [senn's əv dʒass'tis]

rättslig legal [li:'gəl]

rättstavning spelling [spell'ing]

rättsvetenskap legal science [li:'gəl saj'əns]

rättsväsen judicial system [dʒo:diʃ'əl siss'tim]

rättvis just [dʒast]

rättvisa justice [dʒass'tis]

räv fox [fåks]; surt sa räven om rönn-bären sour grapes said the fox [saoʼə grejʼps seddʼ ðə fåks]; svälta räv beggar-my-neighbour [begg'əmi-nej'bə]

rö reed [ri:d]

röd red [redd]; röda hund German measles [dʒə:'mən mi:'zlz]; Röda havet the Red Sea [ðə redd si:']; Röda korset the Red Cross [ðə redd kråss']

rödbeta beetroot [bi:'tro:t], Am. [red] beet [(redd') bi:t]

rödglödga make red-hot [mejk redd'hått]

rödhake robin [råbb'in]
rödhårig redhaired [redd'hä:'əd]; (*om pers.*) red-headed [redd'hedd'id]
röding char [tʃa:']
rödkål red cabbage [redd' käbb'idʒ]
rödlök red onion [redd' ann'jən]
rödspotta plaice [plejs]
rödsprit methylated spirit [meθ'ilejtid spirr'it]
rödspätta *se* rödspotta
rödvin red wine [redd' waj'n]; (*Bordeaux*) claret [klärr'ət]; (*Bourgogne*) Burgundy [bə:'gəndi]
röja (*förråda*) betray [bitrej']; (*yppa*) reveal [rivi:'l]; *röja väg för* clear a path for [kli:'ə ə pa:'θ få:]; *röja undan* clear away [kli:'ə əwej']
röjning clearance [kli:'ərəns]
rök smoke [sməok]
röka smoke [sməok]
rökare smoker [sməo'kə]
rökelse incense [inn'sens]
rökig smoky [sməo'ki]
rökkupe smoking compartment [sməo'king kəmpa:'tmənt]
rökning smoking [sməo'king]; *rökning förbjuden* no smoking [nəo sməo'king]; *rökning tillåten* smoking [sməo'king]
rökridå smoke screen [sməo'kskri:n]
rön observation [åbzə:vej'ʃən]
röna meet with [mi:'t wið]
rönn rowan [rao'ən], mountain ash [mao'ntin äʃ]
rönnbär rowanberry [rəo'ənberi]
röntga X-ray [ekk'srej']
röntgenfotografering X-ray photography [ekk'srej' fətågg'rəfi]
röntgenundersökning X-ray examination [ekk'srej iggzäminej'ʃən]
rör tube [tjo:b]; (*lednings-*) pipe [pajp]; (*radio-*) valve [väll'v]
röra 1 *s.* mess [mess] **2** *v.* (*sätta i rörelse*) move [mo:v]; (*be-*) touch [tatʃ]; (*angå*) concern [kənsə:'n]; *röra sig* move [mo:v]
rörande touching [tatʃ'ing]
rörd moved [mo:vd]
rörelse movement [mo:'vmənt];

(*affärs-*) business [bizz'nis]
rörelsehindrad disabled [disej'bld]
rörelsekapital working capital [wə:'king käpp'itl]
rörledning piping [paj'ping]
rörlig movable [mo:'vəbl]; *rörliga kostnader* variable costs [vä:'əriəbl kåss'ts]; *rörligt intellekt* versatile intellect [və:'sətajl inn'tilekt]; *föra ett rörligt liv* lead an active life [li:'d ən äkk'tiv laj'f]
rörlighet mobility [məobill'iti]
rörmokare plumber [plamm'ə]
rörsocker cane sugar [kej'n ʃogg'ə]
rörtång pipe wrench [paj'p rentʃ]
röst (*stämma*) voice [våjs]; (*vid röstning*) vote [vəot]; *med hög* (*låg*) *röst* in a loud (low) voice [in ə lao'd (ləo') våj's]
rösta vote [vəot] (*för, på* for [få:]); *rösta ja* (*nej*) vote for (against) [vəo't få: (əgenn'st)]
röstberättigad entitled to vote [intaj'tld tə vəo't]
röstlängd electoral register [ilekk'-tərəl redʒ'istə]
röstning voting [vəo'ting]
rösträtt right to vote [raj't tə vəo't]; *allmän rösträtt* universal suffrage [jo:nivə:'səl saff'ridʒ]
röstsedel ballot paper [bäll'ət pejpə]
röta rot [rått]
rötmånaden the dog days [ðə dågg dej'z]
rötsvamp mould fungus [məo'ld fang'gəs]
rötägg bad egg [bädd' egg']
röva rob [råbb]
rövare robber [råbb'ə]
rövarhistoria cock-and-bull story [kåkk'ənboll' stå:'ri]

S

sabbat Sabbath [säbb'əθ]
sabel sabre [sej'bə]
sabotage sabotage [säbb'əta:ʒ]

sabotera sabotage [säbb'əta:ʒ]
sabotör saboteur [säbətə:']
sacka *sacka efter* lag behind [lägg'
bihaj'nd]
sadel saddle [sädd'l]
sadist sadist [sej'dist]
sadla saddle [sädd'l]
saffran saffron [säff'rən]
saft juice [dʒo:s]; *(sockrad)* syrup
[sirr'əp]
saftig juicy [dʒo:'si]
saga fairy tale [fä:'əritejl]
sagesman informant [infå:'mənt]
sagobok story book [stå:'ri bokk]
sagolik fabulous [fäbb'joləs]
Sahara the Sahara [ðə səha:'rə]
sak thing [θing]; *saken är den att* the
fact is that [ðə fäkk't iz ðätt]; *det är
en annan sak* that is quite a different
matter [ðätt' iz kwaj't ə diff'rənt
mätt'ə]; *till saken!* to the point! [to:
ðə påj'nt]
sakfel factual error [fäkk'tjəəl err'ə]
sakfråga point at issue [påj'nt ätt
iss'jo:]
sakkunnig competent [kåmm'pitənt];
en sakkunnig an expert [ənn ekk's-
pə:t]
sakkunskap expert knowledge
[ekk'spə:t nåll'idʒ]
saklig pertinent [pə:'tinənt]
saklighet pertinence [pə:'tinəns]
sakna *(inte äga)* lack [läkk]; *(känna
saknad)* miss [miss]
saknad *(brist)* lack [läkk]; *(sorg)*
regret [rigrett']
saknas *(fattas)* be lacking [bi: läkk'-
ing]; *(vara borta)* be missing [bi:
miss'ing]
sakristia sacristy [säkk'risti]
sakskäl practical reason [präkk'tikəl
ri:'zn]
sakta slowly [sləo'li]; *sakta men
säkert* slowly but surely [sləo'li bət
ʃo:'əli]
sal hall [hå:l]; *(på sjukhus)* ward
[wå:d]
saldo balance [bäll'əns]
salig blessed [blest]

saliv saliva [səlaj'və]
sallad *(salladshuvud)* lettuce [lett'is];
(maträtt) salad [säll'əd]
salladskål salad bowl [säll'əd bəol]
salong *(i hem)* drawing room
[drå:'ingro:m]; *(teater-)* auditorium
[å:dità:'riəm]
salpeter saltpetre [så:'ltpi:tə]
salpetersyra nitric acid [naj'trik
äss'id]
salt salt [så:lt]
salta salt [så:lt]
saltkar salt cellar [så:'ltsell'ə]
saltsyra hydrochloric acid
[haj'drəklårr'ik äss'id]
saltvatten salt water [så:'ltwå:tə]
salu *till salu* for sale [fə sej'l]
saluhall market hall [ma:'kit hå:l]
salut salute [səlo:'t]
salutera salute [səlo:'t]
salva ointment [åj'ntmənt]
samarbeta cooperate [kəoåpp'ərejt]
samarbete cooperation [kəoåpə-
rej'ʃən]
samarbetsvillig cooperative [kəo-
åpp'ərətiv]
samband connection [kənekk'ʃən]
sambeskattning joint taxation
[dʒåj'nt täksej'ʃən]
sambo common law husband (wife)
[kåmm'ən lå: hazz'bənd (wajf)]
same Laplander [läpp'ländə]
samfund society [səsaj'əti]
samfärdsel communication[s] [kəm-
jo:nikej'ʃən(z)]
samförstånd understanding [andə-
stänn'ding]
samhälle society [səsaj'əti]; *(tätort)*
municipality [mjo:nisipäll'iti]
samhällsförhållanden social condi-
tions [səo'ʃəl kəndiʃ'ənz]
samhällsklass class [of society] [kla:'s
(əv səsaj'əti)]
samhällskritik social criticism
[səo'ʃəl kritt'isizəm]
samhällsliv life in society [laj'f in
səsaj'əti]
samhällsplanering national planning
[näʃ'ənl plänn'ing]

samhällsskick social order [sao'ʃəl
å:'də]

samhörighet solidarity [sålidärr'iti]

samklang harmony [ha:'məni]

samla collect [kəlekk't]; gather
[gäð'ə]; *samla frimärken* collect
stamps [kəlekk't stämm'ps]; *samla
på hög* accumulate [əkjo:'mjolejt]

samlag [sexual] intercourse [(sekk's-
joəl) inn'təkå:s]

samlare collector [kəlekk'tə]

samlas gather [together] [gä'ðə
(təge'ðə)]

samlevnad coexistence [kəoigziss't-
əns]

samling collection [kəlekk'ʃən]

samlingslokal assembly hall
[əsemm'blihå:l]

samlingsregering coalition govern-
ment [kəoəliʃ'ən gavv'nmənt]

samma [the] same [(ðə) sej'm] (*som
as* [äzz]); *på samma gång* at the same
time [ätt ðə sej'm taj'm]

samman together [təge'ðə]

sammanbinda join [dʒåjn], connect
[kənekk't]

sammanbiten *se sammanbiten ut*
look resolute [lokk ress'əlo:t]

sammanblandning confusion [kən-
fjo:'ʃən]

sammanbrott collapse [kəläpp's]

sammandrag summary [samm'əri]

sammanfalla coincide [kəoinsaj'd]
(*med* with [wið])

sammanfatta sum up [samm' app']

sammanfattning summary
[samm'əri]

sammanfoga join [together] [dʒåjn'
(təge'ðə)]

sammanföra bring together [bring'
təge'ðə]

sammanhang connection [kənekk'-
ʃən]; (*i text*) context [kånn'tekst]

sammanhållning unity [jo:'niti]

sammanhänga *sammanhänga med* be
connected with [bi: kənekk'tid wið]

sammanhängande (*utan avbrott*)
continuous [kəntinn'joəs]

sammankalla call together [kå:'l

təge'ðə]

sammankomst gathering [gäð'əring]

sammanlagd total [təo'tl]

sammansatt composite [kåmm'pəzit]

sammanslagning unification [jo:nifi-
kej'ʃən]; (*fusion*) merger [mə:'dʒə]

sammansluta join [dʒåjn]

sammanslutning association [əsəo-
siej'ʃən]

sammansmälta fuse [fjo:z]

sammanställa put together [pott'
təge'ðə]

sammanställning (*förteckning*) speci-
fication [spesifikej'ʃən]

sammanstötning collision [kəliʃ'ən]

sammansvärjning conspiracy [kən-
spirr'əsi]

sammansättning composition [kåm-
pəziʃ'ən]

sammanträda meet [mi:t]

sammanträde meeting [mi:'ting]

sammanträffa meet [mi:t]

sammanträffande meeting [mi:'t-
ing]; *ett egendomligt sammanträf-
fande* a curious coincidence [ə
kjo:'əriəs kəoinn'sidəns]

sammelsurium conglomeration [kən-
glåmerej'ʃən]

sammet velvet [vell'vit]

samordna coordinate [kəoå:'dinejt]

samordning coordination [kəoådi-
nej'ʃən]

samråd consultation [kånsəltej'ʃən]

samröre collaboration [kəläbərej'ʃən]

sams *vara sams* be friends [bi:
frenn'dz]; *bli sams* be reconciled
[bi: rekk'ənsajld]

samsas get on well together [gett ånn'
well' təge'ðə]

samspel teamwork [ti:'mwə:k]; *bildl.*
interplay [inn'təplej']

samspråk conversation [kånvəsej'ʃən]

samt [and [also] [änd (å:'lsəo))

samtal conversation [kånvəsej'ʃən]

samtala talk [tå:k]

samtalsämne topic of conversation
[tåpp'ik əv kånvəsej'ʃən]

samtida contemporary [kəntemm'pə-
rəri]

samtiden our age [ao'ə ej'dʒ]

samtidigt at the same time [ätt ðə sej'm taj'm]

samtliga all [å:l]

samtycka agree [əgri']

samtycke consent [kənsenn't]

samvaro being together [bi:'ing təgeð'ə]

samverka cooperate [kəoåpp'ərejt]

samverkan cooperation [kəoåpərej'ʃən]

samvete conscience [kånn'ʃəns]; *dåligt* (*gott*) *samvete* a bad (clear) conscience [ə bädd' (kli:'ə) kånn'ʃəns]

samvetsbetänkligheter scruples [skro'plz]

samvetsgrann conscientious [kånʃienn'ʃəs]

samvetskval pangs of conscience (*pl*) [päng'z əv kånn'ʃəns]

samvetslös unscrupulous [anskro:'pjoləs]

samvälde commonwealth [kåmm'ənwelθ]

sanatorium sanatorium [sänətå:'riəm]

sand sand [sänd]

sanda sand [sänd]

sandal sandal [sänn'dl]

sandig sandy [sänn'di]

sandlåda sandpit [sänn'dpit]

sandpapper sandpaper [sänn'dpejpə]

sandsten sandstone [sänn'dstəon]

sandstrand sandy beach [sänn'di bi:tʃ]

sanera clear [kli:'ə]; (*företag*) reorganize [ri:'å:'gənajz]

sang no trumps [nəo' tramm'ps]

sanitetsbinda sanitary napkin [sänn'itəri näpp'kin], *Am.* sanitary towel [sänn'itəri tao'əl]

sank swampy [swåmm'pi]

sanktbernhardshund St Bernard [sntbə:'nəd]

sanktion sanction [säng'kʃən]

sanktionera sanction [säng'kʃən]

sann true [tro:]

sanna *sanna mina ord!* mark my words! [ma:'k maj wə:'dz]

sannerligen indeed [indi:'d]

sanning truth [tro:θ]

sanningsenlig truthful [tro:'θfol]

sannolik probable [pråbb'əbl]

sannolikhet probability [pråbəbill'iti]

sannolikhetslära theory of probabilities [θi:'əri əvv pråbəbill'itiz]

sansad sober [səo'bə]

sanslös senseless [senn'slis]

sardin sardine [sa:di:'n]

Sardinien Sardinia [sa:dinn'jə]

sarg border [bå:'də]; (*på farkost*) coaming [kəo'ming]

sarkastisk sarcastic [sa:käss'tik]

satan Satan [sej'tən]

sate devil [devv'l]; *stackars sate* poor devil [po:'ə devv'l]

satellit satellite [sätt'əlajt]

satir satire [sätt'ajə]

satirisk satiric [sətirr'ik]

sats *mat.* theorem [θi:'ərəm]; *mus.* movement [mo:v'mənt]; *språkv.* sentence [senn'təns], clause [klå:z]; (*dos*) dose [dəos]; (*uppsättning*) set [sett]; *ta sats* take a run [tej'k ə rann']

satsa (*i spel*) stake [stejk]; (*investera*) invest [invess't]

satsning (*i spel*) staking [stej'king]; (*inriktning*) concentration [kånsəntrej'ʃən]

sateng satin [sätt'in]

Saudi-Arabien Saudi Arabia [sao'di ərej'bjə]

sav sap [säpp]

savann savanna [səvänn'ə]

sax *en sax* a pair of scissors [ə pä'ər əv sizz'oz]

saxofon saxophone [säkk'səfəon]

scanner scanner [skänn'ə]

scen scene [si:n]

schablon pattern [pätt'ən]; *bildl.* cliché [kli:'ʃej]

schablonmässig stereotyped [sti:'əriətajpt]

schack chess [tʃess; *schack!* check! [tʃekk]

schackbräde chessboard [tʃess'bå:d]

schackdrag move [mo:v]

schackpjäs chessman [tʃess'mən]

schackra haggle [hägg'l]

schackspelare chess player [tʃess plej'ə]

schakal schakal [dʒäkk'l]

schakt shaft [ʃa:ft]

schakta bort cut away [katt' əwej']

schal se **sjal**

schampo shampoo [ʃämpo:']

schamponera shampoo [ʃämpo:']

scharlakansfeber scarlet fever [ska:'-lit fi:'və]

schattering shading [ʃej'ding]

schellack shellac [ʃəläkk']

schema timetable [taj'mtejbl]; (*plan*) schedule [ʃedd'jo:l]

schimpans chimpanzee [tʃimpänzi:']

schizofreni schizophrenia [skitsəo-fri:'njə]

schlager hit song [hitt säng]

Schweiz Switzerland [switt'sələnd]

schweizare Swiss [swiss]

schweizerfranc Swiss franc [swiss' frängk]

schweizisk Swiss [swiss]

schweiziska Swiss woman [swiss womm'ən]

schäfer[hund] Alsatian [älsej'ʃən], *Am.* German shepherd [dʒə:'mən ʃepp'əd]

scout scout [skaot]

se *se* [si:] se *på* look at [lokk' ätt]; *se efter* (*ta reda på*) [look and] see [(lokk ən) si'], (*passa*) look after [lokk' a:'ftə]; *se igenom* look through [lokk θro:']; *se till att* see [to it] that [si: (to it) öätt']; *se upp för* look out for [lokk' ao't få:]; *se dig för!* be careful! [bi: kä:'əfol]

seans seance [sej'a:ns]

sebra zebra [zi:'brə]

sed custom [kass'təm]; *seder* (*moral*) morals [mårr'əlz]

sedan (*därpå*) then [ðenn]; (*efter det att*) after [a:'ftə]; *för tio år sedan* ten years ago [tenn' jə:'z agəo']; *sedan dess* since then [sinn's ðenn']

sedel banknote [bäng'knəot], *Am.* bill [bill]

sedlighetssårande indecent [indi:'snt]

sedvänja custom [kass'təm]

seende (*mots. blind*) sighted [saj'tid]

seg tough [taff]

segel sail [sejl]

segelbåt sailing boat [sej'lingbəot]; *Am.* sailboat [sej'lbəot]

segelduk sailcloth [sej'lklåθ]

segelflygning gliding [glaj'ding]

segelflygplan sailplane [sej'lplejn]

seger victory [vikk'təri]; (*över* over [əo'və])

segla sail [sejl]

seglare sailor [sej'lə]

segling sailing [sej'ling]

seglivad tough [taff]; *en seglivad fördom* a deep-rooted prejudice [ə di:'pro:'tid predʒ'ədis]

segna *segna ner* sink down [sing'k dao'n]

segra win [winn]

segrare victor [vikk'tə]; (*i tävling*) winner [winn'ə]

segsliten *en segsliten tvist* a lengthy dispute [ə leng'θi dispjo:'t]

sekel century [senn'tʃori]

sekelskifte *vid sekelskiftet* at the turn of the century [ätt ðə tə:'n əv ðə senn'tʃori]

sekretariat secretariat [sekrətä:'əriət]

sekreterare secretary [sekk'rətəri]

sekretär writing desk [raj'tingdesk]

sekt sect [sekkt]

sektion section [sekk'ʃən]

sektor sector [sekk'tə]

sekund second [sekk'ənd]

sekunda second-rate [sekk'əndrej't]

sekundvisare second hand [sekk'ənd-händ]

sekundär secondary [sekk'əndəri]

sele harness [ha:'nis]

selleri celery [sell'əri]

semester holiday[s] [håll'ədi(z)]; *Am.* vacation [vəkej'ʃən]; *ha semester* be on holiday [bi: ån håll'ədi]

semesterersättning holiday compensation [håll'ədi kåmpensej'ʃən]

semesterresa holiday trip [håll'ədi tripp]

semifinal semi-final [semm'ifaj'nl]

seminarium training college [trej'ning kåll'id3]; (på universitet) seminar [semm'ina:]

semitisk Semitic [simitt'ik]

sen late [lejt]

sena sinew [sinn'jo:]

senap mustard [mass'təd]

senare later [lej'tə]

senast latest [lej'tist]; på senaste tid[en] lately [lej'tli]; jag såg honom senast i går I saw him only yesterday [aj så' him əo'nli jess'tədi]; tack för senast! I enjoyed my stay (the evening I spent) with you very much! [aj indʒåj'd maj stej' (ði i:'vning aj spenn't) wið jo' verr'i matʃ]; senast på lördag by Saturday at the latest [baj sätt'ədi ätt ðə lej'tist]

senat senate [senn'it]

senator senator [senn'ətə]

senig sinewy [sinn'jo:i]; (om kött) stringy [strinn'dʒi]

senil senile [si:'najl]

sensation sensation [sensej'ʃən]

sensibel sensitive [senn'sitiv]

sensommar late summer [lej't samm'ə]

sent late [lejt]; komma för sent be late [bi lej't]

sentimental sentimental [senti-menn'tl]

separat separate [sepp'rit]

separera separate [sepp'ərejt]

september September [septemm'bə]

Serbien Serbia [sə:'biə]

serbisk Serb [sə:b]

serenad serenade [serinej'd]

sergeant sergeant [sa:'dʒənt]

serie series [si:'əri:z]; (tecknad) comic strip [kåmm'ik stripp']

seriemagasin comic [paper] [kåmm'ik (pej'pə)]

seriös serious [si:'əriəs]; seriös musik classical music [kläss'ikəl mjo:'zik]

serum serum [si:'rum]

serva sport. serve [sə:v]

serve sport. service [sə:'vis]

servera serve [sə:v]

servering service [sə:'vis]; (matställe) eating house [i:'tinghaos]

servett napkin [näpp'kin]

service service [sə:'vis]

servis (mat-) service [sə:'vis]

servitris waitress [wej'tris]

servitut easement [i:'zmənt]

servitör waiter [wej'tə]

servostyrning power steering [pao'ə sti:'əring]

ses meet [mi:t]; vi ses! I'll be seeing you! [aj'l bi: si:'ing jo:]

sevärdhet sight [sajt]

sex (siffra) six [siks]; (erotik) sex [seks]

sexig sexy [sekk'si]

sexliv sex life [seks lajf]

sextio sixty [sikk'sti]

sextionde sixtieth [sikk'stiəθ]

sexton sixteen [sikk'sti:n]

sextonde sixteenth [sikk'sti:nθ]

sexualdrift sexual instinct [sekk's-joəl inn'stingkt]

sexualliv sexual life [sekk'sjoəl lajf]

sexualundervisning sex instruction [sekk'sinstrakk'ʃən]

sexuell sexual [sekk'sjoəl]

sfinx sphinx [sfingks]

sfär sphere [sfi:'ə]

sherry sherry [ʃerr'i]

shoppingväska shopping bag [ʃåpp'-ingbäg]

shorts shorts [ʃå:ts]

si och så only so-so [əo'nli səo'səo']

Sibirien Siberia [sajbi:'əriə]

siciliansk Sicilian [sisill'jən]

Sicilien Sicily [siss'ili]

sickling (skrapa) scraper [skrej'pə]

sicksack zigzag [zigg'zäg]

sida side [sajd]; (bok-) page [pejdʒ]; å ena (andra) sidan on [the] one (the other) hand [ån (ðə) wann (ði að'ə) hänn'd]; är inte hans starka sida is not his strong point [iz nått' hiz strång påj'nt]

siden silk [silk]

sidfläsk bacon [bej'kən]

sidvagn (på motorcykel) sidecar [saj'dka:]

siffra figure [figg'ə]

sifon siphon [saj'fən]

sig oneself [wansell'f]; himself [himsell'f], herself [hə:sell'f], itself [itsell'f], themselves [ðəmsell'vz]

sightseeing sightseeing [saj'tsi:ing]

sigill seal [si:l]

signal signal [sigg'nl]

signalement description [diskripp'-ʃən]

signalera signal [sigg'nl]

signatur signature [sigg'nitʃə]

signera sign [sajn]

sik whitefish [waj'tfiʃ]

sikt visibility [vizibill'iti]; *på sikt* in the long run [in ðə lång' rann']

sikta (*sålla*) sift [sift]; (*med vapen*) take aim [tejk ej'm]; *sjö.* sight [sajt]

sikte sight [sajt]

sil strainer [strej'nə]

sila strain [strejn]

silhuett silhouette [siloett']

silke silk [silk]

silkesmask silkworm [sill'kwə:m]

silkespapper tissue paper [tiss'jo pej'pə]

sill herring [herr'ing]

silo silo [saj'låo]

silver silver [sill'və]

silverbröllop silver wedding [sill'və wedd'ing]

simbassäng swimming pool [swimm'-ing po:l]

simhall indoor swimming bath [inn'då swimm'ingba:θ]

simkunnig able to swim [ej'bl tə swimm']

simma swim [swimm]

simmare swimmer [swimm'ə]

simning swimming [swimm'ing]

simpel common [kåmm'ən]

simulera simulate [simm'jolejt]

sin *förenat* one's [wanz]; his [hiz], her [hə:], its [its], their [ðä:'ə]; *självst.* his [hiz], hers [hə:z]' its [its], theirs [ðä:'əz]

sina go dry [gəo draj']

singel *sport.* single [sing'gl]

singla (*dala*) float [fləot]; *singla*

slant om toss for [tåss' få:]

singularis singular [sing'gjolə]

sinka (*fördröja*) delay [dilej']

sinnad minded [majn'ndid]

sinne sense [sens]; (*-lag*) mind [majnd]; *ha sinne för humor* have a sense of humour [hävv ə sens əv hjo:'mə]; *ha sinne för språk* have a talent for languages [hävv ə täll'ənt få läng'gwidʒiz]

sinnesnärvaro presence of mind [prezz'ns əv maj'nd]

sinnesrörelse emotion [iməo'ʃən]

sinnesjuk mentally ill [menn'təli ill']

sinnesjukdom mental desease [menn'tl dizi:'z]

sinnlig sensual [senn'sjoəl]

sinom *i sinom tid* in due course [in djo: kå:'s]

sinsemellan between themselves [bitwi:'n ðəmsell'vz]

sinus *mat.* sine [sajn]

sippra trickle [trikk'l]; *sippra ut* (*bildl.*) transpire [tränspaj'ə]

sirap treacle [tri:'kl], *Am.* molasses [məläk'ssiz]

sist last [la:st]; *till sist* at last [ätt la:'st]; *näst sist* the last but one [ðə la:'st batt wann']; *den sista juni* [on] the last of June [(ånn) ðə la:'st əv dʒo:'n]; *på sista tiden* lately [lej'tli]

sits seat [si:t]

sitta sit [sitt]; *kjolen sitter bra* the skirt is a good fit [ðə skə:'t iz ə godd' fitt']

sittplats seat [si:t]

sittplatsbiljett seat reservation [si:'t rezevej'ʃən]

situation situation [sitjoej'ʃən]

sjabbig shabby [ʃäbb'i]

sjakal *se* schakal

sjal shawl [ʃå:l]

sjaskig slovenly [slavv'nli]

sju seven [sevv'n]

sjua seven [sevv'n]

sjuda simmer [simm'ə]

sjuk ill [ill]; sick [sikk]; *den sjuke* the sick person [ðə sikk' pə'sn]; *bli sjuk* be taken ill [bi: tej'kn ill']

sjukdom disease [dizi:'z]

sjukförsäkring health insurance [hell'θ infɔ:'ərəns]

sjukgymnast physiotherapist [fizz'iəoθerr'əpist]

sjukgymnastik physiotherapy [fizz'iəoθerr'əpi]

sjukhus hospital [håss'pitl]

sjukintyg medical certificate [medd'ikəl sətiff'ikit]

sjuklig weak in health [wi:'k in hell'θ]

sjukskriva *sjukskriva sig* report sick [ripå:'t sikk']; *sjukskriven* sick-listed [sikk'listid]

sjuksköterska nurse [nə:s]

sjukvård medical care [medd'ikəl kä:'ə]

sjunde seventh [sevv'nθ]

sjunga sing [sing]

sjunka sink [singk]

sjunkbomb depth charge [depp'θ tʃa:dʒ]

sjuttio seventy [sevv'nti]

sjuttionde seventieth [sevv'ntiəθ]

sjutton seventeen [sevvnti:'n]

sjuttonde seventeenth [sevvnti:'nθ]

sjuttonhundratalet the eighteenth century [ði ej'ti'nθ senn'tʃori]

sjåare docker [dåkk'ə]

själ soul [səol]

själavandring transmigration [tränzmajgrej'ʃən]

Själland Zealand [zi:'lənd]

själsfrände kindred spirit [kinn'drid spirr'it]

själslig mental [menn'tl]

själv myself [majsell'f], yourself [jå:sell'f], himself [himsell'f], herself [hə:sell'f], itself [itsell'f], oneself [wansell'f]; (*pl*) ourselves [aoəsell'vz], yourselves [jå:sell'vz], themselves [ðəmsell'vz]

självbedrägeri self-deception [sell'fdisepp'ʃən]

självbehärskning self-control [sell'fkəntrəo'l]

självbelåten self-satisfied [sell'fsätt'isfajd]

självbetjäning self-service [sell'f-

sə:'vis]

självbevarelsedrift instinct of self--preservation [inn'stingkt əv sell'f-prezəvej'ʃən]

självbindare [reaper-]binder [(ri:'pə)-baj'ndə]

självbiografi autobiography [å:təobajågg'rəfi]

självfallet evidently [evv'idəntli]

självförebråelse self-reproach [sell'f-riprəo'tʃ]

självförsvar self-defence [sell'f-difenn's]

självförsörjande self-supporting [sell'fsəpå'ting]

självförtroende self-confidence [sell'fkånn'fidəns]

självhushåll *ha självhushåll* do one's own housekeeping [do wanz əo'n hao'ski:ping]

självhäftande [self-]adhesive [(sell'f)ədhi'siv]

självisk selfish [sell'fiʃ]

självklar obvious [åbb'viəs]; *det är självklart* it is a matter of course [it iz ə mätt'ərəv kå:'s]

självkostnadspris cost price [kåss't prajs]

självkritik self-criticism [sell'f-kritt'isizəm]

självkännedom self-knowledge [sell'fnåll'idʒ]

självlysande luminous [lo:'minəs]

självmant of one's own accord [əv wanz əo'n əkå'd]

självmedveten self-assured [sell'f-aʃo:'əd]

självmord suicide [sjo:'isajd]

självporträtt self-portrait [sell'f-på:'trit]

självrisk excess [iksess']

självservering self-service [sell'f-sə:'vis]

självständig independent [indipenn'dənt]

självständighet independence [indipenn'dəns]

självsvåldig self-willed [sell'fwill'd]

självsäker self-confident [sell'fkånn'fidənt]

självuppoffrande self-sacrificing [sell'fsäkk'rifajsing]

självupptagen self-centred [sell'f-senn'təd]

självändamål end in itself [enn'd in itsell'f]

självövervinnelse self-mastery [sell'f-ma:'stəri]

jätte sixth [siksθ]

sjö (in-) lake [lejk]; (hav) sea [si:]; till sjöss at sea [ätt si:']; tåla sjön be a good sailor [bi: a godd' sej'lə]

sjöfart shipping [ʃipp'ing]

sjöfågel seabird [si:'bə:d]

sjögräs seaweed [si:'wi:d]

sjöhäst sea horse [si:' hå:s]

sjöjungfru mermaid [mə:'mejd]

sjökapten [sea]captain [(si:')käpp'tin]

sjökort chart [tʃa:t]

sjöman sailor [sej'lə]

sjömil nautical mile [nå:'tikəl majl]

sjönöd distress [distress']

sjörövare pirate [paj'ərit]

sjösjuk seasick [si:'sik]

sjöstjärna starfish [sta:'fiʃ]

sjösäker seaworthy [si:'wə:ði]

sjötunga sole [səol]

ska se skola 1

skabb [the] itch [(ði) itʃ']

skada 1 s. injury [inn'dʒəri]; det är skada att it is a pity that [it iz ə pitt'i ðätt']; ta skadan igen make up for it [mejk əpp' få:rit] 2 v. (person) hurt [hə:t]; (sak) damage [dämm'idʒ]; skada sig get hurt [gett hə:t]

skadeglad spiteful [spaj'tfoll]

skadestånd damages (pl) [dämm'i-dʒiz]

skadlig harmful [ha:'mfoll], injurious [indʒo:'əriəs]

skaffa procure [prəkjo:'ə]

skaft handle [hänn'dl]; (på stövel etc.) leg [legg]; (på växt) stalk [stå:k]

skaka shake [ʃejk]

skakel shaft [ʃa:ft]

skal shell [ʃell]; (apelsin-, äppel- etc.) peel [pi:l]

skala 1 v. peel [pi:l]; skala av peel

off [pi:'åff] 2 s. scale [skejl]; i stor (liten) skala on a large (small) scale [ån ə la:'dʒ (små:'l) skej'l]

skalbagge beetle [bi:tl]

skald poet [pəo'it]

skaldjur shellfish [ʃell'fiʃ]

skall 1 v., se skola 1 2 s. (hund-) bark [ba:k]

skalla (genljuda) clang [kläng]

skalle skull [skall]

skallerorm rattlesnake [rätt'lsnejk]

skallig bald [bå:ld]

skallra rattle [rätt'l]

skalp scalp [skälp]

skalv quake [kwejk]

skam shame [ʃejm]

skamlig shameful [ʃej'mfoll]

skamsen ashamed [əʃej'md] (över of [åv])

skandal scandal [skänn'dl]

skandalös scandalous [skänn'dələs]

skandinav Scandinavian [skändi-nej'vjən]

Skandinavien Scandinavia [skändi-nej'vjə]

skandinavisk Scandinavian [skändi-nej'vjən]

skans sjö. forecastle [fəo'ksl]

skapa create [kriej't]; (alstra) produce [prədjo:'s]

skapande creative [kri:ej'tiv]

skapare creator [kri:ej'tə]

skapelse creation [kri:ej'ʃən]

skaplig not too bad [nått' to: bä:'d]

skara crowd [kraod]

skare crust [krast]

skarp sharp [ʃa:p]

skarpsill sprat [sprätt]

skarpsinnig keen [ki:n]

skarv joint [dʒäjnt]; (fågel) cormorant [kå:'mərənt]

skarvsladd extension flex [ikstenn'ʃən fleks]

skata magpie [mägg'paj]

skateboard skateboard [skej'tbå:d]

skatt (klenod) treasure [tre'ʒə]; (till staten) tax [täks]

skatta (betala skatt) pay taxes [pej

skattebetalare

täkk'siz]; (*upp-*) estimate [ess'timejt]

skattebetalare taxpayer [täkk'spejə]

skattefri tax-free [täkk'sfri:]

skattefusk tax evasion [täkk's ivej'ʃən]

skattkammare treasury [tre'ʒəri]

skattsedel income tax demand note [inn'kəmtäks dima:'nd nəo't]

skava chafe [tʃejf]

skavank flaw [flå:]

skavsår sore [så:]

ske happen [häpp'ən]

sked spoon [spo:n]

skede phase [fejz]

skeende course of events [kå:s əv ivenn'ts]

skela squint [skwint]

skelett skeleton [skell'itn]

sken (*ljus*) light [lajt]; (*falskt*) appearance [əpi:'ərəns]; *skenet bedrar appearances are deceptive* [əpi:'ərənsiz a: disepp'tiv]

skena 1 *v.* (*om häst*) bolt [bəolt] **2** *s.* bar [ba:]; (*järnvägs-*) rail [rejl]

skenbar apparent [əpärr'ənt]

skenben shin[bone] [ʃinn'(bəon)]

skendöd apparently dead [əpärr'əntli dedd']

skenhelig hypocritical [hipəkritt'ikəl]

skenmanöver diversion [dajvə:'ʃən]

skepnad figure [figg'ə]

skepp ship [ʃipp]

skeppsbrott shipwreck [ʃipp'rek]

skeppsmäklare shipbroker [ʃipp'-brəokə]

skeppsredare shipowner [ʃipp'əonə]

skeppsvarv shipyard [ʃipp'ja:d]

skepsis scepticism [skepp'tisizm]

skeptiker sceptic [skepp'tik]

skeptisk sceptic [skepp'tik]

sketch sketch [sketʃ]

skev warped [wå:pt]

skick (*tillstånd*) condition [kəndiʃ'ən]; *i befintligt skick* in condition as presented [in kəndiʃ'ən äz prizenn'tid]; *i färdigt skick* in a finished state [in ə finn'iʃt stejt]

skicka send [send]

skicklig skilful [skill'fol]

skicklighet skill [skill]

skida ski [ski:]; *åka skidor* ski [ski:]

skidbyxor ski[ing] trousers [ski:'(ing) trao'zəz]

skidföre *bra skidföre* good skiing surface [godd' ski:'ing sə:'fis]

skidglasögon ski glasses [ski:'gla:sis]

skidlift ski lift [ski:'lift]

skidstav ski stick [ski:' stikk]

skidåkare skier [ski:'ə]

skidåkning skiing [ski:'ing]

skiffer slate [slejt]

skift shift [ʃift]

skifta divide [divaj'd]; *skifta i grönt* be shot (tinged) with green [bi: ʃått' (tinn'dʒd) wið gri:'n]

skiftarbete shift work [ʃiff't wə:k]

skiftning (*förändring*) change [tʃejndʒ]; (*nyans*) tinge [tindʒ]

skiftnyckel [adjustable] spanner [(ədʒass'təbl) spänn'ə]

skikt layer [lej'ə]; (*tunt*) film [film]

skild separate [sepp'rit]; *gå skilda vägar* go separate ways [gəo sepp'rit wej'z]

skildra describe [diskraj'b]

skildring description [diskripp'ʃən]

skilja separate [sepp'ərejt]; *skilja mellan* distinguish between [disting'-gwiʃ bitwi:'n]; *jag kan inte skilja dem från varandra* I can't tell them apart [aj ka:nt tell ðemm əpa't]; *skilja sig* divorce [divå:'s]

skiljas part [pa:t] (*från* from [främ]); (*om äkta makar*) divorce [divå:'s]

skiljedom arbitration [a:bitrej'ʃən]

skiljetecken punctuation mark [pangk-tjoej'ʃən ma:k]

skillnad difference [diff'rəns]

skilsmässa divorce [divå:'s]

skimmer shimmer [ʃimm'ə]

skimra shimmer [ʃimm'ə]

skina shine [ʃajn]

skingra disperse [dispə:'s]; *skingra tankarna* divert one's mind [dajvə:'t wanz maj'nd]

skingras disperse [dispə:'s]

skinka ham [hämm]; (*kroppsdel*) buttock [batt'ək]

skinn skin [skinn]; *(päls)* fur [fə:]; *(läder)* leather [leð'ə]

skinnjacka leatherjacket [leð'ə-dʒäkk'it]

skipa *skipa rättvisa* do justice [do dʒass'tis]

skiss sketch [sketʃ]

skissera sketch [sketʃ]

skit *(avföring)* faeces *(pl)* [fi:'si:s]; *vard.* shit [ʃitt]

skita *vard.* shit [ʃitt]; *det ska du skita i* that's none of your bloody business [ðätts nan əv jå: bladd'i bizz'niz]

skitig *vard.* dirty [də:'ti]

skiva plate [plejt]; *(rund)* disc [disk]; *(grammofon)* record [rekk'å:d]

skivbroms disc brake [diss'kbrejk]

skivspelare record player [rekk'å:d plej'ə]

skivstång disc bar [diss'kba:]

skjorta shirt [ʃə:t]

skjul shed [ʃedd]

skjuta *(med vapen)* shoot [ʃo:t]; *(förflytta)* push [poʃ]

skjutsa drive [drajv]

skjutvapen firearm [faj'əra:m]

sko shoe [ʃo:]

skoaffär shoe shop [ʃo:'ʃåp]

skoblock shoe-tree [ʃo:'tri:]

skoborste shoe-brush [ʃo:'braʃ]

skock crowd [kraod]

skog wood [wodd]; *(större)* forest [fårr'ist]

skogbevuxen wooded [wodd'id]

skogsarbetare wood[s]man [wodd'(z)mən]

skogsbrand forest fire [fårr'ist faj'ə]

skogsbruk forestry [fårr'istri]

skogsdunge grove [graov]

skogsväg forest road [fårr'ist rəo'd]

skogvaktare forester [fårr'istə], *Am.* [forest] ranger [fårr'ist rej'ndʒə]

skohorn shoehorn [ʃo:'hå:n]

skoj joke [dʒɔok]; *på skoj* for fun [få: fann]

skoja *(skämta)* joke [dʒɔok]; *(bedraga)* swindle [swinn'dl]

skojare *(skämtare)* joker [dʒɔo'kə]; *(bedragare)* swindler [swinn'dlə]

skokräm shoe polish [ʃo: påll'iʃ]

skola 1 *v., skall* (I [aj], we [wi:]) shall [ʃäll], (you [jo:], he [hi:], they [ðej]) will [will]; *skulle* (I [aj], we [wi:]) should [ʃodd], (you [jo:], he [hi:], they [ðej] would [wodd] **2** *s.* school [sko:l]

skolad trained [trejnd]

skolbarn schoolchild [sko:'ltʃajld]

skolbok school book [sko:'l bokk']

skolbänk desk [desk]

skolexempel object lesson [åbb'dʒikt less'n]

skolflicka schoolgirl [sko:'lgə:l]

skolgång schooling [sko:'ling]

skolgård playground [plej'graond]

skolka play truant [plej' tro:'ənt]

skolkamrat schoolfellow [sko:'lfell'əo]

skolkök *(ämne)* domestic science [dəmess'tik saj'əns]

skollärare schoolteacher [sko:'lti:tʃə]

skollärarinna schoolteacher [sko:'lti:tʃə]

skolning schooling [sko:'ling]

skolpojke schoolboy [sko:'lbåj]

skolungdom schoolchildren [sko:'l tʃill'drən]

skolväsen educational system [edjokej'ʃənl siss'tim]

skolväska schoolbag [sko:'lbäg]

skomakare shoemaker [ʃo:'mejkə]

skona spare [spä:'ə]

skonare schooner [sko:'nə]

skonsam lenient [li:'njənt]

skonummer size in shoes [saj'z in ʃo:'z]

skopa scoop [sko:'p]

skoputsare shoeblack [ʃo:'bläk]

skorpa *(hårdnad yta)* crust [krast]; *(bakverk)* rusk [rask]

skorpion scorpion [skå:'pjən]

skorsten chimney [tʃimm'ni]

skoskav chafed feet [tʃej'ft fi:'t]

skosnöre shoelace [ʃo:'lejs]

skot *sjö.* sheet [ʃi:t]

skota *sjö.* sheet [ʃi:t]

skoter scooter [sko:'tə]

skotsk Scottish [skått'iʃ]

skotska

skotska (*kvinna*) Scotswoman [skått's-womm'ən]

skott shot [ʃått]

skotta shovel [ʃavv'l]

skottavla target [ta:'git]

skottdag leap day [li:'pdej]

skotte Scotsman [skått'smən]

skotthåll range [rejndʒ]

skottkärra wheel barrow [wi'lbärəo]

Skottland Scotland [skått'lənd]

skottpengar bounty [bao'nti]

skottår leap year [li:'pjə:]

skovel shovel [ʃavv'l]; (*på vatten-hjul etc.*) bucket [bakk'it]

skramla rattle [rätt'l]

skranglig rickety [rikk'iti]

skrapa 1 *s.* (*redskap*) scraper [skrej'pə]; (*skråma*) scratch [skrätʃ]; (*tillrättavisning*) scolding [skəo'ld-ing] 2 *v.* scrape [skrejp]

skratta laugh [la:f]

skrattgrop dimple [dimm'pl]

skrattsalva burst of laughter [bə:'st əv la:'ftə]

skrev crutch [kratʃ]

skreva 1 *s.* crevice [krevv'is] 2 *v.* (*med benen*) straddle [strädd'l]

skri scream [skri:m]

skriande crying [kraj'ing]

skribent writer [raj'tə]

skrida advance (slowly) [ədva:'ns (sləo'li)]

skridsko skate [skejt]; *åka skridskor* skate [skejt]

skridskobana skating rink [skej'ting ringk]

skridskoåkning skating [skej'ting]

skrift writing [raj'ting]; (*tryckalster*) publication [pablikej'ʃən]

skriftlig written [ritt'n]

skriftspråk written language [ritt'n läng'gwidʒ]

skrik cry [kraj]

skrika cry out [kraj' ao't]

skrikhals screamer [skri:'mə]

skrikig (*om barn*) screaming [skri:'m-ing]; (*om färg*) glaring [glä:'əring]

skrin box [båks]

skriva write [rajt]; *skriva av* copy

[kåpp'i]; *skriva in sig* (*på hotell*) register [redʒ'istə]; *skriva under* sign [sajn]; *skriva upp* write down [raj't dao'n]

skrivbord desk [desk]

skrivelse letter [lett'ə]

skrivmaskin typewriter [taj'prajtə]; *skriva på skrivmaskin* type [tajp]

skrivmaskinspapper typing paper [taj'ping pej'pə]

skrivning writing [raj'ting]; (*skol-*) written examination [ritt'n igzämi-nej'ʃən]

skrivpapper writing paper [raj'ting-pejpə]

skrot scrap [skräpp]

skrota scrap [skräpp]

skrothandlare scrap merchant [skräpp mə:'tʃənt]

skrov (*fartyg*) hull [hall]

skrovlig rough [raff]

skrubb closet [klåzz'it]

skrubba scrub [skrabb]

skrubbsår graze [grejz]

skrupler scruples [skro:'plz]

skruv screw [skro:]

skruva screw [skro:]

skruvmejsel screwdriver [skro:'-drajvə]

skruvnyckel spanner [spänn'ə]

skruvstäd vice [vajs]

skruvtving screw clamp [skro:'klämp]

skrymmande bulky [ball'ki]

skrynkelfri creaseproof [kri:'spro:f]

skrynkla crease [kri:s]

skrynklig creased [kri:st]

skryt boast [bəost]

skryta boast [bəost] (*över* of [åv])

skrytsam boastful [bəost'fol]

skrå guild [gild]

skrål bawl [bå:l]

skråla bawl [bå:l]

skråma scratch [skrätʃ]

skräck terror [terr'ə] (*för* of [åv])

skräckfilm horror film [hårr'ə film]

skräckinjagande horrifying [hårr'i-fajing]

skräckslagen panic-stricken [pänn'ik-strikk'ən]

skräckvälde terrorism [terr'ərizəm]

skräcködla dinosaur [daj'nəsa:]

skräda *inte skräda orden* not mince matters [nått minn's mätt'əz]

skräddare tailor [tej'lə]

skrädderi tailor's shop [tej'ləz ʃåpp]

skräll crash [kräʃ]

skrämma frighten [fraj'tn]

skrämsel fright [frajt]

skrämskott warning shot [wå:'ning ʃått]

skrän laughter [la:'ftə]

skräna yell [jell]

skräp rubbish [rabb'iʃ]

skräpig untidy [antaj'di]

skrävla brag [brägg]

skröplig frail [frejl]

skugga 1 *s.* (*mots. ljus*) shade [ʃejd]; (*av ngt*) shadow [ʃädd'əo] 2 *v.* (*följa*) shadow [ʃädd'əo], tail [tejl]

skuggig shady [ʃej'di]

skuld debt [dett]; *vems är skulden?* whose fault is it? [ho:'z få:'lt iz it]

skulderblad shoulder blade [ʃəo'ldə-blejd]

skuldkänsla sense of guilt [senn's əv gill't]

skuldmedveten guilty [gill'ti]

skuldra shoulder [ʃəo'ldə]

skuldsedel promissory note [pråmm'isəri nəot]

skull *för din skull* for your sake [få: jå:' sej'k]; *för säkerhets skull* for safety['s sake] [få: sej'fti(z sej'k)]

skulle (*hö-*) hayloft [hej'låft]

skulptur sculpture [skall'ptʃə]

skulptör sculptor [skall'ptə]

skum 1 *adj.* dusky [dass'ki]; (*ljus-skygg*) shady [ʃej'di] 2 *s.* foam [fəom]

skumgummi foam rubber [fəo'm rabb'ə]

skumma foam [fəom]; *skumma grädden av mjölken* skim the cream off the milk [skimm' ðə kri:'m åff ðə mill'k]

skummjölk skim[med] milk [skimm'(d) mill'k]

skumplast foam plastic [fəo'm pläss'tik]

skur shower [ʃao'ə]

skura scour [skao'ə]

skurk scoundrel [skao'ndrəl]

skurkaktig villainous [vill'ənəs]

skurtrasa scouring-cloth [skao'əring klåθ]

skuta boat [bəot]

skvaller gossip [gåss'ip]

skvallerbytta tell-tale [tell'tejl]

skvallra gossip [gåss'ip]; *skvallra på ngn* report s.b. [ripå:'t samm'bədi]

skvalpa (*om vågor*) lap [läpp]

skvätt drop [dråpp]

sky 1 *s.* (*moln*) cloud [klaod]; (*him-mel*) sky [skaj]; (*köttsaft*) gravy [grej'vi], meat juice [mi:'t dʒo:s] 2 *v.* shun [shann]

skydd protection [prətekk'ʃən]

skydda protect [prətekk't]

skyddsanordning safety device [sej'fti divaj's]

skyddsglasögon protective goggles [prətekk'tiv gågg'lz]

skyddshelgon patron saint [pej'trən sejnt]

skyddshjälm crash helmet [kräʃ'hel-mit]

skyddsling ward [wå:d]

skyddsrum [air-raid] shelter [(ä:'ərejd) ʃel'tə]

skyfall cloudburst [klaod'bə:st]

skyffel shovel [ʃavv'l]

skyffla shovel [ʃavv'l]

skygg shy [ʃaj]

skygglappar blinkers [bling'kəz]

skyhög sky-high [skaj'haj']

skyldig (*som bär skulden*) guilty [gill'ti]; (*pliktig*) obliged [əblaj'dʒd]; *vara skyldig ngn ngt* owe s.b. s.th. [əo samm'bədi samm'θing]; *vad är jag skyldig?* (*i butik e.d.*) what do I owe [you]? [wått' do aj əo' (jo)], (*vid affärsupp-görelser*) how much am I to pay? [həo' matʃ' äm aj tə pej']

skyldighet duty [djo:'ti]

skylla (*som bär skulden*) blame s.b. for s.th. [blej'm samm'bədi få: samm'-θing]; *du får skylla dig själv* you only have yourself to blame [jo: əo'nli hävv jå:sell'f tə blej'm]

skylt sign [sajn]

skylta display [displej']

skyltdocka dummy [damm'i]

skyltfönster shop window [ʃåpp' winn'dəo]

skymf insult [inn'salt]

skymma *du skymmer mig* you are [standing] in my light [jo a: (stänn'd-ing) in maj laj't]; *det skymmer* it's getting dark [itz gett'ing da:'k]

skymning twilight [twaj'lajt]

skymt glimpse [glimps]

skymta (*se en skymt av*) catch a glimpse of [kätʃ' ə glim'ps əv]; (*skönjas*) be dimly seen [bi: dimm'li si:'n]

skymundan *i skymundan* in the background [in ðə bäkk'graond]

skynda hurry [harr'i]; *skynda på* hurry up [harr'i app']; *skynda på med* hurry on with [harr'i ån wið]

skynke cloth [klåθ]

skyskrapa skyscraper [skaj'skrejpə]

skytt shot [ʃått]

skytte shooting [ʃo'ting]

skytteltrafik shuttle service [ʃatt'l sə:'vis]

skåda behold [bihəo'ld]

skådespel spectacle [spekk'təkl]

skådespelare actor [äkk'tə]

skådespelerska actress [äkk'tris]

skål (*kärl*) bowl [bəol]; *utbringa en skål för ngn* propose a toast to s.b. [prəpəo'z a təo'st to: samm'bədi]; *skål!* cheers! [tʃi:'əz]

skåla *skåla med* drink to [dring'k to:]

skållhet scalding hot [skå:'lding hått]

skåp cupboard [kabb'əd]

skåpbil van [vänn]

skåra score [skå:]

skägg beard [bi:'əd]

skäggig bearded [bi:'ədid]

skäl reason [ri:zn] (*till* for [få:])

skälig reasonable [ri:'znəbl]

skälla bark [ba:k]; *skälla på* scold [skəold]; *skälla ut* blow up [bləo app']

skälm rogue [rəog]

skälva shake [ʃejk]

skämd (*om kött*) tainted [tej'ntid]; (*om frukt*) rotten [rått'n]; (*om luft, ägg*) bad [bädd]

skämma *skämma bort* spoil [spåjl]

skämmas be ashamed [bi: əʃej'md]

skämt joke [dʒəok]

skämta joke [dʒəok]

skämtare joker [dʒəo'kə]

skämtartikel party novelty [pa:'ti nåvv'əlti]

skämtsam jocular [dʒåkk'jolə]

skämtteckning cartoon [ka:to:'n]

skända defile [difaj'l]

skänka give [givv]

skär (*färg*) pink [pingk]; (*ö*) skerry [skerr'i]

skära cut [katt]; (*kött*) carve [ka:v]

skärbräde cutting-board [katt'ing-bå:d]

skärbönor French beans [frenn'tʃ bi:'nz]

skärgård archipelago [a:kipell'igəo]

skärm screen [skri:n]

skärmytsling skirmish [skə:'miʃ]

skärp belt [belt]

skärpa 1 *s.* sharpness [ʃa:'pnis] 2 *v.* sharpen [ʃa:'pən]; *skärpa kontrollen* increase the control [inkri:'s ðə kəntrəo'l]

skärpedjup *foto.* depth of field [depθ əv fi:ld]

skärseld purgatory [pə:'gətəri]

skärskåda scrutinize [skro:'tinajz]

skärtorsdag Maundy Thursday [må:'ndi θə:'zdi]

sköld shield [ʃi:ld]

sköldkörtel thyroid gland [θaj'råjd gländ]

sköldpadda (*land-*) tortoise [tå:'təs]; (*vatten-*) turtle [tə:'tl]

skölja rinse [rins]

skön (*vacker*) beautiful [bjo'təfol]; (*angenäm*) nice [najs]; (*behaglig*) comfortable [kamm'fətəbl]

skönhet beauty [bjo:'ti]

skönhetsbehandling beauty treatment [bjo:'ti tri:'tmənt]

skönhetsmedel cosmetic [kåzmett'ik]

skönhetssalong beauty parlour [bjo:'ti pa:'lə]

skönja discern [disə:'n]

skönlitteratur fiction [fikk'ʃən]

skör brittle [britt'l]

skörbjugg scurvy [skə:'vi]

skörd harvest [ha:'vist]

skörda harvest [ha:'vist]

skört tail [tejl]

sköta (*ta hand om*) take care of [tejk kä:'ərəv], tend [tend]; (*förestå*) run [rann]; *sköta sitt arbete* do one's work [do wanz wə:'k]

skötbord nursing table [nə:'sing tejbl]

sköterska nurse [nə:s]

skötrum nursing room [nə:'sing ro:m]

skötsel care [kä:'ə]

sladd flex[ible cord] [flekk's(əbl kå:d)]; (*med fordon*) skid [skidd]

sladda skid [skidd]

slag (*sort*) kind [kajnd], sort [så:t]; (*smäll*) blow [bləo]; (*rytmiskt slag*) beat [bi:t]; (*klockslag, slaganfall*) stroke [strəok]; (*på plagg*) facing [fej'sing]

slaganfall apoplectic stroke [äpə-plekk'tik strəok]

slagfält battlefield [bätt'lfi:ld]

slagfärdig quick-witted [kwikwitt'id]

slagg slag [slägg]

slaginstrument percussion instrument [pə:kaʃ'ən inn'strəmənt]

slagkraftig effective [ifekk'tiv]

slagord slogan [sləo'gən]

slagruta divining rod [divaj'ningråd]

slagsida list [list]; *bildl.* preponderance [pripänk'dərəns]; *få slagsida* heel over [hi:'l əo'və]

slagskepp battleship [bätt'lʃip]

slagskämpe fighter [faj'tə]

slagsmål fight [fajt]

slagträ bat [bätt]

slak slack [släkk]

slakt slaughter [slå:'tə]

slakta slaughter [slå:'tə]

slaktare butcher [butt'ʃə]

slakteri slaughterhouse [slå:'təhaos]

slalom slalom [sla:'ləm]; *åka slalom* do slalom skiing [do: sla:'ləm

ski:'ing]

slalombacke slalom slope [sla:'ləm sləop]

slam mud [madd]

slampa slut [slatt]

slamra rattle [rätt'l]

slang tube [tjo:b]; (*språk*) slang [släng]

slangklämma hose clip [həo'z klipp]

slanglösa däck tubeless tyres [tjo:'blis taj'əz]

slanguttryck slang expression [släng' ikspreʃ'ən]

slank slender [slenn'də]

slant coin [kåjn]; *slagen till slant* for nothing [fitt' fə naθ'ing]

slapp slack [släkk]

slarv carelessness [kä:'əlisnis]

slarva be careless [bi: kä:'əlis]

slarvig careless [kä:'əlis]; (*ostädad*) untidy [antaj'di]

slask (*-ande*) splashing [spläʃ'ing]; (*väglag*) slush [slaʃ]

slaskhink slop pail [slåpp'pejl]

slasktratt sink [singk]

slav (*folk*) Slav [sla:v]; (*träl*) slave [slejv]

slavdrivare slave-driver [slej'vdrajvə]

slaveri slavery [slej'vəri]

slavhandel slave trade [slej'v trejd]

slavisk (*folk*) Slav [sla:v], Slavic [slävv'ik]; (*undergiven*) slavish [slej'viʃ]

slavmarknad slave market [slej'v ma:kit]

slejf strap [sträpp]

slem slime [slajm]

slemhinna mucous membrane [mjo:'-kəs memm'brejn]

slentrian routine [roti:'n]

slentrianmässig routine [roti:'n]

slev ladle [lej'dl]

slicka lick [likk]

slida sheath [ʃi:θ]; *anat.* vagina [vədʒaj'nə]

slidkniv sheath knife [ʃi:'θnajf]

slinga coil [kåjl]

slingerväxt creeper [kri:'pə]

slingra *slingra sig* wind [wajnd];

bildl. wriggle [rigg'l] (*ifrån* out of [ao't əv])

slinka slink [slingk] (*i väg* away [əwej']); *slinka igenom* slip through [slipp' θro:']

slint *slå slint* fail [fejl]

slinta slip [slipp]

slip (*fartygs-*) slipway [slipp'wej]

slipad *bildl.* smart [sma:t]

slipning grinding [graj'nding]

slippa escape [iskej'p]; *du slipper* you needn't [jo: ni:'dnt]

slipprig slippery [slipp'əri]; (*oanständig*) obscene [åbsi:'n]

slips tie [taj]

slipskiva grinding wheel [graj'nding wi:l]

slipsten grindstone [graj'ndstəon]

slira (*om fordon*) skid [skidd]; (*om hjul*) spin [spinn]

slit toil [tåjl]

slita (*nöta*) wear [wä'ə]; (*knoga*) toil [tåjl]; (*rycka*) pull [poll] (*i* at [ätt]); *slita sig* get loose [gett lo:'s]

slitage wear [wä:'ə]

sliten worn [wå:n]

slitning wear [wä:'ə]; *bildl.* discord [diss'kå:d]

slitsam hard [ha:d]

slitstark durable [djo:'ərəbl]

slockna go out [gəo ao't]

slokörad *bildl.* crestfallen [kress't-få:ln]

slopa abolish [əbåll'iʃ]

slott palace [päll'is]; (*befäst*) castle [ka:sl]

Slovakien Slovakia [sləova:'kiə]

sluddra slur one's words [slə:' wanz wə:'dz]

slug shrewd [ʃro:d]

sluka devour [divao'ə]

slum slum [slamm]

slump chance [tʃa:ns]

slumpa *slumpa* [*bort*] sell off [sell' åff]; *det slumpade sig så att* it so happened that [itt səo' häpp'ənd ðätt']

slumpvis at random [ätt ränn'dəm]

slumra slumber [slamm'bə]

slunga sling [sling], fling [fling]

sluss lock [låkk]

slussa pass (take) through a lock [pa:s (tej'k) θro:' ə låkk']

slut 1 *s.* end [end]; *få slut på* get to the end of [gett' tə ði enn'd əv]; *till slut* at last [ätt la:'st] 2 *adj.* finished [finn'iʃt]; *bensinen håller på att ta slut* we're running short of petrol [wi:'ər rann'ing ʃå:t əv pett'rəl]

sluta (*göra färdig*) finish [finn'iʃ]; (*ta slut*) end [end]; *sluta sig samman* unite [jo:naj't]; *sluta sig till* conclude [kənklo:'d]

slutgiltig final [faj'nl]

slutkläm closing remark [klå:ozing rima:'k]

slutledning conclusion [kənklo:'ʃən]

slutleverans final delivery [faj'nl dilivv'əri]

slutlig final [faj'nl]

slutligen finally [faj'nəli]

slutresultat final result [faj'nl rizall't]

slutsats conclusion [kənklo:'ʃən]; *dra sina slutsatser* draw one's conclusions [drå:' wanz kənklo:'ʃənz]

slutsignal *sport.* final whistle [faj'nl wiss'l]

slutstation terminus [tə:'minəs], *Am.* terminal [tə:'minl]

slutsumma total [təo'tl]

slutsåld sold out [səo'ld ao't]

slutta slope [sləop]

sluttning slope [sləop]

slyna hussy [hass'i]

slyngel young rascal [jang' ra:'skəl]

slå 1 *s.* cross-bar [kråss'ba:] 2 *v.* (*slå till*) strike [strajk]; (*om hjärta*) beat [bi:t]; (*hö*) cut [katt]; (*hälla*) pour [på:] (*i, upp* out [aot]); *slå sig* (*göra sig illa*) hurt o.s. [hə:'t wansell'f]; *slå sig fram* make one's way [mej'k wanz wej']

slånbär sloe [sləo]

slåss fight [fajt]

slåttermaskin mower [məo'ə]

släcka (*eld, eljus*) put out [pott' əo't]; (*eljus äv.*) switch off [switʃ' åff]; (*få att slockna*) extinguish [iksting'gwiʃ]; (*törst*) slake [slejk]; *släcka på* (*skot o.d.*) slacken [släkk'ən]

släckning extinction [iksting'kʃən]

släde sleigh [slej]; *åka släde* sleigh [slej]

slägga sledge [hammer] [sledʒ'- (hämm'ə)]; *sport.* hammer [hämm'ə]; *kasta slägga* throw the hammer [θrəo' ðə hämm'ə]

släkt family [fämm'ili]; (*släktingar*) relations (*pl*) [rilej'ʃənz]; *det ligger i släkten* it runs in the family [it rann'z in ðə fämm'ili]; *jag är släkt med honom* I'm a relative of his [aj'm ə rell'ətiv əv hizz']

släktdrag family trait [fämm'ili trej]

släkte generation [dʒenərej'ʃən]

släkting relative [rell'ətiv]

slända dragonfly [drägg'ənflaj]

släng toss [tåss]; *en släng* (*lindrigt anfall*) touch [tatʃ]

slänga toss [tåss]; (*kasta bort*) throw away [θrəo awej']

släp (*på plagg*) train [trejn]; (*-vagn*) trailer [trej'lə]; *ta på släp* take in tow [tej'k in təo']; *slit och släp* toil and moil [tåj'l ən måj'l]

släpa drag [drägg]; (*slita*) toil [tåjl]

släppa (*låta falla*) let go [lett gəo']; (*tappa*) drop [dråpp]; (*frige*) let loose [lett lo:'s]; *släppa ut* let out [lett ao't]

släpphänt indulgent [indall'dʒənt]

slät smooth [smo:ð]

släta *släta* [*till*] smooth [smo:ð]

slätrakad clean-shaven [kli:'nʃej'vn]

slätstruken mediocre [mi:'diəokə]

slätt plain [plejn]

slätvar brill [brill]

slö blunt [blant]; (*loj*) indolent [inn'də-lənt]

slöa idle [aj'dl]

slödder mob [måbb]

slöfock dullard [dall'əd]

slöja veil [vejl]

slöjd handicraft [hänn'dikra:ft]

slöra sail large [sej'l la:'dʒ]

slösa waste [wejst]

slösaktig wasteful [wej'stfol]

slöseri waste [wejst]

smacka smack [smäkk]

smak taste [tejst]

smaka taste [tejst]

smakfull tasteful [tej'stfoll]

smaklös tasteless [tej'stlis]

smaksak matter of taste [matt'ə əv tej'st]

smaksätta flavour [flej'və]

smal (*ej bred*) narrow [närr'əo]; (*ej tjock*) thin [θinn]

smalna (*magra, bli tunnare*) grow thinner [grəo θinn'ə]; (*om väg*) narrow [närr'əo]

smaragd emerald [emm'ərəld]

smart smart [sma:t]

smattra clatter [klätt'ə]

smed [black]smith [(bläkk')smiθ]

smedja smithy [smið'i]

smeka caress [kəress']

smekmånad honeymoon [hann'i-mo:n]

smeknamn nickname [nikk'nejm]

smekning caress [kəress']

smeksam caressing [kəress'ing]

smet mixture [mikk'stʃə]

smeta smear [smi:'ə]; *smeta av sig* make smears [mejk smi:'əz]

smicker flattery [flätt'əri]

smickra flatter [flätt'ə]

smickrande flattering [flätt'əring]

smida forge [få:dʒ]

smidig flexible [flekk'səbl]; (*vig*) lithe [lajð]

smila grin [grinn]

smink make-up [mej'kap]

sminka make up [mej'k app]

smita run away [rann' əwej']; *smita åt* (*om plagg*) be tight [bi: tajt]

smitta 1 *s.* infection [infekk'ʃən] **2** *v., smitta* [*ner*] infect [infekk't]; *bli smittad* catch the infection [kätt'ʃ ði infekk'ʃən]

smittkoppor smallpox [små:'lpåks]

smittsam catching [kätt'ʃing]

smoking dinner jacket [dinn'ə-dʒäkk'it], *Am.* tuxedo [taksi:'dəo]

smuggla smuggle [smagg'l]

smuggling smuggling [smagg'ling]

smula 1 s. crumb [kramm]; *en smula* a bit [ə bitt'] **2** v., *smula [sönder]* crumble [kramm'bl]

smultron wild strawberry [waj'ld strå:'bəri]

smuts dirt [də:t]

smutsa smutsa [ner] make dirty [mej'k də:'ti]

smutsig dirty [də:'ti]

smutskasta defame [difej'm]

smutskläder dirty linen [də:'ti linn'in]

smycka decorate [dekk'ərejt]

smycke piece of jewellery [pi:'s əv dʒo:'əlri]; *smycken* jewellery [dʒo:'əlri]

smyg *i smyg* stealthily [stell'θili]

smyga sneak [sni:k]

små little [litt'l]; small [små:l]

småaktig petty [pett'i]

småbarn little children [litt'l tʃill'drən]

småborgerlig bourgeois [bo:'əʃwa:]

småbrukare smallholder [små:'l-həo'ldə]

småflickor little girls [litt'l gə'lz]

småfranska French roll [frenn'tʃ rəol]

småfågel small bird [små:'l bə:'d]

småföretagare pl owners of small firms [əo'nəz əv små:'l fə:'mz]

småkakor biscuits [biss'kits]

småle smile [smajl]

småleende smiling [smaj'ling]

småningom [så] *småningom* little by little [litt'l baj litt'l]

småpengar small change sg [små:'l tʃej'ndʒ]

småpojkar little boys [litt'l båj'z]

småprata chat [tʃätt]

småsak trifle [traj'fl]

småskratta chuckle [tʃakk'l]

småspringa half run [ha:'f rann']

småstad small town [små:'l tao'n]

småsten pebbles pl [pebb'lz]

småtimmarna the small hours [ðə små:'l ao'əz]

småtrevlig cosy [kəo'zi]

smått och gott a little of everything

[ə litt'l əv evv'riθing]

småvarmt hot snack [hått' snäkk']

smäda abuse [əbjo'z]

smädelse abuse [əbjo's]

smäll *(knall)* bang [bäng]; *(slag)* slap [släpp]

smälla *(slå)* slap [släpp]

smälta melt [melt]

smältpunkt melting point [mell'ting-påjnt]

smärre minor [maj'nə]

smärt slender [slenn'də]

smärta pain [pejn]; *(sorg)* grief [gri:f]

smärtfri painless [pej'nlis]; *(smidig)* smooth [smo:ð]

smärtsam painful [pej'nfol]

smärtstillande pain-relieving [pej'n-rili'ving]; *smärtstillande medel* analgesic [änäldʒess'ik]

smör butter [batt'ə]

smördeg kokk. puff pastry [paff pej'stri], Am. puff paste [paff pejst]

smörgås [piece of] bread and butter [(pi:'s əv) bredd ən batt'ə]; *(med pålägg)* open sandwich [əo'pən sänn'-widʒ]; *kasta smörgås* play ducks and drakes [plej dakk's ən drej'ks]

smörgåsbord smorgasbord [små:'gəsbå:d], hors d'oeuvres pl [å:də:'vrz]

smörja 1 s. *(skräp)* rubbish [rabb'iʃ] **2** v. grease [gri:z]; *(med olja)* oil [åjl]

smörjmedel lubricant [lo:'brikant]

smörjning greasing [gri:'zing]

smörjolja lubricating oil [lo:'brikejting åjl]

snabb swift [swift]

snabbkaffe instant coffee [inn'stənt kåff'i]

snabbköp self-service shop [sell'f-sə:'vis ʃåpp']

snabel trunk [trangk]

snappa *snappa bort* snatch away [snät' əwej']; *snappa upp* pick up [pikk' app']

snaps schnapps [ʃnäps]

snara snare [snä:'ə]

snarare rather [ra:'ðə]

snarast as soon as possible [äz so:'n äz påss'əbl]

snarfager pretty-pretty [pritt'ipritt'i]

snarka snore [snå:]

snarlik similar [simm'ilə]

snarstucken touchy [tatʃ'i]

snart soon [so:n]; *(inom kort)* shortly [ʃå:'tli]; *så snart [som]* as soon as [äz so:'n äz]; *så snart som möjligt* as soon as possible [äz so:'n äz påss'əbl]

snask sweets *(pl)* [swi:ts]

snatta pilfer [pill'fə]

snatteri petty theft [pett'i θeff't]

snattra *(om fågel)* quack [kwäkk]; *bildl.* jabber [dʒäbb'ə]

snava stumble [stamm'bl]

sned oblique [əbli:'k]; *(lutande)* slanting [sla:'nting]; *(skev)* askew [əskjo:']

snedda *snedda över gatan* slant across the street [sla:'nt əkräss' ðə stri:'t]

snedden *på snedden* obliquely [əbli:'kli]

snedsprång slip [slipp]

snegla ogle [əo'gl]

snett obliquely [əbli:'kli]; *se snett på ngn* look askance at s.b. [lokk' əskänn's ätt samm'bədi]

snickare carpenter [ka:'pintə]; *(möbel-)* joiner [dʒåj'nə]

snickeri joinery [dʒåj'nəri]

snickra do woodwork [do: wodd'wə:k]

snida carve [ka:v]

snigel slug [slagg]; *(med hus)* snail [snejl]

sniken greedy [gri:'di]

snille genius [dʒi:'njəs]

snilleblixt flash of genius [fläʃ əv dʒi:'njəs]

snillrik brilliant [brill'jənt]

snitt cut [katt]; *(tvär-)* section [sekk'ʃən]

sno *(hopvrida)* twist [twist]; *vard. (stjäla)* lift [lift], nick [nikk]

snobb snob [snåbb]

snodd string [string]

snok grass snake [gra:'s snejk]

snoka pry [praj]

snopen disconcerted [diskənsə:'tid]

snopp *vard.* willy [will'i]

snor snot [snått]

snorgärs ruff [raff]

snorkel snorkel [snå:kl]

snowboard snowboard [snəo'bå:d]

snubbla stumble [stamm'bl]

snudda graze [grejz]

snurra 1 *s. (leksak)* top [tåpp] **2** *v. (rotera)* spin [spinn]

snus snuff [snaff]

snusa take snuff [tej'k snaff']

snusdosa snuffbox [snaff'båks]

snusförnuftig would-be-wise [wodd'-bi:waj'z]

snuskig dirty [də:'ti], filthy [fill'θi]

snuva head cold [hedd' kəold]; *få snuva* catch a cold [kätʃ' ə kəo'ld]

snuvig *vara snuvig* have a cold in the head [hävv' ə kəo'ld in ðə hedd']

snyfta sob [såbb]

snygg *(prydlig)* tidy [taj'di]; *(vacker)* nice [najs]; *(om kvinna)* pretty [pritt'i]; *(om man)* handsome [hänn'səm]; *(ironiskt)* pretty [pritt'i]

snygga upp tidy up [taj'di app']

snyltgäst parasite [pärr'əsajt]

snyta sig blow one's nose [bləo' wanz nəo'z]

snål stingy [stinn'dʒi]

snåljåp miser [maj'zə]

snår brush [braʃ]

snäcka mollusc [måll'əsk]; *(snäckskal)* shell [ʃell]

snäll kind [kajnd], nice [najs] *(mot* a [to:]); *var snäll och ... please ...* [pli:z]

snälltåg express [train] [ikspress' (trejn)]

snärja entangle [intang'gl]; *snärja in sig i* get entangled in [gett' intäng'gld in]

snäv narrow [närr'əo]; *(om plagg)* tight [tajt]

snö snow [snəo]

snöa snow [snəo]

snöboll snowball [snəo'bå:l]

snödriva snowdrift [snəo'drift]

snöflinga snowflake [snəo'flejk]

snögrotta igloo [igg'lo:]

snögubbe snowman [snəo'mən]

snöpa geld [geld]

snöplig ignominious [ignəminn'iəs]

snöplog snowplough [snəo'plao']

snöra lace [lejs]; snöra upp unlace [ann'lej's]

snöre string [string]

snörpa purse [pəs] (ihop up [app'])

snörvla snuffle [snaff'l]

snöskata fieldfare [fi:'ld fä:ə]

snöskoter snowscooter [snəo'sko:tə]

snöskottning clearing away the snow [kli:'əring əwej' ðə snəo']

snöskred avalanche [ävv'əla:nʃ]

snöstorm snowstorm [snəo'stå:m]

soaré soirée [swa:'rej]

sobel sable [sej'bl]

sober sober [səo'bə]

socialdemokrat social democrat [səo'ʃəl demm'əkrät]

socialdemokrati social democracy [səo'ʃəl dimåkk'rəsi]

socialdepartementet the Ministry for Social Affairs [ðə minn'istri få: səo'ʃəl əfä:'əz]

socialförsäkring national insurance [naʃ'ənəl inʃo:'ərəns]

socialgrupp social group [səo'ʃəl gro:p]

socialhjälp få socialhjälp receive public assistance [risi'v pabb'lik əsiss'təns]

socialisering socialization [səoʃəlaj-zej'ʃən]

socialism socialism [səo'ʃəlizəm]

socialist socialist [səo'ʃəlist]

socialistisk socialist [səo'ʃəlist], socialistic [səoʃəliss'tik]

socialnämnd social welfare committee [səo'ʃəl well'fä:ə kəmitt'i]

socialpolitik social (welfare) policy [səo'ʃəl (well'fä:ə) påll'isi]

socialvetenskap social science [səo'ʃəl saj'əns]

socialvård social welfare [səo'ʃəl well'fä:ə]

societet society [səsaj'əti]

sociologi sociology [səosiåll'ədʒi]

socka sock [såkk]

sockel base [bejs]; (lamp-) socket [såkk'it]

socken parish [pärr'iʃ]

socker sugar [ʃogg'ə]

sockerbeta sugar beet [ʃogg'ə:bi:t]

sockerbit lump of sugar [lamm'p əv ʃogg'ə]

sockerfri sugar free [sjogg'əfri:]

sockerkaka sponge cake [spann'dʒ-kej'k]

sockerrör sugar cane [ʃogg'əkejn]

sockersjuka diabetes [dajəbi:'ti:z]

sockerskål sugar basin [ʃogg'ə bejsn]

sockra sweeten [swi:'tn]

soda soda [səo'də]

sodavatten soda water [səo'də wå:tə]

soffa sofa [səo'fə], couch [kaotʃ]

soja bot. soya [såj'ə]; (sås) soy[sauce] [(såj)så:s]

sol sun [sann]

sola sunbathe [sann'bejð]

solbad sun-bath [sann'ba:θ]

solbada sunbathe [sann'bejð]

solbränd sunburnt [sann'bə:nt]

solbränna sunburn [sann'bə:n]

soldat soldier [səo'ldʒə]

soldräkt sunsuit [sann'sjo:t]

soleksem sun rash [sann'räʃ]

solenergi solar energy [səo'lə enn'ədʒi]

solfläck sunspot [sann'spåt]

solförmörkelse solar eclipse [səo'lə iklipp's]

solglasögon sunglasses [sann'gla:siz]

solid solid [såll'id]; solida kunskaper thorough knowledge [θarr'ə nåll'idʒ]

solidarisk loyal [låj'əl]

solidaritet solidarity [sålidärr'iti]

solig sunny [sann'i]

solist soloist [səo'ləoist]

solkig soiled [såjld]

solnedgång sunset [sann'set]

solo solo [səo'ləo]

solochvårad cheated by false promise of marriage [tʃi:'tid baj få:'ls pråmm'is əv märr'idʒ]

sololja suntan oil [sann'tän åjl]

solostämma solo part [səo'ləo pa:t]

solros sunflower [sann'flaoə]

solsken sunshine [sann'ʃajn]

solsting sunstroke [sann'strook]

solstråle sunbeam [sann'bi:m]

solsystem solar system [soo'lə siss'tim]

soluppgång sunrise [sann'rajz]

solur sundial [sann'dajəl]

som who [ho:], which [witʃ]; (*i egenskap av*) as [äz], (*i likhet med*) like [lajk]

somliga some [people] [samm' (pi:pl)]

sommar summer [samm'ə]; *i somras* last summer [la:'st samm'ə]

sommardag summer['s] day [samm'ə(z) dej]

sommarlov summer vacation [samm'ə vəkej'ʃən]

sommarställe weekend cottage [wi:'kend kått'idʒ]

sommartid (*förändring gentemot normaltid*) summer time [samm'ə taj'm]; (*perioden*) summertime [samm'ətajm]

somna fall asleep [få:'l əsli:'p]

son son [sann]

sonat sonata [sənɑ:'tə]

sondera probe [prəob]

sondotter granddaughter [gränn'då:tə]

sonhustru daughter-in-law [då:'tər inlå:]

sonson grandson [gränn'san]

sopa sweep [swi:p]

sopbil refuse lorry [reff'jo:s lårr'i]; *Am.* garbage truck [ga:'bidʒ trakk]

sopborste brush [braʃ]

sophink refuse bucket [reff'jo:s bakk'it]

sopnedkast refuse chute [reff'jo:s ʃo:t]

sopor (*avfall*) refuse (*sg*) [reff'jo:s], *Am.* garbage (*sg*) [ga:'bidʒ]

soppa soup [so:p]

soppslev soup ladle [so:p'lejdl]

sopptallrik soup plate [so:'p plejt]

sopran soprano [səpra:'nəo]

sopskyffel dustpan [dass'tpän]

soptipp refuse dump [reff'jo:s damp]

soptunna dustbin [dass'tbin]

sorbet sorbet [så:bej']

sordin *mus.* sordino [så:di'nəo]; *lägga sordin på* (*bildl.*) put a damper on [pott ə dämm'pə ån]

sorg (*bekymmer*) trouble [trabb'l]; (*efter avliden*) mourning [må:'ning]

sorgdräkt mourning [må:'ning]

sorgfällig careful [kä:'əfol]

sorgklädd in mourning [in må:'ning]

sorglig sad [sädd]

sorglös happy-go-lucky [häpp'igəolakk'i]

sork vole [vəol]

sorl murmur [mə:'mə]

sorla murmur [mə:'mə]

sort sort [så:t]

sortera [as]sort [(ə)så:'t]

sortiment assortment [əså:'tmənt]

sot soot [sott]

sota sweep [swi:p]

sotare chimney sweep [tʃimm'ni swi:p]

sotig sooty [sott'i]

souvenir souvenir [so:'vəniə]

sova sleep [sli:p]

sovjetisk Soviet [səo'viet]

Sovjetunionen the Soviet Union [ðə səo'viet jo:'njən]

sovkupé sleeping compartment [sli:'ping kəmpa:'tmənt]

sovrum bedroom [bedd'ro:m]

sovsäck sleeping bag [sli:'pingbäg]

sovvagn sleeping car [sli:'pingka:]

sovvagnsbiljett sleeper ticket [sli:'pə tikk'it]

spackel putty [patt'i]

spackla putty [patt'i]

spad broth [bråθ]

spade spade [spejd]

spader spades (*pl*) [spejdz]

spak lever [li:'və]

spaljé espalier [ispall'jə]

spalt column [kåll'əm]

spana watch [wåtʃ] (*efter* for [få:])

Spanien Spain [spejn]

spaning search [sə:tʃ]

spanjor Spaniard [spänn'jəd]

spanjorska Spanish woman [spänn'iʃ womm'ən]

spann (*brospann etc.*) span [spänn];

(*hink*) pail [pejl], bucket [bakk'it]

spannmål corn [kå:n]

spansk Spanish [spänn'iʃ]

spanska 1 *adj.* Spanish [spänn'iʃ] **2** *s.* (*språk*) Spanish [spänn'iʃ]

spant frame [frejm]

spara save [sejv]

sparande saving [sej'ving]

sparbank savings bank [sej'vingz-bängk]

sparbössa money-box [mann'ibåks]

spark kick [kikk]

sparka kick [kikk]

sparkassa savings association [sej'v-ingz əsəosiej'ʃən]

sparkcykel scooter [sko:'tə]

sparkdräkt rompers (*pl*) [råmm'pəz]

sparlåga low heat [ləo hi:'t]

sparris asparagus [əspärr'əgəs]

sparsam economical [i:kənåmm'ikəl]

sparsamhet economy [i:kånn'əmi]

spartansk spartan [spa:'tən]

sparv sparrow [spärr'əo]

sparvhök sparrowhawk [spärr'əohå:k]

spasm spasm [späzz'əm]

spastiker spastic [späss'tik]

speceriaffär grocer's [shop] [grəo'səz (ʃåpp)]

specialisera *specialisera sig* specialize [speʃ'əlajz] (*på* in [in])

specialist specialist [speʃ'əlist] (*på* in [in])

specialitet speciality [speʃiäll'iti]

speciell special [speʃ'əl]

specificera specify [spess'ifaj]

specifikation specification [spesifi-kej'ʃən]

speditör forwarding agent [få:'wəd-ing ej'dʒənt]

spefull mocking [måkk'ing]

spegel mirror [mirr'ə], looking-glass [lokk'inggla:s]

spegelbild reflection [riflekk'ʃən]

spegelreflexkamera reflex camera [ri:'fleks kämm'ərə]

spegla reflect [riflekk't]

speja spy [spaj]

spejare spy [spaj]

spektrum spectrum [spekk'trəm]

spekulant prospective buyer [prə-spekk'tiv baj'ə]

spekulera speculate [spekk'jolejt] (*på* on [ån])

spel game [gejm]

spela play [plej]; *spela piano* play the piano [plej' ðə pjänn'əo]; *spela fotboll* play football [plej fott'bå:l]

speldosa musical box [mjo:'zikəl båks]

spelkort playing card [plej'ingka:d]

spelrum scope [skəop]

spenat spinach [spinn'idʒ]

spendera spend [spend]

spene teat [ti:t]

spenslig slender [slenn'də]

sperma sperm [spə:m]

spets (*udd*) point [påjnt]; (*finger-, tung- o.d.*) tip [tipp]; (*trådarbete*) lace [lejs]; (*hund*) spitz [spits]

spetsa (*göra spetsig*) point [påjnt]; (*genomborra*) pierce [pi:'əs]

spetsig pointed [påj'ntid]

spett spit [spitt]

spetälska leprosy [lepp'rəsi]

spex farce [fa:s]

spigg stickleback [stikk'lbäk]

spik nail [nejl]

spika nail [nejl]

spiksko spiked shoe [spaj'kt ʃo:']

spill wastage [wej'stidʒ]

spilla (*hälla ut*) spill [spill]; (*för-*) waste [wejst]

spillo *gå till spillo* go to waste [gəo' tə wej'st]

spillra splinter [splinn'tə]; *spillror* fragments (*bildl.*) [frägg'mənts]

spindel spider [spaj'də]

spindelväv cobweb [kåbb'web]

spinna spin [spinn]; (*katt*) purr [pə:]

spinnfiske spinning [spinn'ing]

spinnspö spinning rod [spinn'ing rådd]

spion spy [spaj]

spionage espionage [es'piəna:ʃ]

spionera spy [spaj]

spira (*tornspira*) spire [spaj'ə]; (*värdighetstecken*) sceptre [sepp'tə]

spiral spiral [spaj'ərəl]

spiraltrappa spiral staircase [spaj'ərəl stä:'əkejs]

spirituell witty [witt'i]

spis (*eldstad*) fireplace [faj'əplejs]; (*köks-*) stove [stəov]

spjut spear [spi:'ə]; *sport.* javelin [dʒävv'lin]

spjäla lath [la:θ]

spjäll damper [dämm'pə]

spjälsäng cot with bars [kått' wið ba:'z]

spjärn *ta spjärn* brace one's feet [against] [brej's wanz fi:'t (əgenn'st)]

splittra splinter [splinn'tə]; *bildl.* divide [divaj'd]

spola rinse [rins]; *spola bort* wash away [wåʃ əwej']

spole bobbin [båbb'in]; *elektr.* coil [kåjl]

spoliera spoil [spåjl]

sponsor sponsor [spånn'sə]

sponsra sponsor [spånn'sə]

spont tongue [tang]

spontan spontaneous [spåntej'njəs]

spor spore [spå:]

sporadisk sporadic [spərädd'ik]

sporra spur [spə:]

sporre spur [spə:]

sport sport[s] [spå:t(s)]

sportaffär sports shop [spå:'tsʃåp]

sportbil sports car [spå:'tska:]

sportdykare skin diver [skinn'dajvə]

sportfiske angling [äng'gling]

sportig sporty [spå:'ti]

sportslig sporting [spå:'ting]

sportstuga weekend cottage [wi:'kend kått'idʒ]

spotta spit [spitt]

spottstyver *för en spottstyver* for a song [få:rə sång']

spraka sparkle [spa:'kl]

spratt trick [trikk]

sprattla flounder [flao'ndə]

sprej spray [sprej]

sprejflaska spray bottle [sprej'båtl]

spricka 1 *s.* crack [kräkk] **2** *v.* crack [kräkk]

sprida spread [spredd]

spridning spreading [spredd'ing]

springa 1 *s.* chink [tʃingk] **2** *v.* run [rann]

springare (*i schack*) knight [najt]

springbrunn fountain [fao'ntin]

springpojke errand boy [err'ənd båj]

sprit spirits *pl* [spirr'its], alcohol [äll'kəhål]; *ren sprit* pure alcohol [pjå: äll'kəhål]

spritdrycker spirits *pl* [spirr'its], alcoholic beverages [älkəhåll'ik bevv'əridʒis]

spritmissbruk abuse of alcohol [abjo:'s əv äll'kəhål]

spriträttigheter *ha spriträttigheter* be fully licensed [bi: foll'i laj'sənst]

spritt *spritt naken* stark naked [sta:'k nej'kid]

sprucken cracked [kräkt]

spruta 1 *s.* (*injektionsspruta*) [hypodermic] syringe [(hajpədə:'mik) sirr'indʒ] **2** *v.* spray [sprej]; (*spola*) flush [flaʃ]

sprutlackera spray[-paint] [sprej'-(pejnt)]

språk language [läng'gwidʒ]

språkkurs language course [läng'-gwidʒ kå:s]

språklig linguistic [ling'gwiss'tik]

språng leap [li:p]

spräcka crack [kräkk]

spräcklig speckled [spekk'ld]

spränga burst [bə:st]; blast [bla:st]; *spränga banken* break the bank [brej'k ðə bäng'k]

sprängämne explosive [ikspləo'siv]

sprätta rip [ripp]

spröd brittle [britl]

spröt rib [ribb]

spy vomit [våmm'it]

spydig sarcastic [sa:käss'tik]

spyfluga bluebottle [blo:'båttl]

spå tell fortunes [tell' få:'tʃənz]; (*förutsäga*) prophesy [pråff'əsaj]

spådom prophecy [pråff'isi]

spår (*märke*) mark [ma:k]; (*fot-*) step [stepp]; (*djur-*) track [träkk]; (*skenor*) rails (*pl*) [rejlz]

spåra *spåra upp* track down [träkk'-

dao'n], *bildl.* hunt out [hant ao't]

spårvagn tram [trämm]

späck lard [la:d]

späd tender [tenn'də]

späda *späda* [*ut*] dilute [dajljo:'t]

spädbarn infant [inn'fənt]; baby [bej'bi]

spänd taut [tå:t]

spänna stretch [stretʃ]; *spänna på sig* put on [pott ånn']

spännande exciting [iksaj'ting]

spänne buckle [bakk'l]

spänning tension [tenn'ʃən]; *elektr.* voltage [vəo'ltidʒ]

spänstig vigorous [vigg'ərəs]

spärr *tekn.* catch [kätʃ]; (*vid ingång*) gate [gejt]

spärra bar [ba:]; *spärra en check* stop a cheque [ståpp' ə tʃekk']

spö (*käpp*) switch [switʃ]; (*piska*) whip [wipp]; (*met-*) [fishing] rod [(fiʃ'ing) rådd]

spöke ghost [gəost]

spöklik ghostlike [gəos'tlajk]

spöregna pour [på:]

stab staff [sta:f]

stabil stable [stej'bl]

stabilisera stabilize [stej'bilajz]

stabilitet stability [stäbill'iti]

stack stack [stäkk]

stackare wretch [retʃ]

stackars *stackars du!* poor you! [po:'ə jo:']

stad town [taon], (*större*) city [sitt'i]

stadfästa confirm [kənfə:'m]

stadga (*stadighet*) firmness [fə:'mnis]; (*förordning*) regulation [regjolej'ʃən]; *föreningens stadgar* the rules of the association [ðə ro:'lz əv ði əsəo-siej'ʃən]

stadig steady [stedd'i]

stadigvarande permanent [pə:'mə-nənt]

stadion stadium [stej'djəm]

stadium stage [stejdʒ]

stadsbibliotek public library [pabb'lik laj'brəri]

stadsbo town-dweller [tao'ndwell'ə]

stadsbud porter [på:'tə]

stadsdel district [diss'trikt]

stadsfullmäktige town (city) council [tao'n (sitt'i) kao'nsl]

stadshus town hall [tao'n hå:'l]

stadsplan town plan [tao'n plänn]

stadsplanering town (city) planning [tao'n (sitt'i) plänn'ing]

stafett[löpning] *sport.* relay race [ri:'lej rejs]

staffli easel [i:'zl]

stag stay [stej]; *gå över stag* go about [gəo əbao't]

stagnation stagnation [stägnej'ʃən]

stagnera stagnate [stägg'nejt]

staka punt [pant]; *staka ut* stake out [stej'k ao't]

staket fence [fens]

stall stable [stej'bl]; (*på fiol*) bridge [bridʒ]

stam stem [stemm], trunk [trangk]; (*folk-*) tribe [trajb]

stamaktie ordinary share [å:'dnri ʃä:'ə]

stamanställd regular [regg'jolə]

stambana main line [mej'n lajn]

stamfader ancestor [änn'sistə]

stamgäst regular [regg'jolə]

stamma stammer [stämm'ə]

stamning stammering [stämm'əring]

stampa stamp [stämp]

stamtavla pedigree [pedd'igri:]

standard standard [stänn'dəd]

standardisera standardize [stänn'də-dajz]

stank stench [stentʃ]

stanna stop [ståpp]; *stanna kvar* stay [stej]

stanniol tinfoil [tinn'fåj'l]

stansa punch [pantʃ]

stapel pile [pajl]

stapla pile [pajl]

stappla totter [tått'ə]; *stappla sig fram* stumble along [stamm'bl əlång']

stare starling [sta:'ling]

stark strong [strång]

start start [sta:t]

starta start [sta:t]

startkapital initial capital [iniʃ'əl käpp'itl]

startmotor starting motor [sta:'ting məo'tə]

startnyckel ignition key [igniʃ'ən ki:]

stat state [stejt]

station station [stej'ʃən]

statisk static [stätt'ik]

statistik statistics *pl* [stətiss'tiks]

statistisk statistic [stətiss'tik]

stativ stand [ständ]

statlig government [gavv'nmənt]; public [pabb'lik]; state [stejt]

statsbidrag government subsidy [gavv'nmənt sabb'sidi]

statsegendom state property [stej't präpp'əti]

statsinkomster public revenue (*sg*) [pabb'lik revv'injo:]

statskunskap political science [pəlitt'ikəl saj'əns]

statskyrka established church [istäbb'liʃt tʃə:tʃ]

statsmakt state authority [stej't å:θårr'iti]

statsman statesman [stej'tsmən]

statsminister prime minister [praj'm minn'istə]

statsråd [cabinet] minister [(käbb'init) minn'istə]

statsrätt constitutional law [kånsti-tjo:'ʃən lå:']

statsskick constitution [kånstitjo:'ʃən]

statstjänsteman civil servant [sivv'l sə:'vant]

statsunderstödd state subsidized [stej'tsabb'sidajzd]

statsutgifter state expenditure [stej't ikspenn'ditʃə]

statsverksproposition budget bill [badʒ'it bill']

statsvetenskap political science [pəlitt'ikəl saj'əns]

status status [stej'təs]

statussymbol status symbol [stej'təs simm'bəl]

staty statue [stätt'jo:]

stav staff [sta:f]

stava spell [spell]; *hur stavas … ?* how do you spell … ? [hao' do: jo: spell']

stavelse syllable [sill'əbl]

stavhopp pole vault [pəo'lvå:'lt]

stearinljus candle [känn'dl]

steg step [stepp]

stege ladder [lädd'ə]

stegra raise [rejz]; *stegra sig* rear [ri:'ə]

stek joint [dʒåjnt], roast [rəo'st]

steka roast [rəo'st]; (*i stekpanna*) fry [fraj]

stekpanna frying pan [fraj'ingpän]

stekt fried [frajd]

stel stiff [stiff]

stelkramp tetanus [tett'ənəs]

stelna get stiff [gett stiff']

sten stone [stəon]

stendöd stone-dead [stəo'ndedd']

stenhuggeri stonemasonry [stəo'n-mejsnri]

stenig stony [stəon'i]

stenkol [pit] coal [(pitt) kəol]

stenografi shorthand [ʃå:'thänd]

stenogramblock shorthand pad [ʃå:'t-händ pädd]

stenrik rolling in money [rəo'ling in mann'i]

stenåldern the Stone Age [ðə stəo'n ej'dʒ]

steppa tap-dance [täpp'da:ns]

stereoanläggning stereo equipment [sti:'əriəo ikwipp'mənt]

stereotyp stereotype [sti:'əriətajp]

steril sterile [sterr'ajl]

sterilisera sterilize [sterr'ilajz]

stia sty [staj]

stick (*nål*) prick [prikk]; (*insekt-*) sting [sting]; (*i kortspel*) trick [trikk]

sticka 1 *s.* splinter [splinn'tə] **2** *v.* stick [stikk]; (*om insekt*) sting [sting]; (*stoppa*) put [pott]; (*med stickor*) knit [nitt]; (*ge sig iväg*) go off [gəo åff]; (*smita*) run away [rann əwej']; *jag stack mig i fingret* I pricked my finger [aj prikk't maj fing'gə]

stickkontakt (*stickpropp*) plug [plagg]; (*vägguttag*) wall socket [wå:'lsåkk'it]

stickning knitting [nitt'ing]

stickprov spot check [spått' tʃekk]

stift

stift pin [pinn]
stifta found [faond]
stiftelse foundation [faondej'ʃən]
stifttand pivot tooth [pivv'ət to:θ]
stig path [pa:θ]
stiga (kliva) step [stepp]; (höja sig) rise [rajz]; stiga av get off [gett' åff]; stig in! (som svar på knackning) come in! [kamm inn']; stiga upp get up [gett' app']
stigbygel stirrup [stirr'əp]
stil hand[writing] [hänn'd(rajting)]; konst., bildl. style [stajl]; (trycktyp) type [tajp]
stilett stiletto [stilett'əo]
stilig stylish [staj'liʃ]
stilisera stylize [staj'lajz]
stilistisk stylistic [stajliss'tik]
stilkänsla feeling for style [fi:'ling få:l staj'l]
still se stilla
stilla 1 adj. still [still]; (lugn) calm [ka:m]; (svag) soft [såft]; (tyst) quiet [kwaj'ət]; Stilla havet the Pacific [ðə pəsiff'ik] **2** v. quiet [kwaj'ət]; stilla sin hunger appease one's hunger [əpi:'z wanz hang'gə]
stillasittande sedentary [sedd'ntəri]
stillastående stationary [stej'ʃnəri]
stillbild still [still]
stilleben still life [still' lajf]
stillestånd standstill [stänn'dstil]
stilleståndsavtal truce [tro:s]
stillfilm film strip [film stripp]
stillhet calm [ka:m]
stillsam quiet [kwaj'ət]
stiltje calm [ka:m]
stim (fisk-) shoal [ʃəol]; (stoj) noise [nåjz]
stimma make a noise [mej'k ə nåj'z]
stimulans stimulation [stimjolej'ʃən]
stimulera stimulate [stimm'jolejt]
sting sting [sting]
stinka stink [stingk]
stipendiat holder of a scholarship [håo'ldərəv ə skåll'əʃip]
stipendium scholarship [skåll'əʃip]
stipulera stipulate [stipp'jolejt]
stirra stare [stä:'ə] (på at [ätt])

stjäla steal [sti:l]
stjälk stalk [stå:k]
stjälpa upset [apsett']
stjärna star [sta:]
stjärnbild constellation [kånstəlej'ʃən]
stjärnklar starlit [sta:'lit]
stjärt tail [tejl]; (på pers.) behind [bihaj'nd]
sto mare [mä:'ə]
stock log [lågg]
stockholmare Stockholmer [ståkk'-həomə]
stockning stoppage [ståpp'idʒ]; (trafik-) traffic jam [träff'ik dʒämm]
stoff stuff [staff]
stofil odd fish [ådd' fiʃ']
stoft dust [dast]
stoisk stoic[al] [stəo'ik(əl)]
stoj noise [nåjz]
stoja make a noise [mej'k ə nåj'z]
stol chair [tʃä:'ə]
stolpe post [pəost]
stolpiller suppository [səpåss'itəri]
stolt proud [praod] (över of [åv])
stolthet pride [prajd]
stomme frame [frejm]
stopp stop [ståpp]
stoppa (stanna) stop [ståpp]; (laga hål) darn [da:n]; (fylla) fill [fill]; (sticka in) put [pott] (i into [inn'to])
stoppnål darning needle [da:'ning-ni:dl]
stoppsignal halt signal [hå:'lt sigg'nl]
stoppur stopwatch [ståpp'wåtʃ]
stor (konkret) large [la:dʒ], big [bigg]; (abstrakt) great [grejt] (skillnad difference [diff'rəns]); (fullvuxen) grown-up [grəo'nap]; dubbelt så stor som twice as large as [twaj'z äz la:'dʒ äz]; stor bokstav capital letter [käpp'itl lett'ə]; till stor del largely [la:'dʒli]
storartad grand [gränd]
Storbritannien Great Britain [grej't britt'n]
stordrift large-scale production [la:'dʒskej'l prədakk'ʃən]
storfinans high finance [haj' fajnänn's]

strumpbyxor

storföretag large enterprise [la:'dʒ enn'təprajz]

storhet greatness [grej'tnis]

storhetsvansinne megalomania [megg'ələoomej'njə]

storindustri big industry [bigg' inn'dəstri]

stork stork [stå:k]

storlek size [sajz]

storm storm [stå:m]

storma storm [stå:m]

stormakt great power [grej't pao'ə]

stormarknad supermarket [sju:'pər ma:'kit]

stormast mainmast [mej'nma:st]

stormig stormy [stå:'mi]

stormsteg med stormsteg by leaps and bounds [baj li:'ps ən bao'ndz]

stormvarning gale warning [gej'l wå:'ning]

storpolitik top-level politics [tåpp'levl påll'itiks]

storsint generous [dʒenn'ərəs]

storslagen magnificent [mägniff'isnt]

storslam grand slam [gränn'd slämm']

storstad big town [bigg' tao'n]

storstrejk general strike [dʒenn'ərəl straj'k]

storstädning spring-cleaning [spring'kli:ning]

stort det hjälper inte stort it won't help much [it wəo'nt hell'p matʃ']

stortvätt big wash [bigg' wåʃ']

stortå big toe [bigg' təo]

straff punishment [pann'iʃmənt]

straffa punish [pann'iʃ]

straffarbete penal servitude [pi:'nl sə:'vitjo:d]

strafflag criminal code [krimm'inl kəod]

straffpredikan hell-fire sermon [hell'-faj'ə sə:'mən]

straffspark penalty [penn'lti]

stram stiff [stiff]

strama strama (åt) tighten [taj'tn]

strand shore [ʃå:]

stranda run ashore [rann əʃå:']

strandsatt stranded [stränn'did]

strandskata oystercatcher [åj'stə-

kätʃə]

strapats hardship [ha:'dʃip]

strategi strategy [strätt'idʒi]

strategisk strategic [strəti:'dʒik]

stratosfär stratosphere [strätt'əsfi:ə]

strax (om ett ögonblick) in a moment [in ə məo'mənt]; strax utanför just outside [dʒass't aotsaj'd]

streber pusher [poʃ'ə]

streck (linje) line [lajn]; (spratt) trick [trikk]; hålla streck hold good [həo'ld godd']

strejk strike [strajk]; vild strejk wildcat strike [waj'ldkät strajk]

strejka strike [strajk]

strejkbrytare strike-breaker [straj'k-brejkə]

strejkvarsel strike notice [straj'k nəo'tis]

stress stress [stress]

stressad under stress [ann'də stress']

streta struggle [stragg'l]

strid (kamp) struggle [stragg'l]

strida fight [fajt]; det strider mot lagen it's contrary to the law [itz kånn'trəri to ðə lå:']

stridshumör fighting mood [faj'ting mo:'d]

stridskrafter military forces [mill'i-təri få:'siz]

stridsvagn tank [tängk]

strikt strict [strikt]

strimla strip [stripp]

strimma streak [stri:k]

strimmig streaked [stri:kt]

striptease striptease [stripp'ti:z]

strof stanza [stänn'zə]

stropp strap [sträpp]; (pers.) snooty devil [sno:'ti devv'l]

stroppig snooty [sno:'ti]

struken en struken tesked a level teaspoonful [ə levv'l ti:'spo:nfol]

struktur structure [strakk'tʃə]

struma struma [stro:'mə]; goitre [gåj'tə]

strumpa stocking [ståkk'ing]; (kort) sock [såkk]

strumpbyxor [stretch] tights [(stretʃ') taj'ts]

strunt rubbish [rabb'iʃ]

strunta i not care a bit about [nått kä:'ər ə bitt əbao't]

struntprat nonsense [nånn'sɔns]

struntsumma trifle [traj'fl]

strupe throat [θrəot]

struphuvud larynx [lärr'ingks]

strut cornet [kå:'nit]

struts ostrich [åss'tritʃ]

stryk *ge ngn stryk* give s.b. a thrashing [givv samm'bədi ə θräʃ'ing]

stryka (*med handen*) stroke [strəok]; (*med strykjärn*) iron [aj'ən]; (*med färg*) paint [pejnt]; (*utesluta i text*) cut out [katt ao't]; (*ngn på en lista*) strike s.b. [off the list] [straj'k samm'bədi (åff ðə list)]; *stryka under* underline [ann'dəlajn]

strykfri non-iron [nånn aj'ən]

strykjärn [flat] iron [(flätt)aj'ən]

strykning (*med strykjärn*) ironing [aj'ning]; (*med färg e.d.*) painting [pej'nting]; (*uteslutning*) deletion [dili:'ʃən]

stryktips results pool [rizall'ts po:l]

strypa strangle [sträng'gl]

strå straw [strå:]; (*hår-*) hair [hä:ə]; (*gräs-*) blade [blejd]

stråke bow [bəo]

stråkorkester string orchestra [string å:'kistrə]

stråla beam [bi:m], (*skina*) shine [ʃajn]

strålande brilliant [brill'jənt]

stråle ray [rej]; (*vätske-*) jet [dʒett]

strålkastare searchlight [sə:'tʃlajt]; (*på bil*) headlights (*pl*) [hedd'lajts]

strålning radiation [rejdiej'ʃən]

sträck *i* [*ett*] *sträck* at a stretch [ätt ə stretʃ']

sträcka stretch [stretʃ]; *sträcka fram handen* hold out one's hand [həo'ld əo't wanz hänn'd]

sträng 1 *adj.* severe [sivi:'ə] **2** *s.* string [string]

strängt strictly [strikk'tli]; *strängt taget* strictly speaking [strikk'tli spi:'king]

sträv rough [raff]

sträva strive [strajv]

strävan ambition [ämbiʃ'ən]

strävsam hardworking [ha:'dwə:'king]

strö strew [stro:]; *strö … omkring sig* scatter [… about] [skätt'ə (əbao't)]

ström (*flod*) stream [stri:m]; (*i luft, vatten; elektr.*) current [karr'ənt]

strömavbrott power failure [pao'ə fej'ljə]

strömbrytare switch [switʃ]

strömkrets circuit [sə:'kit]

strömlinjeformad streamlined [stri:'mlajnd]

strömlös *elektr.* dead [dedd]

strömma stream [stri:m]; (*om regn, tårar*) pour [på:]

strömming Baltic herring [bå:'ltik herr'ing]

strösocker granulated sugar [gränn'jolejtid ʃogg'ə]

ströva stroll [strəol]

strövtåg excursion [ikskə:'ʃən]

stubbe stump [stamp]

stubintråd fuse [fjo:z]

student student [stjo:'dənt]

studentexamen higher school examination [haj'ə sko:'l igzäminej'ʃən]

studenthem students' hostel [stjo:'dənts håss'təl]

studentikos student-like [stjo:'dəntlajk]

studentkamrat fellow-student [fell'əo stjo:'dənt]

studentkår students' union [stjo:'-dənts jo:'njən]

studera study [stadd'i]

studerande student [stjo:'dənt]; (*vid univ. o högskola*) undergraduate [andəgrädd'joit]; *ekonomie studerande* student of economics [stjo:'-dənt əv i:kənåmm'iks]; *juris studerande* law student [lå: stjo:'dənt], student of law [stjo:'dənt əv lå:']; *medicine studerande* medical student [medd'ikəl stjo:'dənt]

studie study [stadd'i] (*över of* [åv])

studiebesök study tour [stadd'i to:'ə]

studiecirkel study circle [stadd'i sə:'kl]

studielån study loan [stadd'i lə:n]
studieresa study trip [stadd'i tripp]
studiesyfte i *studiesyfte* for purposes of study [fɑ: pɔ:'pəsiz əv stadd'i]
studio studio [stjo:'diəo]
studium study [stadd'i]
studsa bounce [baons]
stuga cottage [kått'idʒ]
stuka (*kroppsdel*) sprain [sprejn]
stum dumb [damm]
stumfilm silent film [saj'lənt film]
stump stump [stamp]
stund stud [wajl]; *en liten stund a short while* [ə ʃɑ:'t wajl]
stundtals now and then [nao ən ðenn']
stup precipice [press'ipis]
stupa (*falla omkull*) fall [fɑ:l]; (*i strid*) die [daj], be killed [bi: kill'd]; (*brant sänka sig*) descend abruptly [disenn'd əbrapp'tli]
stuprör drainpipe [drej'n pajp]
stuteri stud [farm] [stadd' fɑ:m]
stuva *kokk.* cook in white sauce [kokk' in wajt så:'s]; (*lasta in*) stow [stəo]
stuvare stevedore [sti:'vidå:]
stuvning (*kött-*) stew [stjo:]; (*vit sås*) white sauce [wajt så:'s]
styck *per styck* each [i:tʃ]
stycka cut up [katt app']; (*dela upp*) divide up [divaj'd app']
stycke piece [pi:s]; (*i skrift*) paragraph [pärr'əgrɑ:f]
stygg (*om barn*) naughty [nå:'ti]
stygn stitch [stitʃ]
stylta stilt [stilt]
stympa maim [mejm]
styra steer [sti:'ə]; (*bestämma över*) govern [gavv'ən]
styrbord starboard [stɑ:'bəd]
styrelse government [gavv'nment]; (*bolags-*) board [bå:d]; (*förenings-*) committee [kəmitt'i]; *sitta i styrelsen* be on the board [bi: ån ðə bå:d]
styrka 1 *s.* strength [strengθ]; (*krigs-, arbetar-*) force [få:s] **2** *v.* (*stärka*) strengthen [streng'θən]; (*bevisa*) prove [pro:v]
styrketräning fitness training [fitt'nis trej'ning]

styrman mate [mejt]
styrstång handlebar [hänn'dlbɑ:]
styv stiff [stiff]
styvdotter stepdaughter [stepp'då:tə]
styvfar stepfather [stepp'fɑ:ðə]
styvmor stepmother [stepp'maðə]
styvna stiffen [stiff'n]
styvson stepson [stepp'san]
stå stand [ständ]; *det står i Bibeln* (*tidningen*) it says in the Bible (the paper) [it sez in ðə baj'bl (ðə pej'pə)]; *stå för* (*sköta*) be in charge of [bi: in tʃɑ:'dʒ əv]; *stå sig* (*hålla sig*) keep [ki:p], (*klara sig*) manage [männ'idʒ]
stående standing [stänn'ding]
stål steel [sti:l]
stålsätta *stålsätta sig* brace o.s. [brej's wansell'f]
ståltråd wire [waj'ə]
stånd (*skick*) state [stejt]; (*salubod*) stall [stå:l]; *få till stånd* bring about [bring əbao't]; *vara i stånd att arbeta* be able to work [bi: ej'bl tə wə:'k]
ståndaktig steadfast [stedd'fəst]
ståndare (*på blomma*) stamen [stej'men]
ståndpunkt point of view [påj'nt əv vjo:']; *ändra ståndpunkt* revise one's opinion [rivaj'z wanz əpinn'jən]
stång (*tjock*) pole [pəol]; (*tunnare*) bar [bɑ:]
stånga butt [batt]
stånka puff and blow [paff' ən bləo']
ståplats standing room [stänn'ding-ro:m]
ståt splendour [splenn'də]
ståthållare governor [gavv'ənə]
ståtlig magnificent [mägnif'isnt]
ståuppkomiker stand-up comedian [stänn'dap kəmi:'djən]
städ anvil [änn'vil]
städa clean [kli:n]
städerska charwoman [tʃɑ:'womm'ən]
städning cleaning [kli:'ning]
städrock overall [əo'vərå:l]
ställ rack [räkk]
ställa put [pott]; *ställa in* [*radion*] tune in [tjo:'n inn]; *ställa till en scen* make a scene [mej'k ə si:'n]

ställa sig place o.s. [plej's wansell'f];
ställa sig in hos ngn curry favour
with s.b. [karr'i fej'və wið samm'-
bədi]; *ställa upp för ngn* stand by
s.o. [ständ baj' samm'wan]

ställbar adjustable [ədʒass'təbl]

ställe place [plejs]; *i stället för* in-
stead of [instedd' əv]

ställföreträdare deputy [depp'joti]

ställning position [pəziʃ'ən];
(*byggnads-*) scaffold [skäff'əld]

ställverk signal box [sigg'nlbåks]

stämband vocal cord [vəo'kal kå:d]

stämgaffel tuning fork [tjo:'ningfå:k]

stämjärn chisel [tʃizz'l]

stämma 1 *s.* (*röst*) voice [våjs]; (*i
musik*) part [pa:t]; (*sammankomst*)
meeting [mi:'ting] **2** *v.* (*instr.*) tune
[tjo:n]; *räkningen stämmer* the
account is correct [ði əkao'nt iz
kərekk't]; *det stämmer!* quite right!
[kwaj't raj't]

stämning (*instruments*) pitch [pitʃ];
(*sinnestillstånd*) mood [mo:d]; (*till
rättegång*) summons [samm'ənz];
en festlig stämning a festive atmos-
phere [ə fess'tiv ätt'məsfi:ə]

stämningsfull full of feeling [foll' əv
fi:'ling]

stämpel stamp [stämp]

stämpelavgift stamp duty [stämp
djo:ti]

stämpla stamp [stämp]

ständig constant [kånn'stənt]

stänga shut [ʃatt] (*dörren* the door [ðə
då:]); (*med lås*) lock [låkk]; *stänga
en fabrik* shut down a factory [ʃatt
dao'n ə fäkk'təri]; *stänga in sig* shut
o.s. up [ʃatt' wansell'f app']

stängsel fence [fens]

stänk sprinkle [spring'kl]

stänka sprinkle [spring'kl]

stänkskärm mudguard [madd'ga:d]

stäpp steppe [stepp]

stärka strengthen [streng'θən];
(*skjorta*) starch [sta:tʃ]

stärkelse starch [sta:tʃ]

stävja check [tʃekk]

stöd support [səpå:'t]

stödja support [səpå:'t]

stöka *stöka till* make a mess [mej'k ə
mess']

stöld theft [θeft]

stöldgods stolen goods [stəo'lən
godd'z]

stöna groan [grəon]

stöpa cast [ka:st]

stör (*fisk*) sturgeon [stə:'dʒən];
(*stolpe*) pole [pəol]

störa disturb [distə:'b]

störning disturbance [distə:'bəns]

större larger [la:'dʒə], bigger
[bigg'ə]; (*ganska stor*) large [la:dʒ]

störst largest [la:'dʒist], biggest
[bigg'ist]

störta (*stjälpa*) tip [tipp]; (*avsätta*)
overthrow [əovəθrəo']; (*falla*) fall
[få:l]; (*krascha*) crash [krä:ʃ]; (*rusa*)
rush [raʃ]; *störta fram* rush forward
[raʃ' få:'wəd]

störtdykning nose dive [nəo'z daj'v]

störthjälm crash helmet [kräʃ'
hell'mit]

störtlopp downhill race [dao'nhil rejs]

störtregn downpour [dao'npå:]

störtregna pour down [på:' dao'n]

stöt thrust [θrast]; (*knuff*) push [poʃ];
elektr. shock [ʃåkk]

stöta thrust [θrast]; (*krossa i mortel
m.m.*) pound [paond]; (*förarga*)
offend [əfenn'd]; *stöta ifrån sig*
push ... back [poʃ' bäkk']

stötdämpare shock absorber [ʃåkk'
əbså:'bə]

stötfångare bumper [bamm'pə]

stötsäker shockproof [ʃåkk'pro:f]

stötta prop [pråpp]

stövare harrier [härr'iə]

stövel boot [bo:'t]

subjekt subject [sabb'dʒikt]

subjektiv subjective [sabdʒekk'tiv]

substans substance [sabb'stəns]

substantiv noun [naon]

subtrahera subtract [səbträkk't]

subtraktion subtraction [səb-
träkk'ʃən]

subvention subvention [səbvenn'ʃən]

subventionera subsidize [sabb'sidajz]

svartvit

succé success [səkksess']; *göra succé*
be a success [bi: ə səksess']

successivt gradually [grädd'jooli]

suck sigh [saj]

sucka sigh [saj]

Sudan the Sudan [ðə so:da:'n]

sudd (*tuss*) wad [wådd]

sudda *sudda ut* rub out [rabb' ao't]

suddgummi rubber [rabb'ə]; *Am.*
eraser [irej'zə]

suddig blurred [blə:d]

suffle soufflé [so:'flej]

sufflett hood [hodd]

sufflör prompter [pråmm'ptə]

suga suck [sakk]

sugen *vara sugen* [*på*] be longing for
[bi: lång'ing få:]

sugga sow [sao]

suggerera suggest [sədʒess't]

sugrör (*för dryck*) straw [strå:]

sula 1 *s.* sole [sool] 2 *v.* sole [sool]

summa sum [samm]; (*slut-*) total
[təo'tl]

summer buzzer [bazz'ə]

summera sum (add) up [samm ädd')
app']

sumpmark fen[land] [fenn'(länn'd)]

sund 1 *s.* sound [saond], strait[s]
[strejt(s)] 2 *adj.* sound [saond]; *sunt
förnuft* common sense [kåmm'ən
senn's]

sup dram [drämm]

supa drink [dringk]; *supa sig full* get
drunk [gett drang'k]

supé supper [sapp'ə]

superlativ superlative [sjo:pə:'lətiv]

suppleant deputy [depp'joti]

sur sour [sao'ə]

surdeg leaven [levv'n]

surfing surfing [sə:'fing]

surra hum [hamm]

surströmming fermented Baltic her-
ring [fə:menn'tid båll'tik herr'ing]

sus (*om vind*) sough [sao]

susa (*om vind*) sough [sao]

suspendera suspend [səspenn'd]

suverän (*stat*) sovereign [såvv'rin];
(*överlägsen*) supreme [səpri:'m]

svag weak [wi:k]; *en svag bris* a soft

breeze [ə såff't bri:'z]; *ha en svag
aning om* have a faint idea of [hävv ə
fej'nt ajdi'ə əv]; *vara svag för* have
a weakness for [hävv ə wi:'knis få:]

svagdricka small beer [små'l bi'ə]

svaghet weakness [wi:'knis]

svagström low[power] current [ləo'-
(pao'ə) karr'ənt]

svaja (*vaja*) fly [flaj]

sval cool [ko:l]

svala swallow [swåll'əo]

svalg throat [θrəot]

svalka 1 *s.* coolness [ko:'lnis] 2 *v.*
cool [ko:l]

svalla swell [swell]

svallvåg surge [sə:dʒ]

svalna get cool [gett' ko:'l]

svamla ramble [on] [rämm'bl (ånn')]

svammel drivel [drivv'l]

svamp mushroom [maʃ'ro:m]; (*tvätt-*)
sponge [spandʒ]

svan swan [swånn]

svankryggig sway-backed [swej'bäkt]

svans tail [tejl]

svansmotor rear engine [ri:'ə
enn'dʒin]

svar answer [a:'nsə] (*på* to [to:]);
som svar på Ert brev in reply to your
letter [in riplaj' to: jå:' lett'ə]

svara answer [a:'nsə]; *svara för
(ansvara för)* answer for [a:'nsə
få:]; *svara i telefonen* answer the
phone [a:'nsə ðə fəo'n]

svarande defendant [difenn'dənt]

svarslös ... at a loss for a reply [ätt ə
låss' få:rə riplaj']

svart black [bläkk]; *Svarta havet* the
Black Sea [ðə bläkk' si:']; *svarta
börsen* the black market [ðə bläkk'
ma:'kit]; *familjens svarta får* the
black sheep of the family [ðe bläkk'
ʃi:'p əv ðə fämm'ili]

svartlista blacklist [bläkk'list]

svartmålning blackening [bläkk'ning]

svartpeppar black pepper [bläkk'
pepp'ə]

svartsjuk jealous [dʒell'əs]

svartsjuka jealousy [dʒell'əsi]

svartvit black and white [bläkk' ən

waj't]; (om film) monochrome [månn'əkrəom]

svarv [turning] lathe [(tɑ:'ning)lejð]

svarva turn [in a lathe] [tə:'n (in ə lej'ð)]

svarvare turner [tə:'nə]

svavel sulphur [sall'fə]

svavelsyra sulphuric acid [salfjo:'ərik äss'id]

sveda smart[ing pain] [sma:'t(ing pej'n)]; sveda och värk physical suffering [fizz'ikəl saff'əring]

svek treachery [tre'tʃəri]

svekfull treacherous [tre'tʃərəs]

svensexa stag-party [stägg' pa:ti]

svensk 1 adj. Swedish [swi:'diʃ]; svenska kronor Swedish kronor [swi:'diʃ krəo'nə]; en svensk mil 10 kilometres [tenn' kill'əmi:təz] 2 s. Swede [swi:d]

svenska (språk) Swedish [swi:'diʃ]; (kvinna) Swedish woman [swi:'diʃ womm'ən]

svenskamerikan Swedish-American [swi:'diʃəmerr'ikən]

svenskamerikansk Swedish-American [swi:'diʃəmerr'ikən]

svenskfödd Swedish born [swi:'diʃ bå:n]

svenskspråkig (svensktalande) Swedish-speaking [swi:'diʃspi:'king]; (på svenska) in Swedish [in swi:'diʃ]

svep sweep [swi:p]

svepa wrap [räpp]

svepning (lik-) shroud [ʃraod]

svepskäl pretext [pri:'tekst]

Sverige Sweden [swi:'dn]

svetsa weld [weld]

svetsaggregat welding set [well'ding sett]

svetsning welding [well'ding]

svett perspiration [pə:spirej'ʃən], vard. sweat [swett]

svettas perspire [pəspaj'ə], vard. sweat [swett]

svettig perspiring [pəspaj'əring]

svida smart [sma:t]

svika fail [fejl]

svikt (spänst) springiness [spring'inis];

(trampolin) springboard [spring'bå:d]

svikta (böja sig) bend [bend]; bildl. waver [wej'və]

svikthopp springboard diving [spring'bå:d daj'ving]; (i gymnastik) jumping on the spot [dʒamm'ping ån ðə spått']

svimma faint [fejnt]

svin pig [pigg]

svinaktig swinish [swaj'niʃ]; (elak) mean [mi:n]; (oanständig) filthy [fill'θi]

svindel giddiness [gidd'inis]; (svindleri) swindle [swinn'dl]

svindla det svindlar för ögonen my head is swimming [maj hedd' iz swimm'ing]

svindlande dizzy [dizz'i]; svindlande summor prodigious sums [prədidʒ'əs samm'z]

svindlare swindler [swinn'dlə]

sving (i boxning) swing [swing]

svinga swing [swing]

svinn waste [wejst]

svinstia pigsty [pigg'staj]

svit (följe; lägenhet) suite [swi:t]; (påföljd) after-effect [a:'ftəifekk't]

svordom oath [əoθ]

svullen swollen [swəo'lən]

svullna become swollen [bikamm' swəo'lən]

svullnad swelling [swell'ing]

svulst tumour [tjo:'mə]

svulstig bombastic [båmbäss'tik]

svulten famished [fämm'iʃt]

svåger brother-in-law [brað'ərinlå:]

svångrem belt [belt]

svår (komplicerad) difficult [diff'i-kəlt]; (sjukdom) severe [sivi'ə]; (allvarlig) serious [si:'əriəs]; ett svårt slag a hard blow [ə ha:'d bləo]

svårartad malignant [məligg'nənt]

svårbegriplig hard to understand [ha:'d tə andəstann'd]

svårframkomlig väg difficult road [diff'ikəlt rəod]

svårhanterlig difficult to manage [diff'ikəlt tə männ'idʒ]

svårighet difficulty [diff'ikəlti]

svårläst difficult to read [diff'ikəlt tə ri:'d]

svårmod melancholy [mell'ənkəli]

svårtillgänglig difficult of access [diff'ikəlt əv äkk'ses]

svåröverskådlig difficult to survey [diff'ikəlt tə sə:vej']

svägerska sister-in-law [siss'tərinlå:]

svälja swallow [swåll'əo]

svälla swell [swell]

svält starvation [sta:vej'fən]

svälta starve [sta:v]

svältgräns leva på svältgränsen live on the hunger line [livv' ån ðə hang'gə laj'n]

svämma svämma över overflow [əovəfləo']

sväng round [raond]; (krok) turn [tə:n]

svänga swing (swing); (rotera, göra sväng) turn [tə:n]

svänghjul flywheel [flaj'wi:l]

svängning swing [swing]; (fram o. tillbaka) vibration [vajbrej'fən]; (rotation) rotation [rəotej'fən]

svängrum elbow room [ell'bəoro:m]

svängtapp pivot [pivv'ət]

svära swear [swä'ə]

svärd sword [så:d]

svärdfisk swordfish [så:'dfif]

svärdotter daughter-in-law [då:'tərinlå:]

svärfar father-in-law [fa:'ðərinlå:]

svärm swarm [swå:m]

svärma swarm [swå:m]

svärmeri (förälskelse) infatuation [infätjoej'fən]

svärmor mother-in-law [maðʼərinlå:]

svärson son-in-law [sann'inlå:]

svärta 1 s. blacking [bläkk'ing] 2 v. blacken [bläkk'ən]

sväva float [fləot]; sväva i fara be in danger [bi: in dej'ndʒə]

swimmingpool swimming pool [swimm'ingpo:l]

sy sew [səo]; sy fast (i) sew on [səo' ånn']; sy ihop sew up [səo' app']

sybehör sewing materials (pl) [səo'ing məti:'əriəlz]

sybehörsaffär haberdasher's

[häbb'ədafəz]

syd south [saoθ]

Sydafrika South Africa [sao'θ äff'rikə]

Sydamerika South America [sao'θ əmerr'ikə]

Sydeuropa Southern Europe [sað'ən jo:'ərəp]

sydkust south coast [sao'θ kəo'st]

sydlig southern [sað'ən]

sydländsk southern [sað'ən]

sydost south-east [sao'θi:'st]

sydostlig south-east [sao'θi:'st]

sydpolen the South Pole [ðə sao'θ pəo'l]

sydväst south-west [sao'θ wess't]; (hatt) sou'wester [sao'wess'tə]

sydvästlig south-westerly [saoθ wess'təli]

sydvästra south-western [sao'θ- wess'tən]

sydöstra south-eastern [sao'θi:'stən]

syfilis syphilis [siff'ilis]

syfta aim [ejm] (på at [ätt])

syfte aim [ejm]

syl awl [å:l]

syll sleeper [sli:'pə]

sylt jam [dʒämm]

sylta 1 s. (krog) third-rate eating-house [θə:d rejt i:'tinghaos] 2 v. make jam [of] [mej'k dʒämm (əv)]

syltlök pearl onion [pə:'l ann'jən]

symaskin sewing machine [səo'ing məfi:'n]

symbol symbol [simm'bəl]

symbolisera symbolize [simm'bəlajz]

symbolisk symbolic [simmbåll'ik]

symfoni symphony [simm'fəni]

symmetrisk symmetric [simett'rik]

sympati sympathy [simm'pəθi]

sympatisera sympathize [simm'pə-θajz]

sympatisk nice [najs]

symtom symptom [simm'ptəm]

syn sight [sajt]; (åsikt) view [vjo:]; (dröm-) vision [viʃ'ən]; få syn på catch sight of [kätʃ' saj't əv]

syna inspect [inspekk't]

synagoga synagogue [sinn'əgåg]

synas be seen [bi: si:'n]; *(tyckas)* appear [əpi:'ə]

synd sin [sinn]; *(skada)* pity [pitt'i]; *så synd!* what a pity! [wått' ə pitt'i]; *tycka synd om* feel sorry for [fi:'l sårr'i få:]

synda sin [sinn]

syndabock scapegoat [skej'pgəot]

syndafallet the Fall [of man] [ðə få:'l (əv männ')]

syndaflod flood [fladd]

syndare sinner [sinn'ə]

syndig sinful [sinn'fol]

synhåll sight [sajt]

synkop syncope [sing'kəpi]

synkronisera synchronize [sing'krə-najz]; *synkroniserad växellåda* synchromesh gearbox [sing'krəomeʃ'gi:'əbåks]

synlig visible [vizz'əbl]

synnerhet *i synnerhet* particularly [pətikk'jolali]

synnerligen extremely [ikstri:'mli]

synonym 1 *s.* synonym [sinn'ånim] 2 *adj.* synonymous [sinånn'iməs] *(med* with [wið])

synpunkt point of view [påj'nt əv vjo:']

synskadad with defective vision [wið difekk'tiv viʃ'ən]

syntes synthesis [sinn'θisis]

syntetisk synthetic [sinθett'ik]

synvilla optical illusion [åpp'tikəl ilo:'ʒən]

synvinkel *bildl.* point of view [påjnt əv vjo:'], angle of approach [äng'gl əv əprəo'tʃ]

synål [sewing] needle [(səo'ing) ni:dl]

syra acid [äss'id]

syre oxygen [åkk'sidʒən]

syren lilac [laj'lək]

Syrien Syria [sirr'iə]

syrsa cricket [krikk'it]

syskon brother[s] and sister[s] [braθ'ə(z) ən siss'tə(z)], siblings *pl* [si'blingz]

sysselsatt occupied [åkk'jopajd]

sysselsätta occupy [åkk'jopaj]

sysselsättning occupation [åkjo-pej'ʃən]

sysselsättningsterapi occupational therapy [åkjo:pej'ʃənl θerr'api]

syssla 1 *s.* *(sysselsättning)* occupation [åkjopej'ʃən] 2 *v.* *(sysselsätta sig)* busy o.s. [bizz'i wansell'f]

syssling second cousin [sekk'ənd kazz'n]

sysslolös idle [aj'dl]

system system [siss'tim]

systematik systematics [sistimätt'iks]

systematisera systematize [siss'timə-tajz]

systematisk systematic [sistimätt'ik]

systembolag [state-controlled] company for the sale of wines and spirits [(stej'tkɔntrəo'ld) kamm'pəni få: ðə sej'l əv waj'nz ən spirr'its]

syster sister [siss'tə]

systerdotter niece [ni:s]

systerson nephew [nevv'jo:]

sytråd sewing cotton [səo'ing kått'n]

så 1 *adv.* so [səo]; *(sedan)* then [ðenn]; *så att säga* so to speak [səo' tə spi:'k]; *hur så?* how then? [hao' ðenn']; *så här* like this [lajk ðiss'] 2 *pron.*, *i så fall* in that case [in ðätt' kej's] 3 *v.* sow [səo]

sådan such [satʃ]; *sådan där* like that [lajk ðätt']; *ngt sådant* such a thing [satʃ' ə θing']; *en sådan vacker hatt!* what a beautiful hat! [wått' ə bjo:'tə-fol hätt']

sådd sowing [səo'ing]

såg saw [så:]

såga saw [så:]

sågblad saw-blade [så:'blejd]

sågspån sawdust [så:'dast]

sågverk sawmill [så:'mil]

såld sold [səold]

således *(följaktligen)* consequently [kånn'sikwəntli]; *(på så sätt)* thus [ðass]

såll sieve [sivv]

sålla sieve [sivv]

sålunda thus [ðass]

sång song [sång]

sångare singer [sing'ə]

sångerska singer [sing'ə]

sångfågel songbird [sång'bə:d]

sångkör choir [kwaj'ə]

såpa soft soap [såff't səo'p]

såpbubbla soap bubble [səo'pbabl]

sår wound [wo:nd]

såra wound [wo:nd]

sårande insulting [insall'ting]

sårbar vulnerable [vall'nərəbl]

sås sauce [så:s]; (*kött-*) gravy [grej'vi]

såsom as [äz]

såvida provided [prəvaj'did]

såvitt as far as [äz fa:'r äz]

såväl *såväl stora som små* big as well as small [bigg' äz well' äz små:'l]

säck sack [säkk]; (*mindre*) bag [bägg]; *köpa grisen i säcken* buy a pig in a poke [baj' ə pigg' in ə pəo'k]; *bädda säck* make an apple-pie bed [mej'k ən äpp'lpaj' bedd']

säckig baggy [bägg'i]

säckpipa bagpipe [bägg'pajp]

säd corn [kå:n]

sädesslag kind of grain [kajnd əv grejn], cereal [si:'riəl]

sädesvätska seminal fluid [si:'minl flo:'id]

sädesärla wagtail [wägg'tejl]

säga say [sej]; *säger du det?* you don't say? [jo: dəo'nt sej']; *så att säga* so to speak [səo' tə spi:'k]; *han sägs vara rik* he is said to be rich [hi: izz sedd' tə bi: ritʃ']

sägen legend [ledʒ'ənd]

säker sure [ʃo:'ə]; (*pålitlig*) safe [sejf]

säkerhet safety [sej'fti]; (*borgen*) security [sikjo:'əriti]

säkerhetsanordning safety device [sej'fti divaj's]

säkerhetsbälte safety belt [sej'fti belt], seat belt [si:'t belt]

säkerhetsmarginal safety margin [sej'fti ma:'dʒin]

säkerhetsventil safety valve [sej'fti-väll'v]

säkerligen certainly [sə:'tnli]

säkert certainly [sə:'tnli]

säkra secure [sikjo:'ə]

säkring (*på vapen*) safety catch

[sej'fti kätʃ]; *elektr.* fuse [fjo:z]

säl seal [si:l]

sälg sallow [säll'əo]

sälja sell [sell]

säljare seller [sell'ə]

sälla *sälla sig till* join [dʒåjn]

sällan seldom [sell'əm]

sällsam strange [strej'ndʒ]

sällskap company [kamm'pəni]; (*samfund*) society [səsaj'əti]

sällskaplig social [səo'ʃəl]

sällskapsliv social life [səo'ʃəl laj'f]

sällskapsmänniska sociable person [səo'ʃəbl pə:'sn]

sällskapsresa conducted tour [kən-dakk'tid to:'ə]

sällskapsspel party game [pa:'ti gejm]

sällsynt rare [rä:'ə]

sällsynthet rarity [rä:'əriti]

sämja concord [kång'kå:d]

sämre worse [wə:s]

sämskskinn chamois [ʃämm'wa:]

sämst worst [wə:st]

sända (*skicka*) send [send]; (*radio*) transmit [tränzmitt']

sändare transmitter [tränzmitt'ə]

sändebud messenger [mess'indʒə]

sänder *i sänder* at a time [ätt ə taj'm]

sändning (*varu-*) consignment [kən-saj'nmənt]; *radio.* transmission [tränzmiʃ'ən]

säng bed [bedd]; *ligga till sängs* be in bed [bi: in bedd']

sängkammare bedroom [bedd'ro:m]

sängkläder bedclothes [bedd'kləoðz]

sänka 1 *s.* (*fördjupning*) hollow [håll'əo] **2** *v.* (*få att sjunka*) sink [singk]; (*göra lägre*) lower [ləo'ə]; *sänka sig* descend [disenn'd]

sänke (*på metrev*) sinker [sing'kə]

sänkning sinking [sing'king]; (*av pris*) reduction [ridakk'ʃən]

särart specific nature [spisiff'ik nej'tʃə]

särbeskattning individual taxation [individd'joəl täksej'ʃən]

särdeles extraordinarily [ikstrå:'dnrili]

säregen peculiar [pikjo:'ljə]

särklass *i särklass* a class of its own [ə kla:'s əv its əo'n]

särprägel characteristic [käriktə-riss'tik]

särskild special [speʃ'əl]

särskilt [e]specially [(i)speʃ'əli]

särtryck offprint [å:ff'print]

säsong season [si:'zn]

säte seat [si:t]

sätt way [wej]; *på det sättet* in this way [inn ðiss' wej']

sätta (*placera*) place [plejs], put [pott]; (*plantera*) plant [pla:nt]; *boktr.* compose [kəmpəo'z]; *sätta fast (fästa)* fix [fiks]; *sätta fram put out* [pott' əo't]; *sätta in pengar i (bank)* deposit money in [dipåzz'it mann'i in]; *sätta på sig* put on [pott' ånn']; *sätta sig* sit down [sitt' dao'n]

sättare typesetter [taj'psett'ə]

sättmaskin typesetting machine [taj'pseting məʃi:'n]

sättning setting [sett'ing]

säv rush [raʃ]

söder south [saoθ]

Söderhavet the South Pacific [ðə sao'θ pəsiff'ik]

Söderhavsöarna the South Sea Islands [ðə sao'θ si:' aj'ləndz]

södra southern [saθ'ən]

söka (*spana*) search [sə:tʃ] (*efter* for [få:]); (*leta efter*) look for [lokk få:]; (*ansöka*) apply for [əplaj' få:]

sökande search [sə:tʃ]; (*platssökande*) applicant [app'likənt]

sökare (*i kamera*) [view]finder [(vjo:')faj'ndə]

söla tarry [tärr'i]; (*smutsa*) soil [såjl]

söm seam [si:m]

sömmerska seamstress [si:m'strəs]; dressmaker [dress'mejkə]

sömn sleep [sli:p]; *gå (tala) i sömnen* walk (talk) in one's sleep [wå:'k (tå:'k) in wanz sli:'p]; *ha god sömn* be a sound sleeper [bi: ə sao'nd sli:'pə]

sömngångare sleepwalker [sli:'p-wå:kə]

sömnig sleepy [sli:'pi]

sömnlös sleepless [sli:'plis]

sömnmedel sleeping draught [sli:'p-ingdra:ft]

sömnsjuka sleeping-sickness [sli:'p-ingsikk'nis]

sömntablett sleeping tablet [sli:'ping täbb'lit]

söndag Sunday [sann'di]

söndagsskola Sunday school [sann'di-sko:l]

sönder broken [brəo'kən]; *gå sönder* get broken [gett' brəo'kən]; *slå sönder* break [brejk]

söndra divide [divaj'd]

sörja 1 *v.* (*känna sorg*) grieve [gri:v]; (*en avliden*) mourn [må:n]; (*ombesörja*) attend to [ətenn'd to:], provide for [prəva'jd få:] 2 *s.* sludge [sladʒ]

sörpla slurp [slə:p], drink noisily [dring'k nåj'sili]

söt sweet [swi:t]; (*vacker*) pretty [pritt'i]

söta sweeten [swi:'tn]

sötningsmedel sweetener [swi:'tnə]

sötsaker sweets [swi:ts]

sötvatten fresh water [freʃ' wå:'tə]

söva put to sleep [pott' tə sli:'p]; (*vid operation*) an[a]esthetize [ani:'sθitajz]

sövande soporific [såpəriff'ik]

t

ta take [tejk]; (*ta med sig*) bring [bring]; *ta en cigarr* have a cigar [hävv' ə siga:']; *ta av sig* take off [tej'k åff]; *ta fram* take out [tej'k ao't]; *ta in på hotell* put up at a hotel [pott' app' ätt ə həotell']

tabell table [tej'bl] (*över* of [åvv])

tablett tablet [täbb'lit]

tabu taboo [təbo:']

tack thanks [θängks]; *ja tack!* yes, please! [jess' pli:'z]; *nej tack!* no, thank you [nəo' θang'kjo]; *tack så mycket!* many thanks! [menn'i θäng'ks]; *tack vare* thanks to [θäng'ks to:]

tacka 1 v. thank [θangk] **2** s. (får-hona) ewe [jo:]; (järn-) pig [pigg]; (guld-) ingot [ing'gət]

tackjärn pig-iron [pigg'ajən]

tackla sport. tackle [täkk'l]

tacksam grateful [grej'tfol]

tacksamhet gratitude [grätt'itjo:d]

tafatt awkward [å:'kwəd]

tag (grepp) grip [gripp]; (sim-, år-) stroke [strəok]; en i taget one at a time [wann' ätt ə taj'm]

taga se ta

tagel horsehair [hå:'shä:ə]

tagg prickle [prikk'l]

taggig prickly [prikk'li]

taggtråd barbed wire [ba:'bd waj'ə]

tak (ytter-) roof [ro:f]; (inner-) ceiling [si:'ling]

taklampa ceiling lamp [si:'ling lämp]

takräcke (på bil) roof-rack [ro:'f räkk]

takränna gutter [gatt'ə]

takt (finkänslighet) tact [täkt]; mus. time [tajm]

taktfull tactful [täkk'tfol]

taktik tactics pl [täkk'tiks]

taktlös tactless [täkk'tlis]

tal (siffertal) number [namm'bə]; (räkneuppgift) sum [samm]; (sätt att tala, anförande) speech [spi:tʃ]

tala speak [spi:k] (med to [to:]); (prata) talk [tå:k]

talang talent [täll'ənt]

talangfull talented [täll'əntid]

talanglös untalented [ann'täll'əntid]

talare speaker [spi:'kə]

talarstol platform [plätt'få:m]

talas höra talas om hear of [hi:'ə əv]

talg tallow [täll'əo]

talgoxe great tit [grejt titt]

talk talc[um] [täll'k(em)]

tall pine [pajn]

tallrik plate [plejt]; djup tallrik soup plate [so:'pplejt]; flat tallrik ordinary plate [å:'dnri plejt]

talman speaker [spi:'kə]

talrik numerous [njo:'mərəs]

talspråk spoken language [spəo'kən läng'gwidʒ]

taltrast song thrush [sång'θraʃ]

tam tame [tejm]; (om djur) domestic [dəmess'tik]

tambur hall [hå:l]

tampong tampon [tämm'pån]

tand tooth [to:θ] (pl teeth [ti:θ]); få tänder be teething [bi: ti:'ðing]

tandborste toothbrush [to:'θbraʃ]

tandkräm toothpaste [to:'θpejst]

tandläkare dentist [denn'tist]

tandpetare toothpick [to:'θpik]

tandröta caries [kä:'ərii:z]

tandsköterska dental nurse [denn'tl nə:s]

tandtråd dental floss [denn'tl flåss]

tandvärk toothache [to:'θejk]

tangent mus., tekn. key [ki:]; geom. tangent [tänn'dʒənt]

tangentbord keyboard [ki:'bå:d]

tangera touch upon [tatʃ' əpånn']

tango tango [täng'gəo]

tank tank [tängk]

tanka fill up [fill' app']

tankbil petrol truck [pett'rəl trakk]

tanke thought [θå:t] (på of [åvv]); få ngn på andra tankar make s.b. change his mind [mej'k samm'bədi tʃej'ndʒ hiz maj'nd]

tankeläsare thought-reader [θå:'tri:də]

tankfartyg tanker [täng'kə]

tankfull thoughtful [θå:'tfol]

tanklös thoughtless [θå:'tlis]

tankspridd absent-minded [abb'sent-maj'ndid]

tant aunt [a:nt]

tapet wallpaper [wå:'lpejpə]

tapetsera hang paper [häng' pej'pə]

tapp tap [täpp]; (i badkar, båt) plug [plagg]

tappa (vätska) tap [täpp]; (släppa) drop [dråpp]; tappa bort lose [lo:z]

tapper brave [brejv]

tappt ge tappt give in [givv in]

tariff tariff [tärr'if]

tarm intestine [intess'tin]

tarvlig vulgar [vall'gə]; (lumpen) shabby [ʃäbb'i]

tass paw [på:]

tatuera tattoo [təto:']

tatuering tattoo [təto:']
tavelgalleri picture gallery [pikk'tʃə gäll'eri]
tavla picture [pikk'tʃə]; (anslags-) board [bå:d]
tax dachshund [däkk'shond]
taxa rate [rejt]
taxera assess [əsess']
taxeringsvärde rat[e]able value [rej'təbl väll'jo:]
taxfreeförsäljning tax-free sales [täkk'sfri: sejls]
taxfreevara tax-free goods [täkk'sfri: go:ddz]
taxi taxi [täkk'si], cab [käbb]
taxichaufför taxi driver [täkk'si-drajvə]
te tea [ti:]; koka te make tea [mejk ti:']
teater theatre [θi:'ətə]; spela teater act [äkt]; gå på teatern go to the theatre [gəo' tə ðə θi:'ətə]
tecken sign [sajn]
teckna (rita) draw [drå:]
tecknare draughtsman [dra:'ftsmən], (serie-) cartoonist [ka:to:'nist]
teckning drawing [drå:'ing]
teddybjörn teddy bear [tedd'ibä:'ə]
tefat saucer [så:'sə]; flygande tefat flying saucer [flaj'ing så:'sə]
tegel brick [brikk]
tegelsten brick [brikk]
tejp (Scotch) tape [(skåtʃ') tej'p]
tekanna teapot [ti:'påt]
teknik technology [teknåll'ədʒi]
tekniker technician [tekniʃ'ən]
teknisk technical [tekk'nikəl]; teknisk högskola college of technology [kåll'idʒ əv teknåll'ədʒi]
teknologi technology [teknåll'ədʒi]
tekopp teacup [ti:'kap]
telefax (maskin) fax machine [fäkk's-məʃi:'n]; (meddelande) fax [fäks]
telefon (tele)phone [tell'ifəon]; det är telefon till dig you're wanted on the phone [jo:ər wånn'tid ån ðə fəo'n]; tala i telefon talk on the phone [tå:'k ån ðə fəo'n]
telefonera phone [fəon]
telefonhytt call box [kå:l'båks]

telefonkatalog telephone directory [tell'ifəon direkt'əri]
telefonkiosk call box [kå:l'båkks]; Am. telephone booth [tell'ifåon bo:θ]
telefonkort phone card [fəon'ka:d]
telefonnummer telephone number [tell'ifəon namm'bə]
telefonsamtal phone call [fəo:'nkå:l]; telephone conversation [tell'ifəon kånvəsej'ʃən]
telegrafera wire [waj'ə]
telegrafisk telegraphic [teligräff'ik]
telegram telegram [tell'igräm]
teleobjektiv telephoto lens [tell'i-fəo'təo lenn's]
telepatisk telepathic [telipäθ'ik]
television se TV
tema theme [θi:m]; tema på ett verb the principal parts of a verb [ðə prinn'səpəl pa:'ts əv ə və:'b]
tempel temple [temm'pl]
temperament temperament [temm'p-rəmənt]
temperatur temperature [temm'p-ritʃə]
temperera temper [temm'pə]
tempo pace [pejs]; (i musik) tempo [temm'pəo]
tempoarbete serial production [si:'əriəl prədakk'ʃən]
Themsen the Thames [ðə temm'z]
tendens tendency [tenn'densi]
Teneriffa Tenerif[f]e [tenəri:'f]
tenn tin [tinn]
tennis tennis [tenn'is]
tennisbana tennis court [tenn'is kå:t]
tennisracket tennis racket [tenn'is räkk'it]
tenor tenor [tenn'ə]
tentamen examination [igzämi-nej'ʃən]
teologi theology [θiåll'ədʒi]
teoretisk theoretic[al] [θiərett'ik(əl)]
teori theory [θi:'əri]
tepåse tea bag [ti:'bäg]
terapi therapy [θerr'əpi]
term term [tə:m]
termin term [tə:m], Am. semester [simess'tə]

terminal terminal [tə:'minl]

termometer thermometer [θəmåmm'itə]

termosflaska thermos [θə:'mås]

terrass terrace [terr'əs]

terrier terrier [terr'iə]

territorium territory [terr'itəri]

terror terror [terr'ə]

terrorisera terrorize [terr'ərajz]

terrorist terrorist [terr'ərist]

terräng terrain [terr'ejn]; country [kann'tri]; *förlora terräng* lose ground [lo:'z grao'nd]

terränglöpning cross-country running [kråss'kann'tri rann'ing]

terylene terylene [terr'ili:n]

tes thesis [θi:'sis]

tesked teaspoon [ti:'spo:n]

test test [test]

testa test [test]

testamente will [will]; *upprätta sitt testamente* make one's will [mej'k wanz will']; *Gamla (Nya) testamentet* the Old (New) Testament [ði əo'ld (njo:') tess'təmənt]

testamentera bequeath [bikwi:'ð]

testikel testicle [tess'tikl]

teve TV [ti:vi:']

text text [tekst]

texta use block letters [jo:'z blåkk lett'əz]

textilfabrik textile mill [tekk'stajl mill]

textilier textiles [tekk'stajlz]

Tibet Tibet [tibett']

tibetansk Tibetan [tibett'ən]

ticka tick [tikk]

tid time [tajm]; *beställa tid* make an appointment [mej'k ən əpåj'ntmənt]; *bestämma [en]* set a day [sett' ə dej']; *på senare tid* in recent times [in ri:'snt taj'mz]; *det är på tiden att vi* it's about time we [itz əbaot taj'm wi:]; *under tiden* in the meantime [in ðə mi:'ntaj'm]

tidig early [ə:'li]

tidigare earlier [ə:'liə]

tidning newspaper [njo:'spejpə]

tidpunkt time [tajm]

tidsbegränsning time limit [taj'm limm'it]

tidsenlig up-to-date [app tədej't]

tidsfördriv pastime [pa:'stajm]

tidsinställning *foto.* shutter setting [ʃatt'əsett'ing]

tidskrift periodical [piəriådd'ikəl]

tidsskildring picture of the time [pikk'tʃə əv ðə taj'm]

tidsödande time-consuming [taj'm-kənsjo:'ming]

tidtabell timetable [taj'mtejbl]

tidtagarur stopwatch [ståpp'wåtʃ]

tidvatten tide [tajd]

tidvis at times [ätt taj'mz]

tiga be silent [bi: saj'lənt]

tiger tiger [taj'gə]

tigga beg [begg] (*om* for [få:])

tiggare beggar [begg'ə]

tik bitch [bitʃ]

till to [to:]; (*tid; som svar på "hur länge?"*) till [till]; *en gång till* once more [wann's må:']

tillaga make [mejk]

tillbaka back [bäkk]

tillbakadragen reserved [rizə:'vd]

tillbakagång decline [diklaj'n]

tillbe worship [wə:'ʃip]

tillbehör accessories [äksess'əriz]

tillbringa spend [spend]

tilldela award [əwå:'d]

tilldraga attract [əträkk't]

tilldragande attractive [əträkk'tiv]

tillerkänna grant [gra:nt]

tillfalla go to [gəo' to:]

tillflykt refuge [reff'jo:dʒ]

tillflyktsort place of refuge [plej's əv reff'jo:dʒ]

tillfoga (*tillägga*) add [ädd]; (*förorsaka*) inflict [inflikk't]

tillfreds satisfied [sätt'isfajd]

tillfredsställa satisfy [sätt'isfaj]

tillfredsställande satisfactory [sätis-fäkk'təri]

tillfriskna recover [rikavv'ə]

tillfråga ask [a:sk]

tillfångataga capture [käpp'tʃə]

tillfälle (*tidpunkt*) occasion [əkej'ʃən]; (*chans*) opportunity [åpətjo:'niti],

chance [tʃa:ns]; *för tillfället* at present [ätt prezz'nt]
tillfällig temporary [temm'pərəri]
tillföra bring [bring]
tillförlitlig reliable [rilaj'əbl]
tillförordnad acting [äkk'ting]; appointed [əpåj'ntid]
tillförsikt confidence [kånn'fidəns]
tillförsäkra secure [sikjo:'ə]
tillgiven devoted [divəo'tid]
tillgivenhet devotion [divəo'ʃən]
tillgjord affected [əfekk'tid]
tillgodohavande balance [bäll'əns]
tillgodoräkna sig put s.th. to one's credit [pott samm'θing to: wanz kredd'it]
tillgodose meet [mi:t], satisfy [sätt'isfaj]
tillgripa (*stjäla*) thieve [θi:v]; (*åtgärder m.m.*) resort to [rizå:'t to:]
tillgå *det brukar tillgå så att* what usually happens is that [wått jo:'ʃoəli häpp'ənz iz ðätt']; *finnas att tillgå* be obtainable [bi: əbbtej'nəbl]
tillgång (*förfogande*) access [äkk'ses]; *tillgångar och skulder* assets and liabilities [äss'ets ən lajəbill'itiz]; *tillgång och efterfrågan* supply and demand [səplaj' ən dima:'nd]
tillgänglig available [əvej'ləbl]
tillhandahålla supply (s.b. with s.th.) [səplaj' (samm'bədi wið samm'θing)]
tillhygge weapon [wepp'ən]
tillhåll haunt [hå:nt]
tillhöra belong to [bilång' to:]
tillhörande *en maskin med tillhörande delar* a machine complete with fittings [ə məʃi:'n kəmpli:'t wið fitt'ingz]
tillhörigheter belongings [bilång'ingz]
tillintetgöra annihilate [ənaj'əlejt]
tillit confidence [kånn'fidəns]
tillkalla summon [samm'ən]; send for [senn'd få:]
tillknäppt (*om person*) reserved [rizə:'vd]
tillkomst origin [årr'idʒin]

tillkrånglad complicated [kåmm'plikejtid]
tillkännage announce [ənao'ns]
tillmäle word of abuse [wə:'d əv əbjo:'s]
tillmäta *tillmäta ngt betydelse* attach importance to s.th. [ətätʃ' impå:'təns to: samm'θing]
tillmötesgå (*ngn*) oblige [əblaj'dʒ]; (*begäran*) comply with [kəmplaj' wið]
tillmötesgående 1 *adj.* obliging [əblaj'dʒing] **2** *s.* obligingness [əblaj'dʒingnis]
tillnärmelsevis *inte tillnärmelsevis* nothing like [naθ'ing laj'k]
tillplattad crushed [kraʃt]
tillreda prepare [pripä:'ə]
tillrådlig advisable [ədvaj'zəbl]
tillräcklig sufficient [səfiʃ'ənt], enough [inaff']
tillräknelig accountable [əkao'ntəbl]
tillrättavisa reprove [ripro:'v]
tillrättavisning reproof [ripro:'f]
tills till [till], until [əntill']
tillsagd told [təold]
tillsammans together [təge'ðə]
tillsats addition [ädiʃ'ən]
tillskjuta contribute [kəntribb'jo:t]
tillskott contribution [kåntribjo:'ʃən]
tillskyndan *på ngns tillskyndan* at the instigation of s.b. [ätt ði instigej'ʃən əv samm'bədi]
tillskärare cutter [katt'ə]
tillsluta close [kləoz]
tillspillogiven wasted [wej'stid]
tillströmning influx [inn'flaks]
tillstymmelse *inte en tillstymmelse till* not a trace of [nått ə trej's əv]
tillstyrka support [səpå:'t]
tillstå admit [ədmitt']
tillstånd (*tillåtelse*) permission [pəmiʃ'ən]; (*beskaffenhet*) state [stejt]
tillställning entertainment [entətej'nmənt]
tillstöta set in [sett' inn']
tillsyn *ha tillsyn över* supervise [sjo:'pəvajz]
tillsägelse order [å:'də]; (*tillrättavis-*

ning) admonition [ädməniʃˈən]

tillsätta (*utnämna*) appoint [əpåjˈnt]; (*blanda i*) add [ädd]

tillta increase [inkriːs]

tilltag venture [vennˈtʃə]; (*påhitt*) trick [trikk]

tilltagande increase [innˈkriːs]

tilltagsen enterprising [ennˈtəprajzing]

tilltal address [ədressˈ]

tilltala address [ədressˈ]

tilltalande attractive [əträkkˈtiv]

tilltrasslad entangled [intängˈgld]

tilltro confidence [kånnˈfidəns]

tillträda enter upon [ennˈtə əpånnˈ]; (*ta i besittning*) take over [tejˈk ouˈvə]

tillträde entrance [ennˈtrəns]; *fritt tillträde* admission free [ədmiʃˈən friː]; *tillträde förbjudet* no admittance [nəoˈ ədmittˈəns]

tilltvinga *tilltvinga* [*sig*] obtain by force [əbtejˈn baj fåːs]

tilltyga manhandle [männˈhändl]

tilltänkt proposed [prəpəoˈzd]

tillvarata[ga] look after [lokkˈ aːˈftə]

tillvaro existence [igzissˈtəns]; *kampen för tillvaron* struggle for existence [straggˈl fåː igzissˈtəns]

tillverka manufacture [mänjofäkkˈtʃə]

tillverkare manufacturer [mänjofäkkˈtʃərə]

tillverkning manufacture [mänjofäkkˈtʃə]

tillverkningskostnad cost of production [kåssˈt əvv prədakkˈʃən]

tillvinna *tillvinna sig* gain [gejn]

tillvita *tillvita ngn ngt* charge s.b. with s.th. [tʃaːˈdʒ sammˈbədi wið sammˈθing]

tillvägagångssätt procedure [prəsiːˈdʒə]

tillväxt growth [grəoθ]

tillväxttakt rate of growth [rejˈt əv grəoˈθ]

tillåta allow [əlaoˈ]

tillåtelse permission [pəmiʃˈən]

tillägg addition [ədiʃˈən]

tillägga add [ädd]

tilläggspension supplementary

pension [saplimennˈtəri pennˈʃən]

tillägna dedicate [deddˈikejt]; *tillägna sig* (*tillskansa sig*) lay hands on [lej hännˈdz ån], (*skaffa sig*) acquire [əkwajˈə]

tillämpa apply [əplajˈ] (*på* to [to:])

tillämplig applicable [äppˈlikəbl], *i tillämpliga delar* wherever applicable [wäːərevvˈə äppˈlikəbl]

tillämpning application [äplikejˈʃən]

timglas hourglass [aoˈəglaːs]

timjan thyme [tajm]

timlig temporal [temmˈpərəl]

timme hour [aoˈə]

timmer timber [timmˈbə]

timmerstock log [lågg]

timotej timothy [timmˈəθi]

timpenning hourly wage [aoˈəli wejˈdʒ]

timvisare hour hand [aoˈə hännˈd]

tina thaw [θåː]

tindra twinkle [twingˈkl]

ting thing [θing]

tinga order [åːˈdə]

tingeltangel noisy funfair [nåjˈzi fannˈfää]

tingshus court house [kåːˈthaoˈs]

tingstjänstgöring court practice [kåːˈt präkkˈtis]

tinktur tincture [tingˈktʃə]

tinne pinnacle [pinnˈəkl]

tinning temple [temmˈpl]

tio ten [tenn]

tiodubbel tenfold [tennˈfəold]

tiokamp decathlon [dikäθˈlån]

tionde tenth [tenθ]

tiondel tenth [tenθ]

tiopundssedel ten-pound note [tennˈpaond nəoˈt]

tiotal ten [tenn]

tipp tip [tipp]

tippa (*stjälpa ur*) tip [tipp]; *sport.* do the pools [doː ðə poːˈlz]

tips (*vink*) tip [tipp]; (*fotbolls-*) football pools [fottˈbåːlpoːlz]; *vinna på tips* win on the pools [winn ån ðə poːlz]

tipskupong pools coupon [poːlz koːˈpän]

tisdag Tuesday [tjo:'zdi]

tissel och tassel tittle-tattle [titt'lätl]

tistel thistle [θiss'l]

titel title [taj'tl]; *lägga bort titlarna* drop the Mr (*etc.*) [dråpp' ðə miss'tə]

titt (*blick*) look [lokk]; *titt och tätt* frequently [fri:'kwəntli]

titta look [lokk] (*på* at [ätt]); *titta på TV* watch TV [wåtʃ' ti:'vi:']; *titta efter* [look and] see [(lokk' ən) si:']

tittare (*TV-*) viewer [vjo:'ə]; (*smyg-*) peeping Tom [pi:'pingtåm]

titulera style [stajl]

tivoli amusement park [əmjo:'zmənt pa:k]

tja well! [well]

tjata nag [nägg]

tjatig nagging [nägg'ing]; (*långtråk-ig*) tedious [ti:'djəs]

tjeck Czech [tʃekk]

Tjeckien the Czech Republic [ðə tʃekk' ripabb'lik]

tjeckisk Czech [tʃekk]

tjej girl [gə:l]

tjock thick [θikk], (*om pers.*) stout [staot]

tjocklek thickness [θikk'nis]

tjog score [skå:]

tjudra tether [teð'ə]

tjugo twenty [twenn'ti]

tjugoen twenty-one [twenn'tiwann']

tjugonde twentieth [twenn'tiiθ]

tjugondel twentieth [twenn'tiiθ]

tjugotal *ett tjugotal* about twenty [əbao't twenn'ti]; *på tjugotalet* in the twenties [in ðə twenn'tiz]

tjur bull [boll]

tjura sulk [salk]

tjurfäktning bullfighting [boll'fajt-ing]; *en tjurfäktning* a bullfight [ə boll'fajt]

tjurig sulky [sall'ki]

tjurskallig stubborn [stabb'ən]

tjusa enchant [intʃa:'nt]

tjusig captivating [käpp'tivejting]

tjusning charm [tʃa:m]

tjut howling [hao'ling]; (*ett tjut*) howl [haol]

tjuta howl [haol]

tjuv thief [θi:f]

tjuvaktig thievish [θi:'viʃ]

tjuvgods stolen property [stəo'lən pråpp'əti]

tjuvlarm burglar alarm [bə:'glər-əla:'m]

tjuvlyssna eavesdrop [i:'vzdråp]

tjuvskytt poacher [påo'tʃə]

tjuvstart *sport.* false start [få:ls sta:t]

tjuvtitta *tjuvtitta i* take a look into on the sly [tej'k ə lokk inn'to ån ðə slaj']

tjäder capercaillie [käpəkej'li]

tjäle ground frost [grao'nd fråst]

tjäna serve [sə:v]; (*förtjäna*) earn [ə:n]; (*på affär*) gain [gejn]

tjänare servant [sə:'vənt]

tjänst service [sə:'vis]; *be ngn om en tjänst* ask a favour of s.b. [a:'sk ə fej'və əv samm'bədi]; *göra ngn en tjänst* do to s.b. a service [do: samm'-bədi ə sə:'vis]; *varmed kan jag stå till tjänst?* what can I do for you? [wått' känn aj do: fə jo:']

tjänstebil company car [kamm'pəni ka:]

tjänstefel breach of duty [bri:'tʃ əv djo:'ti]

tjänstefolk servants (*pl*) [sə:'vənts]

tjänsteförrättande acting [äkk'ting]

tjänsteman employee [emplåji:']; (*högre*) official [əfi'ʃəl]; *vard.* white-collar worker [waj'tkåll'ə wə'kə]

tjänsteresa official journey [əfiʃ'əl dʒə:'ni]; (*i privat tjänst*) business trip [bizz'nis tripp]

tjänstevikt (*bils*) kerb weight plus driver's weight [kə:'b wej't plass draj'vəz wej't]

tjänstgöra serve [sə:v]

tjänstgöring service [sə:'vis]

tjänstgöringsbetyg testimonial [testiməo'njəl]

tjänstledig *vara tjänstledig* be on leave [bi: ån li:'v]

tjänstledighet leave [li:v]

tjänstvillig obliging [əblaj'dʒing]

tjära tar [ta:]

tjärn tarn [ta:n]

toalett toilet [tåj'lit]; (*WC även*) lavatory [lävv'ətəri]; (*på restaurang o.d.*) cloakroom [kləo'kro:m], men's (ladies') room [menn'z (lej'diz) ro:m]

toalettartiklar toilet requisites [tåj'lit rekk'wizits]

toalettpapper toilet paper [tåj'lit-pejpə]

tobak tobacco [təbäkk'əo]

tobaksaffär tobacconist's [təbäkk'ə-nists]

toffel slipper [slipp'ə]

toffelhjälte henpecked husband [henn'pekt hazz'bənd]

tofs tuft [taft]

tok (*pers.*) fool [fo:l]; *gå på tok* go wrong [gəo rång']

tokig mad [mädd] (*av with* [wið]; *efter after* [a:'ftə]; *i, på on* [ån]); (*mycket förtjust*) crazy [krej'zi] (*i about* [əbao't])

tolerans tolerance [tåll'ərəns]

tolerant tolerant [tåll'ərənt]

tolerera tolerate [tåll'ərejt]

tolfte twelfth [twell'fθ]

tolftedel twelfth [twell'fθ]

tolk interpreter [intə:'pritə]

tolka interpret [intə:'prit]

tolkning interpretation [intə:pri-tej'ʃən]

tolv twelve [twellv]; *klockan tolv på dagen (natten) at* noon (midnight) [ätt no:'n (midd'najt)]

tom empty [emm'pti]

tomat tomato [təma:'təo]

tomatketchup tomato ketchup [təma:'təo kett'ʃəp]

tomglas empty bottle [emm'pti bått'l]

tomgång idling [aj'dling]

tomhänt empty-handed [emm'pti-hänn'did]

tomrum empty space [emm'pti spej's]

tomt (*obebyggd*) [building] site [(bill'ding)sajt]; (*kring hus*) garden [ga:'dn]

tomte brownie [brao'ni]

tomträtt site-leasehold right [sajt'-li:'shəold raj't]

ton ton [tann], (*1000 kg*) metric ton [mett'rik tann'], (*1016 kg, eng. ton*)

long ton [lång' tann']; (*mus., färg-etc.*) tone [təon]; *ange tonen (i musik)* give the note [givv ðə nəo't], *bildl.* give the tone [givv ðə tə o'n]; *träffa den rätta tonen* strike the right note [straj'k ðə raj't nəo t]; *takt och ton* good manners [godd männ'əz]

tonande (*om språkljud*) voiced [våjst]

tonart key [ki:]

tonfall intonation [intəonej'ʃən]

tonfisk tunny [fish] [tann'i(fiʃ)], tuna fish [tjo:'nafiʃ]

tongivande *bildl.* leading [li:'ding]

tonhöjd pitch [pitʃ]

tonnage tonnage [tann'idʒ]

tonsill tonsil [tånn'sl]

tonsteg interval [inn'təvəl]

tonsätta set to music [sett to: mjo:'-zik]

tonsättare composer [kəmpəo'zə]

tonvikt stress [stress]

tonåring teenager [ti:'nejdʒə]

topografisk topographical [tåpə-gräff'ikəl]

topp top [tåpp]

topphastighet maximum speed [makk'siməm spi:d]

topprestation top performance [tåpp' pəfå:'məns]

toppventil overhead valve [əo'və-hedd väll'v]

torde *ni torde observera* you will please observe [jo: will pli:'z əbzə:'v]; *man torde kunna påstå att* it may probably be asserted that [it mej pråbb'abli bi: əsə:'tid ðätt']

tordyvel dor[beetle] [då:'(bi:tl)]

torftig scanty [skänn'ti]

torg (*plats*) square [skwä:'ə]; (*salu-*) market [ma:'kit]

torgdag market day [ma:'kit dej]

torgskräck agoraphobia [ägərə-fəo'biə]

torgstånd market stall [ma:'kit stå:l]

tork dryer [draj'ə]; *hänga på tork* hang to dry [häng' tə draj']

torka 1 *s.* drought [draot] **2** *v.* dry [draj], get dry [gett' draj']; (*torka av*) wipe [wajp]; *torka bort* wipe off

[waj'p åff]

torkarblad wiper blade [wajp'əblejd]

torkställ drying rack [draj'ing räkk]; (*för disk*) plate rack [plej't räkk]

torktumlare tumble-dryer [tamm'bl-drajə]

torn tower [tao'ə]; (*schackpjäs*) rook [rokk]

torp crofter's holding [kråff'təz hao'lding]

torpare crofter [kråff'tə]

torped torpedo [tå:pi:'dəo]

torpedera torpedo [tå:pi:'dəo]

torr dry [draj]

torrklosett earth closet [ə:'θ klåzz'it]

torrmjölk powdered milk [pao'dəd milk]

torsdag Thursday [θə:'zdi]

torsk cod [kådd]

torskleverolja cod liver oil [kådd'-livəråj'l]

tortera torture [tå:'tʃə]

tortyr torture [tå:'tʃə]

torv peat [pi:t]

torva (*gräs-*) turf [tə:f]

torvmosse peatbog [pi:'t bågg]

total total [təo'tl]

totalhaveri total loss [təo'tl låss'], total wreck [təo'tl rekk']

totalisator totalizator [təo'təlajzejtə]

totalitär totalitarian [təotälitä:'əriən]

tradition tradition [trədiʃ'ən]

traditionell traditional [trədiʃ'ənl]

trafik traffic [träff'ik]

trafikant (*landsvägs-*) road user [rəo'djo:zə]

trafikera use [jo:z]; *livligt trafikerad* heavily trafficked [hevv'ili träff'ikt]

trafikflyg air service [ä:'ə sə:'vis]

trafikflygplan passenger plane [päss'əndʒə plej'n]

trafikljus traffic light[s] [träff'ik lajt(s)]

trafikolycka traffic accident [träff'ik äkk'sidənt]

trafikstockning traffic jam [träff'ik dʒämm]

trafiksäkerhet road safety [rəo'd sej'fti]

tragedi tragedy [trädʒ'idi]

traggla (*knoga*) plod on [plådd' ånn']

tragik tragedy [trädʒ'idi]

tragisk tragic[al] [trädʒ'ik(əl)]

trakassera pester [pess'tə]

trakt district [diss'trikt]; *här i trakten* in this neighbourhood [in ðiss nej'bə-hod]

traktamente allowance [for expenses] [əlao'əns (få: ikspenn'siz)]

traktat treaty [tri:'ti]

traktera treat [tri:t]; (*spela*) play [plej]; *inte vara vidare trakterad av* not be flattered by [nått bi: flätt'əd baj]

traktor tractor [träkk'tə]

tralla troll [trəol]

trampa tramp [trämp]; (*cykel, symaskin*) pedal [pedd'l]

trampbil pedal car [pedd'l ka:]

trampfartyg tramp [trämp]

trampolin springboard [springbå:d]

tran train-oil [trej'nåjl]

trana crane [krejn]

tranbär cranberry [känn'bəri]

transaktion transaction [tränzäkk'ʃən]

transformator transformer [tränsfå:'mə]

transistorradio transistor radio [tränziss'tə rej'diəo]

transpirationsmedel deodorant [di:-əo'dərənt]

transplantera transplant [tränspla:'nt]

transport transport [tränn'spå:t]

transportera transport [tränspå:'t]

trapets trapeze [trəpi:'z]

trappa (*utomhus*) steps (*pl*) [steps]; (*farstu-*) doorstep[s] [då:'step(s)]; (*inomhus-*) stairs (*pl*) [stä:'əz]; *en trappa upp* on the first (*Am*. second) floor [ån ðə fə:'st (sekk'ənd) flå:']

trappsteg step [stepp], stair [stä:'ə]

trappstege stepladder [stepp'lädd'ə]

trappuppgång staircase [stä:'əkejs]

trasa rag [rägg]; (*skur-*) scouring cloth [skao'əringklåθ]

trasig ragged [rägg'id]; (*sönderbruten*) broken [brəo'kən]; (*i olag*) out of order [ao't əv å:'də]

traska trudge [tradʒ]
trasmatta rag-rug [rägg'rag]
trassel (*oreda*) tangle [täng'gl]; (*besvärligheter*) trouble [trabb'l]
trasselsudd piece of cotton waste [pi:'s əv kått'n wejst]
trassla (*krångla*) make a fuss [mej'k ə fass']; *trassla in sig* get itself (o.s.) entangled [gett itsell'f (wansell'f intäng'gld)]
trasslig tangled [täng'gld]; (*förvirrad*) confused [kənfjo:'zd]; *trassliga affärer* shaky finances [ʃej'ki fajnänn'siz]
trast thrush [θraʃ]
tratt funnel [fann'l]
trav trot [trått]; *hjälpa ngn på traven* give s.b. a start [givv' samm'bədi ə sta:'t]
trava (*om häst*) trot [trått]; (*stapla*) pile [pajl]
trave pile [pajl]
travhäst trotter [trått'ə]
travtävling trotting race [trått'ing rejs]
tre three [θri:]
trea three [θri:]
tredje third [θə:d]; *tredje graden* third degree [θə:'d digri:']
tredjedel third [θə:d]
tredubbel treble [trebb'l]
treenighet trinity [trinn'iti]
trehjuling three-wheeler [θri:'wi:'lə]
trekantig triangular [trajäng'gjolə]
treklang triad [traj'əd]
trend trend [trend]
trendig trendy [trenn'di]
tresiffrig three-figure [θri:'figg'ə]
tresteg hop-step-and-jump [håpp'-stepp'əndʒamm'p]
trestjärnig three-star [θri:'sta:']
trettio thirty [θə:'ti]
trettionde thirtieth [θə:'tiiθ]
trettiotal *ett trettiotal* some thirty [samm' θə:'ti]; *på trettiotalet* in the thirties [inn ðə θə:'tiz]
tretton thirteen [θə:'ti:'n]
trettondagen Twelfth Day [twell'fθ dej']
trettondagsafton Twelfth Night

[twell'fθ naj't]
trettonde thirteenth [θə:'ti:'nθ]
treva grope [grəop] (*efter* for [få:])
trevare feeler [fi:'lə]
trevlig pleasant [plezz'nt]; *vi hade mycket trevligt* we had a very nice time [wi: hädd ə verr'i naj's taj'm]; *det var trevligt att höra* I'm glad to hear that [aj'm gladd' tə hi:'ə öätt']
trevnad comfort [kamm'fət]
trevåningshus three-storeyed house [θri:'stå:'rid haos]
triangel triangle [traj'änggl]
triangeldrama [eternal-]triangle drama [(i:tə:'nl] traj'änggl dra:'mə]
tribun platform [plätt'få:m]
tribunal (*domstol*) tribunal [trajbjo:'nəl]
trick trick [trikk]
trigonometri trigonometry [trigənåmm'itri]
trikin trichina [trikaj'nə]
trikå tricot [trikk'əo]
trilling triplet [tripp'lit]
trimma trim [trimm]
trind round[-shaped] [rao'nd(ʃejpt)]; (*om pers.*) stout [staot]
trio trio [tri:'əo]
tripp trip [tripp]; *göra en tripp* go for a trip [gəo få:' ə tripp']
trissa 1 *s.* wheel [wi:l] **2** *v.*, *trissa upp priserna* push up the prices [poʃ' app ðə praj'siz]
trist (*långtråkig*) tedious [ti:'djəs]; (*dyster*) gloomy [glo: mi]
triumf triumph [traj'əmf]
triumfera triumph [traj'əmf]
trivas get on well [gett ån well']; *han trivs i England* he likes being in England [hi: laj'ks bi:'ing in ing'glənd]; *trivas med* get on with [gett ånn' wið]
trivsam pleasant [plezz'nt]
trivsel well-being [well bi:'ing]
tro 1 *s.* belief [bili:'f] (*på* in [in]), faith [fej'θ] (*på* in [in]); *i god tro* in good faith [in godd' fej'θ] **2** *v.* believe think [θingk]; *ja, jag tror det* yes, I believe so [jess' aj bili:'v səo']; *må*

trofast

du tro! I can tell you! [aj känn tell'jo:']

trofast true [tro:]

trogen faithful [fej'θfol]

trohet faithfulness [fej'θfolnis]

trolig probable [pråbb'əbl]; *det är föga troligt* it's not very likely [itz nåt verri laj'kli]

troligen probably [pråbb'əbli]

troll troll [trəol]; (*elakt*) hobgoblin [håbb'gåblin]; *när man talar om trollen* talk of the devil and he'll appear [tå:'k əv ðə devv'l ənd hi:'l əpi:'ə]

trolla *trolla bort* (*fram*) conjure away (forth) [kann'dʒə əwej (få:'θ)]

trolldom witchcraft [witʃ'kra:ft]

trolleri magic [mädʒ'ik]

trollformel magic formula [mädʒ'ik få:'mjolə], spell [spell]

trollkonstnär conjurer [kann'dʒərə]

trollslända dragonfly [drägg'ənflaj]

trolös faithless [fej'θlis]

tromb tornado [tå:nej'dəo]

trombon trombone [tråmbəo'n]

tron throne [θrəon]

tronföljare successor to the throne [səksess'ə to: ðə θrəo'n]

tropikerna the Tropics *pl* [ðə tråpp'iks]

tropikhjälm sun-helmet [sann'hell'mit], pith helmet [piθ hell'mit]

tropisk tropical [tråpp'ikəl]

trosbekännelse confession of faith [kənfeʃ'ən əv fej'θ]

troskyldig true-hearted [tro:'ha:'tid]

trosor briefs [bri:fs]; panties [pänn'tiz]

tross hawser [hå:'zə]

trossamfund religious community [rilidʒ'əs kəmjo:'niti]

trossbotten double floor [dabb'l flå:']

trosskydd panty liner [pänn'tilajnə]

trots 1 *s.* defiance [difaj'əns] (*mot of* [åvv]) **2** *prep.* in spite of [in spaj't əvv]

trotsa defy [difaj']

trotsåldern the obstinate age [ði åbb'stinit ej'dʒ]

trottoar pavement [pej'vmənt], *Am.*

sidewalk [saj'dwå:k]

trovärdig credible [kredd'əbl]

trubadur troubadour [tro: bədo:ə]

trubba *trubba* [*av*] blunt [blant]

trubbig blunt [blant]

truck truck [trakk]

truga press [press]

trumf trump [tramp]

trumfkort trump card [tramp ka:d]

trumhinna eardrum [i:'ədram]

trumma drum [dramm]

trumpet trumpet [tramm'pet]

trumpinne drumstick [dramm'stik]

trumslagare drummer [dramm'ə]

trupp troop [tro:p]

truppförband [military] unit [(mill'itəri) jo:'nit]

trust trust [trast]

trut (*fågel*) gull [gall]; *vard.* (*mun*) kisser [kiss'ə]; *hålla truten* shut up [ʃatt app']

tryck pressure [preʃ'ə]; *komma i tryck* appear in print [əpi:'ə in prinn't]

trycka press [press]; (*bok o.d.*) print [print]

tryckbokstäver (*textat*) block letters *pl* [blåkk lett'əz]

tryckeri printing works [prinn'tingwə:ks]

tryckfel misprint [misprinn't]

tryckfrihet freedom of the press [fri:'dəm əv ðə press']

tryckknapp push-button [poʃ'battn]; (*för knäppning*) press stud [press'stadd']

tryckluft compressed air [kəmpress't ä:'ə]

tryckluftsborr pneumatic drill [njo:-mätt'ik drill']

tryckning (*av böcker o.d.*) printing [prinn'ting]

tryckpress printing press [prinn'ting press']

tryckstil type [tajp]

trycksvärta printing ink [prinn'ting ing'k]

tryffel truffle [traff'l]

trygg secure [sikjo:'ə], safe [sejf]

trygga secure [sikjo:'ə]

trygghet security [sikjo:'əriti]

tryta (*fattas*) be lacking [bi: läkk'ing]; (*ta slut*) run short [rann' få:'t]

tråd thread [θredd]; (*metall-*) wire [waj'ə]; *den röda tråden* the main theme [ðə mej'n θi:'m]; *tappa tråden* lose the thread [lo:'z ðə θredd]

trådrulle reel of cotton [ri:'l əv kått'n]; (*tom*) cotton reel [kått'n ri:l]

tråg trough [tråff]

tråka *tråka ihjäl* (*ut*) bore to death [bå:'tə deθ']

tråkig boring [bå:'ring]; *så tråkigt!* what a pity! [wått' ə pitt'i]

tråkmåns bore [bå:]

trålare trawler [trå:'lə]

tråna pine [pajn]

trång narrow [närr'əo]

trångboddhet overcrowding [əovə-krao'ding]

trångmål straits *pl* [strejts]

trångsynt narrow[-minded] [närr'əo (maj'ndid)]

trånsjuk pining [paj'ning]

trä wood [wodd]

träblåsinstrument woodwind instrument [wodd'wind inn'strəmənt]

träd tree [tri:]

träda 1 *v.* step [stepp]; (*träda på*) thread (on) [θredd' (ånn)]; *träda i förbindelse med* enter into communication with [enn'tə inn'to kəmjo:-nikej'ʃən wið]; *träda i kraft* come into force [kamm' inn'to få:'s]; *träda tillbaka* retire [ritaj'ə] (*för* in favour of [in fej'vər əv]) **2** *s.*, *ligga i träda* lie fallow [laj' fäll'əo]

trädgren branch [bra:ntʃ]

trädgräns timber line [timm'bəlajn]

trädgård garden [ga:'dn]

trädgårdsarbete gardening [ga:'d-ning]

trädgårdsmästare gardener [ga:'dnə]

trädgårdsskötsel gardening [ga:'d-ning], horticulture [hå:'tikaltʃə]

trädstam tree trunk [tri:' trangk]

träff (*skott*) hit [hitt]; (*möte*) rendez-vous [rånn'divo:], (*för fler än två*) meeting [mi:'ting]

träffa (*om skott*) hit [hitt]; (*möta*) meet [mi:t]; *jag skall träffa dem i morgon* I shall see them tomorrow [aj ʃäll si:' ðemm təmårr'əo]; *träffas herr A.?* is Mr. A. in? [iz miss'tərej' inn'], (*i telefon*) can I speak to Mr. A.? [kän aj spi:'k to: miss'tərej']

träffande (*välfunnen*) appropriate [əprəo'priət]

träffas meet [mi:t]

träfiberplatta fibreboard [faj'bəbå:d]

trähaltig woody [wodd'i]

trähus wooden house [wodd'n haos]

träindustri timber industry [timm'bər-inn'dəstri]

träkarl (*i kortspel*) dummy [damm'i]

träkol charcoal [tʃa:'kəol]

träl thrall [θrå:l], slave [slejv]

träla toil [tåjl]

trämassa woodpulp [wodd'palp]

träna train [trejn]; (*öva sig*) practise [präkk'tis]

tränare trainer [trej'nə]

träng army service corps [a:'mi sə:'vis kå:]

tränga (*driva*) drive [drajv]; (*pressa*) press [press]; *tränga fram* force one's way [få:'s wanz wej'] (*till* to [to:]); *tränga igenom* penetrate [penn'itrejt]; *tränga sig på* force o.s. upon [få:'s wansell'f əpånn']

trängande (*angelägen*) urgent [ə:'dʒənt]

trängsel crowding [krao'ding], crush [of people] [kraʃ' (əv pi:'pl)]

träning training [trej'ning]

träningsoverall tracksuit [träkk' sjo:t]

träningsvärk *ha träningsverk* be stiff after training [bi: stiff a:'ftə trej'ning]

träsk marsh [ma:ʃ]

träskalle blockhead [blåkk'hed]

träsked wooden spoon [wodd'n spo:n]

träsko wooden shoe [wodd'n ʃo:]

träslöjd woodwork [wodd'wə:k]

träsnitt woodcut [wodd'kat]

träta quarrel [kwårr'əl]

trög slow [sləo]; (*slö*) dull [dall]

trögt slowly [sləo'li]; *affärerna går trögt* business is dull [bizz'nis izz dall'] *; motorn går trögt* the engine is sluggish [ði enn'dʒin iz slagg'iʃ]

tröja sweater [swett'ə], jersey [dʒə:'zi]

tröska thresh [θreʃ]

tröskel threshold [θreʃ'həold]

tröskverk thresher [θreʃ'ə]

tröst consolation [kånsəlej'ʃən]

trösta console [kənsəo'l]

trött tired [taj'əd]

trötta tire [taj'ə]

trötthet tiredness [taj'ədnis]

tröttna get tired [gett taj'əd]

tröttsam tiring [taj'əriŋg]

tsar tsar [za:]

T-shirt T-shirt [ti:'ʃə:t]

tub tube [tjo:b]

tuba tuba [tjo:'bə]

tubba induce [indjo:'s]

tuberkulos tuberculosis [tjo:bə:kjoləo'sis]

tuff *vard.* tough [taff]

tugga 1 *s.* bite [bajt] 2 *v.* chew [tʃo:]

tuggummi chewing gum [tʃo:'iŋg gamm]

tukta chastise [tʃästaj'z]

tull *(avgift)* [customs] duty [(kass'təmz) djo:'ti]; *(tullverk)* customs *(pl)* [kass'təmz]

tullbehandla clear [kli'ə]

tulldeklaration customs declaration [kass'təmz deklərej'ʃən]

tulldeklarera declare ... at Customs [diklä:'ə ätt kass'təmz]

tullfri duty-free [djo:'tifri:']

tullpliktig dutiable [djo:'tjəbl]

tulltjänsteman customs officer [kass'təmz åff'isə]

tulpan tulip [tjo:'lip]

tum inch [intʃ]

tumlare *(delfin)* porpoise [på:'pəs]

tumme thumb [θamm]; *hålla tummarna för ngn* keep one's fingers crossed for s.b. [ki:'p wanz fiŋg'gəz kråss't fə samm'bədi]; *rulla tummarna* twiddle one's thumbs [twidd'l wanz θamm'z]

tumregel rule of thumb [ro:'l əv θamm']

tumskruv thumbscrew [θamm'skro:]

tumstock folding rule [fəo'lding ro:'l]

tumult tumult [tjo:'malt]

tumör tumour [tjo:'mə]

tundra tundra [tann'drə]

tung heavy [hevv'i]

tunga tongue [taŋg]; *hålla tungan rätt i mun* mind one's P's and Q's [maj'nd wannz pi:z ən kjo:'z]

tungomål tongue [taŋg]

tungt heavily [hevv'ili]; *tungt vägande skäl* weighty reasons [wej'ti ri:'znz]

tungvikt heavyweight [hevv'iwejt]

tunika tunic [tjo:'nik]

Tunisien Tunisia [tjo:nizz'iə]

tunn thin [θinn]

tunna barrel [bärr'əl]

tunnel tunnel [tann'l]

tunnelbana underground [ann'dəgraond]; *Am. äv.* subway [sabb'wej]

tunnland *(ungefär)* acre [ej'kə]

tupp cock [kåkk]

tur luck [lakk]; *(resa)* tour [to:'ə]; *(följd)* turn [tə:n]; *i tur och ordning* in turn [in tə:'n]

turban turban [tə:'bən]

turbin turbine [tə:'bajn]

turism tourism [to:'ərizm]

turist tourist [to:'ərist]

turistattraktion tourist attraction [to:'ərist əträkk'ʃən]

turistbroschyr travel folder [trävv'l fəo'ldə]

turistbuss [touring] coach [(to:'əriŋg) kəotʃ]

turistbyrå tourist information [to:'ərist infəmej'ʃən]

turk Turk [tə:k]

Turkiet Turkey [tə:'ki]

turkisk Turkish [tə:'kiʃ]

turlista timetable [taj'mtejbl]

turné tour [to:'ə]

turnera tour [to:'ə]

tur- och returbiljett return ticket [ritə:'n tikk'it]

tusen thousand [θao'zənd]

tusende thousandth [θao'zəntθ]

tusen[de]del thousandth [θao'zəntθ]

tusenkonstnär handyman

[hänn'dimän]

tusensköna daisy [dej'zi]

tusentals thousands (of) [θao'sǝndz (ǝv)]

tussilago coltsfoot [kǝo'ltsfott]

tuta toot[le] [to:'t(l)]

tuva tuft [taft]

TV TV [ti:vi:]; *se på TV* watch TV [wåtſ' ti:'vi:']

TV-apparat TV set [ti:'vi:' sett]

tveka hesitate [hezz'itejt]

tvekamp duel [djo:'ǝl]

tvekan hesitation [hezitej'ſǝn]

tveksam uncertain [ansǝ:'tn]

tveksamhet hesitation [hezitej'ſǝn]

tvestjärt earwig [i:'ǝwig]

tvetydig ambiguous ᴵämbigg'joǝs]

tvilling twin [twinn]

tving clamp [klämp]

tvinga force [få:s]

tvinna twine [twajn]

tvist strife [strajf]

tvista dispute [disspjo:'t]

tvistefrö seed of dissension [si:'d ǝv disenn'ſǝn]

tvivel doubt [daot]

tvivelaktig doubtful [dao'tfol]

tvivelsmål doubt [daot]

tvivla doubt [daot]

TV-program TV programme [ti:vi: prǝo'gräm]; *Am.* TV program [ti:vi: prǝo'gräm]

TV-tittare [TV] viewer [(tell'i)vjo:'ǝ]

tvungen forced [få:st]

två two [to:]

tvåa two [to:]; *(lägenhet)* one-bedroom flat [wann' bedd'ro:m flätt]; *komma tvåa* come in second [kamm in sekk'ǝnd]

tvål soap [sǝop]

tvålflingor soapflakes [sǝo'pflejks]

tvång compulsion [kǝmpall'ſǝn]; *(våld)* force [få:s]

tvångsarbete forced labour [få:'st lej'bǝ]

tvångsföreställning obsession [ǝbseſ'ǝn]

tvångsläge *vara i tvångsläge* be in an emergency situation [bi: in ǝn

imǝ:'dʒǝnsi sitjoej'ſǝn]

tvångssparande compulsory saving [kǝmpall'sǝri sej'ving]

tvångströja straitjacket [strej't-dʒäkk'it]

tvåtaktsmotor two-stroke engine [to:'strǝo'k enn'dʒin]

tvåvåningshus two-storey[ed] house [to:'stå:'ri(d) haos]

tvåårig two-year-old [to:'jǝ:o'old]

tvär 1 *s., på tvären* across [ǝkräss']

2 *adj.* *(plötslig)* sudden [sadd'n]; *(brant)* steep [sti:p]

tvärgata cross-street [kråss'stri:t]

tvärrandig cross-striped [kråss'-strajpt]

tvärs across [ǝkräss']; *tvärs igenom* right through [rajt' θro:']; *tvärs över* straight across [strej't ǝkräss']

tvärslå crossbar [kråss'ba:]

tvärstanna stop dead [ståpp dedd']

tvärtemot quite contrary to [kwaj't kånn'trǝri to]

tvärtom on the contrary [ån ðǝ kånn'-trǝri]

tvätt wash[ing] [wåſ'(ing)]; *(kläder)* laundry [lå:'ndri]

tvätta wash [wåſ]

tvättbräde washboard [wåſ'bå:d]

tvättinrättning laundry [lå:'ndri]

tvättkläder laundry *sg* [lå:'ndri]

tvättmaskin washing machine [wåſ'ingmǝſi:n]

tvättmedel washing detergent [wåſ'ing ditǝ:'dʒǝnt]

tvättning washing [wåſ'ing]

tvättstuga laundry [lå:'ndri]

tvättställ washstand [wåſ'ständ]

tvättäkta wash-proof [wåſ'pro:f]

ty for [få:]

tycka think [θingk]; *tycka om* like [lajk]

tyckas seem [si:m]

tycke *i mitt tycke* in my opinion [in maj' ǝpinn'jǝn]; *fatta tycke för* take a liking to [tej'k ǝ laj'king to]

tyda *(tolka)* interpret [intǝ:'prit]; *tyda på* indicate [inn'dikejt]

tydlig clear [kli:'ǝ]; *(påtaglig)*

obvious [åbb'viəs]

tydligen evidently [evv'idəntli], obviously [åbb'viəsli]

tyfon typhoon [tajfo:'n]

tyfus typhus [taj'fəs]

tyg material [məti:'əriəl]; cloth [klåθ], fabric [fäbb'rik]

tygel rein [rejn]

tygla rein [rejn]

tyll tulle [tall]

tynga weigh [wej]

tyngd weight [wejt]

tyngdlagen the law of gravitation [ðə lå:' əv grävitej'ʃən]

tyngdlyftare weightlifter [wej'tliftə]

tyngdpunkt centre of gravity [senn'tə əv grävv'iti]; *bildl.* main point [mej'n påjnt]

typ type [tajp]

typisk typical [tipp'ikəl]

typograf typographer [tajpågg'rəfə]

typsnitt typeface [taj'pfejs]

tyrann tyrant [taj'ərənt]

tysk 1 *s.* German [dʒə:'mən] **2** *adj.* German [dʒə:'mən]

tyska (*språk*) German [dʒə:'mən]; (*kvinna*) German woman [dʒə:'mən womm'ən]

Tyskland Germany [dʒə:'məni]

tyst silent [saj'lənt]

tysta silence [saj'ləns]

tysthet silence [saj'ləns]

tystna become silent [bikamm' saj'-lənt]

tystnad silence [saj'ləns]

tystnadsplikt professional secrecy [prəfeʃ'ənl si:'krisi]

tyvärr unfortunately [anfå:'tʃnitli]; *jag kan tyvärr inte komma* I'm sorry I can't come [aj'm sårr'i aj ka:'nt kamm']; *tyvärr inte* I'm afraid not [aj'm əfrej'd nått']

tå toe [təo]

tåg train [trejn]; (*marsch*) march [ma:tʃ]

tåga march [ma:tʃ]

tågluffa travel on an interrail card [trävv'l ån ən interej'l ka:d]

tågtidtabell railway timetable

[rej'lwej taj'mtejbl]

tågvirke cordage [kå:'didʒ]

tåla bear [bä:'ə]; (*stå ut med*) stand [ständ]

tålamod patience [pej'ʃəns]

tålamodsprövande trying [traj'ing]

tålig patient [pej'ʃənt]

tåls *ge sig till tåls* have patience [hävv pej'ʃəns]

tång (*växt*) seaweed [si:'wi:d]; (*verktyg*) tongs *pl* [tångz]

tår tear [ti:'ə]

tårgas tear gas [ti:'əgäs]

tårta cake [kejk]

tårtspade cake slice [kejk'slajs]

täcka cover [kavv'ə]

täckdikning underdrainage [ann'də-drej'nidʒ]

täcke cover [kavv'ə]; (*sängtäcke*) bed quilt [bedd'kwilt]

täckning cover [kavv'ə]

täckjacka quilted jacket [kwill'tid dʒäkk'it]

tälja carve [ka:v]

täljare numerator [njo:'mərejtə]

täljkniv sheath knife [ʃi:'θnajf]

tält tent [tent]

tälta (*slå upp tält*) pitch one's tent [pitt'ʃ wanz tenn't]; (*bo i tält*) tent [tent], camp [kämp]

tältplats camp [kämp]

tämja tame [tejm]

tämligen pretty [pritt'i]; (*vanl. ogillande*) rather [ra:'ðə]

tända light [lajt]

tändare lighter [laj'tə]

tändning (*på bil*) ignition [igniʃ'ən]

tändsticka match [mätʃ']

tändsticksask (*tom*) matchbox [mätʃ'-båks]; (*med tändstickor i*) box of matches [båkk's əv mätʃ'iz]

tändstift spark plug [spa:'k plagg]

tänja stretch [stretʃ]

tänjbar stretchable [stretʃ'əbl]; (*elastisk*) elastic [iläss'tik]

tänka think [θingk] (*på of* [åvv]); (*ämna*) intend (be going) to [intenn'd (bi: gəo'ing) to:]

tänkbar conceivable [kənsi:'vəbl]

bästa tänkbara the best possible [ðə bess't påss'əbl]

tänkt (*ej verklig*) imagined [imädʒ'ind]

tänkvärd worth considering [wə:'θ kənsidd'əring]

täppa 1 *s.* (*land*) garden plot [ga:'dn-plåt] **2** *v.* (*täppa för, till*) stop up [ståpp' app']

tära consume [kənsjo:'m]; *tära på reserverna* draw on the reserves [drå:' ån ðə rizə:'vz]; *sorgen tär på henne* sorrow is preying [up]on her [sårr'əo iz prej'ing (əp)ånn hə:]

tärd worn [wå:n]

tärna (*brud-*) bridesmaid [braj'dz-mejd]; (*fågel*) tern [tə:n]

tärning die [daj] (*pl* dice [dajs])

tät 1 *s.* head [hedd] **2** *adj.* (*svårge-nomtränglig o.d.*) thick [θikk], dense [dens]; (*utan springor e.d.*) tight [tajt]; *täta besök* frequent visits [fri:'-kwənt vizz'its]

täta stop up [ståpp' app']

tätbefolkad densely populated [denn'sli påpp'jolejtid]

tätna become dense [bikamm' denn's]; (*om rök*) thicken [θikk'ən]

tätningslist draught excluder [dra:'ft iksklo:'də]

tätort built-up area [bilt'tap ä:'əriə]

tätortsbebyggelse city (town) buildings [sitt'i (tao'n) bill'dingz]

tävla compete [kəmpi:'t]

tävlan competition [kåmpətiʃ'ən]; contest [kånn'test]

tävling competition [kåmpətiʃ'ən]; contest [kånn'test]

tö thaw [θå:]

töa thaw [θå:]

töcken haze [hejz]

töja stretch [stretʃ]

tölp boor [bo:'ə]

tölpaktig boorish [bo:'əriʃ]

töm rein [rejn]

tömma empty [emm'pti]

tömning emptying [emm'ptiing]

töras dare [ðə:'ə]; *hon törs inte för sin mor* she doesn't dare because of

her mother [ʃi: dazz'nt dä:'ə bikåzz' əv hə: maðˈə]

törn bump [bamp]

törna emot bump into [bamp inn'to]

törnbuske thornbush [θå:'nboʃ]

törne (*tagg*) thorn [θå:n]

Törnrosa the Sleeping Beauty [ðə sli:'ping bjo:'ti]

törst thirst [θə:st]

törsta thirst [θə:st]

törstig thirsty [θə:'sti]

töväder thaw [θå:]

U

ubåt submarine [sabb'məri:n]

udd point [påjnt]; *ta udden av* (*bildl.*) take the sting out of [tej'k ðə sting' ao't əv]

udda odd [ådd]; *låta udda vara jämnt* let s.th. pass [lett samm'θing pa:'s]

udde cape [kejp]

uddlös pointless [påj'ntlis]

uggla owl [aol]; *det är ugglor i mossen* there is mischief brewing [ðää iz miss'tʃif bro:'ing]

ugn furnace [fə:'nis], (*bak-*) oven [avv'n]

ugnsbakad baked [bejkt]

ugnseldfast ovenproof [avv'npro:f]

ugnssteka roast [rəost]

u-hjälp aid to developing countries [ej'd to: divell'əping kann'triz]

Ukraina Ukraine [jo:'krejn]

ull wool [woll]

ullgarn wool [woll]

ulster ulster [all'stə]

ultimatum ultimatum [altimej'təm]; *ställa ultimatum* present an ulti-matum [prizenn't ən altimej'təm]

ultrakortvåg ultra-short wave [all'trə-ʃå:'t wej'v]

ultraljud ultrasonic sound [all'trə-sånn'ik saond]

ultramarin ultramarine [altrəməri:'n]

ultrarapid slow-motion [sləo'-məo'ʃən]

ultraviolett ultraviolet [all'trəvaj'əlit]

ulv wolf [wollf]; *en ulv i fårakläder* a wolf in sheep's clothing [ə woll'f in ʃi:'ps klæo'ðing]

umbära do without [do:' wiðao't]

umbärande privation [prajvej'ʃən]

umbärlig dispensable [dispenn'səbl]

umgås associate [əsəo'ʃiejt]; *ha lätt att umgås med folk* be a good mixer [bi: ə godd' mikk'sə]; *umgås med planer på att* have plans to [hävv plänn's to:]

umgänge intercourse [inn'tə:kå:s]; (*personer man umgås med*) company [kamm'pəni]; *sexuellt umgänge* sexual intercourse [se'ksjoəl i'ntə-kå:s]

umgängessätt *pl* manners [männ'əz]

undan away [əwej']; *det går inom med arbetet* work is getting on fine [wə:'k iz gett'ing ånn' faj'n]; *undan för undan* little by little [litt'l baj litt'l]

undanbe *undanbe sig* decline [diklaj'n]; *jag undanber mig* kindly spare me [kaj'ndli spä:'ə mi:]

undandra[ga] (*beröva*) deprive [dipraj'v]; *undandraga sig ansvar* shirk responsibility [ʃə:'k rispånsəbill'iti]

undanflykt excuse [ikskjo:'s]

undanhålla withhold [wiðhəo'ld] (*ngn ngt* s.th. from s.b. [samm'θing fråm samm'bədi])

undanmanöver evasive action [ivej'-siv äkk'ʃən]

undanröja remove [rimo:'v]

undanstökad finished and done [finn'iʃt ən dann']

undanta[ga] make an exception for [mej'k ən iksepp'ʃən få:]

undantag exception [iksepp'ʃən]; *ingen regel utan undantag* no rule without an exception [nəo' ro:'l wiðao't ənn iksepp'ʃən]

undantagandes except [for] [iksepp't (få:)]

undantagsfall exception [iksepp'ʃən]

undantagslös without exception [wiðao't iksepp'ʃən]

undantagstillstånd state of emergency [stej't əv imə:'dʒənsi]

undantagsvis in exceptional cases [in iksepp'ʃənl kej'siz]

undantränga force aside [få:'s əsaj'd]

under 1 *s.* wonder [wann'də]; *under över alla under!* wonder of wonders! [wann'dərəv wann'dəz]; *göra under* work wonders [wə:'k wann'dəz] 2 *prep.* under [ann'də]; (*på lägre nivå*) below [biləo']; (*om tid*) during [djo:'əring]

underavdelning subdivision [sabb'-divizən]

underbalanserad budget budget with a deficit [bad̶ʒ'it wið ə deff'isit]

underbar wonderful [wann'dəfol]

underbarn infant prodigy [inn'fənt prådd'idʒi]

underbefäl non-commissioned officer[s] [nånn'kəmiʃ'ənd åff'isə(z)]

underbetala underpay [ann'dəpej']

underbett underbite [ann'dəbaj't]

underbetyg *få underbetyg* fail [fejl] (*i in* [in])

underblåsa *bildl.* fan [fänn]

underbygga support [səpå:'t]

underbyxor pants [pänts]; (*dam-*) panties [pänn'tiz]

underdimensionera make too small [mej'k to:' små:'l]

underdånig humble [hamm'bl]

underexponera *foto.* underexpose [ann'dərikspəo'z]

underfund *komma underfund med* find out [faj'nd ao't]; (*inse*) realize [ri'əlajz]

underfundig cunning [kann'ing]

underförstådd implied [implaj'd]

undergiven submissive [səbmiss'iv]

undergräva undermine [andəmaj'n]

undergå undergo [andəgəo']

undergång (*ruin*) ruin [ro:'in]; (*passage*) subway [sab'wej]

underhaltig inferior [infi:'əriə]

underhand privately [praj'vtli]

underhandla negotiate [nigəo'ʃiejt]

underhandling negotiation [nigəo-ʃiej'ʃən]

underhud dermis [dɔːˈmis]

underhuggare underling [annˈdəling]

underhuset the House of Commons [ðə haoˈs əvv kåmmˈənz]

underhåll maintenance [mejˈntinəns]; (*understöd*) allowance [əlaoˈəns]

underhålla maintain [mejntejˈn]; (*byggnad e.d.*) keep in repair [kiːˈp in ripäːˈə]; (*kunskaper*) keep up [kiːˈp app']; (*roa*) entertain [entətejˈn]

underhållande entertaining [entətejˈning]

underhållning entertainment [entətejˈnmənt]

underhållningsmusik light music [lajˈt mjoːˈzik]

underifrån from below [fråm bilaoˈ]

underjordisk underground [annˈdəgraond]

underkasta subject to [səbdʒekkˈt toː]; *underkasta sig* (*kapitulera*) surrender [sərenˈdə]

underkjol underskirt [annˈdəskɔːt]

underklass lower class [ləoˈə klaːˈs]

underkläder underwear [annˈdəwäːə]

underklänning slip [slipp']

underkropp lower part of the body [ləoˈə paːˈt əv ðə bådd'i]

underkurs *till underkurs* at a discount [ätt ə dissˈkaont]

underkuva subdue [səbdjoː']

underkyla supercool [sjoːpəkoːˈl]

underkäke lower jaw [ləoˈə dʒäːˈ]

underkänna reject [ridʒekkˈt]; *bli underkänd* fail [fejl]

underlag basis [bejˈsis]

underlakan bottom sheet [båttˈəm ʃiːt]

underleverantör subcontractor [sabbˈkɔnträkkˈtə]

underlig strange [strejndʒ]

underliv (*könsorgan*) genitals (*pl*) [dʒennˈitəls]

underlivssjukdomar disorders of the female (male) reproductive organs [dissåːˈdəz əv ðə fiːˈmejl (mejl) riːprədakkˈtiv åːˈgənz]

underlydande dependent [dipennˈdənt]

underlåta neglect [niglekkˈt]; *han underlät att* he failed to [hiː fejˈld toː]

underlåtenhet omission [əmiʃˈən]

underlåtenhetssynd sin of omission [sinnˈ əv əmiʃˈən]

underläge weak position [wiːˈk pəziʃˈən]

underlägsen inferior [infiˈəriə] (*ngn to s.b.* [toː sammˈbədi])

underlägsenhet inferiority [infiəriårrˈiti]

underläkare assistant physician [əsissˈtənt fiziʃˈən], (*kirurg*) assistant surgeon) [əsissˈtənt səːˈdʒən]

underläpp lower lip [ləoˈə lipp]

underlätta facilitate [fəsillˈitejt]

undermedveten subconscious [sabbˈkånnˈʃəs]

undermening hidden meaning [hiddˈn miːˈning]

underminera undermine [andəmajˈn]

undernärd underfed [annˈdəfed]

underordnad subordinate [səbåːˈdnit]

underrede (*på bil*) chassis [ʃässˈi]

underredsbehandling underseal [annˈdəsiːl]

underrätta inform [infåːˈm] (*ngn om s.b. of* [sammˈbədi əvv])

underrättelse information [infəmejˈʃən]; *en underrättelse* a piece of information [ə piːˈs əv infəmejˈʃən]; *närmare underrättelser* further information [fəːˈðə infəmejˈʃən]

underrättelsetjänst secret service [siːˈkrit səːˈvis]

undersida underside [annˈdəsajd]

underskatta underrate [annˈdərejˈt]

underskott deficit [deffˈisit]

underskrida be below [biː biləoˈ]

underskrift signature [siggˈnitʃə]

underskriva sign [sajn]

underst at the bottom [ätt ðə båttˈəm] (*i of* [åvv])

understryka underline [andəlajˈn]; (*betona*) emphasize [emmˈfəsajz]

förstå sig dare [dɔːˈə]

understå sig dare [dɔːˈə]

underställa submit to [səbmittˈ toː]

understöd support [səpåːˈt]

understödja support [səpå:'t]

undersåte subject [sabb'dʒikt]

undersöka examine [igzämm'in]; *vi skall undersöka saken* we shall look into the matter [wi ʃäll lokk' inn'to ðə mätt'ə]

undersökning examination [igzämin-ej'ʃən]

underteckna sign [sajn]; *underteck-nad* I, the undersigned [aj' ði ann'də-sajnd]

undertecknande sign [saj'ning]; *vid undertecknandet* on signing [ån sajn'ing]

undertrycka suppress [səpress']

undertröja vest [vest]

underutvecklad underdeveloped [ann'dədivell'əpt]

undervattensbåt submarine [sabb'-məri:n]

undervegetation undergrowth [ann'dəgrəoθ]

underverk miracle [mirr'əkl]; *värld-ens sju underverk* the seven wonders of the world [ðə sevv'n wann'dəz əv ðə wə:'ld]; *uträtta underverk* do (work) wonders [do: (wə:k) wann'-dəz], work miracles [wə:k mirr'əkls]

undervisa teach [ti:tʃ]

undervisning teaching [ti:'tʃing]; *högre undervisning* higher education [haj'ə edjo:kej'ʃən]

undervisningsmetod teaching method [ti:'tʃing meθ'əd]

undervisningsväsen educational sys-tem [edjo:kej'ʃənl siss'tim]

undervärdera underestimate [ann'dər-ess'timejt]

undfalla escape [iskej'p]; *låta und-falla sig ngt* let s.th. slip out [lett' samm'θing slipp' ao't]

undfallande compliant [kəmplaj'ənt]

undfly flee from [fli: fråmm]

undgå escape [iskej'p]; *jag kunde inte undgå att höra* I couldn't help hearing [aj kodd'nt hell'p hi:'əring]

undkomma escape [from] [iskej'p (fråm)]

undra wonder [wann'də] (*över* at

[ätt]); *det undrar jag inte på* I don't wonder [aj dəo'nt wann'də]

undran wonder [wann'də]

undre the lower [ðə ləo'ə]

undsätta relieve [rili:'v]

undsättning relief [rili:'f]

undulat budgerigar [badʒ'əriga:], *vard.* budgie [badʒ'i]

undvara do without [do:' wiðao't]

undvika avoid [əvåj'd]

undvikande 1 *s.* avoidance [əvåj'dəns] **2** *adj.* evasive [ivej'siv]

ung young [jang]; *de unga* the young [ðə jang]; *vid unga år* early in life [ə:'li in laj'f]

ungdom youth [jo:θ]

ungdomar young people [jang' pi:'pl]

ungdomlig youthful [jo:'θfol]

ungdomsbrottslighet juvenile delin-quency [dʒo:'vinajl diling'kwənsi]

ungdomsböcker juvenile books [dʒo:'vinəjl boks]

ungdomsgård youth centre [jo:'θ senn'tə]

unge young [jang]; (*barn-*) kid [kidd]

ungefär about [əbaot]; *på ett ungefär* approximately [əpråkk'simitli]

ungefärlig approximate [əpråkk'simit]

Ungern Hungary [hang'gəri]

ungersk Hungarian [hanggä:'əriən]

unghäst colt [kəolt]

ungkarl bachelor [bätʃ'ələ]

ungmö maid [mejd], spinster [spinn'stə]

ungrare Hungarian [hanggä:'əriən]

uniform uniform [jo:'nifå:m]

uniformera (*göra enhetlig el. likfor-mig*) make uniform [mej'k jo:'nifå:m]

unik unique [jo:ni:'k]

union union [jo:'njən]

unison unison [jo:'nizn]

universalmedel cure-all [kjo:'ərå:'l]

universell universal [jo:nivə:'səl]

universitet university [jo:nivə:'siti]

universitetsexamen university degree [jo:nivə:'siti digri:']

universitetsstuderande university student [jo:nivə:'siti stjo:'dənt], undergraduate [andəgrädd'joit]

universum universe [jo:'nivə:s]

unken musty [mass'ti]

unna *unna ngn ngt* not grudge s.b. s.th. [nått gradʒ' samm'bədi samm'θing]; *det är henne väl unt* she is very welcome to it [ʃi: iz verr'i well'kəm to: it]

uns ounce [aons]

upp up [app]; *låsa upp* unlock [ann'-låkk']; *packa upp* unpack [ann'päkk']; *upp ur* out of [ao't əv]

uppackning unpacking [ann'päkk'ing]

uppassare waiter [wej'tə]

uppassning attendance [ətenn'dəns]

uppbjuda muster [mass'tə]

uppbjudande *med uppbjudande av alla sina krafter* exerting all one's strength [igzə:'ting ɑ:'l wanz streng'θ]

uppblåsbar inflatable [inflej'təbl]

uppblåst inflated [inflej'tid]; *bildl., vard.* stuck-up [stakk'app']

uppbragt indignant [indigg'nənt]

uppbringa (*skaffa*) procure [prəkjo:'ə]

uppbrott breaking-up [brej'kingapp']

uppbrottsstämning breaking-up mood [brej'kingapp' mo:'d]

uppbyggelse edification [edifikej'ʃən]

uppbygglig edifying [edd'ifajing]

uppbyggnadsarbete reconstruction [ri:'kɔnstrakk'ʃən]

uppbåd (*skara*) troop [tro:p]; *mil.* levy [levv'i]

uppbåda call out [kå:'l ao't]

uppbära (*erhålla*) receive [risi:'v]; *uppbära kritik* come in for criticism [kamm' in få:' kritt'isizəm]

uppbörd collection [kəlekk'ʃən]

uppbördsverk inland revenue office [inn'lənd revv'injo:'åff'is]

uppdaga discover [diskavv'ə]

uppdela divide [up] [divaj'd (app')]

uppdelning division [divi'ʒən]

uppdiktad invented [invenn'tid]; (*fiktiv*) fictional [fikk'ʃənəl]

uppdrag commission [kəmiʃ'ən]; *på uppdrag av* at the request of [ätt ðə rikwess't əv]; *få i uppdrag att göra ngt* be instructed to do s.th. [bi: instrakk'tid tə do:' samm'θing]

uppdragsgivare principal [prinn'-səpəl]; (*arbetsgivare*) employer [emplå:'jə]; (*klient*) client [klaj'ənt]

uppe up [app]

uppehåll (*avbrott*) interruption [intərapp'ʃən]; (*tågs*) stop [ståpp]; (*vistelse*) stay [stej]

uppehålla (*hindra*) keep [ki:p]; (*hålla uppe*) keep up [ki:'p app']; *uppehålla sig* stay [stej]

uppehållstillstånd residence permit [rezz'idəns pə:'mit]

uppehållsväder dry weather [draj' weð'ə]

uppehälle subsistence [səbsiss'təns]; *fritt uppehälle* free board and lodging [fri: bå:'d ɔnn lådʒ'ing]; *förtjäna sitt uppehälle* earn one's living [ə:'n wanz livv'ing]

uppenbar obvious [åbb'viəs]

uppenbara reveal [rivi:'l]

Uppenbarelseboken Revelation [revi-lej'ʃən]

uppenbarligen obviously [åbb'viəsli]

uppfart (*väg*) approach [əprəo'tʃ]

uppfatta comprehend [kåmprihenn'd]

uppfattning (*förståelse*) comprehension [kåmprihenn'ʃən]; *bilda sig en uppfattning om* form an opinion of [få:'m ən əpinn'jən əv]

uppfinna invent [invenn't]

uppfinnare inventor [invenn'tə]

uppfinning invention [invenn'ʃən]

uppfinningsrik inventive [invenn'tiv]

uppfostra bring up [bring app']; *illa uppfostrad* badly brought up [bädd'li brå:'t app']

uppfostran education [edjo:kej'ʃən]

uppfostringsanstalt reformatory [rifå:'mətəri]

uppfriska freshen up [freʃ'n app']

uppfylla fulfil [folfill']

uppfyllelse *gå i uppfyllelse* come true [kamm' tro:']

uppföda bring up [bring' app']; (*djur*) breed [bri:d]

uppfödare breeder [bri:'də]

uppför uphill [app'hill']; *uppför backen* up the hill [app ðə hill']

uppföra (*bygga*) build [bild]; (*teater, musik*) perform [pəfå:'m]; *uppföra sig* behave [bihej'v]

uppförande (*beteende*) behaviour [bihej'vjə]

uppförsbacke ascent [əsenn't]

uppge (*meddela*) state [stejt]; (*avstå från*) give up [givv' app']

uppgift (*meddelande*) statement [stejt'mənt]; (*upplysning*) information [infəmej'ʃən]; (*åliggande*) task [ta:sk]; (*i examen*) question [kwess'tʃən], problem [pråbb'ləm], exercise [ekk'səsəjz]

uppgå amount [əmao'nt] (*till* to [to:])

uppgång (*väg*) way up [wej' app'], way out [wej' ao't]; (*trapp-*) stairs [stä:'əz]; (*ökning*) rise [rajz]

uppgörelse agreement [əgri:'mənt]; *uppgörelse i godo* amicable settlement [ämm'ikəbl sett'lmənt]

upphandling purchase [pə:'tʃəs]

upphetsa excite [iksaj't]

upphetsande exciting [iksaj'ting]

upphetta heat [hi:t]

upphittad found [faond]

upphittare finder [faj'ndə]

upphov origin [årr'idʒin]

upphovsman originator [əridʒ'inejtə]

upphällning *vara på upphällningen* be on the decline [bi: ån ðə diklaj'n]

upphäva cancel [känn'səl]

upphöja raise [rejz]

upphöra cease [si:s]; *firman har upphört* the firm has closed down [ðə fə:'m haz kləo'zd dao'n]

uppifrån from above [fråm əbavv']

uppiggande stimulating [stimm'jo-lejting]

uppjagad [over]excited [(əo'vər)-iksaj'tid]

uppkalla name [nejm]

uppknäppt unbuttoned [ann'batt'nd]

uppkomling upstart [app'sta:t]

uppkomma arise [əraj'z]

uppkomst origin [årr'idʒin]

uppkäftig cheeky [tʃi:'ki]

uppköp purchase [pə:'tʃəs]

uppladdning charge [tʃa:dʒ]

upplag store [stå:]

upplaga edition [idiʃ'ən]

upplagd (*om t.ex. fartyg*) laid up [lej'd app']; (*hågad*) inclined [inklaj'nd]

uppleva experience [ikspi:'əriəns]; (*bevittna*) witness [witt'nis]

upplevelse experience [ikspi:'əriəns]

uppliva renew [rinjo:']; *uppliva gamla minnen* revive old memories [rivaj'v əo'ld memm'əriz]

upplopp riot [raj'ət]; *sport.* finish [finn'iʃ]

upplupen *upplupen ränta* accrued interest [əkro:'d inn'trist]

upplysa enlighten [inlaj'tn]

upplysande informative [infå:'mətiv]

upplysning information [infəmej'-ʃən]; *en upplysning* a piece of information [ə pi:'s əv infəmej'ʃən]; *upplysningar* information (*sg*) [infəmej'ʃən]

upplysningstiden the Age of Enlightenment [ði ejdʒ əv inlaj'tnmənt]

upplysningsvis by way of information [baj wej' əv infəmej'ʃən]

upplyst illuminated [iljo:'minejtid]; *bildl.* enlightened [inlaj'tnd]

upplåta make available [mej'k əvej'ləbl]

upplåtelse grant [gra:nt]

uppläggning (*planering*) planning [plänn'ing]; (*anordning*) disposition [dispəzi'ʃ'ən]

upplösa dissolve [dizåll'v]

uppmana request [rikwess't]

uppmaning request [rikwess't]

uppmjuka make soft [mej'k såff't]

uppmjukning *sport.* limbering-up [limm'bəringapp']

uppmuntra encourage [inkarr'idʒ]

uppmuntrande encouraging [inkarr'i-dʒing]

uppmärksam attentive [ətenn'tiv]

uppmärksamhet attention [ətenn'-ʃən]; *rikta ngns uppmärksamhet på* call a p.'s attention to [kå:'l ə pə:'snz ətenn'ʃən to:]; *ägna uppmärksamhet åt* give attention to [givv' ətenn'ʃən to:]

uppmärksamma notice [nɔə'tiss]

uppnå reach [ri:tʃ]

uppnäsa snub nose [snabb' nəoz]

uppochnedvänd upside down [app'-sajd dao'n]

uppoffra sacrifice [säkk'rifajs]

uppoffring sacrifice [säkk'rifajs]

upprepa repeat [ripi:'t]; *upprepade gånger* repeatedly [ripi:'tidli]

upprepning repetition [repitiʃ'ən]

uppretad irritated [irr'itejtid]

uppriktig sincere [sinsi:'ə]

uppriktighet sincerity [sinserr'iti]

uppriktigt sincerely [sinsi:'əli]; *uppriktigt sagt* candidly [känn'didli]

upprinnelse origin [årr'idʒin]

uppriven worked up [wə:'kt app']

upprop (*vädjan*) appeal [api:'l]

uppror revolt [rivɔo'lt]

upprustning rearmament [ri:'a:'məmənt]

uppryckning shaking-up [ʃej'king-app']

upprymd exhilarated [igzill'ərejtid]

uppräkning enumeration [injo:mə-rej'ʃən]

upprätt upright [app'rajt']

upprätta (*grunda*) found [faond]; (*skrivelse*) draw up [drå:' app']; (*rehabilitera*) rehabilitate [ri:əbill'itejt]

upprättelse redress [ridress']

upprätthålla maintain [mejntej'n]

upprörande shocking [ʃåkk'ing]

upprörd upset [appsett']

uppsagd (*om hyresgäst, personal*) under notice [ann'də nəo'tiss]

uppsats essay [ess'ej]; (*skol-*) composition [kåmpəziʃ'ən]

uppsatt *en högt uppsatt person* a person of high station [ə pə:'sn əv haj' stej'ʃən]

uppseende attention [ətenn'ʃən]

uppseendeväckande sensational [sensej'ʃənl]

uppsikt supervision [sjo:pəviʃ'ən]

uppskatta (*beräkna*) estimate [ess'timejt]; (*sätta värde på*) appreciate [əpri:'ʃiejt]

uppskattning estimation [estimej'ʃən]

uppskattningsvis approximately [əprɔkk'simitli]

uppskjuta put off [pott' åff], postpone [pəstpəo'n]

uppskjutning (*start*) launch [lå:nʃ]

uppskov postponement [pəstpəo'n-mənt]; *begära uppskov* apply for a term of respite [əplaj' få: ə tə:'m əv ress'pajt]; *bevilja uppskov* grant a respite [gra:'nt ə ress'pajt]

uppskrämd startled [sta:'tld]

uppskörtning swindle [swinn'dl]

uppslag (*idé*) idea [ajdi:'ə]; (*på kläder*) facing [fej'sing]; (*i bok*) opening [əo'pning]

uppslagsbok reference book [reff'rəns bokk], encyclopaedia [ensaj'klə-pi:'diə]

uppslagsord entry [enn'tri]

uppslitande heart-rending [ha:'t-rending]

uppsluka devour [divao'ə]; *ett allt uppslukande intresse* an all-absorbing interest [ən å:'ləbbså:'bing inn'trist]

uppsluppen in high spirits [in haj' spirr'its]

uppsnappa snatch up [snätʃ' app']

uppspärrad wide open [waj'd əo'pən]

uppstoppad stuffed [staft]

uppstudsig refractory [rifräkk'təri]

uppstyltad stilted [still'tid]

uppstå arise [əraj'z]

uppståndelse excitement [iksajt'-mənt]; (*från de döda*) resurrection [rezərekk'ʃən]

uppställa *uppställa regler* lay down rules [lej' dao'n ro:'lz]; *uppställa som villkor* state as a condition [stejt' äz ə kəndiʃ'ən]

uppställning arrangement [ərej'ndʒmənt]; (*lista*) list [list]

uppsving upswing [app'swing]

uppsvälld swollen [swəo'lən]

uppsyn look [lokk]

uppsyningsman overseer [əo'vasi:ə]

uppsåt intention [intenn'ʃən]

uppsåtlig intentional [intenn'ʃənl]; wilful [will'fol]

uppsåtligen purposely [pə:'pəsli]
uppsägning notice [nəə'tis]
uppsägningstid notice [nəə'tis]
uppsättning (sats) set [sett]; (teater-o. film-) production [prədakk'∫ən]
uppsöka (leta reda på) seek out [si:'k ao't]; (besöka) go to see [gəo' tə si:']
uppta take up [tej'k app']
upptagen (sysselsatt) occupied [åkk'jopajd]; (om telefonnummer) engaged [ingej'dʒd]; jag är upptagen på eftermiddagen i morgon I'm engaged tomorrow afternoon [aj'm ingej'dʒd təmahr'əo a:'ftəno:n]
upptakt bildl. prelude [prell'jo:d]
upptill at the top [ätt ðə tåpp']
uppträdande (framträdande) appearance [əpi:'ərəns]; (beteende) behaviour [bihej'vjə]
uppträda appear [əpi:'ə]; (uppföra sig) behave [bihej'v]
uppträde scene [si:n]
upptåg prank [prängk]
upptäcka discover [diskavv'ə]
upptäckt discovery [diskavv'əri]
upptäcktsresa expedition [ekspi-di∫'ən]
upptäcktsresande explorer [iks-plå:'rə]
upptänklig conceivable [kənsi:'vəbl]
uppvaknande awakening [awej'k-ning]
uppvakta (hylla) congratulate [kən-grätt'jolejt]
uppvaktning (visit) call [kå:l]; (följe) attendants pl [ətenn'dənts]
uppvigla stir up [stə:' app']
uppviglare agitator [ädʒ'itejtə]
uppvisa show [∫əo]
uppvisning show [∫əo]
uppvuxen grown-up [grəo'n app']
uppväcka raise [rejz]
uppväga [counter]balance [(kao'ntə)-bäll'əns]
uppvärmning heating [hi:'ting]; sport. warm-up [wå:m'app]
uppväxttid adolescence [ädəoless'ns]
uppåt upward[s] [app'wåd(z)]; uppåt floden up the river [app' ðə rivv'ə]

uppöva train [trejn]
ur 1 prep. out of [ao't əv] **2** s. watch [wåt∫]; (större) clock [klåkk]; fröken Ur speaking clock [spi:'king klåkk']
uran uranium [joərej'njəm]
urarta degenerate [didʒenn'ərejt]
urberg geol. primitive rock [primm'i-tiv råkk]
urblekt faded [fej'did]
urgammal extremely old [ikstri:'mli əo'ld]
urholka hollow [håll'əo]
urin urine [jo'ərin]
urinblåsa bladder [blädd'ə]
urin[ne]vånare original inhabitant [ərid3'ənl inhäbb'itant]; (i sht Austr.) aborigines [äbårid3'ini:z]
urinprov specimen of urine [spess'i-min əv jo:'ərin]
urinvägsinfektion inflammation of the urinary tract [infləmej'∫ən əv ðə jo:'ərinəri träkkt], med. cystitis [sistaj'tis]
urklipp cutting [katt'ing]
urkund document [dåkk'jomənt]
urladda discharge [dist∫a:'d3]
urlakad exhausted [igzå:'stid]
urmakare watchmaker [wåt∫'mejkə]
urminnes immemorial [imimå:'riəl]
urna urn [ə:n]
urpremiär first performance [fə:'st pəfå:'məns]
urringad low-necked [ləo'nekk't]
ursinnig furious [fjo:'əriəs]
urskilja discern [disə:'n]
urskillning discrimination [diskrimi-nej'∫ən]
urskog primeval forest [prajmi:'vəl fårr'ist]
urskulda excuse [ikskjo:'z]
ursprung origin [årr'idʒin]
ursprunglig original [ərid3'ənl]
ursprungligen originally [ərid3'nəli]
urspårning derailment [direj'lmənt]
ursäkt excuse [ikskjo:'s]; be (ngn) om ursäkt apologize [to s.b.] [əpåll'ə-d3ajz (to: samm'bədi)]
ursäkta excuse [ikskjo:'s]; ursäkta! excuse me! [ikskjo:'s mi:]; ursäkta

att jag säger det excuse my saying so [ikskjo:'s maj' sej'ing səo]

urtag *elektr.* socket [såkk'it]

urtavla dial [daj'əl]

uruppförande first performance [fə:'st pəfå:'məns]

urusel extremely bad [ikstri:'mli bädd']; *vard.* abysmal [əbiss'məl]

urval choice [tʃåjs]; *naturligt urval* natural selection [nätt'frəl silekk'ʃən]

urverk works of a clock [wə:ks əv ə klåkk']; *som ett urverk* like clockwork [lajk klåkk'wə:k]

urvuxen outgrown [aotgrəo'n]

USA the U.S.[A] [ðə jo:'ess' (ej')]

usel wretched [rett'ʃid]

ut out [aot]; *år ut och år in* year in year out [jə:' inn jə:' ao't]; *vända ut och in på* turn ... inside out [tə:'n inn'sajd ao't]

utan 1 *prep.* without [wiðao't]; *utan arbete* out of work [ao't əv wə:'k]; *utan vidare* just like that [dʒass't lajk ðätt'] **2** *konj.* but [batt]; *icke blott utan även* not only ... but [also] [nått əo'nli batt (å:'lsəo)]

utandning expiration [ekspajərej'ʃən]

utanför outside [ao'tsajd']

utanpå outside [ao'tsaj'd]

utantill by heart [baj ha:'t]

utarbeta work out [wə:k ao't]

utarbetande preparation [prepə-rej'ʃən]

utarmad destitute [dess'titjot]

utbetalning payment [pej'mənt]

utbilda train [trejn]; (*undervisa*) instruct [instrakk't]; (*uppfostra*) educate [edd'jokejt]; *utbilda sig till läkare* study to become a doctor [stadd'i tə bikamm' ə dåkk'tə], study medicine [stadd'i medd'sin]; *utbilda sig till sångare* train o.s. to become a singer [trej'n wannsell'f tə bikamm ə sing'ə]

utbildad trained [trejnd]

utbildning training [trej'ning]; (*undervisning*) instruction [instrakk'ʃən]; (*uppfostran*) education [edjo:kej'ʃən]

utblick view [vjo:]

utblottad destitute [dess'titjot]

utbreda sig spread [spredd]

utbredning extension [ikstenn'ʃən]

utbringa propose [prəpəo'z] (*en skål* a toast [ə təo'st]); *utbringa ett leve för* cheer for [tʃi:'ə få]

utbrista (*utropa*) exclaim [iksklej'm]

utbrott (*av ilska*) outburst [ao'tbə:st]; (*krigs-*) outbreak [ao'tbrejk]

utbryta break out [brej'k ao't]

utbud offer [for sale] [åff'ə (fə sej'l)]

utbuktning bulge [ball'dʒ]

utbyggnad addition [ədiʃ'ən]

utbyta change [tʃejndʒ]

utbyte exchange [ikstʃej'ndʒ]; (*behållning*) gain [gejn]

utdela distribute [distribb'jo:t]

utdelning distribution [distribjo:'ʃən]; (*på aktie*) dividend [divv'idend]

utdrag extract [ekk'sträkt]

utdragen drawn out [drå:'n ao't]

utdragssoffa sofa bed [səo'fa bedd]

utdriva drive out [draj'v ao't]

utdöd extinct [iksting'kt]

utdöma (*kassera*) reject [ridʒekk't]; (*ett straff*) impose a penalty [impəo'z ə pen'alti]

ute out [aot]; *där ute* out there [ao't ðä:'ə]; *äta ute* dine out [daj'n ao't]

utebli not turn up [nått tə:'n app']

utefter along [əlång']

utegångsförbud curfew [kə:'fjo:]

utelämna leave out [li:'v ao't]

utenhet *data.* output device [ao'tpott divaj's]

uteservering open-air restaurant [əo'pnä:'ə ress'tərånt]

utesluta exclude [iksklo:'d]; *det är absolut uteslutet* it's absolutely out of the question [itz äbb'səlotli ao't əv ðə kwess'tʃən]

uteslutande 1 *adv.* exclusive[ly] [iksklo:'siv(li)] **2** *s.* exclusion [iksklo:'ʒən]

utestängd shut out [ʃatt' ao't]

utexaminerad graduate [grädd'joit]

utexperimentera discover by means of experiment [diskavv'ə baj mi'nz əv iksperr'imənt]

utfall (*resultat*) result [rizall't]

utfalla *utfalla till belåtenhet* give satisfaction [giv' sätisfäkk'ʃən]

utfart (*väg ut*) way out [wej' ao't]; (*från stad*) main road [mej'n rəo'd]

utfattig miserably poor [mizz'ərabli po'ə]; (*utblottad*) destitute [dess'tityot]

utflykt excursion [ikskə:'ʃən]

utfordra feed [fi:d]

utforma work out [wə:'k ao't]; (*text e.d.*) draw up [drå:' app']

utforska investigate [invess'tigejt]; (*geografiskt*) explore [iksplå:']

utfråga question [kwess'tʃən]

utfärd excursion [ikskə:'ʃən]

utfärda issue [iss'jo:]

utfästa (*belöning*) offer [åff'ə]; *utfästa sig* promise [prəmm'is]

utfästelse promise [prəmm'is]

utför down [daon]

utföra carry out [kärr'i ao't]

utförande carrying out [kärr'iing ao't]

utförbar practicable [präkk'tikəbl], feasible [fi:'sibl]

utförlig detailed [di:'tejld]

utförligt in detail [in di'tejl]

utförsbacke downhill [dao'nhill']

utförsel export [ikk'spå:t]

utförsåkning downhill run [dao'n-hill' rann']

utge (*bok etc.*) publish [pabb'liʃ]; *utge sig för att vara* pretend to be [pri-tenn'd tə bi:]

utgift expense [ikkspenn's]; *inkomster och utgifter* income and expenditure [inn'kam ənd ikspenn'ditʃə]

utgivning (*av bok*) publication [pabli-kej'ʃən]

utgjutning extravasation [eksträvə-sej'ʃən]

utgrävning excavation [ekskəvej'ʃən]

utgå *utgå från* (*förutsätta*) suppose [səpəo'z], (*ta som utgångspunkt*) start out from [sta:'t ao't fråmm]; *utgå som segrare* come off [a] victor [kamm' åff' (ə) vikk'tə]

utgående balans balance carried forward [bäll'əns kärr'id få:'wəd]

utgång exit [ekk'sit]; (*slut*) end [end]; (*resultat*) result [rizall't]; (*i kortspel*) game [gejm]

utgångsläge starting point [sta:'ting-pådjnt]

utgångspunkt starting point [sta:'t-ingpådjnt]

utgåva edition [idiʃ'ən]

utgöra constitute [kånn'stitjo:t]; (*tillsammans*) make up [mej'k app']; (*belöpa sig till*) amount to [əmao'nt to:]

uthus outhouse [aot'haos]

uthyrning letting [out] [lett'ing (aot)]

uthållig persistent [pəsiss'tənt]

uthållighet persistence [pəsiss'təns]; (*fysisk*) staying power [stej'ing pao'ə]

uthärda endure [indjo'ə]

utifrån from outside [fråmm ao'tsaj'd]

utjämna level [levv'l]

utkant border [bå:'də]

utkast draft [dra:ft]

utkastare (*ordningsvakt*) bouncer [bao'nsə]; doorman [då:'mən]

utkik lookout [lokk'aot]

utklassa outclass [aotkla:'s]

utklädd dressed up [dress't app'] (*till as a* [äzz ə])

utkristallisera crystallize [kriss'təlajz]

utkvittera receipt [and receive] [risi:'t (ən risi:'v]

utkämpa fight [out] [faj't (ao't)]

utlandet abroad [əbrå:'d]; *från utlandet* from abroad [fråmm əbrå:'d]

utlandsvistelse stay abroad [stej əbrå:'d]

utlopp (*utflöde*) outflow [ao'tfləo]; *ge utlopp åt* give vent to [givv' venn't to:]

utlova promise [prəmm'is]

utlysa give notice of [givv' nəo'tiss əv]; *utlysa strejk* call a strike [kå:'l ə straj'k]

utlåning lending [lenn'ding]

utlåningsränta lending rate [lenn'ding rejt]

utlåtande statement [stej'tmənt]

utlägg expense [ikspenn's]

utläggning (*förklaring*) comments *pl* [kåmm'ents]

utlämna give out [givv' ao't]; *känna sig utlämnad* feel deserted [fi:'l diːə:'tid]

utlämning (*av brottsling*) extradition [ekkstrɛdiʃˈən]

utländsk foreign [fårrˈin]

utlänning foreigner [fårrˈinə]

utlösa (*frigöra*) release [riliːˈs]; (*framkalla*) bring about [bring əbaoˈt]

utmana challenge [tʃällˈindʒ]

utmanande provocative [prəvåkkˈətiv]

utmaning challenge [tʃällˈindʒ]

utmanövrera outmanoeuvre [aotmənoːˈvə]

utmattad exhausted [igzåːˈstid]

utmed along [əlångˈ]

utmejsla chisel [out] [tʃizzˈl (aot)]

utmynna (*om flod*) discharge [distʃaːˈdʒ]; (*om gata o.d.*) open out [aoˈpən aotˈ]; *utmynna i* (*bildl.*) result in [rizallˈt in]

utmärglad emaciated [imejˈsiejtid]

utmärka (*sätta märke vid*) mark [out] [maːˈk (aotˈ)]; *utmärka sig* distinguish o.s. [distingˈgwiʃ wannsellˈf]

utmärkande characteristic [käriktəˈrissˈtik]

utmärkelse distinction [distingˈkʃən]

utmärkt excellent [ekkˈsələnt]

utmätning distraint [distrejˈnt]

utmönstra (*kassera*) reject [ridʒekkˈt]

utnyttja utilize [joːˈtilajz]; (*t. egen fördel*) take advantage of [tejˈk ədvaːˈntidʒ əv]

utnämna appoint [əpåjˈnt]

utnött worn out [wåːˈn aotˈ]

utom (*med undantag av*) except [iksepˈt]; (*utanför*) outside [aotˈsajd]; *alla utom jag* all except me [åːˈl iksepˈt miːˈ]; *ingen utom jag* no one but me [nəoˈ wann battˈ miːˈ]

utombordsmotor outboard motor [aoˈtbåːd məoˈtə]

utomhus outdoors [aoˈtdåːˈz]

utomlands abroad [əbråːˈd]

utomlandsvistelse stay abroad [stej əbråːˈd]

utomordentlig extraordinary [ikstråːˈdnri]

utomordentligt extraordinarily

[ikstråːˈdnrili]

utomstående *en utomstående* an outsider [ən aoˈtsajdə]

utomäktenskaplig extramarital [ekkˈstrəmärrˈitəl]

utopi utopia [joːˈtəoˈpjə]

utopisk utopian [joːˈtəoˈpjən]

utpeka point out [påjˈnt aotˈ]

utplåna obliterate [əblittˈərejt]

utpost outpost [aoˈtpəost]

utpostera station [stejˈʃən]

utpressning blackmail [bläkkˈmejl]

utprickning beaconage [biːˈkənidʒ]

utprova test [tesst]

utpräglad pronounced [prənaoˈnst]

utrangera discard [diskaːˈd]

utreda investigate [invessˈtigejt]

utredning investigation [investi-gejˈʃən]; *offentliga utredningar* official reports [əfiʃˈəl ripåːˈts]

utrensning purge [pəːdʒ]

utresetillstånd exit permit [ekkˈsit pəˈmit]

utrikesdepartementet the Ministry for Foreign Affairs [ðə minnˈistri få fårrˈin əfäːˈəz], (*i Storbr.*) the Foreign Office [fårrˈin åffˈis], (*i USA*) the State Department [ðə stejˈt dipaːˈtmənt]

utrikeshandel foreign trade [fårrˈin trejd]

utrikesminister Foreign Minister [fårrˈin minnˈistə], (*i Storbr.*) Foreign Secretary [fårrˈin sekkˈrətri], (*i USA*) Secretary of State [sekkˈrətri əv stejˈt]

utrikespolitik foreign politics (*pl*) [fårrˈin pållˈitiks]

utrop exclamation [eksklɛmejˈʃən]

utropa exclaim [iksklejˈm]

utropstecken exclamation mark [eksklɛmejˈʃən maːˈk]

utrota exterminate [ekstəːˈminejt]

utrusta equip [ikwippˈ]

utrustning equipment [ikwippˈmənt]

utrymma vacate [vəkeˈt]

utrymme space [spejs]

uträkning calculation [kälkjolejˈʃən]

uträtta do [doːˈ]; *uträtta ett uppdrag*

carry out a commission [kärr'i ao't ə kəmiʃ'ən]; *utrȧtta ett ärende* go on an errand [gəo' ån ən err'ənd]

utröna find out [faj'nd ao't]

utsaga statement [stej'tmənt]

utsatt (*fastställd*) appointed [əpåj'ntid]; (*blottställd*) exposed [ikspəo'zd]; *utsatt för kritik* subjected to criticism [sabdʒikk'tid to: kritt'isizəm]

utse select [silekk't]

utseende appearance [əpi:'ərəns]; (*persons*) looks [lokks]

utsida outside [åo'tsaj'd]

utsikt view [vjo:]; *bildl.* chance [tʃa:ns]; *ha alla utsikter* have every chance of [hävv' evv'ri tʃa:'ns əv]

utsiktstorn outlook tower [ao'tlokk tao'ə]

utskeppa ship [ʃipp]

utskjutande projecting [prədʒekk't-ing]

utskott (*dȧlig vara*) throw-outs *pl* [θrəo'əots]; (*kommitté*) committee [kəmitt'i]

utskrattad laughed to scorn [la:'ft tə skå:'n]

utskrift printout [prinn'taot], clean copy [kli:'n kåpp'i]

utskällning rating [rej'ting]

utslag (*beslut*) decision [disiʃ'ən]; (*jurys*) verdict [və:'dikt]; (*på huden*) rash [räʃ]; (*på våg*) turn of the scales [tə:'n əv ðə skej'lz]; (*resultat*) result [rizall't]; *ett utslag av dåligt humör* a manifestation of bad temper [ə mänifestej'ʃən əv bädd' temm'pə]

utslagen (*om blomma*) in blossom [in blåss'əm]; (*om träd*) in leaf [in li:'f]; (*om hår*) brushed out [braʃ't ao't]; (*utspilld*) spilt [spillt]; *sport.* eliminated [ilimm'inejtid]

utslagning *sport.* elimination [ilimi-nej'ʃən]

utslagsgivande decisive [disaj'siv]

utsliten worn out [wå'n ao't]

utslunga hurl out [hə:'l ao't]

utsläpp discharge [distʃa:'dʒ]

utsmyckning adornment [ədå:'nmənt]

utspark goal kick [gəo'l kikk']

utspekulerad studied [stadd'id], artful [a:t'foll]

utspelas take place [tej'k plej's]

utspisa cater [kej'tə]

utspädd diluted [dajlɔ:'təd]

utspädning dilution [dajlo:'ʃən]

utstaka stake out [stej'k ao't]

utstråla radiate [rej'diejt]

utstrålning radiation [rejdiej'ʃən]

utsträcka sig extend [ikstenn'd]

utsträckning extent [ikstenn't]; *i stor utsträckning* to a great extent [to ə grej't ikstenn't]

utstuderad studied [stadd'id]

utstyrsel outfit [ao'tfit]

utstå suffer [saff'ə]

utstående protruding [prətro:'ding]

utställa show [ʃəo]; (*utfärda*) draw [drå:]

utställning exhibition [eksibiʃ'ən]

utstöta (*utesluta*) expel [ikspell']; (*ljud*) utter [att'ə]

utsugning extortion [ikstå:'ʃən]

utsvulten starved [sta:vd]

utsvävningar excesses [iksess'iz]

utså sow [səo]

utsåld sold out [səo'ld ao't]

utsäde [planting] seed [(pla:'nting)-si:d]

utsända send out [senn'd ao't]

utsändning (*radio-*) transmission [tränzmiʃ'ən]

utsätta expose [ikspəo'z] (*for* to [to:])

utsökt exquisite [ekk'skwizit]

utsöndra secrete [sikri:'t]

utsövd thoroughly rested [θårr'əli ress'təd]

uttag *elektr.* socket [såkk'it]; (*av pengar*) withdrawal [wiðdrå:'əl]

uttaga take out [tej'k ao't]

uttagning selection [silekk'ʃən]

uttal pronunciation [prənansiej'ʃən]; *ha ett bra engelskt uttal* have a good English accent [hävv' ə godd' ing'gliʃ äkk'sənt]

uttala pronounce [prənao'ns]; *uttala en önskan* express a wish [ikspress' ə wiʃ']

uttalande statement [stej'tmənt]

uttalsbeteckning phonetic notation [fɔonett'ik nɔotej'ʃən]

uttaxering levy [levv'i]

utter otter [ått'ə]

uttryck expression [ikspreʃ'ən]

uttrycka express [ikspress']

uttrycklig express [ikspress']

uttrycksfull expressive [ikspress'iv]

uttryckssätt manner of speaking [männ'ə əv spi:'king]

utträkad bored [bå:d]

utträda withdraw [wiðdrå:'] (*ur from* [fråm])

uttränga force aside [få:'s əsaj'd]

uttröttad tired out [taj'əd aot]

uttömma exhaust [igzå:'st]

uttömmande exhaustive [igzå:'stiv]

utvald chosen [tʃəo'zn]

utvandra emigrate [emm'igrejt]

utvandrare emigrant [emm'igrənt]

utvandring emigration [emigrej'ʃən]

utveckla *utveckla* [*sig*] develop [di-vell'əp]

utveckling development [divell'əp-mənt]; (*vetenskaplig term*) evolution [i:vəlo:'ʃən]

utvecklingsarbete development work [divell'əpmənt wə:k]

utvecklingsland developing country [divell'əping kann'tri]

utvecklingslära theory of evolution [θi:'əri əv i:vəlo:'ʃən]

utvecklingsstadium stage of development [stej'dʒ əv divell'əpmənt]

utvecklingsstörd [mentally] retarded [(menn'təli) rita:'did]

utverka obtain [əbtej'n]

utvidga expand [ikspänn'd]

utvidgning expansion [ikspänn'ʃən]

utvikning deviation [di:viej'ʒən]

utvilad thoroughly rested [θarr'əli ress'tid]

utvinna extract [iksträkk't]

utvisa *sport.* order off [å'də åff']; (*visa*) indicate [inn'dikejt]; (*visa bort*) send out [senn'd ao't]

utvisning sending out [senn'ding ao't]; (*ishockey*) penalty [penn'lti]

utväg way out [wej' ao't]

utvälja select [silekk't]

utvändig outward [ao'twəd]

utvärdera evaluate [iväll'joejt]

utvärtes *för utvärtes bruk* for external use [få: ekstə:'nl jo:'s]

utväxla exchange [ikstʃej'ndʒ]

utväxt outgrowth [ao'tgrəoθ]

utåt outward[s] [ao'twəd(z)]

utåtriktad *bildl.* extrovert [ekk'strəo-və:t]

utöva practise [präkk'tis]; *utöva kontroll* (*inflytande*) exercise control (influence) [ekk'səsajz kəntrəo'l (inn'floəns)]

utöver beyond [bijånn'd]

uv *zool.* horned owl [hå:nd aol]

V

vaccin vaccine [väkk'si:n]

vaccination vaccination [väksinej'ʃən]

vaccinera vaccinate [väkk'sinejt]

vacker beautiful [bjo:'təfoll]; (*om man*) handsome [hänn'səm]; (*söt*) pretty [pritt'i]

vackla totter [tått'ə]

vad 1 *pron.* what [wått]; *jag vet inte vad jag skall göra* I don't know what to do [aj dəo'nt nəo' wått' tə du']; *vad är det?* what is the matter? [wått' iz ðə mätt'ə]; *vad som helst* anything [enn'iθing]; *vad du är snäll!* how kind you are! [hao kaj'nd jo: a:'] **2** *s.* (*på ben*) calf [ka:f] (*pl calves* [ka:vz]); (*vadslagning*) bet [bett]; *slå vad* bet [bett]; *det kan jag slå vad om* I['ll] bet you [aj(ll) bett jo:]

vada wade [wejd]

vadare wader [wej'də]

vadd wad [wådd]; (*bomulls-*) cotton wool [kått'n woll]

vag vague [vejg]

vagel (*i ögat*) sty [staj]

vagga 1 *s.* cradle [krej'dl] **2** *v.* rock [råkk]

vaggvisa lullaby [lall'əbaj]

vagina *anat.* vagina [vədʒaj'nə]

vagn carriage [kärr'idʒ]; (last-, gods-) wagon [wägg'ən]; (kärra) cart [ka:t]

vaja float [fləot]; (fladdra) flutter [fla'tə], stream [stri:m]

vajer cable [kej'bl]

vaka 1 s. watch [wåtʃ], vigil [vi'dʒil]; (likvaka) wake [wejk] **2** v. (hålla vakt) watch [wåtʃ]; (hålla sig vaken) stay up [stej' app']

vaken awake [awej'k]

vakna wake [up] [wej'k (app')]

vaksam watchful [wåtʃ'foll]

vakt watch [wåtʃ]; (person) guard [ga:d]

vakta guard [ga:d]

vakthund watchdog [wåtʃ'dågg]

vaktmästare porter [på:'tə]

vaktparad changing of the guard [tʃej'ndʒiŋ əv ðə ga:'d]

vaktpost guard [ga:d]

vakuum vacuum [väkk'joəm]

vakuumförpackad vacuum-packed [väkk'joəmpäkk't]

val zool. whale [wejl]; (väljande) choice [tʃåjs]; (offentligt) election [ilekk'ʃən]; allmänna val general election [dʒenn'ərəl ilekk'ʃən]

valack gelding [gell'diŋ]

valborgsmässoafton Walpurgis night [vällpə:'gis najt]

walesare Welshman [welʃ'mən]

walesisk Welsh [welʃ]

valfri optional [åpp'ʃənl]

valfrihet option [åpp'ʃən]

valfångare whaler [wej'lə]

valhänt numb [namm]; bildl. awkward [å'kwəd]

valk callus [käll'əs]

valkampanj election campaign [ilekk'ʃən kämpej'n]

valkrets constituency [kənstitt'joənsi]

vall bank [bäŋk]; (slåtter-) ley [lej]; (betes-) pasture [pa:'stʃə]

valla 1 v. (boskap) tend [tend]; (valla skidor) wax [wäkks] **2** s. (skid-) ski wax [ski'wäkks]

vallfart pilgrimage [pill'grimidʒ]

vallfartsort shrine [ʃrajn]

vallgrav moat [məot]

vallmo poppy [påpp'i]

vallöfte electoral promise [ilekk'tə-rəl prämm'is]

valmanskår electorate [ilekk'tərit]

valnöt walnut [wå:'lnat]

valp pup[py] [papp'(i)]

valpsjuka canine distemper [kej'najn distemm'pə]

valresultat election result [ilekk'ʃen rizall't]

valross walrus [wå:'lras]

valrörelse election campaign [ilekk'-ʃən kämpej'n]

vals (cylinder) roll[er] [rəo'l(ə)] (dans) waltz [wå:ls]

valsedel ballot paper [bäll'ət pej'pə]

valspråk motto [mått'əo]

valsverk rolling mill [rəo'liŋmill]

valsätt electoral system [ilekk'tərəl siss'tim]

valthorn mus. French horn [frenntʃ hå:'n]

valuta currency [karr'ənsi]; utländsk valuta foreign exchange (currency) [fårr'in ikstʃej'ndʒ (karr'ənsi)]; få valuta för get good value for [gett' godd' väll'jo: få:]

valutabestämmelser currency regulations [karr'ənsi regjolej'ʃənz]

valv vault [vå:lt]

valör value [väll'jo:]; (på sedlar) denomination [dinäminej'ʃən]

vampyr vampire [vämm'pajə]

van experienced [ikspi:'əriənst]; vara (bli) van vid be (get) used to [bi: (gett) jo:'zd to:]; med van hand with a deft hand [wið ə deff't hänn'd]

vana (sed) custom [kass'təm]; (per-sons) habit [häbb'it]; (erfarenhet) experience [ikspi:'əriəns]; av gam-mal vana by force of habit [baj få:'s əv häbb'it]

vandalisera vandalize [vänn'dəlajz]

vandra wander [wånn'də]

vandrare wanderer [wånn'dərə]

vandrarhem youth hostel [jo:'θ håss'təl]

vandring wandering [wånn'dəriŋ]

vandringsled ung. trekking path

[trekk'ing pa:ð]

vandringspris challenge prize [tʃäll'-indʒ prajz]

vanebildande habit-forming [häbb'it-få:ming]; addictive [ädikk'tiv]

vanesak matter of habit [mätt'ə əv häbb'it]

vanför disabled [disej'bld]

vanföreställning misconception [miskånsep'ʃən]

vanhedrande disgraceful [disgrej's-fol]

vanilj vanilla [vənill'ə]

vaniljglass vanilla ice [cream] [vənill'ə aj's (kri:m)]

vaniljsås vanilla sauce [vənill'ə så:s]

vankelmod irresolution [irr'ezəlo:'ʃən]

vanlig ordinary [å:'dnri], usual [jo:'ʒoəl] (hos with [wið]); (ofta förekommande) common [kåmm'ən]; vanligt folk ordinary people [å:'dnri pi:'pl]; på vanlig tid at the usual time [ätt ðə jo:'ʒoəl taj'm]; ett vanligt fel a common mistake [ə kåmm'ən mistej'k]

vanligen usually [jo:'ʒoəli]

vanligtvis usually [jo:'ʒoəli]

vanmäktig vain [vejn]

vanpryda disfigure [disfigg'ə]

vanrykte disrepute [diss'ripjo:'t]

vansinne insanity [insänn'iti]

vansinnig insane [insej'n]

vanskapt deformed [difå:'md]

vansklig (osäker) hazardous [häzz'ədəs]; (tvivelaktig) doubtful [daot'fol]

vansköta neglect [niglekk't]

vante glove [glavv]

vantolka misinterpret [miss'intə:'prit]

vantrivas feel ill at ease [fi:l ill' ätt i:'z], be unhappy [bi anhäpp'i]

vantrivsel discomfort [diskamm'fət]

vanära 1 s. dishonour [disånn'ə] 2 v. dishonour [disånn'ə]

vapen weapon [wepp'ən]; (i pl vanl.) arms [a:mz]; bära vapen carry arms [kärr'i a:'mz]

vapenmakt med vapenmakt by force of arms [baj få:'s əv a:'mz]

vapenstillestånd armistice [a:'mistis]

vapenvila armistice [a:'mistis]

vapenvägrare conscientious objector [kånʃienn'ʃəs əbdʒekk'tə]

var 1 adv. where [wä:'ə]; var som helst anywhere [enn'iwä:ə] **2** pron. (varenda) every [evv'ri], (varje särskild) each [i:tʃ]; var fjärde every fourth [evv'ri få:'θ]; var och en everybody [evv'ribåddi]; var för sig each individually [i:tʃ individd'-joəli]; de gick åt var sitt håll they went their separate ways [ðej' wenn't ðä:'ə sepp'rit wej'z] **3** s. (i sår) pus [pass]

vara 1 s. (artikel) article [a:'tikl]; varor goods (pl) [goddz] **2** v. be [bi:]; (räcka) last [la:st]; att vara eller icke vara to be or not to be [tə bi:' å: nått' tə bi:']; jag är från Sverige I'm from Sweden [aj'm fråmm swi'dn]; hur är det att bo i London? what's it like living in London? [wått's it laj'k livv'ing in lann'dən]; var inte dum nu don't be silly now [dəo'nt bi: sill'i nao']; ta vara på take care of [tej'k kä:'ə əv]

varaktig lasting [la:'sting]

varandra each other [i:tʃ að'ə]; efter varandra one after the other [wann'a:'ftə ði að'ə]

varannan every other [evv'ri að'ə], every second [evv'ri sekk'ənd]

varav from which [fråmm witʃ]

varbildning suppuration [sapərej'ʃən]

vardag weekday [wi:'kdej]

vardaglig everyday [evv'ridej], (alldaglig) commonplace [kåmm'ənplejs]

vardagskläder everyday clothes [evv'ridej kləo'ðz]

vardagsslag i vardagsslag in everyday life [in evv'ridej laj'f]

vardagsrum living room [livv'ing-ro:m]

vardera each [i:tʃ]; på vardera sidan om on either side of [ån aj'ðə saj'd əv]

varefter after which [a'ftə witʃ']

varelse being [bi:'ing]

varenda every [evv'ri]

vare sig *vare sig du vill eller inte* whether you want to or not [weð'ə jo: wånn't to:' å: nått']

varför why [waj]; *(och därför)* and therefore [ən ðä:'əfå:]; *varför det?* why? [waj]; *varför inte?* why not? [waj' nått']

varg wolf [wollf]; *hungrig som en varg* ravenous [rävv'inəs]

variant variant [vä:'əriənt]

variation variation [vä:əriej'ʃən]

variera vary [vä:'əri]

varieté variety [show] [vəraj'əti (ʃoo)]; *(lokal)* music hall [mjo:'zikhå:l]

varifrån where … from [wä:'ə främm'], from where [främm wä:'ə]; *varifrån kommer han?* where does he come from? [wä:'ə daz hi: kamm' främm']

varje every [evv'ri]; *(varje särskild)* each [i:tʃ]; *(vilken som helst)* any [enn'i]; *i varje fall* in any case [in enn'i kej's]

varken neither [naj'ðə] *(… eller … nor* [nå:]); *han varken ville eller kunde* he neither could nor would [hi: naj'ðə kodd' nå: wodd']

varlig gentle [dʒenn'tl]

varm warm [wå:m]; *(het)* hot [hått]; *varm korv* hot dog [hått dågg']

varmbad hot bath [hått' ba:θ]

varmfront warm front [wå:m'frannt]

varmrätt hot dish [hått' diʃ]

varmvatten hot water [hått' wå: 'tə]

varmvattenkran hot[-water] tap [hått'(wå:'tə) täpp']

varna warn [wå:n]; *(för (at* [åv]); *jag varnade henne för att göra det* I warned her not to do it [aj wå:'nd hə: nått' tə do:' it]

varning warning [wå:'ning]

varp *(i väv)* warp [wå:p]; *varp och inslag* warp and weft [wå:p' ən weft']

varpå *(om tid)* whereupon [wä:ər-əpånn']; *varpå beror misstaget?* what's the reason for the mistake?

[wått'z ðə ri:'zn få: ðə mistej'k]

vars 1 *pron.* whose [ho:z] **2** *ja vars!* not too bad! [nått to:' bädd']

varsam cautious [kå:'ʃəs]

varse *bli varse* perceive [pəsi:'v], *(upptäcka)* discover [diskavv'ə]

varsel foreboding [få:bəo'ding]; *(vid strejk o.d.)* notice [nəo'tis]

varsko warn [wå:n]

varsla *(varsko)* give notice [givv nəo'tis]

varstans *litet varstans* here, there and everywhere [hi:'ə, ðä:'ə rənd evv'ri-wä:ə]

Warszawa Warsaw [wå:'så:]

vart where [wä:'ə]

vartill to (for) which [to: (få:) witʃ']

vartåt where [wä:'ə]

varudeklaration merchandise description [mə:'tʃəndajz diskripp'ʃən]

varuhus department store [dipa:'t-mənt stå:]

varulager stock [ståkk]

varulv werewolf [wə:'wollf]

varumärke trade mark [trej'd ma:k]

varv *(skepps-)* shipyard [ʃipp'ja:d]; *(omgång)* turn [tə:n]; *(hjul-)* revolution [revəlo:'ʃən]; *sport.* lap [läp], round [raond], *(vid stickning)* row [rəo], *(lager)* layer [lejj'ə]

varva put in layers [pott' in lej'əz], *sport.* lap [läp]

varvid at which [ätt witʃ']

vas vase [va:z]

vaselin *(varumärke)* vaseline [väsə-li:'n]

vask *(avlopp)* sink [singk]

vaska wash [wåʃ]

vass 1 *s.* reed [ri:d]; *i vassen* among the reeds [əmang' ðə ri:'dz] **2** *adj.* *(om kniv o. bildl.)* sharp [ʃa:p]; *(egg)* keen [ki:n]

Vatikanen the Vatican [ðə vätt'ikən]

vatten water [wå:'tə]

vattendrag watercourse [wå:'təkå:s]

vattenfall waterfall [wå:'təfå:l]

vattenfast waterproof [wå:'təpro:f]

vattenfärg watercolour [wå:'təkallə]

vattenförorening water pollution

[wå:'tə pəlo'ʃən]

vattenkanna watering can [wå:'təring kænn]

vattenklosett water closet [wå:'tə-klåzit]

vattenkraft water-power [wå:'tə pao'ə]

vattenkraftverk hydroelectric power station [haj'drəo ilekk'trik pao'ə-stej'ʃən]

vattenkran water tap [wå:'tə tæpp]

vattenledning water main [wå:'tə mejn]

vattenpass spirit level [spirr'it levvl]

vattenplaning aquaplaning [äkk'wä-plejning]

vattenskida water-ski [wå:'tə ski]; *åka vattenskidor* water-ski [wå:'tə ski]

vattenskoter water scooter [wå:'tə-sko:'tə]

vattenturbin water turbine [wå:'tə tə:'bin]

vattentät waterproof [wå:'təpro:f]

vattenyta surface of water [sə:'fis əv wå:'tə]

vattenånga steam [sti:m]

vattkoppor chickenpox [tʃikk'in-påkks]

vattna water [wå'tə]

vax wax [wäkks]

vaxböna *bot.* wax bean [wäkks'bi:n]

vaxduk oilcloth [åj'lklåθ]

vaxpropp plug of earwax [plagg əv i:'əwäkks]

wc toilet [tåj'let]

ve *ve dig!* woe betide you! [wəo' bi-tajd jo:']; *ve och fasa!* alack-a-day! [əläkk'ədej]

veck fold [fəold]

vecka 1 *v.* pleat [pli:t] **2** *s.* week [wi:k]; *förra veckan* last week [la:'st wi:k]; *en gång i veckan* once a week [wann's ə wi:k]; *om en vecka* in a week [in ə wi:k]

veckla wrap [räpp] (*in i* up in [app in])

veckodag day of the week [dej əv ðə wi:'k]

veckopress weekly press [wi:'kli press']

veckoslut weekend [wi:'kenn'd]

veckotidning weekly [wi:'kli]

ved wood [wodd]

vedbod woodshed [wodd'ʃed]

vederbörande the ... in question [ðə in kwess'tʃən]; *vederbörande myndighet* the proper authority [ðə präpp'ə å:θårr'iti]

vederbörlig due [djo:]; *i vederbörlig ordning* in due course [in djo: kå:'s]

vedergälla repay [ri:pej']

vedergällning retribution [retri-bjo:'ʃən]

vederhäftig reliable [rilaj'əbl]

vederlag compensation [kåmpen-sej'ʃən]

vederlägga refute [rifjo:'t]

vedermöda hardship [ha:'dʃip]

vedertagen established [istäbb'liʃt]

vedervärdig repulsive [ripall'siv]; (*avskyvärd*) disgusting [disgass'ting]

vedtrave woodpile [wodd'pajl]

vedträ log [lågg]

vegetabilisk vegetable [vedʒ'itəbl]

vegetarian vegetarian [vedʒitä:'əriən]

vegetarisk vegetarian [vedʒitä:'əriən]

vegetation vegetation [vedʒitej'ʃən]

vek (*svag*) weak [wi:k]; (*mjuk*) soft [såfft]; (*känslig*) gentle [dʒenn'tl]

wellpapp corrugated cardboard [kårr'ogejtid ka:'dbå:d]

vem who [ho:]; (*efter prep.*) whom [ho:m]; *vem av dem ...?* which of them ...? [witʃ' əv demm]; *vem som helst* anybody [enn'ibådi]

vemodig melancholy [mell'ənkəli]

ven (*blodkärl*) vein [vejn]

Venedig Venice [venn'is]

venerisk sjukdom venereal disease [vini:'əriəl dizi:'z]

ventil valve [väll'v]; (*för luftväxling*) ventilator [venn'tilejtə]

ventilation ventilation [ventilej'ʃən]

ventilera ventilate [venn'tilejt]

ventilgummi valve rubber [väll'v

rabb'ə]

veranda veranda [vərann'də]

verb verb [və:b]

verifikation verification [verifi-kej'ʃən]

verk (*arbete*) work [wə:k]; (*ämbets-*) office [åff'is]

verka (*arbeta; ha verkan*) work [wə:k]; (*förefalla*) seem [si:m]

verkan effect [ifekk't]; *orsak och verkan* cause and effect [kå:'z ənd if'ekk't]; *göra verkan* take effect [tej'k ifekk't]

verklig real [ri:'əl]

verkligen really [ri:'əli]; *jag hoppas verkligen att* I do hope that [aj do: həo'p ðått]

verklighet reality [ri:äll'iti]

verklighetsfrämmande out of touch with reality [ao't əv tatʃ' wið ri:'äll'iti]

verklighetsskildring realistic description [riəliss'tik diskripp'ʃən]

verkmästare supervisor [sjo:'pə-vajzə]

verkningsfull effective [ifekk'tiv]

verksam effective [ifekk'tivv]; *ta verksam del i* take an active part in [tej'k ən äkk'tiv pa:t in]

verksamhet activity [äktivv'iti]

verksamhetsberättelse annual report [änn'joəl ripå:'t]

verkstad workshop [wə:'kʃåpp]

verkstadsarbetare engineering worker [endʒini:'əring wə:'kə]

verkstadsklubb trade union branch [trej'd jo:'njən bra:ntʃ]

verkställa carry out [kärr'i ao't]

verkställande executive [igzekk'jo-tiv]; *verkställande direktör* managing director [männ'idʒing direkk'tə], *Am.* president [prezz'idənt]; *vice verk-ställande direktör* deputy managing director [depp'joti männ'idʒing direkk'tə], *Am.* vice president [vaj's prezz'idənt]

verktyg tool [to:l]

verktygslåda toolbox [to:'lbåks]

vernissage opening of an exhibition

[əo'pning əv ən eksibiʃ'ən]

vers verse [və:s]

version version [və:'ʃən]

vertikal vertical [və:'tikəl]

vessla weasel [wi:'zl]

veta know [nəo]

vetande (*kunskap*) knowledge [nåll'idʒ]

vete wheat [wi:t]

vetebröd white bread [waj't bredd']

vetemjöl wheat flour [wi:'tflaoə]

vetenskap science [saj'əns]; *det är en hel vetenskap* it's an art in itself [its' ən a:t in itsell'f]

vetenskaplig scientific [sajəntiff'ik]

vetenskapsman scientist [saj'əntist]

veteran veteran [vett'ərən]

veterinär veterinarian [vetrinä:'əriən]

vetgirig eager to learn [i:'gə to: lə:n]

veto veto [vi:'təo]; *inlägga sitt veto mot* put one's veto on [pott' wanz vi:'təo ån]

vetskap knowledge [nåll'idʒ]

vett sense [sens]; *med vett och vilja* knowingly [nəo'ingli]; *vara från vettet* be out of one's senses [bi: ao't əv wanz senn'siz]

vetta mot face [fejs]

vettig sensible [senn'səbl]

vev crank [krängk]

veva turn [tə:n]

vevaxel crankshaft [kräng'kʃa:ft]

vevstake connecting rod [kənekk't-ing rådd]

whisky whisky [wiss'ki]; *Am. o. Irl.* whiskey [wiss'ki]

vi we [wi:]; *vi själva* we ourselves [wi:' aoəsell'vz]

via via [vaj'ə], by way of [baj wej' åv]

viadukt viaduct [vaj'ədakkt]

vibration vibration [vajbrej'ʃən]

vibrera vibrate [vajbrej't]

vice vice [vajs]; *vice versa* vice versa [vaj'si və'sə]

vichyvatten soda water [səo'də wå:tə]

vicka rock [råkk]

vid 1 *prep.* at [ätt]; (*i närheten av*) near [ni:'ə]; *vid behov* when necessary [wenn ness'isəri] **2** *adj.* wide

[wajd]; (om klädesplagg) loose [lo:s]

vidare further [fə:'ðə]; *och så vidare* and so on [ən sɔɔ' ɔnn']; *inget vidare* not very [nått verr'i] (bra good [godd']); *tills vidare* for the present [få ðə prezz'nt]; *utan vidare* just like that [dʒast lajk ðätt']

vidarebefordra forward [få'wəd]

vidarebefordran *för vidarebefordran till* to be forwarded to [tə bi: få:'-wədid to:]

vidareutbildning further training [fə:'ðə trej'ning]

vidbränd burnt [bə:nt]

vidd (*omfång*) width [widθ]; *bildl.* extent [ikstenn't]; (*landskap*) plain [plejn]

vide willow [will'əo]

video video [vidd'eəo]

videoband videotape [vidd'eəotejp]

videobandspelare videotape recorder [vidd'eəotejp rikå:'də]; video cassette recorder [vidd'eəo kəsett' rikå:'də]

videokamera (*liten bärbar*) camcorder [kämm'kå:də], video camera [vidd'eəokämm'ərə]

vidga widen [waj'dn]; *vidga sina vyer* broaden one's mind [brå:'dn wanz maj'nd]

vidhålla insist on [insiss't ån]

vidimera attest [ətess't]

vidkommande *för mitt vidkommande* as far as I'm concerned [äz fa:' äz aj'm kənsə:'nd]

vidkännas (*erkänna*) own [əon], admit [ədmitt']; (*lida*) suffer [saff'ə]; *vidkännas kostnaderna* bear the costs [bä:' ðə kåss'ts]

vidlyftig extensive [ikstenn'siv]

vidmakthålla maintain [mejntej'n]

vidrig (*motbjudande*) repulsive [ripall'siv]; (*ogynnsam*) adverse [ädd'və:s]

vidräkning *en skarp vidräkning med* a sharp attack on [ə ʃa:'p ətäkk' ån]

vidskepelse superstition [sjo:pə-stiʃ'ən]

vidskeplig superstitious [sjo:pə-stiʃ'əs]

vidsträckt extensive [ikstenn'siv]

vidsynt broad-minded [brå:'d-maj'ndid]

vidtaga take [tejk] (*åtgärder* steps [stepps]); make [mejk] (*anstalter* arrangements [ərej'ndʒmənts]); *efter lunchen vidtog* after the lunch followed [a:'ftə ðə lann'tʃ fåll'əod]

vidtala arrange with [ərej'ndʒ wið]

vidunder monster [månn'stə]

vidvinkelobjektiv wide-angle lens [waj'däng'gl lenn's]

Wien Vienna [vienn'ə]

wienerbröd Danish [pastry] [dej'niʃ (pej'stri)]

wienerschnitzel Wiener schnitzel [vi:'nə ʃnitt'səl]

vifta wave [wejv]

vig agile [vädʒ'ajl]

viga (*inviga*) consecrate [kånn'si-krejt]; (*ägna*) dedicate [dedd'ikejt]; (*genom vigsel*) marry [märr'i]

vigsel marriage [märr'idʒ]; *borgerlig* (*kyrklig*) *vigsel* civil (church) marriage [sivv'l (tʃə:'tʃ) märr'idʒ]

vigselring wedding ring [wedd'ing ring]

vigvatten holy water [həo'liwå:'tə]

vigör vigour [vigg'ə]

vik bay [bej]

vika fold [fəold]; (*ge undan*) yield [ji:ld]; *ge vika* give way [givv' wej']; *vika sig* double up [dabb'l app']

vikariat temporary post [temm'pərəri pəost]

vikarie deputy [depp'joti]; (*för lärare*) substitute [sabb'stitjo:t]

vikariera deputize [depp'jotajz]

viking Viking [vaj'king]

vikingaskepp Viking ship [vaj'king ʃipp]

vikingatiden the Viking Age [ðə vaj'king ej'dʒ]

vikingatåg Viking raid [vaj'king rejd]

vikt weight [wejt]

viktig important [impå:'tənt]

vila rest [resst]

vild wild [wajld]

vilddjur wild beast [waj'ld bi:'st]

vilde savage [sävv'idʒ]

vildmark wilderness [will'dǝnis]

vildsvin [wild] boar [(waj'ld) bå:]

vildvin Virginia creeper [vǝ:dʒinn'iǝ kri:'pǝ]

vilja 1 s. will [will]; *av egen fri vilja* of one's own accord [ǝv wanz ǝo'n ǝkå:'d]; *driva sin vilja igenom* work one's will [wǝ:'k wanz will']; *få sin vilja igenom* get one's own way [gett' wanz ǝo'n wej']; *göra ngt med vilja* do s.th. on purpose [do: samm'θing ån pǝ:'pǝs] **2** v. be willing to [bi: will'ing to:]; *(önska)* want to [wånn't to:], wish [wiʃ]; *(ämna)* be going to [bi: gǝo'ing to:]; *vilja ngn väl* wish s.b. well [wiʃ samm'bǝdi well']; *vad vill du att jag skall göra?* what do you want me to do? [wått do: jo: wånn't mi: tǝ do:']; *om det vill sig väl* if all goes well [if å:'l gǝoz well']

viljeansträngning effort of will [eff'ǝt ǝv will']

viljes *göra ngn till viljes* do as s.b. wants [do:' äz samm'bǝdi wånn'ts]

viljestark strong-willed [strång'will'd]

viljestyrka will-power [will'pao'ǝ]

vilken *(om pers.)* who [ho:], *(om sak)* which [witʃ]; *vilken som helst* anyone [enn'iwan], anybody [enn'ibådi]

villa 1 s. house [haos]; *(villfarelse)* illusion [ilo:'ʃǝn] **2** v., *villa bort sig* lose one's way [lo:'z wanz wej']

villebråd game [gejm]

villervalla confusion [kǝnfjo:'ʃǝn]

villfara comply with [kǝmplaj' wið]

villfarelse delusion [dilo:'ʃǝn]

villig willing [will'ing]

villkor condition [kǝndiʃ'ǝn], terms *(pl)* [tǝ:mz]; *på villkor att* on [the condition that [ån (ðǝ) kǝndiʃ'ǝn ðätt']; *uppställa ... som villkor* state ... as a condition [stejt' äz ǝ kǝndiʃ'ǝn]

villkorligt conditionally [kǝndiʃ'nǝli]; *villkorligt dömd* [*person*] probationer [prǝbej'ʃnǝ]

villospår *på villospår* on the wrong track [ån ðǝ rång' träkk']

villrådig irresolute [irezz'ǝlo:t]

vilsam restful [ress'tfol]

vilse astray [ǝstrej']

vilseledande misleading [misli:'ding]

vilstol easy chair [i'zi tʃä:'ǝ]; *(fällstol)* folding chair [fǝo'lding tʃä:'ǝ]

vilt game [gejm]

vimla swarm [swå:m]

vimmel crowd [kraod]

vimmelkantig giddy [gidd'i]

vimpel streamer [stri:'mǝ]

vin wine [wajn]

vina whine [wajn]

vinbär bot. *(röd-)* redcurrant [redd karr'ǝnt]; *(svart-)* blackcurrant [bläkk karr'ǝnt]

vind 1 s. *(blåst)* wind [wind]; *(i hus)* attic [ätt'ik] **2** adj. *(skev)* warped [wå:pt]

vindflöjel weathercock [weð'ǝkåk]

vindkraft wind power [winn'dpaoǝ]

vindruta windscreen [winn'dskri:n]; *Am.* windshield [winn'dʃi:ld]

vindrutespolare windscreen washer [winn'dskri:n wåʃ'ǝ]

vindrutetorkare windscreen wiper [winn'dskri:n waj'pǝ]; *Am.* windshield wiper [winn'dʃi:ld waj'pǝ]

vindruva grape [grejp]

vindsurfing windsurfing [winn'dsǝ:fing]

vindögd squint-eyed [skwinn'tajd]

vinge wing [wing]

vingla stagger [stägg'ǝ]

vinglig staggering [stägg'ǝring]

vingmutter wing nut [wing' natt]

vingård vineyard [vinn'jǝd]

vinka wave [wejv]

vinkel angle [äng'gl]; *spetsig (trubbig) vinkel* acute (obtuse) angle [ǝkjo:'t (ǝbtjo:'s) äng'gl]

vinkelhake set square [sett'skwä:'ǝ]

vinkeljärn angle iron [äng'gl aj'ǝn]

vinkelrät at right angles [ätt raj't äng'glz] *(mot* to [to:])

vinlista wine list [waj'nlist]

vinna win [winn]; *(skaffa sig)* gain [gejn]; *vinna avsättning för* find a market for [faj'nd ǝ ma:'kit få:];

vinna erkännande gain recognition [gej'n rekægniʃ'ən]; *hon vinner i längden* she improves on closer acquaintance [ʃi: impro:'vz ån kləo'sə əkwej'ntəns]; *vinna på bytet* profit by the bargain [pråff'it baj ðə ba:'gin]

vinnare winner [winn'ə]

vinning *snöd vinning* sordid gain [så:'did gejn]

vinningslystnad greed [gri:d]

vinnlägga *vinnlägga sig om att* take pains to [tej'k pej'nz to:]

vinranka vine [vajn]

vinsch winch [wintʃ]

vinst gain [gejn]; (*firmas*) profit [pråff'it]; (*i lotteri*) prize [prajz]; *vinst och förlust* profit and loss [pråff'it ən låss']; *ge vinst* yield a profit [ji:'ld ə pråff'it]; *sälja med vinst* sell at a profit [sell' ätt ə pråff'it]

vinst- och förlustkonto profit and loss account [pråff'it ən låss' əkao'nt]

vinter winter [winn'tə]; *i vinter* this winter [ðiss' winn'tə]; *i vintras* last winter [la:'st winn'tə]

vinterdag winter['s] day [winn'tə(z) dej]

vinterdäck snow tyre [snəo'tajə]

vintergatan the Milky Way [ðə mill'ki wej']

vinterkappa winter coat [winn'tə kəot]

vinterrock winter coat [winn'tə kəot]

vintersport winter sports *pl* [winn'tə spå:ts]

vinthund greyhound [grej'haond]

vinäger (*wine*) vinegar [(wajn) vinn'igə]

viol violet [vaj'əlit]

viola viola [viəo'lə]

violett violet [vaj'əlit]

violin violin [vajəlinn']

violinist violinist [vaj'əlinist]

violoncell [violon]cello [(vaj'ələn)tʃell'əo]

vippa (*på stjärten*) wag[gle] one's tail [wägg'(l) wanz tej'l]

vira wind [wajnd]; *vira in* wrap up [räpp' app']

virka crochet [krəo'ʃej]

virke wood [wodd]; *hyvlat virke* planed wood [plej'nd wodd]

virkning crochet [krəo'ʃej]

virrig scatterbrained [skätt'əbrejnd]; (*osammanhängande*) disconnected [diss'kənekk'tid]

virrvarr muddle [madd'l]

virtuos 1 *s.* virtuoso [və:tjoəo'zəo] **2** *adj.* masterly [ma:'stəli]

virus virus [vaj'ərəs]

virussjukdom virus disease [vaj'ərəs dizi:'z]

virvel whirl [wə:l]

virvla whirl [wə:l]

vis 1 *s.* (*sätt*) way [wej] **2** *adj.* (*klok*) wise [wajz]

visa 1 *s.* song [sång]; ballad [bäll'əd]; *ord och inga visor* plain words [plej'n wə:'dz] **2** *v.* show [ʃəo]; *erfarenheten visar* experience proves [ikspi:'əriəns pro:'vz]; *visa sig vara* turn out [to be] [tə:'n ao't (tə bi:)]

visare (*på ur*) hand [händ]; (*på instrument*) pointer [påj'ntə]

visbok songbook [sång'bok]

visdom wisdom [wizz'dəm]

visdomstand wisdom tooth [wizz'-dəmto:θ]

visent European bison [joərəpi:'ən baj'sn]

visera visa [vi:'zə]

vision vision [vi'ʒən]

visit call [kå:l]

visitera inspect [inspekk't]; (*kropps-*) search [sə:tʃ]

visitkort visiting card [vizz'iting ka:d]

viska whisper [wiss'pə]

viskning whisper [wiss'pə]

visky *se* whisky

vismut bismuth [bizz'məθ]

visning show [ʃəo]

visp whisk [wisk]

vispa whip [wipp]

vispgrädde whipped cream [wipp't kri:m]

viss (*säker*) sure [ʃo:'ə], certain

[sə:'tn]; *en viss herr A.* a certain Mr. A. [ə sə:'tn miss'tə ej']

visselpipa whistle [wiss'l]

vissen faded [fej'did], wilted [will'tid]

visserligen *visserligen ... men* it is true [that] ... but [itt izz tro:' (öätt') batt']

visshet certainty [sə:'tnti]

vissla whistle [wiss'l]

vissling whistle [wiss'l]

vissna fade [fejd]

visst certainly [sə:'tnli]; *det kan jag visst* of course I can [əv kå:'s aj känn']; *visst inte* not at all [nått ätt å:'l]; *han har visst rest* he has left, I think [hi: häz leff't aj θiŋ'k]; *vi har visst träffats förr* I'm sure we must have met before [aj'm ʃo:'ə wi: mast hävv mett' bifå:']

vissångare ballad singer [bäll'əd-siŋə]

vistas stay [stej]

vistelse stay [stej]

visum visa [vi:'zə]

vit white [wajt]

vita white [of an egg] [waj't (əv ən egg')]

vital vital [vaj'tl]

vitamin vitamin [vitt'əmin]

vitaminbrist vitamin deficiency [vitt'əmin difiʃ'ənsi]

vitaminrik rich in vitamins [ritʃ' in vitt'əminz]

vite penalty [penn'lti]; *vid vite av 10 pund* under [a] penalty of a £10 fine [ann'də (ə) penn'lti əv ə tenn' pao'nd faj'n]

vitling whiting [waj'tiŋ]

vitlök garlic [ga:'lik]

vitpeppar white pepper [waj't pepp'ə]

vits (*ordlek*) pun [pann]; (*kvickhet*) joke [dʒəok]

vitsa pun [pann], crack jokes [kräkk' dʒəo'ks]

vitsippa wood anemone [wodd' ənemm'əni]

vitsord (*vittnesbörd*) testimonial [testi-məo'njəl]; (*i betyg*) mark [ma:k], *Am.* grade [grejd]

vitt 1 *adj.* white [wajt]; *göra svart till vitt* swear black is white [swä:'ə bläkk' iz waj't] **2** *adv.*, *vitt och brett* far and wide [fa:' ən waj'd]; *så vitt jag vet* as far as I know [äz fa:' äz aj' nəo']

vittgående far-reaching [fa:'ri:'tʃiŋ]

vittja examine [igzämm'in] (*nät* nets [nets])

vittna (*inför domstol*) witness [witt'-nis]; (*intyga*) testify [tess'tifaj]

vittne witness [witt'nis]; *vara vittne till* witness [witt'nis]

vittnesbörd testimony [tess'timəni]; *bära falskt vittnesbörd* bear false witness [bä:'ə få:'ls witt'nis]

vittnesmål evidence [evv'idəns]

vittomfattande far-reaching [fa:'-ri:'tʃiŋ]

vittring scent [sent]

vittvätt white wash[ing] [wajt'wåʃ'-(iŋ)]

vitöga *se döden i vitögat* face death [fejs də⁴]

vivre *fritt vivre* free board and lodging [fri: bå:'d ən lådʒ'iŋ]

vodka vodka [vådd'kə]

wok wok [wåkk]

woka wok [wåkk]

vokabulär vocabulary [vəkäbb'joləri]

vokal vowel [vao'əl]

volang flounce [flaons]

volt *elektr.* volt [vəolt]; (*luftsprång*) somersault [samm'əså:lt]; *slå en volt* turn a somersault [tə:'n ə samm'əså:lt]

volym volume [våll'jom]

vore were [wə:]; *om jag vore* if I were [if aj wə:']; *det vore trevligt* it would be nice [it wodd bi: naj's]

votera vote [vəot]

votering vote [vəot]; *begära votering* demand a division [dima:'nd ə diviʃ'ən] (*om* on [ån])

vrak wreck [rekk]

vrakpris bargain price [ba:'ginprajs]

vred 1 *s.* (*handtag*) handle [hänn'dl] **2** *adj.* wrathful [rå:'θfol]

vrede wrath [rå:θ]

vresig cross [kråss], sullen [sall'ən]

vricka (*stuka*) sprain [sprejn]; *vricka foten* sprain one's ankle [sprej'n wanz äng'kl]

vrida (*vända, vrida om*) turn [tə:n]; (*hårt*) wring [ring]; (*sno*) twist [twist]

vrist ankle [äng'kl]

vrå corner [kå:'nə], nook [nok]

vråk buzzard [bazz'əd]

vrål roar [rå:]

vråla roar [rå:]

vrång disobliging [diss'əblaj'dʒing]

vräka heave [hi:v]; (*avhysa*) evict [i:vikk't]; *vräka sig i lyx* roll in luxury [rəo'l in lakk'ʃəri]

vräkig ostentatious [åstentaj'ʃəs]

vräkning eviction [i:vikk'ʃən]

vulgär vulgar [vall'gə]

vulkan volcano [vall kej'nəo]

vulkanisera vulcanize [vall'kənajz]

vuxen grown-up [grəo'nap], adult [ädd'əlt]; *vara situationen vuxen* be equal to the occasion [bi: i:'kwəl tə ði ɔkej'ʃən]

vuxenundervisning adult education [ädd'əlt edjo:kej'ʃən]

vy view [vjo:]

vykort picture postcard [pikk'tʃə pəo'stka:d]

våda *av våda* by misadventure [baj miss'ədvenn'tʃə]

våffla waffle [wåff'l]

våg balance [bäll'əns]; (*hushålls-*) scales [skejlz]; (*vatten-, ljud-*) wave [wejv]

våga (*tordas*) dare [dä:'ə]; *friskt vågat är hälften vunnet* boldly ventured is half won [bəo'ldli venn'tʃəd iz ha:'f wann]; *du skulle bara våga!* you dare! [jo: dä:'ə]; *våga sitt liv* risk one's life [riss'k wanz laj'f]

vågad (*riskabel*) risky [riss'ki]; (*frivol*) risqué [ri:'skej]

vågbrytare breakwater [brej'kwå:tə]

våghalsig foolhardy [fo:'lha:di]

vågig wavy [wej'vi]

vågrät horizontal [hårizånn'tl]

vågskål scale [skejl]

våld violence [vaj'ələns]; (*makt*)

power [pao'ə]; (*tvång*) force [få:s]; *med våld* by force [baj få:'s]; *göra våld på* violate [vaj'əlejt]

våldsam violent [vaj'ələnt]

våldsdåd act of violence [äkk't əv vaj'ələns]

våldta rape [rejp]

våldtäkt rape [rejp]

vålla cause [kå:s]

vålnad ghost [gəost]

vånda agony [ägg'əni]

våning (*lägenhet*) flat [flätt], Am. apartment [əpa:'tmənt]; (*vånings- plan*) stor[e]y [stå:'ri], floor [flå:]; *en våning på tre rum och kök* a three-room flat with a kitchen [ə θri:'ro:m flätt' wið ə kitt'ʃin]; *på första våningen* (*botten-*) on the ground (Am. first [fə:st]) floor [ån ðə grao'nd flå:]; *på andra våningen* (*en trappa upp*) on the first (Am. second [sekk'ənd]) floor [ån ðə fə:'st flå:]

våningsbyte exchange of flats [ikstʃej'ndʒ əv flätt's]

vår 1 *pron.* (*förenat*) our [ao'ə]; (*självst.*) ours [ao'əz] **2** *s.* spring [spring]; *i vår* this spring [θiss' spring']; *i våras* last spring [la:'st spring']

vård care [kä:'ə]

vårda take care of [tej'k kä:'ər əv]

vårdad careful [kä:'əfol]; (*om klädsel*) well-groomed [well'gro:'md]; (*om handstil*) neat [ni:t]; *vårdat språk* correct language [kərekk't läng'- gwidʒ]

vårdag spring day [spring dej]

vårdagjämning vernal equinox [və:'nl i:'kwinåks]

vårdare (*sjuk-*) nurse [nə:s], attend-ant [ətenn'dənt]

vårdpersonal medical staff [medd'i-kəl sta:f]

vårdslös careless [kä:'əlis]

vårdslöshet carelessness [kä:'əlisnis]

vårkänsla *ha vårkänslor* have the spring feeling [hävv' ðə spring fi:'ling]

vårlik springlike [spring'lajk]

vårta wart [wå:t]

vårtermin spring term [spring' tə:m]

våt wet [wett]

våtservett wet wipe [wett'wajp]

väcka wake [up] [wej'k (app')]; *bildl.* awaken [əwej'kən]

väckarklocka alarm clock [əla:'m klåkk]

väckning awakening [əwej'kning]; (*per telefon*) alarm call [əla:'m kå:l]; *får jag be om väckning kl. 6* I'd like to be called at 6 [aj'd laj'k tə bi: kå:'ld ätt sikk's]

väder weather [weð'ə]; *vad är det för väder?* what's the weather like? [wått'z ðə weð'ə laj'k]

väderkvarn windmill [winn'mil]

väderlek weather [weð'ə]

väderleksrapport weather report (forecast) [weð'ə ripå:'t (få:'kə:st)]

väderstreck point of the compass [påj'nt əv ðə kəmm'pəs]

vädja appeal [əpi:'l]

vädjan appeal [əpi:'l]

vädra (*lufta*) air [ä:'ə]; (*få vittring av*) scent [sent]

väg road [rəod]; (*mer abstr. o bildl.*) way [wej]; *gå sin väg* go away [gəo'əwej']; *i väg* off [åff]; *ge sig i väg* be off [bi åff']; *gå till väga* proceed [prəsi:'d]

väga weigh [wej]

vägarbete road work [rəo'd wə:k]

vägbeläggning road surface [rəo'd sə:'fis]

vägförbindelse road communication [rəo'd kəmjo:nikej'ʃən]

vägg wall [wå:l]

väggfast fixed to the wall [fikk'st tə ðə wå:'l]

vägkant roadside [rəo'dsəjd]

vägkorsning crossing [kråss'ing]

vägleda guide [gajd]

vägledning guidance [gaj'dəns]

vägmärke road sign [rəo'd sajn]

vägmätare mileometer [majlåmm'itə]

vägnar [*p*]*å ngns vägnar* on behalf of s.b. [ån biha:'f əv səmm'badi]

vägning weighing [wej'ing]

vägra refuse [rifjo:'z]

vägran refusal [rifjo:'zəl]

vägskylt road sign [rəo'd sajn]

vägspärr roadblock [rəo'd blåkk]

vägsträcka stretch [of a road] [stretʃ' (əv ə rəod)]; (*avstånd*) distance [diss'təns]

vägvisare (*person*) guide [gajd]; (*skylt*) signpost [saj'npəost]

väja make way [mej'k wej']; (*lämna företräde*) yield [ji:ld]

väl (*bra*) well [well]; (*alltför*) rather [ra:'ðə]; *det går aldrig väl!* it can't turn out well! [it ka:'nt tə:n aot't well']; *länge och väl* for ages [få: ej'dʒiz]; *du kommer väl?* I hope you'll come! [aj hәо'p jo:l kamm']; *det kan väl hända* that's possible [ðätt's påss'əbl]; *så väl som* as well as [äz well' äz]

välbefinnande well-being [well bi:'ing]

välbehag pleasure [ple'ʒə]

välbehållen safe [sejf]

välbehövlig badly (much) needed [bädd'li (matʃ') ni:'did]

välbärgad well-to-do [well tədo:']

välde (*rike*) empire [emm'pajə]; (*makt*) domination [dåminej'ʃən]

väldig huge [hjo:dʒ]

välfärdssamhälle welfare state [well'-fä:ə stejt']

välförsedd well-stocked [well ståkk't]

välförtjänt well-deserved [well'-dizə:'vd]

välgjord well-made [well'mej'd]

välgång success [səkse'ss], prosperity [pråsperr'iti]

välgärning kind deed [kaj'nd di:'d]

välgörande (*nyttig*) beneficial [beni-fiʃ'əl]; (*hälsosam*) salutary [säll'jo-təri]; *välgörande ändamål* charitable purposes [tʃärr'itəbl pə:'pəsiz]

välgörenhet charity [tʃärr'iti]

välja (*ut-*) choose [tʃo:z] (*bland from* [fråmm]); (*genom röstning*) elect [ilekk't]

väljare elector [ilekk'tə]

välklädd well-dressed [well'dress't]

välkommen welcome [well'kəm]

välkänd well-known [well'nəo'n]

välla gush [gaʃ] (*fram* forth [få:θ])

vällevnad good living [godd' livv'ing]

välling gruel [gro:'əl]

vällukt sweet smell [swi:'t smell']

vällust voluptuousness [vəlapp'tjoəs-nis]

välmenande well-meaning [well'-mi:'ning]

välordnad well-arranged [well'-ərej'nd3d]

välsigna bless [bless]

välsignelse blessing [bless'ing]

välsittande well-fitting [well'fitt'ing]

välskött well-managed [well'-männ'id3d]

välstånd prosperity [pråsperr'iti]

välta (*stjälpa*) upset [apsett']; (*ramla omkull*) fall over [få:'l əo'və]

vältalig eloquent [ell'əkwənt]

vältra roll [rəol]

vältränad well-trained [well'trej'nd]

väluppfostrad well-bred [well'bredd']

välva sig vault [vå:lt]

välvilja benevolence [binevv'ələns]

välvillig benevolent [binevv'ələnt]

välväxt shapely [ʃej'pli]

vämjas *vämjas vid* be disgusted at [bi: disgass'tid ätt]

vämjelse loathing [ləo'ðing]

vän friend [frennd]; *en vän till mig a* friend of mine [ə frenn'd əv maj'n]; *goda vänner* close friends [kləo's frenn'dz]

vända turn [tə:n]; *vända på* turn [tə:n]; *vända sig* turn [tə:n]; *vända sig till ngn* (*med fråga e.d.*) address s.b. [ədress' samm'bədi], (*för att få ngt*) apply to s.b. [əplaj' tə samm'-bədi] (*för att for* [få:])

vändkors turnstile [tə:'nstajl]

vändning (*[in]riktning*) turn [tə:n]; (*förändring*) change [tʃejnd3]

vändpunkt turning point [tə:'ning-påjnt]

väninna girlfriend [gə:'lfrend]

vänja accustom [əkass'tam] (*vid to* [to:]); *vänja sig av med att* get out of the habit of [gett ao't əv ðə häbb'itt əv]

vänlig kind [kajnd] (*mot to* [to:])

vänlighet kindness [kaj'ndnis]

vänskap friendship [frenn'dʃip]

vänskapsmatch friendly match [frenn'dli mätʃ]

vänster 1 *adj.* left [left]; *till vänster* to the left [tə ðə leff't] (*om of* [åvv]) **2** *s.*, *vänstern* the Left [ðə leff't]

vänsterhänt lefthanded [leff't-hänn'did]

vänsterprassel extramarital relations (*pl*) [ekk'strəmärr'itl rilej'ʃəns]

vänstersida left-hand page [leff't-händ pej'd3]

vänstertrafik left-hand traffic [leff't-händ träff'ik]

vänta (*förvänta*) expect [ikspekk't]; (*avvakta*) wait [wejt] (*på* for [få:]); *få vänta* have to wait [hävv' tə wej't]; *låta ngn vänta* keep s.b. waiting [ki:p samm'bədi wej'ting]; *vänta sig* expect [ikspekk't]

väntan wait [wejt]; *i väntan på* while waiting [waj'l wej'ting]

väntelista waiting list [wej'ting list]

väntetid wait [wej't]; *under vänte-tiden kan vi* while we are waiting we can [waj'l wi: a: wej'ting wi: känn]

vänthall, väntrum, väntsal waiting room [wej'tingro:m]

värd 1 *s.* host [həost] **2** *adj.* worth [wə:θ]; *det är inte värt att du gör det* you had better not do it [jo: hädd bett'ə nått' do: itt]

värde value [väll'jo:]; *sätta värde på* (*uppskatta*) appreciate [əpri:'ʃiejt]

värdefull valuable [väll'joəbl] (*för* to [to:])

värdeföremål article of value [a:'tikl əv väll'jo:], valuables *pl* [väll'joəblz]

värdelös worthless [wə:'θlis]

värdepapper valuable document [väll'joəbl dåkk'jomənt]

värdera value [väll'jo:]

värdering valuation [välljoej'ʃən]

värdestegring rise in value [raj'z in

väll'jo:]

värdfolk vårt värdfolk our host and hostess [ao'ə həo'st ən həo'stis]

värdig worthy [wə:'ði]; (aktningsvärd) dignified [digg'nifajd]

värdigas deign to [dej'n to:]

värdighet dignity [digg'niti]

värdinna hostess [həo'stis]

värdshus inn [in]

värdshusvärd innkeeper [inn'ki:pə]

värja sword [så:d]

värk ache [ejk]

värka ache [ejk]

värld world [wə:ld]; hur i all världen? how on earth? [həo ån ə:'θ]; förr i världen formerly [få:'məli]

världsberömd world-famous [wə:'ld-fej'məs]

världsdel part of the world [pa:'t əv ðə wə:'ld]

världshav ocean [əo'ʃən]

världshistoria world history [wə:'ld hiss'təri]

världskarta map of the world [mäpp əv ðə wə:'ld]

världskrig world war [wə:'ld wå:]

världslig worldly [wə:'ldli]

världsmästare world champion [wə:'ld tʃämm'piən]

världsmästerskap world championship [wə:'ld tʃämm'pjənʃip]

världsrekord world record [wə:'ld rekk'å:d]

världsrymden outer space [ao'tə spej's]

världsåskådning ideology [ajdi-åll'ədʒi]

värma warm [wå:m]; (hetta) heat [hi:t]

värme warmth [wå:mθ]; (hetta) heat [hi:t]

värmebölja heat wave [hi:'t wejv]

värmeelement (radiator) radiator [rej'diejtə]; (elektriskt) electric heater [ilekk'trik hi:'tə]

värmeledning central heating [senn'trəl hi:'ting]

värmepanna central heater [senn'trəl hi:'tə]

värmeplatta hotplate [hått'plejt]

värnlös defenceless [difenn'slis]

värnplikt allmän värnplikt compulsory military service [kəmpall'səri mill'itəri sə:'vis]

värnpliktig liable for military service [laj'əbl få: mill'itəri sə:'vis]

värpa lay eggs [lej' egg'z]

värre worse [wə:s]; så mycket värre so much the worse [səo matʃ' ðə wə:'s]

värst worst [wə:st]; i värsta fall at worst [ätt wə:'st]

värva secure [sikjo:'ə]; mil. enlist [inliss't]; (värva röster) canvass for votes [känn'vəs få: vəots]

väsa hiss [hiss]

väsen (varelse) being [bi:'ing]; (buller) noise [nåjz]; (ståhej) fuss [fass]

väsentlig essential [isenn'ʃəl]

väska bag [bägg]; (hand-) handbag [hänn'dbäg]; (res-) suitcase [sjo:'tkejs]

väsnas be noisy [bi: nåj'zi]

vässa sharpen [ʃa:'pən]

väst 1 s. (plagg) waistcoat [wej'skəot] 2 s. o. adv. (väderstreck) west [west]

väster (väderstreck) the west [ðə wess't]; Vilda Västern the Wild West [ðə waj'ld wess't]

västerlandet the West [ðə wess't]

västerländsk western [wess'tən]

Västeuropa Western Europe [wess'tən jo:'ərəp]

Västindien the West Indies [ðə west inn'diz]

västkust west coast [wess't kəost]

västlig west [west]; western [wess'tən]; västlig vind westerly wind [wess'təli wind]

västmakterna the Western Powers [ðə wess'tən pao'əz]

västra western [wess'tən]

väta wet [wett]

väte hydrogen [haj'drədʒən]

vätebomb hydrogen bomb [haj'drə-dʒən båmm]

vätska liquid [likk'wid], fluid [flo:'id]

väv (tyg) fabric [fäbb'rik]; (varp) web [webb]

väva weave [wi:v]

vävd woven [wɔo'vən]

väveri weaving mill [wi:'ving mill]

vävning weaving [wi:'ving]

vävplast coated fabric [kɔo'tid fäbb'rik]

vävstol loom [lo:m]

växa grow [grɔo]; *(öka)* increase [inkri:'s]; *växa ur* outgrow [aotgrɔo']

växel *(bank-)* bill [bill]; *(-pengar)* change [tʃejndʒ]; *tekn.* gear [gi:'ə]; *(telefon-)* exchange [ikstʃej'ndʒ]

växelkurs rate of exchange [rej't əv ikstʃej'ndʒ]

växellåda gearbox [gi:'əbåks]

växelpengar change *pl* [tʃejndʒ]

växelspak gear lever [gi:'ə li:'və]

växelström alternating current [å:'ltə-nejting karr'ənt]

växelverkan interaction [intəräkk'ʃən]

växelvis alternately [å:ltə:'nitli]

växla *(pengar)* change [tʃejndʒ]; *(utbyta)* exchange [ikstʃej'ndʒ]; *(i bil)* change gear [tʃej'ndʒ gi:ə]

växt *(tillväxt)* growth [grɔoθ]; *(planta)* plant [pla:nt]

växthus greenhouse [gri:'nhaos]

växthuseffekt greenhouse effect [gri:'nhaos ifekk't]

växtlighet vegetation [vedʒitej'ʃən]

vördnad reverence [revv'ərəns]

vört wort [wə:t]

xyz

xylofon xylophone [zaj'ləfɔon]

yla howl [haol]

ylle wool [woll]

yllestrumpa woollen stocking [woll'ən ståkk'ing]

ylletröja sweater [swett'ə]

ymnig abundant [əbann'dənt]

ympa *(gren o.d.)* graft [gra:ft]

yngel brood [bro:d]

yngla breed [bri:d]

yngling youth [jo:θ]; young man [jang' männ']

yngre younger [jang'gə]; *(ganska ung)* young [jang]

yngst youngest [jang'gist]

ynklig pitiable [pitt'iəbl]

yoghurt yoghurt [jågg'ə:t]

yppa reveal [rivi:'l]; *yppa sig* arise [əraj'z]

ypperlig excellent [ekk'sələnt]

yppig *(om växtlighet)* luxuriant [lagzjo:'əriənt]; *(om figur)* full [foll]

yr dizzy [dizz'i]

yra be delirious [bi: dilirr'iəs]; *(virvla)* whirl [wə:l]

yrka *(begära)* demand [dima:'nd]

yrkande *(begäran)* demand [dima:'nd]

yrke profession [prəfeʃ'ən]

yrkesarbete profession [prəfeʃ'ən]

yrkeskvinna professional woman [prəfeʃ'ənl womm'ən]

yrkesman craftsman [kra:'ftsmən]

yrkesorientering vocational guidance [vəokej'ʃənl gaj'dəns]

yrkesregister trade register [trej'd redʒ'istə]; classified telephone directory [kläss'ifajd tell'ifɔon direkk'tori]

yrkessjukdom occupational disease [åkjo:pej'ʃənl dizi:'z]

yrkesskada industrial injury [indass'triəl inn'dʒəri]

yrsel dizziness [dizz'inis]

yrvaken drowsy [drao'zi]

yster frisky [friss'ki]

yta surface [sə:'fis]

ytbehandling finish [finn'iʃ]

ytlig superficial [sjo:pəfiʃ'əl]

ytmått square measure [skwä:'ə me'ʒə]

ytter *sport.* outside forward [ao'tsaj'd få:'wəd]

ytterdörr outer door [ao'tə då:]

ytterkläder outdoor clothes [ao'tdå:-klɔo'ðz]

ytterlig extreme [ikstri:'m]; *(full-ständig)* utter [att'ə]

ytterligare further [fə:'ðə]

ytterlighet extreme [ikstri:'m]

yttermått outer dimension [ao'tə dimenn'ʃən]

ytterrock overcoat [əo'vəkəot]

ytterst (*längst ut*) farthest [fa:'ðist]; (*synnerligen*) extremely [ikstri:'mli]

yttersta outermost [ao'təməost]; *göra sitt yttersta* do one's utmost [do: wanz att'məost]

yttertrappa steps [steps]

yttra utter [att'ə]; *yttra sig* speak [spi:k]

yttrande utterance [att'ərəns]

yttrandefrihet freedom of speech [fri:'dəm əv spi:'tʃ]

yttre 1 *adj.* (*längre ut belägen*) outer [ao'tə]; (*utvändig*) external [eksto:'nl] 2 *s.* exterior [eksti:'əriə]; *till det yttre* externally [eksto:'nəli]

yttring manifestation [mänifestej'ʃən]

yuppie yuppie [japp'i]

yvas *yvas över* be proud of [bi: prao'd əv]

yvig bushy [boʃ'i]

yxa axe [äks]

yxhugg blow of an axe [bləo' əv ən äkk's]

zenit zenith [zenn'iθ]

zigenare gipsy [dʒipp'si]

zigenerska gipsy woman [dʒipp'si womm'ən]

zink zinc [zingk]

zon zone [zəon]

zoo zoo [zo:]

zoologi zoology [zəoåll'odʒi]

zoologisk trädgård zoological gardens (*pl*) [zəoəlådʒ'ikəl ga:'dnz]

å

å [small] river [(små:'l) rivv'ə]

åberopa adduce [ədjo:'s]

åbäka *åbäka sig* make ridiculous gestures [mej'k ridikk'joləs dʒess'tʃəz]

åbäkig unwieldy [anwi:'ldi]

åder vein [vejn]

åderbråck varicose vein [värr'ikəos vejn]

åderförkalkning arteriosclerosis [a:ti:'əriəoskliərəo'sis]

ådra[ga] *ådra[ga] sig* contract [kən-

träkk't], catch [kätʃ]

åhöra listen to [liss'n to:]

åhörare listener [liss'nə]; *koll.* audience [å:'djəns]

åjo (*jo då*) oh yes [əo' jess']; (*tämligen*) fairly [fä:'əli]

åka ride [rajd]; (*färdas*) go [gəo]; *åka bort* go away [gəo' əwej']; *åka med* get a lift [gett' ə liff't]; *åka om* overtake [əovətej'k]

åkdon vehicle [vi:'ikl]

åker field [fi:ld]

åklagare prosecutor [pråss'ikjo:tə]

åkomma complaint [kəmplej'nt]

åksjuka travel-sickness [trävv'l sikk'nəs]

åktur ride [rajd], drive [drajv]

ål eel [i:l]

åla crawl [krå:l]

ålder age [ejdʒ]; *hon är i min ålder* she is [about] my age [ʃi: iz (əbao't) maj' ej'dʒ]

ålderdom old age [əo'ld ejdʒ]

ålderdomlig ancient [ej'nʃənt]; (*gammaldags*) old-fashioned [əo'ld-faʃ'ənd]

ålderdomshem home for the aged [həo'm fə ði ej'dʒid]

ålderdomssvag decrepit [dikrepp'it]

åldersskillnad difference of age [diff'rəns əv ejdʒ]

åldras grow old [grəo əo'ld]

åldrig old [əold]

åldring old man (woman) [əo'ld männ (womm'ən)]

åligga be incumbent on [bi: inkamm'-bənt ån]

åliggande duty [djo:'ti]

ålägga enjoin [indʒåj'n]

ånga 1 *s.* steam [sti:m] 2 *v.* steam [sti:m]

ångare steamer [sti:'mə]

ånger repentance [ripenn'təns]

ångerfull repentant [ripenn'tənt]

ångest agony [ägg'əni]

ångra regret [rigrett']; *ångra sig* be sorry [bi: sårr'i]

ångstrykjärn steam iron [sti:m'ajən]

ånyo anew [ənjo:']

år year [jə:]; *Gott Nytt År!* Happy New Year! [häpp'i njo:' jə:']; *ett halvt år* six months [sikk's mann'θs]

åra oar [å:]

åratal *i åratal* for years [få: jə:'z]

årgång *(av tidskrifter e.d.)* volume [våll'jom]; *(av vin)* vintage [vinn'tidჳ]

århundrade century [senn'tʃori]

årlig annual [änn'joəl]

årsinkomst annual income [änn'joəl inn'kam]

årslång yearlong [jə:'lång]

årsskifte turn of the year [tə:'n əv ðə jə:']

årstid season [si:'zn]

årtal date [dejt]

årtionde decade [dekk'ejd]

årtull rowlock [rål'ok]

årtusende millennium [milenn'iəm]

ås ridge [ridჳ]

åsidosätta *(ej bry sig om)* disregard [disriga:'d]; *(försumma)* neglect [niglekk't]

åsikt opinion [əpinn'jon]; *enligt min åsikt* in my opinion [in maj' əpinn'jən]

åsiktsförtryck suppression of free opinion [səpreʃ'ən əv fri:' əpinn'jən]

åska thunder [θann'də]; *det åskar* it's thundering [its θann'dəring]

åskknall thunderclap [θann'dəkläp]

åskledare lightning conductor [laj't-ning kəndakk'tə]

åskmoln thundercloud [θann'dəklaod]

åsknedslag stroke of lightning [strəo'k əv laj'tning]

åskväder thunderstorm [θann'dəstå:m]

åskådare spectator [spektej'tə]

åskådlig *(klar)* clear [kli:'ə]; *(tydlig)* perspicuous [pəspikk'joəs]

åskådliggöra make clear [mej'k kli:'ə]

åskådning opinions [əpinn'jənz]

åsna donkey [dång'ki]

åstad off [åff]

åstadkomma *(få t. stånd)* bring about [bring' əbao't]; *(förorsaka)* cause [kå:z]; *(frambringa)* produce [prədjo:'s]

åsyfta aim at [ej'm ätt]

åsyn sight [sajt]

åt to [to:]; *gå åt sidan* step aside [stepp əsaj'd]; *glad åt* happy about [häpp'i əbao't]; *skratta åt* laugh at [la:'f ätt]

åtaga *åtaga sig* undertake [andətej'k]

åtagande undertaking [andətej'king]

åtal prosecution [påsikjo:'ʃən]

åtala prosecute [pråss'ikjo:t]

åter *(ånyo)* again [əgenn']; *(tillbaka)* back [bäkk]

återanvända recycle [ri:saj'kl]

återbud excuse [ikkjo:'s]; *ge återbud* send word that one cannot come [senn'd wə:'d öätt wann känn'ət kamm']

återbäring dividend [divv'idend]

återfall relapse [ri:läpp's]

återfinna find again [faj'nd əgenn']

återfå get back [gett' bäkk']

återförena reunite [ri:'jo:naj't]

återförening reunion [ri:jo:'njən]

återförsäljare retailer [ri:'tejlə]

återge *(ge tillbaka)* give back [givv' bäkk']; *(framställa)* reproduce [ri:prədjo:'s]

återgå go back [gəo' bäkk']

återgång return [ritə:'n]

återhållsam moderate [mådd'ərit]

återkalla *(ta tillbaka)* cancel [känn'səl]

återkomma return [ritə:'n]

återkomst return [ritə:'n]

återlämna return [ritə:'n]

återse see again [si:' əgenn']

återseende meeting again [mi:'ting agenn']; *på återseende!* see you again! [si:' jo: əgenn']

återspegla reflect [riflekk't]

återstod rest [rest]

återstå remain [rimej'n]; *(vara kvar)* be left [bi: leff't]; *det återstår att se* it remains to be seen [it rimej'ns tə bi: si:'n]

återställa restore [ristå:']

återställare *en återställare* a hair of the dog [ə hä:'ər əv ðə dågg]

återta[ga] take back [tej'k bäkk']

återtåg retreat [ritri:'t]

återuppbyggnad rebuilding [ri:-bill'ding]

återuppliva revive [rivaj'v]

återupprätta re-establish [ri:-istäbb'liʃ]

återuppta[ga] resume [rizjo:'m]

återverka react [ri:'äkk't]

återvinna win back [winn' bäkk']; (avfall) recycle [risaj'kl]

återvända return [ritə:'n]

återvändsgata dead end [street] [dedd enn'd (stri:t)]

åtfölja accompany [əkamm'pəni]

åtgärd measure [meʒ'ə]

åtkomlig within reach [wiðinn' ri:'tʃ]

åtlöje ridicule [ridd'ikjo:l]

åtminstone at least [ätt li:'st]

åtnjuta enjoy [indʒåj']

åtnjutande enjoyment [indʒåj'mənt]; komma i åtnjutande av come into possession of [kamm' inn'to pəzeʃ'ən əv]

åtrå desire [dizaj'ə]

åtsittande tight-fitting [tajt' fitt'ing]

åtskilliga several [sevv'rəl]

åtskilligt a good deal [ə godd' di:'l]

åtskillnad göra åtskillnad make a distinction [mej'k ə disting'kʃən] (mellan between [bitwi:'n])

åtta eight [ejt]

åttio eighty [ej'ti]

åttionde eightieth [ej'tiiθ]

åttonde eighth [ejtθ]

åttondel eighth [ejtθ]

åverkan damage [dämm'idʒ]

ä

äckel nausea [nå:'siə]

äckla nauseate [nå:'siejt]

äcklig nauseating [nå:'siejting]

ädel noble [nəo'bl]

ädelsten gem [dʒemm]

äga (rå om) own [əon]; (besitta) possess [pəzess']; äga rum take place [tej'k plej's]

ägare owner [əo'nə]

ägg egg [egg]; ett kokt ägg a boiled egg [ə båj'ld egg']; ett stekt ägg a fried egg [ə fraj'd egg']

äggkopp eggcup [egg'kapp]

äggröra scrambled eggs (pl) [skrämm'bld egg'z]

äggskal eggshell [egg'ʃel]

äggsked egg-spoon [egg'spo:n]

äggstanning baked egg [bej'kt egg]

äggstock anat. ovary [əo'vəri]

äggtoddy egg-nog [egg'någ]

ägula yolk [jəok]

äggvita (i ägg) egg white [egg' wajt]; (ämne) albumin [äll'bjomin]

äggviteämne protein [prəo'ti:n]

ägna devote [divəo't]

ägnad suited [sjo:'tid]

ägo ha i sin ägo possess [pəzess']

ägodelar property [pråpp'əti]

ägor grounds [graondz]

äkta genuine [dʒenn'join]; äkta maka [wedded] wife [(wedd'id) wajf]; äkta par married couple [märr'id kapp'l]

äktenskap marriage [märr'idʒ]

äktenskapsbrott adultery [ədall'təri]

äkthet genuineness [dʒenn'joinnis]

äldre elder [əo'ldə]; (om släktskaps-förhållande) elder [ell'də]; (ganska gammal) elderly [ell'dəli]

äldst oldest [əo'ldist]; (om släktskaps-förhållande) eldest [ell'dist]

älg elk [elk]; Am. moose [mo:s]

älska love [lavv]

älskad beloved [bilavv'd]

älskare lover [lavv'ə]

älskarinna mistress [miss'tris]

älskling darling [da:'ling]

älsklingsrätt favourite dish [fej'vərit diʃ]

älskvärd amiable [ej'mjəbl]

älv river [rivv'ə]

älva fairy [fä:'əri]

ämbete office [åff'is]

ämbetsman official [əfiʃ'əl]

ämbetsverk government office [gav'n-mənt åff'is]

ämna intend [intenn'd]

ämne (material) material

[məti:'əriəl]; (*materia*) matter [mätt'ə]; (*tema*) subject [sabb'dʒikt]; *fasta ämnen* solids [såll'idz]; *flytande ämnen* liquids [likk'widz]

ämnesomsättning metabolism [metább'əlizəm]

än 1 *adv.*, *se ännu*; *när ... än* whenever [wenevv'ə]; *var ... än* wherever [wäərevv'ə]; *vad ... än* whatever [wåtevv'ə]; *vem ... än* whoever [ho:evv'ə]; *än ... än* now ... now [nao ... nao] **2** *konj.* (*i jämförelse*) than [ðänn]; *mindre än* smaller than [små:'lə ðänn]; *inget annat än* nothing else but [naθ'ing ell's batt]

ända 1 *s.* end [end]; (*stuss*) behind [bihaj'nd]; *gå till ända* come to an end [kamm tə ən enn'd] **2** *adv.* right [rajt]; *ända fram till* right up to [rajt app to:]; *ända till* as far as [äz fa:'räz] **3** *v.* end [end]

ändamål purpose [pə:'pəs]

ändamålsenlig adapted to its purpose [ədäpp'tid to: its pə:'pəs]

ändelse ending [enn'ding]

ändhållplats terminus [tə:'minəs]

ändlös endless [enn'dlis]

ändra (*för-*) alter [å:'ltə]; (*byta*) change [tʃejndʒ]; *ändra sig* change one's mind [tʃej'ndʒ wanz maj'nd]

ändring (*för-*) alteration [å:ltərej'ʃən]; (*byte*) change [tʃejndʒ]

ändtarm *anat.* rectum [rekk'təm]

ändå (*likväl*) yet [jett]; (*icke desto mindre*) nevertheless [nevəðəless']

äng meadow [medd'əo]

ängel angel [ej'ndʒəl]

änglalik angelic [ändʒell'ik]

ängslan anxiety [ängzaj'əti]

ängslas be anxious [bi: äng'kʃəs] (*för* about [əbaot])

ängslig anxious [ängk'ʃəs]

änka widow [widd'əo]

änkling widower [widd'əoə]

ännu (*fortfarande*) still [still]; (*om ngt som ej inträffat*) yet [jett]; (*ytterligare*) more [må:]; (*vid komp.*) still [still]

äntligen at last [ätt la:'st]

äppelmos apple sauce [äpp'lså:s]

äppelpaj apple pie [äpp'lpaj']

äppelträd apple tree [äpp'ltri:]

äpple apple [äpp'l]

ära honour [ånn'ə]; *har den äran att gratulera! many happy returns!* [menn'i häpp'i ritə:'nz]

ärekränkning defamation [defə-mej'ʃən]; (*i skrift*) libel [lajbl]

ärelysten ambitious [ämbiʃ'əs]

ärelystnad ambition [ämbiʃ'ən]

ärende (*uträttning*) errand [err'ənd], (*angelägenhet*) matter [mätt'ə]

ärftlig hereditary [hiredd'itəri]

ärg verdigris [və:'digris]

ärkebiskop archbishop [a:tʃbiʃ'əp]

ärlig honest [ånn'ist]

ärlighet honesty [ånn'isti]

ärm sleeve [sli:v]

ärmhål armhole [a:m'həol]

ärofull glorious [glå:'riəs]

ärr scar [ska:]

ärta pea [pi:]

ärtsoppa pea soup [pi:'so:p]

ärva inherit [inherr'it] (*av from* [frámm])

äss ace [ejs]

äta eat [i:t]; *äta frukost* have breakfast [hävv brekk'fəst]

ätbar (*om mat*) eatable [i:'təbl], (*om svamp*) edible [edd'ibl]

ätt family [fämm'ili], (*furstlig*) dynasty [dinn'əsti]

ättika vinegar [vinn'igə]

ättiksgurka pickled cucumber [pikk'ld kjo:'kəmbə]

ättling descendant [disenn'dənt]

även also [å:'lsəo], too [to:]; *även om* even if [i:vn iff']

äventyr adventure [ədvenn'tʃə]; *till äventyrs* perchance [pətʃa:ns]

äventyra risk [risk]

äventyrare adventurer [ədvenn'tʃərə]

äventyrlig adventurous [ədvenn'-tʃərəs]

Ö

ö island [aj'lənd]

öda waste [wejst]

öde 1 s. fate [fejt]; (bestämmelse) destiny [dess'tini] **2** adj. desert [dezz'ət], waste [wejst]; (övergiven) deserted [dessə'tid]; (enslig) lonely [ləo'nli]; (obebodd) uninhabited [aninhäbb'itid]

ödelägga lay waste [lej' wej'st]

ödeläggelse devastation [devv'ə-stej'ʃən]

ödemark waste [wejst]

ödesdiger fatal [fej'tl]

ödla lizard [lizz'əd]

ödmjuk humble [hamm'bl]

ödmjukhet humility [hjo:mill'iti]

ödsla be wasteful with [bi: wej'stfol wið]; ödsla bort waste [wejst]

ödslig desolate [dess'əlit]

öga eye [aj]; få upp ögonen för have one's eyes opened to [hävv wanz aj'z əo'pənd to:]; hålla ett öga på keep an eye on [ki:'p an aj' ån]; mellan fyra ögon in private [in praj'vit]

ögla loop [lo:p]

ögna ögna igenom glance through [gla:'ns θro:']

ögonblick moment [məo'mənt]; ett ögonblick! one moment, please! [wann məo'mənt pli:'z]; för ögonblicket at the moment [ätt ðə məo'mənt]

ögonblicklig instantaneous [instən-tej'njəs]

ögonbryn eyebrow [aj'brao]

ögondroppar eye drops [aj'dråps]

ögonfrans eyelash [aj'läʃ]

ögonlock eyelid [aj'lid]

ögonläkare eye-specialist [aj'speʃ'əlist]

ögonmått ha gott ögonmått have a sure eye [hävv ə ʃo:'ə aj']

ögonskugga eye shadow [aj'ʃädəo]

ögontjänare time-server [taj'mɜ:və]

ögonvittne eyewitness [aj'witt'nis]

ögonvrå corner of the eye [kå:'nə əv ði aj']

ögrupp group of islands [gro:'p əv aj'ləndz]

öka increase [inkri:'s] (med by [baj])

öken desert [dezz'ət]

öknamn nickname [nikk'nejm]

ökning increase [inn'kri:s]

ökänd notorious [nəotå:'riəs]

öl beer [bi:'ə]

ölburk beer can [bi:'əkän]

öm tender [tenn'də], sore [så:]

ömhet tenderness [tenn'dənis]

ömma (vara öm) be tender [bi: tenn'də]

ömse på ömse sidor on both sides [ån bəo'θ saj'dz]

ömsesidig mutual [mjo:'tjoəl]

ömsom ömsom … ömsom sometimes … sometimes … [samm'tajmz samm'tajmz]

ömtålig easily damaged [i:'zili dämm'idʒd]; (bräcklig) fragile [frä-dʒ'ajl]; (känslig) sensitive [senn'si-tiv]; (lättsårad) touchy [tatʃ'i]

önska wish [wiʃ]; önska sig wish for [wiʃ' få:]

önskan wish [wiʃ]; enligt önskan as desired [äz dizaj'əd]

önskemål wish [wiʃ]

önskvärd desirable [dizaj'ərəbl]

öppen open [əo'pən]; (uppriktig) frank [frängk]; öppen spis fireplace [faj'əplejs]

öppenhet openness [əo'pənnis]

öppenhjärtig open-hearted [əo'pən-ha:tid]

öppna open [əo'pən]

öppning opening [əo'pning]

öra ear [i:'ə]; (handtag) handle [hänn'dl]; höra dåligt på ena örat hear badly with one ear [hi:'ə bädd'li wið wann' i:'ə]

örfil box on the ear [båkk's ån ði i:'ə]

örhänge earring [i:'əring]

öring salmon trout [sämm'ən traot]

örlogsfartyg warship [wå:'ʃip]

örlogsflotta navy [nej'vi]

örn eagle [i:'gl]

örngott pillowcase [pill'əookejs]

örnnäsa aquiline nose [äkk'wilajn nəo'z]

öroninflammation inflammation of the ear[s] [infləmej'ʃən əv öi i:'ə(z)]

öronläkare ear specialist [i:'ə speʃ'əlist]

öronproppar earplugs [i:'əplagz]

öronskydd ear flap [i:'əfläp]

örsnibb ear lobe [i:'ə ləob]

örsprång earache [i:'ərejk]

ört herb [hə:b]

örtte herbal tea [hə:'bl ti:]

ösa scoop [sko:p]; *(hälla)* pour [på:]; *ösa en båt* bale a boat [bej'l ə bəo't]; *ösa en stek* baste a joint [bej'st ə dʒåj'nt]; *det öser ner* it is pouring down [it iz på:'ring daon]

öskar bailer [bej'lə]

ösregn pouring rain [på:'ring rejn]

ösregna pour [på:]

öst east [i:st]

Östafrika East Africa [i:'st äff'rikə]

Östasien Eastern Asia [i:'stən ej'ʃə]

öster the east [öi i:'st]

Österrike Austria [åss'triə]

österrikisk Austrian [åss'triən]

Östersjön the Baltic [öə bå:'ltik]

österut eastward [i:'stwəd]

Östeuropa Eastern Europe [i:'stən jo:'ərəp]

östlig easterly [i:'stəli]

öva train [trejn]; *öva sig* practise [präkk'tis]

över over [əo'və]; *(tvärs-)* across [əkråss']; *gå över gatan* walk across the street [wå:'k əkråss' öə stri:t]; *över hälften* over half [əo'və ha:'f]; *karta över* map of [mäpp' əv]; *glad över* glad at [glädd ätt]; *lycklig över* happy about [häpp'i əbəo't]

överallt everywhere [evv'riwä:ə]

överanstränga *överanstränga sig* strain o.s. [strej'n wansell'f]

överansträngd overworked [əo'vəwə:'kt]

överansträngning overwork [əo'vəwə:'k]

överbalans *ta överbalansen* lose one's balance [lo:'z wannz bäll'əns]

överbefolkning overpopulation [əo'vəpåpjolej'ʃən]

överbefälhavare commander-in-chief [kəma:'ndər intʃi:'f]

överbelasta overload [əovələo'd]

överbevisa convince [kənvinn's]

överblick survey [sə:'vej]

överblicka survey [sə:vej']

överbliven remaining [rimej'ning]

överdel top [tåpp]

överdos overdose [əo'vədəoz]

överdrag cover [kavv'ə]

överdrift exaggeration [igzädʒə-rej'ʃən]; *gå till överdrift* go to extremes [gəo' tə ikstri:'mz]

överdriva exaggerate [igzädʒ'ərejt]

överens *komma överens om* agree on [əgri:'ən] *vara överens om* be agreed [bi: əgri:'d] *(om on* [ån])

överenskommelse agreement [əgri:'-mənt]

överensstämma agree [əgri:']

överensstämmelse agreement [əgri:'-mənt]

överfalla assault [əså:'lt]

överflöd abundance [əbann'dəns]

överflödig superfluous [sjo:pə:'floəs]

överföra transfer [tränsfə:']

överge abandon [əbänn'dən]

övergiven abandoned [əbänn'dənd]

övergrepp outrage [aot'rejdʒ]

övergå *(överträffa)* surpass [sə:pa:'s]; *(överstiga)* exceed [iksi:'d]

övergående passing [pa:'sing]

övergång changeover [tʃej'ndʒəo'və]

övergångsbiljett transfer ticket [tränn'sfə: tikk'it]

övergångsställe *(för fotgängare)* pedestrian crossing [pidess'triən kråss'ing]

övergångsålder change of life [tʃej'ndʒ əv laj'f]

överhand *få överhand* get the upper hand [gett öi app'ə hänn'd] *(över of* [åv])

överhet *överheten* the authorities *(pl)* [å:θårr'iti:z]

överhud *anat.* epidermis [epidə:'mis]

överhuvud head [hedd]

överhuvudtaget on the whole [ån ðə həo'l]

överhängande impending [im-penn'ding]

överilad rash [räʃ]

överinseende supervision [sjo:pə-viʃ'ən]

överkant i överkant (bildl.) rather on the large side [ra:'ðə ån ðə la:'dʒ sajd]

överkast bedspread [bedd'spred]

överklaga appeal against [əpi:'l əgenn'st]

överklassen the upper classes (pl) [ði app'ə kla:'siz]

överkomlig till överkomligt pris at a reasonable price [ätt ə ri:'znəbl praj's]

överkropp upper part of the body [app'ə pa:'t əv ðə bådd'i]

överkvalificerad overqualified [əo'və-kwål'ifajd]

överkäke upper jaw [app'ə dʒå:']

överkänslig hypersensitive [haj'pə-senn'sitiv]

överkörd bli överkörd be run over [bi: rann əo'və]

överlakan top sheet [tåpp' ʃi:t]

överleva survive [səvaj'v]

överlista outwit [aotwitt']

överljudsplan supersonic aircraft [sjo:pəsånn'ik ä:'əkra:ft]

överlåta transfer [tränsfə:']; jag överlåter åt dig att I leave it to you to [aj li:'v it tə jo:' tə]

överlägga deliberate [dilibb'ərejt]

överläggning deliberation [dilibə-rej'ʃən]

överlägsen superior [sjo:pi'əriə]

överlägsenhet superiority [sjo:pi:əri-årr'iti]

överläkare chief physician [tʃi:'f fiziʃ'ən]

överlämna deliver [dilivv'ə]; (skänka) present [prizenn't]

överläpp upper lip [app'ə lipp]

övermakt superior force [sjo:pi'əriə få:'s]

överman superior [sjo:pi:'riə]

övermanna overpower [əovəpao'ə]

övermod presumption [prizamm'p-ʃən]

övermogen overripe [əo'vəraj'p]

övermorgon i övermorgon the day after tomorrow [ðə dej' a:'ftə təmårr'əo]

övermänsklig superhuman [sjo:pə-hjo:'mən]

övernatta stay the night [stej ðə naj't]

övernaturlig supernatural [sjo:pə-natt'frəl]

överordnad superior [sjo:pi:'əriə]

överpris excessive price [iksess'iv prajs]

överraska surprise [səpraj'z]; (obehagligt) startle [sta:'tl]

överraskning surprise [səpraj'z]

överresa crossing [kråss'ing]

överrock overcoat [əo'vəkəot]

överrumpla surprise [səpraj'z]

överräcka hand over [hänn'd əo'və]; (skänka) present [prizenn't]

överrösta shout louder [than] [ʃao't lao'də (ðænn)]

övers ha tid till övers have spare time [hävv spä:'ə tajm]

överse överse med ngt overlook s.th. [əovəlokk' samm'θing]

överseende 1 adj. indulgent [indall'-dʒənt] **2** s. indulgence [indall'dʒəns]; ha överseende med be indulgent towards [bi: indall'dʒənt təwå:'dz]

översikt survey [sə:'vej]

översiktskarta key map [ki:'mäpp']

översittare bully [boll'i]

överskatta overrate [əo'vərej't]

överskott surplus [sə:'pləs]

överskrida cross [kråss]; bildl. exceed [iksi:'d]

överskrift heading [hedd'ing]

överskådlig clear [kli:'ə]

överslag (förhandsberäkning) estimate [ess'timit]; (volt) somersault [samm'əså:lt]; elektr. flash-over [flaʃ'əova]

överspänd overstrung [əovəstrang']

överst uppermost [app'əməost]

översta the top [ðə tåpp']; (av två)

the upper [ði app'ə]

överste colonel [kə:'nl]

överstiga *bildl.* exceed [iksi:'d]

överstånden *vara överstånden* be over [bi: əo'və]

översvallande overflowing [əovə-fləo'ing]

översvämma flood [fladd]

översvämning flood [fladd]

översyn overhaul [əo'vəhå:l]

översålla strew [stro:]

översända send [send]

översätta translate [tränslej't]

översättare translator [tränslej'tə]

översättning translation [tränslej'ʃən] (*till* into [inn'to])

överta[ga] take over [tej'k əo'və]

övertag advantage [ədva:'ntidʒ]

övertala persuade [pəswej'd]

övertalning persuasion [pəswej'ʃən]

övertalningsförmåga persuasive powers [pəswej'siv pao'əz]

övertid overtime [əo'vətajm]

övertidsersättning overtime compensation [əo'vətajm kåmpensej'ʃən]

övertro superstition [sjo:pəstiʃ'n'd]

överträda transgress [tränsgress']

överträdelse transgression [tränsgreʃ'ən]

överträffa surpass [sə:pa:'s]

övertyga convince [kənvinn's]

övertygande convincing [kənvinn's-ing]

övertygelse conviction [kənvikk'ʃən]

övervaka superintend [sjo:printenn'd]

övervakare supervisor [sjo:'pəvajzə];

(*av villkorligt dömd*) probation officer [prəbej'ʃən åff'isə]

övervakning supervision [sjo:pə-viʃ'ən]; *stå under övervakning* be on probation [bi: ån prəbej'ʃən]

övervikt overweight [əo'vəwejt]; *bildl.* predominance [pridåmm'inəns]

övervinna overcome [əovəkamm']

övervintra pass the winter [pa:'s ðə winn'tə]

övervåning upper floor [app'ə flå:']

överväga (*betänka*) consider [kånsidd'ə]; (*noga genomtänka*) reflect [ri:flekk't]

övervägande 1 *s.* consideration [kənsidərej'ʃən] **2** *adj.* predominant [pridåmm'inənt]; *övervägande delen* the greater part [ðə grej'tə pa:'t]

överväldiga overwhelm [əovə-well'm], overpower [əovəpao'ə]

överväldigad overwhelmed [əovə-well'md]

överösa *bildl.* shower s.th. upon s.b. [ʃao'ə samm'θing əpånn' samm'bådi]

övning (*övande*) practice [präkk'tis]; (*träning*) training [trej'ning]

övningsbil learner's car [lə:'nəz ka:']

övre upper [app'ə]

övrig remaining [rimej'ning]; (*annan*) other [að'ə]; *det övriga* the rest [ðə ress't]; *de övriga* the others [ði að'əz]; *för övrigt* (*annars*) otherwise [að'əwajz], (*dessutom*) besides [bisaj'dz], (*i förbigående sagt*) by the way [baj ðə wej']

övärld archipelago [a:kipell'igəo]

ENGELSK GRAMMATIK
En liten repetitionskurs

a boy [ə båj] en pojke
an apple [ən äpp'l] ett äpple
a year [ə jə:] ett år
an hour [ən ao'ə] en timme

Obestämda artikeln (en, ett) heter *a* framför konsonantljud och *an* framför vokalljud.

the boy [ðə båj] pojken
the apple [ði äpp'l] äpplet

Bestämda artikeln heter *the* och uttalas [ðə] framför konsonantljud och [ði] framför vokalljud.

My wife is a teacher. Min fru är lärarinna. *Can you drive a car?* Kan du köra bil?

Obestämd artikel används ungefär som i svenskan. Den utsätts i engelskan vid yrke m. m. eller då man kan tänka sig obestämd artikel på svenska.

The following story. Följande historia. *The right (the wrong) method.* Rätt (fel) metod. *In the same way.* På samma sätt. *The Rhine.* Rhen. *The Daily Express.* Daily Express. *The Grand Hotel.* Grand Hotel.

Bestämd artikel används ungefär som i svenskan. Engelskan har dock bestämd form i följande fall där svenskan saknar artikel: Framför *following, previous, preceding, right, wrong, past, present, same, usual* m. fl. samt vid namn på bergskedjor, floder, hav, fartyg, hotell, teatrar och en del tidningar.

Go to school (church). Gå i skolan (kyrkan). *Spring is here.* Våren är här. *Breakfast is at 8.* Frukosten är kl 8. *Northern (southern, modern) England.* Prices are going up. Priserna stiger. (Men: *the prices of books* ... , priserna på böcker.)

Engelskan använder inte bestämd artikel i följande fall där artikel vanligen utsätts i svenskan: vid (go to, be at) school, church, vid årstider, högtider, månader, veckor, dagar, måltider, gator, offentliga platser samt vid nationalitetsadjektiv, *all, northern* m.fl. framför namn på länder o. städer.

cats [käts] katter
months [man'θs] månader
boys [båjs] pojkar
glasses [gla:'siz] glas
flies [flajz] flugor (av *fly*)

Substantiven bildar pluralis genom ändelsen *-s* eller *-es* (efter s- och sjeljud). *-s* uttalas [s] efter tonlösa ljud (f, k, p, t, θ) och [z] efter tonande ljud (vokalerna, b, d, g, j, l, m, n, r, v, ð. *-es* uttalas [iz].

a man, the men en man, männen
a woman, the women [wimm'in] en kvinna, kvinnorna
a child, the children ett barn, barnen

Några substantiv har i engelskan oregelbunden pluralis (utom de t.v. även *mouse – mice* mus, *goose – geese* gås, *ox – oxen* oxe, *sheep – sheep* får m.fl.)

He has a large income. Han har goda inkomster. *That was good news.* Det var goda nyheter. *The furniture was ugly.* Möblerna var fula.

Följande substantiv är singularis i engelskan; *income* inkomst[er], *furniture* möbler, *advice* råd, *news* nyheter, *knowledge* kunskaper, *money* pengar, *information* upplysningar, *business* affärer.

Did you see many people? Såg du mycket folk? *Here are the scissors (tongs).* Här är saxen (tången).

Följande substantiv är pluralis i engelskan: *people* folk, *cattle* boskap, *contents* innehåll, *thanks* tack, *scissors* sax, *tongs* tång m.fl.

George's brother. Georgs bror. *The boys' mother.* Pojkarnas mamma. *One hour's sleep.* En timmes sömn.

Apostrofgenitiv bildas genom tillägg av *'s* (i pluralis efter ändelsen *-s* endast ') och används om levande varelser och vid tids- och måttsbestämningar.

The book of the century. Århundradets bok. *The roof of the house.* Husets tak.

I övriga fall används **of-genitiv**.

big, bigger, biggest
early, earlier, earliest
severe, severer, severest

Alla till uttalet enstaviga och många tvåstaviga **adjektiv**, särskilt de på *-y*, *-er* och *-ow* samt de med tonvikten på andra stavelsen, kompareras med ändelserna *-(e)r*, och *-(e)st*.

bent, more bent, most bent
distant, more distant, most distant

Övriga kompareras med *more* och *most*.

funny, funnier, funniest

Ändelsen *-y* övergår efter konsonant till *i* framför *-er* och *-est*.

red, redder, reddest

I enstaviga adjektiv efter kort, enkel vokal fördubblas slutkonsonanten framför *-er* och *-est*.

good well	*better*	*best*	Oregelbunden komparation.
bad ill evil	*worse*	*worst*	
little	*less*	*least*	
many much	*more*	*most*	

far	*farther*	*farthest*
	further	*furthest*

Dubbla komparationsformer. *Farther* och *further* används båda för att beteckna avstånd i rum, *further* dessutom i betydelsen vidare, ytterligare. *Later* och *latest* avser tid, *latter* och *last* ordningsföljd. *Elder* och *eldest* används om personer av samma familj eller släkt. Äldre än heter alltid *older than*.

late	*later*	*latest*
	latter	*last*

near	*nearer*	*nearest*
		next

old	*older*	*oldest*
	elder	*eldest*

brave modig – *bravely* modigt
happy lycklig – *happily* lyckligt, lyckligen
full full – *fully* fullt

Ett adjektiv kan i allmänhet förvandlas till **adverb** genom tillägg av *-ly*. Adverb kompareras som adjektiv. Med ändelser kompareras endast till uttalet enstaviga adverb samt *early*.

well	*better*	*best*

Oregelbunden komparation.

badly		
ill }	*worse*	*worst*
little	*less*	*least*
much	*more*	*most*

far	*farther*	*farthest*
	further	*furthest*

Dubbla komparationsformer.

late	*later*	*latest*
		last

near	*nearer*	*nearest*
		next

Märk: *lastly* slutligen, *at last* äntligen, *at least* åtminstone.

He was brave. Han var modig.
He behaved bravely. Han uppförde sig modigt.

Skilj noga mellan adjektiv och adverb.

Hard work. Hårt arbete. *To work hard.* Att arbeta hårt. *A high game.* Ett högt spel. *To play high.* Att spela högt.

Följande adjektiv används oförändrade som adverb: *hard, direct, high, loud, aloud, fast.*

A lot (a great deal) of pulp is exported from Sweden. Mycket pappersmassa exporteras från Sverige.

A very interesting book. En mycket intressant bok. *He felt much better.* Han kände sig mycket bättre. *I like you very much* Jag tycker mycket om dig.

Mycket, mycken framför substantiv heter oftast *a lot of* eller *a great deal of.*

Framför positivformen av adjektiv och adverb heter mycket *very*, framför komparativformer och vid verb (*very*) *much.*

Räkneord

Grundtal	Ordningstal	Grundtal	Ordningstal
0 *nought*			
1 *one*	*the first*	16 *sixteen*	*the sixteenth*
2 *two*	*the second*	17 *seventeen*	*the seventeenth*
3 *three*	*the third*	18 *eighteen*	*the eighteenth*
4 *four*	*the fourth*	19 *nineteen*	*the nineteenth*
5 *five*	*the fifth*	20 *twenty*	*the twentieth*
6 *six*	*the sixth*	21 *twenty-one*	*the twenty-first*
7 *seven*	*the seventh*	30 *thirty*	*the thirtieth*
8 *eight*	*the eighth*	40 *forty*	*the fortieth*
9 *nine*	*the ninth*	50 *fifty*	*the fiftieth*
10 *ten*	*the tenth*	60 *sixty*	*the sixtieth*
11 *eleven*	*the eleventh*	70 *seventy*	*the seventieth*
12 *twelve*	*the twelfth*	80 *eighty*	*the eightieth*
13 *thirteen*	*the thirteenth*	90 *ninety*	*the ninetieth.*
14 *fourteen*	*the fourteenth*		
15 *fifteen*	*the fifteenth*		

Grundtal	Ordningstal
100 *a (one* mer betonat) *hundred*	*the (one) hundredth*
101 *one (a) hundred and one*	*the (one) hundred and first*
200 *two hundred*	*the two hundredth*
1000 *a (one* mer betonat) *thousand*	*the (one) thousandth*
1001 *one (a) thousand and one*	*the (one) thousand first*
10000 *ten thousand*	*the ten thousandth*
10050 *ten thousand and fifty*	*the ten thousand and fiftieth*
1000000 *a (one* mer betonat) *million*	*the millionth*

Vid datering av brev skriver man vanligen *October 1(st)* (läs *October the first*), *1997* eller *1(st) October* (läs *the first of October*), *1997.*

Pronomen

Personliga pronomen		Reflexiva pronomen	Possessiva pronomen	
subjekt	objekt		förenade	självständiga
I	*me*	*myself*	*my*	*mine*
you	*you*	*yourself*	*your*	*yours*
he	*him*	*himself*	*his*	*his*
she	*her*	*herself*	*her*	*hers*
it	*it*	*itself*	*its*	*its own*
we	*us*	*ourselves*	*our*	*ours*
you	*you*	*yourselves*	*your*	*yours*
they	*them*	*themselves*	*their*	*theirs*
		oneself	*one's*	*one's own*

I myself. Jag själv. *I saw him.* Jag såg honom. *She cut herself.* Hon skar sig. *Is that my lighter?* Är det där min tändare? *No, it's mine.* Nej, det är min.

Exempel på användningen av personliga, reflexiva och possessiva pronomen.

This is my husband. Det här är min man. *You can't trust those people.* De där människorna är inte att lita på. *That was a dirty trick.* Det där var ett fult trick. *These belong to me.* De här tillhör mig.

Demonstrativa pronomen: this, that, these, those. Används som i svenskan.

Who gave you that? Vem har givit dig den där? *Who(m) do you mean?* Vem menar du? *Which of the boys did not come?* Vilka av pojkarna kom inte? *What did you say?* Vad sa du?

Interrogativa pronomen: who, which, what. Används som i svenskan.

The girl who laughed. Flickan som skrattade. *The house in which he lives is yellow.* Huset som han bor i är gult. *That's a boy that I like.* Det är en pojke som jag tycker om. *He said he saw me there, which was a lie.* Han sa att han såg mig där, vilket var lögn.

Relativa pronomen: who som (om personer), *which* vilken, vilka (om djur och saker), *that* som (om personer, djur och saker), *what* det som, vad.

The house [that] he lives in.
Huset [som] han bor i.

I saw some of them. Jag såg
några av dem. *I have something
to tell you.* Jag har något att
berätta för dig. *Would you like
some coffee?* Vill du ha lite
kaffe? *Somebody has been here.*
Någon har varit här.

Is there any coffee left? Finns
det något kaffe kvar? *I never
saw anything so beautiful.* Jag
har aldrig sett något så vackert.
*Just let me know if there is any-
thing I can do for you.* Säg bara
till om det är något jag kan
hjälpa dig med.

Nobody (No one) could help me.
Ingen kunde hjälpa mig. *There is
no place like home.* Borta bra
men hemma bäst. *None of them
could come.* Ingen av dem kunde
komma.

*Everybody (Everyone) has his
hobby horse.* Var och en har sin
käpphäst. *He came to see me
every week.* Han kom och häl-
sade på mig varje vecka. *They
had 5 pounds each.* De hade 5
pund var.

One never knows! Det kan man
aldrig veta! *You mustn't do that!*
Så får man inte göra! *In England
they drink a lot of tea.* I Eng-
land dricker man mycket te. *It is
said (People say) that.* Man
påstår att.

Liksom i svenskan kan relativprono-
minet utelämnas i engelskan.

Indefinita pronomen: Någon, något,
några: I jakande satser används *some*
med sammansättningar.

I nekande och frågande satser samt i *if*-
satser används *any* med sammansätt-
ningar.

Ingen, inget, inga

Var och en, varje, vardera:

Man översätts med *one* då den talande
själv är inbegripen. *You* då den till-
talade är inbegripen samt i anvisningar.
They (de) eller *we* (vi) för att beteckna
sedvänja. Passiv konstruktion eller
people (folk).

Verb

	Presens	Imperfekt	Perfekt	Pluskvamperfekt	Futurum
I	have	had	have had	had had	shall have
you	have	had	have had	had had	will have
he she it }	has	had	has had	had had	will have
we	have	had	have had	had had	shall have
you	have	had	have had	had had	will have
they	have	had	have had	had had	will have
I	am	was	have been	had been	shall be
you	are	were	have been	had been	will be
he she it }	is	was	has been	had been	will be
we	are	were	have been	had been	shall be
you	are	were	have been	had been	will be
they	are	were	have been	had been	will be
I	do	did	have done	had done	shall do
you	do	did	have done	had done	will do
he she it }	does	did	has done	had done	will do
we	do	did	have done	had done	shall do
you	do	did	have done	had done	will do
they	do	did	have done	had done	will do

Can kan, förmår, är i stånd har formen *can* i presens och *could* i imperfekt. Övriga former omskrivs vanligen med *to be able to* = att vara i stånd [till] att, kunna.

May må, får, kan [kanske] har formen *may* i presens och *might* i imperfekt. Felande former av *may* i betydelsen få ersätts vanligen med *to be allowed* [*to*], *to be permitted* [*to*].

Must måste, är tvungen (tvungna) att har formen must i såväl presens som imperfekt. Imperfekten används vanligen bara i indirekt tal. Felande former ersätts genom omskrivning, särskilt med *to have to*, *to be obliged to*.

De regelbundna verbens böjningsformer

	Presens	Imperfekt	Perfekt	Pluskvamperfekt	Futurum
I	help	helped	have helped	had helped	shall help
you	help	helped	have helped	had helped	will help
he she it }	helps	helped	has helped	had helped	will help
we	help	helped	have helped	had helped	shall help
you	help	helped	have helped	had helped	will help
they	help	helped	have helped	had helped	will help

Ändelsen *-ed* uttalas som [d] efter tonande ljud (utom d-ljud), t.ex. *called* [kå:ld], som [t] efter tonlösa ljud (utom t-ljud), t.ex. *helped* [helpt], och som [idd] efter d- och t-ljud, t.ex. *waited* [wej'tid]. Ändelsen *-s* uttalas [z] efter tonande ljud och [s] efter tonlösa ljud. Ändelsen *-es* uttalas [iz]. Ex: *he pays* [pejz], *he works* [wɔ:ks], *he passes* [pa:'siz].

I was shown the way by the policeman = Jag visades vägen av polismannen = Polismannen visade mig vägen.

Passiv form bildas av verbet *be* + perfekt particip av huvudverbet.

I do not remember him. Jag kommer inte ihåg honom. *Did you say anything?* Sa du något?

I alla med *not* nekade satser och direkta frågesatser med omvänd ordföljd i svenskan (dvs. med predikatet före subjektet) används **omskrivning med do** + infinitiven av det omskrivna verbet.

He is sitting at the table. Han sitter vid bordet. *I was reading a newspaper, when she came in.* Jag läste en tidning när hon kom in.

Pågående form, dvs. omskrivning med *be* + presens particip (*ing*-formen) av huvudverbet, används för att beteckna en handling eller ett tillstånd såsom pågående vid det tillfälle som det just är fråga om.

I think it is going to rain. Jag tror det blir regn. *I was just going to fire the pistol, when he seized me by the shoulder.* Jag skulle just avlossa pistolen då han fattade mig i axeln.

Omskrivning (i presens och imperfekt) med *be going to* + infinitiv av huvudverbet används för att beteckna något omedelbart förestående eller en avsikt (=skall (skulle) till att, tänker (tänkte), ämnar (ämnade)).

They were to inherit a very great fortune. De skulle komma att få ärva en stor förmögenhet.

Omskrivning (i presens och imperfekt) med *be* + *to* + huvudverbet används för att beteckna något på förhand bestämt (ofta av försynen, ödet), överenskommet eller avtalat.

It is likely to take place. Det kommer sannolikt att äga rum. *He is sure to succeed.* Han kommer säkert att lyckas.

Omskrivning med *be likely to, sure to* + infinitiv av huvudverbet används för att beteckna att det är antagligt eller säkert att något skall (skulle) ske.

It will soon be winter. Det blir snart vinter.

Svenskt presens med betydelse av futurum återges i engelskan i regel med futurum.

I shall (You will) never forget it. Jag (Du) skall aldrig glömma det.

Skall (= kommer att) översätts med *shall* i 1:a person (*I, we*) och *will* i 2:a och 3:e person (*You, he, she, it, they*).

I will help you. Jag skall hjälpa dig. *You shall do as I tell you.* Du skall göra som jag säger.

Skall (=vill, ämnar, lovar) översätts med *will*.
Skall (=måste) översätts med *shall*.

To be or not to be. Att vara eller inte vara.

Att före **infinitiv** heter *to*.

Not to mention. För att inte tala om. *He stepped softly in order not to wake the children.* Han gick försiktigt för att inte väcka barnen.

För att översätts med *to* eller *in order to.*

She went on reading without taking any notice of him. Hon fortsatte att läsa utan att ta någon notis om honom.

Efter preposition använder engelskan i regel -*ing*-form.

It is raining. Det regnar.

Opersonligt (obetonat) **det** översätts:
med *it* i fråga om väderlek, temperatur, tid och avstånd.

Do you know John? Yes, he is a nice chap. Känner du John? Ja, det är en trevlig kille.

med *he, she, they* då "det" i svenskan kan utbytas mot han, hon, de.

There was no cheese left. Det fanns ingen ost kvar.

med *there* när "det" är formellt subjekt och det egentliga subjektet är ett substantiviskt ord. "Det är" kan utbytas mot "det finns".

He is ill, and so am I. Han är sjuk och det är jag med.

Can you speak English? Yes, I can. Kan du tala engelska? Ja, det kan jag. *He went to Paris, didn't he?* Han for till Paris, eller hur? *Yes, he did.* Ja, det gjorde han.

I am so glad. Det gläder mig. *What a pity!* Det var tråkigt!

med *so* då "det" = "det – också", "det – med".

"Det" översätts inte när det står som objekt vid hjälpverb, vid *dare* och *need* samt vid do när detta står i stället för ett annat verb.

Engelskan kräver ibland konstruktion med ett substantiviskt ord som subjekt där svenskan har en opersonlig konstruktion.

Några andra fall där engelskan skiljer sig från svenskan

In the morning I take a shower. På morgonen duschar jag.

I påstående satser är ordföljden i allmänhet rak, dvs. subjektet kommer före predikatet.

They washed their faces. De tvättade sig i ansiktet.

Ett substantiv som hänför sig till flera ägare sätts i engelskan i pluralis då det ägda tillhör varje ägare särskilt.

A cup of coffee. En kopp kaffe. *The spring of 1997.* Våren 1997. *The 1st of April.* Första april (endast i tal, ej i skrift).

Efter substantiv som betecknar mängd, antal, slag, efter årstider, högtider, *name, title* m.fl. samt i datum inskjuter engelskan prepositionen *of*.

Half a loaf. En halv limpa. *He is such a nice man.* Han är en så trevlig man. *What a shame!* Så synd!

Obestämd artikel sätts efter *half, many, such, what* (i utrop) och *quite*.

Any day will suit me. Vilken dag som helst passar mig. *Anything will do.* Vad som helst går bra.

Any med sammansättningar betyder i jakande påstående satser vilken (vilket, vilka) som helst.

One ship left for France and the other for Norway. Det ena fartyget avgick till Frankrike och det andra till Norge.

One betyder den ena då det står i motsats till *the other* den andra.

My red skirt and my green one. Min röda kjol och min gröna.

One (pluralis *ones*) ersätter substantiv efter adjektiv.

He has several cars. Han har flera bilar. *He has more than anyone else.* Han har flera än någon annan. *Most newspapers come out in the morning.* De flesta tidningar utges på morgonen.

Lägg märke till skillnaden mellan *several* (flera, åtskilliga) och *more* (mera, flera). *Most* betyder den (det) mesta, de flesta.

The car is little damaged. Bilen är obetydligt skadad. *The car is a little damaged!* Bilen är lite skadad.

Lägg märke till skillnaden mellan *little* (litet, föga) och *a little* (något litet).

I have few friends willing to help me. Jag har få vänner som vill hjälpa mig. *I have a few friends willing to help me.* Jag har några vänner som vill hjälpa mig.

Lägg märke till skillnaden mellan *few* (få) och *a few* (några).

I never heard the like. Jag har aldrig hört på maken.

Vid *ever* och *never* är imperfekt vanligt där svenskan har perfekt.

I don't want them to know. Jag vill inte att de skall få veta det.

Efter önske- och viljeverb (*want, like, expect* m.fl.) har engelskan ackusativ med infinitiv där svenskan har att-sats.

He made me laugh. Han kom mig att skratta. *You had better ask somebody else.* Det är bäst att du frågar någon annan.

Efter *make* (förmå, komma att) och *bid* (befalla) har engelskan infinitiv.

We waited for you to come. Vi väntade på att du skulle komma.

Efter *long for* (längta efter), *wait for* (vänta på), *count on* (räkna på) och *rely on* (lita på) har engelskan ackusativ med infinitiv.

I did it without knowing. Jag gjorde det utan att veta om det.

Efter preposition har engelskan nästan alltid -ing-form.

Excuse my troubling you. Förlåt att jag besvärar er. *I am busy packing.* Jag håller på att packa.

Efter *mind, excuse, forgive, it is no use, cannot help, finish, stop, go on, keep* (on), *want, busy, like* och *worth* har engelskan -ing-form.

Oregelbundna verb

abide dröja, förbli	*abided*	*abided*
	abode	*abode*
arise uppstå	*arose*	*arisen*
awake vakna; väcka	*awoke*	*awoken*
bear bara; föda	*bore*	*borne*[1]
		born[2]
beat slå	*beat*	*beaten*
become bli; passa	*became*	*become*
beget avla, föda	*begot*	*begotten*
begin börja	*began*	*begun*
behold skåda	*beheld*	*beheld*
bend böja; böja sig	*bent*	*bent*
bereave beröva	*bereft*	*bereft*
	bereaved	*bereaved*
beseech bönfalla	*besought*	*besought*
bet hålla vad	*bet*	*bet*
	betted	*betted*
bid befalla, bjuda	*bid*	*bid*
bid bjuda (ett pris)	*bid*	*bid*
bind binda	*bound*	*bound*
bite bita	*bit*	*bitten*
bleed bloda; åderlåta	*bled*	*bled*
blow blåsa; spränga	*blew*	*blown*
break bryta; brista	*broke*	*broken*
breed [fram]föda	*bred*	*bred*
bring ha med sig	*brought*	*brought*
build bygga	*built*	*built*
burn bränna; brinna	*burnt*	*burnt*
	burned	*burned*
burst brista; spränga	*burst*	*burst*
buy köpa	*bought*	*bought*
cast kasta; gjuta	*cast*	*cast*
catch fånga	*caught*	*caught*
chide banna	*chid*	*chidden*
	chided	*chided*
choose välja	*chose*	*chosen*
cleave klyva	*cleft*	*cleft*
	clove	*cloven*
	cleaved	*cleaved*
cling hålla sig fast	*clung*	*clung*
clothe [be]kläda	*clothed*	*clothed*
come komma	*came*	*come*
cost kosta	*cost*	*cost*
creep krypa	*crept*	*crept*
crow, gala	*crew*	*crowed*
	crowed	

[1] burit, buren, fött. [2] född

cut skära hugga	cut	cut
dare våga riskera	dared	dared
deal utdela; handla	dealt	dealt
dig gräva	dug	dug
dive dyka	dived	dived
draw dra, rita	drew	drawn
dream drömma	dreamt	dreamt
	dreamed	dreamed
drink dricka	drank	drunk
drive driva; köra	drove	driven
dwell bo, vistas	dwelt	dwelt
eat äta	ate	eaten
fall falla	fell	fallen
feed föda, mata	fed	fed
feel känna; känna sig	felt	felt
fight fäkta, strida	fought	fought
find finna	found	found
flee [und]fly	fled	fled
fling slänga	flung	flung
fly flyga; fly	flew	flown
forbear låta bli	forbore	forborne
forbid förbjuda	forbade	forbidden
	forbad	
forget glömma	forgot	forgotten
forgive förlåta	forgave	forgiven
forsake överge	forsook	forsaken
freeze frysa; frysa ner	froze	frozen
get få, bli	got	got
gild förgylla	gilded	gilded
		gilt[1]
gird omgjorda	girded	girded
	girt	girt
give ge	gave	given
go gå, resa	went	gone
grave begrava; gravera	graved	graved
		graven
grind mala	ground	ground
grow växa	grew	grown
hang hänga; hängas	hung	hung
	hanged[2]	hanged[2]
hear höra	heard	heard
heave häva, lyfta	heaved	heaved
	hove	hove
hew hugga	hewed	hewn
		hewed
hide gömma; gömma sig	hid	hidden

[1] förgylld.
[2] används endast i betydelsen hänga = avliva genom hängning.

hit slå, träffa	hit	hit
hold hålla	held	held
hurt såra; värka	hurt	hurt
keep [be]hålla	kept	kept
kneel knäböja	knelt	knelt
	kneeled	kneeled
knit sticka	knitted	knitted
	knit	knit
know veta, kunna	knew	known
lade lasta	laded	laden
lay lägga	laid	laid
lead leda	led	led
lean luta; luta sig	leant	leant
	leaned	leaned
leap hoppa	leapt	leapt
	leaped	leaped
learn lära sig	learned	learned[1]
	learnt	learnt
leave lämna; resa	left	left
lend låna; låna ut	lent	lent
let låta	let	let
lie ligga	lay	lain
light tända	lit	lit
		lighted
light slå ned (om fågel)	lit	lit
	lighted	lighted
lose förlora	lost	lost
make göra	made	made
mean mena, betyda	meant	meant
meet möta; mötas	met	met
melt smälta	melted	melted
mow meja	mowed	mowed
		mown[2]
pay betala	paid	paid
put sätta, ställa, lägga	put	put
quit sluta	quit	quit
read läsa	read	read
rend gå (slita) sönder	rent	rent
rid befria	rid	rid
ride rida, åka	rode	ridden
ring ringa	rang	rung
rise stiga; stiga upp	rose	risen
run springa	ran	run
saw såga	sawed	sawn
		sawed
say säga	said	said

[1] [lə:'nid], adjektiviskt i betydelsen lärd.
[2] Som adjektiv används endast mown.

see se	saw	seen
seek söka	sought	sought
sell sälja	sold	sold
send sända	sent	sent
set sätta	set	set
sew sy	sewed	sewn
		sewed
shake skaka	shook	shaken
shave raka; raka sig	shaved	shaved
		shaven[1]
shear klippa (får)	sheared	shorn
		sheared
shed gjuta, fälla	shed	shed
shine skina	shone	shone
shoe sko	shod	shod
shoot skjuta	shot	shot
show visa	showed	shown
		showed
shrink krympa	shrank	shrunk
shut stänga	shut	shut
sing sjunga	sang	sung
sink sjunka	sank	sunk
sit sitta	sat	sat
slay dräpa	slew	slain
sleep sova	slept	slept
slide glida	slid	slid
sling slunga	slung	slung
slink smyga, slinka	slunk	slunk
slit skära upp	slit	slit
smell lukta; lukta på	smelt	smelt
	smelled	smelled
smite slå	smote	smitten
sow [be]så	sowed	sown
		sowed
speak tala	spoke	spoken
speed hasta, ila	sped	sped
spell stava	spelt	spelt
	spelled	spelled
spend ge ut; tillbringa	spent	spent
spill spilla; spilla ut	spilt	spilt
	spilled	spilled
spin spinna	spun	spun
spit spotta	spat	spat
split splittra(s), klyva(s)	split	split
spoil fördärva	spoilt	spoilt
	spoiled	spoiled
spread sprida; sprida sig	spread	spread

[1] Används endast som adjektivattribut.

spring hoppa	sprang	sprung
	sprung	
stand stå	stood	stood
steal stjäla	stole	stolen
stick fästa; sticka	stuck	stuck
sting sticka, stinga	stung	stung
stink stinka	stank	stunk
	stunk	
strew [be]strö	strewed	strewed
		strewn
stride kliva	strode	stridden
strike slå; slå till; strejka	struck	struck
string [be]stränga	strung	strung
strive sträva	strove	striven
	strived	strived
swear svära; svärja	swore	sworn
sweat svettas	sweated	sweated
sweep sopa	swept	swept
swell svälla	swelled	swollen
swim simma	swam	swum
swing svänga; gunga	swung	swung
take ta	took	taken
teach lära; lära ut	taught	taught
tear riva sönder	tore	torn
tell berätta	told	told
think tänka	thought	thought
thrive frodas	throve	thriven
	thrived	thrived
throw kasta	threw	thrown
thrust stöta	thrust	thrust
tread trampa; trampa på	trod	trodden
wake vakna; väcka	woke	woken
	waked	waked
wear bära, ha på sig	wore	worn
weave väva	wove	woven
		wove
wed gifta; gifta sig	wed	wed
	wedded	wedded
weep gråta	wept	wept
wet väta; blöta	wet	wet
	wetted	wetted
win vinna	won	won
wind vrida	wound	wound
work arbeta	worked	worked
	wrought[1]	wrought[1]
wring vrida ur	wrung	wrung
write skriva	wrote	written

[1] Ålderdomligt och tekniskt.

PARLÖR

Några vanliga ord och uttryck

Adjö!	*Goodbye!* [gədbaj']
Bor...här?	*Does...live here?* [daz...livv' hiə]
Det finns	*There is (are)* [öä:'ər iz' (a:')]
Det gör ingenting!	*Never mind!* [nevv' ə maj'nd]
Det gör jag gärna!	*I'd like to very much!* [ajd laj'k tə verr'i matʃ']
Ett ögonblick!	*Just a minute!* [dʒass't ə minn'it]
Får jag komma in?	*May I come in?* [mej' aj kamm in']
Får jag presentera,...?	*May I introduce ...* [mej' aj intrədjo:'s]
Förlåt! (*ursäkta*)	*Excuse me!* [ikskjo:'z mi]
God afton!	*Good evening!* [godd i:'vning]
God dag! (*hälsning*)	*How do you do?* [hao' dojo do:']
God middag!	*Good afternoon* [godd a:'ftəno:'n]
God morgon!	*Good morning!* [godd må:'ning]
God natt!	*Good night!* [godd naj't]
Hej!	*Hello!* [heləo'], *Hi!* [haj]
Hej då!	*Bye!* [baj]
Hur dags...?	*What time...?* [wått taj'm]
Hur mycket kostar det?	*How much does it cost?* [hao' matʃ' daz it kåss't]
Hur mycket är klockan?	*What time is it?* [wått taj'm iz it]
Hur sa?	*I beg your pardon?* [aj begg' jå: pa:'dn]
Hur stavas det?	*How do you spell it?* [hao' dojo spell' it]
Hur står det till?	*How are you?* [hao a:' jo]
Ingen orsak	*Don't mention it!* [dəo'nt menʃən it]
Inte alls	*Not at all* [nått ət å:'l]
Jag heter...	*My name is ...* [maj' nej'm iz']
Jag skulle vilja tala med...	*I'd like to speak to ...* [ajd laj'k tə spi:'k to]
Jag talar mycket lite engelska	*I speak very little English* [aj spi:'k verr'i litt'l ing'gliʃ]
Jag är svensk	*I am Swedish* [aj äm swi:'diʃ]
Jaså	*Really* [ri:'əli]
Ja tack	*Yes, please* [jess' pli:'z]
Javisst	*Of course* [əv kå:'s]
Kan ni säga mig...	*Can you tell me ...* [kän jo tell' mi]
Kan ni visa mig	*Can you show me ...* [kän jo ʃəo' mi]
Kan jag få ...	*May I have ...* [mej' aj hävv']
Klockan är fem	*It's five (o'clock)* [its faj'v (əklåkk')]
Lite	*A little* [ə litt'l]
Med nöje	*With pleasure* [wið ple'ʒə]
Nej tack	*No, thank you* [nəo' öäng'k jo]
Stör jag?	*Am I disturbing you?* [äm aj distə:'-bing jo]

Tack bra, och ni?	*Very well, thank you. And you?* [verr'i well' θäng'k jo änd jo:']
Tack	*Thank you* [θäng'k jo]
Tack, detsamma!	*Thanks. The same to you* [θäng'ks ðə sej'm to jo:']
Tack för hjälpen	*Thank you for your help* [θäng'k jo fə jå: hell'p]
Tala inte så fort	*Don't speak so quickly, please* [dəo'nt spi:'k səo kwikk'li pli:z]
Talar ni engelska?	*Do you speak English* [do:' jo spi:k ing'gliʃ]
Vad heter det på engelska?	*What is the English for that?* [wått' iz ði ing'gliʃ fə ðätt']
Vad heter ni?	*What is your name?* [wått' iz jå: nej'm]
Vad sa ni?	*What did you say?* [wått' did jo sej']
Var finns (ligger, är) …	*Where is …?* [wä:'ər iz]
Var snäll och upprepa det	*Please repeat that* [pli:'z ripi:'t ðätt']

Ute på stan

Den passar inte	*It doesn't fit* [it dazz'nt fitt']
Den (det) är för dyr(t)	*It's too expensive* [its to:' ikspenn'siv]
Fortsätt rakt fram	*Go straight on* [gəo strej't ånn']
Förlåt, är det här vägen till …?	*Excuse me, is this the way to …?* [iksjo:'z mi: iz ðiss' ðə wej' to …?]
Går den här bussen till …?	*Is this the bus to …?* [iz ðiss' ðə bass' to']
Har ni några …?	*Have you any …?* [hävv' jo enn'i …?]
Hur kommer jag till …?	*How do I get to …?* [hao' do aj gett' to]
Hur långt är det till …?	*How far is it to …?* [hao fa:'r iz it to]
Jag har ett litet lexikon här. Kan ni visa mig vilket ord ni menar?	*I have a small dictionary here. Can you show me the word you mean?* [aj häv ə små:'l dikk'ʃənri hi:'ə kän jo ʃəo'mi ðə wə:'d jo mi:'n]
Jag har storlek (nummer) …	*My size is …* [maj' saj'z iz]
Jag skall åka till …	*I am going to …* [aj äm gəo'ing to]
Jag skulle vilja se på …	*I should like to see …* [ajd laj'k tə si:']
Jag talar inte engelska så bra	*My English is not very good* [maj ing'gliʃ iz nått' verr'i godd]
Jag är ledsen, men jag förstod inte	*I'm sorry, but I didn't understand* [ajm sårr'i batt aj did'nt andəstänn'd]
Kan jag få den här lagad?	*Can I have this repaired* [känn' aj hävv' ðiss' ripä:'əd]
Kan jag få prova den?	*May I try it on?* [mej' aj traj' it ånn']
Kan ni bokstavera det?	*Could you spell it?* [kodd' jo spell' it]
Kan ni säga mig …?	*Could you tell me* [kodd' jo tell' mi]
Kan ni säga mig var … ligger? jo	*Could you tell me where …is?* [kodd' tell' mi wä:'ər iz]
Kan ni tala mycket långsamt?	*Could you speak very slowly, please?*

[kodd' jo spi:'k verr'i sløo'li pli:z]

Måste jag byta?	*Do I have to change?* [do: aj hävv' tə tʃej'ndʒ]
När är ... öppet (öppna)?	*When is (are) ... open?* [wenn' iz (a:) əo'pn]
Tack så mycket för hjälpen	*Thank you so much for your help* [θäng'k jo səo' matʃ' fə jå: hel'p]
Ta nästa tvärgata till vänster	*Take the next turning to the left* [tejk' ðə nekst tə:'ning to ðə leff't]
Vad kostar den?	*What does it cost?* [wått' daz it kåss't]
Vad kostar inträdet?	*How much is it to go in?* [hao' matʃ' iz it to gəo' in']
Var ligger posten (telestationen)?	*Where is the post office (telephone and telegraph office)?* [wä:'ər iz ðə pəo'ståff'is (tell'ifəon änd tell'igra:f äff'is)]
Var är kassan?	*Where do I pay?* [wä:'ə do aj pej']
Vilken buss (tunnelbanelinje) går till ...?	*What bus (underground) do I take to get to ...?* [wått bass' (ann'dəgraond) do aj tejk'to gett' to]
Vill ni säga till när jag skall gå av?	*Will you please tell me when to get off?* [will jo pli:'z tell' mi wenn' to gett äff']

Apotek *Chemist's* [kemm'ists]

Kan jag få någonting mot	*Have you got anything for* [häv jo gått' enn'iθing få:]
diarré	*diarrhoea* [dajeri:'ə]
förstoppning	*constipation* [kånstipej'ʃən]
hosta	*a cough* [ə kåff']
huvudvärk	*headaches* [hedd'ejks]
sömnlöshet	*insomnia* [insåmm'niə]
åksjuka	*travel sickness* [trävv'l sikk'nis]
När kan jag hämta medicinen?	*When can I collect my medicine?* [wenn kän aj kəlekk't maj medd'sin]
Är det på recept?	*Must I have a doctor's prescription?* [mass't aj häv ə dåkk'təz priskripp'ʃən]
bomull	*cotton wool* [kått'n woll']
dambindor	*sanitary napkin* [sänn'itəri näpp'kin], (Am.) *sanitary towel* [sänn'itəri tao'əl]
gasbinda	*bandage* [bänn'didʒ]
hostmedicin	*cough medicine* [kåff medd'sin]
huvudvärkstabletter	*headache tablets* [hedd'ejk täbb'lits]
häftplåster	*adhesive plaster* [ədhi:'siv pla:'stə]
koltabletter	*charcoal tablets* [tʃa:'kəol täbb'lits]
kondomer	*condoms* [kånn'dåmz]

laxativ	*laxative* [läkk'sativ]
medicin	*medicine* [medd'sinn]
recept	*prescription* [priskripp'ʃən]
salva	*ointment* [åj'ntmənt]
smärtstillande medel	*painkiller* [pej'nkilə]
sololja	*suntan oil* [sann'tän åj'l]
sömntabletter	*sleeping pills* [sli:'ping pill'z]
tamponger	*tampons* [tämm'pånz]
tandborste	*toothbrush* [to:'θbraʃ]
tandkräm	*toothpaste* [to:'θpejst]
termometer	*thermometer* [θəmåmm'itə]
trosskydd	*panty liner* [pänn'ti laj'nə]
tvål	*soap* [səop]

Bensinstation och bilverkstad *Petrol station and garage* [pett'rl stej'ʃən änd gärr'a:ʒ]

Det är något fel på ...	*There is something wrong with ...* [ðä:r iz samm'θing rång' wið]
Kan jag få full tank	*Fill up the tank, please* [fill' app ðə täng'k pli:z]
Kan jag få 20 liter bensin	*20 litres (four and a half gallons) of petrol, please* [twenn'ti li:'təz (få:'r änd ə ha:'f gäll'ənz) əv pett'rl pli:'z]
När kan bilen vara klar?	*When will the car be ready?* [wenn will ðə ka:' bi redd'i]
Vad kommer reparationen att kosta?	*What will the repair cost?* [wått' will ðə ripä:'ə kåss't]
Vill ni vara vänlig och byta olja	*Will you, please,* [will jo pli:'z] *change the oil* [tʃej'ndʒ ði åj'l]
justera bromsarna	*adjust the brakes* [ədʒass't ðə brej'ks]
laga punkteringen	*fix the flat tyre* [fikk's ðə flätt' taj'ə]
rundsmörja bilen	*do a complete lubrication* [do: ə kəmpli:'t lo:brikej'ʃən]
tvätta bilen	*wash the car* [wåʃ' ðə ka:']
kontrollera batteriet	*check the battery* [tʃekk'] [ðə bätt'əri]
bränsleinsprutningen	*the fuel injection* [ðə fjo:'l indʒekk'ʃən]
lufttrycket i däcken	*the pressure in the tyres* [ðə preʒ'ə in ðə taj'əz]
oljan	*the oil* [ði åj'l]
tändningen	*the ignition* [ði igni'ʃən]

avgasrör exhaust pipe [igzå:'st paj'p]	**broms** brake [brejk]
batteri battery [bätt'əri]	**bromsljus** stop light [ståpp'lajt]
bensintank petrol tank [pett'rl täng'k]	**bromsvätska** brake fluid [brej'kflo:id]
blinker blinker [bling'kə]	**bromspedal** brake pedal [brej'kpedl]
	bränsleinsprutningen the fuel

injection [ðə fjo:'l indʒekk'ʃən]
bärgningsbil breakdown lorry [brej'kdaon lårr'i]
chassi chassis [ʃäss'i]
choke choke [tʃəok]
cylinder cylinder [sill'ində]
domkraft jack [dʒäkk']
däck tyre [taj'ə]
fjädring spring system [spring' siss'təm]
fläktrem fan belt [fänn'belt]
fördelare distributor [distribb'jətə]
gaspedal accelerator [äksell'ərejtə]
generator generator [dʒenn'ərejtə]
halvljus dipped headlights [dip't hedd'lajts]
handbroms handbrake [hänn'dbrejk]
hastighetsmätare speedometer [spidåmm'itə]
helljus headlights [hedd'lajts]
kardanaxel propeller shaft [propell'ə ʃa:'ft]
koppling clutch [klatʃ]
kylare radiator [rej'diejtə]
lager bearing [bä:'ring]
ljuddämpare silencer [saj'lənsə]

luftrenare air cleaner [ä:'ə kli:'nə]
motorhuv bonnet [bånn'it]
navkapsel hub cap [habb käpp']
radialdäck radial tyre [rej'dʒəl taj'ə]
reservdelar spare parts [spä:'ə pa:'ts]
reservhjul spare wheel [spä:'ə wi:'l]
slanglösa däck tubeless tyres [tjo:'b-lis taj'əs]
startmotor starting motor [sta:'ting məo'tə]
startnyckel ignition key [igni'ʃən ki:']
stötdämpare shock absorber [ʃåkk'-əbzå:'bə]
stötfångare bumper [bamm'pə]
säkring fuse [fjo:z]
tomgång idling [aj'dling]
tändning ignition [igni'ʃən]
tändstift spark plug [spa:'k plagg']
ventil valve [väll'v]
verkstad garage [gärr'a:ʒ]
vindrutetorkare windscreen wiper [winn'dskri:n waj'pə]
vägmätare mileometer [majlåmm'itə]
växellåda gearbox [gi:'əbåks]
växelspak gear lever [gi:'ə li:'və]

Hotell och pensionat *Hotel and boarding-house* [həotell' ənd bå:'dinghaos]	
Finns det någon post till mig?	*Are there any letters for me?* [a: ðä:ər enn'i lett'əz få mi:']
Finns det något billigare (mindre, större) rum?	*Is there a cheaper (smaller, bigger) room?* [iz ðä:ər ə tʃi:'pə (små:'lə, bigg'ə) ro'm]
Goddag, mitt namn är ...	*Good morning (afternoon, evening) my name is ...* [godd må:'ning (a:'ftəno:'n, i:'vning), maj' nejm iz]
God morgon, kan vi få upp en te och en kaffe	*Good morning, may we have one tea and one coffee, please* [godd må:'-ning, mej wi häv wann' ti:, ənd wann' kåff'i pli:'z]
Har ni något ledigt rum för tre nätter?	*Have you a room for three nights?* [hävv' jo ə ro:m få θri:' najt's]
Ingår frukost i priset?	*Is breakfast included in the room price?* [iz brekk'fəst inklo:'did in ðə ro:m praj's]
Jag hade beställt ett enkelrum (dubbelrum)	*I have booked a single room (double room)* [aj häv bokk't ə sing'gl ro:m (dabb'lro:'m)]

Jag reser med [researrangör]	*I'm [travelling] with ...* [aj'm (trävv'-ling) wið]
Kan jag få nyckeln till rum nummer 13	*May I have the key to room number 13, please* [mej aj häv ðə ki:' to ro:m namm'bə θə:'ti:'n pli:z]
Kan ni göra i ordning vår räkning	*Would you please make up our bill* [wodd jo pli:'z mejk app' aoə bill']
Kan vi få frukost på rummet?	*May we have breakfast in our room?* [mej wi häv brekk'fəst in aoə ro:'m]
Kan vi få väckning klockan 7 i morgon bitti	*Would you please call us tomorrow morning at seven* [wodd jo pli:'z kå:'l ass təmårr'əo må:'ning ätt sevv'n]
När serveras frukosten?	*When is breakfast served?* [wenn' iz brekk'fəst sə:'vd]
Vad kostar rummet?	*How much is the room?* [hao matʃ' iz ðə ro'm]
Var kan jag parkera bilen?	*Where can I park my car?* [wä:'ə känn aj pa:'k maj ka:']
Var ligger frukostrummet (matsalen)?	*Where is the breakfast room (dining room)?* [wä:'ər iz ðə brekk'fast ro:m (daj'ningro:m)]
Vill ni beställa en taxi åt mig?	*Could you get me a taxi?* [kodd jo gett' mi ə täk'si]
Vi reser tidigt i morgon bitti	*We are leaving early to-morrow morning* [wi: a: li:'ving ə:'li təmårr'əo må:'-ning]
Är betjäningsavgiften inkluderad?	*Is service included?* [iz sə:'vis inklo:'did]

bagage luggage [lagg'idʒ], *Am.* baggage [bägg'idʒ]	**portier** hall porter [hå:'l på:'tə]
drickspengar tip [tipp]	**reception** reception desk [risepp'ʃən desk]
extrasäng extra bed [ekk'strəbedd]	**rum åt gatan (gården)** front (back) room [frann't (bäkk') ro:m]
halvpension partial board [pa:'ʃəl bå:'d]	**städerska** chamber maid [tʃej'mbə mej'd]
helpension full board [foll' bå:'d]	**telefonhytt** call box [kå:'lbåks]
hiss lift [lift], *Am.* elevator [ell'ivejtə]	**vestibul** lounge [laondʒ]
hotelldirektör manager [männ'idʒə]	**voucher** [vao'tʃə] *(kvitto på erlagd betalning för hotellrum och måltider)*
med bad with a bath [wið ə ba:'θ]	
nyckel key [ki:]	

Läkare och tandläkare *Doctor and dentist* [dåkk'tə änd denn'tist]

Hur mycket blir jag skyldig?	*How much do I owe you?* [hao matʃ' do aj əo' jo]
Jag har	*I have* [aj häv]
bitit av en tand	*broken a tooth* [brəo'kən ə to:'θ]
feber	*a temperature* [ə temm'pritʃə]

influensa	*the flu* [ðə flo:']
en kraftig förkylning	*a severe cold* [ə sivi:'ə kəo'ld]
kväljningar	*nausea* [nå:'sjə]
ont i halsen	*a sore throat* [ə så:' θrəo't]
ont i huvudet	*a headache* [ə hedd'ejk]
ont i magen	*a stomach-ache* [ə ståmm'əkejk]
ont i öronen	*earache* [i:'ərejk]
svårt att sova	*difficulty in sleeping* [diff'ikalti in sli:'ping]
tandvärk	*toothache* [to:'θejk]
tappat en plomb	*lost a filling* [låss't ə fill'ing]
vrickat en fot	*sprained my ankle* [sprej'nd maj äng'kl]
Jag skulle vilja tala med en läkare	*I'd like to see a doctor* [ajd laj'k to si:' ə dåkk'tə]
Jag är sjuk	*I'm ill* [ajm ill']
Kan jag få något smärtstillande?	*Could you give me something to ease the pain?* [kodd jo givv' mi samm'-θing to i:z ðə pej'n]
Kan jag få ett recept på ...	*Could you give me a prescription for ...* [kodd jo givv' mi ə priskripp'∫ən få:]
Kan ni skicka efter en läkare	*Could you send for a doctor* [kodd jo senn'd fər ə dåkk'tə]
Måste jag hålla mig inomhus?	*Must I stay indoors?* [mass't aj stej' indå:'z]
Måste jag ligga till sängs?	*Must I stay in bed?* [mass't aj stej' in bedd']
När har doktorn mottagning?	*What are the doctor's surgery hours?* [wått' a: ðə dåkk'təz sə:'dʒəri ao'əz]
När kan jag få komma?	*When can I come?* [wenn' kən aj kamm']
Skulle ni vilja skriva ett intyg till försäkringskassan	*Could you give me a medical certificate for health insurance?* [kodd jo givv' mi ə medd'ikəl sətiff'ikit fə hell'θ in∫oə'rəns]

allergi allergy [äll'ədʒi]	**bruten arm** broken arm [brəok'n a:'m]
barnläkare paediatrician [pi:diətri'-∫ən]	**brutet ben** broken leg [brəok'n legg']
bedövning anaesthetic [änəsθett'ik]	**diarré** diarrhoea [dajəri:'ə]
blindtarmsinflammation appendicitis [əpendisaj'tis]	**förkylning** cold [kəold]
blodförgiftning blood poisoning [bladd' påj'zəning]	**förstoppning** constipation [kånsti-pej'∫ən]
blodgrupp blood group [bladd' gro:'p]	**gallstensanfall** biliary colic [bill'jəri kåll'ik]
blodtryck blood pressure [bladd' pre3'ə]	**gulsot** jaundice [dʒå:'ndis]
blåskatarr cystitis [sistaj'tis]	**gynekolog** gynaecologist [gajnikåll'-ədʒist]
	hjärtfel heart disease [ha:'tdizi:z]

hosta cough [kåff]
hål hole [håol]
ischias sciatica [sajätt'ikə]
jourhavande läkare doctor on duty [dåkk'tə ån djo:'ti]
klåda itching [itʃ'ing]
kirurg surgeon [sə:'dʒən]
kräkas vomit [våmm'it]
lunginflammation pneumonia [njo:-məon'jə]
magsår gastric ulcer [gäss'trik all'sə]
matförgiftning food poisoning [fo:'d påj'səning]
medicin medicine [medd'sin]
medicinare physician [fiziʃ'ən]
mottagningstid surgery hours [sə:'dʒəri ao'əz]
njurstensanfall renal colic [ri:'nl kåll'ik]
plomb filling [fill'ing]
protes artificial limb [a:tifiʃ'əl limm'], (*tand-*) denture [denn'tʃə]

röntga X-ray [ekk'srej]
sjukhus hospital [håss'pitəl]
sjuksköterska nurse [nə:s]
smittsam infectious [infekk'ʃəs]
smärta pain [pejn]
snuva head cold [hedd' kəo'old]
sockersjuka diabetes [dajəbi:'tiz]
solsting sunstroke [sann'strəok]
stifttand pivot tooth [pivv'ət to:'θ]
svimma faint [fejnt]
svullnad swelling [swell'ing]
sår wound [wo:nd]
sömnlöshet insomnia [insåmm'niə]
tandkött gums [gammz]
underkäke lower jaw [ləo'ə dʒå:']
urinprov urine sample [jo:'ərin sa:'mpl]
vrickning sprain [sprejn]
värk ache [ejk]
yrsel dizziness [dizz'inis]
överkäke upper jaw [app'ə dʒå:']

Nöjen *Entertainments* [entətej'nmənts]

Jag skulle vilja hyra en kikare	*May I hire a pair of opera-glasses?* [mej aj haj'ə pä:r əv åpp'ərəgla:siz]
Jag vill gärna sitta i mitten	*I'd like a seat in the middle* [ajd lajk ə si:'t in ðə midd'l]
Kan jag få ett program?	*May I have a programme, please?* [mej aj häv ə prəo'gräm pli:z]
Kan jag få två biljetter till i kväll	*May I have two tickets for this evening?* [mej aj hävv' to:' tikk'its få ðiss i:'vning]
Kan ni rekommendera något trevligt dansställe (diskotek)	*Can you recommend a nice dancehall (discothèque)?* [känn jo rekəmenn'd ə najs da:'nshå:l (diss'kəotek)]
Måste vi köpa biljetter i förväg?	*Do we have to buy tickets in advance?* [do wi hävv' tə baj' tikk'its in ədva:'ns]
När börjar (slutar) föreställningen?	*When does the performance start (end)?* [wenn' dazz ðə pəfå:'məns sta:' (en'd)]
Är platserna numrerade?	*Are the seats reserved?* [a: ðə si:'ts rizə:'vd]
Är det utsålt till i kväll?	*Are all tickets sold for this evening?* [a: å:'l tikk'its səo'ld få ðiss i:'vning]

andra raden upper circle [app'ə sə:'kl]
bakre parkett the pit [ðə pitt']
balkong balcony [bäll'kəni]
biljettlucka box-office [båkk'såff'is]
biograf cinema [sinn'imə]
bänkrad row [rəo]
cirkus circus [sə:'kəs]
dansställe dance-hall [da:'nshå:l]
diskotek discothèque [diss'kəotek]
främre parkett the orchestra stalls [ði å:'kistrə stå:'lz]
föreställning performance [pəfå:'-məns]
förköp advance booking [ədva:'ns bokk'ing]
första raden dress circle [dress sə:'kl]
garderob cloakroom [kləok'ro:m]
kasperteater Punch and Judy show [pann'tʃ ənd dʒo:'di ʃəo']

konsert concert [kånn'sət]
loge box [båks]
marionetteater puppet theatre [papp'it θi:'ətə]
matiné matinée [mätt'inej]
musikal musical [mjo:'zikəl]
nattklubb night club [naj't klabb']
opera opera [åpp'ərə]
operett musical comedy [mjo:'zikl kåmm'idi]
parkett the stalls [ðə stå:'lz]
plats seat [si:t]
premiär opening night [əo'pəning naj't]
program programme [prəo'gräm]
rad circle [sə:'kl]
revy revue [rivjo:', show [ʃəo]
tivoli amusement park [əmjo:'zmənt pa:'k]
utsålt full house [foll' haos]
varieté variety show [vərəj'əti ʃəo']

Resebyrå *Travel agency* [trävv'l ej'dʒənsi]

Går planet direkt till Stockholm?	*Does this plane go direct to Stockholm?* [daz θiss' plej'n gəo dajrekk't to ståkk'həom]
Hur dags är jag framme i ...	*When will I get to* [wenn' will aj gett' to]
Hur länge gäller biljetten?	*How long is the ticket valid?* [hao lång' iz ðə tikk'it väll'id]
Jag vill boka plats för bilen på färjan till ...	*I'd like to make a booking for my car on the ferry to ...* [ajd lajk'to mejk ə bokk'ing få maj ka:' ånn ðə ferr'i to]
Jag vill gärna avbeställa biljetten	*I'd like to cancel my ticket* [ajd lajk to känn'sl maj tikk'it]
Kan jag få en förstaklassbiljett till ...	*I'd like a first-class ticket to ...* [ajd lajk ə fo:'stkla:'s tikk'it to]
Kan jag få se på en tidtabell	*Have you a timetable, please* [häv jo ə taj'mtejbl pli:z]
Kan ni sätta upp mig på väntelista	*Can you put my name on the waiting list?* [känn jo pott maj nej'm ån ðə wej'ting list]
Mellanlandar det här planet någonstans?	*Does this plane touch down en route?* [daz ðiss plej'n tatʃ dao'n a:nro:'t]
När får man gå ombord?	*When can I go onboard?* [wenn' känn aj gəo ånbå:'d]
När går tåget till ...?	*When does the train for ... leave?*

När måste jag vara på flygplatsen (terminalen)?

[wenn' daz ðə trej'n få li:'v]
When do I have to be at the airport (terminal)? [wenn' do aj häv to bi:' ätt ði ä:'əpå:t (tə:'minal)]

När måste bilen vara vid färjan?

When must the car be at the ferry? [wenn' mast ðə ka:' bi ätt ðə ferr'i]

Varifrån går bussen till flygplatsen?

From where does the bus depart for the airport? [fråm wä:'ə daz ðə bass' dipa:'t fə ði ä:'əpå:t]

ankomst arrival [əraj'vəl]
avbeställa cancel [känn'səl]
avgång, avresa departure [dipa:'tʃə]
bagage luggage [lagg'idʒ]
beställa, boka book [bokk]
biljett ticket [tikk'it]
enkel biljett single ticket [sing'gl tikk'it]
flygning flight [flajt]
flygplats airport [ä:'əpå:t]
försening delay [dilej']
försäkring insurance [inʃo:'ərəns]
handbagage hand luggage [hänn'd lagg'idʒ]
hyttplats berth [bə:θ]
invägning weighing in [wej'ing inn]
landning landing [länn'ding]
mellanlandning intermediate landing [intəmi:'djət länn'ding]
platsbiljett seat reservation [si:'t resəvej'ʃən]

reseledare guide [gajd]
resgodsförsäkring luggage insurance [lagg'idʒ inʃo:'ərəns]
resgodsinlämning left-luggage office [left'lagg'idʒ åff'is]
restaurangvagn restaurant car [ress'tərång ka:]
rumsförmedling accomodation agency [əkåmədej'ʃən ej'dʒənsi]
snälltåg fast train [fa:'st trej'n]
sovplatsbiljett sleeper ticket [sli:'pə tikk'it]
sällskapsresa conducted tour [kəndakk'tid to:'ə]
tillägg additional charge [ədiʃ'ənəl tʃa:'dʒ]
tur och retur-biljett return ticket [ritə:'n tikk'it]
övervikt excess weight [ekk'ses wej't]

Restaurang *Restaurant* [res'tərång]

Får jag be om notan

May I have the bill, please [mej aj häv ðə bill' pli:z]

Får jag tala med hovmästaren

May I speak to the head waiter? [mej aj spi:'k to ðə hedd' wej'tə]

Får vi slå oss ner här?

Do you mind if we sit here? [do jo maj'nd if wi sitt' hi:'ə]

Fröken!

Miss! [miss]

Har ni någon specialitet?

Have you any speciality? [häv jo enn'i speʃiäll'iti]

Har ni barnportioner?

Do you have children's portions? [do jo häv tʃill'drənz på:'ʃənz]

Jag vill ha biffen genomstekt (lätt stekt, blodig)

I like my steak well done (medium, rare) [aj laj'k maj stej'k well' dann' (mi:'djəm, rä:'ə)]

Kan ni rekommendera någon trevlig restaurang (barservering)?	*Can you recommend a nice restaurant (self-service restaurant)?* [känn jo rekomenn'd ə naj's res'tərång (sell'fsə:vis ress'tərång)]
Kan vi få ett bord för fyra	*May we have a table for four?* [mej wi häv ə tej'bl fə få:']
Kan vi se på matsedeln (vinlistan)	*May we see the menu (wine-list)?* [mej wi si: ðə men'jo (waj'nlist)]
Kan vi få två biffstek	*May we have two steaks?* [mej wi häv to:' stej'ks]
Vaktmästarn!	*Waiter!* [wej'tə]
Vi skulle vilja ha ...	*We'd like ...* [wi:d laj'k]
Är det ledigt här?	*Is this seat free?* [iz ðis si:'t fri:']
Är servisen inräknad?	*Is service included?* [iz sə:'vis inklo:'did]

ale [ejl] öl
anchovy [änn'tʃəvi] ansjovis
artichoke [a:'tiʃəok] kronärtskocka
asparagus [əspärr'əgəs] sparris
bean [bi:n] böna
beef [bi:f] oxkött
beer [bi:'ə] öl
beetroot [bi:'tro:t] rödbeta
beverage [bevv'əridʒ] dryck
biscuit [biss'kit] kex
brandy [bränn'di] konjak
brill [brill] slätvar
brisket [briss'kit] bringa
Brussels sprouts [brass'lz spraots] brysselkål
burbot [bə:'bət] lake
cabbage [käbb'idʒ] kål
cake [kejk] tårta
carrot [kärr'ət] morot
cauliflower [kåll'iflaoə] blomkål
celery [sell'əri] selleri
cheese [tʃi:z] ost
chestnut [tʃess'nat] kastanj
chicken [tʃikk'in] kyckling
chips [tʃips] pommes frites
chop [tʃåp] kotlett
Christmas pudding [kriss'məs pudd'ing] plumpudding
clear soup [kli:'ə so:'p] buljong
cod [kådd] torsk
cookie [kokk'i] småkaka
crab [kräbb] krabba
crayfish [krej'fiʃ] kräfta

cream [kri:m] grädde
crème brûlée [krem brolej'] brylépudding
crispbread [kriss'pbredd] knäckebröd
croissant [kroa:sa:'ng] giffel
crumpet [kramm'pit] mjuk tekaka
cucumber [kjo:'kambə] gurka
custard [kass'təd] vaniljsås
cutlet [katt'lit] kotlett
cuttle-fish [katt'lfiʃ] bläckfisk
decanter [dikänn'tə] karaff
dessert [dizə:'t] dessert
doughnut [dəo'natt] munk
draught beer [dra:'ft bi:'ə] fatöl
duck [dakk] anka
eel [i:l] ål
filleted fish [fill'itid fi'ʃ] fiskfilé
fillet of steak [fill'it əv stej'k] oxfilé
fish [fiʃ] fisk
flounder [flao'ndə] flundra
French loaf [fren'tʃ ləo'f] långfranska
garlic [ga:'lik] vitlök
gravy [grej'vi] sky
grouse [graos] ripa
haddock [hädd'ək] kolja
halibut [häll'ibət] hälleflundra
ham [häm] skinka
hash [häʃ] ragu
hors d'oeuvre [å:də:'vr] förrätt
horse-radish [hå:'srädiʃ] pepparrot
ice cream [aj'skri:m] glass
jam [dʒäm] sylt
jelly [dʒell'i] gelé

kidney [kidd'ni] njure

kipper [kipp'ə] rökt sill

lemon [lemm'ən] citron

lettuce [lett'is] sallad

liqueur [likjo:'ə] likör

liver [livv'ə] lever

lobster [låbb'stə] hummer

macaroon [mäkəro:'n] mandelbiskvi

mackerel [mäkk'rəl] makrill

meat [mi:t] kött

meatball [mi:'tbå:l] köttbulle

milk [milk] mjölk

mineral water [minn'ərəl wå:'tə] mineralvatten

mint [mint] mynta

mock turtle soup [måkk' tə:tl so:'p] falsk sköldpaddssoppa

mussel [mass'l] mussla

mustard [mass'təd] senap

non-alcoholic [nån' älkəhåll'ik] alkoholfri

onion [ann'jən] lök

oxtail soup [åkk'stejl so:'p] oxsvanssoppa

oyster [åj'stə] ostron

parsley [pa:'sli] persilja

partridge [pa:'tridʒ] rapphöna

pea [pi:] ärta

perch [pə:tʃ] abborre

pike [pajk] gädda

pikeperch [paj'kpə:tʃ] gös

plaice [plejs] rödspätta

pork [på:k] griskött

porridge [pårr'idʒ] gröt

rabbit [räbb'it] kanin

radish [rädd'iʃ] rädisa

rice [rajs] ris

roast beef [rəo'st bi:'f] oxstek, rostbiff

rumpsteak [ramm'pstejk] biffstek

rusk [rask] skorpa

salmon [samm'ən] lax

sauce [så:s] sås

sauerkraut [sao'əkraot] surkål

sausage [såss'idʒ] korv

scrambled eggs [skräm'bld egg'z] äggröra

shellfish [ʃell'fiʃ] skaldjur

shepherd's pie [ʃepp'ədz paj'] hackat oxkött med potatismos

shrimp [ʃrimp] räka

soft drink [såff't dring'k] läskedryck

sole [səol] sjötunga

sparkling [spa:'kling] mousserande

spice [spajs] krydda

spinach [spinn'idʒ] spenat

sponge cake [spånn'dʒ kej'k] sockerkaka

sprat [sprätt] skarpsill

squash [skwåʃ] saft

stuffing [staff'ing] fyllning

sweet [swi:t] efterrätt

sweetbread [swi:'tbred] kalvbräss

toast [təost] rostat bröd

treacle [tri:'kl] sirap

trifle [traj'fl] frukttårta

tripe [trajp] oxmage

trout [traot] forell

turbot [tə:'bət] piggvar

turkey [tə:'ki] kalkon

veal [vi:l] kalvkött

vegetables [vedʒ'ətəblz] grönsaker

venison [venn'zn] hjort

Welsh rabbit (rarebit) [welʃ' räbb'it (rä:'bit)] grillad ostsmörgås

whipped cream [wipp't kri:'m] vispgrädde

whiting [waj'ting] vitling

yorkshire pudding [jå:'kʃə podd'ing] slags pannkaka

Tull och passkontroll Customs and passport control [kass'təmz änd pa:'spå:t kəntrəol']

Får jag se på ert pass	May I see your passport, please [mej aj si: jå: pa:'spå:t pli:z]
Hur länge tänker ni stanna i landet?	How long are you going to stay in this country? [hao' lång' a: jo gəo'ing to stej in ðiss' kann'tri]

Har ni något att förtulla?
Have you anything to declare? [häv jo enn'iθing to diklä:'ə]

Jag har bara personliga saker
I have only personal effects [aj häv əon'li pə:'sənəl ifekk'ts]

Kan jag få se försäkringsbeskedet till bilen
May I see the insurance certificate for the car, please? [mej aj si: ði inʃo:'ərəns sətiff'ikit få: ðə ka:' pli:'z]

Var vänlig och öppna den här väskan
Please open this suitcase [pli:'z əo'pən ðiss sjo:'tkejs]

Vill ni fylla i den här blanketten
Please fill up this form [pli:'z fill' app ðiss få:'m]

---

ankomstdatum date of arrival [dej't əv əraj'vəl]
betala tull för pay duty on [pej djo:'ti ån]
efternamn surname [sə:'nejm]
födelsedatum date of birth [dej't əv bə:'θ]
födelseort place of birth [plej's əv bə:'θ]
förnamn Christian name [kriss'tʃən nej'm]
gå igenom tullen pass through the customs [pa:'s θro: ðə kass'təmz]
hemort place of domicile [plej's əv dåmm'isajl]

inresa entry [enn'tri]
kontanter cash [käʃ]
nationalitet nationality [näʃənäll'iti]
pass passport [pa:'spå:t]
passkontroll passport control [pa:'spå:t kəntrəol']
resecheck traveller's cheque [trävv'ələz tʃekk']
sedel banknote [bäng'knəot]
titel title [taj'tl]
tullfri duty-free [djo:'tifri:]
tullpliktig dutiable [djo:'tiəbl]
utresa exit [ekk'sit]
visum visa [vi:'zə]
yrke occupation [åkjopej'ʃən]